Inhalt

C. Geschichte   87

Paradigmenwechsel des Judentums

Die bleibende Glaubenssubstanz:

Die Botschaft: »Jahwe ist der Gott Israels, und Israel sein Volk«.
Das entscheidende Offenbarungsereignis: Befreiung aus Ägypten
und Sinai-Offenbarung.
Das unterscheidend Jüdische: **Israel** als Gottes **Volk** und **Land**.

Das wechselnde Paradigma (= P)
(Makromodell von Gesellschaft, Religion, Theologie):

»Eine Gesamtkonstellation von Überzeugungen, Werten, Verfahrensweisen, die von den Mitgliedern einer bestimmten Gemeinschaft geteilt werden« (Thomas S. Kuhn).

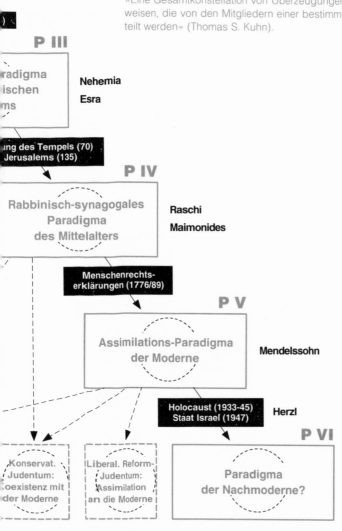

vid
omo

)

P III

radigma
ischen
ms

Nehemia

Esra

ung des Tempels (70)
Jerusalems (135)

P IV

Rabbinisch-synagogales
Paradigma
des Mittelalters

Raschi

Maimonides

Menschenrechts-
erklärungen (1776/89)

P V

Assimilations-Paradigma
der Moderne

Mendelssohn

Holocaust (1933-45)
Staat Israel (1947)

Herzl

P VI

Konservat.
Judentum:
Koexistenz mit
der Moderne

Liberal. Reform-
Judentum:
Assimilation
an die Moderne

Paradigma
der Nachmoderne?

HANS KÜNG
Das Judentum

DIE RELIGIÖSE SITUATION DER ZEIT:

Das Judentum

KEIN FRIEDEN UNTER DEN NATIONEN
OHNE FRIEDEN UNTER DEN RELIGIONEN.

KEIN FRIEDEN UNTER DEN RELIGIONEN
OHNE DIALOG ZWISCHEN DEN RELIGIONEN.

KEIN DIALOG ZWISCHEN DEN RELIGIONEN
OHNE GRUNDLAGENFORSCHUNG IN DEN RELIGIONEN.

B. Der Streit zwischen Juden und Christen

HANS KÜNG

DAS JUDENTUM

Piper
München Zürich

HANS KÜNG

DAS JUDENTUM

ISBN 3-492-03496-9
2. Auflage, 16.–20. Tausend 1991
© R. Piper GmbH & Co. KG, München 1991
Grafiken: © Hans Küng / Stephan Schlensog
Satz: Stephan Schlensog / Opus Data, Christoph Lang
Datenverarbeitung, Rottenburg
Umschlag: Federico Luci
Druck und Bindung: Mohndruck,
Graphische Betriebe GmbH, Gütersloh
Printed in Germany

D. Der Holocaust und die Zukunft des Redens von Gott

Meinen jüdischen Freunden in aller Welt

Was dieses Buch will

Keine Analyse der religiösen Situation der Zeit ohne eine Analyse des lebendigen Judentums! Was wird die Zukunft des Judentums sein, wo ein neues Jahrtausend greifbar nahe ist und alle Welt darüber rätselt? Wie in einem Brennglas spiegeln sich ja im Judentum, dieser ältesten der drei großen prophetischen Religionen, alle religiösen Probleme unserer Zeit an der Schwelle zum neuen Jahrtausend. Wiewohl gering an Zahl ihrer Anhänger, ist das Judentum doch eine geistige Weltmacht. Es empfiehlt sich, mit ihm unser **Gesamtprojekt** »Zur religiösen Situation der Zeit« zu beginnen, das sich zunächst auf die drei prophetischen Religionen nahöstlichen Ursprungs konzentrieren soll.

Ich gehe davon aus: Alle Weltreligionen, ob Christentum, Judentum oder Islam, sind lebendige überindividuelle, internationale und transkulturelle Systeme, die im Lauf ihrer jahrtausendealten Geschichte verschiedene epochale Gesamtkonstellationen (Paradigmen) durchgemacht haben. Eine Untersuchung wird ihnen nur gerecht, wenn sie gleichzeitig ein Zweifaches anstrebt:
– **Analysen** der in der Gegenwart noch immer wirksamen geistigen Kräfte einer jahrtausendealten Geschichte: deshalb eine historisch-systematische **Diagnose**;
– **Prospektiven** von der analysierten Gegenwart auf die in der Zukunft gegebenen verschiedenen Optionen: deshalb praktisch-ökumenische **Lösungsansätze**.

Denn nur wenn wir wissen, wie es soweit gekommen ist (**Erster Hauptteil: »Die noch gegenwärtige Vergangenheit«**),
können wir verstehen, wie es um uns steht (**Zweiter Hauptteil: »Die Herausforderungen der Gegenwart«**),
können wir überlegen, wie es weitergehen soll (**Dritter Hauptteil: »Die Möglichkeiten der Zukunft«**).

Hinzu kommt: In einer Zeit der globalen Verflechtung von immer mehr Lebensräumen der Menschheit in Politik, Wirtschaft, Verkehr, Umwelt und Kultur lebt **keine Religion mehr in einer »splendid isolation«.** In der einen Welt, wo vielerorts Menschen verschiedener Religionen in derselben Straße wohnen, im selben Büro arbeiten und an derselben Universität studieren, kann es Christen nicht gleichgültig sein, was im Judentum, was im Islam vor sich geht. Aber umgekehrt werden die Christen ihrerseits von Juden oder Muslimen erwarten, daß diese ihre Sicht von Vergangenheit, Gegenwart und Zukunft des Christentums kritisch formulieren. Im Zeitalter eines erwachten globalen ökumenischen Bewußtseins muß für die **ökumenische Gesamtverantwortung aller für alle** geworben werden – gerade angesichts der in der Golf- und Palästinakrise dramatisch neu aufgebrochenen religiösen und ethnischen Antagonismen.

Dabei ist es für christliche oder muslimische Leser aufregend zu beobachten, wie der **Grundkonflikt von Tradition und Innovation** im Judentum ausgetragen und gelöst wird. Werden doch hier unsere eigenen Probleme stellvertretend mitbehandelt. Es ist auch für den christlichen oder muslimischen Beobachter von exemplarischer Bedeutung zu wissen: Wird es dem Judentum gelingen, bei allen Unterschieden und Konflikten, allen verschiedenen Richtungen und Schulen, allen Kämpfen zwischen Orthodoxen, Konservativen und Reformern, das große Zentrum, die religiöse Substanz des Judentums im Blick zu behalten und einer neuen Generation verständlich zu machen? Wird es den geistigen Kräften dieses Volkes, das auf dem Höhepunkt der Moderne durch die Assimilation und am Ende der Moderne durch den Holocaust in eine Existenzkrise sondergleichen hineingetrieben wurde, gelingen, die Herausforderungen der neuen Weltepoche – für das Judentum verbunden mit der Gründung des Staates Israel – anzunehmen und kreativ für eine neue, nach-moderne Gesamtvision umzusetzen?

All diese Fragen zeigen schon: Der christliche Theologe ist hier nicht in der Position des Abgesicherten, der nur »von außen« in kalter Objektivität andere Religionen auf »ihre« Probleme hin befragt. Nein, der christliche Theologe steht mitten drin in den geistigen Veränderungsprozessen und hat begriffen: **Alle großen Religionen** stehen im Übergang zur »Postmoderne« (oder wie man die neue Epoche immer nennt) **vor ähnlichen strukturellen Problemen.** Und die Studien über das Christentum und den Islam, die diesem Buch folgen sollen, werden dies mit der gleichen Deutlichkeit – keine religiöse Wahrheit ohne persönliche Wahrhaftigkeit! – bewußt zu machen haben. Denn so wie das Judentum, entgegen allen Vorstellungen des jüdischen Traditionalismus, keine starre, einheitliche Größe ist, sondern eine komplexe und dynamische Einheit, die sich ständig verändert, so auch Christentum und Islam. Ökumenische Gesamtverantwortung wahrnehmen heißt also, im Spiegel der anderen die eigenen Probleme besser erkennen und deren Erfahrungen bei der Lösung von Konflikten in der eigenen Religion an andere weitergeben.

Klar ist freilich: Ein solches **Buch über das Judentum** ist ein Abenteuer. Für den Autor zuerst, dann aber auch für die Leser. Denn einerseits wird es **jüdische Leser** provozieren: Wie kann ein christlicher Theologe es wagen, sich so in innerjüdische Angelegenheiten einzumischen? Sich zu äußern zu Ursprung, Zentrum und Geschichte des Judentums, einzugreifen in die Debatten um heiß umstrittene Themen wie Gesetz und Holocaust, Staat Israel und die Palästinenserfrage, ja sogar die Frage nach dem »Wesen« und den geistigen »Zukunftschancen« des Judentums aufzuwerfen? Was hat ein Christ zu schaffen mit dem Thema »Judentum«? Für Juden steht das Judentum doch in sich. Wozu soll es des Christentums bedürfen, das ohnehin zweitausend Jahre lang alles getan hat, um dem Judentum jede Zukunft zu nehmen?

Dieses Buch wird andererseits aber auch **Christen** (und vielleicht auch manche Muslime) beunruhigen: Wie kann ein christlicher Theologe es wagen, dem Judentum so weit entgegenzukommen – etwa in bezug auf die Herkunft des Christentums vom Judentum? Wie kann man so viel Selbstkritik im Lichte des Judentums üben, so offen vom Antijudaismus der christlichen Kirchen durch die Jahrhunderte reden und das vielfache christliche Versagen – von Pius XII. und den deutschen Bischöfen angefangen – im Hinblick auf den nationalsozialistischen Massenmord so unzweideutig ansprechen? Was geht einen Christen die Zukunft des Judentums an? Für Christen gehört die Zukunft doch dem Christentum – ein für allemal. Ist das Judentum nicht eine im Prinzip »aufgehobene« Religion?

Dieses Buch will den Kontrapunkt setzen: Das **Judentum** wird hier nicht als vergangenes »Altes Testament«, sondern als eine **eigenständige Größe von bewundernswerter Kontinuität, Vitalität und Dyna-**

mik betrachtet. Keiner christlichen Theologie ist es länger erlaubt, das Judentum »heilsgeschichtlich« als »überholt« zu betrachten oder als bloßes »Erbe« zur Eigenprofilierung zu verzwecken. Keiner christlichen Kirche ist es länger gestattet, sich als das »neue Israel« einfach an die Stelle des »alten« zu setzen. Kein Christ hat das Recht, die Realität des lebendigen Judentums und die Herausforderung nicht nur der Weiterexistenz, sondern auch der dynamischen Erneuerung und staatlichen Selbstorganisation dieses Volkes zu ignorieren.

Und weil es um ökumenische Gesamtverantwortung geht, kann man ein solches Buch nicht schreiben ohne **Sympathie** für die großen Religionen der Menschheit. Und so ist dieses Buch aus einer tiefen Sympathie **für das Judentum** heraus geschrieben; unbestechliche wissenschaftliche Redlichkeit, die nach allen Seiten hin unerschrocken die Wahrheit sagt, und leidenschaftliches Engagement, das unverdrossen gegen Haß und Unverständnis und für Frieden und Verständigung arbeitet, schließen sich ja nicht aus. Keine Mühe jedenfalls wurde gescheut, die epochemachenden Umbrüche und die daraus folgenden, bis heute gültigen **kulturell-religiösen Konstellationen oder Paradigmen** der über dreitausendjährigen Geschichte des Judentums auf neuestem Forschungsstand zu analysieren und zu profilieren. Keine Mühe gescheut, **das Verändernde und das Bleibende** zu sichten, die Variablen wie die Konstanten herauszuarbeiten. Keine andere Leidenschaft treibt dieses Buch um als die: das Judentum in seinen Grundlagen, seiner Entwicklung und seinen Zukunftschancen im Übergang zu einer neuen Weltepoche besser zu verstehen. Und zugleich: die Möglichkeiten einer **wachsenden gegenseitigen Verständigung** auszuloten, einer Verständigung zwischen Juden und Juden und damit verflochten die zwischen Juden und Christen und vielleicht auch die zwischen Juden, Christen und Muslimen.

Dieses Buch will somit mehr als ein Buch zum jüdisch-christlichen Dialog sein, obwohl darin keine der zwischen Christen und Juden nach wie vor umstrittenen Fragen (von Sabbat und Speisegeboten angefangen über Fragen der Politik und des Staates bis hin zu Christologie und Trinität) ausgeklammert werden durfte. Es will das Judentum als **umfassende lebendige Einheit** beschreiben und so dessen geistige Energien in den Diskurs mit Christentum und Islam einbringen: das **Judentum als Herausforderung** für das Christentum und auch den Islam.

Dritter Hauptteil
MÖGLICHKEITEN DER ZUKUNFT

Die in diesem Buch angewandte **Methodik** habe ich in der vorauf-
gegangenen Programmschrift »Projekt Weltethos« (1990) beschrieben und gerechtfertigt (die von wenigen ahnungslosen Rezensenten
bezweifelte Übertragbarkeit der Paradigmentheorie auf die Geschichte der Religionen wurde bereits 1987 in »Theologie im Aufbruch.
Eine ökumenische Grundlegung« grundsätzlich hermeneutisch begründet und wird hier ad oculos demonstriert). Ich weiß: die **Literatur** zu ungefähr jedem Kapitel ist riesig, und jedem Spezialisten wird
es ein Leichtes sein, darauf hinzuweisen, daß man noch dieses oder jenes unerläßliche Werk hätte berücksichtigen müssen. Darauf kann
ich nur antworten, daß ich mir alle erdenkliche Mühe gegeben habe,
mich, soweit dies einem einzelnen möglich ist, über die wissenschaftliche Forschung in den verschiedenen Bereichen zu informieren und
den neuesten internationalen Diskussionsstand in meine eigenen
Überlegungen einzubeziehen. In einer **interdisziplinären Sicht** wollte
ich, soweit wie möglich:
– die große Geschichte des Judentums erzählen und doch zugleich zu
systematischen Erklärungen der Vergangenheit gelangen;
– den kausalen Zusammenhang von Religion, Politik und Gesellschaft deutlich machen und doch zugleich die spezifisch theologische
Reflexion weitertreiben;
– die allgemeinen geschichtlichen Bewegungskräfte sichtbar machen
und doch den menschlichen Faktor, die Rolle wichtiger Persönlichkeiten, nicht ausblenden;
– Originalquellen, wo notwendig, sprechen lassen und mich doch
nicht in den Zitaten verlieren;
– Einfühlung in die betreffende historische Situation verbinden mit
der notwendigen Schärfe des Urteils.
Zum **Technischen:** Weil es in diesem Buch um eine höchst komplexe Geschichte und nicht weniger komplizierte Sachfragen geht,
habe ich mich erstmals in meinen Büchern in so großem Umfang um
zusätzliche **didaktische Hilfen** bemüht. Nicht um Theologie pädagogisch zu verzwecken (wie manche »Gelehrte« hierzulande argwöhnen
könnten, für die Wissenschaftlichkeit mit Schwerverständlichkeit und
Pseudotiefsinn einherzugehen scheint), sondern um für den Leser ein
Höchstmaß an Klarheit und Transparenz herzustellen – durch Her-
vorhebungen im Text, durch Signete, Fragen-Felder, Graphiken, Karten und Synopsen. Das Durchschauen von Komposition und Kon-

zeption dieses umfangreichen und vielschichtigen, doch von vorne bis hinten durchstrukturierten Buches soll so erleichtert werden.

Und nun noch kurz zum **Persönlichen**: Ohne Hilfe hätte ich auch dieses Buch nicht so bald fertigstellen können, Hilfe vor allem aus unserem Tübinger Institut für Ökumenische Forschung. Zuständig für den Verkehr mit den Bibliotheken und für die Schlußkorrekturen (zusammen mit stud. theol. Michel Hofmann) war Dipl.-Theol. Matthias Schnell. Die technische Herstellung des unendliche Male korrigierten Manuskripts besorgten mit großer Sorgfalt Frau Eleonore Henn und Frau Margarita Krause. Eine große Hilfe war mir die formale wie inhaltliche Kritik von Frau Marianne Saur. Die Überprüfung der bibliographischen Angaben, die satztechnische Gestaltung, die Herstellung und die graphische Umsetzung meiner Schemata lag in den kundigen Händen von Dipl.-Theol. Stephan Schlensog. Die Zusammenarbeit mit Lektorat (Herr Ulrich Wank) und Produktion (Herr Hanns Polanetz) des Piper-Verlags war wie immer erfreulich konstruktiv. Das wache Interesse der Verleger selber, Dr. h. c. Klaus Piper und Dr. Ernst-Reinhard Piper, am ganzen Projekt und die stets herzlichen persönlichen Beziehungen bedeuten für mich eine ständige Ermutigung. Für alle Fragen von Inhalt und Stil konnte ich mich wieder einmal auf meinen Kollegen im Institut Dr. Karl-Josef Kuschel, jetzt Privatdozent an der Tübinger Katholisch-Theologischen Fakultät, verlassen, der die Entstehung des Manuskripts von Anfang bis Ende begleitete. Ein besonderes Wort des Dankes gilt auch Professor Clemens Thoma, Judaist in Luzern, der das abgeschlossene Manuskript durchsah und mir manche Anregungen zur Detailkorrektur gegeben hat. Und dankbar sei auch der Hilfe meiner alt- und neutestamentlichen Kollegen Professor Herbert Haag (Tübingen/Luzern) und Professor Michael Theobald (Tübingen) gedacht, welche die alt- und neutestamentlichen Abschnitte dieses Manuskriptes kritisch durchlasen. Einige andere Kollegen habe ich bei den jeweiligen Abschnitten erwähnt. Last not least sei erneut die Robert Bosch-Jubiläums-Stiftung dankbar erwähnt, die mir Mittel für eine Forschungsassistenz und hochwertige Computersysteme zur Verfügung stellte und die so für das Gesamtprojekt »Kein Weltfrieden ohne Religionsfrieden« die materiellen Voraussetzungen schuf.

Aber ein Buch wie dieses wird nicht allein am Schreibtisch geschrieben, sondern entsteht vor allem im Gespräch mit Menschen. **Jüdi-**

schen Freunden und Bekannten verdanke ich dabei naturgemäß für mein Verständnis des Judentums besonders viel. Grundlegend war für mich während der schlimmen 30er und 40er Jahre in Deutschland das selbstverständlich-freundschaftliche Zusammenleben mit unserer jüdischen Nachbarfamilie in meinem Schweizer Heimatstädtchen Sursee und mit jüdischen Mitschülern am Gymnasium in Luzern. Eine Schärfung meines kritischen Bewußtseins bezüglich der Judenfrage und gründliches Studium des Verhältnisses der Kirche zum Judentum erfolgte dann durch Begegnungen mit Juden im Zusammenhang meiner Teilnahme am Zweiten Vatikanischen Konzil 1962-1965 und meiner ersten vielwöchigen Vortragsreise durch die Vereinigten Staaten 1963. Ein theologisches Schlüsselerlebnis auf meiner ersten Reise nach Israel 1967 war die Frage einer jungen jüdischen Mitbürgerin aus Bern, die mich spontan darauf ansprach, was wir Christen denn so Besonderes an diesem Christus fänden, von dem in Jerusalem allenthalben die Rede sei. Ich versuchte eine Antwort vom Jesus der Geschichte her und begriff gerade durch die konkrete Begegnung, wie wichtig für den jüdisch-christlichen Dialog eine Christologie »von unten« ist, wie sie erstmals in meinem Buch »Christ sein« (1974) und jetzt auch in diesem Buch vorgelegt wird. Es folgten während meiner verschiedenen Reisen nach Israel – eine auf Einladung der Schweizerisch-Jüdischen Gesellschaft (Dr. Jakov Bach/Tel Aviv) – zahlreiche Gespräche und Begegnungen, wobei für mich (abgesehen von einem Gespräch mit einem Vertreter des israelischen Außenministeriums und mit anderen Vertretern der offiziellen israelischen Politik) vor allem die Begegnungen mit Prof. Ben-Chorin, Prof. Emil Fackenheim, Prof. David Flusser, Rabbi David Hartman, Bürgermeister Teddy Kollek, Prof. Jeshajahu Leibowitz, Prof. Gerschom Scholem und Prof. Zwi Werblowsky wichtig wurden. Weitere Gespräche im Zusammenhang mit Vorträgen am Van Leer Institut in Jerusalem und an der Universität Haifa kamen dazu.

Unser Institut für Ökumenische Forschung an der Universität Tübingen führte wissenschaftliche Kolloquien durch mit Frau Evelyne Goodman-Tau (Jerusalem), in Luzern mit Dr. Simon Lauer (zusammen mit Prof. Thoma) und in Worms mit Dr. Pinchas Lapide (Frankfurt). Mit Lapide, dessen Arbeit für die Verständigung von Christen und Juden in Deutschland nicht genug gewürdigt werden kann, hatte ich schon 1975 Gelegenheit, einen Radiodialog über »Jesus im Wi-

derstreit« zu führen; später hielten wir gemeinsam Vorlesungen über
Christen und Juden im Studium Generale an der Universität Tübingen (Sommersemester 1989). In jüngster Zeit waren mir die Gespräche mit verschiedenen Landesrabbinern wichtig im Rahmen eines
»Trialogs« zwischen Christen, Juden und Muslimen.

Für das Verständnis des lebendigen Judentums aber haben besonders meine regelmäßigen Gastvorlesungen in den Vereinigten Staaten
Wichtiges beigetragen. Es bedeutete für mich stets eine große Ehre
und Herausforderung, wenn ich als christlicher Theologe in einer
Synagoge oder auch sonst vor jüdischem Publikum reden durfte.
Höchst lehrreich waren in diesem Zusammenhang vor allem die Gastsemester an der Rice-University in Texas (die Gespräche mit Rabbiner
Samuel Karff), an der University of Michigan in Ann Arbor (Rabbi
Michael Brooks) sowie an der University of Toronto (Rabbi Gunther
Plaut, Rabbi Dow Marmour). Eine besondere Freude war es für mich,
daß ich eine der Festreden anläßlich der Amtseinführung des neuen
Chancellors des Jewish Theological Seminary, Ismar Schorsch, in
New York und später eine ganze Vorlesungsreihe an der University of
Judaism (Los Angeles und Südkalifornien) halten konnte. All diese
Anlässe gaben mir Gelegenheit, mein Verständnis des Judentums zu
vertiefen, und ich habe mich stets darüber gefreut, daß ich auch dann
noch mit Sympathie angehört wurde, als ich nicht nur für Christen,
sondern auch für Juden Kritisches zu sagen hatte.

Unter den Einzelbegegnungen, aus denen ich lernte, möchte ich
erwähnen Gespräche mit Botschafter Arthur Burns (damals Bonn),
Prof. Hans Jonas (New York), Frau Rechtsanwältin Felicia Langer (Jerusalem/Tübingen), Konsul Franz Lucas (London), Rabbi Jonathan
Magonet (London), Chefredakteur Adam Michnik (Warschau), Prof.
Jacob Neusner (Tampa/Florida), Prof. Roy Rappaport (Ann Arbor),
Prof. Peter Riesenberg (St. Louis/Missouri), Prof. Alan Segal (New
York), Prof. Israel Shahak (Jerusalem), Prof. Fritz Stern (New York),
Dr. Pawel Wildstein (Warschau) und Prof. Michael Wolffsohn (München). Wer den Autor persönlich kennt, weiß, daß seine Absichten
redlich sind, daß er nicht im Geheimen Judenmission betreibt, sondern für die Konversion aller plädiert, der Christen zumal: für die
Konversion aller nämlich zu dem einen wahren Gott, zu dem sich
Christen, Juden und Muslime gleichermaßen bekennen. Nicht bloß
um theoretische Fragen geht es ja in diesem Buch, sondern um emi-

nent praktische Fragen und das gemeinsame Weltethos einer neuen Weltgesellschaft mit Blick auf eine realistische Friedensvision für die Zukunft. Dazu will dieses Buch Mut machen. Dieser Friede ist möglich! Er fängt bei uns an – schon bei unserer nächsten Begegnung mit Menschen jüdischen oder muslimischen Glaubens.

Einem Wunsch möchte ich zum Schluß Ausdruck geben: Die 40-Jahr-Feiern in Deutschland zum Ende des Zweiten Weltkriegs verliefen in einer gerade bezüglich des Verhältnisses von Deutschen und Juden immer noch weithin unbereinigten geistigen Atmosphäre. Möge das Buch dazu beitragen, daß die 50-Jahr-Feiern 1995 im Geist der Wahrhaftigkeit, der Versöhnlichkeit und der zukunftsgerichteten Zusammenarbeit stattfinden können und daß die 50-Jahr-Feiern des Staates Israel 1998 ein echtes Jobeljahr werden, wie es nach dem Buch Leviticus (25,8-31) alle 50 Jahre gefeiert werden soll zur »Befreiung im Lande für alle, die darin wohnen …«

Gerät aber auf solch ökumenischem Weg der Autor nicht in einen Selbstwiderspruch? Keineswegs. Ich bin davon überzeugt: Treue zum eigenen religiösen Glauben (Innenperspektive) und Öffnung gegenüber anderen religiösen Traditionen (Außenperspektive) schließen sich nicht aus – weder für den Juden noch für den Christen noch für den Muslimen. Im Gegenteil: Nur so kann es zur notwendigen gegenseitigen Information, wechselseitigen Diskussion und schließlich zu allseitiger Transformation kommen. Endziel all unserer Bemühungen kann nicht eine Einheitsreligion sein, wohl aber ein echter Friede unter den Religionen. Denn es kann nicht oft genug eingeschärft werden:

Kein Frieden unter den Nationen
ohne Frieden unter den Religionen.

Kein Frieden unter den Religionen
ohne Dialog zwischen den Religionen.

Kein Dialog zwischen den Religionen
ohne Grundlagenforschung in den Religionen.

Tübingen, im Juni 1991   Hans Küng

Erster Hauptteil

DIE NOCH GEGENWÄRTIGE VERGANGENHEIT

A. URSPRUNG

I. Abraham – der Stammvater dreier Weltreligionen

Halten wir für einen Moment inne: Ob die Menschheit nicht in ständiger Gefahr ist, sich selber zu wichtig zu nehmen – mit all ihren Streitigkeiten, Konflikten und Kriegen? Denn änderte sich wirklich etwas im All, wenn sich die Menschheit selbst vernichtete – auf unserem unbedeutenden Stern am Rand der einen von hundert Millionen Milchstraßen? Wie die Menschheit entstanden ist, so kann sie auch wieder vergehen ...

1. Eine kleine welthistorische Betrachtung

Machen wir uns erstens klar: Die Welt existiert manchen Forschern zufolge seit mindestens 13 Milliarden Jahren. Menschliche Wesen gibt es seit vielleicht 1 500 000 Jahren auf unserem Planeten, **Frühmenschen**, aus dem Tierreich durch Mutation und Selektion emporgestiegene Wesen mit aufrechtem Gang (Homo erectus); 99,9 % der Menschheitsgeschichte wären demnach Urgeschichte: eine Geschichte ohne Schrift, ohne Namen eines Volkes oder einer Religion, eines politischen oder religiösen Führers.

Machen wir uns zweitens klar: Möglicherweise seit 200 000 Jahren, seit der Altsteinzeit, gibt es den **Homo sapiens**, wie sich der Jetztmensch voller Stolz nennt – der Homo sapiens, der, vom Tier durch sein Ich-Bewußtsein unterschieden, in der Steinzeit Werkzeuge und Waffen erfunden, das Feuer zu beherrschen gelernt und die von Raubtieren besetzten Höhlen erobert hatte; der Homo sapiens, der auch damals schon seine Toten bestattete, Opfer darbrachte und magisch-religiös motivierte Höhlenmalereien, Reliefs und Vollplastiken anzufertigen verstand.

Machen wir uns drittens klar: Erst seit kaum 10 000 Jahren, seit der großen Umwälzung der Jungsteinzeit, gibt es neben den Jägern, Fischern und Sammlern immer mehr auch seßhafte **Ackerbauern und Viehzüchter**, Menschen, die auf ihren festen Wohnplätzen Dorfkulturen errichteten – mit gewichtigen sozialen Folgen: Streben nach Grundbesitz und privatem Eigentum kommt auf, »gerechte Kriege« werden führbar; die Herrschaft Weniger über die Vielen nimmt Gestalt an. Aus der Naturlandschaft wird jetzt Kulturlandschaft, und aus Dörfern werden Städte. Die älteste gegenwärtig bekannte Stadt der Welt (mit Catal Hüyük in Kleinasien) findet sich auf urbiblischem Grund, Jericho im Jordantal, dessen Stadtmauer durch Radiocarbonuntersuchungen auf das Jahr 6800 v. Chr. datiert werden konnte[1].

Und machen wir uns viertens klar: Erst seit rund 5 000 Jahren, seit der Wende vom 4./3. Jahrtausend v. Chr., gibt es **frühgeschichtliche Hochkulturen und Hochreligionen**: Eine **erste** entwickelt sich schon vor 3500 v. Chr. im südlichen **Zweistromland**, in den Schwemmlandschaften von Euphrat und Tigris, in jenen Tempelstädten Sumers, denen die Menschheit nicht nur die Erfindungen des Rades, der Töpferscheibe, des Wagens und des ältesten Rechensystems (für die Tempelwirtschaft und die Aufstellung einer Götterordnung im kosmischen System) verdankt, sondern vor allem die Erfindung der Schrift; zuerst eine auf Tontäfelchen eingeritzte Bilder-, dann eine Keil- und schließlich Silbenschrift[2].

Und damit erst endet die schriftlose »Prähistorie«, die man nur indirekt auf Grund von stummen Steinen, Scherben, Werkzeugen, Mauern und Gräbern zum Reden zu bringen vermag. Und es beginnt die aufgeschriebene »Historie«, die von sich aus durch ihre literarischen Dokumente lebendig zu uns zu sprechen vermag. Es beginnt die eigentlich »**geschichtliche**« **Zeit der Menschheit**, in der nun immer mehr bestimmte Völker, Religionen und historische Personen aus dem ur- und vorgeschichtlichen Dunkel ins helle Licht der Geschichte treten, in der nicht nur Verwaltungs- und Wirtschaftsdaten, sondern später auch Mythen und Sagen aufgeschrieben werden.

Eine **zweite** Hochkultur entwickelt sich denn auch nach 3000 v. Chr., und vom Zweistromland her beeinflußt, im **Niltal**, wo fast gleichzeitig eine Schrift erfunden wurde, wo ebenfalls Ackerbau nur

mit Hilfe künstlicher Bewässerung, und das heißt durch Zusammenarbeit, Planung und Organisation, konkret durch eine zentralisierte
Verwaltung (mit einer Beamtenschaft und Priesterschaft) und durch
die Bildung eines Staates möglich war. Nach den Hochkulturen an
Euphrat und Tigris sowie am Nil bilden sich schließlich um 2500 v.
Chr. eine **dritte** frühgeschichtliche Hochkultur im **Industal** (die Induskultur) und um 1500 eine **vierte** im chinesischen **Huangho-Tal**,
im Tal des gelben Flusses (die Schang-Kultur)[3].

Aber diese vier Hochkulturen und ihre Religionen hatten ein verschiedenes Schicksal: Während die Induskultur durch Kultur und Religion der einwandernden Arier abgelöst wurde und die chinesische
Kultur und Religion sich durch manche Epochenbrüche und Transformationen hindurch bis ins 20. Jahrhundert halten konnten, versanken die ersten beiden Kulturen völlig. Ihre großartigen Relikte finden sich in den berühmtesten Museen der Welt. Und so imponierend
auch die mehrstufigen Höhentempel in der Tiefebene des Euphrat
und Tigris waren (die spätere Zikkurat von Babylon wird auch in der
Hebräischen Bibel angesprochen): Schon im 7. Jahrhundert v. Chr.
versank diese mesopotamische (babylonisch-assyrisch-chaldäische)
Kultur, der wir ja auch den ersten Bericht von einer»Sintflut«, einer
(von zweifellos mehreren) katastrophenartigen Überschwemmungen
des ganzen Gebiets verdanken, der dem späteren biblischen Bericht
ebenso vorlag wie die Geschichte von einem Paradies (»Eden« ist ein
sumerisches Wort). Gegen Ende des 4. Jahrhunderts v. Chr. gingen
auch die eigenständige ägyptische Kultur und Religion unter: im Hellenismus und schließlich im Imperium Romanum[4].

Eine ganz andere Religion sollte hier Dauer und Zukunft haben. Sie
entfaltet sich auf jener schmalen und oft umkämpften syrisch-palästinischen Landbrücke zwischen Ägypten und Mesopotamien, wo den
dort wohnenden Semiten schon in der zweiten Hälfte des zweiten
Jahrtausends der Übergang von der Silbenschrift zur Buchstaben-
schrift gelungen war, der Übergang zu jenem dann auch von den
Griechen übernommenen kanaanäisch-phönikischen 22-Buchstaben-
Alphabet, dessen älteste Belege kurze, in die Felsen des Sinaigebirges
eingeritzte Worte sind, die von semitischen Fronarbeitern des Pharao
in den dortigen Kupfer- und Malachitminen stammen.

Die Rede ist von der Religion **Israels**: Israel, ein Durchgangsland im
Schnittpunkt der großen Machtblöcke und ein im Vergleich erstaun-

lich junges Volk. Dieses Israel sah seine Existenz nicht wie die Völker Ägyptens und Mesopotamiens als seit eh und je gegeben an, es verknüpfte seine Geschichte also nicht direkt wie andere mit einer mythischen Göttergeschichte, sondern blieb sich seiner späten Volkwerdung[5] durchaus bewußt: Seiner eigenen Geschichte ließ es eine lange Urgeschichte von der Erschaffung der Welt bis zum Turmbau zu Babel[6] und eine mit Sagenkreisen umschriebene Vorgeschichte der Patriarchen oder Erzväter[7] vorausgehen[8].

Die Rede also ist von der Religion Israels und – nach vielfachen Transformationen – des **Judentums**. Und damit wird die Entwicklung besser überschaubar! Aus dem Judentum geht mit Beginn der neuen (jetzt christlichen!) Zeitrechnung bekanntlich das **Christentum** hervor, das zur Religion des Imperium Romanum und der ganzen westlichen Welt werden sollte, Europas zuerst und dann auch der beiden Amerika. Judentum und Christentum folgte schließlich noch eine weitere Religion, die letzte, jüngste der Weltreligionen: der in Arabien beheimatete Islam, der – nach dem Zusammenbruch des Imperium Romanum im Westen und mit dessen Schwächung im Osten – seinen unvergleichlichen Siegeszug bis Marokko und Spanien und im Osten bis ins Zweistromland, ins Industal und an die Grenzen Chinas antreten konnte.

Um einen sachgemäßen Zugang zu diesen drei Religionen zu bekommen, steigen wir mit der Frage ein: Was ist diesen Religionen gemeinsam, die allesamt aus dem Nahen Osten stammen? Die Antwort kann nur lauten: Sie eint zunächst ein Name – Abraham.

2. Was weiß man von Abraham?

»Als Abram 99 Jahre alt war, da erschien Jahwe dem Abram und sagte zu ihm: Ich bin der mächtige **Gott** (El schaddaj); wandle vor mir und sei ganz! Ich will meinen **Bund** zwischen mir und dir stiften, und ich will dich mehren im Übermaß. Da fiel Abram auf sein Gesicht nieder. Und Gott redete mit ihm und sprach: Siehe, das ist mein Bund mit dir: Du sollst zum Vater vieler Völker werden. Du sollst nicht mehr Abram heißen, Abraham soll dein Name sein; denn zum Vater vieler Völker mache ich dich … Ich richte meinen Bund auf zwischen mir und dir und deinen Nachkommen nach dir nach ihren Geschlechtern

zu einem ewigen Bund, daß ich dein und **deiner Nachkommen Gott**
sei. Und ich gebe dir und deinen Nachkommen das Land deiner
Fremdlingschaft, das ganze **Land Kanaan** zu ewigem Besitz, und ich
will ihnen Gott sein ... An dem Fleisch eurer Vorhaut sollt ihr beschnitten werden. Das soll zum Zeichen des Bundes zwischen mir
und euch sein.«[9]

In diesem Gespräch zwischen Gott und dem fast 100jährigen Abraham – dem das Gespräch mit Abrahams Frau Sara fast gleichgewichtig entspricht[10]! – hat der in der Zeit des babylonischen Exils schreibende Priestertheologe alle Verheißungen der Väter kunstvoll in ein
Ganzes verarbeitet und es zur Mitte seiner Vätergeschichte gemacht.
Die **grundlegende Bedeutung Abrahams** für die Geschichte, Frömmigkeit und Theologie Israels und des Judentums bis auf den heutigen Tag wird so schon im ersten Buch der Hebräischen Bibel eindrucksvoll herausgestellt. Als Grundelemente israelitischen Glaubens
erscheinen hier:

- Die Initiative hat **Gott**, mit dem der Mensch weder eins ist noch
  eins wird, sondern »vor« dem der Mensch handeln und dem er sich
  »ganz« unterwerfen soll: Nicht eine Einheitsmystik, sondern das
  Gegenüber von Gott und Mensch bestimmt so von Anfang an die
  abrahamische Religion.
- Zwischen dem mächtigen Gott und dem erwählten Menschen aber
  wird von Gott ein ewiger **Bund** gegründet, der ein Wechselverhält-
  nis zwischen Gott und dem Menschen bedeutet, welches durch das
  Bundeszeichen der Beschneidung besiegelt werden soll.
- Die mit dem Bund gegebene Doppelverheißung an die Nachkom-
  menschaft Abrahams: Sie werden ein großes Volk bilden, das
  Gottes Volk sein wird; und sie werden das **verheißene Land** verliehen bekommen, das Land Kanaan.

Abram also, programmatisch umbenannt (die spätere Interpretation)
zu »Abraham«, dem »Vater vieler Völker«, ist nach den Texten der Bibel eindeutig der Urvater des Volkes Israel. Was aber verbirgt sich
hinter dieser übergroßen biblischen Gestalt? Was weiß man heute
über Abraham als historische Figur[11]? Über ihn persönlich weiß man
kaum Gesichertes; eine Abraham-Biographie ist unmöglich. Die **Pa-
triarchengeschichten** von Genesis Kapitel 11-35[12] – sie sind unsere
einzigen Quellen. Und sie sind gerade keine Biographie, keine Ge-

schichtsschreibung in unserem Sinne. Sie sind, was alle drei Erzväter betrifft, eine Reihe von lose verknüpften Kurzgeschichten mit Doubletten und Widersprüchen. Genauer besehen handelt es sich zunächst um lange vor der schriftlichen Fixierung mündlich überlieferte Sagen[13]. Sagen freilich sind keine Märchen[14]: Sie haben in der Regel – in aller Kürze, Vereinfachung und Konzentration auf wenige Personen – einen historischen Kern. Und so behauptet denn heute auch kein kritischer Exeget mehr, Abraham, Isaak und Jakob seien so etwas wie depotenzierte Götter, rein mythische Figuren, fiktive Ahnherren von bestimmten Menschengruppen gewesen. Kein Stamm und keine Sippe beruft sich ja auf sie. Und nicht zuletzt wegen ihrer gängigen westsemitischen Personennamen scheint es sich bei ihnen um historische Gestalten zu handeln, auch wenn alle Versuche, sie zu datieren, mißlungen sind.

Durch die Patriarchen-Geschichten aber schimmern soziokulturelle Verhältnisse (»Sitz im Leben«) durch, wie sie in den rund 500 Jahren zwischen 1900 – 1400 v. Chr. in Palästina geherrscht haben müssen. Über sie sind wir einigermaßen unterrichtet, und zwar durch die Erzählung von Sinuhe, dem Ägypter, der dort unter Halbnomaden gelebt hat (20. Jh. v. Chr.); durch ägyptische Ächtungstexte, die rebellierende Fürsten verfluchten (19./18. Jh.); durch die mesopotamischen Texte von Mari am mittleren Euphrat (18. Jh.) und aus Nuzi bei Kirkuk (15./14. Jh.), schließlich durch die in Amarna am mittleren Nil gefundene Briefe aus dem Staatsarchiv der Pharaonen Amenophis III. und Amenophis IV. Echnaton (14. Jh.), wegen dessen neuartigem Ein-Gott-Glauben das ägyptische Reich in eine tiefe Krise geriet[15].

Freilich – auch dies ist wahr: Bei Abraham, seinem Sohn und seinem Enkel handelt es sich keineswegs, wie manchmal behauptet wird, nur um eine über drei Generationen sich hinziehende private Familiengeschichte. Dafür sind nun einmal die hier angedeuteten religiöspolitischen Implikationen der Verheißungen zu schwerwiegend, die an dieser Geschichte hängen. Dafür ist auch der weltpolitische Horizont hier durchaus mitgegeben. Denn nicht zu übersehen ist, daß die Abrahamsgeschichte im Buche Genesis mit der **Vor- und Universalgeschichte der Menschheit überhaupt** verbunden wird, wie sie mit der Geschichte des »Turmbaus« zu Babel[16] dann zunächst abgeschlossen erscheint. Der biblischen Überlieferung zufolge, welche zwei

Überlieferungen zu kombinieren versucht[17], ist Abrahams Familie aus der reichen südmesopotamischen Handelsstadt Ur ausgewandert (deren Zikkurat oder Hochtempel, dem Mondgott Sin geweiht, ist 1922-1934 ausgegraben worden) und ist von der nordmesopotamischen Stadt Haran am großen Euphratknie aus, wie so viele im 2. Jahrtausend v. Chr. aus Mesopotamien und der syrisch-arabischen Wüste, in das Land Kanaan eingewandert[18].

Gerade diese Herkunft aber sollte – bei aller Bedeutung des verheissenen und verliehenen Landes – in der so wechselhaften jüdischen Geschichte immer wieder von großer symbolischer Bedeutung werden. Abraham war von Anfang an kein Einheimischer, sondern ein Immigrant, »**ein Fremder und Beisasse**«[19]. Das einzige Eigentum, das er erwarb, soll eine Grabstätte bei Hebron[20] gewesen sein, und bis heute wird denn auch dort jüdischen, christlichen, muslimischen Pilgern und Touristen das »Grab Abrahams« gezeigt. Als Kulturlandnomade zwischen Städten und Dörfern lebend, hatte Abraham zwar einen gewissen Kontakt mit den Einheimischen, muß aber in Lebensform und Lebensart zu ihnen doch noch mehr Distanz gehalten haben, die ihm wie auch den anderen Patriarchen keine eheliche Verbindung mit einheimischen Familien gestattete. Gewiß: Abraham wird als ein »Hebräer« (»ᶜibri«[21]) bezeichnet; das aber dürfte nach neuesten Forschungen nicht einfach gleichbedeutend mit »Israelit« gewesen sein; denn die »habiru« oder »hapiru« der mesopotamischen Keilschrifttexte und die »ᶜprw« der ägyptischen Texte, die wohl mit den »Hebräern« identisch sind, bezeichnen weniger ein bestimmtes Volk als eine mindere soziale Schicht und Lebensform, oft Fremde, Umherstreifende, Söldner oder Fronarbeiter, »outlaws«, die aber gelegentlich zu höchsten Stellungen aufsteigen können[22].

3. Der Vater des Glaubens

Für die heutige Situation der Religionen ist jedoch ein weiteres von nicht geringer Bedeutung: Durch die Geschlechterabfolge, die **Genealogie**[23], erscheint Abraham **in die semitische »Verwandtschaft« eingebunden**: Mit Abraham werden sein Sohn Isaak und sein Enkel Jakob – möglicherweise erst nachträglich so miteinander verbunden – als die Urahnen Israels betrachtet. Heutige, zumal christliche Kritiker des Islam mögen dabei beachten: auch für die frühen biblischen Stammeskulturen war Polygamie selbstverständlich. Schon Abraham hatte ja bekanntlich mehrere Nebenfrauen[24]. Denn dem Buch Genesis zufolge zeugte Abraham mit Sara Isaak[25], den Vater Esaus und Jakobs, der, später Israel genannt, als Vater der zwölf Stämme gilt. Mit seiner ägyptischen Nebenfrau, der Sklavin Hagar, aber zeugte Abraham Ismael[26], den Stammvater von zwölf zum Ismaeliten-Verband gehörenden Gruppen. Mit Ketura schließlich wurde er zum Ahnherrn von sechzehn protoarabischen Nomadengruppen[27]. Dies alles ist nicht ohne Bedeutung für heutige Fragestellungen: Israel hat sich ursprünglich mit den semitischen Aramäern des späten 2. Jahrtausends und mit den ebenfalls semitischen Protoarabern der ersten Hälfte des 1. Jahrtausends in Nord- und Nordwestarabien durchaus verwandt gefühlt; zumindest dies wollen die (im einzelnen kaum historischen) Genealogien aussagen[28].

Was aber ist das für ein **Gott**, von dem in diesen Patriarchenerzählungen die Rede ist? Auffälligerweise sind diese Sagen mit bestimmten Heiligtümern verbunden, vor allem mit Sichem, Bet-El, Hebron und Beerscheba. Manche Exegeten vermuten deshalb, es handle sich hier um ätiologische Sagen, um Gründungssagen also, welche die möglicherweise schon vorisraelitischen, kanaanitischen Heiligtümer für den Kult der Israeliten legitimieren sollten, insofern an diesen Orten Gott sich den Erzvätern geoffenbart hat. Jedenfalls ist deutlich: Von Anfang war der Gott der Patriarchenreligion ein Gott, der weder an den Himmel noch an ein Heiligtum gebunden ist, sondern welcher der eine »Gott des Vaters« (Ahnen) ist, dem er seine Offenbarungen kundgetan hat: der Gott Abrahams, der Gott Isaaks, der Gott Jakobs, der Gott der Väter. Nach der Seßhaftigkeit aber hat dieser Gott Elemente des kanaanitischen Gottes El (unter verschiedenen Namen wie El schaddaj) aufgenommen, so daß der Gott der Genesis sowohl als Vätergott wie als El bezeichnet werden kann und sich gleichzeitig als persönlicher wie als kosmischer Gott darstellt[29]. Deshalb herrscht heute Übereinstimmung unter den kritischen Exegeten: So wie das hohe Ethos der Bibel dürfte auch der strenge Monotheismus nicht schon zur Zeit der Patriarchen geherrscht haben; historisch gesehen war Abraham sicher ein Henotheist, der die Existenz mehrerer Götter voraussetzte, aber nur den einen Gott, seinen Gott, als höchste und verpflichtende Autorität annahm.

Und die **Beschneidung**[30]? Sie ist kein damals völlig neu eingeführter Ritus. Sie ist ein uralter Brauch (mit dem Steinmesser vollzogen), der ursprünglich nicht nur in Kanaan, bei den semitischen Nachbarn Israels und in Ägypten, sondern auch in Afrika, Amerika und Australien, nicht jedoch bei den Philistern, Babyloniern und Assyrern verbreitet war. Er wurde entweder aus hygienisch-medizinischen oder aus gesellschaftlichen (Initiationsritus) oder religiösen Gründen praktiziert. Unter den Israeliten war er seit der Seßhaftigkeit in Kanaan selbstverständlich, so daß er sich in den ältesten Gesetzesbeständen der Israeliten gar nicht findet und nur einmal im Buch Levitikus[31] ohne besondere Betonung erwähnt wird. Nach dem Untergang der Reiche Israel und Juda und dem Exil unter den Babyloniern aber, die ja nicht beschnitten waren, wird die (früher selbstverständliche) Beschneidung zu einem besonderen religiösen Zeichen der Zugehörigkeit zum israelitischen Volk; jetzt erst erhält sie ihre spezifische Bedeutung als nicht mehr zu tilgende Eigentumsmarke Gottes und Bundeszeichen, das sich schließlich in Gen 17 geradezu als Gesetzesvorschrift formuliert findet.

Grundlegender aber für Abraham ist – folgen wir dem Buche Genesis – das Vertrauen auf Gott. Grundlegend ist der unbedingt **vertrauende Glaube**. Dieser Glaube, heißt es, wird Abraham »zur Gerechtigkeit angerechnet«[32]. Dabei wird Glaube (hebräisch »aman« = fest sein; Kausativform »he'emin« = glauben, vertrauen) in der ganzen Hebräischen Bibel nie als Annahme einer vorgelegten Wahrheit, als ein »Für-wahr-Halten« von Unbeweisbarem verstanden, sondern als unerschütterliches Vertrauen auf eine menschlich nicht zu realisierende Verheißung, als Treue, als Zuversicht, als »Amen«-Sagen. Abraham ist demnach Ur- und Vorbild eines in diesem Sinne Glaubenden, ein Mann, der aufgrund dieses Glaubens dann auch die allergrößte Probe bestehen kann – das ihm zugemutete, aber eben von Gott letztlich doch nicht gewollte Opfer seines Sohnes[33].

Ein **erstes**, erfreuliches **Fazit**: Man hat nicht ohne Grund die drei Religionen, die sich auf ihn, Abraham, berufen und in denen der Mensch »vor« Gott (»coram Deo«) steht, sich ganz auf Gott verläßt und so »an« Gott (»in Deum«) glaubt – im Gegensatz zu den mystischen Einheitsreligionen Indiens oder auch den Weisheitsreligionen Chinas – als **Glaubensreligionen** bezeichnet. Abraham erscheint so als der gemeinsame **Stammvater aller drei großen Religionen** semitischen Ursprungs, die man deshalb auch die drei abrahamischen Religionen nennt. Sie können, wie ich in meiner hermeneutisch-methodischen Grundlegung für dieses Buch dargelegt habe[34], als ein großes religiöses Stromsystem nahöstlichen Ursprungs verstanden werden, das sich von den Systemen indischen oder fernöstlichen Ursprungs wesentlich unterscheidet.

Und doch, es läßt es sich schon hier nicht übersehen: Bereits bei dem einen Stammvater Abraham zeichnet sich trotz aller Gemeinsamkeit auch ein Konflikt zwischen den drei abrahamischen Religionen ab. Warum?

4. Der Streit um das abrahamische Erbe

a) Wie sieht man Abraham im Judentum? Die jüdische Tradition hatte im Verlauf der Geschichte die Bedeutung Abrahams immer mehr gesteigert und ihn, den »Knecht« Gottes[35], zu einem »Freund« Gottes[36] gemacht, dem »niemand an Ruhm gleichkommt«[37]. Immer stärker wird Abrahams Leben im späteren Judentum nun mit Wundern und Legenden und Tugenden ausgeschmückt, wird sein angebliches Höhlengrab in Hebron – heute im arabisch-palästinensisch-muslimischen Territorium gelegen! – verehrt. Zwei eigene apokryphe Schriften entstehen über ihn, eine über seine Auserwählung und seine Offenbarungen (die »Apokalpyse Abrahams«[38]) und eine über seine Reise ins Paradies und seinen Tod, verbunden mit dem Lob der Gastfreundschaft (das »Testament Abrahams«[39]). Träger dieser Schriften dürften wohl essenische Kreise gewesen sein. Und er, der in der Hebräischen Bibel so sympathisch mit menschlichen Schwächen beschrieben wird, er, der in seinem gelebten Leben durchaus schlitzohrig seine Frau mehrfach als seine Schwester ausgibt[40], er, der seine Nebenfrau, die Ägypterin Hagar, samt ihrem Sohn Ismael (für die Muslime der Stammvater!) auf Betreiben seiner Frau Sara buchstäblich in die Wüste schickt[41], er, der die Söhne seiner Nebenfrauen mit Geschenken abfindet und sie aus dem Hause weist[42], dieser Abraham wird im Verlauf der Geschichte – Ausnahmen bestätigen die Regel – immer stärker als Verkörperung nicht nur der Tugend der Bescheidenheit, Barmherzigkeit und Gastfreundschaft, sondern schlechthin aller Tugenden gefeiert, die von seinen Nachkommen nur nachzuahmen wären. Ja, im Buch Jesus Sirach wird Abraham bereits als »Vater vieler Völker«[43] bezeichnet.

Im rabbinischen Judentum dann wurde Abraham zu einer alle Zeiten überragenden Heilsfigur. Nach dem Talmud hat Abraham, der ja lange vor der Offenbarung am Sinai lebte, alle Gebote[44] nicht nur der schriftlichen, sondern auch der mündlichen Tora in seinem Leben bereits gehalten[45]. Ja, es wird sogar kühn behauptet, die Welt und alle Menschen seien im Hinblick auf Abraham und seine Verdienste erschaffen worden. Nur weil es einmal Abraham geben werde, konnten die Geschlechter vor ihm bestehen; auch die Geschlechter nach ihm werden von ihm getragen[46].

»Kinder Abrahams« zu sein – dies galt jetzt faktisch als das exklusive Privileg der Israeliten: Israel ist der »Sproß oder das Geschlecht Abrahams«[47] und »das Volk des Gottes Abrahams«[48]. Daß Abraham der Inbegriff des Segens über »alle Geschlechter der Erde«[49] werden sollte, dieser ursprünglich universale Horizont der Abrahamsgeschichte trat hinter der Auserwählung des einen Volkes oft fast ganz zurück. Bis auf den heutigen Tag gedenkt man seines Namens in der Liturgie, besonders am Neujahrstag und in der ersten Lobpreisung des Achtzehnbittengebetes, des zentralen jüdischen Gebetes. Und doch darf nicht übersehen werden, daß auch einzelne Rabbinen eine geistige, gläubige, innere Abrahamskindschaft annahmen – ganz ähnlich wie auch im Christentum.

b) Abraham im Christentum? Im Neuen Testament ist (abgesehen von Mose) keine Gestalt des Alten Testaments häufiger erwähnt, über 70 mal. Abrahams heilsgeschichtliche Bedeutung wird ebenso anerkannt wie Israels Abrahamskindschaft[50]. Im lukanischen Gleichnis vom reichen Mann und vom armen Lazarus wird ganz selbstverständlich die Zugehörigkeit zu Abraham über den Tod hinaus vorausgesetzt (Seligkeit als Ruhen in Abrahams Schoß[51]). Und auch in dem im jüdischem Milieu entstandenen Jakobusbrief wird Abraham »Freund Gottes«[52] genannt.

Und doch: Schon in der Predigt des **Täufers Johannes**[53] wird die leibliche Abstammung von Abraham nicht mehr als Garant des Heils betrachtet, vielmehr wird Umkehr gefordert, »Metanoia«; auf sie kommt jetzt alles an. Nicht eine biologische, sondern eine geistige Zugehörigkeit zu Abraham ist nun entscheidend! Schon der Täufer Johannes also tritt, zumindest nach dem Evangelisten Mattäus, jeglicher jüdischer Überlegenheit scharf ironisch entgegen: Wenn nötig, kann Gott selbst Steine zu Nachkommen Abrahams machen[54]. Im gleichen Evangelium wird polemisch bemerkt, daß beim endzeitlichen Mahl viele aus den Heidenvölkern mit Abraham, Isaak und Jakob zu Tische liegen werden, während manche von den erstberufenen Israeliten ausgeschlossen bleiben[55].

Es war dann aber vor allem der **Apostel Paulus**, der – bei aller Hochschätzung Abrahams – die leibliche Abkunft von Abraham als exklusive Heilsbedingung ausdrücklich ablehnen und die Möglichkeit der **geistigen, inneren Abrahamskindschaft** betonen sollte[56], wie er ja überhaupt ein geistiges inneres Judentum annimmt[57]. Nicht durch Werke des Gesetzes sei Abraham vor Gott gerechtfertigt worden, sondern – so mit Berufung auf Gen 15,6 – durch seinen vertrauenden Glauben[58]. Die Geschichte der beiden Frauen Hagar und Sara sowie deren Söhne Ismael und Isaak wird von Paulus kühn allegorisch gedeutet für den Alten und den Neuen Bund, das irdische und das zukünftige Jerusalem, das Judentum und die Christengemeinde[59]. Entscheidend auch hier: Nicht äußerlich-legitimistisch auf die Geschlechterfolge oder das Halten der Gebote (Abraham war vor der Tora!) kommt es Paulus an, sondern geistig-innerlich auf die Nachfolge in Abrahams unerschütterlichem Glauben. Abraham ist so für Christen der Vater aller Menschen, insofern sie glauben wie Abraham, der Vater **aller** Glaubenden also, ob beschnitten oder nicht.

Immer wieder neu, in vorwiegend moralisierender oder allegorisierender Form, haben sich dann auch die Kirchenväter in ihren Homilien und Traktaten mit der Gestalt Abrahams befaßt, einige haben ihm gar eigene Abhandlungen gewidmet. Ungemein häufig, aber auch höchst problematisch, werden in den patristischen wie in den mittelalterlichen und schließlich auch in den reformatorischen Schriften Parallelen zwischen dem Opfer Isaaks und dem Kreuzesopfer Christi gezogen. Noch weit über mittelalterliche Theologie und Luther hinausgehend, meinte im vergangenen Jahrhundert der Däne Sören Kierkegaard Abraham, der seinen Sohn zu opfern bereit war, gar zum Prototyp eines blinden christlichen Glaubens emporstilisieren zu dürfen ...

c) Und wie sieht man Abraham im **Islam?** Auch im Koran ist Abraham (arabisch »Ibrahim«) nach Mose die am häufigsten erwähnte biblische Figur; auffällige Parallelen gibt es nicht nur zu biblischen, sondern auch zu außerbiblischen, rabbinischen Abrahamsschilderungen. In 25 Suren spielt er eine Rolle, eine Sure trägt sogar seinen Namen, und zwar die vierzehnte. In den früheren Suren von **Mekka** erscheint Abraham vor allem als der Kämpfer gegen den Götzendienst seines Vaters und seiner Landsleute und erweist sich so als Sprecher der Wahrheit und als großer Prophet. In den späteren Suren von **Medina** tritt dann auch der vorher ohne näheren Bezug zu Abraham erwähnte Ismael hervor, der Vater der Araber: Er unterstützt seinen Vater Abraham im Bemühen, die Kaaba in Mekka zu einem Platz der reinen monotheistischen Gottesanbetung zu machen und sie als Wallfahrtszentrum aufzubauen[60]. Auch der Koran nennt Abraham den »Freund Gottes«[61], doch ist für ihn vor allem wichtig, daß Abraham »weder Jude noch Christ war; vielmehr ... ein (Gott) ergebener Hanif (im Koran identisch mit Muslim oder Monotheist) und kein Heide«[62]. Als erster habe Abraham, von Gott erwählt, sich zu dem einen wahren Gott bekehrt und sich gegen alle Götzenanbetung gewendet[63]. Als erster habe er »Islam«, bedingungslose Unterwerfung unter den Willen Gottes praktiziert, insbesondere als er zum Opfer des eigenen Sohnes angetreten sei (Isaaks Name wird an dieser Stelle nicht genannt[64], traditionelle islamische Exegese denkt an Ismael).

So ist Abraham also schon früh für die Muslime ein großer Prophet des einen Gottes gewesen. Es ist begreiflich, daß auf diese Weise der Anspruch von Judentum und Christentum, allein die wahre Religion zu sein, vom Koran unterlaufen werden soll. Denn Abraham war ja nach diesem Verständnis weder Jude noch Christ, sondern der erste Muslim: gläubiger Monotheist, von Gott auserwählt, längst bevor es Tora (arabisch »Tawrat«) und Evangelium (arabisch »Injil«) gab – die anderen beiden zwar heiligen, aber leider von Juden und Christen verfälschten Bücher. Der Islam kann sich demnach über Abraham als die älteste und zugleich echteste Religion legitimieren, eine Religion, die von allen Propheten (ihnen wurde ja allen das gleiche geoffenbart) gelehrt, schließlich von Muhammad, dem bestätigenden »Siegel« der Propheten, neu und definitiv verkündet worden sei, nachdem der Prophet sie ohne die Irrtümer und Verdrehungen der Juden und Christen direkt durch einen Engel von dem einen und wahren Gott empfangen hatte. So ist denn nach dem Koran klar: Die Muslime stehen Abraham am nächsten, sie sind in der Nachfolge Abrahams allein die unverfälschten Gottesverehrer. Ihm verdanken sie viel: ihren »Namen« (Muslim), ihren Glauben, ihre Liturgie in Mekka und damit auch ihre Theozentrik und ihren Universalismus.

Ein **zweites**, weniger erfreuliches **Fazit**: Schon an einem so harmlos scheinenden Beispiel wie Abraham wird deutlich, daß es hier um höchst schwierige, zwischen den Religionen heftig umstrittene und auch politisch delikate Fragen geht, ja, daß hier die **ureigene Identität jeder der drei Religionen auf dem Spiel** steht.

Heißt das alles aber, daß Abraham für die drei Religionen nur auf den ersten Blick »einen gemeinsamen Bezugspunkt« darstellt, auf den zweiten Blick jedoch »durch die Sichtweise der jeweiligen religiösen Tradition auch den Inbegriff dessen, was sie voneinander unterscheidet und trennt«, so daß Abraham kaum als »ein idealer Ausgangspunkt für den heutigen Dialog« angesehen werden kann[65]? Sieht man nochmals genauer hin, so erscheint Abraham zwar nicht unbedingt als idealer, wohl aber als ein sehr realer Ausgangspunkt für das, was man heute einen »Trialog« (eine philologische Neubildung) zwischen Juden, Christen und Muslimen nennen kann.

5. Notwendigkeit eines »Trialogs« von Juden, Christen und Muslimen

Bei einem dritten Blick dürfte sich zeigen, daß es zwischen den drei Religionen bezüglich Abraham zwar keine totale Übereinstimmung, aber auch keinen totalen Dissens, wohl aber eine **Konvergenz** gibt, die ein Gespräch sinnvoll erscheinen läßt. Ob eine der drei Religionen Abraham ausschließlich beanspruchen darf? Ob Abraham nicht ihnen allen gehört, ja eine Herausforderung **für** alle drei Religionen auch heute sein könnte?

Selbst in den schlimmsten Zeiten des mittelalterlichen oder neuzeitlichen Judenhasses konnte die **Christenheit** ja nie ganz vergessen, daß sie aus dem Judentum, das sich auf Abraham berief, stammte und mit diesem zumindest die Hebräische Bibel, die Psalmen und viele hebräische Elemente des Gottesdienstes (von »Hosianna« bis »Amen«) weiterhin teilte. In den beiden Großevangelien des Lukas und Mattäus

Abraham

Stammvater aller drei semitischen Religionen
nahöstlichen Ursprungs
Ur-Repräsentant des Monotheismus
Archetyp der prophetischen Religionen:
der glaubende Mensch **vor** Gott: Freund Gottes

)

Leiblicher Vater Isaaks, dessen Sohn Jakob Israel genannt wurde, mit dem Gott einen ewigen Bund schloß. Er ist so der Stammvater des **jüdischen Volkes**	Geistiger Vater aller Glaubenden, dessen Verheißungen sich in Christus erfüllt haben. Er ist so Stammvater von **Juden und Christen**	Leiblicher Vater Ismaels, mit dem er in Mekka die Kaaba als zentrales Heiligtum des einen Gottes begründete. Er ist so der Stammvater der **Araber.**
Vorbild des treuen Gesetzesgehorsams: der ideale Jude; gerechtfertigt durch die Werke, die seine Glaubenstreue beweisen.	Vorbild unerschütterlicher Glaubenstreue: der Ankünder Christi; gerechtfertigt durch den Glauben, der den Werken vorangeht.	Vorbild bedingungsloser Unterwerfung (=Islam): der erste Muslim; erlangt Gerechtigkeit durch den Gottesglauben, Gottesdienst und gottgefälliges Leben.
Isaak-Opfer als Prototyp für das Bestehen allerschwerster Glaubensprüfung.	Isaak-Opfer als Prototyp für die Hingabe des Gottes-Sohnes durch den Vater.	Aufbruch aus Ur als Prototyp für die Auswanderung des Propheten aus Mekka (»Hijra«).
Empfänger der Verheißungen Israels: **Volk und Land**	Empfänger der Verheißungen für alle Völker: **Jesus Christus** als Erbe Abrahams.	Empfänger der ursprünglichen Offenbarung, die unverfälscht nur im **Koran** niedergelegt ist.

(der selber aus dem Judentum stammte) wurde schon durch Jesu Stammbaum nachdrücklich daran erinnert, daß der Christus Jesus ein Nachkomme Abrahams gewesen sei[66]. Und der Gott, der »seinen Knecht Jesus verherrlichte«, war kein anderer als »der Gott Abrahams,

Isaaks und Jakobs«[67]. Ja, wenn auch die Christenheit nach Paulus auf der Rechtfertigung durch den vertrauenden Glauben beharrte, so wollte sie doch ebenfalls auf gute Werke keineswegs verzichten, soll doch Paulus zufolge der Glaube durch die Liebe tätig sein[68]. Mit dem Johannesevangelium[69] schließlich unterstreicht insbesondere der genannte Jakobusbrief die Notwendigkeit der Werke außerordentlich scharf gegenüber einem »Glauben«, der nur in untätigem Bekennen besteht[70].

Umgekehrt aber betonen im **Judentum** auch die Rabbinen die Bedeutung von Abrahams Glaubensgehorsam[71]. Und auch sie binden das Erbe der Verheißungen Abrahams keineswegs ausschließlich an die leibliche Abstammung. Offensichtlich hat der Koran mit seiner Argumentation hier durchaus einen richtigen Punkt getroffen: Abraham selber war ja zunächst einmal, bevor er zum ersten monotheistischen »Missionar« wurde, **Konvertit** zum wahren Glauben, und dies über viele Jahrzehnte. Ja, nach den Erklärungen von Rabbinen hat Abraham gerade durch seine sehr späte Beschneidung (mit 99 Jahren!) für alle Zukunft auch Nichtjuden die Möglichkeit eröffnet, zum Judentum überzutreten, so daß er auf diese Weise das Vor-Bild nicht nur der Juden, sondern auch aller zum Judentum übergetretenen Heiden (Proselyten) und damit zum Stammvater **aller** Nationen geworden ist. Zumindest insofern also ist auch für das Judentum eine geistige Nachfolge Abrahams eine Zeitlang möglich. »N. N., Sohn unseres Vaters Abraham«, so wird denn auch bis zum heutigen Tag der zur Toralesung aufgerufene Konvertit angesprochen[72]! Ja, noch mehr: Auch Christen, die Christen bleiben wollen, können heutiger jüdischer Theologie zufolge mit den Muslimen zusammen als »Kinder Abrahams« angesehen werden, wie der Jerusalemer Gelehrte David Flusser feststellt: »In der jüdischen Religion kann die Existenz des Christentums (und des Islam) verstanden werden als eine Erfüllung von Gottes Verheißungen an Abraham, ihn zum Vater vieler Völker zu machen.«[73]

Auch die engen Beziehungen des **Islam** zum Judentum ließen sich trotz aller Sonderlehren des Koran nicht übersehen. Muslime berufen sich für ihren Glauben auf denselben abrahamischen Ursprung, Israeliten umgekehrt fühlen sich ihrerseits vom Ursprung her mit den frühen Arabern verwandt. Historisch gesehen gab es spätestens seit König Salomos Zeiten zahlreiche nachweisbare wirtschaftliche Bande zwischen dem Lande Kanaan und Arabien, die sich bis in die Zeiten des Propheten Muhammad durchhielten, als zahlreiche jüdische Gemeinden in Arabien lebten. Die islamische Koranexegese und Geschichtsschreibung ergänzt denn auch die Aussagen des Koran über Abraham ohne irgendwelche Hemmungen aus der Hebräischen Bibel oder der jüdischen Haggada und wirkt umgekehrt auch auf die jüdische Tradition und Interpretation ein. Die Hebräische Bibel selber enthält eine ganze Reihe von Anspielungen auf die engen Beziehungen zwischen Juden und Arabern; in die Bücher »Ijob« und »Sprüche« sind zahlreiche arabische Worte eingegangen, und auch noch die spätere Mischna enthält Abschnitte, die sich auf das Verhalten von Juden in Arabien beziehen. Und so ist es denn nicht verwunderlich, daß die Juden durch ihre ganze Geschichte hindurch eine gewisse Affinität zur arabischen Kultur empfanden, so daß sich die blühendsten Zentren des mittelalterlichen Judentums gerade in muslimischen Ländern zu entwickeln vermochten: unter den Abbasiden im Irak, unter den Maurenherrschern in Spanien und nach der Vertreibung aus Spanien unter den Ottomanen in Istanbul und Saloniki ...

Was also, so muß hier schon im Vorfeld gefragt werden, eint über alle mehr oder weniger zufälligen historischen Beziehungen hinaus die drei Religionen des nahöstlichen Stromsystems? Was eint Juden, Christen und Muslime grundsätzlich? Was kann als **reales Fundament** für eine ins Bewußtsein zu hebende und faktisch neu zu realisierende abrahamische Ökumene – bei aller Eigenständigkeit der drei Religionen – angesehen werden? Was eint die drei abrahamischen Religionen schon jetzt?

Man braucht in ökumenischen Dialogen zusammen mit Juden und Muslimen nur Vertretern der indischen und chinesischen Stromsysteme gegenüberzusitzen, um zu merken, wieviel Juden, Christen und Muslimen nun doch trotz allem Streit gemeinsam ist: Es ist ein weithin ähnliches Grundverständnis von Gott, vom Menschen, von der Welt und der Weltgeschichte überhaupt. Eine Art **abrahamische Ökumene**, die in einer langen Geschichte begründet ist und die durch alle Feindschaft und Kriege nicht ausgetilgt werden konnte. »Es ist eine Erbgeschichte größten Ausmaßes«, stellt denn auch der Religionswissenschaftler Kurt Rudolph mit Recht fest, »die hier in der Religionsgeschichte unseres Kulturkreises zu Tage kommt und die das Verhältnis der drei großen Religionen des Vorderen Orients bis heute

bestimmt, auch wenn es oft von den Gläubigen (bewußt oder unbe-
wußt) nicht wahrgenommen wird«[74].

Ein **drittes** grundlegendes und zugleich vorausgreifendes **Fazit:** Die
drei abrahamischen Religionen Judentum, Christentum und Islam
sind durch große Gemeinsamkeiten verbunden, die schon mit dem
Namen Abrahams gegeben sind. Allen trennenden Unterschieden
zum Trotz sind ihnen gemeinsam:

- **semitischer Ursprung und Sprache:** das Arabische ist in Struktur
  und Vokabular eng verwandt mit dem Hebräischen Israels sowie
  dem Aramäischen Jesu und der christlichen Urgemeinde; alle drei
  abrahamischen Religionen kommen aus der semitischen Sprachgruppe;
- **der Glaube an den einen und selben Gott** Abrahams, ihres Stamm-
  vaters, der nach allen drei Überlieferungen der große Zeuge dieses
  einen wahren und lebendigen Gottes gewesen ist;
- eine nicht in kosmischen Zyklen denkende, sondern **zielgerichtete
  Geschichtsschau:** eine universale Heilsgeschichte vom Anfang in
  Gottes Schöpfung fortschreitend durch die Zeiten, ausgerichtet auf
  ein Ende durch Gottes Vollendung;
- die **prophetische Verkündigung** und die in der Heiligen Schrift ein
  für alle Male niedergelegte und bleibend normative Offenbarung;
- das in des einen Gottes Willen begründete **Grundethos** einer ele-
  mentaren Humanität: die Zehn (oder ihnen entsprechende) Gebote
  (»Dekalog«).

Mit einem Satz gesagt: Judentum, Christentum und Islam, diese drei
abrahamischen Religionen, bilden zusammen die ethisch ausgerichtete **monotheistische Weltbewegung** nahöstlich-semitischen Ursprungs und prophetischen Charakters, die sich von den Religionen
Indiens und Chinas – hier nicht etwa abzuwerten – von Herkunft und
Struktur her grundlegend unterscheidet. Gemeinsam könnten sie
einen höchst wichtigen Beitrag zur Ökumene der Religionen überhaupt leisten[75].

Daß trotz aller offensichtlichen Differenzen gerade im Christentum
eine deutliche Rückbesinnung auf das gemeinsame Erbe Abrahams
bereits stattgefunden hat, unterstreichen die vom **Zweiten Vatikanischen Konzil** 1962-1965 verabschiedeten Dokumente. Die katholische Kirche bekennt hier ausdrücklich, daß sie ohne Abraham und

sein Volk nicht denkbar wäre. Und wenn auch der nun folgende Text allzusehr vom christlichen Selbstverständnis her konzipiert und formuliert ist, so wird doch das Gemeinsame zwischen Juden und Christen genügend deutlich: »Bei ihrer Besinnung auf das Geheimnis der Kirche gedenkt die Heilige Synode des Bandes, wodurch das Volk des Neuen Bundes mit dem Stamme Abrahams geistlich verbunden ist. So anerkennt die Kirche Christi, daß nach dem Heilsgeheimnis Gottes die Anfänge ihres Glaubens und ihrer Erwählung sich schon bei den Patriarchen, bei Mose und den Propheten finden. Sie bekennt, daß alle Christgläubigen als Söhne Abrahams dem Glauben nach in der Berufung dieses Patriarchen eingeschlossen sind und daß in dem Auszug des erwählten Volkes aus dem Lande der Knechtschaft das Heil der Kirche geheimnisvoll vorgebildet ist.«[76]

Über die Muslime aber werden vom Konzil Aussagen gemacht, die noch deutlicher das Selbstverständnis der Muslime selber wiedergeben und in dieser Form wohl auch von Muslimen und Juden mitgetragen werden könnten: »Mit Hochachtung betrachtet die Kirche auch die Muslime, die den alleinigen Gott anbeten, den lebendigen und in sich seienden, barmherzigen und allmächtigen, den Schöpfer Himmels und der Erde, der zu den Menschen gesprochen hat. Sie mühen sich, auch seinen verborgenen Ratschlüssen sich mit ganzer Seele zu unterwerfen, so wie Abraham sich Gott unterworfen hat, auf den der islamische Glaube sich gerne beruft.«[77]

Damit sind wir nun genügend hermeneutisch und ökumenisch vorbereitet, um uns jetzt ganz dem **Judentum** in seiner noch immer gegenwärtigen Geschichte zuzuwenden: das Judentum – eine ethnische und doch eine Weltreligion eigener Prägung, ohne die weder das Christentum noch der Islam denkbar wären.

II. Probleme des Anfangs

Beides ist zugleich zu sehen: Das Judentum ist eine ethnische, eine **Volksreligion**, aber es ist zugleich eine Religion, die Welt-Geschichte gemacht und selbst eine Welt-Geschichte durchgemacht hat, eine **Welt-Religion**. Wie andere Universalreligionen, ist das Judentum keine statische Größe, kein monolithischer Block. Seine Geschichte ist voll von Spannungen, voll von tiefen Umbrüchen, tiefer jedenfalls, als es eine auf Kontinuität bedachte jüdische oder christliche Orthodoxie wahrhaben will. Eine Geschichte, in der sich, wie wir sehen werden, ohne systematischen Zwang verschiedene heute noch präsente und virulente Makromodelle, Großkonstellationen, Paradigmen leicht feststellen lassen. Auch das Judentum ist wie jede Religion zuerst an den eigenen Ursprüngen und Maßstäben zu messen, bevor sie mit anderen verglichen wird. Deshalb müssen wir auf den Anfang zurückfragen.

1. Das Rätsel Judentum

Keine Frage: Das Judentum – eine der ältesten Religionen unseres Globus, die trotz aller unbeschreiblichen Verfolgungen sich bis auf den heutigen Tag lebendig erhalten konnte – ist eine Religion von ganz eigener Kraft, Wärme, Serenität und Menschlichkeit. Ja, welch immer noch rätselhafte, **eigenartige Erscheinung der Religions- und Weltgeschichte** – für andere und sich – ist doch dieses Judentum! In seinem Wesen kaum zu definieren: Anders als Islam und Christentum keine Hunderte von Millionen umfassende multinationale Kraft. Vielmehr ein winziges Volk zunächst nur in jenem winzigen Land im syrisch-palästinischen Mittelstück des »Fruchtbaren Halbmondes« (»fertile crescent« J. H. Breasted) alter Kulturländer, vom Persischen Golf ausgehend bis zum Niltal: ein höchstens 150 km breiter, weithin gebirgiger Kulturlandstreifen, im Westen angrenzend an das Mittelmeer, im Osten langsam übergehend in die syrisch-arabische Wüste[1]. Und in der Mitte geologisch tief gespalten durch den »Syrischen Graben«, der über das Jordantal und das Tote Meer (fast 400 Meter unter dem Spiegel des Mittelmeers die tiefste Region der Erde) bis nach

Ägypten, ja bis hin zu den zentralafrikanischen Seen reicht, wo man
bisher die ältesten Menschenfunde gemacht hat.

Was also ist dieses Judentum, über das die Juden selber am allermeisten rätseln und das in seiner langen Geschichte ein Teil der assyrischen, babylonischen, persischen, griechischen, römischen und
schließlich christlichen Welt gewesen ist und dabei über die ganze Erde zerstreut wurde?

– Ein **Staat** und doch keiner! Warum nicht? Weil seit dem Babylonischen Exil (586 v. Chr.) ein Großteil und seit dem zweiten Jahrhundert n. Chr. bis heute sogar der weitaus größere Teil der Juden außerhalb des »Heiligen Landes« lebt: 5,7 Millionen Juden sind Bürger der
USA (etwa 3 % der US-Bevölkerung), bis vor kurzem 1,7 Millionen
der UdSSR; nur 3,3 Millionen sind Bürger Israels.

– Ein **Volk** und doch keines! Warum nicht? Weil dieses Volk wie kein
anderes eine internationale Größe ist. Zahllose Juden fühlen sich politisch und kulturell als Amerikaner, Engländer, Franzosen, auch Deutsche und keinesfalls als »Auslandsisraelis«.

– Eine **Rasse** und doch keine! Warum nicht? Weil schon seit spätrö-
mischer Zeit Menschen aus allen möglichen Stämmen und Völkern
durch Heirat oder Konversion Juden geworden sind, manche Ostjuden etwa vom Turkvolk der Chasaren und wieder andere von den
schwarzen Falaschas in Äthiopien abstammen und das heutige Israel
so ein offensichtlich vielrassiger Staat geworden ist mit Menschen aller
möglichen Haut-, Haar- und Augenfarben.

– Eine **Sprachgemeinschaft** und doch keine! Warum nicht? Weil das
Judentum weder eine allen gemeinsame Kultur noch eine allen ge-
meinsame Sprache kennt; viele Juden können kein Hebräisch oder
Jiddisch.

– Eine **Religionsgemeinschaft** und doch keine! Warum nicht? Weil
nicht wenige Juden – auch in Israel – nicht an Gott glauben und behaupten, ihr Judentum hätte mit Religion nichts zu tun; andere sind
zwar religiös, lehnen aber die Beachtung der Halacha, des jüdischen
Religionsgesetzes, für sich ab.

Quantitativ gesehen sind die Juden eine quantité négligeable, religiös gesehen jedoch eine Großmacht. Wie immer man es deutet, klar
ist: Das Judentum ist die rätselhafte **Schicksalsgemeinschaft** all derer,
die, wo und wie auch immer, ihre Abstammung auf Jakob, Israel genannt, zurückführen, juristisch genauer: die eine jüdische Mutter ha-

ben oder zum Judentum konvertiert sind. Ob sie nun dieselbe Sprache, Kultur, Rasse haben oder nicht: sie haben dasselbe Geschick. Sie
bilden eine Schicksalsgemeinschaft, die (ob von den einzelnen Glie-
dern bejaht, ignoriert oder geleugnet) durch eine über 3 000jährige
Geschichte, durch Jahrhunderte des Friedens und Jahrhunderte der
Verfolgung, ja der Ausrottung hindurch bis heute eine unerhörte, unvergleichliche, bewunderswerte Durchhaltekraft bewiesen hat. Dieses
Durchhalten unter schwersten Bedingungen durch 3 000 Jahre: Ist
nicht gerade dies das bleibende Rätsel dieser Gemeinschaft?

Wie immer man dies erklärt, unbestritten dürfte sein: Die Juden
sind eine rätselhafte Schicksalsgemeinschaft, weil sie eine rätselhafte
Erfahrungsgemeinschaft sind. Und das nicht erst in den späteren, oft
so schlimmen »christlichen« Jahrhunderten, sondern schon von frühen Zeiten, von Anfang an. Wir fragen: Sind diese frühen Erfahrungen, die da immer – mündlich zuerst, schriftlich auch schon seit
1000 v. Chr. – glaubend weitergegeben wurden, nicht stets religiöse
Erfahrungen gewesen? Erfahrungen mit dem einen bildlosen, unfaß-
baren und unergründlichen **Gott**, in dessen Licht oder Schatten Israel
seit Abraham, Isaak und Jakob stand? Blieben die Juden nicht, sofern
sie religiös waren, allesamt beim Glauben an diesen einen Gott der
Väter, so daß es für die Juden immer nur diese eine reine monotheistische Religion und keine andere gab? Und blieb der Glaube an den
einen Gott nicht immer – Gläubigkeit oder Ungläubigkeit der vielen
hin oder her – das Zentrum der jüdischen **Religion**? Und hätte das
über die ganze Erde zerstreute jüdische **Volk,** auch als es zwei Jahrtausende keinen eigenen Staat hatte, seine Identität bewahren können
ohne die Bindekraft dieses Glaubens? Haben die gläubigen Juden aller
Jahrhunderte nicht von ihm her ihr Leben gestaltet und eben gerade
so durchgehalten? Und haben nicht auch die seit der europäischen
Moderne zunehmend säkular-weltlich oder gar säkularistisch-gottlos
gewordenen Juden auf diesen Glauben zurückgegriffen, wenn sie sich
oder ihren Kindern erklären wollten, warum die Juden das sind, was
sie sind? Hat sich nicht von daher ein gewisses jüdisches Zusammengehörigkeitsgefühl, Solidaritätsbewußtsein und möglicherweise auch
ein geistiger Habitus über die Grenzen der Länder und Kontinente
hinweg gebildet?

Ein Durchhalten – unter schwersten Bedingungen – durch 3 000
Jahre: Kann man sich angesichts dieses rätselhaften Befundes der Ver-

mutung ganz erwehren, dieses Volk könne für irgendetwas Besonderes da sein, bestimmt sein? Dieses Volk könne von irgendjemandem für irgendetwas aufbewahrt, ausgewählt worden sein? Genau das aber behaupten nun in erstaunlicher Übereinstimmung die alten religiösen Überlieferungen dieses Volkes: Sie reden von einer **Auserwählung** des Volkes! Zu Recht? Wir heute jedenfalls, ob Juden, Christen oder Muslime, kommen – wie schon bei der Abrahamsgeschichte – um die Beantwortung der historischen Frage nicht herum: Kann man sich auf diese Überlieferungen vom Ursprung des Volkes verlassen, nachdem doch einwandfrei feststeht, daß sie oft erst Hunderte von Jahren nach den berichteten »Ereignissen« aufgeschrieben wurden? Was ist der heutige Stand der historischen Forschung?

2. Sagenumwobene Ursprünge

Ein kleiner Vergleich kann die Problematik sofort klar machen. Es ist keine Frage, daß es außerordentlich schwierig wäre, den Ursprung etwa der **schweizerischen** Eidgenossenschaft (Confoederatio Helvetica vollzogen »im Namen Gottes des Allmächtigen«!) zu rekonstruieren, wenn man nur auf die urschweizerischen **Sagen** angewiesen wäre: die Sage etwa von jenem Jäger und Meisterschützen Wilhelm Tell, dem späteren Schweizer Nationalhelden, der nach seinem kühnen Apfelschuß zu Altdorf, seiner Verhaftung und dann Flucht im Seesturm des Vierwaldstättersees schließlich den habsburgischen Landvogt Hermann Gessler, den verhaßten Unterdrücker seines Volkes, erschossen und so das Signal zum Volksaufstand und zur Befreiung des Landes von habsburgischer Herrschaft eingeleitet haben soll. Es wäre außerordentlich schwierig – trotz genauer Lokalisierung dieser Ereignisse in der Zentralschweiz. Warum? Weil – so muß ich als Eidgenosse zu meinem Leidwesen zugeben – die Tell-Geschichte wohl ursprünglich doch eine **Sage** war: eine nordische Wandersage (das Apfelschußmotiv findet sich bereits in den »Gesta Danorum« des Saxo Grammaticus). Doch: die Gründung der schweizerischen Eidgenossenschaft, wie sie sich bekanntlich im 13. Jahrhundert **nach** Christus ereignete, ist historisch verbürgt durch mehrere unbezweifelbare Dokumente, wie den (noch heute im Bundesarchiv zu Schwyz zu besichtigenden) ersten Bundesbrief der Urkantone Uri, Schwyz und

Unterwalden vom 1. August 1291. Wie aber steht es mit der israelitischen »Eidgenossenschaft«?

Der Ursprung der **israelitischen** Bundesgemeinschaft ist noch sehr
viel mehr von Sagen umwoben[2]. Das ist nicht erstaunlich, wenn man
bedenkt, daß er schon auf das 13./12. Jahrhundert vor Christus zu datieren ist! 1290 **vor** Christus beginnt nämlich die 66 Jahre dauernde
Regierungszeit des Pharao Ramses II., des Gründers der im Buch Exodus 1,11 genannten neuen Residenzstadt Ramses im Nildelta (ausgegraben 60 km westlich vom heutigen Suezkanal). Nach Auffassung
vieler Gelehrter ist er jener »Pharao der Unterdrückung«, der die früher nach Ägypten eingewanderten israelitischen Nomaden zu Bau-
arbeiten – Fronarbeiten waren in Ägypten üblich – verpflichtet hatte.
Urkunden bezüglich dieser »Unterdrückung« von Israeliten und ihres
»Auszugs« aus Ägypten[3] gibt es freilich keine. Die altägyptischen
Quellen schweigen, was nicht weiter verwunderlich ist: Eine solche
Emigration einer vermutlich ganz kleinen Schar war für die ägyptischen Hof- und Staatsgeschichtsschreiber ein völlig unbedeutender
Vorgang. Aber wie steht es dann mit jenen zehn öffentlich-spekta-
kulären, wundersamen Plagen – Verwandlung des Wassers in Blut,
Frösche, Stechmücken, Ungeziefer, Pest, schwarze Blattern, Hagel,
Heuschrecken, Finsternis, bis hin schließlich zur Erwürgung der Erst-
geburt[4]? Sie dürften zumeist kontrahierte und stilisierte Erzählungen
von Naturkatastrophen sein, wie sie in Ägypten und Palästina nicht
unüblich waren. Nur das Pascha-Opfer[5] war wohl ursprünglich ein
Opfer- und Blutritus zur Abwehr der Dämonen, wie er anläßlich des
alten nomadischen Frühlingsfestes zum Schutz des neuen Lebens der
Herden ausgeübt wurde …

Doch bietet nicht vielleicht jene erste außerbiblische Erwähnung
des Namens »Israel« einen historischen Anhaltspunkt, die sich in der
berühmten (1896 in der thebanischen Totenstadt aufgefundenen und
im Ägyptischen Museum in Kairo zu besichtigenden) Hieroglyphen-
Stele des Pharao Merenptah[6] findet, des Sohnes und Nachfolgers von
Ramses II., der von 1224 bis 1204 regierte? Doch auch sie berichtet
kein Wort vom Untergang eines Pharao und einer Verfolgertruppe,
die in einer Meerlagune von den zurückflutenden Wassern überrascht
worden wären. Im Gegenteil, da ist die Rede von Merenptahs Sieg
über die Libyer und dessen Auswirkungen auch auf »Israel«, das der
Inschrift zufolge brach liege und kein Saatkorn habe … Sonst nichts,

auch nichts von einem Mann namens Mose, auf dessen Geburt[7] eine
offensichtlich schon in Sumer/ Akkad verbreitete Bewahrungslegende
vom ausgesetzten Heldenknaben übertragen wurde. Von einer solchen wird erstmals bei König Sargon I. von Akkad berichtet – in der
zweiten Hälfte des 3. Jahrtausends vor Christus[8]!

Was folgt aus alledem? Antwort: Wie die Erwählungsgeschichte von
Abraham, Isaak und Jakob, so wurden auch die Erzählungen vom
Auszug aus Ägypten, vom Bundesschluß am Gottesberg und vom
Einzug ins gelobte Land zuerst nur **mündlich überliefert**. Da die anderen Völker von solchen Vorgängen offensichtlich keine Kenntnis
nahmen und sich in Israel selber frühestens in der späteren Königszeit
umfangreichere schriftliche Überlieferungen finden, lassen sich diese
Grundereignisse der israelitischen Früh-Geschichte historisch kaum
verifizieren. Unter diesen wenig günstigen Bedingungen drängt sich
aber die grundsätzliche Frage auf:

3. Wie mit den Quellen umgehen?

Die Frage kann in der Tat nicht umgangen werden: Was soll der heutige Leser mit diesen Geschichten anfangen? Ja, was soll der heutige
Jude, Christ oder Muslim überhaupt mit seinen eigenen uralten religiösen Traditionen, Geschichten, Sagen und Legenden anfangen? Die
Alternativen liegen nahe:
– Soll man alte Überlieferungen Wort für Wort akzeptieren, wie sie
aufgeschrieben sind – mit allen Verdoppelungen, Widersprüchlichkeiten und Unwahrscheinlichkeiten, um so die »Fundamentals« des
jüdischen, christlichen oder muslimischen Glaubens zu »retten«?
– Oder soll man – nachdem die europäische Aufklärung der Welt
nun einmal das historische Bewußtsein gebracht hat – diese ganzen
uralten Sagen als belanglose Mythen und Märchen auf den Schrott-
haufen der Geschichte werfen?
– Oder gibt es neben dem fundamentalistischen Tradieren und dem
modernistischen Eliminieren eine dritte Möglichkeit des post-modernen Interpretierens?

Auf das vom Schriftsteller Thomas Mann genial vollzogene fiktive
Ausspinnen der Geschichten der Genesis zu einem vierbändigen Jo-
sephs-Roman von über 2 000 Seiten oder 70 000 Zeilen (»Joseph und

seine Brüder« 1926-1942) wird sich der Glaubende auf der Suche
nach historischer Gewißheit kaum verlassen wollen. Auch nicht auf
Sigmund Freuds psychoanalytische Spekulation (ursprünglich konzipiert als »ein historischer Roman«) am Ende seines Lebens über den
»Mann Moses und die monotheistische Religion« (erschienen in
Freuds Todesjahr 1939). Thomas Mann wie Sigmund Freud fußen
ohnehin auf heute völlig überholten historischen Forschungen[9]. Stattdessen möchte ich, bei allem Respekt vor Mann und Freud, als historisch-kritisch denkender und glaubender Zeitgenosse des 20. Jahrhunderts versuchen zu unterscheiden: Wahrheit und Dichtung bedürfen der – historisch fundierten – Sichtung.

Als Kinder der Aufklärung können wir weder die homerischen
Epen noch Vergils Aeneis, können wir weder das Rolandslied, noch
die Tell- oder Nibelungensagen, können wir aber auch nicht die Heilige Schrift vormodern-wörtlich – wie die Mittelalterlichen oder auch
noch die Reformatoren – verstehen. Wir haben auch sakrale Texte,
haben selbst die Bibel zunächst **historisch-kritisch** zu interpretieren.
Dabei dürfen wir, sofern es um wissenschaftliche Interpretation geht,
alle modernen Methoden und Arbeitsweisen nützen: nicht nur Text-,
Literatur-, Form- und Gattungskritik, sondern auch Motiv-, Tradi-
tions-, Redaktions- und Wirkungsgeschichte, aber auch all das, was
die archäologischen Ausgrabungen (besonders die Stratigraphie) und
Oberflächenforschungen (»surface exploration«) an den Tag gebracht
haben, schließlich die in neuester Zeit sehr aufschlußreichen Resultate
der sozialwissenschaftlichen und strukturalistischen Untersuchungen.
Jedem Methodenmonismus ist zu widerstehen.

Laien ist zumeist unbekannt: Was die **moderne Bibelwissenschaft**
– dabei auch andere Wissenschaften (klassische Philologie, Ägypto-
logie, Assyriologie usw.) anregend und nutzend – in rund 300 Jahren
an minutiöser Gelehrtenarbeit geleistet hat, gehört zu den größten
geistigen Errungenschaften der Menschheit[10]. Hat außerhalb der jüdisch-christlichen Tradition eine der großen Weltreligionen ihre eigenen Grundlagen und ihre eigene Geschichte so gründlich und unvoreingenommen erforscht? Nicht im Entferntesten. Die Bibel ist mit
Abstand das bestuntersuchte Buch der Weltliteratur. Kein Satz, über
den nicht ungezählte moderne wissenschaftliche Kommentare in den
verschiedensten Sprachen der Welt verbreitet wären. Kein Wort, über
das nicht zahlreiche philologische und historische Wörterbücher und

Handbücher Auskunft gäben. Kein Name, zu dem nicht mehr oder weniger erschöpfende Untersuchungen vorlägen. Kein Thema, das nicht unter den verschiedensten Aspekten – philologisch, historisch, psychologisch, soziologisch, theologisch – beleuchtet worden wäre. Nicht zu überblicken die Bibliotheken, die über dieses eine Buch, das man schlicht »die Bibel« (vom griechischen »biblia« = die Bücher) nennt, geschrieben worden sind[11].

Und was nun insbesondere die **Hebräische Bibel**, hebräisch der Tenach (Abkürzung gebildet aus den Anfangsbuchstaben T = Tora = Gesetz; N = Newiim = Propheten; K = Ketuwim = Schriften), christlich das Alte Testament genannt, betrifft, so wird als eines der bedeutendsten Ergebnisse der modernen christlichen Bibelforschung heute allgemein anerkannt: die kritische Unterscheidung verschiedener **Quellenschriften** des Pentateuch (früher »die fünf Bücher Mose« genannt), der die Geschichte von der Erschaffung der Welt bis zum Tod des Mose erzählt. Der ganze Entstehungsprozeß schon des Buches Genesis dürfte rund ein halbes Jahrtausend umfaßt haben[12].

Aufgrund dieser immer wieder neu differenzierten Quellenkritik ist nun nicht zu übersehen, daß die Quellenlage für die Zeit **vor** der israelitischen Staatsgründung in den letzten zwei bis drei Jahrhunderten des 2. Jahrtausends v. Chr. – im Gegensatz zur Geschichte **nach** der Staatsbildung im 1. Jahrtausend v. Chr. – höchst ungünstig und unergiebig ist. Israel war eben noch ein **Volk im Werden**, von den großen Nachbarn kaum beachtet.

Aber darüber kann kein Zweifel sein: Für die spätere Geschichte des Volkes sind drei »Ereignisse«, drei Überlieferungen grundlegend geworden: die erste vom Auszug des Volkes aus Ägypten, die zweite vom Bundesschluß am Gottesberg und die dritte von der Landnahme. Gewiß, was historisch »hinter« ihnen steckt, ist unsicher, zumal alle literarisch keineswegs einheitlich überliefert sind. Ursprünglich wohl selbstständig, sind sie erst nachträglich in einem komplizierten literarischen Kompositionsprozeß kunstvoll aus verschiedenen Quellen zusammengefügt und so mehr oder weniger einheitlich redigiert worden. Aber das schließt selbstverständlich ein gewisses Maß an Historizität nicht aus. Selbstkritische Exegeten geben heute zu: Allzu oft wurden literarkritische Hypothesen zum Maßstab historischer Urteile über beschriebene Ereignisse gemacht. Als ob junge, vermutlich junge Überlieferungen sich nicht auf ältere Tatsachen beziehen könnten!

Was also? Kann man heute über die frühe Geschichte Israels überhaupt noch Geschichte schreiben? Und wenn ja, wie?

4. Für eine integrierte Geschichtsschreibung

Ich gehe davon aus: Jede Wissenschaft bedarf der Analysen, die alles
und jedes zergliedern, gewiß. Und doch darf sie sich um die von ihr
geforderten Synthesen nicht herumdrücken. Synthesen sind nicht un-
gefährlich. Denn auch die Bibelwissenschaft mit ihren verschiedenen
Methoden ist Moden ausgesetzt. Und nachdem man zuerst die **histo-
risch-literarische Analyse** so weit vorangetrieben hatte, daß sie sich in
einer überzogenen Formgeschichte oft beinahe selber aufhob, und
nachdem man sich dann immer mehr von der **biblischen Archäologie**
korrigieren lassen mußte, so daß diese eine Zeitlang sogar den Beweis
zu liefern schien für den Slogan »Und die Bibel hat doch recht«[13], so
ist es heute Mode geworden, den archäologischen Befund mit **sozialwissenschaftlichen Methoden** zu erklären und dabei die alttestamentlichen Schriften (da ja später entstanden) als Zeugnisse für die Interpretation der Frühgeschichte Israels methodisch zu eskamotieren oder
gar von vornherein nicht zuzulassen. Ja, es scheint Alttestamentler zu
geben, die das Alte Testament zur Deutung des Alten Testaments gar
nicht mehr brauchen ... Archäologie, gedeutet mit vergleichender Historie und Sozialanthropologie, ist an dessen Stelle getreten.

Meine (und gewiß nicht nur meine) Überzeugung ist: Nur eine **in-
tegrierte multidimensionale Betrachtungsweise**, die literarische, historische, soziologische und theologische Methoden verbindet, kann
der israelitisch-jüdischen Geschichte gerecht werden. Im Bemühen
um solche differenzierten Synthesen fühle ich mich, was die Geschichte Israels betrifft, sehr bestätigt durch neuere synthetische Tendenzen in der Bibelwissenschaft, repräsentiert etwa durch Norman K.
Gottwalds soziologisch-literarische Einführung in »The Hebrew
Bible« (1985). Als Konklusion wird hier gegen alle isolierten, verabsolutierten Methoden (selbstverständlich auch die theologische!) formuliert: »Historische Kritik reduziert Ereignisse. Literarische Kritik
reduziert Texte. Soziologische Kritik reduziert gesellschaftliche Strukturen und Prozesse. Theologische Kritik reduziert religiöse Glaubensinhalte und Praktiken. Folglich mag die Hebräische Bibel gänzlich als

historische, gänzlich als literarische, gänzlich als soziale, gänzlich als theologische betrachtet werden, aber auf solche Weise, daß keine dieser Betrachtungsweisen die anderen auszuschließen vermag.«[14]

So lassen wir uns denn nicht einschüchtern von der praktischen Unendlichkeit der Perspektiven, von der Unabsehbarkeit der von der Spezialforschung angehäuften Stoffmassen und von den Dogmen der verschiedenen Methoden, Schulen und Richtungen. Wir wagen uns an ein Gesamtkonzept, um so weit wie irgendwie möglich in den Teilen das Ganze, und im Ganzen den Stellenwert der Teile zu Gesicht zu bekommen.

Konkret auf die Geschichte Israels angewandt heißt das: Zuzugeben ist – und wir werden vieles noch genauer sehen –, daß die großen »Ereignisse der Frühgeschichte Israels« sich im nachhinein historisch nicht eindeutig verifizieren lassen. Die Ursprünge Israels sind und bleiben von Sagen umwoben, was ja bekanntlich auch für andere Ereignisse der Antike wie etwa die Gründung Roms gilt – nur mit dem Unterschied, daß die im Tiber ausgesetzten und von einer Wölfin gesäugten Zwillinge Romulus und Remus keine Offenbarungsautorität darstellen wie etwa Mose, die eine bis heute verpflichtende Heilsgeschichte eröffnet. Aber heißt das, daß in der ersten Epoche Israels die Wirkungsgeschichte völlig über die geschehene Geschichte triumphiert hat? Nein, so einfach verhält es sich nicht.

5. Die Durchsetzung des Monotheismus

Man muß sich ja immerhin fragen: **Was** war es denn, das in der Geschichte diese so **starke Wirkung** hervorgerufen hat, so daß schließlich die gesamte Tradition davon geprägt wurde? Von der Grundaussage der Texte her drängt sich die Antwort auf: Es war der **Glaube an diesen einen in der Geschichte wirkenden unsichtbaren Gott Jahwe.** Ein Glaube, der dann in der Endredaktion der »Fünf Bücher Mose« offensichtlich so stark war, daß er schließlich alle konkurrierenden Formen des Gottesglaubens verdrängen konnte. So lauten das erste und zweite Gebot des Dekalogs: »Ich bin der Herr, dein Gott, der ich dich aus dem Lande Ägypten, aus dem Sklavenhaus herausgeführt habe. Du sollst keine anderen Götter neben mir haben. Du sollst dir kein Gottesbild machen, keinerlei Abbild.«[15]

Man muß deshalb **Yehezkel Kaufmann**, Professor an der Hebräischen Universität in Jerusalem, zustimmen, wenn er in seiner beeindruckenden Darstellung der Religion Israels als »Basisidee der israelitischen Religion« den Monotheismus bezeichnet, »daß Gott Höchster über allem«[16] ist: »In summa: die religiöse Idee der Bibel, sichtbar in den frühesten Schichten, die sogar die ›magischen‹ Legenden durchdringen, ist die eines obersten Gottes, der über jedem kosmischen Gesetz, über jedem Schicksal und jedem Zwang steht: ungeboren, unerschaffen, keine Leidenschaft kennend, unabhängig von den Dingen und ihren Kräften; ein Gott, der andere Gottheiten oder Kräfte der Unreinheit nicht bekämpft, der nicht opfert, weissagt, prophezeit oder Hexerei praktiziert; der nicht sündigt und keiner Sühne bedarf; ein Gott, der nicht die Feste seines Lebens feiert. Ein freier göttlicher Wille, der alles Seiende transzendiert – das ist das Kennzeichen der biblischen Religion und dies macht den Unterschied von allen anderen Religionen dieser Erde aus.«[17]

Doch eine Frage beantwortet Yehezkel Kaufmann, der von den Ergebnissen der historisch-kritischen Forschung absieht, nicht: War es von allem Anfang an so? Es waren vor allem deutsche Forscher wie Albrecht Alt, Martin Noth, Otto Eißfeldt und Gerhard von Rad[18], die mit Hilfe der historisch-kritischen Methode das klassisch gewordene Bild von der israelitischen Religion in mühseliger Detailarbeit differenziert und profiliert haben. Ihre historische Kritik (so sehr sie auch schon literarische und soziologische Aspekte berücksichtigte), bedarf der Ergänzung nicht nur durch die – besonders von französischen, englischen, amerikanischen und israelischen Forschern vorangetriebene – Archäologie, sondern auch durch neuere (vor allem in Amerika entwickelte) literaturwissenschaftliche und sozialwissenschaftliche Methoden, welche die Bibel auch als literarisches Werk und als soziologisches Dokument ernstnehmen[19].

Ein wichtiges Ergebnis neuester Forschung: Das Bild von der **Entwicklung des Gottesglaubens** in Israel ist differenzierter geworden. Aufgrund vieler indirekter Angaben in den Königs- und Chronikbüchern, aber auch der Polemik der Propheten, aufgrund archäologischer Funde (z. B. überall viele Götter und Göttinnenfiguren) und mancher Ortsnamen (z. B. »Bet-Anat« = »Tempel der Anat«) nimmt heutige Forschung an: Der Polytheismus war in Israel bis zum Babylonischen Exil weit verbreitet. Mit anderen Worten (der amerika-

nische Historiker Morton Smith[20] vor allem hat dies herausgearbeitet): Der strenge biblische Monotheismus konnte sich erst nach langen Auseinandersetzungen durchsetzen. Wir haben nämlich aus heutiger Sicht von »einer Kette relativ rasch aufeinanderfolgender, sukzessiver Revolutionen in Richtung Monotheismus« (O. Keel[21]) auszugehen. Der deutsche Alttestamentler Bernhard Lang[22] versuchte sie genauer zu bestimmen (wobei jedoch noch schärfer zwischen der Existenz anderer Götter in- oder außerhalb Israels zu unterscheiden ist):
– Im 9. Jahrhundert, der frühen monarchischen Zeit Israels, der Kampf gegen den tyrischen Gott Baal zugunsten des einen israelitischen Nationalgottes Jahwe: Jahwe statt Baal: so im Nordreich durch die Propheten Elija und Elischa und – nach Staatsstreich – durch den neuen König Jehu, im Südreich Juda zu gleicher Zeit die Reformen der Könige Asa und Joschafat.
– Im 8. Jahrhundert Beginn der zunächst minoritären Jahwe-allein-Bewegung: Nur dieser eine Gott ist in Israel anzubeten, was immer andere Völker als Götter verehren. Monolatrie verstanden als die Verehrung eines Gottes, ohne die Existenz anderer Götter (außerhalb Israel) zu leugnen; deshalb die scharfe Polemik des Propheten Hosea gegen die Verehrung anderer Götter in Israel und die Prostitution im Tempelbereich.
– Im 7. Jahrhundert die Durchsetzung dieser Alleinverehrung Jahwes. Die Existenz anderer Götter außerhalb Israels wird zwar noch immer nicht geleugnet, in Israel aber, dem exklusiven Bundesvolk, ist in exklusivem Gottesdienst exklusiv Jahwe (und nicht Baal oder später Zeus) zu verehren; es kommt zum Reformprogramm des Königs Joschija mit Kultreinigung, Kultzentralisierung und Erklärung der neuen Kultordnung zum Staatsgesetz.
– Im 6. Jahrhundert schließlich Fortentwicklung der Alleinverehrung Jahwes zum strengen Monotheismus, der jetzt die Existenz anderer Götter leugnet: Die Eroberung Jerusalems durch die Babylonier wird als Strafe für den polytheistischen Irrweg interpretiert und die Redaktion der alten Schriften im streng monotheistischen Sinne unternommen.
Eine Bewegung vom Polytheismus über die Monolatrie zum Monotheismus also, aber für Israel selber schon früh wichtig die ausschließliche Bindung an den einen »eifersüchtigen Jahwe«, was jeglichen Fremdkult, Götzen- oder Gestirnkult ausschloß. Soll diese Ent-

wicklung, wie dies in der neueren Forschung manchmal gerade bei christlichen Exegeten anklingt, mit »Geschichtsblindheit«, »Fanatismus«, »Intoleranz«, »Haß« benotet werden? Soll man sich vielleicht gar nach dem Polytheismus und dem alten kanaanäischen Fruchtbarkeitskult zurücksehnen? Nein. Wann immer man die Entstehung eines streng exklusiven Monotheismus ansetzt, ist letztlich eine zweitrangige Frage. Daß bei allen Relikten früherer, weniger exklusiver Auffassungen der Glaube an den einen und einzigen Gott die **ganze** Hebräische Bibel in ihrer definitiven Redaktion von Anfang bis Ende bestimmt, ist nicht nur für damals, ist auch für heute entscheidend. So wichtig eine Rekonstruktion der Literatur- und Religionsgeschichte Israels mit Hilfe der historisch-kritischen Methode ist, mit der Frage des **Entstehens** ist die Frage des **Verstehens** noch längst nicht gelöst.

»Jahwe ist Gott!« Es war in der Tat ein langer und doch letztlich klarer Weg: von dieser Parole des legendenumrankten Propheten Elija über die großen Schriftpropheten, Jesaja im 8. und Jeremia im 7. Jahrhundert, für welche die Götter (»elohim«) der Großmächte (und besonders die des neuassyrischen Reiches) »Nichtse« (»elihim«[23]), »Nicht-Gott« (»lo-elohim«[24]) und »nichtiger Hauch« (»hebel«[25]) sind, bis hin schließlich zum klaren hymnischen Bekenntnis des Zweiten Jesaja (Deuterojesaja), der im 6. Jahrhundert wie der Prophet Ezechiel unter den Verbannten der babylonischen Gefangenschaft wirkt und dort den einen und einzigen Gott Jahwe als Heil aller Völker verkündet: »Es ist kein Gott außer mir! Einen gerechten und rettenden Gott gibt es nicht neben mir!«[26]

Und sollte dieser nicht nur praktische, sondern jetzt auch grundsätzliche Monotheismus, wie er sich demnach spätestens seit dem Babylonischen Exil als Grundbekenntnis des Judentums durchgesetzt hatte, keinen noch heute bedeutsamen Sinn haben? Gläubige Juden bekennen es bis auf den heutigen Tag im »Schma Israel«, dem Morgen- und Abend- sowie auch dem Sterbegebet: »Höre (›schma‹), Israel: Jahwe ist unser Gott, Jahwe allein!«[27] Ja, das ist Israels großes Vermächtnis an die Menschheit, und das bedeutet auch für Christentum und Islam bis heute ein Dreifaches:

- **Keine Nebengottheiten** wie in allen Religionen ringsum: Weder öffentlich noch privat ist ihr Kult erlaubt.
- **Kein konkurrierender böser Gott** wie etwa in der persischen Reli-

gion: Selbst in der Zeit der persischen Vorherrschaft konnte sich neben dem guten Prinzip der »Widersacher« oder »Ankläger« (hebräisch »satan«, griechisch dann »diábolos« = »Verleumder«, davon
deutsch »Teufel«) nicht als zweites gleichwertiges Prinzip durchsetzen[28].

• **Keine weibliche Partnergottheit** wie sonst bei allen semitischen
Hauptgöttern: Nicht einmal ein Wort für »Göttin« existiert im
Hebräischen.

Hypothesen wie die, in gewissen israelitischen Kreisen sei eine Ehege-
fährtin Jahwes (etwa die Göttin Aschera) verehrt worden, brauchen
uns hier nicht zu beschäftigen. Wenn Gott im nachexilischen Judentum als »Vater« angeredet wird[29], dann geschieht das jedenfalls nicht
in sexistischer Absicht, um die Männlichkeit Gottes und die Minder-
wertigkeit der Frau zu betonen, die ja wie der Mann nach Gottes Bild
geschaffen ist[30], sondern um nach dem Zusammenbruch staatlicher
Strukturen in Gott sozusagen die verwandtschaftliche Schutzfunktion
des Familienoberhauptes anzurufen[31]. Die vormoderne Gesellschaft
war zwar in allen drei Religionen durchgängig patriarchalisch bestimmt, aber das Patriarchat ist mit dem Monotheismus keineswegs
notwendig verbunden. Wo Monotheismus und Patriarchat freilich
ein Bündnis eingingen, erwiesen sie sich nur zu oft als aggressiv.

6. Adam und der Universalismus der Hebräischen Bibel

Zugegeben: Es waren und sind mit dem Glauben an den einen Gott
sehr oft Fanatismus und Intoleranz verbunden. Und während die auf
Alleinheit hin orientierten mystischen Religionen Indiens eher versuchen, andere Religionen einfach zu absorbieren, als Vorstufen zu
relativieren, als Aspekte der einen und einzigen Wahrheit einzu-
schließen (Inklusivismus), tendieren Judentum, Christentum und Islam als prophetische Religionen, die an den einen Gott glauben, fast
natürlicherweise dazu, andere Religionen von vornherein auszuschließen (Exklusivismus), sie zu bekämpfen, ja, sie zu zerstören.
Nicht Gemeinschaft, nein, Absonderung und Eroberung wird hier
zur Parole. Statt der Einheit die Zweiteilung der Menschheit. Diese
gefährlich destruktive Tendenz ist, so sahen wir eben, schon in der

Hebräischen Bibel grundgelegt: Die **Konzentration** auf den einen
Gott manifestiert sich des öfteren nicht nur als **Konfrontation** mit
den anderen Religionen, sondern zugleich auch als **Exkommunikation**, ja – durch »heilige Kriege« – schließlich als **Destruktion** von
Andersgläubigen.

Doch muß das so sein? Muß Monotheismus notwendig Fanatismus
sein? Mit Recht hat man darauf aufmerksam gemacht, daß um die
Mitte des 1. Jahrtausends v. Chr. wie in Israel so auch in Griechenland (Vorsokratiker), in Persien (Zarathustra), Indien (Buddha) und
in China (Konfuzius) Reformbewegungen gegen den Polytheismus zu
beobachten sind in Richtung auf ein einziges Weltprinzip, eine einzige erste und letzte Wirklichkeit, wie immer genannt, weswegen Karl
Jaspers das 6. bis 4. Jahrhundert als eine »Achsenzeit«, ein »Zeitalter
großer Persönlichkeiten«[32] bezeichnet hat. Nein, Konzentration des
Glaubens an den einen Gott schließt allumfassende Weite keineswegs
notwendig aus, kann sie vielmehr begründen.

In der Hebräischen Bibel war es auffälligerweise gerade die streng
monotheistische Priestertradition, die auf den **universalen Horizont**
des israelitischen Glaubens größtes Gewicht gelegt hat. Wir hörten ja
bereits, wie die Abrahamsgeschichte, die auf Israels Geschichte hin-
führt, vom Anfang her mit der Vor- und Universalgeschichte der
Menschheit überhaupt – von der Erschaffung der Welt und des ersten
Menschen bis zur Geschichte des Turmbaus zu Babel erzählt – verbunden wurde. Und gerade von der Darstellung dieser Anfänge her
wird dieser universale Horizont überdeutlich. Hätten diese doch auch
ganz anders gestaltet sein können. Man bedenke nur einmal drei Fragen: 1. Ist der erste Mensch für die Hebräische Bibel nicht ganz selbstverständlich eine Jude? Keineswegs. 2. War nicht der Bund mit Abraham (von dem wir hörten) der erste, die übrige Menschheit durchaus
ausschließende Bund? Auch dies nicht. 3. Bedeutet der Glaube an
einen Gott nicht in jedem Fall eine Verengung gegenüber dem doch
sehr viel toleranteren Polytheismus? Auch dies nicht. Diese Antworten bedürfen einer zumindest kurzen Erklärung. Zuerst also zur Frage
nach dem ersten Menschen.

Sehr oft wird »Adam« einfach als Eigenname des ersten Menschen
verstanden. Aber »Adam« ist gleichlautend mit dem hebräischen Wort
für Mensch (»adam« = »Mensch«): »Der Gattungsname wurde zum
Eigennamen, weil Genesis die ganze Gattung im ersten Menschen ty-

pisieren wollte«[33]. In der Tat geht es denn in der sogenannten »Urgeschichte« Gen 2-4 nicht um die märchenhafte Erzählung von einem ersten Menschen im Paradiesgarten. Es geht um die Bestimmung der Situation des Menschen schlechthin, um den »Adam«, der das Urbild aller Menschen ist. Das heißt nun aber auch:

- Der erste Mensch ist nicht etwa ein Jude (die Geschichte Israels beginnt erst nach Ur- und Patriarchengeschichte).
- Er ist auch nicht ein Christ (wie eine typologisch-allegorische christliche Exegese manchmal nahelegt).
- Er ist auch kein Muslim (zumindest wenn man Muslim nicht vereinfachend mit Monotheist gleichsetzt).
- Vielmehr ist Adam einfach der Mensch (»adam«): **Jeder** Mensch ist **Gottes Ebenbild und Gleichnis**[34]!

Von allem Anfang an zeigt sich hier der universale Horizont der Hebräischen Bibel, und auch der geheimnisvolle Melchisedek, König von Salem und Priester des Höchsten Gottes[35] – Vorbild später der hasmonäischen Priesterkönige[36] und Prototyp für Jesus Christus[37] – ist weder Jude noch Christ. Es geht um den einen Gott, außer dem es keinen anderen gibt, und damit auch um den Menschen, **jeden** Menschen: nicht etwa nur um ein einziges Volk, sondern um die Menschheit **als ganze**.

Dies wird sogleich unter einem weiteren Gesichtspunkt bestätigt, wenn ich auf die zweite Frage eingehe: War der Abrahamsbund nicht der erste, die übrige Menschheit ausschließende Bund? Keineswegs. Denn – vor Abraham war Noach und der Bund mit ihm!

7. Der Bund mit Noach: Menschheitsbund und Menschheitsethos

Oft übersieht man bei der offensichtlichen Gewichtigkeit und Zukunftsträchtigkeit des Abrahambundes (der durch Isaak und Jakob bestätigt wurde) und dann des Sinaibundes (mit Mose) jenen **allerersten Bund**, den Jahwe der Hebräischen Bibel zufolge geschlossen hat, den **Noachbund**. Geschlossen mit wem? Mit der Menschheit insgesamt, ja **mit der ganzen Schöpfung**, mit Mensch und Tier. Erklärt doch Jahwe nach der Sintflut dem Noach und seinen Söhnen als den

Repräsentanten der übriggebliebenen Menschheit: »Ich aber, siehe, ich richte einen **Bund** auf mit euch und euren Nachkommen und mit allen lebenden Wesen, die bei euch sind, Vögel, Vieh und allem Wild des Feldes bei euch, mit allen, die aus der Arche gekommen sind. Ich will einen **Bund** mit euch aufrichten, daß niemals wieder alles Fleisch von den Wassern der Sintflut soll ausgerottet werden und niemals wieder eine Sintflut kommen soll, die Erde zu verderben.«[38]

Dieser erste Bund Gottes mit den Menschen ist – wie könnte dies nach der Fastzerstörung der Menschheit anders sein – kein bilaterales Unternehmen (insofern meinen einige Exegeten gegen den Text gar nicht von einem »Bund« im strengen Sinn reden zu dürfen). Nein, es ist Gottes von sich aus gegebene Zusage und Zusicherung, seine Selbstverpflichtung und freie Zuwendung, die aber gerade so einen **Bund** (im analogen, aber doch realen Sinn) konstituiert: einen Bund für immer mit der ganzen Schöpfung, »seinen« Bund, den er selber »gewährt«, »aufrichtet«: Die Schöpfung soll nie mehr untergehen, die Menschheit samt den Tieren soll erhalten bleiben.

Nicht nur dem Judenvolk also, nein, der ganzen Menschheit gilt diese unglaubliche Zusage: den Beschnittenen wie den Unbeschnittenen. Ein **Menschheitsbund**: kein Unterschied der Rassen, auch nicht der Klassen, Kasten, ja, auch nicht der Religionen! Denn das Zeichen dieses Bundes ist ja nicht die Beschneidung, vollzogen von den Angehörigen eines auserwählten Volkes. Das wunderbare, von Gott selbst aufgerichtete Symbol dieses Menscheitsbundes ist der die ganze Erde überwölbende **Regenbogen**, der von Gottes alles überragender Herrschaft, Zuverlässigkeit und Gnade zeugt.

Doch darf nicht übersehen werden, daß schon diesem Bund – und insofern ist er doch beidseitig – eine klare **Verpflichtung** auf Seiten des **Menschen** entspricht. Denn vor der Bundeszusage werden an die neue Menschheit einige elementare Forderungen gestellt, die – anders als die spätere Tora – für Israeliten wie Nicht-Israeliten bindend sein sollen. Zwar geht es hier noch nicht wie später um spezifische Gesetze für ein bestimmtes Volk, wohl aber um Grundforderungen an die ganze Menschheit zu deren Erhaltung. Dem Menschheitsbund entspricht ein **Menschheitsethos**! Man könnte bei diesen Erhaltensordnungen von einem minimalen **Grundethos der Ehrfurcht vor dem Leben** reden: nicht zu morden (»denn Gott hat den Menschen nach seinem Bild gemacht«[39]) und nicht das Fleisch noch lebender

Die drei Bünde des einen Gottes

Menschheit
Adam: der Mensch
Noach-Bund mit der ganzen Schöpfung
Bundeszeichen: der Regenbogen

Judentum – Christentum – Islam
Abraham: der Vater vieler Völker
Abraham-Bund mit der abrahamischen Menschheit
Bundeszeichen: die Beschneidung

Israel
Jakob: Vater der 12 Stämme
Sinai-Bund mit d. Volk Israel
Bundeszeichen:
Altar u. Bundeslade

Tiere zu essen. Im rabbinischen Judentum wurden aus diesen moralischen Verpflichtungen nachher geradezu sieben »noachische Gebote«
abgeleitet, die in verschiedenen Fassungen überliefert sind: neben den
Verboten des Mordes und der Grausamkeit gegen Tiere das Verbot
des Raubes, der Unzucht, des Götzendienstes, der Gotteslästerung
und das Gebot der Rechtspflege (Gerichtshöfe einzurichten)[40]. Als
John Seldon, der englische Politiker, Jurist und Orientalist 1640 ein
Buch über Natur- und Völkerrecht nach hebräischem Verständnis
veröffentlichte, setzte er in hebräischen Lettern den hebräischen Ausdruck für die noachischen Gebote auf die Titelseite.

Für den Trialog zwischen Juden, Christen und Muslimen ist ganz
und gar grundlegend: Im Kontext dieses Noachbundes können Juden
– so im Widerspruch zum rigorosen Maimonides (der die Christen
wegen Trinitätslehre und Bilderverehrung als Götzendiener bezeichnet) andere rabbinische Autoritäten[41] – **Christen und Muslime** als
»**Gottesfürchtige**« anerkennen! Denn auch diese haben sich ja von
heidnischen Göttern abgewendet und dem wahren Gott zugewendet.
Sie können deshalb, auch wenn ihrem Glauben angeblich Irrtum
(etwa Trinitätsglauben) beigemischt ist, **gerettet werden**, so wie die

heidnischen Noachiten, die ja nicht an die mosaischen Gebote, sondern nur an die noachischen Verbote gebunden waren. Im modernen
Judentum gelten die Christen aus dem gleichen Grund nicht als Heiden, sondern als »Söhne Noachs«.

Doch nun zur dritten Frage: Bedeutet der Ein-Gott-Glaube nicht
eine Verengung gegenüber dem sehr viel toleranteren Polytheismus?

8. Gottesglaube heißt Göttersturz

Zunächst ist zuzugeben: Der Glaube an einen Gott und der Glaube
an viele Götter geht, wohl überlegt, nicht zusammen. Jeder Gott
neben dem einen Gott und auch die bildliche Darstellung Gottes
wird vom Judentum bis heute als »Awoda sara«, »fremder Dienst«,
eben Götzendienst radikal abgelehnt. In primitiveren Gesellschaften
bedeutet der Glaube an den einen Gott die radikale Absage an die
vergöttlichten Naturmächte im immer wiederkehrenden kosmischen
Stirb-und-Werde. Aber auch in unserem vielfach polytheistischen
Zeitalter bedeutet er – für Christen und Muslime wie für Juden! – die
radikale Absage an die vielen Götter, die ohne Gottestitel heutzutage
von Menschen angebetet werden: an alle irdischen Größen mit göttlichen Funktionen, von denen für einen Menschen alles abzuhängen
scheint, auf die er hofft und die er fürchtet wie nichts in der Welt.
Dabei ist gleichgültig, ob der moderne Mensch – manchmal Mono-
theist, manchmal auch Polytheist – als Gott den Mammon, den
Sexus, die Macht oder die Wissenschaft, die Nation, die Kirche, die
Synagoge oder die Partei, den Führer oder den Papst anbetet. Der
Ein-Gott-Glaube Israels steht im Widerspruch zu jeder Quasi- oder
Pseudo-Religion, die ein Relatives verabsolutiert. Er stürzt alle fal-
schen Götter.

Aber gerade dieser Glaube an den einen Gott muß keine geistige
Verengung bedeuten. Er gibt vielmehr die **große Freiheit**, weil er alle
anderen Mächte und Gewalten in der Welt, die den Menschen so
leicht versklaven, **relativiert**. Durch die Bindung an das eine wahre
Absolute wird der Mensch deshalb wahrhaft frei gegenüber allem
Relativen, das für ihn nicht mehr zum Götzen werden kann. Vor dem
universalen Menschheitshorizont der Hebräischen Bibel also ist der
strenge, lebendige, leidenschaftliche, kompromißlose Ein-Gott-Glau-

be Israels zu sehen, der Israels Auszeichnung ist und bleibt und zugleich dessen – nicht genug zu preisende – Gabe an die anderen Völker. Nein, keine (mythologisch verbrämte) Rückkehr zu den Göttern ist heute im Übergang zur Postmoderne gefordert. Vielmehr statt einer gekünstelten Re-mythologisierung eine stets neue Umkehr zu dem einen wahren Gott, der der Gott der Juden, Christen und Muslime ist, der aber zugleich auch der Gott aller Menschen sein will.

Dieser eine Gott der ganzen Menschheit hat nun freilich – so zumindest das Zeugnis der biblischen Schriften – unter allen Völkern das Volk Israel in besonderer Weise erwählt. Der **eine Gott** und **sein Volk** und **Land**: Hier stoßen wir zum Zentrum des israelitischen Glaubens vor, das für die stets neue Identitätsfindung und Konsensbildung im Judentum von fundamentaler Bedeutung ist.

B. ZENTRUM

»Zentrum« kann falsch verstanden werden. Mit »Zentrum« ist nicht etwa – wie unter Hegels Einfluß im 19. Jahrhundert – ein »Grundbegriff« oder eine »Grundidee« gemeint, der gegenüber alle anderen Begriffe und Ideen der israelitischen Religion nur geschichtliche Erscheinungen und Entfaltungen wären. Mit »Zentrum« ist auch nicht – wie eine orthodoxe Dogmatik leicht mißverstehen könnte – ein »Grundprinzip« gemeint, von dem her sich das Ganze des israelitischen Glaubens systematisch konstruieren ließe. Alle Versuche, aus der Hebräischen Bibel ein begriffliches System oder eine kohärente Dogmatik abzuleiten, sind mißlungen und zuletzt an der historischen Kritik gescheitert. Diese zeigte auf, daß es in der Hebräischen Bibel und schon in den »Fünf Büchern Mose« und erst recht nachher sehr verschiedene Traditionen, Epochen, Theologien gibt.

Aber die Frage scheint mir unabweisbar: Soll es denn bei aller Vielfalt keinen Zusammenhang der Traditionen und Epochen, der Personen und Theologien geben? Ist die Hebräische Bibel etwa nur ein Konglomerat grundverschiedener Schriften, die keinen gemeinsamen Nenner haben? Zumindest der Glaubende – Jude und auch Christ – ist an dieser Frage interessiert, die doch, wissenschaftlich berechtigt, auf historischer Grundlage zu beantworten sein müßte:

– Was ließ denn die verschiedenen (doch nicht völlig heterogenen) **Traditionen** zusammenwachsen?

– Was verbindet denn die (doch nicht total verschiedenen) biblischen **Epochen**?

– Was hält denn die (doch nicht schlechterdings voneinander abweichenden) **Theologien** zusammen?

Die Rede von einem Zentrum des jüdischen Glaubens zielt also nicht auf die theoretische Frage nach einer systematischen Einheitskonzeption. Sie zielt auf die praktische Frage nach dem (zumindest ab einer bestimten Generation) **bleibend Gültigen** und **ständig Verpflichtenden** im Judentum. Weder für Juden noch für Christen ist es unwesentlich oder gar illegitim zu fragen: Worin unterscheidet sich denn die israelitische Religion von anderen Religionen? Was ist denn das Besondere, das Typische, die spezifische Eigenart der israelitischen Religion, wie sie sich in der Hebräischen Bibel – zugegeben in einem geschichtlichen Prozeß ständiger Neuinterpretation – manifestiert hat? Genauer gefragt: Was ist denn der verschiedenen Urkunden des israelitischen Glaubens

– ständige Voraussetzung (nicht: Prinzip),
– maßgebliche Grundvorstellung (nicht: Dogma),
– treibende Kraft (nicht: Gesetz)?

I. Die zentralen Strukturelemente

»Darum sage zu den Israeliten: Ich bin Jahwe; ich will euch von der Last der Fronarbeit Ägyptens freimachen und euch aus eurer Knechtschaft erretten und euch erlösen mit ausgerecktem Arm und durch gewaltige Gerichte. Ich will euch als **mein Volk** annehmen und will **euer Gott** sein, und ihr sollt erkennen, daß ich, der Herr (Jahwe), euer Gott bin, der euch von der Last der Fronarbeit Ägyptens frei macht.«[1]

1. Exodus: Volk und Erwählung

Der literarisch kunstvoll gefügte **Exodus-Zyklus**[2] ist in vielfacher Hinsicht völlig undurchsichtig[3]. Zwischen der Zeit des Joseph, da nach der biblischen Überlieferung auch die übrigen elf Söhne Jakobs samt ihrem Vater nach Ägypten gekommen waren, und der Zeit des Mose, da die Israeliten aus Ägypten auswanderten, lagen nach der biblischen Überlieferung nur vier Generationen[4]. In dieser Zeit aber konnte kaum ein großes Volk heranwachsen. Auch gibt es Anzeichen dafür, daß einige der Stämme oder Völker, die nach dem Buch Genesis von den Patriarchen abstammen, schon zur Zeit der Patriarchen existiert haben. Deshalb nimmt heutige Exegese an, daß die Namen der **zwölf Söhne Jakobs** ursprünglich die Namen von **zwölf Stämmen** gewesen seien, von denen man dann später auf zwölf Stammväter gleichen Namens geschlossen habe[5]. Was als Konsequenz hätte: Der Zwölfstämme-Verband läßt sich historisch wohl kaum von einem gemeinsamen Stammvater ableiten.

Darüber hinaus besteht unter den Kundigen Übereinstimmung: Auf keinen Fall waren alle späteren Stämme Israels vor der Landnahme in Ägypten. Nur von bestimmten Sippen und Stammesgruppen, meist Exodus-Gruppe, Jahwe-Schar oder **Mose-Schar** genannt, kann dies angenommen werden. Sie waren es, die im Ost- oder Nordostteil der Sinai-Halbinsel bestimmte Erfahrungen mit einem Gott Jahwe gemacht hatten, der in Kanaan unbekannt war; sie waren es, die dessen Kenntnis nach Palästina brachten. Der für ganz Israel so maßgebend gewordene Glaube an Jahwe beruht also auf alten Erfahrungen einer ursprünglich relativ kleinen Schar.

Was aber hat sich unter Ramses II. und dessen Sohn und Nachfolger im Zusammenhang mit dem Städtebau im Nildelta wirklich abgespielt? Wir wissen es nicht. Die näheren Umstände des Exodus, die genaue Route (eine oder mehrere?) und die Vorgänge an einem Schilfmeer: dies alles läßt sich in seinem historischen Wahrheitsgehalt nicht mehr ermitteln. Dieselben Vorgänge werden ja auch in den verschiedenen Quellen des Pentateuch ganz verschieden geschildert. Und was diese Frühzeit betrifft, so haben die biblischen Erzählungen bis möglicherweise in die exilisch-nachexilische Zeit hinein eine sukzessive Überarbeitung und das heißt auch theologische Deutung erfahren. Was da Geschichte ist und was Dichtung, was möglicherweise erst spätere Interpretation oder theologische Konstruktion, das läßt sich aus der zunächst nur mündlichen Überlieferung und den verschiedenen relativ späten schriftlichen Quellen, die für die vorexilische Zeit wenig verläßlich erscheinen, nur schwer ermitteln. Aber gerade hier dürfte sich eine Kombination von literarischer, archäologischer und kultursoziologischer Methode bewähren.

Wenn wir uns zunächst einfach an die geschichtsmächtig gewordenen Züge halten, an das, was Grundlage für das **Selbstverständnis des späteren Volkes Israel** geworden ist, dann ist eines völlig klar: Neben der Verheißung an die Erzväter und dem Bund mit Abraham ist die ständig bereicherte und vertiefte **Erinnerung an eine** einstmals erfolgte **Befreiung** des Volkes aus der ägyptischen Knechtschaft grundlegend. Was immer daran historisch gewesen sein mag – Israel jedenfalls hat später seine Geburtsstunde so verstanden: als eine Erwählung, Errettung und Erlösung des Volkes, die dem einen Gott mit dem Namen »Jahwe« zugeschrieben wird.

Ein Wort zu diesem **Gottesnamen**: In der Hebräischen Bibel wird Gottes Eigenname bekanntlich mit vier Konsonanten, dem Tetragramm **»JHWH«** (»Jahwe«, Kurzform »Jah«) bezeichnet[6]. Dieser Name wurde jedoch von den Juden in den letzten vorchristlichen Jahrhunderten aus Ehrfurcht nicht mehr ausgesprochen; im Namen ist Gott selbst gegenwärtig. Er wurde vor allem durch das Wort »Adonaj« (»Herr«) ersetzt, worauf man den vier Konsonanten JHWH die Vokale von »Adonaj« beigab, so daß spätere mittelalterliche Theologen (und die »Zeugen Jehovas« bis heute) irrtümlicherweise statt Jahwe nun »Jehova« lasen. Den jüdischen Leser darf ich hier um Verständnis bitten, daß ich mich an die ursprüngliche Weisung halte, die zwar Bilder von Jahwe verbietet, nicht aber die Aussprache seines Namens, der unter Juden heute noch immer verdeckt, meist mit »Adonaj« (»Herr«) oder »Haschem« (»der Name«), wiedergegeben ist.

Doch was soll nun jener Name heißen, der in der Hebräischen Bibel mehr als 6 800 mal vorkommt? Bekanntlich hat Mose vor dem brennenden Dornbusch bei seiner Berufung eine rätselhafte Antwort auf diese Frage erhalten: »ehje ascher ehje«[7]. Man kann sich heute nicht mehr einfach an die griechische Übersetzung der Hebräischen Bibel (Septuaginta genannt, weil nach der Legende von 70 Übersetzern erarbeitet) halten: »Ich bin der Seiende.« Gewiß: Es kann das Verb »hajah« in seltenen Fällen auch »sein« heißen. Meistens aber heißt es »dasein, sich ereignen, geschehen«. Und da sich im Hebräischen dieselbe Form für Gegenwart und Zukunft findet, kann man entweder übersetzen: »Ich bin da, als der ich da bin«, oder: »Ich bin da, als der ich dasein werde«, oder – wie der große jüdische Übersetzer der Hebräischen Bibel, Martin Buber übersetzt: **»Ich werde dasein, als der ich dasein werde.«**

Wie immer: Mit dieser Antwort wird keinesfalls Gottes Wesen statisch-ontologisch definiert, wie dies manche alte, mittelalterliche und neue christliche Theologen annahmen: »Sum qui sum« = »ich bin, der ich bin«, also »ipsum esse« = »das Sein selbst«. Vielmehr wird hier Gottes Willenserklärung verheißend angekündigt: Gottes dynamisches Dasein, Gegenwärtigsein, Wirksamsein. »Jahwe« heißt also: »Ich werde da sein, präsent, leitend, helfend, stärkend, befreiend!«

Wir hörten es schon: Ein grundsätzlicher und exklusiver Monotheismus hat sich in Israel nur langsam entwickelt und durchgesetzt: vom Glauben an einen Gruppengott über einen die alleinige Verehrung beanspruchenden Gott eines Volkes bis hin zum Glauben an den einen und einzigen Gott aller Völker und Schöpfer des Himmels und der Erde. Doch dies eine ist sicher: der **Glaube an Jahwe** (außer in Kohelet, Ester, Hohelied ist sein Name überall genannt) bildet die **konstante Grundlage des Volkes Israel.** An ihn glauben sie, ihn verehren sie, auf ihn hoffen sie. Und dieser Jahwe ist von seinem Volk offenkundig nicht als Despot und Sklavenhalter, sondern als ein Gott der Befreiung und Errettung erfahren worden. Hört man in die biblischen Urkunden hinein, so ist unzweideutig: Was Israel widerfuhr, verstand man nicht bloß als Menschenwerk, sondern als **Gottes** Tat. Jahwe wird als Grund für die Befreiung aus Ägypten geglaubt. **Er** ist so der eigentliche Retter und Schützer Israels! Gott »mit uns«, Gott »für uns«!

Das Bekenntnis zu dem einen Gott, der Israel aus Ägypten herausgeführt hat, ist also ein Urbekenntnis Israels, Einleitung auch, wie wir hörten, zum Dekalog. So hat es etwa sehr viel später der Prophet Hosea zum Ausdruck gebracht: »Ich bin doch der Herr, dein Gott von Ägypten her! Einen Gott außer mir kennst du nicht, und einen Helfer außer mir gibt es nicht.«[8] Dieser Befreiung des von Gott erwählten Volkes erinnert man sich bis heute täglich im jüdischen Morgen- und Abendgebet, in jedem synagogalen Gottesdienst, im ganzen Verlauf des jüdischen Jahreskalenders und besonders am Pessach- oder Passahfest. Sie ist und bleibt ein Grunddatum jüdischen Glaubens[9].

Israel versteht sich somit als das von Gott befreite **Volk.** Und Volk (hebräisch »am«, »goj«) ist denn auch die häufigste Selbstbezeichnung der israelitischen Stämme: **Gottes** Volk oder – was in der Logik dieser Erfahrung liegt – Gottes **auserwähltes**Volk. Diese Selbstbezeichnung Israels ist von Nichtjuden oft mißverstanden worden als Ausdruck jüdischer Überlegenheit und Arroganz. Davon aber kann – wie immer einzelne Juden dies verstanden oder gelebt haben mögen – vom Ursprung her keine Rede sein. Denn:

1. Die Erwählung Israels ist keine Selbstwahl der Israeliten, sondern allein **Gottes Tat:** Und um diese Initiative Gottes zu umschreiben, gebraucht die Hebräische Bibel eine ganze Reihe von verwandten Verben wie »erwählen«, »aussondern«, »annehmen«, »erfassen«, »rufen« ...

Auf Erwählung hat niemand einen Anspruch; Erwählung ist reine Gnade. Kein Anlaß also zu religiös begründeten Chauvinismen oder Exklusivismen! Das Volk Israel soll zum Segen für die anderen Völker werden.

2. Die Erwählung Israels bedeutet nicht die Anerkennung einer besonderen Qualität dieses Volkes vor allen anderen, sondern eine besondere Verpflichtung. Die Gegenseitigkeit ist nur scheinbar: Der (einseitigen) Erwählung durch Gott hat die Übernahme der **Verpflichtung** durch Israel zu entsprechen: Nicht durch Stolz und Einbildung, nur durch gehorsame Erfüllung der Bundesbestimmungen wird Israel seiner Erwählung als Volk Gottes gerecht. Und wie oft versagt und versündigt sich Israel gegen eine Berufung und Verpflichtung! Nur Gottes Treue bewahrt es vor dem Untergang. Dies wird noch deutlicher, wenn wir uns einem weiteren Leitbegriff zuwenden: dem Bund.

2. Sinai: Bund und Gesetz

»Und nun, wenn ihr auf meine Stimme hört und meinen **Bund** haltet, so sollt ihr vor allen Völkern mein Eigentum sein; denn mein ist die ganze Erde. Ihr sollt mir ein Königreich von Priestern werden und ein heiliges Volk. Das sind die Worte, die du den Israeliten sagen sollst.«[10]

Was verbirgt sich hinter dem »**Sinai**«-Zyklus, der, in manchen biblischen Zusammenfassungen von Gottes Heilstaten nicht erwähnt, vermutlich ursprünglich selbstständig überliefert worden war? Was verbirgt sich besonders hinter den Erzählungen von der Theophanie Jahwes, dem Dekalog[11] und dem Bundesschluß[12]?

Wir wissen auch hier an historisch Gesichertem nicht viel. Wie die Marschroute zum Gottesberg nicht eindeutig verifiziert werden kann, so auch nicht der **Gottesberg** selber: War es wirklich der uns bekannte Berg Sinai auf der Halbinsel im Süden Israels, wie besonders die spätere christliche Überlieferung ganz selbstverständlich annahm? Oder war es im Gegenteil der Berg Horeb im Nordosten Israels oder ein dritter, wie man ebenfalls erwogen hat? Und was den **Gott des Berges** betrifft: War, nach der Erzählung vom Gottesberg zu schließen, Jahwe vielleicht ursprünglich ein Berggott der Wüste? Hatte er, der sich mit Feuer und Erdbeben offenbarte, mit einem vulkanischen Gebirge

zu tun? Fragen über Fragen, die nur unterstreichen: Wir wissen nichts
Sicheres über den Ursprungsort der Gottesoffenbarung. Streng genommen müßten wir »Sinai« stets in Anführungszeichen setzen.

Was also bleibt? Am überzeugendsten erscheint mir noch immer die
Deutung, daß die Gottesberg-Tradition ursprünglich wohl eine autonome Überlieferung war, die das besondere Verhältnis Jahwe-Israel
illustrieren sollte[13]. Denn unübersehbar ist ja: An diesem Gottesberg,
wo immer er zu lokalisieren ist, ist ein **Sonderverhältnis von Jahwe
und Jahweschar**, dem Urisrael, gestiftet worden. Und wenn man der
Gottesberg-Überlieferung in ihrer Urform nicht jeglichen historischen Kern absprechen will, wird man davon ausgehen müssen: In der
Zeit zwischen Auszug und Landnahme ist es zu einer besonderen, exklusiven Beziehung zwischen dem Volk – in der Gestalt zunächst der
Moseschar oder Exodusgruppe – zu diesem Gott gekommen, weswegen wir sie eben Jahwe-Schar nennen.

Ob die Jahweschar selber schon diese ihre Erfahrung Gottes ausdrücklich als »**Bund**« verstand, ist eher unwahrscheinlich. Eines aber
wird man jedenfalls sagen können: Was später »Bund« genannt wird,
ist in dieser Erfahrung von Exodus und »Sinai« grundgelegt. Die
Wirklichkeit des Bundes gab es schon längst, bevor das Wort »Bund«
(287 mal genannt) dafür gebraucht wurde. Die Sache – die endgültige
Bindung dieses Volkes an Jahwe und so die Gemeinschaft mit ihm –
gab es vor dem Begriff. In der Zeit des »Deuteronomiums« dann, im
7. Jahrhundert, einer Zeit der Krise, wird durch prophetischen Impuls, antikanaanäische Reaktion und nationale Freiheitsbewegung aus
dem hebräischen Wort »berit« (das im profanen Bereich schlicht ein
Rechtsverhältnis zwischen zwei Parteien, ob gleichberechtigt oder
nicht, meint) der zentrale Begriff einer **Bundestheologie**[14]. »Bund«
meint jetzt umfassend Gottes Erwählung, Gottes Herrschaft und bleibende Gemeinschaft mit seinem Volk. Dieser Bund ist jetzt die exklusive, unauflösliche, beidseitig verpflichtende Abmachung zwischen
Gott und diesem Volk. Durch diesen Bund, der das untrügliche Zeichen ist für eine unvergleichliche, unwiderrufliche Herabneigung des
einen Gottes zu seinem Volk, unterscheidet sich Israel klar von den
naturmythischen polytheistischen Religionen seiner Umwelt. So verstand man nun rückdeutend die gesamte eigene Geschichte: Nach
dem »Bund« mit Abraham[15], einem Einzelnen, der seinem Sohn Isaak[16] und dessen Sohn Jakob[17] gegenüber bestätigt wird, jetzt der Bund

mit dem **ganzen Volk**, dem deutlich der Vorrang vor dem Einzelnen zukommt. Gemeint ist: **Jahwe ist der Gott Israels und Israel sein Volk.**

Allerdings: Mit dieser besonderen Bindung – schon das Wort »Berit« schließt dies ein – ist auch eine besondere partnerschaftliche Verpflichtung verbunden. Der Bundes**zusage** Gottes entspricht die Bundes**verpflichtung** des Volkes! Auf Gottes Treueverheißung soll Israel mit Treue antworten, und insofern gehören Bundesschließung und **Gesetzgebung**, gehören »Berit« und »**Tora**« zusammen! In der Bundesschlußzeremonie des Buches Deuteronomium wird denn auch der Gehorsam gegenüber den Satzungen und Rechtsverpflichtungen besonders stark betont[18]; denn der Bund kann ja von Seiten des Volkes gebrochen werden. Im Zentrum, ganz ins Bundesgeschehen selber eingebunden, stehen die »Zehn Worte«, der Dekalog, samt einigen Ergänzungen: apodiktische Gebote, die universale ethische und religiöse Prinzipien ausdrücken, ein Grundethos, das unter den Willen Jahwes gestellt ist. »Tora«, in Septuaginta und Neuem Testament verengt mit »nomos«, im Deutschen mit »Gesetz« übersetzt, meint ja ursprünglich nicht ein Gesetzeskorpus, sondern meint generell **Weisung**: Wegweisung zu einem von Gott ermöglichten und geforderten wahrhaft menschlichen Leben. Und insofern das Christentum sich die »Zehn Gebote« wörtlich zu eigen gemacht hat und insofern auch der Koran gegen Ende der mekkanischen Periode (im Kontext der Vision einer nächtlichen Reise des Propheten nach Jerusalem!) eine Zusammenfassung der wichtigsten ethischen Verpflichtungen bietet (mit auffällig vielen Parallelen – außer bezüglich des Sabbats – zum Dekalog), können wir von einem **gemeinsamen Grundethos** der drei prophetischen Religionen reden, ein Grundethos, das im Zusammenhang von Christentum und Islam noch genauer zu untersuchen sein wird.

Es war dann ein langer **Entwicklungsprozeß**, der aus der ursprünglichen »Weisung« ein allumfassendes Gesetzeskorpus werden ließ: Wenn das Bundesethos in seinem Zentrum ursprünglich als unbedingte Willensbekundung Jahwes, als apodiktisches Gottesrecht erscheint, so heißt dies keineswegs, daß das gesamte angeführte Gesetzesmaterial des »Bundesbuches« im Buche Exodus[19] und erst recht die ganze Fülle weiterer zum Teil kasuistischer Gesetzesbestimmungen zivilrechtlichen oder kultrechtlichen Charakters schon auf das Ge-

Das gemeinsame Grundethos

Der jüdisch-christliche Dekalog (Ex 20,1-21)	**Der islamische Pflichtenkodex** (Sure 17,22-38)
Ich bin der Herr, dein Gott.	Im Namen des barmherzigen und gnädigen Gottes.
Du sollst keine andern Götter neben mir haben.	Setz nicht (dem einen) Gott einen anderen Gott zur Seite.
Du sollst Dir kein Gottesbild machen. Du sollst den Namen des Herrn, deines Gottes, nicht mißbrauchen.	Und dein Herr hat bestimmt, daß ihr ihm allein dienen sollt.
Gedenke des Sabbattages, daß du ihn heilig haltest.	
Ehre deinen Vater und deine Mutter.	Und zu den Eltern (sollst du) gut sein. Und gib dem Verwandten, was ihm zusteht, ebenso dem Armen und dem, der unterwegs ist.
Du sollst nicht töten.	Und tötet nicht eure Kinder aus Furcht vor Verarmung! ... Und tötet niemand, den (zu töten) Gott verboten hat.
Du sollst nicht ehebrechen.	Und laßt euch nicht auf Unzucht ein!
Du sollst nicht stehlen.	Und tastet das Vermögen der Waise nicht an.
Du sollst nicht falsches Zeugnis reden wider deinen Nächsten.	Und erfüllt die Verpflichtung (die ihr eingeht).
Du sollst nicht begehren nach dem Hause deines Nächsten.	Und gebt, wenn ihr zumeßt, volles Maß und wägt mit der richtigen Waage! Und geh nicht einer Sache nach, von der du kein Wissen hast!
Du sollst nicht begehren nach dem Weibe deines Nächsten, nach seinem Sklaven oder Sklavin, nach seinem Rinde oder seinem Esel, nach irgendetwas, was dein Nächster hat.	Und schreite nicht ausgelassen auf der Erde einher!
(Übersetzung Zürcher Bibel)	*(Übersetzung von Rudi Paret)*

schehen am Gottesberg zurückgeht. Seit den grundlegenden Studien von Albrecht Alt[20] und Martin Noth[21] ist es Konsens der Exegeten, daß – um es mit Gerhard von Rad zu sagen – »Israel selbst am Dekalog lange gearbeitet (hat), bis er nach Form und Inhalt so universal und so knapp geworden ist, um als eine zureichende Umschreibung des ganzen Willens Jahwes an Israel gelten zu können«[22]. Zwar wurden auch hier im Verlauf der Forschungsgeschichte die Positionen immer differenzierter: Weder können – wie noch Alt annahm – die als apodiktisch bezeichneten Rechtssätze als genuin israelitisch oder jahwistisch bezeichnet werden (sie finden sich nämlich auch in anderen Kulturen). Noch läßt sich aus den verschiedenen Textüberlieferungen gleichsam ein Urdekalog herausarbeiten. Durchaus möglich ist jedoch, daß »der Dekalog zu einer relativ frühen Periode des Lebens Israels gehört, wahrscheinlich in das vormonarchische Zeitalter«[23]. Möglich erscheint auch, daß einzelne Verbote wie die ersten drei des Dekalogs oder Verbote von Kinderopfer, Zauberei und Sodomie als Teile religiöser Zeremonien auf Mose zurückgehen.

Wie immer: In der kritischen Bibelwissenschaft stimmt man heute überein – um einen Satz von Georg Fohrer zu zitieren –, »daß große Teile der apodiktischen Lebens- und Verhaltensregeln nicht von der Moseschar nach Palästina gebracht worden sind, sondern entweder wie Lev 18,7ff. aus einer nichtjahwistischen nomadischen Umwelt stammen und der Jahwereligion integriert worden oder erst nach deren Heimischwerden in Palästina als Nachbildung der alten Formen entstanden sind«. Daraus ist mit Fohrer zu folgern: »Jedenfalls ist mit derartigen Regeln ein bestimmter Weg beschritten worden, der zu einem Ziele führte, an das Mose schwerlich gedacht hat: zu einem umfassenden System von Geboten und Verboten, die das ganze Leben des Volkes und des einzelnen Menschen regeln, wie es die jüdische Gesetzesfrömmigkeit beabsichtigt.«[24]

3. Kanaan: Land und Verheißung

»Nach dem Tode Moses, des Knechtes des Herrn, sprach der Herr zu Josua, dem Sohne Nuns, dem Diener Moses: Mein Knecht Mose ist gestorben; so mache dich nun auf, ziehe über den Jordan hier, du und dieses ganze Volk, in das **Land**, das ich ihnen, den Israeliten, gebe.

Jeden Ort, darauf eure Fußsohle treten wird, gebe ich euch, wie ich
Mose versprochen habe. Von der Wüste an und dem Libanon dort bis
an den großen Strom, den Euphratstrom, das ganze Land der Hethiter, und bis an das große Meer im Westen soll euer Gebiet reichen.«[25]

Auch was sich hinter den **Erzählungen von der »Landnahme«**
(neutral formuliert) verbirgt, läßt sich, wiewohl die literarische, archäologische und soziologische Forschung hier besonders intensiv
gearbeitet hat, historisch ebenfalls kaum eindeutig eruieren. Zwei
Aussagen dürften indessen bei den Gelehrten weithin Zustimmung
finden:

1. Der Schauplatz der biblischen Geschichte, das Land **Palästina**,
hatte schon eine **jahrtausendalte Geschichte** hinter sich, als die Israeliten das Land zu besiedeln begannen: Es dürfte in der späten Bronzezeit 1500-1250 v. Chr. – unter der nominalen Oberhoheit Ägyptens
– von einem Netz von agrarischen Stadt-Staaten, jeder unter einem
»König«, überzogen gewesen sein. Ein Land von nicht geringer Kultur. Wiewohl bevölkerungsmäßig gemischt, war es zumeist wohl von
semitischen Kanaanitern bewohnt, in der südpalästinischen Küsten-
ebene jedoch von den Philistern, einem von der Ägäis (Kreta) her eingewanderten »Seevolk«, das dem Land den späteren Namen gegeben
hat: »Palaestina« – entstanden als griechisch-römische Provinzbe-
zeichnung, die sich von den »Philistern«, aramäisch: »Pelista'im«[26] ableitet.

2. **Israel** war damals **noch keine handlungsfähige politische Einheit**: Die Inbesitznahme des Landes durch die Israeliten kann trotz
der biblischen Erzählungen des Buches Josua Kapitel 1-12 nicht als
eine relativ rasch verlaufene kriegerische Aktion eines Zwölf-Stämme-
Verbandes erfolgt sein (der damals in dieser geschlossenen Weise noch
gar nicht existiert haben dürfte). Sie muß als ein längerer komplexer
Prozeß im 12./11. Jahrhundert, eventuell schon im 13. Jahrhundert
(archäologisch gesehen die späte Bronze-, eventuell frühe Eisenzeit)
stattgefunden haben. Aber – das ist die historische Frage – wie ist diese
»Landnahme« erfolgt? Über kein anderes Problem der Geschichte Israels wird unter den Gelehrten zur Zeit so sehr gestritten wie über
dieses. Die verschiedenen Modelle werden uns unter historischen Gesichtspunkten noch eingehender beschäftigen müssen.

Aber wie immer die historischen Fragen zu entscheiden sind, und
wie immer sich die einwandernden Israeliten selber religiös verstan-

den haben mögen – für das Volk Israel wurde später immer wichtiger: Zu Gottes Volk gehört auch **das von Gott versprochene Land!** Daran läßt die Hebräische Bibel keinen Zweifel. Theologisch und politisch ist deshalb bis heute von Bedeutung: Weder für das Christentum, das sich als ein universales Gottesvolk versteht, nicht gebunden an ethnische oder geographische Grenzen, noch für den Islam, der trotz seines arabischen Ursprungs und Charakters ebenfalls keinen prinzipiellen Unterschied zwischen den Ländern macht, hat das Land, genauer ein bestimmtes »heiliges« Land, eine besondere Heilsbedeutung. Für das Judentum jedoch, das seine Urverbindung zum »Land Israel« (hebr. »Erez Israel«) selbst in der Zeit der »Zerstreuung« (griech. »Diaspora«) bewahrt hat, ist die Beziehung zu gerade diesem, dem »gelobten«, das heißt: verheißenen Land ganz und gar wesentlich. Dies nur als nachträglichen Legitimationsversuch abzutun, vernachlässigt einen von Anfang bis Ende in den biblischen Schriften bezeugten Aspekt von Israels Gotteserfahrung. Die Landverheißung gehört neben Erwählung, Errettung und Bund zum Grundbestand israelitischen Glaubens. Ob für andere bequem oder nicht: Jahwes auserwähltes Volk und das verheißene Land gehören nun einmal zusammen. Und bis heute bilden die biblischen Landverheißungen[27] die religiöse Grundlage für die Landansprüche des jüdischen Volkes in Palästina[28].

Wie diese allerdings im einzelnen zu verstehen und mit möglichen anderen Rechten zu versöhnen sind, ist keine einfache Sache. Man darf ja nie vergessen: Jos 1-12, die Erzählungen von der Landnahme, sind ein Stück aus dem deuteronomistischen Geschichtswerk und sind mehr als ein halbes Jahrtausend nach den »Ereignissen« aufgeschrieben worden, um die es hier geht. Faktisch **wechselten die Grenzen** des Landes ständig mit dem wechselhaften Schicksal des Volkes auf seinem Weg durch die Jahrhunderte. Was also kann hier als von Gott garantiert gelten? Fragen für den Trialog der Zukunft drängen sich schon hier auf.

Fragen für die Zukunft

Angesichts der konstitutiven Elemente und Leitbegriffe des jüdischen Glaubens ergeben sich zunächst einmal Fragen an das Judentum:

☪ Ist nicht auch unter Juden umstritten, ob man aus den biblischen **Landverheißungen** ganz bestimmte **Grenzziehungen** für den modernen Staat Israel ableiten kann? Handelt es sich bei der Verheißung eines israelitischen Herrschaftsgebiets vom Libanon bis zum Euphrat[29] nicht schon im ursprünglichen Redaktionsprozeß um Rückprojektionen idealer Gebietsansprüche, gar um Wunschträume?

✝ Aus spezifisch christlicher Sicht wäre die Frage zu stellen: Hat man innerjüdisch um des Abrahams- und Sinaibundes mit dem auserwählten Volk willen nicht jenen ersten Bund oft vernachlässigt, den Gott nach der Sintflut mit Noach und seinen Nachkommen geschlossen hat und der »alles Lebende«, auch die Tiere, umfassen sollte: ein **universaler Bund** mit der ganzen Schöpfung, dessen Bundeszeichen der Regenbogen ist[30] und die nicht mehr dem Chaos verfallen darf? Ist so in der Hebräischen Bibel nicht eine aller Volksgemeinschaft zugrundeliegende Menschheitsgemeinschaft vorausgesetzt, der Gottes universaler Heilswille gilt?

☾ Aus spezifisch muslimischer Sicht wäre zu fragen: Sind nach der Hebräischen Bibel selbst nicht auch **Verheißungen an Ismael**, den Vater der Araber, ergangen: daß er, der Sohn Abrahams und der Ägypterin Hagar, Stammvater eines großen Volkes mit den zwölf Fürsten[31] der arabischen Völkerschaften zwischen Ägypten und Assyrien[32] werden wird? Wie steht es mit der Gültigkeit dieser Verheißungen?

II. Die zentrale Leitfigur

1. Wer war Mose?

Von der Moseschar war jetzt ständig die Rede, so daß die Frage nun unabweisbar wird: Was ist eigentlich **historisch** von Mose selbst zu halten, der doch in der israelitischen Heilsgeschichte eine einzigartige Stellung innehat? Manche sehen in ihm geradezu den Gründer der jüdischen Religion. Sie stellen ihn auf eine Stufe mit anderen Gründergestalten, mit Jesus, Muhammad, Konfuzius und Buddha Gautama, obschon alle diese Gestalten im Kontext ihrer Religion bekanntlich eine sehr verschiedene Rolle gespielt haben. Die Anfänge der Jahwe-Religion jedenfalls, dies zeigte sich bereits, sind überaus komplex und lassen sich keinesfalls einfach auf eine einzige Person zurückführen. Und steht Mose überhaupt so sehr im Mittelpunkt der Geschichte, wie sie faktisch ablief? Oder haben sich nicht vielleicht zahlreiche aus recht verschiedenen Quellen kommende Sagen und Geschichten, Gebote und Vorschriften einfach um diese eine Figur als Kristallisationspunkt angesammelt?

Außerbiblisch ist Mose nicht bezeugt; literarische Zeugnisse von ihm selbst sind keine überliefert. Eines freilich wird heute nicht mehr bestritten: daß Mose eine **historische Gestalt** war und nicht etwa ein depotenzierter Mondgott, wie in einer wilden Hypothese zu Beginn unseres Jahrhunderts behauptet wurde. Der Name Mose ist ägyptisch, und Mose wird in Ägypten geboren sein, wenngleich er mit größter Wahrscheinlichkeit kein Ägypter, sondern ein Semit war. Moses Aufenthalt bei den (sonst den Israeliten durchaus feindlichen) Midianitern, seine Heirat mit einer Midianiterin und seine guten Beziehungen zu seinem Schwiegervater in Midian[1], wo er dann auch die entscheidende Begegnung mit dem Gott Jahwe hatte[2], werden von vielen Exegeten ebensowenig bezweifelt wie seine Verbindung mit den Israeliten[3], deren Auswanderung er anführte. Die große Frage freilich ist: Was genau war Moses **Funktion und Stellung**?

Es gibt kaum eine Kategorie von religiöser »Leadership«[4], die in der Forschung nicht schon auf Mose angewendet worden wäre[5]. Aufgrund der Quellen erscheint es freilich indiskutabel, ihn simpel als Wüstenwundertäter, gar als Zauberer abzuqualifizieren. Daß er aber

umgekehrt geradezu ein Volksgründer gewesen sein soll, erscheint
ebenso als Rückprojektion späterer Zustände, wie daß er ein Theologe
und Vertreter eines bereits damals exklusiven Monotheismus gewesen
sei. Aber auch daß Mose schlicht ein ostjordanischer Beduinenscheich
war, dessen Grab in der Nähe des Berges Nebo verehrt wurde (wie
Martin Noths[6] mühevolle überlieferungsgeschichtliche Konstruktion
nachzuweisen meint, obwohl Deut 34,6 Moses Grab als »bis auf diesen heutigen Tag« unbekannt bezeichnet), erscheint als genauso abenteuerliche Vermutung wie die entgegengesetzte, Mose sei im Grunde
schon alles das gewesen, was ihm die spätere Tradition zugeschrieben
habe; er habe zugleich prophetische, richterliche und bundesmittleri-
sche Funktionen in einem spezifisch »mosaischen« Amt vereinigt.

Keine Frage ist, daß das Mose-Bild[7] in den verschiedenen Penta-
teuch-Schichten eine nicht unerhebliche Entwicklung durchgemacht
hat: vom Boten Jahwes (J), Volksführer (E) und Wundertäter (JE) bis
hin zum Gesetzgeber (Deut) und göttlichen Lichtglanz ausstrahlen-
den Stellvertreter Gottes (P)[8]. Doch was immer des weiteren historisch umstritten ist: Insgesamt erscheint Mose als eine außerordentlich komplexe **charismatische Gestalt**: Ein inspirierter Führer, der
selber aber nicht kämpft; ein Offenbarungsempfänger, der aber
durchaus ein Mensch mit Schwächen ist; ein Kultstifter, der persönlich aber keine Opfer darbringt. Zwar dürfte Mose kein Prophet im
Sinne der späteren großen Schriftpropheten des Südreiches und des
Exils gewesen sein (er selber hat ja nichts aufgeschrieben), wohl aber
ein Prophet im Sinne der frühen charismatischen Propheten des
Nordreiches (Elija, Elischa, Hosea). Kurz, Mose war aller Wahrscheinlichkeit nach eine ganz und gar prophetische Gestalt, die jedenfalls **den Typus der drei »prophetischen« Religionen von Anfang an
prägte** und den denn auch alle drei abrahamischen Religionen als ihre
zweite große Leitfigur anerkennen.

2. Moses religiöses Profil

Die bereits genannten Strukturunterschiede der verschiedenen religiösen Flußsysteme lassen Moses Profil deutlich erscheinen. Denn
dieser Mose, der nach der Berufungserzählung des Buches Exodus[9] in
Midian angesichts des brennenden Dornbuschs den Gott Jahwe er-

fährt und, sein Antlitz verhüllend, mit Gott spricht, ist bestimmt **kein abgeklärter Weiser im Geist fernöstlicher Harmonie und Humanität,** für den das Absolute, der »Himmel« und sein Wille, zwar feststünde, aber nur als Horizont, nicht als Zentrum. Nein, Mose, mit Gottes Offenbarung konfrontiert, will nicht nur wie etwa der weise Konfuzius nüchtern über Ethos und Politik reflektieren. Ehrfurcht vor dem Willen des Himmels wäre ihm nicht genug. Mose blickt nicht zurück auf ideale Vorfahren und eine Vorzeit. Harmonie in Familie und Staat, zwischen Mensch und Mitmensch, Mensch und Natur ist nicht sein Ideal. Was dann?

Noch eine andere Abgrenzung: Dieser Mose, der durch die Wüste seinen »Stämmen« voran- und einer doch recht ungewissen Zukunft entgegengeht, ist auch **kein Augen und Ohren schließender Mystiker im Geiste indischer Innerlichkeit und Alleinheit,** der, um das Absolute zu finden, sich nach innen kehrte, ja, der wie etwa der Buddha in methodischer Meditation Stufen der Versenkung durchliefe, um Erleuchtung zu erlangen. Für Mose ist das Absolute, ist die letzte-erste Wirklichkeit kein Nirvana, keine Leere, kein dem Menschen völlig unähnliches Unfaßbares. Es ist allerdings auch kein Brahman, ist nicht das allumfassend-alldurchdringende Eine, Reine, Unendliche, das über alle Rede erhaben wäre und sich in Gedanken nicht ausdrücken und in Worten nicht beschreiben ließe. Noch einmal: Was dann?

Die Antwort kann nur lauten: Mose ist ein **typisch prophetischer Mensch im Geiste einer nahöstlich-semitischen Glaubens- und Hoffnungsreligiosität:** Für ihn ist Gott ein großes – gewiß geheimnisvoll-verborgenes, aber dem Menschen doch nicht völlig unähnliches – **personhaftes Gegenüber** voll der Macht und Barmherzigkeit: der lebendig handelnde Gott des Zorns und der Gnade, der Herr über Leben und Tod, von dem der Mensch abhängig ist: ein sprechendes und ansprechbares Du! In der prophetischen Religion sieht sich der Mensch gewissermaßen **vor** diesen Gott gestellt, dem er ein Wort, dem er Antwort, ja dem er Verantwortung schuldet und nach dessen Willen er bestimmte Aufgaben zu erfüllen hat.

Beim **Propheten im strengen Sinn** geht es darüber hinaus um eine ganz **persönliche Berufung für einen ganz bestimmten Auftrag:** Der Prophet soll ja ganz und gar Botschafter Gottes sein, Gottes Wort und Wille sollen dem Volk und dem Einzelnen durch Wort oder Zeichen kundgetan werden. Kein Guru, der womöglich selber zum Gott wird. Im Gegenteil: ein leidenschaftlicher Sprecher für Gott, der durch vertrauenden Glauben an diesen einen Gott binden will. In diesem Sinn wird Mose Anführer des Exodus, der Befreiung, der Wüstenwanderung.

So gilt denn von Mose, dem Verkünder des Jahwe-Willens und Führer seines Volkes, in exzellenter Weise, was Friedrich Heiler, hervorragender Analytiker des mystischen und prophetischen Typos, von der prophetischen Frömmigkeit überhaupt gesagt sagt: Prophetische Frömmigkeit ist »aktiv, fordernd und verlangend. Im prophetischen Erleben flammen die Affekte auf, der **Wille** zum Leben behauptet sich, siegt und triumphiert auch in der äußeren Niederlage, er trotzt dem Tod und der Vernichtung. Aus tiefster Not und Verzweiflung bricht schließlich, aus dem zähen Lebenswillen geboren, der **Glaube**, die unerschütterliche Zuversicht, das felsenfeste Bauen und Vertrauen, die kühne, wagende Hoffnung durch ... Der Prophet (ist) ein Kämpfer, der sich stets aus dem Zweifel zur Gewißheit, aus der quälenden Unsicherheit zur absoluten Lebenssicherheit, aus der Verzagtheit zum frischen Lebensmut, aus der Furcht zur Hoffnung, aus dem niederdrückenden Sündengefühl zum seligen Gnaden- und Heilsbewußtsein emporringt.«[10]

In der Tat: Mose ist der **Prototyp des Propheten**: der einzige in der Hebräischen Bibel, mit dem Gott nicht nur »in Gesichten« und »Träumen«, sondern »von Mund zu Mund«[11] geredet hat. So kann es denn in der deuteronomischen Abschiedsrede Moses an sein Volk heißen: »Einen Propheten wie mich wird dir der Herr, dein Gott, (je und je) erstehen lassen aus der Mitte deiner Brüder – auf den sollt ihr hören!«[12] Ja, so erscheint Mose nach Abraham als der **zweite große Repräsentant der prophetischen Religionen**, der als solcher auch vom Christentum und vom Islam akzeptiert wird. Allerdings – wie schon im Falle Abrahams – mit erheblichen Unterschieden im Verständnis!

3. Mose im Spiegel von Judentum, Christentum, Islam

a) Welche Stellung hat Mose im nachbiblischen **Judentum**? Er bleibt **die zentrale Gestalt**, an die nur Abraham, teilweise Jakob und David und dann der Messias heranreichen. Kaum zu übersehen die Legenden, die sein Leben von der Geburt (Jugend am Hof des Pharao) bis zu seinem Tod ausschmücken. In den apokryphen, nicht in den biblischen Kanon aufgenommenen Schriften wird Mose überhöht und geradezu heroisiert; man vergleiche die »Apokalypse des Mose«[13] und »Moses Himmelfahrt«[14], wobei es vermutlich noch mehr uns nicht erhalten gebliebene Mose-Schriften gab. Während nun aber das hellenistische Judentum Mose gegen den heidnischen Antijudaismus zum Genie idealisiert, zum Lehrer des Orpheus, von dem alle großen Weisen gelernt hätten, sieht die rabbinische Überlieferung in Mose in allererster Linie den Gesetzeslehrer, den Lehrer des Gesetzes schlechthin. »Mose, unser Rabbi« (hebr. »Mosche Rabbenu«): Unter den verschiedenen möglichen Titeln für Mose hatte das rabbinische Judentum den einen ausgewählt, den des »Rabbi«. Und jetzt bilden nicht nur Gesetze **im** Pentateuch die Tora, nein – und dies ist wichtig –, der **ganze Pentateuch** ist jetzt Tora: »die Tora des Mose«[15].

Konsequenz: Alles, was von der Schöpfung über die Patriarchen bis hin zu künftigen Ereignissen dort zu finden ist, das alles gilt jetzt als dem Mose von Gott geoffenbart, gar diktiert. Ja noch mehr: Sowohl die **schriftliche** Tora, von nun an als die »Fünf Bücher Mose« betrachtet, als auch die **mündliche** Tora mit ihren zahllosen gesetzlichen Bestimmungen und Anwendungen wird auf Mose zurückgeführt. So ist aus Mose, dem Anführer des Exodus, der Befreiung und der Wüstenwanderung, mehr und mehr Mose, der **Hort der Tradition und der Beharrung**, geworden. Nicht hoch genug reden konnte man von ihm, dem Vater der Weisheit und Prophetie, um dessentwillen die Welt geschaffen worden sei.

b) Wie aber wird nun Mose im **Christentum** gesehen? Im Neuen Testament ist Mose die am meisten (80 mal) genannte Gestalt des Alten Testaments. Ganz selbstverständlich wird er auch hier als Autor des Pentateuch betrachtet und deshalb auch hier als Prophet und Gesetzgeber, der Gottes Botschaft verkündete: Des Mose Gebot ist Gottes Gebot[16]. »Mose und die Propheten« meint bei Lukas »die Tora und die Propheten«: Sie sind ganz selbstverständlich die Bibel auch der jungen Christengemeinde[17].

Ja, das Bild des Mose ist auch für die neutestamentliche Gemeinde so mächtig, daß vieles im Leben und Wirken Jesu geradezu im Licht der prophetischen Gestalt des Mose gesehen und unter Umständen auch bewußt nachgebildet wird. Schon für die Kindheitsgeschichte nach Mattäus[18] dürfte die Mosegeschichte im Hintergrund gestanden haben: Warnung vor dem König, Ermordung der unschuldigen Kinder, Flucht ins Exil bis zu des Königs Tod ... Aber auch das vierzigtägige Wüstenfasten und die Speisung der Fünftausend sind Mosetypologie. Das heißt: Hier überall erscheint Mose als der **Typos Jesu Christi**, des Propheten der Endzeit. Im Johannesevangelium wird sogar ausdrücklich auf die Manna-Speisung in der Wüste verwiesen[19]. Und auch die nur bei Lukas (am Ende seines Evangeliums und zu Beginn der Apostelgeschichte) sich findende Himmelfahrt Jesu ähnelt der des Mose. Ja, nach Lukas sollen »Mose und die Propheten« insgesamt geradezu als Prophezeiung des Jesus-Ereignisses verstanden werden[20].

Allerdings wird gerade so auch der Zwist offenbar, der die Figur des Mose im Neuen Testament von Anfang an als ambivalent erscheinen läßt: **Mose** wird **hochgeschätzt, Jesus aber höher**! Und das gilt durch die ganzen Evangelien hindurch:
– bei Markus, wo Mose in der Verklärungsgeschichte zusammen mit Elija persönlich für Jesus Zeugnis ablegt;
– bei Mattäus, wo die »Bergpredigt« die Gesetzgebung am »Berg« Sinai überbieten soll;
– bei Lukas, wo Jesus ausdrücklich als zweiter Mose und Erlöser seines Volkes präsentiert wird;
– bei Johannes, nach welchem das Gesetz zwar durch Mose kam, die Gnade und die Wahrheit aber durch Jesus Christus;
– in den paulinischen Briefen und im Hebräerbrief erst recht, wo Mose durchgängig die Gesetzesreligion repräsentiert, die zwar nicht einfach abgeschafft, wohl aber durch die Gnade Gottes in Jesus Christus entscheidend relativiert wird.

c) Und im **Islam**? Auch hier ist Mose die neben Abraham am häufigsten genannte biblische Gestalt. Mose habe das Kommen des Propheten Muhammads, seines Nachfolgers, vorausgesagt, heißt es, ja, Mose sei einer der ganz großen Propheten gewesen. Warum? Weil auch er wie der Prophet Muhammad **von Gott ein Buch erhalten** habe! Juden wie Christen gehören damit zu den »Leuten des Buches«, zu den Schriftbesitzern. Sie haben als solche teil an der ewig gleich geoffen-

Mose

Zweite große Leitfigur der drei
abrahamischen Religionen,
Prototyp des Propheten.
Charismatisch-politischer Anführer des Exodus,
der Befreiung und Wüstenwanderung,
Empfänger der Jahwe-Offenbarung.

Die zentrale Gestalt des nachbiblischen Judentums.	Das Vor-Bild Jesu Christi.	Erster Empfänger einer Buch-Offenbarung.
Der Gesetzeslehrer schlechthin.	Durch Mose das Gesetz – durch Jesus das Evangelium.	Vorbild des Propheten Muhammad als Prophet, Volksführer und Gesetzesverkünder.
Hort der Tradition und Beharrung.	Symbol des Alten Bundes.	Muhammad das bestätigende »Siegel« der Propheten.

barten Wahrheit, die ebenfalls in einem Buch, der himmlischen Urschrift des Koran, aufbewahrt wurde. Mose als Prophet und Gesetzesverkünder kann auf diese Weise ganz und gar als Vorbild für Muhammad verstanden werden[21].

Manches wird im Koran von Mose erzählt, was sich schon in der biblischen Überlieferung findet oder aber in der außerbiblischen Tradition und Folklore. Ja, auch andere biblische Geschichten können vom Koran auf Mose angewandt werden[22]. Und erinnert nicht auch in Muhammads Leben vieles an Mose? Der Empfang der (diktierten und von Engeln übermittelten) Offenbarung und die Flucht (nach Medina), aber auch die siegreiche Anführerschaft auf dem Zug durch die Wüste, schließlich sein seliger Tod und die Himmelfahrt, die ja bekanntlich in Jerusalem stattgefunden haben soll! Einiges aus der islamischen Überlieferung wurde denn nun auch umgekehrt in die

jüdische Mose-Tradition aufgenommen. Und doch bleibt bei allen
Parallelen eines unbestritten: Für Muslime ist nun einmal Muhammad das »Siegel« der Propheten, der letzte und größte der Propheten,
der das Gesetz des Mose – anders als Juden und Christen – unver-
fälscht neu verkündet.

Blicken wir nun auf die vorangegangenen Ausführungen zurück, so
dürfen wir es wagen, zumindest vorläufig zu bestimmen – und das
wird nachher immer wieder neu zu zeigen sein –, was in all den wechselnden zeitgeschichtlichen Konstellationen die bleibende Glaubenssubstanz des Judentums ist.

4. Bleibende Glaubenssubstanz und wechselnde Paradigmen

Ja, was sind nach den bisherigen Überlegungen **Zentrum und Fundamentum**, mit anderen Worten: die bleibende **Glaubenssubstanz** der
jüdischen Religion, der Hebräischen Bibel, des israelitischen Glaubens? Antwort: Was immer eine historische, literarische oder soziologische Kritik kritisieren, interpretieren und reduzieren mag: Von
den maßgeblichen und geschichtsmächtig gewordenen israelitischen
Glaubensurkunden her sind der zentrale Glaubensinhalt der **Gott
Jahwe** und das eine **Volk Israel**. Kein israelitischer Glaube, keine Hebräische Bibel, keine jüdische Religion ohne das Bekenntnis: »**Jahwe
ist der Gott Israels, und Israel sein Volk!**« Diese »Bundesformel« bezeichnet die (keineswegs statisch zu verstehende) »Mitte des Alten
Testaments«[23]. Jahwe und Israel – um diese beiden Brennpunkte
schwingt das gesamte sozusagen elliptische Zeugnis der Hebräischen
Bibel, des Tenach, des Alten Testaments[24]. Natürlich läßt sich vertreten, daß der eine Gott Israels selbst die Mitte des Alten Testaments
ausmacht; aber bezeichnend für die Hebräische Bibel ist gerade der
Tatbestand, daß dieser eine Gott nie allein gesehen wird, sondern immer zusammen mit dem von ihm erwählten Volk. Nicht um die innersten »Geheimnisse der Gottheit« kreisen die biblischen Schriften,
sondern um die Geschichte dieses Volkes mit seinem Gott. Insofern
legt sich eine zweipolige Umschreibung der Mitte mit Gott und Volk
(mit oder ohne den erst später gebrauchten Begriff »Bund«) nahe[25].
   Umschreibt man die unterscheidenden Strukturelemente und blei-

benden Leitideen des israelitisch-jüdischen Glaubens noch genauer,
so sind dies – nach allem, was wir hörten –, die folgenden:
- das von Gott auserwählte **Volk**, was jedoch einschließt
- das von Gott verheißene **Land**, denn beides ist
- besiegelt durch den mit dem einen Gott geschlossenen und auf seine Gebote verpflichtenden **Bund**.

Dieses Sonderverhältnis Israels zu seinem Gott ist keimhafter Aus-
gangspunkt und konstitutiver Kristallisationskern. Und bei allem von
Anfang an berichteten Versagen und Sichverweigern des Volkes wird
es die nie aufzugebende Zielvorstellung der jüdischen Religion blei-
ben. Man mag auch als Jude von diesem alles bewegenden konstanten
Zentrum halten, was immer man will, doch hier gründen des jüdi-
schen Volkes
- **Originalität** seit früher Zeit,
- **Kontinuität** in seiner langen Geschichte durch die Jahrhunderte,
- **Identität** trotz aller Verschiedenheit der Sprachen und Rassen,
  Kulturen und Religionen.

Und so gehen ein welthistorisches Vermächtnis und eine unvergleichliche Verpflichtung von diesem Volk aus, die später auch für das
Christentum und den Islam verbindlich geworden sind: Die Welt verdankt Israel den Glauben an den einen Gott!
Dieses Zentrum, diese Grundlage, diese Glaubenssubstanz – in
unserer schematischen Darstellung der Paradigmenwechsel überall
mit einem gestrichelten Kreis angedeutet! – war freilich nie abstrakt-
isoliert gegeben, ist am Anfang nur schwer historisch nachzuweisen
und ist jedenfalls in den wechselnden Erfordernissen der Zeit immer
wieder neu interpretiert und praktisch realisiert worden. Und insofern
sind in dem folgenden Kapitel unter dem Titel »Geschichte« die
systematisch-theologische und die historisch-chronologische Darstellung, ohne die jene nicht überzeugend begründet werden kann,
unbedingt zu kombinieren. Man wird sagen: Dieser Jahwe als der eine
Gott, dieses Israel als das auserwählte Volk – dies seien doch »Gegenstände« des Glaubens, sie seien als die keineswegs selbstverständliche
Offenbarung Gottes nur für die Augen des Glaubenden sichtbar.
Gewiß. Doch als Begriffe, Vorstellungen, geschichtlich relevante
Größen sind sie in den biblischen Schriften durchaus auch für den

Historiker – ob er sich dazu gläubig oder ungläubig verhält – erkennbar, umschreibbar und nachprüfbar.

Doch es wird sich je länger, desto deutlicher zeigen: Immer wieder werden **neue epochale Konstellationen** der Zeit – der Gesellschaft überhaupt, der Glaubensgemeinschaft, der Glaubensverkündigung und -reflexion – dieses eine und selbe Zentrum neu interpretieren und konkretisieren. Dies ist es, was wir nach Thomas S. Kuhn unter **Paradigma** verstehen: »eine ganze Konstellation von Überzeugungen, Werten, Verfahrensweisen usw., die von den Mitgliedern einer gegebenen Gemeinschaft geteilt werden«[26]. Daß und inwiefern eine Übertragung der Paradigmentheorie (im Sinne eines »Makroparadigmas«) aus dem Bereich der Naturwissenschaften in den Bereich von Religion und Theologie möglich und wichtig ist, habe ich in früheren Publikationen ausführlich begründet[27].

Ungemein dramatisch wird nun gerade diese Geschichte Israels, später des Judentums, werden, in der ein kleines Volk in Antwort auf große welthistorische Herausforderungen eine ganze Reihe grundlegender religiöser Veränderungen, ja, auf längere Sicht revolutionärer Paradigmenwechsel durchmachen wird.

C. GESCHICHTE

I. Das Stämme-Paradigma der vorstaatlichen Zeit

Das Volk Israel ist seit der »Landnahme« in Palästina eine historisch faßbare Größe, was immer man anfänglich unter »Volk« zu verstehen hat. Und von da an lassen sich, wenn man auf Langzeitentwicklungen achtet – gewiß stark schematisiert und ohne auf alle komplexen historischen Hintergrundfragen einzugehen –, **sechs Makrokonstellationen** sichten, die bei allen immer bestehenden Gegenströmungen geschichtlich **dominant** wurden und blieben, zu denen sich in jeder einigermaßen anspruchsvollen Geschichte Israels, der israelischen Religion oder des jüdischen Volkes unendlich viel Material zusammengetragen findet: zuerst das frühisraelitische Stämme- und dann das davidische Reichsparadigma, nachher das nachexilische Theokratieparadigma, weiter das rabbinisch-synagogale Paradigma des jüdischen Mittelalters, schließlich das moderne und jetzt – wer weiß – vielleicht der Übergang zu einem postmodernen Paradigma.

Und dies wird zu zeigen sein: Epochale Veränderungen werden immer aus einer Krise geboren, die sich lange hinziehen kann. Diese führt schließlich zu einer neuen – so die zitierte Definition von Paradigma nach Thomas S. Kuhn – »Gesamtkonstellation von Überzeugungen, Werten und Verfahrensweisen, die von den Mitgliedern einer bestimmten Gemeinschaft geteilt werden«[1]. Und doch, so werden wir ebenfalls sehen, halten sich jene eben beschriebenen Konstanten in Glauben und Praxis des jüdischen Glaubens durch: Es gibt eine **Kontinuität in aller Diskontinuität.** Dies freilich nicht etwa im Sinne eines ständigen Fortschritts, wie man in der Aufklärung meinte. Gerade die Geschichte dieses Volkes wird es zeigen: Geschichte ist gerade hier nicht »ewiger Fortschritt«, noch verläuft sie nach dem Schema

»Geburt – Blüte – Untergang«, wie dies Oswald Spengler in seiner Morphologie der Weltgeschichte voraussetzte. Vielmehr sind immer wieder neue Paradigmen möglich, wobei jedes Paradigma freilich Gewinne **und** Verluste mit sich bringt[2]. Wie sieht das nun konkret in der Geschichte des Judentums aus?

1. Die Landnahme – drei Rekonstruktionsversuche

Ja, wie sah – folgen wir dem Stand der heutigen Forschung – das erste Paradigma, die **Ur-Konstellation** Israels aus, die für die ganze Geschichte grundlegend wurde und bleibt? Eine kurze Skizze muß genügen. Wir halten dabei zunächst fest, was historisch alles umstritten ist und wovon wir in den vorigen Kapiteln berichtet haben: Bestritten wird, daß alle späteren zwölf Stämme in Ägypten waren, dann die »Wanderschaft« antraten und sich alle am Gottesberg eingefunden hatten. Umstritten ist die Wanderung durch die Wüste, so daß auch die Vorstellung von Gesamt-Israel als »wanderndem Gottesvolk« – eine bis in den späten christlichen »Brief an die Hebräer« wichtige Vorstellung – unsicher ist; umstritten natürlich auch die Dauer der »Wanderschaft« – angeblich 40 Jahre (so oft eine symbolische Zahl!) zur Strafe bis zum Aussterben der rebellischen Generation. Umstritten ist aber auch das meiste, was mit Israels »Landnahme« zu tun hat. Ja, die Landnahme ist, nach Roland de Vaux, dem langjährigen Direktor der École Biblique in Jerusalem und einem der besten Kenner, »le problème … le plus difficile de toute l'histoire d'Israel«, »das schwierigste Problem der ganzen Geschichte Israels«[3].

Nur in dem einen Punkt besteht Übereinstimmung unter Fachleuten heute: Die Landnahme dürfte sich nicht in einer Art von »Blitzkrieg« abgespielt haben, so wie dies in den ersten zwölf Kapiteln des Josuabuches erzählt wird, wo ja ohnehin nur von der Eroberung Zentralpalästinas die Rede ist. Zu beachten ist stets, daß es bei all diesen biblischen Erzählungen nicht einfach um »Geschichte« (»history«), sondern um »Geschichten« (»stories«) geht.

Im wesentlichen wurden in der Forschung **drei historische Rekonstruktionsmodelle** der Landnahme erwogen, die aber alle mehr oder weniger hypothetischen Charakter haben[4]:
– Das **Eroberungsmodell** (wellenartige Immigration). Dieses vor al-

lem **archäologisch** begründete Modell nimmt eine sich länger hinziehende Landnahme durch mehrere Wellen aus der Wüste kommender kriegerischer Nomaden an und wurde vor allem von den amerikanischen Archäologen W. F. Albright und G. E. Wright vertreten[5]. Es ist jedoch heute weithin aufgegeben, weil es von den späteren Funden widerlegt wurde. Städte wie Jericho und Ai lagen bei der Landnahme vermutlich schon längst in Trümmern und können von daher gar nicht, wie Jos 6-8 berichtet, erobert worden sein. Viele in der Bibel erwähnte Orte weisen keinerlei Relikte aus der späten Bronzezeit auf und viele kanaanäische Regionen keinerlei Zeugnisse einer israelitischen Besiedlung vor dem 10. Jahrhundert.

– Das **Einwanderungsmodell** (langsame Infiltration). Dieses **traditionsgeschichtliche** Modell, von A. Alt und M. Noth[6] entworfen und von vielen ausgebaut, nimmt ein sukzessives friedliches Seßhaftwerden von Kleintiernomaden an den Steppen- und Wüstenrändern anläßlich der »Transhumanz«, des (durch den regenlosen Sommer bedingten) Weidewechsels an. Diese Hypothese ist neuerdings auf Kritik vor allem von soziologischer Seite gestoßen, weil vor der Domestizierung des Kamels – die Datierung durch die Experten differiert freilich um viele Jahrhunderte! – ein Leben tief in der Wüste nicht möglich gewesen sein dürfte, die Hirten oder Nomaden also nicht hätten tief aus der Wüste kommen können.

– Das **Umschichtungsmodell** (innerpalästinische Revolution oder Evolution). Dieses **soziologische** Modell, von G. E. Mendenhall 1962[7] zuerst vorgetragen und von N. K. Gottwald als »Revolutionsmodell« weiterentwickelt und »politisiert«[8] und schließlich faktisch weithin zu einem »Evolutionsmodell« modifiziert[9], fand zumindest in Amerika zunächst am meisten Zustimmung. Gottwald – zunächst allzu einseitig marxistischer Gesellschaftstheorie verpflichtet – spricht heute nicht mehr von einem plötzlichem Umsturz, sondern mehr von einer langsamen sukzessiven Umwälzung. Demnach wäre die Landnahme zu verstehen im Rahmen nicht einer Nomadeninvasion von außen, sondern eines **Bevölkerungsumschichtungsprozesses** von innen in der späten Bronzezeit um 1200. Diskutiert wird,

– ob es sich dabei um eine mehr friedliche Absetzbewegung der unfreien Bauern und Pächter gehandelt hat, die sich der ausbeuterischen Herrschaft der kanaanäischen Stadtstaaten entzogen und sich in neugegründete Dörfer des Gebirgslandes absetzten (Mendenhall),

– oder ob es sich mehr um einen politischen Kampf und eine direkte
Revolte von in Stämmen organisierten Bauern, aber auch von Wei-
denomaden, Söldnern und »Outlaws« (»apiru«) gehandelt hat, die sich
damals direkt gegen die stark abgewirtschafteten kanaanäischen Städte und die dort herrschenden Schichten gewandt haben (Gottwald).

Doch auch gegen dieses soziologische Modell wurden schwerwiegende Einwände erhoben, wie sie der israelische Archäologe Israel
Finkelstein umfassend darlegt[10]. Denn die neueste archäologische
Forschung ebenso wie wichtige demographische und ethnographische
Daten aus der Gegenwart »widerlegen jegliche Theorie, daß die Israeliten Unzufriedene waren, welche aus dem kanaanäischen Gemein-
wesen flohen«; vielmehr würden die neueren Ergebnisse darauf hinweisen, »daß die neuen Ansiedler im Hügelland in der ältesten Eisenzeit von einem hirtenhaften Hintergrund (›pastoralist background‹)
herkamen« (S. 352). Daraus folgert Finkelstein mit einigen gewichtigen Modifikationen[11], daß schließlich und endlich doch »›Alt‹ Sicht
der israelitischen Landnahme als einer friedlichen Besiedlung in den
weniger bewohnten Gegenden des Landes den Resultaten der Feld-
studien am nächsten käme, die Jahrzehnte später durchgeführt worden sind.«[12]

Dies dürfte in Grundzügen der gegenwärtige Stand der Forschung
sein, die sich noch im Fluß befindet. Aber – müßten bei der ganzen
Diskussion nicht die literarischen biblischen Zeugnisse ernster genommen werden?

2. Versuch einer integrierten Sicht

Gewiß: Man wird die Tatsache einer vor allem aus archäologischen
Daten erhobenen – unter Umständen auch mit gewaltsamen Auseinandersetzungen und Städtezerstörung verbundenen – Bevölkerungs-
umschichtung kaum bestreiten können. Doch dürfen dabei die **biblischen Schriften nicht** vernachlässigt werden. Und der konstante biblische Befund ist nun einmal unabweisbar: daß **Israels Väter aus der
Wüste** kamen, also Nomaden, Nichtseßhafte waren. Zentrale Erkenntnisse sowohl des Eroberungs- wie des Einwanderungsmodells
sind also mit dem Umschichtungsmodell zu verbinden, und die sozialwissenschaftliche Analyse ist in die historisch-kritische Exegese der

überlieferten Texte einzubeziehen. Die biblischen Erzählungen enthalten ja, wie die literarischen Analysen der vergangenen beiden
Jahrhunderte eindrücklich gezeigt haben, manche uralte Traditionen
und sprechen doch ganz anders direkt als die zu entziffernden stummen und meist vieldeutigen archäologischen Funde. Sie müssen in ein
integriertes sowohl sozialpolitisches wie religiöses Modell (Gottwald:
»socioreligious model«) konstruktiv einbezogen werden. Wie?

Eine aus Ägypten eingewanderte Gruppe, die Mose-Schar oder die
Exodus-Israeliten, muß, wenn nicht Initiator, so doch zumindest Ka-
talysator jenes sozialen Umschichtungsprozesses gewesen sein. Diese
Gruppe oder Gruppen von Einwanderern, welche an den **Gott Jahwe**
glaubten, haben die verschiedenen Überlieferungen von einem Auszug aus Ägypten, von einem Durchzug durch das Schilfmeer und von
einem Bundesschluß am Gottesberg in der Wüste, deren exilisch-
nachexilische Erfindung völlig unwahrscheinlich ist, mitgebracht. Es
dürfte jedenfalls keine Frage sein, daß der Jahwe-Glaube schon zu Beginn der Volkswerdung eine wichtige Rolle für die damals gesell-
schaftsverändernden Kräfte spielte: »Langsam zusammenwachsend,
zuerst in einer Union der El-Verehrung, wurden sie zu einer bedeu-
tend angewachsenen Koalition der Jahwe-Verehrung.«[13] Dies alles
heißt: Bei all den vielen noch offenen Fragen scheint ein integriertes
Modell sowohl den neuesten archäologisch-soziologischen Erkennt-
nissen wie auch den biblischen Texten am ehesten gerecht zu werden
– wenn man auf eine historische Rekonstruktion nicht ganz verzichten will[14]. Vielleicht wird sich in dieser Frage in Zukunft doch ein
neuer Konsens abzeichnen.

Die hypothesenreiche Diskussion hat jedenfalls zweierlei gezeigt:
Durch die alttestamentlichen Texte allein, wie dies eine isolierte Literarkritik versucht, lassen sich die komplexen historischen Fragen infolge der (freilich umstrittenen) Spätdatierung des Jahwisten und des
Richterbuches kaum befriedigend erklären[15]. Deshalb **keine literarische Reduktion**; zur Geschichte Israels gehört auch seine Sozialgeschichte. Das Umgekehrte freilich gilt auch: Ohne die alttestamentlichen Texte – und für diese ist der Jahweglaube nun einmal zentral –
muß jede Rekonstruktion der Geschichte Israels scheitern. Deshalb
keine soziologische Reduktion; den alttestamentlichen Schriften dog-
matisch-pauschal jeden Quellenwert für die vormonarchische, ja
überhaupt vorexilische Zeit abzusprechen, hieße, die israelitische

Volksidentität in ihrer besonderen nachexilischen Ausgestaltung sozusagen durch »Urzeugung« (eine ganz unwahrscheinliche »génération spontanée«) entstehen lassen. Die Rekonstruktionen der Sozialwissenschaftler verlangen oft nicht weniger »Glauben« als die früheren Nacherzählungen biblischer Geschichten durch die traditionelle Exegese. Nein, die Anliegen und Resultate der langen überlieferungsgeschichtlichen Forschung dürfen nicht verlorengehen. Die Geschichte Israels ist nun einmal nicht nur, wie Sozialwissenschaftler manchmal glauben machen wollen, die Geschichte der israelitischen Gesellschaft.

In diese Richtung deuten die Überlegungen des Göttinger Alttestamentlers **Herbert Donner**, der viele Ergebnisse der sozialwissenschaftlichen Forschung aufgenommen hat, um seine eigene »Rahmenvorstellung über Landnahme der Israeliten in Palästina« zu skizzieren und dabei das spezifisch bibelwissenschaftliche Anliegen wie folgt einzubringen: »Die in der alttestamentlichen Tradition festgehaltene Überzeugung, Israel sei aus der Wüste gekommen, kann nicht einfach auf Erfindung beruhen – es gibt kein Motiv für eine solche Erfindung. Man wird mit der Annahme nicht fehlgehen, wenn man die Anstöße zur Bildung eines israelitischen Gemeinschaftsbewußtseins vor allem diesen teils von Süden, teils von Osten gekommenen Gruppen zuschreibt. Sie haben Jahwe mitgebracht, dessen Heimat mit Sicherheit nicht das palästinische Kulturland gewesen ist. Sie haben auch die Überlieferungen vom Auszug aus Ägypten, vom Durchzug durchs Schilfmeer und vom Bundesschluß am Gottesberg in der Wüste mitgebracht. Sie sind zur Dominanz bestimmt und zur Dominanz fähig gewesen. Im Lande trafen sie auf Bergnomadengruppierungen, und im Zuge der Seßhaftwerdung bildeten sich je nach den regionalen Gegebenheiten die Großgruppen der israelitischen Stämme heraus, und zwar als Sekundärprodukte; denn die Sippen- und Familienordnung ist älter als der Stamm. Diese Menschen fühlten sich anderen, unter ähnlichen Bedingungen lebenden, verbunden, d. h. verwandt: nämlich mit denen, dir wir generalisierend als Aramäer bezeichnen. So kann man sagen: **die Landnahme und der erste Anfang des Volkes Israel fallen zusammen**; es sind zwei Seiten ein und derselben Sache.«[16]

Für die Präzisierung dieses ersten Paradigmas ist zu beachten: Wie immer die kanaanitische Gesellschaft entstanden ist (durch »Re-tribalisierung« oder nicht) und wie immer sie organisiert war (ob »egalitär«

oder nicht): Auf dem Boden des neugewonnenen Kulturlandes zeichnet sich, wenn man die alttestamentlichen Schriften historisch-kritisch interpretiert, die Differenz zwischen kanaanäischer und israelitischer Religion schon früh ab. Der aus der Wüste stammende Jahwe-Glaube begann sich im Kulturland bald durchzusetzen, und die verschiedenen Großfamilien, Dörfer, Sippen, Stämme werden jetzt allmählich zu einer **Schicksalsgemeinschaft** und zu einer **Erzählgemeinschaft** zusammengeschlossen. »Das vereinigte Stämme-Israel« (»united tribal Israel«) ist »das Subjekt der Traditionen«[17]. Zur Charakterisierung dieses ersten Paradigmas bietet sich denn auch der Ausdruck »Stämme-Paradigma« an.

3. Das konstante Zentrum

Israels Geschichte ist gewiß nicht einfach analogielos, führt aber doch, aufgrund bestimmter religiöser Erfahrungen und Interpretationen, zu einem einzigartigen, unverwechselbaren Ergebnis. Schon hier, in dieser Anfangskonstellation der Volkswerdung, bestätigt sich, was wir vorläufig als **konstantes Zentrum** und **bleibendes Fundamentum** der jüdischen Religion bestimmt haben: Ohne die beiden Größen **Jahwe** und **Israel** (Volk und Land) lassen sich auch schon die Anfänge der israelitischen Gesellschaft nicht verstehen. Hier zeigt sich nicht nur wie in anderen westsemitischen Religionen die allgemeine Struktur »ein Gott, ein König, ein Land«, sondern »ein Gott, ein Volk, ein Land«.

Bei diesem Gottesglauben geht es nie um einen abstrakten Monotheismus, sondern immer um einen dem Volk zugewandten Gott; nie um eine abstrakte Sozialgeschichte, sondern immer um die sozioreligiöse Geschichte Israels als Geschichte eines Volkes mit diesem Gott. Schon im Lied jener Debora des Richterbuches[18], einer »Mutter in Israel«[19] – vielleicht das älteste große Dokument in der Hebräischen Bibel überhaupt –, wird »Jahwe, der Gott Israels«[20] besungen, dem der Sieg über die Feinde zugeschrieben wird. Und so dürfte denn der 1914 verstorbene **Julius Wellhausen**, einer der bedeutendsten, kenntnisreichsten und kritischsten Erforscher der Hebräischen Bibel, mit seiner Bestimmung des kurzen Inbegriffs der israelitischen Religion nach wie vor recht haben: »Aus verwandten Geschlechtern und Stämmen wuchs durch die Not zur Zeit Moses das Volk Israel zusammen und erhob sich über sie, die neue Einheit wurde geheiligt durch Jahwe, der zwar schon früher existierte, aber erst jetzt an die Spitze dieses Volkes trat. Jahwe der Gott Israels, Israel das Volk Jahwes: das ist der Anfang und das bleibende Prinzip der folgenden politisch-religiösen Geschichte.«[21]

Will man nun dieses Verhältnis Jahwes zu seinem Volk noch näher umschreiben, so wird man dafür besser **nicht** den Begriff »**Königtum Gottes**« verwenden, wie dies Martin Buber in seiner großangelegten Abhandlung mit diesem Titel[22] getan hat. Denn Jahwe wird vor der Königszeit kaum je als »König« (hebräisch »Melek«) bezeichnet und der Sinaibund keinesfalls pointiert als »Königsbund« verstanden, so daß man den Ausdruck »Theokratie« bestenfalls in einem sehr weiten Sinn gebrauchen könnte[23]. Man wird deshalb zurückhaltend mit der Feststellung sein müssen, daß »die Verwirklichung der allumfassenden Gottesherrschaft« nicht nur das »Eschaton Israels«, sondern schon dessen »Proton« gewesen sei, eine Urgegebenheit der israelitischen Religion also. Nein, daß ein Selbstverständnis des frühen Israels die Königsidee vorausgesetzt habe, ist aufgrund der neuesten Forschungsstandes noch weniger anzunehmen als zuvor.

Wir bleiben dabei: Für das Verhältnis Jahwes zu seinem Volk legt sich eher als die Kategorie des Königtums die des **Bundes** nahe, der **Herrschaft Gottes und Gemeinschaft Gottes** einschließt. »Bund« trifft eben doch besser als der isolierte und einseitige Begriff »Herrschaft« dieses auf Gegenseitigkeit beruhende Gemeinschaftsverhältnis Jahwes mit seinem Volk und wird dann nicht umsonst in der Zeit des »Deuteronomiums« (7. Jh. v. Chr.) breit entfaltet[24]. Das heißt nun freilich nicht, daß »Bund« so etwas wie ein alles zwingender Generalbegriff einer Theologie des Alten Testaments werden müßte, wie dies in Walther Eichrodts bedeutendem dreibändigen Werk geschieht, wo nicht nur das Verhältnis von Gott und Volk, sondern forciert auch das Verhältnis von Gott und Welt, Gott und Mensch unter diesem Begriff abgehandelt wird[25].

So dürften sich denn die israelitischen Großfamilien, Sippen, Dörfer und Stämme in ihrer vorstaatlichen Zeit immer deutlicher verbunden und verbündet, ja als **völkische und religiöse Einheit** verstehen gelernt haben. Keine uniform organisierte Einheit, gewiß, wohl aber eine **lose Föderation**. Und der sich immer mehr durchsetzende gemeinsame Glaube an den einen und selben Gott dürfte deren politisches Zusammenwachsen ebenso gefördert haben wie auch umgekehrt der politische Zusammenschluß den Glauben intensiviert haben dürfte. Geht es bei einem solchen Prozeß doch nicht um Ideen und Doktrinen, sondern um immer wieder neue vielfältige Erfahrungen und Erinnerungen vom Wirken des einen Gottes an diesem seinem Volk: um Geschichten von Gottes gnädiger Erwählung, fordernder Herrschaft und bleibender Gemeinschaft mit diesem Volk, kurz, um alles das, was man später »Bund« genannt hat.

4. Struktur des vorstaatlichen Paradigmas

Wie sich diese **Gemeinschaft** in der Zeit nach der Landnahme **konkret gestaltete**, ist wiederum **nicht mehr genau zu ermitteln**. Längere Zeit hat die Forschung mit Martin Noth angenommen, daß es sich bei den zwölf Stämmen Israels um eine sakrale Amphiktyonie, das heißt, um eine »Gemeinschaft der Um-wohnenden« (um ein Zentralheiligtum nämlich) gehandelt habe, wie es dies etwa auch im griechisch-italischen Bereich gegeben hat: Jahwes Lade – ursprünglich ein Wanderheiligtum – wäre das Zentralheiligtum der Stämme gewesen, ihre kultische Mitte. Doch: Keine der Nomadenkulturen kannte offenbar ein solches Zentralheiligtum, und unbeweisbar ist auch, daß die Lade Jahwes ein Wander-, ja, ein Zentralheiligtum ganz Israels gewesen sei. Unbewiesen freilich ist auch die Gegenthese, das Bündnis der zwölf Stämme sei nicht ein sakraler Bund, sondern eine rein politische Föderation gewesen.

Sehr viel wahrscheinlicher in einer Zeit, in der sich Politik und Religion kaum trennen lassen, ist dagegen, daß **regional-politische und religiöse Gegebenheiten gleichzeitig** eine Rolle gespielt haben. Und unter den religiösen Gegebenheiten spielte nun einmal der Jahwe-Glaube eine erstrangige Rolle, zu dem sich die Stämme mehr und mehr bekannten. Welche konkrete Rolle freilich bei all dem der Kriegsheld **Josua** aus dem Stamme Ephraim gespielt hat, er, der zuerst als Moses Diener, dann Nachfolger und schließlich Vollender präsentiert wird, dies läßt sich ebensowenig historisch ermitteln wie das, was die konkreten Aktionen der einzelnen Stämme oder einzelner Helden gewesen sein mögen. Manchen Gelehrten zufolge haben die in Zentralpalästina angesiedelten drei Rahel-Stämme Benjamin sowie Efra-

im und Manasse (= das Haus Josef) den Kern des späteren »Israel« gebildet[26]. Entscheidend ist jedenfalls: Die israelitische Stammesfödera-
tion erscheint schon im genannten Deboralied als »Volk Jahwes«[27].
Und die politisch-religiöse Entwicklung hatte zu folgender Konstellation geführt: »zu Großfamilien, Schutzverbänden von Familien ...
und Stämmen, zusammengeschlossen als eine zwischenstammliche
Gemeinschaft, ›Israel‹ genannt, ›Israeliten‹ oder ›Stämme (oder Volk)
von Israel (oder Jahwe)‹«[28].

Will man unter diesen Umständen die religiös-soziale **Struktur
dieses Stämme-Paradigmas** des 12./11. Jahrhunderts (Paradigma I =
P I) umschreiben, so wird man von folgenden Charakteristika ausgehen müssen:

- Die israelitischen Stämme der ersten Epoche lebten in einer zunehmend völkisch und religiös zusammenwachsenden **losen Föderation.** Ähnlich wie in den verwandten aramäischen und protoarabischen Stämmen gab es Älteste, die eine richterliche Funktion hatten, gab es Vorsteher in den Großfamilien und Sippen, gab es also
  eine **patriarchalische Ordnung.** Aber: Es gab noch keine monarchi-
  sche Spitze über allen Stämmen und erst recht keine Zentralregierung mit einem Verwaltungsapparat.
- Es gab **Jahwe-Heiligtümer** und damit auch eine **Jahwe-Priester-
  schaft.** Aber: Religiöse Institutionen und Gebräuche, wie wir dies
  aus späteren Paradigmen kennen, gab es in diesem ersten Paradigma noch nicht, auch wenn sie in den späteren biblischen Geschichten oft auf diese Zeit zurückprojiziert wurden.
- Es gab in dieser Zeit **charismatische Rettergestalten** verschiedenster
  Art, sogenannte Richter (»Sofetim«), und für die Stunde der gemeinsamen Bedrohung ein aus den Stämmen gebildetes gemeinsames Heer. Aber: Es gab noch kein Berufsmilitär, keine Söldner
  und keinen Ritteradel, und auch nicht das, was man später im Islam
  »Heiligen Krieg« (arabisch »Jihad«) nannte.
- Religiös zusammengehalten wurden die Stämme durch den **Glauben an Jahwe**, den Gott Israels. Aber: Jahwe wurde als der Herr der
  Familien, Sippen und Stämme, noch nicht als König des Volkes angesehen: Herrschaft, nicht Königtum Gottes.
- Der Glaube an Jahwe bildete die Grundlage für das **Selbstverständnis Israels als Volk Jahwes.** Aber: Die Einheit des Volkes war eine
  lose, dynamische Stämme-Föderation, ohne Monarchie, Beamten-

apparat und Berufsmilitär, nicht eine monolithische Einheit des Volkes.

In dieser frühen Zeit also ging es um eine Stammes-, nicht um eine Staatsgesellschaft: Die Großfamilien, Sippen, Dörfer, Stämme der Israeliten lebten im 12./11. Jahrhundert noch in einer vormonarchischen, vorstaatlichen Gesamtkonstellation. Vom Land, nicht aber von festen Grenzen war damals die Rede, von nationaler Einheit auch nicht, von monarchischer Spitze erst recht nicht. Vorstellungen von einem geschlossenen, als Organisationseinheit funktionierenden Stämmeverband Israel in dieser Zeit sind Rückprojektionen einer staatlichen Identität auf eine vorstaatliche Gesellschaft.

II. Das Reichs-Paradigma der monarchischen Zeit

»Darnach sprachen die Männer Israels zu Gideon: Herrsche über uns, du sowohl als dein Sohn und deines Sohnes Sohn; denn du hast uns aus der Hand der Midianiter errettet. Aber Gideon antwortete ihnen: Ich will nicht über euch herrschen, und auch mein Sohn soll nicht über euch herrschen; der Herr soll über euch herrschen.«[1] Also: kein Monarch, keine Monarchie zur Zeit dieser sogenannten »Richter« Israels am Ende des 2. Jahrtausends v. Chr. Doch dabei blieb es nicht.

1. Krise und Paradigmenwechsel

Epochen folgen nicht aufeinander, sondern auseinander. Nicht additive Linearität, sondern Dialektik ist ihr Gesetz: Kontinuität in Diskontinuität. Wenn nämlich eine Religion – aus welch vielfältigen Gründen auch immer – in eine fundamentale Krise gerät, wenn die Vorläufer einer neuen religiösen Bewegung aus der privaten in die öffentliche Sphäre treten, wenn die Oppositionellen repräsentativ, wenn neue Initiativen, Beispiele, Gemeinschaften zur Norm werden, wenn das Neue also nicht nur anbricht, sondern durchbricht: dann kann man von einer Zeiten-Wende sprechen, von einem Wechsel der Gesamtkonstellation, des Makroparadigmas, einem epochalen **Paradigmenwechsel**.

Eine gesellschaftlich-religiöse **Krise**: Sie ist normalerweise der Ausgangspunkt eines Paradigmenwechsels, der natürlich immer im vorausgegangenen Paradigma schon vorbereitet war. Dabei kann es sich um eine von außen verursachte Krise handeln: die Herausforderung durch eine neue wirtschaftlich-politisch-militärische Großmachtkonstellation. Oder um eine primär selbstproduzierte Krise: wirtschaftlich-politisch-soziale Entwicklungen im Inneren. Was das Israel in der **Umbruchszeit von der sogenannten Richterzeit zu einer neuen Epoche** betrifft, so geht es wohl um beides in einem.

Da haben zunächst einmal **Langzeitentwicklungen innerhalb der israelitischen Gesellschaft** der frühen Eisenzeit – Bevölkerungsentwicklung, Besiedlung, Ökonomie, Entwicklung der handwerklichen und militärischen Technik und alle Veränderungen der Gesellschafts-

struktur einen erheblichen Einfluß gehabt; stellen sie doch Rahmen-
bedingungen des gesellschaftlichen und religiösen Lebens dar. Diese
innerisraelitischen Entwicklungsprozesse mögen zu einer Monarchie
geradezu hingedrängt haben[2].

Doch gleichzeitig ist nicht zu übersehen: Je mehr die territorial so
uneinheitlichen Großfamilien, Sippen, Stämme **seßhaft** wurden, sich
zusammenschlossen und ihrer Schicksalsgemeinschaft bewußt wurden, um so mehr drängte sich aufgrund der gesellschaftlich-politischen Gesamtlage sowohl eine dauernde Koordinierung nach innen
wie eine permanent gegebene gemeinsame Verteidigungsbereitschaft
nach außen auf. Den biblischen Zeugnissen zufolge kam es vor allem
aus dem zweiten Grund zu jener Krise, die den Wunsch nach einheitlicher, kontinuierlicher Führung auslöste. Sie brachte eine national-
staatliche Innovation hervor, die dann ihrerseits zur Tradition werden
sollte: den **Übergang von der Stammesgesellschaft zu einem Staats-
volk** und als dessen Resultat ein konsolidiertes, zentral gelenktes
Staatswesen. Es kommt also zum Übergang von einer vorstaatlichen
zu einer staatlichen Organisationsform. Und dies ist, selbstverständlich, trotz aller Kontinuität der israelitischen Gesellschaft ein Wandel
von höchster politischer, wirtschaftlicher, gesellschaftlicher und auch
religiöser Tragweite!

Gab es denn damals überhaupt eine massive **äußere Bedrohung** des
Territoriums der Stämme? Zweifellos. Sie kam von den auf dem Süd-
teil der Küste angesiedelten (möglicherweise semitischen) Philistern,
einer gut organisierten Militärmacht, die versuchte, ihre Kontrolle auf
ganz Palästina auszudehnen, einschließlich des Gebirges. Sie, die waf-
fentechnisch überlegen waren (Eisenwaffen, Streitwagen), galt es mit
vereinten Kräften abzuwehren. Und dies bedeutete, daß der schwer-
fällige israelitische Heerbann, nur gerade in Zeiten der Not aufgebo-
ten, unter ein ständiges Kommando gestellt werden mußte. Also nicht
nur ein charismatischer Führer (»Richter« wie Otniël, Debora, Sim-
son, Eli, Samuel) auf Zeit war gefordert, sondern ein erwählter Führer
auf Dauer. Mit anderen Worten: Es galt nun diejenige Institution
auch für Israel zu übernehmen, die in den Kleinstaaten ringsum schon
längst Wirklichkeit war: das **Königtum.**

Daß dieser Prozeß zur Eigenstaatlichkeit außenpolitisch unbehin-
dert und innenpolitisch letztlich erfolgreich abgeschlossen werden
konnte – zumindest was die Nordstämme betrifft, denn über die Be-

teilung Judas bestehen Zweifel –, dürfte mit der Schwäche der Großmächte am Nil sowie an Euphrat und Tigris um die Wende vom 2. zum 1. Jahrtausend zusammengehangen haben. Auf der syrisch-palästinischen Landbrücke – dieser militärstrategisch und handelspolitisch hochwichtigen Region zwischen Meer und Wüste im Westen und Osten und den Großreichen im Norden und Süden – war nämlich ein **Machtvakuum** entstanden, das die ungestörte Etablierung einer eigenen Monarchie in Israel, ja, schließlich erstmalig eines einheimischen Großreiches, ermöglichte.

Und wie kam es zu diesem stammesübergreifenden Königtum? Offenbar nicht ohne Widerstände! Widerstände sind spürbar gegen eine Ablösung der alleinigen Herrschaft Jahwes durch eine Königs-Herrschaft, die Herrschaft durch einen einzelnen Menschen, wie schon das eingangs angeführte Zitat aus dem Richterbuch illustriert. Auch andere antikönigliche Texte des Deuteronomiums[3], des Richter-[4] und ersten Samuelbuches[5] deuten in diese Richtung. Gewiß: Manche dieser Texte dürften nicht aus dieser frühen Zeit stammen, sondern mögen sich erst aus späterer königsfeindlicher Einstellung heraus in prophetischen und priesterlichen Kreisen gebildet haben. Doch mit einer Opposition gegen den König wird man im frühen Israel zu rechnen haben, und zwar von Anfang an nicht nur im Namen einer Stammesautonomie (die auch später noch Rebellionen auszulösen vermochte), sondern auch des »theokratischen« Herrschaftsanspruchs Jahwes. Protest gegen die Einsetzung eines Königtums aus politischen und religiösen Gründen also!

Und doch: Das Königtum begann sich durchzusetzen, wie aus anderen, **königsfreundlichen** Texten[6] hervorgeht. In religiöser Sprache geredet: Das Königtum wird als von Jahwe gewährt betrachtet – auf Drängen des Volkes hin. Es steht jetzt im Dienst der Jahwe-Religion. **Erster König** wird der Benjaminit **Saul** (1012-1004). Anscheinend durch Samuel, den »Richter«, Seher, Propheten, Priester (die Überlieferung ist hier sehr unklar) designiert, hat ihm das Volk dann akklamiert. Der Neuerwählte nimmt Residenz in seinem Heimatort Gibea (6 km nördlich von Jerusalem), wo man in unserer Zeit seine kleine und bautechnisch primitive Festung ausgegraben hat, das erste uns bekannte bedeutende israelitische Bauwerk.

Um welchen Typus von Königtum handelt es sich hier? Mehr um ein »chiefdom«, wie der von der Südsee-Anthropologie her bemühte

Begriff heißt, denn um ein »kingdom«? Das greift zweifellos zu kurz. Denn Saul hat zwar teilweise das frühe Stammesfürstentum fortgesetzt, doch hat er es auf mehrere Stämme ausgedehnt, wie Georg Fohrer[7] mit Recht hervorhebt. Sauls Königtum dürfte deshalb kein Stammesfürstentum, sondern bereits ein Volkskönigtum gewesen sein, das allerdings noch nicht territorialen, sondern nur nationalen Charakter besaß. Saul war nicht so sehr der König des Landes Israel, sondern der Israeliten: vor allem der berufene Heerkönig also, der jetzt in dieser Notzeit die Kommandogewalt über den Stämme-Heerbann innehat. Erste Erfolge als Heerführer im Feld (zusammen mit seinem Sohn Jonatan) stellen sich denn auch ein. Von sonstigen Funktionen des Königs jedoch, von Hofhaltung, innerer Organisation und vom Aufbau eines Staates wird bezeichnenderweise kaum etwas berichtet. Die Herrschaft Sauls dauert ohnehin nur acht Jahre. Und die Berichte über ihn dürften in ihrer Tendenz von der späteren, davidfreundlichen Geschichtsschreibung gefärbt sein. Das gilt vermutlich vor allem von den Berichten über Sauls trauriges Ende, die Davids Regierungsübernahme um so gerechtfertigter erscheinen lassen. Denn aufgrund von verschiedenen Fehlgriffen und Mißerfolgen soll sich der psychisch kranke Saul nach einer katastrophalen Niederlage gegen die Philister in sein eigenes Schwert gestürzt haben[8].

Hätte das Königtum nach diesem tragischen Ende durch Selbstmord nicht Episode bleiben können? Wohl kaum. Denn die Zeit war eben reif für diesen epochalen **Paradigmenwechsel** von einer vorstaatlichen zu einer **staatlichen Konstellation**, und insofern war das Heerkönigtum Sauls ein Übergangsstadium.

2. Die epochalen Leistungen Davids als König

Saul hatte den Paradigmenwechsel eingeleitet, wirklich vollzogen aber hat ihn um das Jahr 1000 v. Chr. ein anderer: **David** (1004-965), ein Judäer einfacher Herkunft aus dem Stammeshauptort Betlehem, der anfänglich ein Gefolgsmann Sauls und gar dessen Schwiegersohn, dann aber ein von ihm anscheinend eifersüchtig Verfolgter war, er hat die Chancen eines neuen Gesamtmodells erkannt und genutzt. Und für viele Juden ist es bis heute das große Ideal geblieben: das **Reich Davids!**

Doch hat er wirklich Geschichte, gar Epoche gemacht, dieser David[9]? Man hat in unserer Zeit viel über die Frage diskutiert, ob Männer (und Frauen) Geschichte machen – oder umgekehrt. Und wir haben es ja gehört: Heutige Historiographie ist mehr als je zuvor Sozialgeschichte, die sich nicht in erster Linie an den »welthistorischen Individualitäten« (Hegel) orientiert, sondern an strukturellen Bedingungen und gesellschaftlichem Wandel. Natürlich mußten auch im Fall Davids und dessen steilem Aufstieg zur Macht die strukturellen Bedingungen – außenpolitische wie innenpolitische – für eine derart epochale Veränderung erfüllt sein, und insofern sind denn in jeder umfassenden Geschichtsbetrachtung immer auch Problemstellungen der Soziologie, Sozialanthropologie und der historischen Geographie zu berücksichtigen. So weit, so gut. Aber gerade hier zeigt sich: Die Beschreibung langfristig funktionierender gesellschaftlicher Wirkmächte darf die in dem von ihnen gesetzten Rahmen handelnden Menschen nicht vernachlässigen. In der konkreten Geschichte geht es immer um die **Dialektik von Strukturen und Personen!** Und die »Faktengeschichte« kontingenter Einzelereignisse oder handelnder Personen ist keineswegs nur an der Oberfläche, sondern in der Mitte der historischen Prozesse der »Gesellschaftsgeschichte« angesiedelt.

Es ist deshalb kein Zufall, daß die eigentliche Geschichtsschreibung in Israel erst mit den Zeiten Davids begonnen hat[10]. Denn über »David« (meist als »Liebling« Gottes gedeutet) wissen wir aufgrund der Quellen besser als über irgend jemanden anderen in Israel Bescheid[11] – und dies ist ein wichtiger Unterschied zum vorausgegangenen Paradigma. Die Darstellung Davids in den alttestamentlichen Schriften kann in der Tat mit der späteren griechischen Geschichtsschreibung wetteifern. Eine grundsätzliche historische Skepsis gegenüber den biblischen Quellen ist hier noch weniger angebracht als hinsichtlich der vorausgegangenen Epoche; und bekanntlich sind nicht nur von Historikern verfaßte Quellen Quellen für Historiker.

In der Tat: In Davids Fall dürften wir ein Beispiel vor uns haben, wo ein Mann, als die Geschichte reif war, wirklich Geschichte gemacht hat. In der Terminologie Arnold Toynbees gesagt: eine »challenge«, eine große historische »Herausforderung«, war gegeben; ihr entsprach in der Person Davids die »response«, die angemessene geschichtliche »Antwort«. Denn, was wäre aus Israel geworden ohne David, diesen Mann von Charisma, Vision und Bravour, der offensichtlich nicht nur religiös motiviert, sondern auch künstlerisch begabt war (die Klagelieder auf Saul und Jonatan[12] wie einzelne Psalmen führen selbst kritische Exegeten auf David zurück)? Niemand weiß es. Mehr als fraglich ist jedoch:

1. ob es ohne diese Gestalt von außerordentlicher politischer Intelligenz und Tatkraft je zu einer dauernden Vereinigung der territorial stark heterogenen Reichsteile von Nord und Süd, von Israel und Juda, zu einem relativ umfänglichen, innenpolitisch durchgegliederten israelitischen »Großreich« gekommen wäre, dem ersten auf palästinischem Boden: Schon gut sieben Jahre nach seiner Akklamation zum König von Juda regierte David »über ganz Israel und Juda«[13] – aufgrund seiner überragenden Persönlichkeit und mit Hilfe von Ressortämtern, eines Beamtenstabes sowie einer auf ihn persönlich eingeschworenen, stets einsatzbereiten Söldnertruppe;

2. ob die von drei tiefen Tälern umgebene, stark befestigte kanaanäische Jebusiterstadt **Jerusalem** je Hauptstadt dieses ja nur durch Personalunion vereinigten Reiches (kein Einheitsreich!) geworden wäre: Erst David hat diese strategisch günstige, auf der Grenze zwischen Juda und Israel gelegene Stadt mit seinen Söldnern erobert und den Hügel **Zion** mit seiner Bergfeste zu seiner Residenzstadt gemacht[14]; sie wurde so zu seinem und seiner Dynastie Eigentum, zur »Davidstadt«[15];

3. ob die neue Hauptstadt Jerusalem je den bis heute wirksamen neuartigen **sakralen Charakter** erhalten hätte, wenn nicht David zur klugen Absicherung seiner Herrschaft die tragbare heilige »Lade Gottes«, Symbol des Stämmebündnisses und der Präsenz Jahwes, in feierlicher Prozession mit Musik und Kulttanz in seine Stadt gebracht[16], dort das Zeltheiligtum aufgebaut und neben der militärischen und zivilen auch die kanaanäische kultisch-priesterliche Verwaltung organisiert und »jahwisiert« hätte: Erst durch David wurde Jahwe in Jerusalem zu einer Art Staatsgottheit, wurde Jerusalem so für ganz Israel und Juda zum kultischen Mittelpunkt, wurde es zu einer einzigartigen »heiligen Stadt«! Ja, auch kritische Geschichtsschreibung kommt so um die Feststellung nicht herum, daß Davids Politik schon im darauffolgenden Judentum als eine entscheidende Zäsur gedeutet wurde: »Für die deuteronomistische Geschichtsschreibung bedeutete Davids Aktion (Verbringung der Lade nach Jerusalem) auf der einen Seite Kontinuität des vereinigten Königreiches mit der Vergangenheit und

auf der anderen Seite einen völligen Neubeginn, eine neue Epoche, die erst mit der Zerstörung des Ersten Tempels 587/86 v. Chr. enden wird.«[17]

Mit dieser Verlagerung des Kultes in die alte kanaanäische Stadt war freilich auch dem Einströmen kanaanäischen Gedankengutes in die neue Staatsreligion Tür und Tor geöffnet. Wie die früheren kanaanäischen Stadtkönige (darunter jener Priesterkönig Melchisedek?) nahm David, den Kulttanz vor der Lade anführend, priesterliche Funktionen wahr, was ihm dann prompt auch Kritik eintrug. Wie weit die Verschmelzung der Jahwe-Religion mit den kanaanäischen Kulten schon zur Zeit Davids ging, ist nicht leicht zu klären[18]. Vielleicht gab es bereits damals eine Art »Staatssynkretismus«, eine Königsideologie, wo der König als »adoptierter Sohn« Gottes galt. Doch nicht dies ist für die künftige Entwicklung der entscheidende Punkt.

3. Davids Reich – bis heute paradigmatisches Ideal

Wie immer es damals mit der Religion im einzelnen stand: Es ist deutlich geworden, was der Paradigmenwechsel zum **davidischen Reichsparadigma** (Paradigma II = P II) für Israel erbracht, aber auch was sich für viele Juden bis in David Ben-Gurions Zeiten als Wunschbild erhalten hat:

- ein straff staatlich organisiertes Israel, geeint unter davidischer Führung,
- Jerusalem als religiöses und politisches Zentrum des Reiches (»Zion« später Bezeichnung für die ganze Stadt),
- ein starkes Heer, eine gut funktionierende Verwaltung, ein staatlich integrierter Klerus,
- nationale Identität in den gesicherten Grenzen eines Großreiches.

Und was das letzte betrifft: David – ein ebenso kluger Diplomat wie glänzender Heerführer – hatte damals eine höchst **expansive Außenpolitik** betrieben. Was als Verteidigungskrieg begonnen hatte, wurde zum Eroberungsfeldzug. Während die Landnahme-Kriege der israelitischen Stämme in Josua und Richter noch als von Jahwe selber geführte Kriege dargestellt werden, erscheinen Davids Eroberungskriege nicht mehr als Jahwe-Kriege oder »heilige Kriege«. Nie zuvor und nie

nachher waren Israels Grenzen so weit vorgeschoben. Ohne alle nationalistischen Hemmungen bezog David, der in der Zeit der Auseinandersetzung mit König Saul selber eine zeitlang philistäischer Vasall
war und danach Philister und andere Nichtisraeliten in die königliche
Garde aufnahm, **nichtisraelitische Gebiete** in sein Groß-Israel ein,
was für die Frage von Israels Reichsgrenzen bis heute nicht ohne Bedeutung ist und was schon zu Davids Zeit zu erheblichen inneren
Spannungen und Konflikten führen sollte.

Wie sehr viel später – man erlaube mir nochmals diesen Vergleich –
sich die kleine schweizerische Eidgenossenschaft (auch ihre Stärke lag
in der Kontrolle der großen internationalen Nord-Süd-Handels-
straßen) in einer Zeit militärisch und politisch geschwächter Großmächte im Süden bis ins Veltlin, ja bis nach Mailand auszudehnen
vermochte, sich dann aber, im Kriege schwer geschlagen, wieder zurückziehen mußte, so war es David gelungen, in wenigen Jahrzehnten
ohne nennenswerten Widerstand der Großmächte Mesopotamien
und Ägypten (nirgendwo findet sich bei ihnen der Name Davids auch
nur erwähnt) weite syrische Gebiete mit verschiedenem Abhängig-
keitsstatus seinem Reich einzuverleiben: und zwar nicht nur die phi-
listäischen Vasallenstaaten im Küstengebiet, sondern auch die ostjor-
danischen Moabiter- und Edomiterreiche, die Aramäerstaaten (mit
der Hauptstadt Aram-Damaskus!) sowie schließlich das Ammoniter-
reich (mit der Hauptstadt Rabbat-Ammon, heute Amman!).

Alle diese Gebiete gingen – wie man weiß – später wieder verloren.
Der israelitische Nationalstaat selbst, welcher das Gebiet der zwölf
Stämme umfaßte, dehnte sich ja ohnehin nur von »Dan bis Beerscheba«[19] aus; und selbst in dessen Grenzen gab es eine nichtisraelitische
Bevölkerung, die zum Teil zu Fronarbeit gezwungen wurde[20]. Aber
ihr Besitz erklärt, warum ein späterer deuteronomistischer Bearbeiter
des Josuabuches die Landverheißung Jahwes an sein Volk so weitge-
spannt fassen konnte: »Von der Wüste an und dem Libanon dort bis
an den großen Strom, den Euphratstrom, das ganze Land der Hethiter, und bis an das große Meer soll euer Gebiet reichen.«[21] Auf diese
Weise blieb die Erinnerung an Davids Großreich als Idealvorstellung
erhalten; sie wurde gepflegt und angereichert, und dies nicht nur im
Judentum.

In der Tat: David, dieser bedeutendste Herrscher der Geschichte
Israels, dieser große Politiker, Oberkommandierende und Organisa-

tor, blieb Vorbild für alle folgenden Generationen. Gegen alle Opposition aus den auf Selbständigkeit bedachten Stämmen (Sauls Stamm Benjamin besonders), gegen alle Revolten und Intrigen hatte er sich durchgesetzt und die Hegemonie des Stammes Juda und seiner Familie auf Dauer etabliert. Begreiflich, daß sein Bild im Verlauf der Geschichte nun immer mehr – schon in den Chronikbüchern gegenüber den Samuel- und Königsbüchern – idealisiert wurde. Ihm wird sogar in einer späteren deuteronomistischen Überarbeitung eine **immerwährende Herrschaft** verheißen[22], die faktisch aber nie realisiert wurde. Aus dem realen König wird immer mehr der Idealkönig, aus der Königsidee eine Königsideologie. Und aus dieser Königsideologie sollte später, als längst kein israelitischer König mehr »über ganz Israel und Juda« herrschte, eine Messialogie entstehen: die Vorstellung von einem **Messias**, der als der ideale davidische König der Endzeit, als zurückkehrender David oder als »Sohn Davids«, das davidische Reich wieder herstellen und die Verheißung einer immerwährenden Herrschaft erfüllen würde.

So blieb David für ganz Israel eine **prophetische Orientierungs- und Hoffnungsfigur**, die Jahrhunderte später in der Zeit des nachexilischen Zweiten Tempels, wie sie das erste Chronikbuch[23] schildert, sogar zum eigentlichen Begründer des (salomonischen!) Tempels und der gesamten Priesterhierarchie avancierte. Die Psalmen – ob von ihm selber stammend oder nicht – blieben in der Tat schönster und tiefster Ausdruck prophetischer Gebetsfrömmigkeit. Und David blieb diese Orientierungs- und Hoffnungsfigur erst recht, als auch dieser Zweite Tempel im jüdisch-römischen Krieg (70 n. Chr.) niederbrannte und Jerusalem nach dem letzten jüdischen Aufstand gegen die Römer vollends zerstört worden war (135 n. Chr.). Damals wurde auch Davids Grab in der Davidstadt (wohl im Siloabereich) – noch zur Zeit des Nehemias[24] und der Apostelgeschichte[25] wohlbekannt – zerstört und vergessen (heute gilt den vielen Pilgern aufgrund einer zweifelhaften Tradition aus der Kreuzzugszeit ein Platz auf dem Zionsberg als Davidsgrab). Doch ist keine Frage: »Der biblische David als glänzender König und charismatische Frömmigkeitsgestalt beeindruckte das Judentum aller Zeiten und Schattierungen. Vom 2. Jh. v. Chr. an wurde David zur **dynastischen Urfigur** für Herrscher (Hasmonäer, Herodier) und Hierarchen (Patriarchen, babylonische Exilarchen), zur **Motivgestalt** für endzeitlich orientierte Enthusiasten und Revolutionäre und zur **religiösen Leitfigur** von Gruppen, denen an Aufbau und Konsolidierung eines traditionskonformen Gemeindelebens gelegen war.« (C. Thoma[26])

4. David im Spiegel von Judentum, Christentum und Islam

Diese Andeutungen reichen aus, um sich bewußt zu machen, daß auch David – ähnlich wie Abraham und Mose – von den verschiedenen Gruppen im Judentum stets sehr selektiv wahrgenommen und für je neue Zeiten sehr verschieden als **idealtypisch-prophetische Leitfigur** aktualisiert wurde. Und dasselbe gilt erst recht von den anderen beiden prophetischen Religionen, Christentum und Islam, die allesamt David hoch in Ehren halten, aber im einzelnen doch recht verschieden interpretieren. Es lohnt sich, mit wenigen Strichen die in den drei Religionen **verschiedenen Profile Davids** zu skizzieren.

a) Im rabbinischen Schrifttum des mittelalterlichen **Judentums**[27] wird die farbig-lebensvolle Gestalt des David – ein mit seinen Stärken und Schwächen nicht ungefährliches Idol – pastoral stilisiert, und zwar (abgesehen von der messianischen Zukunftsvision) in dreifacher Hinsicht:
– In erster Linie wird David gesehen als der exemplarische **Beter** und **Prophet**, der die (ursprünglich wohl anonymen und ihm nur teilweise zugeschriebenen) Psalmen allesamt selber verfaßt oder zumindest ediert haben soll. Als »der Psalmist« wird David jetzt als echter Prophet angesehen, durch den Gottes Wort ergangen sei. Ja, so erscheint er schon damals als Handelnder im Blick auf die israelitische (rabbinische) Gebetsversammlung, geradezu der Typus Israels, der in den Psalmen nicht nur für sich selber, sondern für ganz Israel spreche. Daraus folgt:
– David erscheint den Rabbinen – da manche Psalmen das Studium des Gesetzes bei Tag und bei Nacht preisen[28] – auch als der exemplarische **Gesetzestreue** und **Gesetzeslehrer**, der ständig die Tora studiert, sie bis ins Kleinste beobachtet, sie anderen unerbittlich eingehämmert habe und der schließlich an einem Pfingstsabbat (er hätte gerade die Toralektüre unterbrochen, um nachzusehen, woher liebliche Musik an sein Ohr dränge) sanft gestorben sei.

– Schließlich erscheint David jedoch auch als der exemplarische **Sünder** und **Büßer**, der seinen Ehebruch mit der schönen Batseba und seinen Mord an deren Mann, dem Hethiter Urija, bitter bereut, Buße getan und so Verzeihung erlangt habe. Wiewohl David von den Rabbinen durchaus auch kritisiert wird (wegen zu großem Selbstbewußtsein, mangelnder Kindererziehung, interessenbedingter Volkszählung), wird er deshalb bezüglich des Ehebruchs eher entlastet.

Von den Davidsgegnern in einzelnen Stämmen als Argument benützt und noch im Talmud diskutiert, dann aber weginterpretiert wird von den Rabbinen die Tatsache, daß **Davids Urgroßmutter Rut** eine Moabiterin gewesen war[29], eine **Nichtjüdin** also. Ausgerechnet Davids Herkunft von einer jüdischen Mutter – nach rabbinischer Auffassung ja Wesensmerkmal des wahren Juden – stand damit keineswegs einwandfrei fest und mußte konstruiert werden. In der Folge wurde Davids Herkunft dann bisweilen so stark theologisch überhöht, daß er gar zu so etwas wie einem Archetypus Gottes wurde, um dessentwillen die Welt geschaffen worden sei.

Die Rabbinen waren auf diese Weise besorgt, daß David nicht falsch verstanden und gar für die gefährlichen politischen Abenteuer messianischer Schwärmer mißbraucht wurde; David, als ihn König Saul verfolgte, war immerhin eine Zeitlang Führer einer Bande von »Outlaws« in der judäischen Wüste gewesen, bevor er philistäischer Vasall und später König wurde. Kein Wunder, daß derselbe David in der späten europäischen Neuzeit schließlich als **politische Figur** neu entdeckt wurde, vor allem natürlich vom Zionismus: Das davidische Reich – vor 3 000 Jahren in Besitz genommen – bildet so bis heute (ungeachtet seiner höchst wechselhaften Geschichte) für viele Juden das Idealreich und natürlich die Grundlage für den Anspruch des Zionismus insbesondere auch auf Jerusalem. Dessen Wahrzeichen ist denn auch seit dem ersten Zionistenkongreß in Basel 1897 der sechseckige »Davidsstern« (hebräisch: »Magen« = »Schild« Davids), der sich im Judentum erst seit dem frühen Mittelalter findet und vor allem durch den Kabbalisten Isaak Luria im 15. Jahrhundert verbreitet wurde. 1948 ist er in Israels Staatsflagge aufgenommen worden (in unserem Paradigmenwechsel-Schema wird deshalb eine gestrichelte Senkrechte bis ins 20. Jahrhundert durchgezogen).

b) Und wie wird David im **Christentum** gesehen? Auch im Schrifttum des ursprünglichen Christentums wird David des öfteren und höchst respektvoll erwähnt: Auch hier wird er als Autor der Psalmen, als Beispiel der Frömmigkeit und als Prophet der göttlichen Offenbarung anerkannt. Folgt man dem Bericht des Markus[30], so hat auch Jesus sich auf David berufen, verteidigt Jesus das Ährenraufen am Sabbat doch mit Hinweis auf 1 Sam 21,2-7, wo der Priester Abimelech David und seinen Leuten Schaubrote zu essen gegeben habe, obwohl eigentlich nur Priester sie hätten essen dürfen.

Doch die Bedeutung Davids für das Neue Testament geht darüber hinaus. Besonders das aus dem judenchristlichen Milieu stammende Mattäusevangelium scheint daran interessiert gewesen zu sein, **Jesus von Nazaret** als direkten **Nachkommen Davids** herauszustellen[31]. Einiges ist auch hier **umstritten**: Während der Geburtsort Jesu merkwürdigerweise weder vom frühesten Evangelisten (Markus) noch vom spätesten (Johannes) erwähnt wird, erzählen die beiden Großevangelien (Mattäus und Lukas) eine (in vielem voneinander abweichende und legendär ausgeschmückte) Kindheitsgeschichte und insistieren geradezu auf Betlehem als Geburtsort Jesu, Betlehem, das denn auch ausdrücklich als »Stadt Davids« bezeichnet wird[32]. Viele christliche Exegeten vermuten, daß dies erst nachträglich geschah, und zwar aus theologischen Gründen. Ist doch auffällig, daß bei Mattäus und Lukas die Messias-Erwartung des Propheten Micha aufgegriffen wird, die sich ausdrücklich auf Betlehem bezieht. Jesus von Nazaret soll offenkundig davidische Legitimation als Messias Israels verschafft werden. Im übrigen treffen sich auch die – ebenfalls nur bei Mattäus[33] und Lukas[34] vorfindlichen – Stammbäume Jesu ausgerechnet in David, gehen aber sonst weit auseinander und lassen sich nicht harmonisieren. Auch dies unterstreicht die theologische Interessenlage der neutestamentlichen Autoren, was umgekehrt heißt: Ob Jesus nun auch wirklich oder nur dem Titel nach ein Nachkomme Davids gewesen ist, muß historisch offenbleiben.

Unumstritten dagegen ist **erstens**: die eigentliche Heimat des »Nazareners« oder »Nazoräers« war das unbedeutende Nazaret im Norden, in Galiläa. Unumstritten ist **zweitens**: »Sohn Davids« ist als messianischer Titel schon früh auf Jesus von Nazaret angewendet worden[35]. Wie wurde er verstanden? Verstanden wurde er gut jüdisch in einem theologisch-eschatologischen Sinn. Das heißt: Wie Gott in späterer jüdischer Interpretation schon dem König David »ein Vater« sein wollte und wie David dadurch Gottes »Sohn« wurde[36], so sollte auch Jesus als »Sohn Gottes«[37] verstanden werden können: nicht (so interpretierten es später die Griechen) in physisch-metaphysischer Abstammung natürlich, sondern, urjüdisch, im Sinne der Einsetzung eines Menschen in königliche Macht, als Gottes Repräsentant und Stellvertreter auf Erden sozusagen – ganz wie bei David eben. Freilich: Als Titel trat »Davidsohn« (im Neuen Testament etwa 20 mal belegt) mit zunehmender »Hellenisierung des Christentums« weithin zurück – gegenüber Titeln wie »Gottessohn« (oder »Sohn« 75 mal) oder »Menschensohn« (80 mal) und erst recht gegenüber dem heiden-christlichen, griechischen Titel »Christos« (rund 500 mal). Nicht er-staunlich deshalb, daß »Davidsohn« denn auch in die Glaubensbe-kenntnisse der griechisch sprechenden hellenistischen Gemeinde nicht aufgenommen wurde; dieser Titel wäre in neuer Umgebung un-verständlich und mißverständlich gewesen. Als Typos Christi aber war Davids Geschichte – vom Hüten der Schafe über den Kampf mit Goliat (= Satan) bis zum Klagen in den Psalmen – für die Kirchen-väter und mittelalterlichen Theologen eine wahre Fundgrube.

In jeder Hinsicht blieb David, auf Fresken, in Psalterien und an Kirchenportalen ungezählte Male abgebildet im Königsornat mit Harfe, eine populäre Gestalt: für die christlichen Herrscher des Mittelalters ein Modell (Karl der Große ein »neuer David«); für die kirchliche Hierarchie (wegen seiner Salbung zum König durch den Seher Samuel) eine Legitimationsinstanz für die Salbung christlicher Kaiser und Könige durch die Kirche und den Papst; für Meistersinger und Musikkollegien der geeignete Kirchenpatron. Erst in Renaissance und Barock tritt dann ganz der jugendlich-athletische Held in den Vordergrund (die herrlichen Davidsstatuen Donatellos und Michel-angelos in Florenz!).

c) Und im **Koran**? Wie schon Abraham und Mose ist David (arabisch »Da'ud«, oder »Dawud) auch im heiligen Buch des **Islam** eine promi-nente Gestalt. Schon die vorislamischen arabischen Dichter priesen David oder dessen Sohn Salomo (arabisch »Suleiman«) als Erfinder des Panzerhemdes (Kettenhemdes)! Sie wußten aber auch von Davids Psalmen, was für den Koran selbstverständlich von besonderer Wich-tigkeit ist. David erscheint hier als Allahs Stellvertreter (»Khalifa«), der

David

Prophetische Leitfigur der drei
abrahamischen Religionen.
Bedeutendster König der israelitischen Geschichte,
Prototyp des guten Herrschers.
Dichter der Psalmen,
exemplarischer Beter und Büßer.

Typos des kommenden Messias, des »Sohnes Davids«.	Typos des gekommenen Messias Jesus, des »Sohnes Davids«.	Typos für den Propheten Muhammad.
Der Gesetzestreue und Gesetzeslehrer.	Beispiel der Frömmigkeit.	Beispielhafter Prophet, Feldherr und Staatsmann.
Leitfigur für ein traditionskonformes Gemeindeleben.	Leitfigur für christliche Könige und Kaiser.	Leitfigur für die Kalifen.
Symbolgestalt des Staates Israel.		

in Gerechtigkeit richtet. Einmal wird David auch mit Jesus (»Isa«) zusammen angeführt, die beide die ungläubigen Kinder Israels verflucht hätten[38].

Bei alledem sind indessen nicht so sehr die verschiedenen Episoden aus Davids Leben (auch hier findet sich der möglicherweise legendäre Sieg über den Philister Goliat) von Bedeutung[39]; teilweise wird David sogar mit anderen biblischen Figuren verwechselt, was ein Licht wirft auf die muslimischen Vorwürfe, Juden und Christen hätten ihre eigenen Offenbarungsschriften verfälscht. Wichtiger als alles andere ist im Koran die Grundtatsache: Wie Mose vor ihm und Jesus nach ihm wird David als echter **Prophet**, als ein direkter Empfänger der göttlichen Offenbarung, bezeichnet. Warum? Weil auch er von Gott ein **Buch** erhalten habe, das Buch der **Psalmen** nämlich. In Sure 17,55 kann es deshalb heißen: »Einige der Propheten haben wir vor den anderen ausgezeichnet. Und dem David haben wir eine Schrift gegeben.«[40] Kein Wunder, daß David in der postkoranischen Literatur breite Beachtung gefunden hat. Denn Davids Leben – man denke etwa die Flucht vor Saul und die Revolte Abschaloms – schien ja viele Züge der Biographie des Propheten vorauszunehmen.

5. Salomos Doppelgesicht und die Trennung des Reiches

Insgesamt dauerte die Königszeit nur rund 400 Jahre. Und während über Saul und David in den beiden Samuelbüchern berichtet wird, ist die Geschichte der Nachfolger dann in den beiden Königsbüchern verzeichnet. Doch während sich die einzelnen Könige ziemlich genau datieren lassen, sind die Nachrichten über sie leider reichlich fragmentarisch und theologisch gefiltert. Man fragt sich ja: Wie ging es nach dem großen David weiter?

Das einzige Problem, bei dem David völlig versagt hatte, war die Regelung seiner **Nachfolge**. Zwar hatte er für seine eigene Machterhaltung eine geschickte Heiratspolitik getrieben; er hatte acht Ehefrauen genommen und mindestens 19 aus verschiedener Abstammung kommende Söhne! Gerade diese Politik aber sollte sich am Ende negativ auswirken[41]. Und so steht Davids Ende denn auch im Zeichen mehrerer Tragödien: Blutschande des ältesten Prinzen Amnon mit seiner Halbschwester Tamar (die einzige bekannte Tochter Davids); Ermordung Amnons auf Befehl seines Bruders Abschalom; Flucht, dann Staatsstreich Abschaloms, Flucht Davids und schließlich Ermordung Abschaloms auf der Verfolgungsjagd; Kandidatur eines weiteren Prinzen, Adonijas, dann dessen Kaltstellung; schließlich auf Betreiben von Davids Hofpropheten Nathan und der damals von David verführten Batseba Ernennung von deren Sohn **Salomo**[42] zum Mitregenten durch David unmittelbar vor seinem Tod; schließlich Salomos Thronbesteigung und alsogleich Ausschaltung aller oppositionellen Kräfte, an erster Stelle Adonijas[43].

Vom Regierungsantritt an also zeigt Salomo ein **zwiespältiges Bild**: Wie sich sein erbarmungsloses Vorgehen – manche sprechen von Haremsintrige und einer Art Staatsstreich ohne Zustimmung des Volkes – mit seiner vielgepriesenen »Weisheit«, mit der Autorschaft von

»3 000 Sprüchen und 1 005 Liedern«[44] wirklich vereinbaren läßt, ist historisch kaum noch auszumachen. Zweifellos wurde schon damals von Ägypten Lebensweisheit in Sprüchen und Liedern übernommen und dann allmählich in die Jahwe-Religion integriert. Einer Königsnovelle nach ägyptischem Muster zufolge[45] wird Salomo **anstelle einer politischen Anerkennung** (durch einen Königsvertrag) eine **göttliche Anerkennung** (durch eine Gottesbegegnung) zuteil[46].

Im ersten Königsbuch wird im folgenden weniger in chronologischer als in logischer Reihenfolge über Salomos Regierung berichtet: seine Weisheit[47], seine Bauten[48], seinen Handel[49], aber auch seine Abgötterei und sein Ende[50]. Das berühmte »salomonische Urteil«[51] dürfte jedenfalls eine Wanderlegende gewesen sein, und die Salomo zugeschriebenen Literaturwerke (Sprüche, Hohelied, Prediger, Weisheit Salomos) sind spätere Pseudepigraphie. Nein, niemand kommt darum herum, den historischen Salomo von den späteren idealisierenden Salomobildern zu unterscheiden[52].

Darüber besteht heute in der Forschung Übereinstimmung: Der später sprichwörtliche »**Salomo in all seiner Herrlichkeit**« bildete **nur eine Seite** der historischen Wirklichkeit. Sie kommt vor allem zum Ausdruck durch den Bau eines glänzenden, freilich im Vergleich zu Salomos Palast eher bescheidenen **Tempels**[53]: Als Eigentum der davidischen Dynastie wird er zugleich das Staats- und Zentralheiligtum Israels und erhält eine beamtete, erbberechtigte königliche Priesterschaft. Gegenüber dem Staatstempel verliert die »Lade Gottes« rasch an Bedeutung: Jahwe, der jetzt als »König« über ein »Haus« verfügt, »wohnt« von nun an im Tempel[54]. Der König übt jetzt nicht mehr nur priesterliche Funktion ad hoc aus, sondern ist jetzt »Priester für immer«. Weiter ist Salomos absolutistische Herrschaft ausgezeichnet durch den Ausbau befestigter Orte und die Verstärkung eines stehenden Heeres; durch glänzende Hofhaltung und Förderung von Künsten und Wissenschaften; schließlich durch die Pflege internationaler Beziehungen, ausgedehnten Handel, die Heirat einer Pharaonentochter und einen riesigen Harem mit manchen Ausländerinnen, deren Götter im heiligen Jerusalem Sonderkulte erforderten, was wohl auch für andere Untertanen Synkretismus zur Folge hatte.

Aber dies alles wurde – und das ist die andere, **elende Seite** der historischen Wirklichkeit – teuer erkauft: durch ein vom Volk, seinen Sitten und Bräuchen jetzt immer stärker abgehobenes Königtum in einer Stadtkultur; durch Schaffung einer straffen Zentralregierung und von zwölf Verwaltungsbezirken (Juda ausgenommen!) zur Versorgung des Hofes; durch Übergang zur Stadtwirtschaft und durch drückende Abgaben, gar Zwangsarbeit unter Aufsicht eines Fronministers, der denn auch nach Salomos Tod vom Volk gesteinigt wurde; durch Sklaven schließlich, und zwar nicht nur durch Kriegsgefangene wie unter David, sondern jetzt auch durch Schuldsklaven, Menschen also, die ihren Grundbesitz (nach alter israelitischer Auffassung unveräußerliche Gabe Gottes!) zu verkaufen gezwungen waren.

Latifundien und Verarmung der Massen waren die Folge; um seiner enormen Bautätigkeit willen – die von den Archäologen freigelegten gewaltigen Ringmauern und Zangentore der Städte Hazor, Megiddo und Geser belegen dies – mußte Salomo sogar einen ganzen galiläischen Distrikt mit zwanzig Städten an den König von Tyrus verkaufen. Und es war der harte Frondienst, der das Hauptgravamen der Nordstämme gegen Salomos Nachfolger und Sohn Rehabeam sein sollte. Was aber war die fatale Folge dieser Auseinandersetzung?

Es verwundert nicht, daß das davidische Reich, welches von vornherein unter einer Nord-Süd-Spannung litt und schon unter Salomo abzubröckeln begann, nach Salomos Tod vollends auseinanderbrach[55]. Nur rund 70 Jahre nach Davids Amtsantritt, um das Jahr 927, kam es zu einer fatalen **Reichstrennung** im davidischen Kerngebiet (unter sukzessivem Verlust der hinzueroberten Gebiete): in ein Nordreich und ein Südreich mit je verschiedener Geschichte. Das für unsere Perspektive Wesentliche sei knapp zusammengefaßt.

Im **Norden** entsteht das größere und stärkere **Reich Israel**, später mit der von König Omri neu gebauten traditionslosen Hauptstadt **Samaria,**
– wo man man manchen heutigen Historikern zufolge weniger einem dynastischen als einem charismatischen Königsideal zuneigte (Monarchie als freier Vertrag zwischen dem Volk und dem von Jahwe bezeichneten Mann);
– wo Könige jedenfalls des öfteren mit schrecklichem Gemetzel gestürzt wurden;
– wo insbesondere die Dynastie Omri angesichts des starken kanaanäischen Bevölkerungsteils eine ausgleichende Religionspolitik mit der Duldung fremder Götter und Tempel (Stierbilder auch als Symbole Jahwes) zu betreiben versuchte;

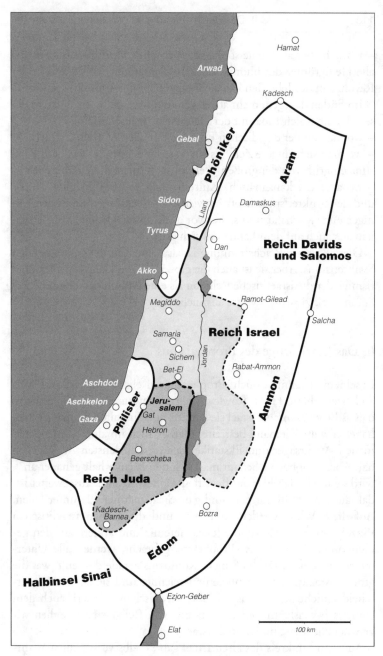

Das Großreich und die getrennten Reiche

– wo sich aber auch eine starke prophetische Opposition bildete, die alle Heiligtümer des phönikischen Baal zerstören wollte und in der Revolution des Jehu den kanaanäischen Kult auszurotten versuchte.

Im **Süden** dagegen, mehr abgelegen und abgeschlossen, entsteht das sehr kleine **Reich Juda** mit der Hauptstadt **Jerusalem,**
– wo man an der davidischen Erbfolge mit allen Mitteln festhielt;
– wo man sich längere Zeit, bis ein erstarktes Ägypten wieder in Palästina eingriff, von der großen Weltpolitik fernzuhalten vermochte;
– wo aber der kanaanäische Kult ebenfalls weithin geduldet wurde und der Synkretismus (trotz jahwistischer Reaktionen unter den Königen Asa, Joschafat und später vor allem unter Hiskija) von Jerusalem aus auch auf dem Lande um sich griff.

Diese Zeit der Reichstrennung ist also eine Zeit des zunehmenden Synkretismus. Aber sie ist auch die große Zeit des klassischen Prophetismus, der die israelitische Religion als eine typisch prophetische Religion in einzigartiger Weise auszeichnet.

6. Das Einzigartige des Prophetismus

In seinem bekannten Buch »Prophecy and Religion in Ancient China and Israel« hatte H. H. Rowley[56] den Nachweis zu führen versucht, daß es Propheten, wie Israel sie kannte, auch im alten China gegeben habe. Gewiß: Niemand bestreitet, daß es auch im alten China Schamanen, Wahrsager und Ekstatiker der verschiedensten Art gegeben hat. Aber Propheten? Schaut man sich den Sachverhalt genauer an[57], wird deutlich, daß hier der Begriff »Prophet« so stark ausgeweitet ist, daß auch noch »Reformer« und gar »Staatsmänner« darunter fallen. Auf diese Weise werden Konfuzius und die großen israelitischen Einzelpropheten wie Amos, Jesaja, Jeremia und andere auf den gemeinsamen Nenner des »Propheten« gebracht, werden alle Unterschiede nivelliert. Doch ob nicht Konfuzius gerade das fehlt, was die großen israelitischen Propheten auszeichnet und sie zugleich unterscheidet nicht nur von dem indisch-mystischen, sondern auch dem chinesisch-weisheitlichen Grundtypus von Religiosität[58]? Sehen wir genauer zu, zuerst im Umkreis Israels.

Auch im **Umkreis des alten Israel** gab es selbstverständlich Wahrsager, Ekstatiker, Seher, ja sogar so etwas wie »Propheten« im weitesten Sinn des Wortes; Keilschrift-Dokumente von Mari am mittleren Euphrat berichten von Menschen, die im Auftrag eines Gottes eine Botschaft auszurichten hatten, freilich immer nur an den König. Auch in Israel selbst gab es – wohl schon in der vorstaatlichen Zeit – sporadisch auftretende, zu Tanz und Instrumentalmusik rasende Ekstatiker, zu denen sich damals auch König Saul gesellte, gab es an bestimmten heiligen Orten organisierte »Propheten«-Gruppen, gab es »Seher« und wunderwirkende »Gottesmänner« – nicht zu vergessen die vermutlich zahlreichen (wohl nur ausnahmsweise aufgeführten) Prophetinnen wie etwa Aarons Schwester Mirjam, die den anderen Frauen mit Handpauken und im Handreigen voranzog[59], die schon zitierte Debora[60], die Prophetin Hulda[61] und eine anonyme Prophetin, wohl Jesajas Frau[62].

Doch wer ist nun eigentlich im strengen Sinn ein Prophet? Jedenfalls nicht, wie man im populären Verständnis meint, wer etwas »voraussagen«, »vorhersagen« kann; dies wäre ein Wahrsager (oder mit dem präziseren englischen Wort ein »fortuneteller«). Nein, ein Prophet – im ursprünglichen Verständnis des griechischen Wortes »prophetes« – ist jemand, der etwas »heraussagt«, »ansagt«. Ein Prophet ist also ein »Ankündiger«, »Verkündiger«, »Künder« (M. Buber), und zwar Gottes selbst; ein Mann, der nicht »wahrsagt«, sondern »die Wahrheit sagt«. Auf das entscheidende Element verweist das hebräische Wort »Nabi«, das ursprünglich den »Rufenden« oder »Gerufenen« meint. Das heißt: Der Prophet im strengen Sinn ist der von Gott besonders »Berufene«. Und dieses Prophetentum beginnt in der israelitischen Geschichte mit der Institution des Königtums, und im Grunde endet es auch mit ihm in der Katastrophe des Exils (ist doch das postexilische Prophetentum nur noch Nachspiel und Nachhall zur früheren großen Prophetie)[63]. In der Königszeit also, mit ihren politischen und sozialen Voraussetzungen finden sich jene verhältnismäßig wenigen **großen Einzelpropheten**, die sich unterscheiden sowohl von den zahlreichen beamteten Kultpropheten eines Heiligtums wie den Hofpropheten eines Königs (so oft »falsche Propheten«). Nein, diese großen Einzelgänger sind nicht berufsmäßige Vertreter eines Standes, einer Gilde, eines Heiligtums oder eines Königs, vielmehr treten sie, aus ihrem gewöhnlichen Beruf (als Bauer oder Priester) herausgerissen, als **besonders berufene Künder Gottes selber** auf – darin liegt ihr Spezifikum.

Auf diese Weise stellen sie in exemplarischer Form das dar, was den religionsgeschichtlichen Strukturtyp des Prophetischen überhaupt charakterisiert: Die großen Propheten Israels – und dies kommt in ihrer Berufung besonders zum Ausdruck – begreifen sich der biblischen Überlieferung zufolge als Menschen, die sich ganz persönlich **vor Gott** gestellt sehen:

wie schon Abraham berufen wurde, wegzuziehen in ein neues Land, und die Verheißung Gottes empfing;

wie schon Mose, der vor dem brennenden und nicht verbrennenden Feuerbusch, dem Zeichen von Jahwes Gegenwart, sich niederwarf;

wie schließlich auch David, der vor der Lade Gottes, Zeichen von Jahwes mächtiger Präsenz, tanzte und betete.

Auch diese großen Leitfiguren sollte man direkt einmal »Propheten« nennen, später, in der Rückschau natürlich, als durch jene großen Einzelpropheten die israelitische Religion längst zur **prophetischen Religion par excellence** geworden war …

Was aber charakterisiert nun genau die Grundhaltung des Propheten? Antwort: Die Basis der prophetischen Existenz ist weder eine theologische Dogmatik noch eine politische Taktik, sondern **vertrauender Glaube**. Prophetische Religionen können deshalb – dies sahen wir schon im Zusammenhang mit Abraham – auch **Glaubensreligionen** genannt werden. Vor Gott stehend, sich beugend, kniend, erfährt der Prophet – als Mensch seiner Unzulänglichkeit bewußt – seine Berufung. Eine geheimnisvolle Erfahrung mit dem lebendigen Gott, über die ein Außenstehender nicht befinden kann: eine Offenbarung in Form einer Vision, Audition oder Inspiration, wie die höchst verschiedenen Berufungsvisionen von Jesaja[64], Jeremia[65] und Ezechiel[66] bezeugen. Angesichts von Gottes Erhabenheit empfindet der Prophet sich zwar als klein und unwürdig, aber doch nicht geknechtet, sondern vor eine Entscheidung gestellt: Ja oder Nein zu sagen zu Gottes Ruf.

Hat der Prophet das von ihm geforderte Ja einmal gesagt, dann weiß er sich ganz persönlich ausersehen, bewegt, ja gedrängt, unter Verzicht auf alle Ruhe, Sattheit und Sicherheit den Auftrag auszuführen: gelegen oder ungelegen Gottes unheilverkündendes Droh-Wort und, wenn von den Adressaten angenommen, rettendes Heils-Wort in die Zeit hinein zu sprechen. Alles dreht sich dabei um die

Jetzt-Zeit. Nicht um eine ferne Zukunft geht es diesen Propheten, sondern um die Gegenwart. Und nur wer unabhängig von einer institutionellen Bindung (in der Art der Berufspropheten) wahrhaftig den Willen Jahwes verkündet, ist nach dem Verständnis der Hebräischen Bibel ein wahrer Prophet. Als geisterfüllte Sprecher Gottes sind die Propheten die unbequemen **Wächter, Warner, Prüfer, Mahner.** Keine willenlosen Werkzeuge, sondern durchaus willensstarke Interpreten von Gottes Willen. Auch keine Übermenschen und Wundermänner, sondern von außen ergriffene und von innen angefochtene Menschen, ungesichert und doch der Gnade Gottes gewiß. Jedenfalls lassen sie sich nicht abhalten, auch konfrontiert mit unüberschaubaren außenpolitischen Machtkonstellationen oder innenpolitischen Krisensituationen, Gottes Botschaft auszurichten durch symbolische (nicht magische) Taten und prophetische (nicht wahrsagende) Sprüche, Berichte und Reden, wachsam, mutig, hartnäckig, wenn auch manchmal deprimiert und beinahe verzweifelt. »So hat Jahwe gesprochen!« – »So spricht Jahwe!«: dies ist in aller Öffentlichkeit ihr konstantes Kenn- und Merkwort.

Doch nochmals zur Verdeutlichung ein Blick auf die chinesische (und auch die indische) Religion. 800-500 v. Chr.: Zur selben Zeit forschen nicht nur die griechischen vorsokratischen Philosophen nach einem großen Urprinzip der Welt, sondern suchen in **Indien** fromme Denker nach einer Einheit hinter der vordergründigen Vielheit der weltlichen Erscheinungen und der Vielzahl der Götter und entwickelten die Alleinheitslehre der Upanishaden, die fast das ganze spätere religiöse Denken Indiens einschließlich Buddhismus und Jainismus entscheidend beeinflußt hat[67]. Und zur selben Zeit stellen in **China** die großen Denker in einer Zeit politischer und geistiger Unsicherheit die Frage nach dem Stellenwert des Menschen im Universum und nach sozialer Ordnung und Harmonie, ein Humanismus, der in der Lehre des Konfuzius gipfelte[68].

Aber so vieles an Fragen und Antworten der maßgebenden Gestalten in allen drei religiösen Stromsystemen ähnlich war, so läßt sich doch nicht übersehen, daß die großen Repräsentanten prophetischer Frömmigkeit, die da im vertrauenden Glauben **vor** dem persönlich fordernden Gott (»coram Deo«) stehen, Gottes Wort hören und verkünden, grundverschieden sind

– von jenen **indischen Mystikern**, die sich schon jetzt in Gott (»in

Deo«) sehen, ja, sich die Einheit mit dem verborgenen Absoluten nur durch geistige Übungen, Meditation und Yoga, methodisch bewußt zu machen haben;

– aber auch von jenen **chinesischen Weisen**, für die es der ferne Himmel **über** ihnen (»sub divo«) ist, der Ordnung, Macht und Gesetz bedeutet und dessen Willen sie verstehen und tun sollen.

In Israels Glaubensgeschichte stellen die großen Propheten einen einzigartigen Höhepunkt dar. Protagonisten dieser prophetischen Bewegung, die anfänglich noch mehr als durch ihre Worte durch ihre Taten in die Geschichte des Volkes direkt eingriffen, waren im 9. Jahrhundert jene legendär gewordenen, noch stark ekstatisch geprägten **Wortpropheten** Elija und Elischa, deren Worte in längere Erzählungen (mit oft magisch-wunderhaften Zügen, gar Totenerweckungen) eingebettet sind:

– **Elija**, der sagenumwobene Anführer jener »Jahwe-Allein-Partei«, von der wir bereits hörten[69], der einen leidenschaftlichen Kampf für die Einzigkeit Jahwes gegen jegliche Verehrung des kanaanitischen Baal und soziales Unrecht führte: »Ich habe für Jahwe, den Gott der Heere, geeifert.«[70]

– **Elischa**, der das Haupt einer Prophetengruppe ist und sich vor allem durch große Wundertaten auszeichnete – welche von den späteren Propheten bezeichnenderweise nicht mehr berichtet werden.

Im 8./7. Jahrhundert folgten auf der Linie solcher Wortpropheten die eigentlichen **Schriftpropheten**, die sich unter Verzicht auf politisch-soziale Aktionen allein auf das Wort und symbolische (nicht magisch-mechanisch wirkende) Zeichenhandlungen verließen und deren Worte, an das ganze Volk gerichtet, denn auch im ganzen von Schülern gesammelt und in eigenen Büchern bewahrt wurden: Von **Amos** und **Hosea** im Nordreich angefangen, über **Jesaja**, **Jeremia** und **Ezechiel** im Südreich, bis hin zum letzten, dem anonymen **Maleachi** – wie wenige waren sie doch in dem langen, kurzen Zeitraum von gut zweihundert Jahren! – haben sie gemahnt und gewarnt: Sie haben den Untergang der beiden Reiche Israel und Juda angedroht und Bekehrung gefordert, haben die verweltlichte Kultur gegeißelt und gegen alle fremden Kulte einen streng monotheistischen Glauben verkündet, haben gegen eine sich immer mehr bereichernde Oberschicht und Großgrundbesitzer-Kaste eine scharf sozialkritische Linie vertreten. Ob auch bei den vorexilischen Propheten mit der Unheilankündigung schon ein Umkehraufruf verbunden war, ist in der Forschung umstritten (die Heilsworte dürften oft von späteren Bearbeitern in den Text eingefügt worden sein); jedenfalls herrschen die Gerichtsworte entschieden vor.

7. Der Prophet in Opposition zu Priestern und König

So erweisen sich die Schriftpropheten des 8./7. Jahrhunderts als einsame, Gott allein verpflichtete radikale große **Kritiker ihrer Zeit** angesichts des drohenden Gottesgerichts, die – meist in poetisch gebundener, manchmal auch in kraftvoll prosaischer Sprache – die Anamnese der Vergangenheit und die Analyse der Gegenwart mit der Prognose der Zukunft verbinden:

– Sie üben Kritik an der **Geschichtsauffassung des Volkes**, an einer Geschichte, die sich nicht mehr als eine »Heilsgeschichte« erweist, sondern als eine Geschichte falschen Vertrauens auf nationale Macht und politische Koalitionen und so des Versagens, der Schuld und Sünde. Angesichts des angekündigten Strafgerichts Gottes, der auch durch andere Völker handeln kann, wird das ganze Volk Israel zur Entscheidung herausgefordert: totaler Abfall von Gott und Untergang oder aber Rückkehr zu Gott und neuem Leben.

– Sie üben Kritik am **Gottesdienst der Priester**, der sich mit seinen Altären, Opfern, Gesängen, Gelübden und Feiertagen nicht als »Heilmittel« erweist, sondern als Betrug an Gott selber, solange der Mensch meint, sich des Segens Gottes durch mechanisches Ableisten vorgeschriebener Riten und folgenlose Opfer versichern zu können, statt sich in seinem Herzen zu verändern, Gerechtigkeit zu üben und im Gebet mit Gott zu ringen.

– Sie üben Kritik an der **Rechtspraxis der Herrschenden**, an der Rechtsmißachtung der oberen Schichten, den Versäumnissen und Verfehlungen der Beamten und Richter, die Schuldige freisprechen und Unschuldige verurteilen und Waisen wie Witwen im Stich lassen, statt sich nach Sinn und Geist des Rechtes zu fragen und bei seiner Anwendung das eigene Herz sprechen zu lassen. Kritik aber auch an den Verfehlungen der Kaufleute und Großgrundbesitzer, welche Freiheit und Gleichheit der vorstaatlichen Zeit durch Aufkauf der Güter und Verarmung und Versklavung der Bauern abgeschafft haben.

Ist es deshalb erstaunlich, wenn die gesellschaftlichen Spannungen mit der Zeit zunahmen und die großen Künder des Wortes nun immer mehr in **Gegensatz** zu den Inhabern der Macht gerieten, zum **Königtum** selber wie auch zu dessen **Priestertum?** Zwar waren die Propheten im Prinzip nicht gegen Königtum und Priestertum, sie schürten keine Revolution, und Jesaja wie Jeremia standen bisweilen im Einverständnis mit dem König. Aber von ihrer Berufung her waren sie nun einmal das einzige Gegengewicht und Korrektiv gegenüber den Herrschenden und dem ihnen nur allzu hörigen Volk.

Die Propheten verabscheuten die synkretistische Religionspolitik und das Bündnis zwischen Thron und Altar ebenso wie das opportunistische Hin und Her in der Außenpolitik. Keine Aufforderungen zu Jahwe-Kriegen, »heiligen Kriegen«, sondern – im Namen Jahwes – **Reden gegen den Krieg**! Ja, es wird eine Erwartung auf einen von Jahwe durchgesetzten **Völkerfrieden** verkündigt: »… und sie werden ihre Schwerter zu Pflugscharen schmieden und ihre Spieße zu Rebmessern. Kein Volk wird wider das andre das Schwert erheben, und sie werden den Krieg nicht mehr lernen.«[71] Kein Wunder, daß die Propheten zunehmend nicht nur ignoriert, attackiert und »Narren« gescholten[72], sondern auch verfolgt und wie Jeremia verhaftet und möglicherweise auch umgebracht wurden. »Prophetenschicksal« – es ist nicht umsonst sprichwörtlich geworden. Die Prophetengeschichte erzählen, heißt auch immer eine Leidensgeschichte erzählen.

Die Propheten haben nicht mit allen ihren Ankündigungen recht bekommen, in der Ankündigung des großen Gerichtes jedoch – gegen alle beschwichtigenden Berufspropheten – nur zu sehr. Und so hat denn das Prophetentum, das machtlos allein alles aufs Wort setzte, das Königtum, das zusammen mit dem Priestertum alle Macht verkörperte, überlebt. Im Rahmen des staatlichen Reichsparadigmas stellten die Propheten als Nonkonformisten zumeist die gegenläufigen Kräfte dar, die sich im Moment nicht durchsetzen konnten. Aber insofern sie von der Mitte des israelitischen Glaubens – von Jahwe, dem Gott des Volkes Israel – her lebten und argumentierten, blieben sie auch in der kommenden neuen Konstellation lebendig. Ja, nachdem ihre Prophezeiung des Gerichtes Gottes an seinem Volk für die Reiche Israel wie Juda in Erfüllung gegangen war, stellte gerade ihr Glaube eine Inspiration dar für die sehr verschiedene Folgezeit und auch für die bald beginnende Sammlung und Bearbeitung der heiligen Schriften der Hebräischen Bibel. Die universale Ausweitung der Jahwe-Religion auf andere Völker wurde hier schon grundgelegt, insofern die Botschaft der Propheten, die oft auch andere Völker ansprachen, an den Einzelnen gerichtet war, so daß Volksgemeinschaft und Glaubensgemeinschaft nicht mehr einfach identisch waren. Das unbedingte Ja zu Jahwe war ihnen wichtiger als die Zugehörigkeit zum Volk.

8. Die Domestizierung des Prophetischen in Judentum, Christentum und Islam

Viele Jahrhunderte, nachdem das Königtum untergegangen war, haben sich diese universalen Impulse ausgewirkt, ist die prophetische Botschaft das Erbe auch anderer Religionen geworden. Und so lebt denn heute in allen drei abrahamischen Religionen das **prophetische Erbe** fort, wenngleich auf verschiedene Weise. Judentum, Christentum und Islam **gemeinsam** ist:

- der prophetisch strenge Glaube an den einen Gott, der keine anderen Götter, Mächte, Herrscher und Gestalten neben sich duldet, der aber der Gott nicht nur eines Volkes, sondern aller Völker ist, kein Nationalgott, sondern der Herr der Welt;
- das prophetische Grundethos: humane Forderungen nach Gerechtigkeit, Wahrhaftigkeit, Treue, Friede und Liebe – begründet als Forderungen Gottes selbst;
- die prophetische Kritik an den ungerechten und unmenschlichen Verhältnissen, unter denen die erniedrigten, geknechteten, ausgebeuteten Menschen leben müssen – kein Gottesdienst ohne Menschendienst.

Insofern Judentum, Christentum und Islam dieses prophetische Erbe weitertragen und aktivieren, sind sie **prophetische Religionen im eminenten Sinn.** Gleichzeitig ist freilich nicht zu übersehen, daß die Deutungen und Wertungen der Propheten aufgrund der Entwicklung in der Folgezeit in allen drei prophetischen Religionen höchst verschieden ausgefallen sind. Gepriesen hat man die Propheten im nachhinein, befolgt schon weniger. Im Gegenteil: Je nach eigenen Bedürfnissen versuchte man, diese großen »Outsider« und Oppositionellen, die in keine etablierte Ordnung richtig hineinpassen wollten,

interpretierend zu domestizieren. Wenn ich es pointiert sagen darf:

- Im **Judentum** wurden die Propheten später, was heutzutage auch viele Juden kritisieren, immer mehr den Gesetzeslehrern untergeordnet, die sich zunehmend für die Superpropheten hielten. Gegenüber den »Fünf Büchern Mose«, der Tora, verstand man die Prophetenbücher nur als Deutungen, die von späteren rabbinischen »Weisen«, die ihre eigenen Interpretationen kühn mit der Tora des Mose gleichsetzten, doch weit übertroffen worden waren[73]. »Die Worte der Ältesten sind gewichtiger als die Worte der Propheten«, heißt es deshalb nicht zufällig in einem Talmudtraktat[74].

- Im **Christentum** aber wurden Israels Propheten, wie heutzutage auch von vielen Christen kritisiert, lange nur als Vorläufer und Ankündiger Jesu von Nazaret gesehen. Als ob sie aus sich selber der Gesellschaft und der Kirche nichts Kritisches zu sagen hätten. Den Juden gegenüber freilich berief man sich gerne auf die Kritik der Propheten an der jüdischen Religion und wertete die Tora gegenüber den Prophetenbüchern deutlich ab.

- Im **Islam** schließlich wurden zwar Adam, Abraham, Mose, David und Jesus als Propheten stets hochgeschätzt – und zwar nicht nur als »Nabi«, sondern als »Rasul« (Allahs), als gesetzgebende Gottesgesandte, die eine besondere Botschaft und Schrift hinterlassen hatten. Aber von verschiedenen Geschichten über Propheten abgesehen (denen wohl nur eine pädagogisch-literarische Nebenfunktion zukommt), wird keiner der großen oder kleinen Propheten Israels im Koran der Erwähnung für würdig befunden, keiner als Sprachrohr Gottes, als Warner und Künder ernster-froher Botschaft zur Kenntnis genommen. Muhammad als das abschließende »Siegel der Propheten« tritt an ihrer aller Stelle[75].

Selbstverständlich darf die prophetische Kritik nicht übersehen lassen, daß das Prophetentum auch mißbraucht werden kann (Pseudopropheten) und daß das **Königtum** durchaus auch **seine geschichtlichen Verdienste hatte**, wenngleich es nicht »auf ewig« bestehen sollte. Ohne das Königtum hätte es – so problematisch diese Entwicklungen sein mögen – keine jahwistische Staatsreligion, keinen zentralen Tempel, keine national-religiöse Ideologie, keine Sammlung und Gestaltung der alten Überlieferungen, Erzählungen, Rechtssatzungen und Dichtungen gegeben.

Propheten

Besonders berufene Künder Gottes,
Gipfelgestalten der prophetischen Religionen.
Soziale, politische und theologische Kritiker der Gesellschaft,
Wächter, Warner, Prüfer und Mahner.

Neben Mose sind die großen Propheten die religiösen Zentralgestalten der israelitischen Geschichte.

Israel erwartet die Ankunft des endzeitlichen Propheten (Deut 18,15).

Die später auftretenden Lehrer der Tora lösen in ihrer Bedeutung die Propheten ab. Prophetie wird zurückgedrängt.

Die Propheten Israels sind bedeutende Vorausweiser auf Jesus, den Christus.

Jesus ist der verheißene eschatologische Prophet; in ihm sind die Verheißungen der Hebräischen Bibel in Erfüllung gegangen; sein Geist wirkt weiterhin prophetisch.

Noch in urchristlicher Zeit ebbt das Charisma der Prophetie ab und wird vom Bischofsamt (immer mehr Priester – König – Prophet in einer Person) absorbiert. Prophetie wird domestiziert.

Als größte Propheten vor Muhammad gelten Noach, Abraham, Mose, David und Jesus, welche dieselbe Botschaft wie später Muhammad empfangen haben.

Muhammad ist das alle früheren Propheten bestätigende und abschließende »Siegel«.

Nach dem Tode Muhammads sind die Rechtsgelehrten die legitimen Nachfolger der Propheten. Prophetie wird institutionalisiert.

Doch – das goldene Zeitalter des Königtums war jetzt endgültig vorüber, das Reich gespalten. Und die Wege der beiden jetzt getrennten Königreiche – zeitweise im Bruderkrieg, zeitweise verschwägert miteinander – blieben verschieden.

9. Von der Reichstrennung zum Reichsuntergang

Das Geschick beider Reiche war wenig ruhmvoll. Beider Untergang sollte – wie von den Propheten immer wieder neu angekündigt – unaufhaltsam kommen. Das **Reichsparadigma** manifestierte zunehmend eine fundamentale **Krise**. Die Geschichte des Nordreichs zeigte dies ebenso wie die Geschichte des Südreiches.

Das **Nordreich** war des öfteren in Kriege mit Syrern, Ammonitern und Moabitern verwickelt, als sich am Horizont im Zweistromland bereits eine bedrohliche hochmilitarisierte Großmacht abzeichnete. Diese war straff in direkt regierte kleine Provinzen organisiert und hatte mit Hilfe von Streitwagenabteilungen und erstmals auch mit einer äußerst raschen (mit Bogen und Lanze bewaffneten) Reiterei eine brutale Militärmaschinerie sondergleichen aufgebaut. Ihr sollten die syrischen Aramäerstaaten samt Israel erliegen. Die Rede ist vom **neuassyrischen Reich**, das seit dem 9. Jahrhundert eine energische Expansion gegen Westen betrieb und unter Tiglat-Pileser III. (745-727) den Gipfel seiner Macht erreichte. Innerisraelitische Machtkämpfe verschlimmerten die Situation für das Nordreich. Denn als der König von Juda, der Davidide Ahas, mit Waffengewalt von Israel und Aram-Damaskus (beide waren bereits assyrische Vasallen) in eine antiassyrische Koalition hineingezwungen werden sollte, rief der gegen den Rat des Propheten Jesaja ausgerechnet den assyrischen Großkönig zu Hilfe. Tiglatpileser intervenierte rasch. Er annektierte 733 Galiläa und Gilead (und ein Jahr später auch Aram-Damaskus), deportierte, wie es assyrische Politik war, überall die städtische Oberschicht nach Mesopotamien und ersetzte sie kurzerhand durch eine fremde. Übrig blieb ein Rumpfstaat (Ephraim), der nun unter einem proassyrischen König zu einem völlig abhängigen Vasallenstaat wurde.

Als es in Ephraim aber ein Jahrzehnt später – unterdessen war Salmanassar V., Tiglatpilesers Sohn, in Assur König geworden – wieder zu einem Aufstand kam, wurde nun auch die Residenz Samaria belagert und – erst nach drei Jahren des Widerstandes! – 722 erobert; Megiddo, Sichem und Hazor wurden zerstört. Wieder wurde die Oberschicht (nach assyrischer Quelle 27 280 Deportierte) nach Nordmesopotamien und Medien verschleppt und durch allerlei fremde Kolonisten aus verschiedenen Ländern ersetzt. Nie wieder sollten die Verschleppten zurückkehren.

Das heißt: Das **Ende des Nordreichs Israel** war jetzt definitiv[76]. Es erlebte keine Neugeburt; die »zehn Stämme« des Nordens waren untergangen; nur eine assyrische Provinz »Samerina« blieb übrig. Seither heißt nicht nur die Stadt, seither heißt die ganze Landschaft »**Samaria**«, bewohnt von den »**Samaritern**«, das heißt, von einem **Mischvolk**, das aus der neuen kolonialen (aus Babylonien und Mittelsyrien stammenden) Oberschicht und der führungslosen bodenständigen Landbevölkerung zusammengesetzt war. Dieses Volk verehrte nun Jahwe und die neuen fremden Götter gleichzeitig[77] und wurde wegen seines Synkretismus von den Judäern im Süden des Landes äußerst verachtet.

Und der Name »Israel«? Er wurde in der Folge von dem noch bestehenden **Südreich Juda** allein in Anspruch genommen. Obwohl ökonomisch wie politisch bei weitem der schwächere Teilstaat, sah man sich jetzt in Juda als Alleinerbe nicht nur des davidischen Staates und seiner Ideologie, sondern auch der religiösen Tradition des Teilstaates Israel und seines Gottesdienstes. Denn von Anfang an hatte man sich in Jerusalem mit der Reichstrennung nicht abgefunden und blieb so ständig an der Wiederangliederung des Nordreichs, Samarias, interessiert. Doch war denn überhaupt Platz für eine dritte Großmacht zwischen Ägypten und Mesopotamien?

Das Hilfegesuch von Jerusalems König Ahas an Assur sollte auch Folgen für sein Reich Juda haben. Man hatte sich ja freiwillig, wenn auch nicht ohne Not, in die Abhängigkeit von den Assyrern begeben und war dann, als man auch hier den Aufstand proben wollte, erst recht zu einem Vasallen des assyrischen Weltreiches geworden; assyrische Gottheiten und Kulte waren nun allenthalben auch in Juda, sogar im Jerusalemer Tempel zu finden. Freilich: Durch den Niedergang und schließlich Untergang der assyrischen Weltmacht im 7. Jahrhundert gab es für das Reich Juda nochmals eine gewisse Atempause. Sie zu nutzen versuchte jener König von Juda, den manche als den einzigen David kongenialen König ansehen: **König Joschija** (639-609), der als Achtjähriger bereits auf den Thron gekommen war und der später die Zeit für eine grundlegende Reform des Kultes für gekommen ansah[78]. Wie sah sie aus?

Das 7. vorchristliche Jahrhundert war von Ägypten bis Mesopotamien überhaupt eine Zeit restaurativer Tendenzen gewesen: Restauration von Tempeln, von alten Schriften, von Literatur; eine Zeit also der Rückwendung zur alten Zeit auch in Religion und Politik[79]. In Jerusalem erregte – nachdem schon König Hiskija am Anfang des Jahrhunderts eine religiöse Reform versucht hatte – ein Ereignis gegen Ende des Jahrhunderts besonderes Aufsehen: 621 wurde bei der Renovierung des salomonischen Tempels unter nicht geklärten Umständen ein dort deponiertes Buch entdeckt, dessen Herkunft unbekannt war: eine frühe Form des »**Deutero-nomium**« = des »Zweiten Gesetzes«, wie man es später nannte[80]. Es handelte sich dabei um ein Gesetzesbuch, das nicht allzulange vorher unter priesterlichen und prophetischen Einflüssen entstanden sein muß (vermutlich im Nordreich, dann nach Jerusalem gebracht und dort bearbeitet), das sich aber als die große **Abschiedsrede** des **Mose vor der Landnahme** ausgab und nun auch allgemein für ein solches gehalten wurde[81]. Das ursprüngliche Buch (das damals aufgefundene »Urdeuteronomium« und damit auch die darin vorgesehene Reform) dürfte allerdings kleiner gewesen sein als das jetzige biblische Buch Deuteronomium. Jedenfalls glaubte man zur Zeit König Joschijas, hier unmittelbar Jahwes Wort zu hören, das unbedingten Gehorsam verlangte. Vor allem der König selbst – nach Beratung und Befragung der Prophetin Hulda – nahm die Botschaft des Mose ernst: Er las sie bei einer Versammlung im Tempel vor und vollzog so feierlich einen **neuen Bundesschluß** zwischen Jahwe und seinem Volk, der für den König selber nun auch so etwas wie eine konstitutionelle Verpflichtung auf eine Verfassung bedeutete.

So erscheint Joschija in der Hebräischen Bibel als der Reformer-König schlechthin. Und die Konsequenzen dieser »deuteronomischen Reform«? Schon seit langem hatte der **Tempel**, allmählich der Tempelberg, ja die ganze Stadt Jerusalem – poetisch »Zion« – als Sitz Gottes und somit als heilig gegolten. Nach deuteronomischer Auffassung nun läßt der überweltliche Gott »seinen Namen wohnen«[82] im Allerheiligsten des Tempels. »**Schechina**«, »das Wohnen« meint: Gottes Ausstrahlung ist hier machtvoll und für jeden Unbefugten gefährlich gegenwärtig – ein Mysterium tremendum et fascinosum.

Erst jetzt wird der **Opferkult** ganz auf Jerusalem und seinen Tempel **konzentriert**, werden alle Jahwepriester des Landes nach Jerusalem befohlen (wo sie freilich zu einer Art Zweitklasse-Klerus wurden, der nicht zum Opferdienst berechtigt war). Zugleich erfolgt eine »Reinigung« von heidnischen und synkretistischen Kulten, ihren Altären,

Geräten, Bildern und Insignien: im Tempel, in der heiligen Stadt, im ganzen Land Juda und sogar noch in Teilen des Nordreiches. Eine Neuordnung des gesamtes israelitischen Kultwesens – eine Erneuerung besonders der Passahfeier – vollzieht sich, die keineswegs nur eine religiöse »Restauration« des Alten war. Denn das hier durchgeführte **Programm der Kulteinheit und Kultreinheit** war faktisch neu und wies nach vorn. Es ging – wohl auch mit dem Blick auf die ständig erhoffte neue »davidische« Einheit von Nord- und Südreich – um eine religiös-politische Reform im Zeichen der »Auserwählung« und des »Bundes« (»berit«); jetzt erst wird dieses Wort – wie wir hörten – ein zentraler Schlüsselbegriff religiösen Denkens in Israel/Juda. Dabei ist nicht zu übersehen, daß die »Auserwählung« stark religiös-national und exklusiv gegen die anderen Völker verstanden wird, die Verpflichtung des Bundes aber als jetzt gesetzlich kodifiziertes Rechtsbuch, dem man freilich humane Tendenzen nicht absprechen kann.

Und doch sollte die Reform dieses so hoffnungsvollen, begabten und energischen Reformer-Königs tragisch enden. Unterdessen waren nämlich nach schweren Kämpfen 614 Assur und 612 Ninive von einer medisch-babylonischen Koalition erobert und völlig zerstört worden (der Prophet Nahum hatte das angekündigt). Drei Jahre später marschierte Pharao Necho II. – um in Mesopotamien zugunsten der restlichen assyrischen Armee in Haran zu intervenieren – nach Norden. König Joschija wagte es, dem Pharao bei Meggido den Durchmarsch zu versperren. Da wurde er unter ungeklärten Umständen – merkwürdigerweise schon vor der Schlacht – von den Ägyptern gefangengesetzt und, erst vierzigjährig, sofort hingerichtet. Jetzt war es aus mit der Reform in Juda. Und doch hatten sich die Ereignisse rund um die Reform Joschijas tief in das Gedächtnis des Volkes eingegraben. Das »Gesetzesbuch« – zum ersten Mal in der Geschichte der israelitischen Religion hatte ein geoffenbartes, von vornherein »heiliges« Buch eine entscheidende Rolle gespielt! – sollte noch eine Zukunft haben. Eine Zukunft freilich erst nach der Katastrophe.

Das Land stand erneut unter ägyptischer Oberhoheit, die ihrerseits bald von einer anderen Herrschaft abgelöst werden sollte: vom **neubabylonischen Reich**, das wegen des Reichgründers Nabopolassar aus dem Aramäerstamm auch das chaldäische genannt wird. Was nach Joschija politisch folgte, sollte nur noch ein Abgesang auf das Königtum werden. Für einen zwischen den beiden Großmächten im Norden und Süden politisch lavierenden Pufferstaat war kein Raum. Auch das **Ende des Südreiches** war gekommen – knapp eineinhalb Jahrhunderte nach dem Untergang des Nordreiches. Als König Jojakim sich von der babylonischen Herrschaft zu befreien trachtete, besetzten 598/97 babylonische Truppen das Land und belagerten Jerusaslem. Nur die Öffnung der Tore durch König Jojachin, der seinem Vater Jojakim während der Belagerung auf dem Thron nachgefolgt war, verhinderte die Zerstörung. Stadt und Tempel freilich wurden geplündert, die Tempelschätze nach Babylon gebracht, der junge König, sein Harem und die Angehörigen der Oberschicht (Adel, Priesterschaft, Handwerksstand) allesamt nach Babylonien deportiert – die sprichwörtlichen »obersten Zehntausend«[83] also, darunter auch der spätere Prophet Ezechiel.

Als dann aber ein Jahrzehnt später der von den Babyloniern neu eingesetzte **König Zidkija** unter dem Einfluß ägyptenfreundlicher Hofkreise – obwohl unermüdlich vom Jerusalemer **Propheten Jeremia**, der schon im dreizehnten Jahr des Joschija zum Propheten berufen worden war, gewarnt – nochmals den Aufstand gegen die neubabylonische Weltmacht proben zu können glaubte, erschienen die Babylonier ein zweites Mal vor Jerusalem, dieses Mal unter dem Kronprinzen **Nebukadnezzar II.**, dem Sohn Nabopolassars. Man schrieb das Jahr 587/86: Erneut wird die Stadt – ohne Hilfe von Ägypten – belagert, schließlich gestürmt und geplündert. Der salomonische Tempel geht in Flammen auf, und mit ihm wohl auch die alte Bundeslade, die für die Babylonier ohne Interesse war.

Dieses Mal leisten die Eroberer ganze Arbeit: Die Stadt wird dem Erdboden gleichgemacht, die Reste der verbliebenen Oberschicht ebenfalls **nach Babylon** deportiert; König Zidkija wird geblendet, nachdem er im Hauptquartier der Babylonier hatte mitansehen müssen, wie seine Söhne und einige Angehörige seines Hofstaates hingerichtet worden waren; in Ketten wird er schließlich nach Babylonien geschleppt[84], wo er später den Tod findet[85]. Der Prophet Jeremia aber, des Hochverrats verdächtig und von König Zidkija verhaftet, wird von den Babyloniern befreit. Anders als die Assyrer damals im Nordreich siedeln die Babylonier in Juda keine fremden Kolonisten an. Jeremias Freund, der Judäer Gedalja, wird babylonischer Hochkommissar, der besonnen regiert, nach drei Jahren aber in seiner Residenz Mizpa von einem Fanatiker aus dem Königshaus ermordet wird. Aus

Angst vor Repressalien wird Jeremia gezwungen, zusammen mit den Einwohnern von Mizpa nach Ägypten auszuwandern, wo er – niemand weiß wann und wo – gestorben ist.

Das war nun das **Ende des davidischen Königtums**, und damit auch der bisherigen staatlich-politischen Organisation. Ja, das war das Ende (sieht man vom Intermezzo der Makkabäerzeit einmal ab) der politisch-staatlichen Selbständigkeit des jüdischen Volkes überhaupt – für rund zweieinhalb Jahrtausende, bis in die Mitte unseres 20. Jahrhunderts hinein. Kann man von daher nicht verstehen, daß der neunte des Monats Abib (Juli-August) ein Tag der nationalen Trauer blieb, aber auch, daß viele im neuen Staat Israel unter David Ben-Gurion wieder das davidisch-salomonische Reich von einst – Israels Goldenes Zeitalter – auferstehen sahen?

Fragen für die Zukunft:

Welche Funktion kann David für die drei prophetischen Religionen in Zukunft haben: in der Jugenderziehung, in Schulbüchern und Unterricht, in Kultur und Politik?

Welches sind die Grenzen des »verheißenen Landes«, des »biblischen Israel«? Welche Grenzen soll der neue Staat unter dem Davidstern haben: die des davidischen Großreiches, die des ursprünglichen Stämmelandes, die des übriggebliebenen Königreiches Juda? Soll Israel reichen vom Libanon bis zum Euphrat, von Dan bis Beerscheba, vom Karmel bis Gilead, oder von Tel Aviv bis zum Jordan?

III. Das Theokratie-Paradigma des nachexilischen Judentums

Es ist erstaunlich über die Maßen: Das jüdische Volk überlebte selbst dann, als ihm alle staatlichen Einrichtungen genommen waren. Ist das einfach ein biologisches Faktum oder eher ein psychologisch fundiertes Kontinuum oder gar ein historisches Mirakulum? Nein, das Überleben des jüdischen **Volkes** hat mit dem Überleben der jüdischen **Religion** zu tun: mit dem Glauben an den einen **Gott** dieses Volkes.

1. Exilszeit und neue Hoffnung

Abgrundtief war die Krise, in die der Zusammenbruch des davidischen Reichsparadigmas hineingeführt hatte: der Tempel niedergebrannt, die Stadtmauern zerstört, das auf ewig gedachte davidische Königtum ausgelöscht, auch Juda von fremden Truppen besetzt, die judäische Elite hingerichtet oder deportiert. Die Erwählung des Volkes und die Verheißung des Landes waren nun einmal daran gebunden, daß Israel die Bundesverpflichtungen erfüllt[1]! So hatten die grossen, die unbequemen, echten Propheten mit ihren Drohungen recht bekommen und brauchten jetzt nicht mehr um ihre Legitimation besorgt zu sein (von den systemkonformen Hofpropheten sprach niemand mehr, und ihre Sprüche zu sammeln erschien mehr als überflüssig): Das Zehnstämme-Reich war untergegangen, und so viele Judäer waren deportiert nach Babylonien! Und wie hart war es, »an den Strömen Babels, auf fremder Erde des Herrn Lied zu singen«[2]. Viele zweifelten deshalb auch an der Macht Jahwes und wandten sich – in Palästina und in Babylonien! – den alten kanaanäischen oder den neuen babylonischen Göttern zu. Fremdkulte, Mischkulte, Aberglaube, Magie waren, zusammen mit dem Jahwekult, weitverbreitet.

Fast fünfzig Jahre (586-538) sollte das Babylonische Exil (hebräisch: »Gola« = »Exulantenschaft«[3]) dauern, und manche Israeliten – besonders die in Ägypten – dachten schon gar nicht mehr daran, nach Israel zurückzukehren. Die Zerstreuung Israels, die **Diaspora**, hatte ihren Anfang genommen und blieb eine historische Realität bis auf den heutigen Tag. Seit dieser Zeit lebt Israel in und von einer **Span-**

nung zwischen Heimatland und Diaspora. Doch gerade von dieser Diaspora sind immer neu ganz wesentliche Impulse ausgegangen. Schon hier wird deutlich: Beide, Heimatland und Fremde, sind authentische Träger älterer israelitischer Traditionen.

Eines ist klar: Das Ende des davidischen Reiches war nicht das Ende des Volkes Israel. Im Gegenteil: Es zeigte sich, daß gerade in der Zeit des Babylonischen Exils dieses Volk eine erstaunliche **innere Selbständigkeit** bewahren und seine Führungskräfte eine überraschende geistige Produktivität an den Tag legen konnten. In **Babylonien** – anders als früher unter den Assyrern, die Deportierte über das ganze Reich zu verteilen pflegten, um die Elite des Volkes ethnisch und politisch zu liquidieren – durften die Verbannten in kleinen geschlossenen Siedlungen zusammenbleiben. Sie hielten sich für den besseren Teil Israels, den von den Propheten angekündigten »heiligen Rest«. Zu Vermischungen mit der einheimischen babylonischen Bevölkerung kam es kaum. Überhaupt darf man sich das Leben der Zwangsdeportierten in Babylonien nicht falsch vorstellen: Der frühere König Jojachin und sein Hofstaat konnten in Babel, der damaligen Welthauptstadt, ein relativ angenehmes Leben führen. Und auch die Zwangsangesiedelten in den Provinzen führten durchaus kein Fronarbeiter-, sondern ein relativ freies Untertanendasein – mit eigenen Häusern, Pflanzungen, Handel und manchmal nicht unbeträchtlichem Einkommen. Selbstverwaltung herrschte, man lebte nach Familien geordnet, die unter der Leitung von »Ältesten« standen.

Durch diese Geschlossenheit blieb bei einem Großteil der Exulanten die Hoffnung auf Rückkehr in die alte Heimat erhalten: die **Sehnsucht nach Jerusalem,** wie sie in manchen Psalmen aller Trauer zum Trotz besungen wurde[4]. Entscheidend war nämlich die Vorstellung: Nicht in diesem fremden, unreinen Land, nur in Jerusalem kann Jahwe richtig verehrt werden. Die jährlich entrichtete Tempelsteuer, die man von Babylonien nach Jerusalem brachte, war ein bleibendes Band der Verbundenheit. Die neue Kultordnung des Deuteronomium und die Kultreform des Königs Joschija wirkten sich jetzt wieder aus. Ja, in Babylonien entwickelten sich mit religiösen Toraschulen (und vielleicht auch schon Synagogen und einfachen Wortgottesdiensten) die **Anfänge der Torafrömmigkeit.** Beschneidung (unter Babyloniern nicht üblich), Sabbatgebot, Reinheits- und Speisevorschriften, wohl auch Gedenkfeste, werden gerade jetzt als Zeichen der

Zugehörigkeit zum Volke Jahwes besonders wichtig – als Unterscheidungsmerkmale von Juden anderen Völkern gegenüber. Der Stand der Schreiber und Gesetzeslehrer, die für alle Fälle des Alltags die Tora auslegten, beginnt zu entstehen.

Angesichts des untergegangenen Staates suchte man ja etwas, woran man sich halten konnte, und das waren – nachdem auch Tempel und Tempelkult nicht mehr waren – die mündlichen und zum Teil auch schon schriftlich überlieferten **Traditionen**. Aus unvordenklicher Zeit gab es einerseits **Geschichten** (hebr. »Haggada« = »Erzählung«), welche die Identität des Volkes illustrieren: »Wer sind wir?« Andererseits **Gesetze** (hebr. »Halacha«, wörtl. »das Gehen«, die »Wegrichtung«), die das Verhalten des Volkes regeln: »Wie leben wir?« Für keine andere Nation sollten in aller Zukunft die aufgeschriebenen Überlieferungen zur Bewahrung der eigenen Identität auch ohne einen Staat so wichtig werden wie für das Volk Israel. Zweifellos hat man schon in Kreisen gebildeter Exulanten Babyloniens viele dieser verbliebenen Überlieferungen gesammelt, niedergeschrieben und redigiert.

Die Befolgung des (von den »Heiden« abgrenzenden) Gesetzes also und der jetzt exklusiv und zentralisiert verstandene Jahwekult, dessen Ort nun einmal Jerusalem war, dürften es gewesen sein, welche die Exulantenkolonien überhaupt geistig zusammenhielten. Ja, hier wurde die Voraussetzung geschaffen für einen neuen **Paradigmenwechsel** großen Stils, der im Exil vorbereitet und nach der Rückkehr vollzogen wurde. Babylonischer Einfluß – mesopotamischer Kalender, babylonische Namen, babylonisches Weltbild – ist dabei unübersehbar, und vor allem wird nun das **Aramäische** die allgemeine Verkehrssprache der gesamten Region, von dem Israel das quadratische Alphabet anstelle des phönikischen übernahm, das bis heute in Gebrauch ist.

Angesichts der epochalen Katastrophe wurden die Exulanten in ihrem Glauben gestärkt und zu neuer Hoffnung ermutigt durch die beiden großen Exilpropheten Ezechiel und »Deuterojesaja«.

– **Ezechiel**, 593 in Babylonien berufen, hatte das Exil zuerst ganz und gar als Strafe für den Abfall des Volkes von Jahwe gedeutet, »Unglücksprophet«, der er war. Seit 587/86 aber hatte er begonnen, immer deutlicher auch die Hoffnung auf eine Erneuerung des Menschen, eine Wiederherstellung des geeinten israelitischen Reiches und einen Wiederaufbau des Tempels zum Ausdruck zu bringen. Man lese vor allem seine großartige Vision von der Auferstehung der Totengebeine[5], die noch heute manchen Juden zu Tränen rühren kann. In neuer Weise wendet sich Ezechiel an den Einzelmenschen und seine persönliche Verantwortung. Dessen Wandlung erwartet er durch Vergebung der Schuld, Erneuerung des Herzens und Begabung mit dem göttlichen Geist.

– »**Deuterojesaja**«, der »Zweite Jesaja«, ist ein uns namentlich unbekannter Prophet aus den letzten Jahren des Exils vor dem Untergang des babylonischen Reiches, dessen Botschaft in den Kapiteln 40-55 des Jesaja-Buches überliefert ist. Er kündigt mit einer unvergleichlichen Überzeugungskraft die Befreiung und Heimkehr der Verbannten als einen neuen Auszug aus Ägypten an: einen neuen Zug – einen Zug durch die Wüste – nach Jerusalem zum Wiederaufbau des Tempels. Deuterojesaja ist der erste Prophet, der eine end-zeitliche (»eschatologische«) Botschaft, ein völlig anderes, neues, ewiges Zeitalter, verkündet, welches nach dem ergangenen Strafgericht das jetzige Zeitalter ablösen soll. Und dieser Prophet ist auch der erste, der nicht nur jenen praktischen Monotheismus vertritt, der Israel ungeachtet anderer Götter auf Jahwe allein verpflichtet, sondern einen grundsätzlichen, theoretischen Monotheismus, der die Existenz anderer Götter in aller Form verneint[6].

Wie aber steht es mit **Palästina**? Auch hier, wo der Großteil der Landbevölkerung zur Bewirtschaftung der Güter und der Weinberge zurückgeblieben war, zeigte sich eine neue geistige Regsamkeit. Die Babylonier hatten das Land der Exulanten aufgeteilt und sich so viele loyale Untertanen gesichert. Kriegsverwüstungen, Fronarbeiten und erhöhte Steuern gaben selbstverständlich viel Anlaß zur Klage. Und doch dürften die später dem Propheten Jeremia zugeschriebenen kunstvoll metrisch gefügten fünf »**Klage-Lieder**« (= »threni« oder »Lamentationes«; nur das fünfte ist ein Volksklagelied) nicht einfach als Zustandsbeschreibung der Situation in Palästina zur Zeit der »babylonischen Gefangenschaft« angesehen werden. In Jerusalem oder im Exil, jedenfalls unter dem unmittelbaren Eindruck der dramatischen Ereignisse verfaßt, gelten sie in erster Linie der Verlassenheit und Zerstörung der Heiligen Stadt; sie beklagen, wie auch einzelne Psalmen, die Katastrophe als berechtigtes Strafgericht Jahwes über das schuldig gewordene Volk. Doch auch in Palästina dürfte sich die Situation langsam normalisiert haben. Nach vielen heutigen Autoren entstand hier die erste Gestalt jenes für die Folgezeit so hochwichtigen, unter dem Einfluß des Buches Deuteronomium von einem oder auch mehreren Redaktoren zusammengestellten »deuteronomistischen« Geschichtswerkes. In seiner Endform sollte diese die neuverfaßten oder überarbeiteten Bücher Josua, Richter, Samuel I-II sowie Könige I-II umfassen, wobei (mittels der einleitenden Kapitel 1-4) auch das Buch Deuteronomium eingebaut wurde. Auf diese Weise hat man sich die Chronologie der israelitischen Geschichtsschreibung dienstbar gemacht[7].

Die Folge? Erst jetzt konnte sich die kohärente und konsequentmonotheistische Richtung in Palästina durchsetzen – repräsentiert durch die großen Propheten Jeremia und Ezechiel sowie den Autor der Priesterschrift und die deuteronomistischen Geschichtsschreiber. Man hatte gelernt, daß der eine Gott Israels überall auf Erden verehrt werden kann. Die **Grundbotschaft** lautete jetzt ganz exklusiv: Jahwe ist der Eine und Einzige Gott, Schöpfer und Herr des Universums, gegenüber dem alle anderen Götter nichtig, nicht existent sind. Und Israel ist sein auserwähltes Volk. So wurde denn mitten in der Zeit der Verbannung, mitten in einer Zeit der Schmach und oft der Verzweiflung, die Grundlage für eine neue Hoffnung gelegt. Aus der Krise des Babylonischen Exils ging schließlich eine völlig neue Gesamtkonstellation, ein sehr verschiedenes Paradigma hervor. Von dieser neuen Gesamtkonstellation – zunächst einmal im Zeichen der persischen Oberherrschaft – wird jetzt die Rede sein[8].

2. Nachexilische Konsolidierung: Tempel und Gesetz

Als Gerechter[9], als Hirt[10], ja als Messias[11] war er begrüßt worden: **Kyros II.** aus dem persischen Geschlecht der Achämeniden, den man den Großen nannte und der für die ganze Alte Welt – selbst für die Griechen (Xenophons »Erziehung des Kyros«) – zum Inbegriff des idealen Herrschers wurde. Nach Abschüttelung der medischen Oberherrschaft und nach der Eroberung Mediens und Lydiens (das Reich jenes sprichwörtlich reichen Krösus) war er 539 triumphal in Babel eingezogen, um so zum Begründer der gut **200jährigen persischen Weltherrschaft** zu werden. Kyros, für viele Iraner bis heute der Vater des Vaterlandes! Auch die syrisch-palästinische Landbrücke (und später Ägypten) war jetzt in persischer Hand. Unter Kambyses, des

Reichsgründers Sohn (530-52), reichte das persische Reich, das ausgedehnteste Imperium, das die Geschichte bis dahin gesehen hatte, vom Indus bis zur ionischen Küste Kleinasiens und bis zum ersten Nilkatarakt. Unter Darius dem Großen (522-486), des Kyros zweitem Nachfolger und genialem Organisator, wurde das Reich in zwanzig Provinzen oder Satrapien mit einheitlicher Steuerordnung und Währung (ausgebautes Straßennetz und Kurierdienst folgten) eingeteilt. Städte wie Persepolis, Susa und die berühmte Königstraße von Susa bis Sardes im westlichen Kleinasien wurden gebaut, und auch Thrakien und Makedonien wurden dem Reich eingegliedert ... Und Israel, das ja auch für die Perser von nicht geringer militärstrategischer Bedeutung war?

Kyros' Machtantritt bedeutete für das kleine Israel eine neue Chance! Während das assyrische und auch noch das babylonische Herrschaftssystem auf militärischer Gewalt (Plünderung, Zerstörung, Besetzung, Deportationen, Kontributionen) und auf administrativer Gleichschaltung der besetzten Gebiete beruhte, beruhte das Herrschaftssystem des Kyros und später der Achämeniden überhaupt auf einer erstaunlichen Toleranz: auf Schonung des Gegners und Förderung der kulturellen und religiösen Eigenart der verschiedenen Reichsgebiete. Statt Nationalismus jetzt Universalismus. Statt des Persischen als Staatssprache das schon im neubabylonisch-chaldäischen Reich über den ganzen alten Orient hin verbreitete Aramäische (das »Reichs-Aramäische«), von dem das Bibel-Aramäisch einen Zweig darstellt. Gewiß: Diese – angesichts des Scheiterns der assyrischen wie babylonischen Großmachtpolitik höchst realistische – politische Strategie der Toleranz mag nicht Idealismus oder gar modernem Relativismus, sondern klarem politischem und ökonomischem Kalkül der im übrigen straff-despotisch regierenden Herrscher Persiens entsprungen sein: politische Stabilität und Arbeitsmotivation der verschiedenen Untertanen-Gruppen durch Toleranz. Und doch stellt sie aus damaliger wie heutiger Sicht eine historische Leistung erstens Ranges dar.

Im Kontext einer solchen Politik nun – so jedenfalls berichtet das Esra-Buch – ließ sich Kyros offenbar schon in seinem ersten Regierungsjahr 538 bewegen, ein **Edikt**[12] zu erlassen. Er gestattete den Wiederaufbau des Tempels zu Jerusalem auf Staatskosten und den Rücktransport der von Nebukadnezzar konfiszierten heiligen Geräte des

Tempels. Ob gleichzeitig die Erlaubnis zur Rückwanderung der Exulanten, wie sie sich in einer hebräischen Fassung desselben Dekrets[13] findet, gegeben wurde, ist in der Forschung umstritten[14]. Doch würde Kyros kaum als Messias gepriesen, wenn er nicht die Erlaubnis zur Heimkehr erteilt hätte[15].

Freilich kam die Rückkehr nur langsam in Gang[16]: Erst zwölf Jahre nach dem Edikt des Kyros konnte – im übrigen gegen den Widerstand der Provinzhauptstadt Samaria und ihres Gouverneurs – mit dem **Bau des »Zweiten Tempels«** begonnen werden, 520 v. Chr. Dies geschah unter dem jüdisch-persischen Regierungsstatthalter Serubbabel – und zwar auf die energische Anmahnung der Propheten Haggai[17] und Sacharja[18] hin. Zum Dank proklamierten diese denn auch den Davididen Serubbabel als Messias – zum ersten Mal in der Geschichte des jüdischen Messianismus eine Person der Zeitgeschichte[19]! Bemerkenswert überdies: Dieser ersten messianischen Gestalt fügt der Prophet Sacharja noch eine zweite hinzu: den Priester Josua[20]. So herrschte in dieser frühnachexilischen Zeit zunächst offensichtlich eine hochgespannte endzeitliche Erwartung, die mit einem völlig neuen Zeitalter, mit einer messianischen Regierung oder der unmittelbaren Gottesherrschaft rechnete.

Aber bald ebbte die eschatologische Stimmung ab. Denn im Jahr 515 v. Chr. – und zwar unter jenem persischen Großkönig Darius, der sich in der Folge wegen des Abfalls der kleinasiatischen Griechen (Ionischer Aufstand 499) in die verhängnisvollen Kriege gegen die griechischen Stadtstaaten stürzen sollte (Niederlage gegen Athen bei Marathon 490) – wird feierlich der **»Zweite Tempel« eingeweiht**[21]. Im Vergleich zum salomonischen Tempel war dieser Bau zunächst von eher bescheidenen Ausmaßen, wie man meint[22]. Eine Bundeslade enthält er nicht mehr, wohl aber einen siebenarmigen »Leuchter«, hebräisch die »**Menora**«, die nun zu einem der wichtigsten Bildmotive der jüdischen religiösen Kunst und später zum Symbol des neuerstandenen Staates Israel werden sollte.

Mit dem Zweiten Tempel ist jetzt die Voraussetzung dafür geschaffen, daß die restaurierten Institutionen rasch an Gewicht gewinnen. Vor allem die priesterlich-theokratische Richtung setzt sich durch, und viele ältere Traditionen leben wieder auf. Jetzt, nach dem Untergang des Königtums, ist der Tempel ja nicht mehr königliches Eigentum und Staatstempel, sondern ist, vom Volk finanziert, ein Volkstempel. Doch klar ist gleichzeitig, daß gerade damit auch das **Priestertum** ein neues Gewicht erhalten hat. An der Spitze des Volkes steht jetzt kein König mehr, dem der Oberpriester untergeordnet war, sondern ein »**Hohepriester**«, der selber Stellvertreter Jahwes ist und dessen Bedeutung in der Folgezeit noch erheblich zunehmen wird.

Doch noch lange sollten die politisch-religiösen Verhältnisse in Jerusalem und Juda gespannt bleiben. Gut siebzig Jahre nach der Rückkehr, um 465 v. Chr., klagt ein anonymer Prophet unter dem Namen »**Maleachi**« (= »mein Bote«)[23] bereits wieder über Veräußerlichung des Kultes, habgierige Priester, treuloses Volk und Mischehen; die jüdische Überlieferung betrachtet diesen Maleachi denn auch als den letzten – das Siegel – der Propheten. Den persischen Großkönigen dagegen mußte an Ruhe und Ordnung auf der syro-palästinischen Landbrücke gelegen sein, zumal es wegen eines Aufstandes in Ägypten (460) die Durchgangswege zu sichern galt. Jedenfalls ließ sich der persische Großkönig, wohl unter dem Einfluß jüdischer Kreise Babyloniens, dazu bewegen, zwei aus persischen Diensten kommende Beamte als großkönigliche Kommissare (mit Gefolge) zur offensichtlich dringend notwendigen, staatlich unterstützten Reorganisation des nachexilischen judäischen Gemeindewesens nach Jerusalem abzuordnen: die beiden Reformer Nehemia und – vor, neben oder nach ihm? – Esra.

Wiewohl aus einer jüdischen Exulantenfamilie stammend, hatte **Nehemia** es zum großköniglichen Mundschenk in Susa gebracht. Was wollte er, als er 445 v. Chr. in das noch immer desolate Jerusalem kam – und zwar als von Artaxerxes I. eingesetzter »Statthalter im Lande Juda«[24]? Antwort: Uneigennützig (ohne Erwerb von Eigentum und kein Gehalt außer Naturalien) bemühte er sich vor allem um die **äussere Sicherung** und **innere Reorganisation** der Stadt:

– zuerst der Wiederaufbau der Stadtmauern in 52 Tagen, gegen erneute heftige Opposition der Provinzhauptstadt Samaria;

– dann ein Schuldenerlaß für verarmte Bürger, der nötig war angesichts der Wuchergeschäfte des jüdischen Landadels;

– gleichzeitig die Neuordnung der Eigentumsverhältnisse und eine Ansiedlung von Landbewohnern in der bevölkerungsarmen Stadt;

– schließlich Maßnahmen gegen die Entweihung des Sabbats und gegen Mischehen, welche die bevölkerungsschwache jüdische Gemeinde in ihrem Bestand bedrohten.

Mit diesen Maßnahmen wurde nun freilich auch praktisch eine **Selbstabsonderung der jüdischen Gemeinde** eingeleitet, die welthistorische Auswirkungen haben sollte. Nehemia selber kehrte nach zwölf Jahren, 433, an den persischen Hof zurück; vielleicht war Juda schon unter ihm eine eigenständige Provinz geworden, was den schon lange anhaltenden, vor allem politisch bedingten Entfremdungsprozeß zwischen Süden und Norden, Juda und Samaria, der jetzt auch immer mehr religiösen Charakter annahm, beschleunigen mußte.

Und was wollte **Esra**? Priester aus nach Babylon verschleppter zadokidischer Familie, kam er älterer Auffassung zufolge ebenfalls unter Artaxerxes I. mit einer neuen Karawane von Heimkehrern schon 458 v. Chr. nach Jerusalem oder (nach der von vielen Gelehrten angenommenen Hypothese von A. van Hoonacker[25]) erst 398 v. Chr. Als »Schreiber des Gesetzes des Himmelsgottes«[26] wollte auch er sich um eine **religiöse und kultische Reform** kümmern, was für die Perser von ordnungspolitischem Interesse war. Reichlich fanatisch und in gnadenloser Brutalität ging er gegen Mischehen vor und proklamierte in feierlicher Versammlung »das Gesetz«, auf das sich das Volk durch die Erneuerung des Bundes zu verpflichteten hatte[27]. Dabei ist es ein bis heute nicht entschiedener Streit, ob es sich bei diesem »Gesetz« um den ganzen Pentateuch, nur um die Priesterschrift oder das Deuteronomium oder, wenig wahrscheinlich, um das königliche persische Recht gehandelt hat[28]. Von der Wirkungsgeschichte her dürfte es sich jedenfalls um die Hauptmasse pentateuchischer Überlieferungen gehandelt haben, die jetzt zur verpflichtenden Rechtsnorm erhoben wurden. Bestätigt wird dies durch die Tatsache, daß die Samaritaner im 4. Jahrhundert den Pentateuch – demnach wohl ein Werk schon der babylonischen Diaspora – als offizielle Grundlage ihrer Religion übernahmen.

Das alles zeigt schon, woraufhin die geschichtliche Stunde drängte: auf eine **Konzentration auf das Gesetz**, die schon in der Exilszeit im Geist des Deuteronomiums grundgelegt worden war: Gnade erlangen durch Befolgen des Gesetzes! Damals schon dürfte jenes im Buche Levitikus enthaltene Gesetzbuch, das »Heiligkeitsgesetz«[29] seine definitive Form erhalten haben. Neben den religiösen und ethischen Anweisungen finden sich hier vor allem kultische Vorschriften: bezüglich Schlachten von Tieren und Genuß von Tierfleisch; bezüglich geschlechtlichem Verkehr und geschlechtlichen Verfehlungen; bezüglich Heiligkeit des Tempels, der Priester, Opfer, Abgaben und Feste; bezüglich des Sabbat- und Jobeljahres ... Alles in allem eine Magna Charta für die Erneuerung des israelitischen Volkslebens, allerdings »nicht im prophetischen Sinne eines Neuaufbaus aus dem Geist, sondern durch Organisation und Gesetz«, wie der jüdische Exeget Georg Fohrer zu Recht bemerkt[30].

Das alles heißt nun aber auch, daß man die **Ambivalenz** dieser Entwicklung sehen muß:

– Einerseits: Nach den Anfängen der deuteronomischen Reformbewegung jetzt eine »gesetzliche Daseinshaltung und eine Gesetzesfrömmigkeit«, der man – so Fohrer – »weder einen tiefen Ernst noch die Bereitschaft zum Gehorsam gegen den göttlichen Willen absprechen« könne. Sogar eine »innere Zustimmung zum Gesetz« sei spürbar gewesen[31].

– Andererseits aber werde das Leben »in die Grenzen des Rechtes eingeengt, reguliert und schematisiert«: »Maßgeblich war das rechte äußere Handeln, wie es bei einer am Gesetz orientierten Lebenshaltung nicht anders sein kann. Gerecht und fromm war derjenige, der die im Gesetz niedergelegten göttlichen Forderungen erfüllte.«[32] In der Tat: Hier schon bereitet sich das vor, was man später die »jüdische Orthodoxie« nennen sollte.

Wie immer: In den biblischen »Quellen« jedenfalls wird diese Entwicklung ganz und gar positiv gesehen. So beim »**Chronisten**«, der vermutlich ein zum Jerusalemer Kultpersonal gehörender Levit war. Er ist der Verfasser des chronistischen Geschichtswerkes, das David verherrlicht und zu dem als Fortsetzung der beiden Chronikbücher ursprünglich auch die Bücher Nehemia und Esra gehörten. Er hat uns den Rechenschaftsbericht des Esra (geschrieben für die persische Reichsregierung oder die Juden in Babylon)[33] ebenso wie die Memoiren Nehemias[34] aufbewahrt in einer wohl um 300 verfaßten Schrift, in der die religiöse Geschichte Israels stark stilisiert wurde. Und wie sehr die jüdische Gemeinde (vor allem die Pharisäer) später das Andenken der beiden großen Reformer ehrte, ersieht man daran, daß sie die Bücher Nehemia und Esra unter die kanonischen heiligen Bücher aufnahm. Insbesondere Esra, oft mit Mose verglichen, gilt als Begründer des – von der prophetischen Botschaft wegführenden – **kultisch und gesetzlich bestimmten Frühjudentums**. Gewiß: eine »neue Religion« (wie selbst ein so verständnisvoller Interpret wie Georg Fohrer[35] meint) ist nach dem Exil nicht eingeführt worden. Wohl aber ist, wie ich es nenne, ein **neues epochales Paradigma** der israelitischen Religion durchgebrochen, das gleich noch genauer zu analysieren sein wird.

Die Gemeinde von **Samaria** freilich, welche die religiöse Trennung (»Samaritanisches Schisma«) bezeichnenderweise immer mit dem Namen des Gesetzeseiferers Esra in Verbindung brachte, hielt sich in der Folgezeit allein an den Pentateuch. In Samaria hatte man die politisch-religiöse Verherrlichung Davids, Jerusalems und des Tempels ohnehin nie mitgemacht und auf der Autonomie des samaritanischen Nordens beharrt. Seit dem 4. Jahrhundert muß die Trennung vom jüdischen Süden als endgültig vollzogen angesehen werden. Wann genau Samaria sein eigenes Heiligtum auf dem Berg Garizim bei Sichem (hebr. »Schechem«) errichtet hat[36], läßt sich allerdings nicht mehr feststellen. Die folgende Geschichte Israels wird für uns in jedem Fall nur noch die Geschichte Judas, also judäische und auch insofern die spezifisch jüdische Geschichte sein.

3. Das neue, jüdische Paradigma: die theokratische Gemeinde

Schon rund 90 Jahre also nach dem Edikt des Kyros war es – um das Jahr 450 – zum definitiven Durchbruch der neuen Konstellation gekommen, zur **Vollendung des neuen Paradigmas**, und auch hier sind die Kriterien für einen Paradigmenwechsel gut erkennbar:
– Vorausgehen mußte die fundamentale Krise des vorausgegangenen, des davidischen Reichsparadigmas: der Untergang der Reiche von Israel und Juda sowie das Babylonische Exil.
– Vorbereitet wurde das neue Paradigma schon im Rahmen des alten: durch die Kultreform des Königs Joschija.
– Initiiert wurde es einerseits durch die Propheten und deuteronomistischen Schriftsteller der exilisch-nachexilischen Zeit, andererseits durch den Neubau des Tempels.
– Durchgesetzt wurde es durch die jetzt zur ersten Macht im Lande aufgerückte Priesterschaft.

Und was sind die **entscheidenden Merkmale** dieser neuen Konstellation? Palästina war jetzt Teil der fünften, jenseits des Stromes liegenden, der »trans-euphratischen« persischen Satrapie, später vermutlich

eine von Samaria unabhängige, eigenständige Provinz, in der die Priesterschaft unter ihrem »Hohepriester«, von der persischen Zentralregierung relativ unabhängig, die geistig-politische Führung übernommen hatte.

- Das Grundmuster bilden also **nicht mehr das Königtum**, das Reich
  und damit die politische Macht, die noch ein gutes Jahrhundert bei
  den Persern bleiben und dann an Alexander den Großen und seine
  griechischen Nachfolger und schließlich an die Römer übergehen
  wird.

- Das Grundmuster bilden einerseits **Tempel und Tempelhierarchie**
  der heiligen Stadt Jerusalem, die jetzt exklusives religiöses Zentrum
  ist, andererseits die Sammlung der **heiligen Schriften**, die jetzt zum
  verbindlichen **Gesetz** werden.

- Herrschaftsform ist somit die **Theokratie**, bei der Gott selber zwar
  nicht über den Staat, wohl aber über die **Gemeinde** der Jahwe-
  gläubigen – mittels der Priesterschaft (Hierokratie) und des Gottes-
  gesetzes (Nomokratie) – die Herrschaft ausübt: insgesamt also das
  Paradigma nicht mehr eines monarchischen Staates, sondern **einer
  theokratischen Gemeinde.**

Gewiß: Um **Tempel** und Gesetz kreisen viele Gebete und Lieder, wie
sie aus dieser Zeit im Psalter überliefert sind, und doch wird man auch
hier die Wirklichkeit nicht allein unter religiösem Aspekt ansehen
dürfen. Denn gerade der Tempel wurde mit der Zeit auch zu einem
wirtschaftlichen Machtfaktor, dessen politischer Einfluß nicht zu
unterschätzen ist. Gewiß: Politisch war Juda künftig ein von verschiedenen Gouverneuren der verschiedenen Besatzungsmächte re-
giertes Land. Andererseits aber war gerade der Tempel – so J. A. Soggin mit Recht – »der einzige Platz, wo Juda noch eine bestimmte
Form der Selbstbestimmung ausüben konnte, so beschränkt sie auch
war; auch in dieser Hinsicht war die religiöse Toleranz der Perser hilfreich. Mehr noch: Der Tempel hatte eine signifikante ökonomische
Bedeutung erlangt wegen der Abgaben, die er regelmäßig aus der
Diaspora in seiner eigenen Währung (der ›Obol‹) bezog, und weil er
Funktionen ausübte, die man als solche einer Bank betrachten konnte. Es ist deshalb nichts Befremdliches an der Tatsache, daß die religiösen Autoritäten zunehmende Bedeutung neben der zivilen Regierung erlangten, nicht nur in Kult- und Glaubensangelegenheiten,

sondern auch im alltäglichen Leben.«[37] Der Jerusalemer Tempelschatz sollte denn auch des öfteren die Begehrlichkeit der fremden Machthaber wecken ...

Das Zeitalter des Zweiten Tempels und der heiligen Schriften bringt also keineswegs nur, wie oft behauptet, eine **Restauration**, sondern durchaus auch eine **Instauration** mit neuen Strukturelementen und neuer Konzentration: nicht mehr und nicht weniger als eine wirklich **neue nachexilische Gesamtkonstellation**, ein – nach dem vorstaatlichen Stämmeparadigma und dem davidischen Reichsparadigma – **spezifisch jüdisches Theokratie-Paradigma** (Paradigma III = P III).

Um auch hier keinen Zweifel aufkommen zu lassen: Noch immer ging es um dieselbe Urbotschaft, denselben **Gott Jahwe und sein auserwähltesVolk (und Land)**. Dies bleibt das konstante Zentrum und Fundamentum, eben die Glaubenssubstanz auch dieses dritten israelitischen Paradigmas. Aber der ganze gesellschaftspolitische Rahmen, die »Gesamtkonstellation der Überzeugungen, Werte und Verfahrensweisen«, das Makroparadigma also, ist jetzt verschieden: Jahwe herrscht jetzt nicht etwa wieder unmittelbar wie in vorköniglicher Zeit. Nein, Jahwe herrscht jetzt in dieser nachköniglichen Zeit aufgrund des Tempels und der heiligen Schriften **vermittelt** und **institutionalisiert**. Und »**Israel**« – der genaue Sinn des Namens ändert sich mit dem Paradigma! – ist jetzt nicht mehr ein Königreich, sondern vor allem eine **Religionsgemeinschaft**, die Gott sich selbst erwählte, damit sie ihm durch Tempelkult und Gesetzesbeobachtung diene. Statt eines Königs amten jetzt der Hohepriester als Stellvertreter Gottes und eine Tempelhierarchie als Vermittlerin, und die Tora ist nun der schriftgewordene Wille Gottes. In diesem Sinn geht es statt um Monarchie nun um **Theokratie**, um Hierokratie und Nomokratie.

Damit ist auch schon deutlich geworden: Die merkwürdigen Debatten christlicher Exegeten um das Ende der Geschichte des Volkes Israel sind müßig. Die Geschichte des Volkes Israel geht weiter! Bei allem Wandel ist die sich durchhaltende, ja, jetzt in bestimmter Hinsicht sogar verstärkte geistig-religiöse Identität unübersehbar. Nicht um einen totalen Bruch also handelt es sich, der die Substanz des israelitischen Glaubens aufgelöst hätte, sondern um einen Paradigmenwechsel. Was sich ändert, ist die Gesamtkonstellation der diese Substanz tragenden und zugleich prägenden gemeinsamen Überzeugungen, Werte und Verfahrensweisen der israelitischen Gemeinschaft: »Israel« wird jetzt identisch mit »**Judentum**«, und zwar nicht nur bevölkerungsmäßig-politisch, sondern auch geistig-religiös. Die Folgen sind einschneidend. Sehen wir noch genauer zu:

4. Das Entstehen der jüdischen Buchreligion

Die zweite Hälfte der persischen Herrschaft – gute hundert Jahre zwischen Nehemia und Alexander dem Großen – hat man das »dunkle Jahrhundert«[38] genannt. Nicht etwa weil in dieser Zeit zwischen der Mitte des 5. und 4. Jahrhunderts v. Chr. nichts Wichtiges oder nur Schreckliches passiert wäre, sondern weil es über diese Zeit keine direkten schriftlichen Nachrichten gibt. Doch entstehen zu dieser Zeit durchaus noch großartige Schriften wie das Hohelied. Allmählich kommt jetzt der mit dem Deuteronomium grundgelegte und dann in Exils- und Nachexilszeit einsetzende **Kanonisierungsprozeß der hebräischen Schriften zum Abschluß**. Und wie geschah dies?

Im Unterschied etwa zu den Griechen, die an Physik und Metaphysik besonders interessiert waren, waren die Israeliten vor allem an ihrer Geschichte interessiert, wie sie vom lebendigen Gott mit lebendigen Menschen initiiert und geleitet wird. Davon handeln ja all die Geschichten (»Haggada«) und Weisungen (»Halacha«). Diese in sich höchst verschiedenen Traditionen verschiedenen Alters, die wir bereits in unseren ersten Kapiteln herangezogen haben, werden spätestens jetzt nach dem Exil definitiv schriftlich fixiert – und zwar von verschiedenen Redaktoren in streng monotheistischem Geist. Alles sollte als eine von Anfang bis Ende fortschreitende, aufs Ganze kohärente, menschlich-dramatische und doch in sich sinnvolle **Geschichte des Volkes Israel mit seinem Gott Jahwe** erscheinen:
– all die alten Überlieferungen, Sagen und Legenden von der Schöpfung der Welt und dem Fall des Menschen, von der großen Flut und dem Bund Gottes mit der Menschheit unter Noach, von den Erzvätern Abraham, Isaak und Jakob und dessen zwölf Söhnen, von der Befreiung aus Ägypten, vom Bundesschluß am Gottesberg und vom Einzug ins verheißene Land;
– dazu der ganze Komplex des im Verlauf von Jahrhunderten angewachsenen Gesetzesmaterials;

– weiter das Schrifttum der Propheten (ihre Kanonisierung verstärkt den Eindruck der Abgeschlossenheit aller Prophetie);
– aber auch all die Chroniken, das deuteronomistische und nun (wohl im 4./3. Jahrhundert) noch das chronistische Geschichtswerk[39]. Wenn nicht schon während des Exils, so spätestens an der Wende vom 5. zum 4. Jahrhundert wird die »Tora«, spätestens am Ende des 3. Jahrhunderts werden die »Propheten« vorgelegen haben. Auch eine dritte Gruppe, später von den Rabbinen »Schriften« genannt, dürfte, relativ spät, zum Abschluß gekommen sein. Das Ganze, das hier entstand, wird jüdischerseits, wie bekannt, nach den Anfangsbuchstaben der drei Teile (Tora – Newiim – Ketuwim) »Tenach« genannt, christlicherseits das »Alte (nicht: ›veraltete‹!) Testament«. Es besteht nach jüdischer Auffassung aus den Teilen[40]:

- **Gesetz/Weisung**: »**Tora**«: der Pentateuch oder die »Fünf Bücher Mose«: Genesis, Exodus, Levitikus, Numeri, Deuteronomium;
- **Propheten**: »**Newiim**«: die großen Schriftpropheten Jesaja, Jeremia, Ezechiel und die sogenannten zwölf »kleinen« Propheten, einschließlich Josua, Richter, die Samuel- und Königsbücher;
- **Schriftsteller**: »**Ketuwim**«: Psalmen, Sprüche, Ijob, Hohelied, Rut, Klagelieder, Kohelet, Ester, Daniel, Esra, Nehemia und die Chronikbücher.

Diese drei Büchergruppen bilden die »Biblia« (ursprünglich Mehrzahl: die Bücher), **das** Buch par excellence, welches die »kanonischen« = »maßgeblichen« Schriften umfaßt, welches Gottes Offenbarung enthält: »die Heilige Schrift«, weil Gott selbst als ihr Autor betrachtet wird. Direkt oder indirekt kommt in ihnen gläubigem Verständnis zufolge **Gottes Wort und Wille** zum Ausdruck: ganz direkt in der Tora, mehr indirekt unter menschlicher Mitarbeit durch die Propheten, bei noch größerem menschlichem Anteil durch die übrigen Schriften. Alle diese Schriften sind zu studieren, die wichtigsten auch im Gottesdienst vorzulesen.

So tritt denn neben den Opfergottesdienst nun immer stärker auch der **Wortgottesdienst**, der von den Opfern unabhängig ist und selbst bei der Tempelpriesterschaft Anklang findet. Und es tritt neben den Tempel immer stärker auch die **Synagoge**, deren Anfänge, wie wir hörten, auf das Babylonische Exil zurückgehen dürften, als es keinen Tempel gab. Das heißt aber: Auch im Judentum stand das Buch nicht am Anfang. Erst von jetzt an kann man – neben der zentralisierten **Tempelreligion** – von einer jüdischen **Buchreligion** reden.

Eine Buchreligion bildet indes ihre eigenen Formen aus – mit Folgen für den Gottesdienst. Schon seit Davids Zeiten finden sich im Judentum unvergleichlich persönliche Gebete: Psalmen voll tiefster menschlicher Emotionen, Ausdruck der Verzweiflung, des Vertrauens, der Angst, Reue und Hoffnung. Erst jetzt aber kennt man im Judentum neben dem persönlichen Gebet **auch schriftlich fixierte gemeinsame Gebete** des Volkes: Hymnen (Psalmen), Sündenbekenntnisse und Bittgebete, die den Wortgottesdienst konstituieren und auch den Opferkult begleiten. Ja, die Institution fixierter Gemeinschaftsgebete wird man mit dem führenden jüdischen Liturgiehistoriker Ismar Elbogen ohne Übertreibung eine »radikale Innovation der Zweiten-Tempel-Periode«[41] nennen können. Oder wie es ein anderer führender jüdischer Liturgiewissenschaftler, Joseph Heinemann, formuliert: »Fixierte Gebete, die in und aus sich selbst die Ganzheit des Gottesdienstes konstituieren, waren eine erstaunliche Innovation in der antiken Welt, die beide, Christentum und Islam vom Judentum ererbten.«[42]

Die Veränderungen für das gesamte auch private jüdische Frömmigkeitsleben sind einschneidend, und der amerikanische jüdische Gelehrte Jacob Neusner hat hier das Entscheidende präzise zusammengefaßt: Was heißt bis heute Leben unter dem Gesetz? »Leben unter dem Gesetz meint Beten – morgens, abends, nachts und bei den Mahlzeiten, sowohl routinemäßig wie wenn etwas Außergewöhnliches passiert. Um Jude zu sein ... lebt man ... ständig im Bewußtsein der Gegenwart Gottes und ist ständig bereit, Gott zu loben und zu preisen. Der Weg der Tora ist der Weg ständiger Hingabe an Gott.«[43]

Fazit: Mit der Kanonisierung der Schrift geht so etwas wie eine **Kanonisierung der Liturgie** einher: Es gibt, der protestantische Exeget James Charlesworth hat das herausgearbeitet, »den doppelten Prozeß einer Kanonisierung der Schrift und einer ›Kanonisierung‹ der Liturgie«[44]. Eine sehr viel mehr homogene, konformistische Religion ist die Folge, die prophetisches Reden Einzelner zunehmend verdächtig fand. Man fragt sich, warum?

5. Das Erlöschen der Prophetie – und die Folgen bis heute

In der Tat: Darf man übersehen, daß dieser gesamte Prozeß – was Schrift, Liturgie und auch die Machtstrukturen betrifft – eine nicht ungefährliche **Verfestigung** und **Verengung** der Religion bedeutete? Mit Verweis auf G. Fohrer habe ich es bereits angedeutet:
– Durch die Konzentration des Judentums auf das Gesetz, das die Einheit von Glauben und Handeln gewährleisten soll, droht die Gefahr des **Legalismus.**
– Durch eine Überbetonung des Tempels, des Ortes von Gottes Gegenwart, droht die Gefahr des **Ritualismus.**
– Durch einen Machtzuwachs der Priesterschaft, welche die Mittlerschaft zwischen den Menschen und Gott beansprucht, droht die Gefahr des **Klerikalismus.**

Wie in allen Religionen, so hatte es Verfestigung und Verengung auch immer wieder in der Geschichte der Religion Israels gegeben. Der Unterschied freilich jetzt – nach dem Exil? Einen **Prophetismus** als Gegengewicht zur Institution gibt es jetzt kaum mehr. Keinen charismatischen Protest gegen Petrifizierungen aller Art im Namen der souveränen Freiheit Gottes selber! Nein: Auch der Prophetismus ist vom nachexilischen Paradigmenwechsel betroffen.

Gewiß: Propheten gibt es zwar noch einige wenige, nachdem die Hof- und Heiligtumspropheten verschwunden sind. Aber statt als charismatische Gottesboten aufzutreten wie in der klassischen Zeit, sind sie nach dem Exil immer mehr – man denke an »Tritojesaja«[45] und »Deuterosacharja«[46] – zu bevollmächtigten Auslegern der Tradition geworden: zu schriftgelehrten Propheten oder prophetischen Schriftgelehrten. Begreiflich. Denn wo eine vergesetzlichte und verschriftlichte Ordnung alles bestimmte, konnten die Sprüche des Propheten kaum mehr sein als eine Verwertung früherer Prophetie. Ja, es kommt jetzt zu einer bemerkenswerten Ausdehnung, aber damit auch Verwässerung des Begriffs »Prophet«. Denn **alle** Autoren der heiligen Schriften, auch Mose und David, werden jetzt als heilige **Schriftsteller** betrachtet und können in diesem Sinn ganz direkt »Propheten« genannt werden. Und auch das Judentum als Ganzes kann jetzt in einem verallgemeinernden, aber vielleicht doch auch verharmlosenden Sinn eine »prophetische« Religion genannt werden. »Kein Prophet ist mehr da ...«, klagt man denn auch in einem der Psalmen ...[47] Und später werden die Rabbinen sagen, nach dem Tod der Propheten Haggai, Sacharja und Maleachi habe sich der Heilige Geist von Israel entfernt[48]. Nicht zu übersehen: Je mehr der prophetische Einfluß zurückgeht, um so stärker wird die Gesetzesfrömmigkeit.

Wir müssen hier kurz innehalten, stehen wir hier doch vor einem folgenschweren Vorgang, der auch in den anderen beiden prophetischen Religionen seine Parallelen hat. Denn wer könnte übersehen, daß das Verebben und Erlöschen der Prophetie nach einer Blütezeit auch im **Christentum** ein Problem ist, wo Jesus Christus nach dem Vorläufer Johannes als der endzeitliche Prophet gilt[49], in dem sich die alttestamentlichen Prophetien erfüllen, wo der Geist über alle ausgegossen ist und wo die in der Urgemeinde zunächst stark vertretenen Propheten und Prophetinnen doch gegen Ende des 2. Jahrhunderts aussterben. Immerhin waren Propheten noch bei Paulus nach den Aposteln die zweiten in der Rangfolge der Charismen[50]. Wo also sind sie, die Propheten, wo ist das prophetische Reden, wo ist dieses wichtige Charisma[51] geblieben? Im Gottesdienst sollen ja Paulus zufolge **alle** prophetisch sich äußern[52], allerdings immer nach Maßgabe des Christusglaubens[53]. Nach dem Epheserbrief ist die Kirche auf die Apostel und die Propheten (des Neuen Bundes) gegründet[54]. Wie aber verlief die geschichtliche Entwicklung? Ähnlich wie die Schriftgelehrten im Judentum nach dem Exil, so begannen auch die Bischöfe in der Kirche nach dem ersten Jahrhundert – angesichts zweifellos auch vieler Falschpropheten und besonders angesichts der montanistischen Krise – die prophetische Funktion in ihr apostolisches »Amt« zu integrieren. Je länger desto mehr fühlten sie sich als Nachfolger nicht nur der Apostel, sondern auch der Propheten und der Lehrer. Immer mehr tritt jetzt das hierarchische Kirchenrecht an die Stelle der freien Prophetie. Wo also sind im Christentum die prophetischen Impulse geblieben?

Weiter gefragt: Ist das Erlöschen der Prophetie nicht auch ein Problem im Islam? Zwar werden hier die Propheten vor Muhammad als dessen Vorläufer hochgeschätzt: neben den Empfängern einer Buchoffenbarung auch viele andere »nabi« (= gewöhnlicher Prophet, 313 nach der Tradition, nach der mystischen Überlieferung 124 900!)[55]. Aber nach Muhammad, der die Botschaft der früheren Propheten nochmals in ursprünglicher Reinheit verkündet und so zugleich auch abgeschlossen hatte, scheinen prophetische Impulse für die folgenden

Jahrtausende ausgeschlossen. Muhammad ist eben das »Siegel« jeglicher Prophetie! Nicht zuletzt dieser »Exklusive« dürfte es zuzuschreiben sein, wenn heute auch im Islam das Gesetz, beziehungsweise die Scharia, die ursprünglich prophetische Botschaft des Koran weitgehend überspielt hat – selbst nach Auffassung mancher Muslime, so daß heute faktisch weniger die Botschaft des Propheten selbst als das Jahrhunderte nach ihm ausgebaute Religionsgesetz die höchste Autorität besitzt. Wo also sind im Islam die prophetischen Impulse geblieben?

Damit ist klar: Das Erlöschen der Prophetie ist heute eine Frage an alle drei »prophetischen« Religionen. Wieviele Schwierigkeiten hatte und hat doch das **Christentum** mit prophetischen Gestalten wie Franz von Assisi, Martin Luther, den Gebrüdern Wesley oder auch den Schwarzafrikanern Hendrik Witbooi (Namibia) und Simon Kimbangu (Kongo)! Wieviele Probleme hatte das **Judentum** mit dem mittelalterlichen Kabbalisten Abraham Abulafia, dann mit Franz Rosenzweig oder Martin Buber, wieviele Schwierigkeiten der **Islam** mit modernen Reformern wie al-Afghani, Ahmad Khan und Mahmud Taha (Sudan)! Und soll das Prophetische nur das Charisma von Einzelnen sein und nicht unter der Inspiration der Propheten eine Dimension des ganzen Volkes Gottes? Werden also die prophetischen Religionen heute ihrem Selbstanspruch, **prophetische** Religion zu sein, noch gerecht? Oder ist »prophetische« Religion nur eine religionsgeschichtliche Ordnungskategorie für Gelehrte, welche die konkrete Lebenswirklichkeit der Religionen kaum noch beschreibt? Kritische Rückfragen, die nach vorne weisen, sind hier berechtigt.

Fragen für die Zukunft

Werden alle drei abrahamischen Religionen in ausreichendem Maße ihrer prophetischen Aufgabe gerecht, das Gewissen der Gesellschaft zu sein? Tragen sie genügend dazu bei, soziale Mißstände und Gegensätze in dieser Welt anzuprangern und abzuschaffen, die Kluft zwischen Armen und Reichen, Besitzenden und Ausgebeuteten, Privilegierten und Unterprivilegierten abzubauen? Wie also steht es um ihre **soziale Kritik**?

Werden die prophetischen Religionen ihrer prophetischen Aufgabe gerecht, die Staaten an ihre **ethische Verantwortung** für das Wohl der ganzen Menschheit zu mahnen, den Krieg als Mittel der Politik zu verurteilen, außen- wie innenpolitische Verirrungen in Staaten zu geißeln und dabei auch die Herrschenden nicht zu schonen? Wie also steht es um ihre **politische Kritik**?

Werden die prophetischen Religionen ihrer prophetischen Aufgabe gerecht, auf die Macht des Gotteswortes zu vertrauen und im Namen des einen und einzigen Gottes immer wieder **Ideologiekritik** zu üben: an den falschen Göttern, an selbstherrlichen Mächten und Machthabern dieser Welt (in Synagoge, Kirche und Moschee inklusive), so unbequem dies auch für große Teile des Volkes und der herrschenden Eliten sein mag? Wie also steht es um ihre **theologische Kritik**?

Keine Frage: Ungezählte Menschen in den prophetischen Religionen sehnen sich danach: Prophetischer müßten ihnen die prophetischen Religionen sein, damit sie ihrer prophetischen Botschaft mehr Glauben schenkten! Wie aber, so fragt man sich nun, ging es in Israel weiter, nachdem der Prophetismus in der klassischen Form erloschen war? Wer war in Palästina an die Stelle der Propheten getreten?

6. Die hellenistische Weltkultur: das Zeitalter der Weisen

An die Stelle der Propheten waren zunächst die ganz aufs Praktische gerichteten Weisheitslehrer getreten. Diese Weisen freilich sind nicht mehr charismatische Einzelgestalten, sie sind Vertreter einer Schule. Sie künden nicht mehr Jahwes Offenbarung und Befreiung, sie legen Wert auf Beobachtungen der Ordnungen des Lebens, auf pädagogische Anwendungen im Alltag der Welt. Nicht Gott und sein geschichtliches Handeln stehen im Mittelpunkt. Im Mittelpunkt steht der Mensch und sein richtiges Verhalten in den verschiedensten Bereichen des Lebens. Weisheitstheologie setzt nicht die Anerkennung von »heilsgeschichtlichen« Großtaten Gottes voraus (Exodus und Landnahme spielen hier keine theologisch konstitutive Rolle). Wichtig ist vielmehr das Vertrauen, daß die ganze Schöpfung auf einer weisen Ordnung beruht, der Mensch aber durch Beobachtung dieser von

Gott gesetzten Ordnung zu rechtem Verhalten fähig ist und sich so in die göttliche Weltordnung einfügen kann. Ganz anders als der Prophet, ist der Weise in Israel in erster Linie ein Empiriker, ein distanzierter Beobachter, ein kluger Abwäger zwischen den Extremen, dessen Arbeit freilich auf die Vermittlung von Lebenserfahrungen ausgerichtet ist.

Und wo liegen die Anfänge der israelitischen Weisheitslehre, die man ja damals im ganzen Orient feststellen kann? Einzelnes Spruchgut mag durchaus schon auf die Zeit König Salomos zurückgehen. Man spricht denn auch von der »älteren Weisheit«: Durch die ganze Königszeit hindurch gab es ja einzelne Weisheitslehrer, und schon beim Propheten Jeremia wird neben dem König und seinem Hof, den Priestern und den Propheten ausdrücklich die Gruppe der Weisen erwähnt[56]. In der Exilszeit aber waren die Verbannten sowohl in Mesopotamien wie in Ägypten einer internationalen Weisheitskultur ausgesetzt, was die Hochkonjunktur der Weisheitsliteratur nach dem Exil auch in Israel gar nicht so erstaunlich macht. Man nennt sie heute die »jüngere Weisheit«: Sprüche, Ermahnungen und Belehrungen werden jetzt gesammelt oder neu gebildet und in Büchern zusammengestellt. Durch die Einbeziehung von Schöpfung und Offenbarung wurde ein umfassendes theologisches System, die Weisheitstheologie, geschaffen: die göttliche Weisheit als Lehrmeisterin der Menschen.

Freilich: Wie wenig die jüdische Frömmigkeit trotz aller Restaurationsbemühungen, trotz aller Institutionalisierung und Kanonisierung wirklich konsolidiert war, zeigt die **Krise der Weisheit**, die sich in Büchern wie »**Ijob**« und »**Kohelet**« niedergeschlagen hat. Gut hundert Jahre nach der Rückkehr aus dem Exil war vor allem eine der Fundamentallehren des jüdischen Gottesglaubens, die Lehre von der Vergeltung, von der lohnenden und strafenden Gerechtigkeit Gottes, die von der Weisheitstheologie wie von der Gesetzesfrömmigkeit vertreten wurde, zerbrochen: die Theorie also von einem für die Menschen erkennbaren Zusammenhang zwischen dem, was man tut, und dem, wie es einem ergeht. Erntet wirklich jeder, was er gesät hat? Gerade dies wird im Ijob-Buch heftig bestritten, erst recht in einem Buch wie »Kohelet«, das wohl nur deshalb in den Kanon Aufnahme gefunden hat, weil man es Salomo zuschrieb. Für Kohelet, einen Mann, der mehr skeptischer Philosoph als Theologe war, ist der Bruch mit dem Väterglauben an die Vergeltung schon zum Grundsatzproblem geworden. Kohelet verkörpert ein Denken »an einem Scheidewege, an der Grenze zweier Zeiten«, wo man »unter dem Eindruck der geistigen Krise des Hellenismus ... der traditionellen Weisheit und ... der überlieferten Frömmigkeit und dem Kultus wenig Sinn mehr abgewinnen« konnte; aber selbst Kohelet, mehr sokratisch-konservativ gesinnt, vermied es, »mit der Religion der Väter zu brechen und Gott etwa mit dem unberechenbaren Schicksal zu identifizieren«[57]. Angesichts dieser Weisheitskrise versuchen das »**Buch der Sprichwörter**« wie das Buch »Jesus Sirach« ein neues Vertrauen in die göttliche Ordnung, in die Weisheit des Gottes der Väter, in die Universalität und Zuverlässigkeit von Gottes Plan herzustellen. Insofern sind sie Bücher der Restauration, der Wiederherstellung des traditionellen Jahwe-Glaubens[58].

Die Weisheitskrise freilich spiegelt nur eine tiefer liegende **Strukturkrise der Epoche**. Um sie in ihrer politischen Entwicklung zu verstehen, müssen wir nach Nordgriechenland schauen, von wo jetzt dem persischen Großreich die größte Gefahr zu drohen beginnt. Denn dem makedonischen König **Philipp II.** (359-336) war Erstaunliches gelungen: die nach der Schlacht von Marathon ständig unter sich rivalisierenden griechischen Stadtstaaten gegen die Perser im »Korinthischen Bund« zusammenzuschließen und zugleich die neuartige militärische Einheit der tiefgestaffelten Phalanx zu einer gefürchteten griechischen Schlachtformation heranzubilden. Das Schwergewicht der Weltgeschichte beginnt sich von Ost nach West zu verlagern: zum ersten Mal tritt eine **europäische Großmacht** auf den Plan der Weltgeschichte[59]!

Aber erst Philipps Sohn sollte nach der Ermordung seines Vaters im Jahre 336 den Kampf gegen die Perser endgültig und erfolgreich aufnehmen: **Alexander**, zwanzig Jahre alt, von dem genialen Philosophen Aristoteles erzogen, der als »der Große« in nicht mehr als dreizehn Jahren das Angesicht der Erde – politisch wie kulturell – veränderte. Die erste europäische Invasion Asiens – dies ist das Werk Alexanders, der ein Stratege von großem Format war. Nach der Eroberung Kleinasiens wendet er sich im Jahre 334 nach Süden, besetzt die phönikischen Küstenstädte (nach siebenmonatiger Belagerung auch Tyros, die Mutterstadt Karthagos), auch Palästina und schließlich Ägypten, wo er, mit der Doppelkrone der Pharaonen gekrönt, die Stadt erbauen läßt, die bis heute seinen Namen trägt – Alexandria. Und Jerusalem? Jerusalem scheint sich bei Alexanders Durchmarsch nach Ägypten – im Gegensatz zu Samaria, das auch nachher noch den Aufstand probte – freiwillig ergeben zu haben.

Von Ägypten zurück, wendet sich Alexander nach Norden, besiegt den letzten persischen Großkönig Darius III. in der Schlacht von Gaugamela 331 und zieht kampflos in Babel (griech. Babylon) ein. Nach der Eroberung auch von Susa, Persepolis, Ekbatana und der Ermordung des Darius durch einen seiner Satrapen ist Alexander am Ziel: Er tritt das Erbe der Achämeniden an, um aber gleich darauf bis an die »Grenzen der Erde«, an den Fuß des Himalaya-Gebirges vorzustoßen. Doch Alexander will mehr als bloße militärische Eroberung. Er drängt auf die **Vermählung von griechischem und orientalischem Blut, Zeremoniell und Kultur.** Zehntausend griechische Offiziere und Soldaten läßt er in Susa in einer Art Massenhochzeit sich mit Perserinnen verheiraten. So leitet er, obwohl er 323 in Babylon – völlig unerwartet mit 33 Jahren an einem Fieber ohne regierungsfähigen Erben – stirbt, machtvoll ein neues Zeitalter ein: nach dem persischen jetzt das **hellenistische.**

Dieser von Alexander bewußt geförderte griechisch-kosmopolitische »**Hellenismus**«, diese gegenseitige Durchdringung von griechischer und orientalischer Kultur in den Nachfolgestaaten des Alexanderreiches und der daraus folgende religiöse Universalismus und Synkretismus stellten **für die jüdische Religion eine ungeheure Herausforderung** dar. Kündigt sich hier vielleicht ein neuer Paradigmenwechsel an? Wird das Judentum jetzt durch die Begegnung mit der universalistischen Weltkultur des Hellenismus auch eine universalistisch orientierte Weltreligion, nachdem doch sein ethischer Monotheismus auf viele Nichtjuden überall bereits eine starke Faszination ausübt und deshalb auch die jüdische Mission zunehmend erfolgreich ist[60]?

Wir werden eher die gegenteilige Entwicklung feststellen. Zwar gibt es ein nicht unbedeutendes jüdisch-hellenistisches Schrifttum: Neben dem Geschichtsschreiber Jason von Kyrene und dem Philosophen Aristobul im 2. Jahrhundert v. Chr. ragt bei weitem hervor der Philosoph Philon von Alexandrien (15/10 v. Chr. – 40/50 n. Chr.), ein Zeitgenosse Jesu von Nazaret also, der die jüdische Religion mit der griechischen Philosophie zu versöhnen trachtete, indem er in seinen Kommentaren den Pentateuch mit Hilfe der von der Stoa übernommenen allegorischen Auslegungsmethode zu interpretieren und auch die Schöpfungsgeschichte, die mosaische Gesetzgebung und die Vätergeschichte in hellenistischem Geiste systematisch zu behandeln versuchte. Aber all diese Bemühungen blieben letztlich Episode. Mittel- und langfristig war die Folge der Begegnung mit dem Hellenismus vielmehr eine Stärkung der traditionellen jüdischen Tempel- und Torafrömmigkeit!

Ob »dies alles nicht mehr zur Thematik einer Geschichte des Volkes Israel gehört«[61]? Nein, die Geschichte des Volkes geht hier nicht zu Ende! Wohl aber geht sie einer länger anhaltenden, fundamentalen Krise entgegen, die schließlich einen weiteren epochalen Paradigmenwechsel zur Folge haben wird.

7. Krise der Theokratie: von der Revolution zum »Kirchenstaat«

Zweifellos hat sich die hellenistische Weltkultur besonders seit dem 2. vorchristlichen Jahrhundert auch in Palästina stark ausgewirkt, vor allem in den immer zahlreicheren Städten und unter den Gebildeten und Begüterten, in Jerusalem besonders, wo die reichen aristokratischen Priesterfamilien lebten. Ein starkes Ansteigen der Bautätigkeit und des Kunstschaffens, eine Effizienzsteigerung in Ökonomie, Verwaltung und Militärwesen waren ohnehin Kennzeichen hellenistischer Kultur und führten zu einer allgemeinen Erhöhung des Lebensstandards. Man gibt sich aufgeklärt. Selbst Hohepriester tragen jetzt immer häufiger hellenistische Namen. Andererseits aber sperren sich nicht nur in der Diaspora, sondern auch in Judäa mächtige gesetzestreue Kreise gegen den hellenistischen Einfluß zumindest im eigentlich religiösen Bereich. Dies gilt – nach den ersten wechselvollen »Diadochen« (= Nachfolger)-Kämpfen zwischen Alexanders Generälen – schon für die rund hundert Jahre (300-200/198 v. Chr.) der ägyptischen Ptolemäerherrschaft über Palästina (die 31. und letzte ägyptische Dynastie).

Zentrum ist jetzt die rasch wachsende neue Stadt Alexandria. Und in dieser Stadt Alexandria sollte die Hellenisierung des Judentums ihren sichtbarsten Ausdruck finden. Denn da die Kenntnis des Hebräischen und des Aramäischen in der großen jüdischen Gemeinde

Alexandriens zurückgegangen war, kommt es nun zur sukzessiven Übersetzung zuerst des Pentateuch und dann der ganzen Hebräischen Bibel ins Griechische. Die Legende, hörten wir, schreibt sie »siebzig« Übersetzern zu, so daß man sie bis heute »**Septuaginta**« nennt.

Freilich: Die Zeiten der Harmonie und der kulturellen Interaktion sollten bald gestört werden, als die aus dem mesopotamisch-syrischen Raum vorstoßenden Seleukiden die Ptolemäer aus Palästina verdrängen. Nach fünf »syrischen Kriegen« um die syrisch-palästinische Landbrücke haben die Seleukiden Palästina in der Hand. Und nach anfänglicher Toleranz kommt es immer mehr zur gezielt vorangetriebenen **Hellenisierung Jerusalems** (griechische Sprache, Verfassung, Theater, Stadion, Gymnasium …). Man fragt sich: ob ein der neuen Zeit angepaßtes, reformiertes Judentum nicht eine sinnvolle Möglichkeit sein könnte? Dies bejahten damals auch manche jüdischen Reformer.

Doch für die Gesetzestreuen ist jede Reform Apostasie. Im Volk jedenfalls wächst die Opposition gegen diese Hellenisierung. Es kommt zu einer Explosion, als der Seleukidenkönig Antiochos IV. Epiphanes sich 169 anläßlich eines Ägyptenfeldzuges zur Sanierung der Staatsfinanzen am Tempelschatz Jerusalems vergreift. Zweimal muß er jetzt Jerusalem erobern. Aber dann macht er die Stadt zu einer hellenistischen Militärkolonie, was faktisch auf eine **Zwangshellenisierung Israels** hinausläuft: 167 werden der gesetzestreue Kult, die Beschneidung und die Beobachtung des Sabbats verboten, werden Toratreue verfolgt und heidnische Kulte dem Volk aufoktroyiert. Es kommt zu dem, was das Danielbuch »Greuel der Verwüstung«[62] nennt: ein Zeusaltar auf dem Brandopferaltar im Tempel!

Der Konflikt zwischen der traditionellen jüdischen und der hellenistischen Kultur eskaliert nun vollends, und die Stunde der **Revolution der altgläubigen Landbevölkerung** war gekommen – inspiriert und angeführt vom Priester Mattatias und seinen fünf Söhnen aus dem Geschlecht des Hasmon, der **Hasmonäer**[63]. Dem dritten Sohn, Judas, **Makkabäus** (aram. »maqqabay« = der »Hammermann«) genannt, gelingt es, in drei Schlachten die syrisch-seleukidischen Truppen zu besiegen. 164 v. Chr. zieht er in Jerusalem ein und beseitigt – allerdings ohne die seleukidische Garnison in der Burg (Akra) von Jerusalem, Zeichen der syrischen Oberhoheit, anzugreifen – die heidnischen Greuel. Am 14. Dezember desselben Jahres wird der geschändete Tempel feierlich neu eingeweiht, und bis zum heutigen Tag gedenken die Juden in aller Welt dieses Datums durch das Fest der »Chanukka« (= »Reinigung« des Tempels), das sich als »Lichterfest« (mit dem achtarmigen Chanukka-Leuchter) zu einer Art jüdischem Weihnachtsfest entwickelt hat.

Wie aber soll es nun politisch weitergehen? Die Reaktion im Volk war gespalten. Die Gruppe der »Frommen« (»Chasidim«), aus denen später die Partei der »Pharisäer« hervorgehen sollte, will sich mit der **geistlich-religiösen Autonomie** unter syrisch-seleukidischer Oberhoheit zufriedengeben. Dasselbe gilt erst recht von einer Gruppe radikalfrommer Juden, »Essener« genannt, die sich wohl schon zu dieser Zeit aus Protest abzusondern und zum Teil sogar in die Wüste zu emigrieren beginnen. Gerade umgekehrt die makkabäische Bewegung, die jetzt auch – unter anderem mittels eines gefährlichen Beistandspaktes 161 mit der neu aufsteigenden Großmacht Rom! – auf die politische Autonomie Judäas aus ist: Langwierige Kämpfe waren die Folge.

Die dritte Partei, die hellenisierenden »Sadduzäer« der vornehmen Priester und Aristokratenfamilien, von beiden Seiten bedrängt, rufen ihrerseits schließlich die Seleukiden zu Hilfe, die denn auch die Makkabäer zunächst besiegen; Judas verliert sein Leben. Doch sein Bruder **Jonatan** setzt den Kampf fort, als Guerilla-Führer zuerst, als Hohepriester darauf und zwei Jahre später auch als »Strategos (Feldherr) von Judäa« (150 v. Chr.). Damit ist in Judäa nach mehr als vier Jahrhunderten zum erstenmal wieder die geistliche und weltliche Macht in einer Hand vereinigt. Jonatans älterer Bruder und Nachfolger **Simon** – 142 von den Seleukiden-Herrschern als Hohepriester und selbständiger Herrscher anerkannt – erobert 141 auch die Akra von Jerusalem und erzwingt die Räumung von der syrischen Besatzung. Ein Jahr später werden ihm vom Volk die erblichen Würden eines Feldherrn, Fürsten und Hohepriesters verliehen. Nach seiner Ermordung gehen diese auf seinen Sohn **Johannes** mit dem Namen **Hyrkanos I.** (135/4 -104) über, der damit faktisch der erste König (und Hohepriester) der Hasmonäer-Dynastie wird. Unter ihm wird Judäa politisch unabhängig und steht nur noch nominell unter seleukidischer Oberhoheit. Mit Simon und Johannes also hatten die Makkabäer ihr großes Ziel erreicht: nicht nur religiöse, sondern politische Autonomie! Doch wie stand es um die religiöse Erneuerung?

Mit einem solchen Priester-König schien nun die **Theokratie ihre stärkste Ausprägung** gefunden zu haben. Und doch war man im Lande Israel mit den Hasmonäern alles andere als zufrieden. Immer stärker meldete sich die Opposition zu Wort: die »Frommen«, die populären »**Pharisäer**« (= aram.: »Perischajja« vom hebr. »Peruschim« = die durch Frömmigkeit »Abgesonderten«). Wichtiger als aller Nationalismus war für diese die Gesetzesbeobachtung, verbindlich gedeutet durch die mündliche Überlieferung. Dieser Gruppe war das neue Priester-Königtum schon längst allzu verweltlicht, allzu wenig religiös gewesen.

Gegen die fromme Opposition mußte sich Johannes Hyrkanos notgedrungen ganz auf die hellenistische Partei der Sadduzäer stützen, für die der Pentateuch allein, und nicht alle möglichen Traditionen, verpflichtend war. Er konnte sich halten, doch bereits sein Sohn und Nachfolger **Alexander Jannaios** (103-76), der nun auch noch den Königstitel – nach rechtgläubiger Auffassung den Davididen allein vorbehalten! – in aller Form angenommen hatte, mußte seine Herrschaft mit blutigem Terror aufrechterhalten; einen mehrjährigen pharisäischen Aufstand beendigte Alexander nach seinem Sieg mit der Kreuzigung von achthundert Aufständischen[64]. Aus den Glaubenskriegen waren längst Eroberungskriege geworden; hatte man doch nicht nur die Küstenstädte und Galiläa, sondern auch große Teile des Ostjordanlandes erobert.

Die beiden Makkabäerbücher – nicht in den jüdischen Kanon aufgenommen – erzählen die Geschichte des Aufstandes und der Herrschaft der Makkabäer von 175 bis 135, eine Geschichte, die in unseren Tagen wieder neu Symbol jüdischen Selbstbehauptungswillens geworden ist, ohne daß man sie aber schönfärben oder verharmlosen sollte[65]. Ironie der Geschichte – so N. K. Gottwald mit Recht: »Judas, der erste Makkabäer, hatte einst eine Mehrheit von Juden gegen eine kleine, aber mächtige Gruppe jüdischer Hellenisten und ihre seleukidischen Helfer geführt. Umgekehrt aber führte jetzt Alexander Janneus, ein Nachfolger der Makkabäer, eine kleine, aber mächtige Gruppe von Königstreuen in einen verzweifelten Kampf gegen eine Mehrheit von Landbewohnern, die in ihm die Verkörperung hellenistischer Korruption und Aggression sahen.«[66] Jegliche Instrumentalisierung der Makkabäer für aktuelle politische Ziele ist von daher fragwürdig.

Die fast achtzigjährige jüdische Unabhängigkeit (142-63) unter den Hasmonäern sollte ein Zwischenspiel bleiben – nur solange es auf der palästinischen Landbrücke ein Machtvakuum gab. Es sollte nicht sehr lange dauern. Schon längst hatte das **Imperium Romanum** seine Ost-grenzen bis nach Griechenland und Kleinasien vorgeschoben, und Pompejus, Rivale Cäsars, jetzt Oberbefehlshaber in Asien, strebte eine Neuordnung in Vorderasien an[67]. Von den hasmonäischen Nachfol-geprätendenten Hyrkan und Aristobul als Schiedsrichter angerufen, erfüllte Pompejus in Damaskus jedoch die Bitte der Abgesandten des jüdischen Volkes, die, jeglicher hasmonäischen Königsherrschaft schon längst überdrüssig, erneut eine Trennung von religiöser und politischer Herrschaft forderten. Das hieß im Klartext: **Restauration der Priesterherrschaft, beschränkt jedoch auf den religiös-kultischen Bereich**, Abtretung der politischen Herrschaft an die neue Weltmacht Rom. »Die Anhänger Hyrkans stimmten dem zu und übergaben Jeru-salem dem Pompejus. Aristobul verschanzte sich auf dem Tempel-berg, der nach dreimonatiger Belagerung genommen wurde. Damit war nach fast einem Jahrhundert des Kampfes, der zeitweiligen politi-schen Freiheit und eines jüdischen Staates die makkabäische Bewe-gung an der Willkür der aus ihren Reihen stammenden hasmonäi-schen Herrscher gescheitert.«[68]

Das Resultat dieser Politik: **Judäa** ist jetzt ein **Vasallenstaat Roms** – stark verkleinert, ohne die Küstenstädte und ohne Zugang zum Mittelmeer! Der Hohepriester ist entmachtet: Königstitel und das Recht zur Steuererhebung sind ihm aberkannt worden. Er herrscht jetzt nur noch über die Glaubensgemeinde von Jerusalem, zeitweise in römischem Auftrag auch noch als Ethnarch. Und die Hasmonäer? Wegen ihrer politisch gefährlichen Verbindung mit den Parthern – Roms großen Gegnern im kleinasiatischen Raum – lassen die Römer später zu, daß die ganze Familie ausgerottet wird. Und um dieses grausame Geschäft sollte sich ein judaisierter Idumäer »verdient« machen, ein nach Rom geflohener Distriktgouverneur von Galiläa, Sohn des Antipater Hyrkanos II. und einer arabischen Fürstentochter, der kurz zuvor vom römischen Senat als »verbündeter König« (»rex socius«), faktisch als römischer Vasallenkönig von Judäa eingesetzt worden war: **Herodes**, später ebenfalls **der Große** genannt[69]. Dieser erobert im Jahre 37 mit römischer Hilfe Jerusalem und errichtet, ver-schlagen, grausam und zielbewußt, wie er war, ein zwar von Rom abhängiges (unmittelbar dem Senat unterstelltes), aber doch relativ selbständiges Staatswesen, das nicht weniger groß war als das Hasmonäerreich.

Obwohl Herodes sich in Jerusalem betont judäisch gab, den jüdischen Kult nicht antastete und das Diaspora-Judentum unterstützte, obwohl er Jerusalem und den Tempel glanzvoll ausbaute und der Stadt wie dem ganzen Land durch die Pax Romana Frieden und Wohlergehen sicherte, war er beim Volk und besonders bei den Strenggläubigen zutiefst verhaßt. Als König war er geradezu das **Gegenbild des großen David**. Warum? Nicht nur weil er, der Mischling und Römling, überall hellenistische Paläste, Tempel und Städte neu baute oder ausbaute (»Samaria« etwa wurde zu Ehren des Augustus »Sebaste« = »Augusta« = »Kaiserstadt«). Nicht nur weil er den Kaiserkult förderte und zahlreiche Festungen – Zeichen seiner Schreckensherrschaft – baute oder erneuerte (die Zitadelle von Jerusalem, Machärus und Masada am Toten Meer). Sondern auch, weil er Hohepriester nach Belieben manipulierte, die Trennung von Staat und Religion begünstigte, jegliche Opposition im Keim gewaltsam erstickte und in der Hasmonäerfamilie wie in seiner eigenen alle potentiellen Nachfolger (aus insgesamt acht Ehen) schon auf Verdacht hin umbrachte: so seine zweite Frau Mariamne, Großnichte des Hohepriesters Hyrkanos, diesen selbst im Alter von achtzig Jahren und drei seiner eigenen Söhne, den dritten sogar wenige Tage vor seinem eigenen Tod. Dies alles bildet den Hintergrund der neutestamentlichen Legende vom betlehemitischen Kindermord (auf Befehl des Herodes ausgeführt) im Evangelium des Mattäus, aber auch den Stoff für große Dramatiker der Weltliteratur von Hans Sachs und Calderon über Voltaire bis zu Friedrich Hebbel …

Seit der Hasmonäerzeit wird die innenpolitische Auseinandersetzung in Judäa hauptsächlich vom Kampf zwischen der reichen und mit der römischen Besatzungsmacht kollaborierenden hellenisierten Oberschicht der **Sadduzäer** und den antigriechischen, am Leben unter dem Gesetz, an »Gerechtigkeit« und Gericht interessierten Frommen, den **Pharisäern**, bestimmt, die jetzt immer mehr Zulauf aus dem Volk bekommen. Keine Frage: Unter der religiös toleranten römischen Oberhoheit hatte sich das theokratische Paradigma noch mehr verfestigt und war **zu einer Art Kirchenstaat** geworden – erneut mit dem **Tempel** als ökonomisch-politisch-religiösem Zentrum[70].

Selbst Herodes und seine Nachfolger (Kaiser Augustus hat das hero-
dianische Reich nach dessen Tod 4 v. Chr. unter dessen drei jüngere
Söhne aufgeteilt), aber auch die römischen Gouverneure (Prokuratoren) mit Sitz in Caesarea maris (darunter der bekannte Pontius Pilatus
26-36 n. Chr.) respektierten im allgemeinen dieses theokratische
Macht- und Herrschaftsgefüge der **priesterlichen Hierarchie**, das die
Juden als von Gott selbst, dem obersten Herrn, legitimiert ansahen.
Religion, Rechtsprechung, Verwaltung und in beschränktem Ausmaß
auch die Politik sind hier unlösbar ineinander verwoben. Zentrales
Regierungs-, Verwaltungs und Gerichtsorgan, zuständig für alle religiösen und zivilrechtlichen Angelegenheiten, ist nicht ein jüdischer
König, sondern der **Hohe Rat** zu Jerusalem, griechisch Synhedrion (=
»Versammlung«, davon aramäisch »Sanhedrin«) mit dem Hohepries-
ster an der Spitze. In ihm sind die herrschenden Schichten des Landes
vertreten: neben den sadduzäischen Priestern und Aristokraten vor
allem die »Schriftgelehrten« (Theologen-Juristen) sowohl der saddu-
zäisch-priesterlichen wie der pharisäisch-volkstümlichen Richtung,
genau 70 Mann unter dem Vorsitz des Hohepriesters, der, wiewohl
völlig von König und Besatzungsmacht abhängig, noch immer als der
höchste Repräsentant des jüdischen Volkes gilt. In diesem Volk jedoch sind – offen oder im geheimen – noch ganz andere Erwartungen
verbreitet als im hierarchischen Establishment.

8. Die Apokalyptiker als Warner und Deuter der Zeit

Unter dem Druck der Ereignisse kommt es am Rand des theokratischen Paradigmas in Kreisen der »Chasidim« zu einer neuartigen
Interpretation der Geschichte, kommt es zu einer Literatur der »Apokalyptik« (= »Ent-hüllung«, »Offenbarung«), welche die frühere endzeitliche, eschatologische Hoffnung wieder aufgreift. Jetzt vor allem in
der Form von Weissagungen, Testamenten, Träumen und Visionen,
in reicher Bildersprache und in Zahlenspekulationen, gibt sie vor, die
göttlichen Geheimnisse und vor allem die Zukunft »enthüllen« zu
können. Und was wird da enthüllt[71]?
    Es war schon in der Krise der Makkabäerzeit gewesen, daß da Apo-
kalyptiker als Warner und Deuter der Zeit, als Visionäre, Seher und
Träumer an die Stelle der Propheten und Weisen getreten waren.

Und es war das **Danielbuch**, in dem die apokalyptische Verkündigung – nach mehreren Vorstufen in der prophetischen Literatur – ihre volle Ausgestaltung erhalten hatte. Ein Buch des Propheten Daniel? Heute ist erwiesen: Das Danielbuch konnte wegen seiner Sprache, seiner Theologie (die spätere Engeltheologie) und seiner uneinheitlichen Komposition auf keinen Fall vom Seher am babylonischen Hof des 6. Jahrhunderts v. Chr. stammen. Sein Autor stammt vielmehr aus dem 2. Jahrhundert, versteckt sich hinter des Maske des Daniel und schreibt in der Zeit jenes brutalen Hellenisierers Antiochos' IV. Epiphanes. Im jüdischen Kanon wird es denn auch nicht unter den »Propheten«, sondern unter den »Schriften« aufgeführt.

Das Danielbuch stellt eine andere, eine weniger politische als **theologische Form der Reaktion** auf die politische Repression und den jüdisch-hellenistischen Kulturkampf dar. Dieser erforderte ja nun doch vor allem eine neue Antwort auf den Sinn der Geschichte: »Dieser außerordentlich aggressive Expansionsdrang der Seleukiden nach Süden, verbunden mit den Verlockungen der hellenistischen Weltkultur, die in Jerusalem bei Kapital, Klerisei und Aristokratie zu massenhafter, wenn auch oft kaschierter Apostasie führte – bis hin zur Abschaffung der Tora –, bewirkte eine derartige äußere und innere Grundlagenkrise in frommen Kreisen des Judentums, daß jene völlig veränderte Geschichtstheologie entstand, die wir Apokalyptik nennen.«[72] Diese veränderte Geschichtstheologie, oft verbunden mit der Erwartung einer kosmischen Endkatastrophe und dem Kommen des Gottesreiches, hatte – was die spätere Wirkungsgeschichte betrifft – zwei schwerwiegende Folgen.

Zum einen kommt es erstmals in der Geschichte des jüdischen Volkes zum Glauben an eine **individuelle Totenauferweckung**. Begreiflich, denn angesichts einer solchen Verfolgungszeit – für den Verfasser des Danielbuches geradezu eine Notzeit, wo Männer, Frauen und Kinder wegen ihres Festhaltens am Gesetz grausam gefoltert werden – stellt sich das alte Problem der gerechten Vergeltung viel schärfer als Generationen zuvor. Neue Fragen brechen auf – andere als zur Zeit der Ptolemäer und jenes Kohelet, der in seiner melancholischen Diesseitsfreudigkeit (genieße das Leben, solange es Zeit ist!) weit entfernt ist von der herkömmlichen Vergeltungstheologie der Weisheitsliteratur, aber auch ebenso weit entfernt von jeglicher freudigen Jenseitshoffnung. Jetzt mußten angesichts der Glaubenstreue vieler

Märtyrer – man hatte sie vor die Irrsinnsalternative Abfall oder Tod gestellt – unüberhörbar neue Fragen aufbrechen: Was kann der Sinn des Märtyrertodes sein, wenn die Glaubenstreuen eine Entschädigung nicht mehr erhalten? Weder im diesseitigen Leben: sie sind ja schon tot! Noch im jenseitigen Leben: das kennt ja nur eine Schattenexistenz! Wo bleibt da der gerechte Gott mit seiner Gerechtigkeit – gerade für die Allergerechtesten?

Die Antwort des Apokalyptikers Daniel: Dieser Notzeit wird die Endzeit folgen – jetzt! Israel wird gerettet werden und – das ist das Neue – die Toten werden auferstehen, und zwar die Glaubenszeugen wie ihre Verfolger. Die Toten, die im »Staubland« geschlafen haben, werden erwachen. Als ganze Menschen (und nicht etwa nur platonisch als »Seelen«) werden sie zurückkommen ins Leben, in dieses diesseitige Dasein, das nun aber ewig, endlos dauern wird: für die Weisen in der Form ewigen Lichtes, für die anderen in der Form – und auch dies wird nicht ausgemalt – ewiger Schmach: »Die Weisen aber werden leuchten wie der Glanz der Himmelsfeste und, die viele zur Gerechtigkeit geführt, wie die Sterne immer und ewig.«[73] Man sollte sich diese Stelle merken: Dieser Danieltext ist die älteste, ja, die **einzige unumstrittene Belegstelle für eine Auferweckung von den Toten** in der ganzen Hebräischen Bibel! Außerhalb freilich des hebräischen Kanons, in der griechischen Septuaginta, finden sich weitere Zeugnisse dieser so spät aufgebrochenen Auferweckungshoffnung, besonders im 2. Makkabäerbuch, das die ältesten jüdischen Märtyrerberichte enthält, die zum Vorbild für die christlichen Märtyrerakten wurden. Und so wird denn der Auferweckungsglaube in den anderthalb Jahrhunderten vor Christus zu einem Haupttraktandum des Judentums.

Eine **zweite Entwicklung** ist genauso wichtig. Angesichts der total verfahrenen Geschichte hatte die traditionelle **Messiaserwartung** im jüdischen Volk an Überzeugungskraft eingebüßt: jenes Kommen eines »Sohnes Davids« – und zwar aus der Geschichte selbst heraus. Nein, für die apokalyptischen Kreise Palästinas war es zur Überzeugung geworden: Helfen kann jetzt nur noch Gottes Gesandter direkt aus dem Himmel, ein anderer, bei Gott verborgen gehaltener, ein präexistenter Heilbringer. Und so fehlt denn auffälligerweise der davidische Messias in manchen apokalyptischen Schriften völlig. An die Stelle des davidischen irdischen Messias ist die präexistente und transzendente Richter- und Rettergestalt des **Menschensohnes** getreten; und erst später kommt es in Palästina zu einer Verschmelzung des Menschensohnes mit der traditionellen Messiasfigur[74].

In diese, weithin von der Apokalyptik geprägten Zeit, ist, von der großen Welt kaum bemerkt und in ihren Chroniken nicht verzeichnet, jener Jude hineingeboren, der für Judentum und Christentum zum Schicksal werden sollte: **Jesus von Nazaret**, der »Menschensohn« genannt, der schon zu Lebzeiten heftig umstritten war und von dessen Auferweckung zu neuem Leben nach gewaltsamem Tod eine kleine, aber rasch wachsende Gruppe von Juden fest überzeugt war.

Wir werden später in diesem Buch mehr davon hören. Hier wollen wir die Geschichte des jüdischen Volkes weitererzählen, und sie ist angesichts einer neuen Zeitenwende spannend genug.

9. Der Untergang Jerusalems und das Ende der Theokratie

In der Tat: Völlig unabhängig von der Hinrichtung des Nazareners um das Jahr 30 n. Chr. – den die Römer als irgendeinen der zahlreichen jüdischen Unruhestifter liquidierten – hatte sich die politisch-religiöse Krise des Judentums in den folgenden Jahrzehnten auf dramatische Weise zugespitzt. Jüdische Freiheitskämpfer vor allem in Galiläa und Stadtguerillas in Jerusalem, Zeloten (»Eiferer«) und Sikarier (»Dolchmänner«), hatten schon des längeren Anschläge auf die römische Besatzungsmacht durchgeführt, die von ausbeuterischen, unsensiblen und politisch unfähigen Prokuratoren repräsentiert wurde, welche sich einige recht unkluge religiöse Übergriffe gestatteten[75].

Zum großen Aufstand gegen die römische Weltmacht kam es aber erst rund 40 Jahre nach Jesu Tod in den Jahren 66-70 unserer Zeitrechnung. Wir sind über den Ablauf der Ereignisse gut unterrichtet, denn der jüdische Schriftsteller Flavius Josephus, in Galiläa selber am Aufstand beteiligt, nachher aber von den Flavier-Kaisern protegiert, hat die schließlich atemberaubenden Ereignisse in seinem Buch »Über den jüdischen Krieg« im Detail, wenn auch im ganzen tendenziös (antizelotisch und romfreundlich) beschrieben. Und doch ging es damals nicht nur, wie Josephus zur Entlastung des jüdischen Volkes suggeriert, um die Verschwörung einer einzelnen revolutionären Gruppe oder Partei, die dann immer größeren Umfang annahm.

Nein, in den 50er und 60er Jahren bahnte sich eine allgemeine politische, soziale und religiöse Konfrontation an[76.] Die Folge war ein **nationaler Volkskrieg** gegen Roms Herrschaft, der aber zugleich ein **sozialer Klassenkampf** gegen das romfreundliche reiche aristokratische Establishment war und der gerade so zutiefst auch einen **religiösen Kampf** darstellte: Als auserwähltes Volk glaubten die Juden Anrecht auf politische Freiheit zu haben, und die erneuerte Treue zu den nationalen religiösen Institutionen – Eifer für Tempel und Gesetz – schien ihnen den Sieg mit Hilfe ihres Gottes zu garantieren. Hier die wichtigsten Daten, bezüglich deren die Historiker übereinstimmen:

66 n. Chr.: Provokation des Gouverneurs Gessius Florus, Ausschreitungen in Cäsarea und Jerusalem, Eroberung des Tempelplatzes und der Burg Antonia durch Eleasar, den Sohn des Hohepriesters, der selber nachher umgebracht wurde (sein Palast wird wie der der Hasmonäer niedergebrannt); erfolglose Intervention des römischen Statthalters von Syrien in Jerusalem; Kriegsvorbereitungen auf beiden Seiten.

67: Auf Befehl Kaiser Neros langsame Rückeroberung des Landes unter dem Kommando des Generals Flavius Vespasianus und dessen Sohn Titus – die späteren Kaiser und Protektoren des »Flavius« Josephus; es kommt zu bürgerkriegsähnlichen Auseinandersetzungen in Jerusalem; die christliche Urgemeinde wandert (bestimmten Überlieferungen zufolge) von Jerusalem nach Pella im Ostjordanland aus.

68: Tod Neros und Einkreisung Jerusalems durch Vespasian, der, als er im folgenden Jahr zur Belagerung ansetzt, von den orientalischen Legionen zum Kaiser ausgerufen, das Kommando seinem Sohn Titus übergibt und nach Rom eilt.

70: Am Anfang des Jahres Beginn des Sturms auf die Stadt Jerusalem, aber monatelanger heftiger jüdischer Widerstand um jedes Haus; im August Brand des Tempels und im September schließlich Eroberung der Zitadelle und der Oberstadt, riesiges Blutbad, Plünderung und weithin Zerstörung der Stadt.

71: Triumphzug des Titus in Rom, mitgeführt als Siegesbeute die Menora, der siebenarmige Leuchter aus dem Tempel, abgebildet auf dem Triumphbogen des Titus auf dem Forum Romanum (das Original ist seit dem Vandalensturm auf Rom 455 verschollen).

74: Erst jetzt Eroberung der lange belagerten und völlig ausgehungerten Festung Masada, nachdem sich die ganze 960köpfige zelotische

Besatzung (zwei Frauen und fünf Kinder ausgenommen) selbst den Tod gegeben hatte. Masada, das lange vergessen war, in unserer Zeit aber identifiziert und freigelegt wurde und bei dem die gewaltige römische Belagerungsrampe noch zu sehen ist[77], ist heute ein Monument des jüdischen Staates, neuerdings Zeichen für jüdische Tapferkeit bis in den Tod. Für die Juden damals eine sinnlose Katastrophe sondergleichen. Denn nicht zu vergessen: insgesamt rund ein Viertel der jüdischen Bevölkerung Palästinas – nach Josephus und Tacitus rund 600 000 Menschen – dürfte im ersten jüdisch-römischen Krieg umgekommen sein.

Einige Jahrzehnte später, 132-135, erfolgt gegen alle Warnsignale nochmals ein zweiter, messianisch orientierter, hoffnungsloser und allerletzter jüdischer Aufstand gegen die Römer, über den wir jedoch wenig wissen[78]. Angeführt war er von einem Simeon ben Koseba, der von Rabbi Akiba, dem einflußreichsten Lehrer seiner Zeit, mit dem Titel Bar Kokeba (= »Kochba« = »Sternensohn«) als Messias begrüßt, von anderen dann jedoch (im Talmud bezeugt) mit Bar Koziba (= »Lügensohn«) als Volksverführer beschimpft wurde[79]. Dieser Aufstand, von den Römern ganz methodisch erneut niedergeschlagen, führt nach der Eroberung von fünfzig Festungen und rund tausend befestigten Ortschaften zur Endkatastrophe. Bar Kochba fällt im Kampf, Rabbi Akiba, das »Schema« rezitierend, erleidet das Martyrium. Rund 850 000 Opfer soll dieser zweite Krieg gekostet haben. Wer unter den Anhängern Bar Kochbas nicht niedergemetzelt wird, wird als Sklave verkauft. Das alte Jerusalem wird völlig zerstört. Und beinahe noch schlimmer: Nach Kriegsende kommt es zum Bau einer völlig neuen, total hellenisierten Stadt. Selbst ihr Name ist neu: Colonia Aelia Capitolina. Jerusalem – eine römische Kolonie, mit einem Heiligtum des Jupiter Capitolinus, der Juno und Minerva. Unter Todesstrafe wird das Betreten der Stadt allen Beschnittenen verboten.

Das war ein epochaler Bruch: Kaum ein zweites Ereignis hatte einen derart nachhaltigen Einfluß auf Geschichte und Selbstverständnis des Judentums wie der Verlust Jerusalems und des Zweiten Tempels. War das nicht das endgültige Ende der heiligen Stadt Israels? In all den folgenden Jahrhunderten wurde der Bar-Kochba-Aufstand als eine kostspielige und sinnlose Katastrophe angesehen – bis er fast zweitausend Jahre später, nach dem Sechs-Tage-Krieg und der Rückeroberung Jerusalems, ziemlich unvermittelt als ein heroischer Akt verherrlicht werden sollte. Ob aber das, was man in Israel das Bar-Kochba-Syndrom genannt hat, nicht eine erneute Gefährdung des jüdischen Volkes und Staates statt des Friedens zur Folge haben könnte?

Es ist nun 19 Jahrhunderte her, daß römische Truppen Stadt und Tempel dem Erdboden gleichgemacht haben. Und die Stadt Abrahams, der dort dem Priester Melchisedek begegnet sein und seinen Sohn Isaak auf Gottes Befehl hin gebunden haben soll, die Stadt Davids und Salomos, die Stadt der Hasmonäer und Herodianer, ist unterdessen in einer wiederum langen und wechselhaften Geschichte zur heiligen Stadt **dreier Weltreligionen** geworden. Aber Jerusalem, die nach jüdischer Volksetymologie die »**Stadt des Friedens**« sein sollte, ist zu einer **Stadt des Unfriedens** geworden.

Es läßt sich nicht übersehen: Jede der drei abrahamischen Religionen macht begründeterweise Rechte auf Jerusalem geltend. Aber zugleich will jede die Rechte der jeweils anderen beiden nicht zur Kenntnis nehmen. Und so bilden denn heute die kaum 15 Hektar (35 Acres) des Tempelplatzes das umstrittenste Stück Land dieser Erde, auf dem schon der geringste Übergriff, wie sich in unseren Tagen zeigte, blutige Folgen hat. Doch viele fragen: Gehört ein **Tempel** wesentlich zum Judentum, oder gehört er nur (wie das Königtum) zu gewissen begrenzten epochalen Konstellationen? Gehört er zur Glaubenssubstanz des Judentums oder nur zu einem bestimmten Paradigma? Höchst verschieden und uneinheitlich sind diesbezüglich die politischen Positionen und Strategien aller drei abrahamischen Religionen:

– Nicht wenige **Juden** möchten den Tempel wieder aufgebaut sehen, sie beten dafür dreimal am Tag, bauen bereits ein Modell, sammeln Geld und bilden schon Priester aus.

Allerdings: Der Großteil der heutigen Juden will keinen Wiederaufbau des Tempels, will erst recht nicht – was die Folge wäre – die Wiederaufnahme der blutigen Tieropfer.

– Auch einige **Christen** wünschen den Wiederaufbau des Tempels, aber nur, weil dies für sie ein Vorzeichen der Wiederkunft Christi wäre.

Allerdings: Der Großteil der Christen gibt sich mit deren eigenen Kultstätten zufrieden und wünscht keinen Wiederaufbau des Tempels, was – und das wäre leicht die Folge – zu einer Konfrontation mit Juden führen könnte.

– Nicht wenige **Muslime** wollen Felsendom und Moschee auf dem

Tempelplatz bis zum letzten Blutstropfen verteidigen, um den Wiederaufbau des Tempels zu verhindern.

Allerdings: Der Großteil der Muslime möchte um den »heiligen Felsen« keinen neuen Krieg führen.

Dies ist die vieldeutige und reichlich gefährliche Situation, und nur eines ist sicher: Es wird bestimmt keinen wirklichen Frieden zwischen Juden, Christen und Muslimen geben, wenn man nicht bezüglich Jerusalem und seines Tempelberges eine Weise friedlichen Zusammenlebens findet. Dazu werde ich im dritten Hauptteil einige konkrete praktische Vorschläge machen. Hier zunächst nur einige wegweisende Fragen.

Fragen für die Zukunft

Für die **Juden** wird Jerusalem als die Stadt Davids religiöses Zentrum und Stadt ihrer Sehnsucht bleiben und der Tempelberg Ort des Ersten, Zweiten (und möglicherweise auch Dritten) Tempels.

Aber: Dürfen Juden vergessen, daß die Stadt anderthalb Jahrtausende unter christlicher und muslimischer Herrschaft stand und daß Jerusalem auch Christen und Muslimen eine heilige Stadt ist?

Für die **Christen** wird Jerusalem als die Stadt Jesu Christi und der Urgemeinde Mutter aller Kirchen des Erdkreises bleiben und der Tempelberg der Ort, wo Jesus gebetet, gewirkt und gepredigt hat.

Aber: Dürfen Christen vergessen, daß diese Stadt mehr als ein Jahrtausend eine israelitisch-jüdische Stadt war, daß sie auch den Muslimen viel bedeutet und daß sie als Christen ihre Hoffnung nicht auf das »irdische«, sondern auf das »himmlische« Jerusalem setzen sollen?

Für die **Muslime** wird Jerusalem als die Stadt Muhammads die nach Mekka und Medina heiligste Stadt bleiben und der Tempelberg der Ort der Entrückung des Propheten.

Aber: Dürfen Muslime vergessen, daß die Stadt Jerusalem zuerst 1700 Jahre eine Stadt der Juden und dann der Christen war, bevor sie eine muslimische Stadt wurde?

IV. Das rabbinisch-synagogale Paradigma des Mittelalters

Hätte das Judentum, überall im Imperium Romanum mit gebildeten Menschen stark vertreten, mit seiner großen Leitidee eines ethischen Monotheismus (das Christentum sollte sie später aufgreifen) in der hellenistischen Welt nicht eine große Zukunft haben können? Doch dafür waren jetzt alle Chancen vertan. Denn welch eine Wandlung hatten – aus der hellenistischen Krise hervorgegangen – die jüdisch-römischen Kriege gebracht! Jedenfalls eine noch schärfere Zäsur als das Babylonische Exil. Nicht nur eine Verarmung der Bevölkerung, Enteignung des Bodens und Vernichtung des Baumbestandes und so längerfristig eine Veränderung des Klimas. Nein, ganze Gruppen des Volkes waren jetzt so gut wie ausgelöscht worden:

– Vorbei war es mit den Radikalen politischer (revolutionär-zelotischer) und apolitischer (essenisch-ordensmäßiger) Couleur, die der Krieg hinweggefegt hatte.

– Vorbei war es mit dem König, der Hoffnung auf einen baldigen messianischen Befreier; vorbei mit der heiligen Stadt Jerusalem, die nun für fast zwei Jahrtausende aufgehört hatte, politisches Zentrum des jüdischen Volkes zu sein.

– Vorbei war es mit dem Tempel, der Priesterschaft, der Tempelliturgie, den Tieropfern, ja, einem ganzen Kult- und Gesetzessystem, das an den Tempel gebunden war, ohne die geringste Hoffnung, daß dieser in absehbarer Zeit wieder aufgebaut und der Kult wieder aufgenommen werden könnte.

– Fazit: Definitiv zusammengebrochen war nicht mehr und nicht weniger als das theokratische Paradigma, das so wohl etabliert schien. Ein grundlegenden Paradigmenwechsel bahnte sich an.

1. Die neue pharisäisch-rabbinische Lebensform

Unter Todesstrafe war das Betreten der Stadt allen Beschnittenen (Judenchristen eingeschlossen) verboten worden, ja zunächst war es sogar zu einer eigentlichen Religionsunterdrückung gekommen: Verbot der Beschneidung, der Sabbatfeier, der Ordination von Gesetzeslehrern, des öffentlichen Tora-Unterrichts und der Proselytenmacherei. Erst als in Palästina der revolutionäre Wille der Juden erkennbar gebrochen war, wurden die judenfeindlichen Dekrete revidiert oder nicht mehr urgiert. Keine Frage: Die jüdische Religion war zu einer Diasporareligion im eigenen Land geworden. Aber das war – wer wundert sich noch? – keineswegs ihr Ende!

Und wer sorgte für die **Kontinuität** zwischen dem theokratischen und dem tempellosen Israel, zwischen dem biblischen und dem nachbiblischen Judentum? Das **Pharisäertum!** Von den großen innerjüdischen Parteiungen hatten schließlich und endlich – wenn man hier von der später zu behandelnden jüdisch-christlichen Bewegung absieht – nur diese Vertreter jener frühen moralischen Erneuerungsbewegung überlebt, die (meist Laien und unter dem Volk zerstreut) sich die »Abgesonderten« (»Frommen«), eben »Pharisäer« nannten. Wie kam es dazu?

Schon während des ersten jüdisch-römischen Krieges war Jochanan ben Sakkai, Mitglied des Synhedrions und Repräsentant der gemäßigten Pharisäer, die beim Krieg gegen die Weltmacht Rom von vornherein nur halbherzig dabei waren, in einem Sarg aus dem belagerten Jerusalem geschmuggelt worden und hatte sich den Römern gestellt. Diese gestatteten ihm, in **Jawne** (griech: Jamnia, am Meer bei Jaffa) ein Lehrhaus (»Bet Midrasch«) zu eröffnen, das nach der Zerstörung Jerusalems zum Zentrum einer kleinen Gelehrtenversammlung wurde, das Rabbinen ausbildete, alljährlich den jüdischen Kalender berechnete und allmählich mit Zustimmung der Römer auch einige richterliche Funktionen des Jerusalemer Synhedrions übernahm. Nein, **nicht** das bald vergessene **Masada**, der Ort der Krieger und der gewaltsamen Selbstabschlachtung blieb nun durch die Jahrhunderte bis zur Neugründung des Staates Israel das Symbol jüdischen Überlebens und jüdischer Wiedergeburt, sondern die Lehrakademie in Jawne, diese Stätte der Gelehrten, die nach dem Bar-Kochba-Aufstand dann nach Galiläa verlegt wurde. Statt den Krieg zu legitimieren (wie »gerecht« er auch sei), vertrat man unter Rabbinen jetzt das Prinzip der Gewaltlosigkeit.

In der Tat: Es waren die Pharisäer, die schon bisher in ihrem Alltag, in ihrer Familie und in ihrem Dorf dieselbe rituelle Reinheit praktiziert hatten wie die Priester im Tempel (nicht nur der Tempel, das ganze Volk und das ganze Land soll heilig sein!), die nach des Tempels Zerstörung die besten Voraussetzungen mitbrachten, das Erbe der

Priester anzutreten und dem Judentum ein geistiges Überleben zu ermöglichen. Freilich: Der bald wieder aus 70, meist armen pharisäischen Rabbinen bestehende neue »Große Sanhedrin« war in Befugnis und Bedeutung nur noch ein Schatten des alten. Nach Jochanans Rückzug ging die Führung in Jawne auf Gamaliël II. über, das Haupt des im antirömischen Aufstand sehr engagierten, ehrgeizigen Hauses Hillel. Ihm gelang es, die rivalisierende Schule des Hauses Schammai, die ihre eigene Gesetzesinterpretation hatte, auszuschalten (Exkommunikation des Rabbi Eliëser ben Hyrcanus) und überregionale Autorität zu erwerben. Erst recht nach dem zweiten Aufstand: Jetzt repräsentierte für Rom, das an einem Modus vivendi interessiert war, das jeweilige Haupt des Hauses Hillel das Judentum, so daß der Chef dieses Hauses schließlich auch über die von einem jeden Juden im Reich zu entrichtende ehemalige Tempelsteuer (jetzt eine Jahressteuer) verfügen konnte. Denn als Nasi (= »Fürst« = Patriarch) herrschte er zwar nicht über das Land, wohl aber als Ethnarch über das Volk (»ethnos«). Dies festigte die Position der gedemütigten Juden nach außen, machte nun aber zugleich das gemäßigte **Pharisäertum** (im Geiste Hillels) zum maßgebenden, **normativen Judentum** schlechthin. Ein Prozeß der Uniformierung der Gesetzesauslegung und der Reduzierung der Vielfalt der Positionen begann.

Was also war den Juden, die sich in Palästina jetzt vorwiegend von Landwirtschaft, Handwerkertum und Seidenhandel ernährten, geistig noch geblieben unmittelbar nach dieser nationalen Katastrophe? Jedenfalls keine neue Geschichtsschreibung mehr, keine neuen Psalmen und Dichtungen, kaum noch apokalyptische Visionen, keine Weisheitsliteratur und keine religiöse Philosophie, wie sie der große Alexandriner Philon, ein Zeitgenosse Jesu, vorexerziert hatte. Statt dessen, zunächst jedenfalls, fast nur noch – das Gesetz und die Kommentare zum Gesetz! Geblieben waren die **Schrift** (die Fünf Bücher Mose, die Tora, vor allem), die **Schriftgelehrten** und die **Synagoge**. Sie aber sollten nun – nach dem Untergang Jerusalems und seines Tempels – einen völlig **neuen Stellenwert** erhalten:

• Die Schrift? Die Torarollen nehmen jetzt die Stelle des Altars ein, und das Torastudium – zusammen mit Gebet und guten Werken – die Stelle des Tempelkults.

• Der Schriftgelehrte? Die Rabbinen treten jetzt die Nachfolge der Priesterkaste an; die durch gelehrte Ausbildung erworbene Rabbi-

würde ersetzt mehr und mehr die vererbliche Priester- und Leviten-
würde.
• Die Synagoge? Das lokale Versammlungs-, Gebet- und Gemeinde-
haus löst den Jerusalemer Tempel ab.

All diese Faktoren erlauben es, jetzt von einem neuen, vierten Paradigma zu sprechen: dem **rabbinisch-synagogalen Paradigma** (Paradigma
IV = P IV). Freilich gilt auch hier: Unerschütterlich hielt man nach
wie vor an der religiösen Mitte, der zentralen Aussage, der **Substanz
des israelitisch-jüdischen Glaubens** fest: Jahwe bleibt der Gott Israels
und Israel sein Volk. Und auch der Bezug des nun über die Erde hin
zerstreuten Judenvolkes zum verheißenen **Land** – mochten dort zeitweise auch noch so wenige Juden leben – ging durch alle die Jahrhunderte hin nie verloren. Doch was heißt rabbinisch-synagogales Paradigma konkret?

a) **Rabbinisch** meint: Anstelle der Priesterschaft werden jetzt in einer
längeren Entwicklung die »Rabbinen«, die »Schriftgelehrten«, zur
beherrschenden Macht, und zwar nun exklusiv diejenigen der pharisäischen Richtung. Im vorausgegangenen Paradigma hatten die
Schriftgelehrten bestenfalls eine untergeordnete Rolle gespielt. »Rabbi« war zur Zeit Jesu offensichtlich eine ehrenvolle Anrede für die
Kenner und Lehrer der Tora, aber noch kein exklusiver Titel für eine
bestimmte Gruppe oder Kaste, die ausgebildeten und ordinierten
Lehrer[1].
    Was aber sind jetzt im 2./3. Jahrhundert die Rabbinen? Wie eh und
je sind sie »Lehrer des Gesetzes«, also von Haus aus weder Priester
noch Gemeindeleiter noch Seelsorger noch Heilsmittler, sondern
besonders ausgebildete (und in Palästina lange Zeit auch ordinierte)
Kenner und Deuter des allumfassenden religiösen Rechtes. Gewiß:
Vielfach betätigen sich die Rabbinen zugleich auch als Landwirte,
Handwerker oder Handelsleute, soweit sie nicht vom Patriarchen,
dem Gelehrtenfürsten, dem »Nasi« besoldet werden. Doch langsam
werden sie zu einer neuen sozialen Schicht, die ihre Autorität über die
Gemeinde (vor allem auf dem Weg über die innerjüdischen Gerichte)
zu institutionalisieren sucht: immer mehr eine Gelehrtenkaste mit oft
ganzen Gelehrtendynastien, die sich von jenem gemeinen Volk (»am
ha-arez« = »Landvolk«), welches das Gesetz, alle die ungezählten Rei-

nigungs-, Speise- und Fastenvorschriften im Alltag nicht halten kann oder will, abgehoben weiß. Die Rabbinen also anstelle der Priester jetzt zuoberst auf der sozialen Leiter, aber doch keine mönchische Bildungselite, zölibatär vom Volk abgekapselt wie im Christentum. Vielmehr sind sie in Familie und Beruf engagierte Experten des Rechts, die im Grunde jeden Juden ebenfalls zu einem Gesetzeskundigen zu machen trachten. Der **Rabbi wird** nun zu **Norm und Modell!** Und wie der christliche Bischof und Priester in nachbiblischer Zeit seiner Gemeinde als ein »zweiter Christus« erscheinen will, so der Rabbi jetzt als so etwas wie eine inkarnierte Tora.

b) **Synagogal** meint: Anstelle des Tempels erhält nun die überall im Judentum sich findende »Synagoge« eine entscheidende Bedeutung. Das griechische Wort meint sowohl die Versammlung wie die Gemeinde und das Versammlungsgebäude. Als religiöses Zentrum einer jüdischen Ortsgemeinde stellt die Synagoge eine revolutionäre Entwicklung in der Geschichte der Religionen überhaupt dar – Vorbild dann auch für christliche Kirchen und islamische Moscheen. Ihr Ursprung – in der altjüdischen Tradition auf Mose zurückgeführt – ist aller Wahrscheinlichkeit nach exilisch. Früheste sichere archäologische wie sprachliche Belege für Israel selbst liegen jedenfalls erst für das erste nachchristliche Jahrhundert vor.

Zweifellos hat auch die Synagoge durch den Untergang des Zentralheiligtums, des Zweiten Tempels, eine ungeheure Aufwertung erfahren. Seither gibt es Synagogen nicht nur von Galiläa bis Gaza[2], sondern im ganzen römischen Reich, für gottesdienstliche und nichtgottesdienstliche Versammlungen. In diesen Synagogen wird nun gemeinsam gebetet, wird die Tora systematisch gelesen und gelehrt, wird sie mit Erzählungen und Gesetzesinterpretationen kommentiert und diskutiert. Hier entwickelt sich jetzt die typisch rabbinische Auffassung, daß intensives **Schriftstudium**, regelmäßiges **Gebet** und gute **Werke Tempelkult und Opfer ersetzen** können: »Auf drei Dingen ruht die Welt: auf der Tora, auf dem Kult und auf der Ausübung von Liebeswerken.«[3] Die pharisäische Tradition sollte von Kindesbeinen an vor allem mit Hilfe von Kinderschulen allen Juden in Fleisch und Blut übergehen. Ja, Tora-Lernen und damit Lernen überhaupt wird zu einem lebenslangen Prozeß. Das Tora-Studium steht über der Teilnahme am Gemeindegottesdienst.

Religiös wie politisch steuern die Rabbinen einen klugen **Mittelkurs**: Religiös (ad intra) versuchten sie alle Lebensbereiche gesetzlich (»halachisch«) zu ordnen und zugleich die genaue Gesetzeserfüllung durch gemäßigte Interpretationen im Alltag einigermaßen erträglich zu machen. Hier haben sie ja alle Freiheit. Politisch (ad extra) aber arrangieren sie sich mit den Römern. Gewiß: Die Hoffnung auf ein messianisches Reich geben sie nie auf, aber sie **binden diese messianische Hoffnung an den strikten Gehorsam gegenüber dem Gesetz.**

Deshalb gilt: »Als die Leute glaubten, sie würden durch Studium der Tora und Halten der Gebote eine kritische Rolle für das Kommen des Messias spielen, war das Judentum, wie wir es seit beinahe zwei Jahrtausenden kennen, geboren. Als, weiter, Juden zur Überzeugung gelangt waren, die Figur des Rabbi umschließe alle drei – das Lernen, das Tun, die Hoffnung – hatte, das Judentum seine volle und bleibende Ausprägung gefunden. Auf diese Weise wurde das Judentum **rabbinisch**« – so der wohl beste Kenner dieses revolutionären Paradigmenwechsels, der amerikanische jüdische Gelehrte Jacob Neusner, der die Bedeutung dieses epochalen Umbruchs scharfsinniger als andere herausgearbeitet hat. Und in der Tat: »Der Rabbi als Modell und Autorität, die Tora als das hauptsächliche, alles Leben organisierende Grundsymbol, das Studium der Tora als die große religiöse Tat, das Leben nach einer religiösen Disziplin als der primäre Ausdruck dessen, was es bedeutet, Israel, das jüdische Volk zu sein«, alles also, was dann das Judentum für fast zwanzig Jahrhunderte unverwechselbar machen sollte: dies alles würde man im nachexilischen Theokratie-Paradigma, auch noch in der Makkabäerzeit und zu allermeist auch noch in der Zeit Jesu, vergebens suchen: »Judentum, wie wir es kennen, hat Gestalt angenommen vor und nach der Zerstörung des Tempels im Jahre 70 unserer Zeitrechnung, um ca. 600 war es voll ausgearbeitet.«[4]

Keine Frage: Mit Hilfe der Synagoge und ihrer Lehrer begann der Pharisäismus jetzt, eine **umfassende Lebensordnung** gegen alle Widerstände im Volk allgemein durchzusetzen. Zu diesem Zweck werden schon längst initiierte Neuerungen durch die Versammlung von Jawne formell sanktioniert, so daß sie bis heute im Judentum gesetzliche Geltung haben:
– die **Regulierung der Gebete** für Synagoge und Einzelne: Zwei Hauptgebete bis heute: morgens und abends das »Höre Israel« (»Sche-

ma Israel«), auch am Nachmittag das »Achtzehnbittengebet« (»Sche-mone Esre«): Hier in der 12. Benediktion die Verfluchung der Dissi-denten (»minim«) und Judenchristen (»nosrim«), auf die wir noch zu sprechen kommen werden. Später werden ergänzende Gebete für den synagogalen Gottesdienst kreiert (»pijutim«)[5];

– die definitive **Festlegung des Kanons der heiligen Schriften**: Fest-legung auf die 24 Bücher des hebräischen Tenach (so bis heute der Kanon auch der protestantischen Kirchen). Ausscheidung einerseits der in der griechisch-alexandrinischen Bibelübersetzung enthaltenen 7 sogenannten Apokryphen Baruch, Jesus Sirach, Tobit, Judit, 1. und 2. Makkabäerbuch, Weisheit Salomos (bis heute im Kanon der grie-chisch-orthodoxen und römisch-katholischen Kirche miteinbezogen), andererseits der (von niemandem aufgenommenen) Pseudoepigra-phen Henoch, Sibyllinen, Testamente der 12 Patriarchen usw. Festle-gung dann auch des bis heute gültigen Standardtextes der Hebräi-schen Bibel (erst im Mittelalter mit Hilfe von Vokalzeichen bis in die Aussprache hinein festgelegt).

Doch mit dem neuen Paradigma hatte sich auch das **kulturell-geistige Zentrum verlagert**: Denn nach der Zerstörung Jerusalems waren viele Gesetzeslehrer hauptsächlich ins wirtschaftlich florierende **Babylonien**[6] geflüchtet – alte Beziehungen dorthin bestanden ja nach wie vor. Und im Rahmen der dortigen jüdischen Selbstverwaltung unter einem mächtigen jüdischen Exilarchen angeblich davidischen Ursprungs, der mit dem palästinischen Patriarchen (nicht zuletzt im Hinblick auf den Seidenhandel von Fernost nach Syrien und Europa) zusammenarbeitete, entwickelte sich hier nun das rege Geistesleben eines im Grunde zwar noch immer palästinischen, aber doch weithin von hellenistischer Kultur geprägten Judentums. Im 3. Jahrhundert kommt es nach palästinischem Vorbild, um auch hier das Volk zum pharisäisch interpretierten Gesetzesgehorsam zu erziehen, zur Grün-dung von **rabbinischen hohen Schulen** – zuerst der von Sura in Süd-babylonien, dann der von Nehardea/Pumbedita bei Bagdad. Sie über-trafen bald die palästinischen an Bedeutung.

Babylonien hatte das gewonnen, was Palästina verloren hatte: mög-licherweise den zahlenmäßig-quantitativen, in jedem Fall aber den politischen wie geistig-kulturellen Primat. Das Übergewicht Babylo-niens – die Überreste der Synagoge von Dura Europos (zerstört 256 n. Chr.) am Euphrat mit einer Fülle von biblischen Fresken sind als einsames architektonisches Zeugnis übriggeblieben – zeigt sich deutlich beim Prozeß der nachbiblischen Überlieferung: weniger bei der Mischna, die in Palästina redigiert wurde, als später beim Talmud, bei dem sich gegen die palästinische die babylonische Überlieferung durchsetzte.

2. Die Entstehung der Orthopraxie: Mischna und Talmud

Wie jedes frühere, so war natürlich auch dieses neue Paradigma im alten vorbereitet worden. War die jüdische Religion doch schon – wie wir hörten – in der nachexilischen Zeit immer mehr zu einer Buchreligion geworden. Nach der nationalen Katastrophe 135 jedoch, nach dem endgültigen Verlust sowohl des Königtums wie des Tempels und des Priestertums, wurde jetzt erst recht die **Tora** – ursprüngliches Zeugnis von Gottes Walten für Israel und ursprüngliche Offenbarung seines Willens – zur **einzigen Grundlage** des Verhältnisses zu Gott. Jüdische Frömmigkeit ist jetzt ganz und gar **Tora-Frömmigkeit**, und zwar in ihrer **pharisäischen** Ausgestaltung. Es geht um einen allumfassenden »**Prozeß der Rabbinisierung**«: »das Wieder-Lesen (rereading, re-lecture) von allem und jedem im Kontext des Systems des Rabbi«[7]. Wie nie zuvor wird das Buch ausschließlich zu einer selbständigen Autorität: Norm zugleich für die Zugehörigkeit zum auserwählten Volk, für das Wohlwollen Gottes und das Wohlergehen des Menschen. Das Buch – Quell des Lebens für ein immer mehr über die Welt zerstreutes Volk. Jüdisches Leben, wo immer, muß heißen: Leben unter der Tora. Eine umfassende Ritualisierung des alltäglichen Lebens war die Folge.

Denn schon für die Pharisäer (in scharfem Gegensatz zu den Sadduzäern des Tempels) war es wichtig gewesen: Neben der schriftlichen gibt es – was früher gar nicht bekannt war – noch eine »**mündliche Tora**«, welche die Auslegungen der schriftlichen Tora (samt all der verschiedenen rabbinischen Lehrmeinungen zu den einzelnen Geboten und Verboten) wiedergibt. Diese »Überlieferungen der Väter« waren in der ersten Phase nie schriftlich niedergelegt, sondern mündlich weitergegeben, immer mehr allerdings durch spezialisierte »Überlieferer« auswendig gelernt worden; später jedoch wurden sie, zuerst privat und dann ganz offiziell, aufgeschrieben. Dieser nun ungeheuer anwachsende, immer komplexere **Kommentierungsprozeß** der Tora erstreckt sich über mehr als ein halbes Jahrtausend und findet in **zwei Phasen** seinen Höhepunkt und Abschluß. Davon muß, wie wir sehen werden, aus durchaus aktuellem Interesse kurz die Rede sein[8].

Phase 1: Mischna[9]: Schon um 200 n.Chr., heißt es, hatte der Patriarch Jehuda ha–Nasi eine (zumindest teilweise auf die Pharisäer zurückgehende) verbindliche Auswahl der »mündlichen Tora« zusammengestellt: die »Mischna« (hebr.: »Wiederholung«, »Lehre«), die das gesamte Religionsgesetz der mündlichen Tradition, die **Halacha**, umfaßt (die nichtgesetzlich-erbaulichen Texte der Mischna sind unwichtig). Ob der Patriarch Jehuda, der wohl mit einem ganzen Team arbeitete, mit der Mischna eine Quellensammlung der halachischen Tradition oder ein Lehrbuch für den Unterricht (bzw. die Lehrer) oder einen eigentlichen Gesetzeskodex für das Gericht schaffen wollte? Jedenfalls ging es ihm »um die Weitergabe der Tradition, die für ihn selbstverständlich zugleich Gesetz« war, und spätestens fünfzig bis hundert Jahre später war die Mischna dann auch »zum Codex des bindenden Rechts für das ganze Rabbinat«[10] geworden. Fünf bis sechs Generationen von rund 260 Gesetzeslehrern sind hier erfaßt. Diese (hebräisch geschriebene) Mischna enthält, ohne alle Unterscheidung von (religiösem) Sakralrecht und (profanem) Zivilrecht, 63 Traktate, die in zumeist thematischen Hauptabteilungen (»Ordnungen«) zusammengefaßt sind, sechs an der Zahl: Saaten, Festzeiten, Frauen, Schadensfälle, heilige Dinge (Opfer, Gelübde, Speisevorschriften) und kultische Reinheit (nur ein einziger Traktat, »Abot« oder »Väter«, hat nichtgesetzlich-erbaulichen Inhalt).

Und nun der entscheidende Punkt: Nach orthodoxer Auffassung ist diese »mündliche Tora« der ursprünglichen schriftlichen, **der biblischen gleichwertig** – und warum? Weil sie schon **auf dem Sinai mitgeoffenbart** worden sei! Eine Vorstellung, die vor dem Untergang des Zweiten Tempels unbekannt war. Doch Mose (wir hörten davon) wird aus der Sicht der Rabbinen nun ganz und gar zu »unserem Rabbi«! Kritisch untersucht indessen, stellt diese mündliche Tora keineswegs ein einheitliches, gewissermaßen vom Himmel gefallenes Dokument dar. Im Gegenteil, legt man historische Kriterien an, so ist die Arbeit vieler Generationen spürbar, ja sind Bearbeitungsspuren durch Gelehrte und Erklärer selbst noch aus der Zeit nach 200 zu erkennen.

Phase 2: Talmud[11]: In den folgenden drei Jahrhunderten – es war die gewaltige Arbeit vieler Generationen – wird nun auch die Mischna ihrerseits wieder kommentiert, und zwar in beiden Zentren jüdischer Gelehrsamkeit, in Palästina, vor allem aber in Babylonien. Dies geschieht durch die vielfach in aramäischen Dialekten verfaßte »Gemara« (hebr. »Ergänzung«). Gemara und Mischna zusammen bilden dann den »**Talmud**« (hebr.: »Studium«, »Lehre«)[12]. Der Talmud ist also bei allen erbaulichen Erweiterungen zunächst einfach ein riesiger Kommentar zur Mischna, soweit deren Traktate nach der Zerstörung des Tempels noch relevant sind. In beiden Zentren wurde er in zwei recht verschiedenen Fassungen überliefert:

– Der **palästinische** oder jerusalemische Talmud (der wohl in Tiberias redigierte »Talmud Jeruschalmi«) kommentiert nur 39 Traktate der Mischna. Wenig geordnet und oft widersprüchlich, ist er wohl anfangs des 5. Jahrhunderts – im Zusammenhang mit dem Ende des Patriarchats 425 – abgeschlossen worden;

– Der **babylonische** Talmud kommentiert nur 37 Traktate, ist aber um ein Drittel länger (fast 6 000 Seiten Folio). Erst im 7./8. Jahrhundert abgeschlossen, hat er sich im Judentum allgemein durchgesetzt.

Inhaltlich lassen sich auch im Talmud jene beiden Gattungen unterscheiden: Auch hier in erster Linie die **Halacha** (hebr.: »der einzuschlagende Weg«), das Religionsgesetz mit den verbindlichen religions- und zivilgesetzlichen Bestimmungen; einschneidend die Sabbat-, Reinheits- und Speisevorschriften, alles genau nach der pharisäischen Interpretation. Dann aber findet sich anders als in der Mischna besonders im babylonischen Talmud oft auf der einen und selben Seite die **Haggada** (hebr.: »Erzählung«, »Verkündigung«): Erzählungen, Legenden, Gleichnisse, astronomische, anatomische, medizinische, psychologische Angaben, ethisch-theologische Lehren, also die erbaulichen, nichtgesetzlichen Teile der rabbinischen Tradition. So ist der Talmud – von der darin enthaltenen Mischna und wenigen Entscheidungen durch die letzten babylonischen Redaktoren (= Saboräer) abgesehen – weniger ein alles entscheidender Gesetzeskodex als ein viele widersprüchliche Meinungen zu Gesetz und allen möglichen Themen durch die Jahrhunderte registrierender enzyklopädischer Diskussionsbericht, ja, »eine im Aufbau an der Mischna orientierte Nationalbibliothek des babylonischen Judentums«[13].

Doch Frage: Warum ist dieses verwirrend komplizierte und vielfach dunkle literarische Gebilde auch für Nichtjuden so wichtig? Antwort: Weil der babylonische Talmud – immer und immer wieder kommentiert und ediert[14] – bis heute die **normative** Grundlage für alle religionsgesetzlichen Entscheidungen des rabbinischen Judentums bildet. Und dies heißt: **für Religionslehre und Religionsgesetz der jüdischen Orthodoxie** (und oft auch noch des konservativen Judentums) bis auf den heutigen Tag! So lebt denn das Verständnis des Judentums, wie es sich im vierten Paradigma herausgebildet hat, bis heute fort. Gewiß: Traditionalismus in Lehre und Praxis ist die Folge, aber für die Rabbinen und ihre Nachfolger ist dies kein Negativum. Geändert und ergänzt werden darf ja schon in »talmudischer Zeit« nichts mehr. Nur noch Interpretation ist erlaubt – mit Hilfe der freilich zahllosen, oft widersprüchlichen und so vielfach auch gegensätzliche Auffassungen erlaubenden rabbinischen Lehrmeinungen.

Freilich – um Mißverständnisse von Nichtjuden gleich auszuschalten: **Nicht um »Ortho-doxie«, um »rechte Lehre«,** geht es diesem »orthodoxen« Judentum primär; Dogmen, Katechismen, Glaubensprüfungen, Inquisition kennt es (im Gegensatz zum Christentum) kaum, weder damals noch heute. Der umstrittene Glaube an die Auferweckung etwa hatte sich schon längst allgemein durchgesetzt, und messianische Spekulationen, Berechnungen, Bewegungen gibt es zunächst bestenfalls am Rande. Nein, es geht **in erster Linie um »Orthopraxie«, um »rechtes Leben« unter der Tora,** um toragemäßes Verhalten im Alltag, das freilich dann Dissidenten gegenüber nicht weniger dogmatisch, katechetisierend, ja inquisitorisch-ausschließend sein kann. Und doch: Jüdische Identität konkretisiert sich weniger an Glaubensinhalten als am praktischen Glaubensvollzug.

Da nun aber all die unzähligen, in Tora, Mischna und Talmud (und damit weit über die ursprünglichen Fünf Bücher Mose hinaus) enthaltenen Vorschriften direkt oder indirekt als geoffenbartes **Gotteswort,** das ewig Bestand hat, betrachtet werden, **muß alles unbedingt eingehalten werden** – bis hin zur letzten Sabbat-, Speise-, Reinheits-, Gebets- und Gottesdienstvorschrift. Gewiß, es hat unter den Rabbinen an Versuchen nicht gefehlt, die Masse der 613 Vorschriften, 248 Gebote, 365 Verbote, zu klassifizieren. Nicht alles gilt ja für Erwachsene **und** Minderjährige, Männer **und** Frauen, Juden **und** Nichtjuden; für Nichtjuden gelten ohnehin nur die uns bekannten noachischen Gebote. Gewiß: Je nach Situation und besonders bei Lebensgefahr kann die Verpflichtung auf einzelne Gebote aufgehoben werden, zieht die Übertretung bestimmter Gebote bestenfalls leichte Strafe nach sich. Doch das alles bedeutet keine Relativierung der einzelnen Gebote, erst recht keine Ausflucht zur Ignorierung. Denn überall geht es letztlich um das Gebot des ewigen Gottes, und das bleibt in Ewigkeit – unabänderlich, unveränderlich, unfehlbar.

Übermacht der Tradition? Christliche und muslimische Leser mögen hier nicht zu rasch urteilen. Denn sind die Parallelen zur Entwicklung in Christentum und Islam nicht unübersehbar? Tora **und** Mischna, Schrift **und** Überlieferung, Koran **und** Sunna: Ganz ähnlich wird später in Christentum und Islam die kaum übersehbare mündliche Überlieferung (»Traditio«, »Sunna«) gleichberechtigt[15] neben die ursprüngliche Heilige Schrift (»Neues Testament«, »Koran«) treten, ja ihr tatsächlich oft **übergeordnet**. Denn: Wer Untergeordnetes gleichordnet, erniedrigt zugleich das Übergeordnete. Und wie die Gesetze der Halacha, so stehen ja faktisch auch die Dogmen der kirchlichen Tradition schon **vor** ihrer biblischen Begründung fest. Die Gelehrten konnten ihre Bibelexegese darauf beschränken, die bestehende traditionelle Lehre biblisch nachträglich systemkonform zu »begründen«. Doch wird nicht auch in der christlichen Tradition vieles mitgeschleppt, was in Bibel oder Tradition »begründet« erscheint und heute nicht mehr verstanden wird? Vieles wird doch durch oft gewundene Interpretation angepaßt, was einstmals für eine völlig andere Situation gedacht war.

Deshalb sei schon hier angemerkt: Es wäre grundfalsch, im Judentum und seinem Gesetzesverständnis nur das Legalistische zu sehen und so Judentum und Christentum wie Gesetz und Freiheit gegeneinander auszuspielen. Ist nicht auch schon das altkirchlich-byzantinische (Kaiser Justinian!), ist dann nicht erst recht besonders das mittelalterliche römisch-katholische Christentum (Papst Innozenz III.!) durch eine außerordentlich starke Verrechtlichung gekennzeichnet? Durch jenes erst im christlichen Mittelalter ausgeformte kanonische Recht und eine immer aufwendigere Kirchenrechtswissenschaft, die wahrhaftig nicht weniger kompliziert ist als die jüdische oder muslimische? Und umgekehrt gilt freilich erfreulicherweise ebenso: Nicht nur das mittelalterliche Christentum, sondern auch das mittelalterliche Judentum sähe sich – gerade durch die Halacha – doch grundsätz-

Quellen der Offenbarung

☰ (Menora)	†	☾
Bibel: Tora	Bibel: AT/NT	Koran
↓	↓	↓
Mischna (Halacha)	Traditio	Sunna
↓	↓	↓
Talmud (Halacha + Haggada)	Ius Canonicum (Kirchenrecht)	Scharia (Religionsgesetz)

lich auf das Studium der ursprünglichen »Heiligen Schrift« verwiesen. Denn im rabbinischen Judentum wird das Studium der Tora geradezu als Weg verstanden, um Gottes Wort zu hören und Gottes Gegenwart (»Schechina«) zu erfahren. Und vielleicht hat keine andere religiöse Tradition die Bedeutung des Studiums der heiligen Texte als eine Öffnung, als einen Weg zum heiligen Gott, dem Urheber der Tora, so sehr betont wie die jüdische. Und muß man noch hinzufügen, daß gerade vom Studium der Tora her auch die für den jüdischen Menschen und sein Ethos so wichtige Leidenschaft für das Lernen, für Lesen und Schreiben, für Bücher und schließlich für den intellektuellen Diskurs und Disput kommt?

3. Judentum als Torareligion: Leben in der Diaspora

Die Zeit der **Rabbinen** war – vom 1. bis zum 7./8. Jahrhundert – auch die Zeit der **Kirchenväter**, und wie die Rabbinen die Struktur des orthodoxen Judentums geprägt haben, so die Kirchenväter die Struktur des orthodoxen Christentums, jenes (nach dem juden-christlichen) zweiten griechisch-hellenistischen Paradigma des Christentums. Warum aber hat sich eigentlich so etwas wie eine griechisch-byzantinische Patristik im Judentum (im Gegensatz zum Christentum) nicht gebildet? Warum haben die einen in hebräisch–aramäischer Sprache den »introvertiert«-jüdischen Talmud geschaffen, während die anderen in griechischer oder lateinischer Sprache und Denkweise eine durchaus »extravertiert«-hellenistische Theologie entwickelten?

Daß sich im Judentum kulturell-religiös keine Patristik entwickeln konnte, lag nicht nur allgemein am jüdisch-griechischen Kulturgegensatz: daran also, daß die griechische Bibelübersetzung und eine griechisch-jüdische Literatur, wie sie besonders in Alexandrien aufgeblüht war, innerhalb des Judentums fast ohne Nachhall blieb. Es lag auch nicht nur an der politischen Situation: daran, daß die griechisch sprechenden Juden, die sich 115-117 n. Chr. auch in Ägypten (Alexandrien!), der Cyrenaika, Zypern und Syrien gegen Rom erhoben hatten, weithin vernichtet wurden. Der tiefere, eigentliche Grund liegt im neuen rabbinischen Paradigma selbst, das da, hervorgegangen aus der hellenistischen Krise, von solcher Selbstbezogenheit, Abwehrkraft und Ausschließlichkeit war, daß sich durch all die Jahrhunderte innerjüdisch weder hellenistische Kultur und Philosophie noch römisches Recht und römische Ordnung durchsetzen konnten. Das rabbinische Paradigma verbot und verhinderte jegliche »Vermischung« des Judenvolkes mit anderen Völkern. Dies mußte für das Judentum selber positive, aber, wie wir noch sehen werden, auch negative Folgen haben[16]. Ironie der Geschichte: Während zwei Jahrhunderte später die christlichen Alexandriner Klemens und Origenes Geschichte machten, das hellenistisch-altkirchliche Paradigma theologisch vorbereiteten und so die politische Wende mit vorbereiteten, blieb ihr Vorgänger, der jüdische Alexandriner Philon[17] Episode. Mit dem Untergang des jüdischen Alexandrien hatte auch seine großartige, platonisch geprägte allegorische Schriftinterpretation ihren Dienst getan ...

Es bestätigt sich hier: Das rabbinische Paradigma war weniger durch Theologie (»Gottesgelehrtheit«) als durch Jurisprudenz (»Gesetzesgelehrsamkeit«) geprägt. Und während repräsentative Sammlungen christlicher Literatur des ersten Jahrtausends (Mignes »Patrologia Graeca et Latina« oder das »Corpus Christianorum«) Hunderte von Bänden theologischer Schriften umfassen, von denen nur ein geringer Teil juristischer Natur ist, verhält es sich bei den jüdischen Schriften eher umgekehrt: Sie drehen sich zuallermeist um Klärungen, Ausweitungen und neue Anwendungen des Gesetzes. Die Mischna selbst hat ja die Form eines Gesetzbuches, und weit über die Hälfte des babylonischen und mehr als drei Viertel des jerusalemer Talmuds sind Gesetzesfragen gewidmet, was selbstverständlich auch die weiteren Kommentare und Subkommentare der Gelehrten bestimmte[18]. Es geht geradezu um ein »Meer der Halacha« (»The Sea of the Halakha«) mit vielen Zuflüssen und Parallelflüssen, Personen und Plätzen, wie dies eine große »Landkarte des jüdischen mündlichen Gesetzes« von Abba Kovner in einer originellen Bildbeilage zum Ergänzungsband der Jerusalemer Encyclopaedia Judaica von 1985 vor Augen führt. Nicht unwichtig in diesem Zusammenhang: Die erste systematische jüdische Theologie stammt (wir kommen auf deren Autor, den Gaon Saadja, zurück) erst aus dem 10. Jahrhundert (umgekehrt hat sich im Christentum eine Kirchenrechtswissenschaft erst im 12. Jahrhundert, auf der Basis des »Decretum Gratiani«, entwickelt).

Deutlich ist: Das Judentum ist jetzt **keine Nationalreligion** mehr, lebt doch der allergrößte Teil der Juden »unter den Nationen«, in der »**Diaspora**«, der »**Zerstreuung**« – buchstäblich versprengt über die ganze Welt vom Hindukusch bis nach Gibraltar. Darf aber deshalb »Diaspora« einfachhin mit »Exil« gleichgesetzt werden – wie dies in extrem-zionistischen Kreisen oft geschieht, die so ihren Anspruch auf das Land Israel biblisch untermauern und alle Juden zur »Rückkehr« in den Staat Israel bewegen möchten? Gewiß, so mag man gerade im jüdischen Mittelalter vielfach empfunden haben. Doch unleugbar gab es bereits vor der Zerstörung des Ersten Tempels jüdische Handelsniederlassungen außerhalb des Landes Israel – so die, schon im 6. Jahrhundert v. Chr. bezeugte, berühmte, in ägyptischen Diensten stehende judäische Militärkolonie auf der Insel Elephantine in Oberägypten. Im Jahr der Zerstörung des Zweiten Tempels muß es nach Schätzung des jüdischen Historikers Salo W. Baron circa zwei Millionen Juden in Palästina, aber vier Millionen im Imperium Romanum außerhalb Palästinas und eine Million in Babylonien und anderen nichtrömischen Ländern (mit großem Zulauf an Konvertiten!) gegeben haben[19]. Das waren nicht alles Exulanten! Ja, das Gefühl, in der »Verbannung« zu leben, wird zu jeder Zeit deutlich relativiert durch den Willen vieler Diaspora-Juden, die ja schon nach dem Babylonischen Exil nicht ins Land Israel zurückkehren wollten, als sie hätten zurückkehren können. Es ist nun einmal ein Faktum: Die übergroße Mehrheit der Juden zieht bis heute – bei aller inneren Verbindung mit dem Lande Israel – das Leben in der Diaspora vor. Seit der Zerstörung des Ersten Tempels existiert das Judentum in einer Art Doppelpoligkeit, besser in einer **Spannung von Heimatland und Peripherie**, von Erez Israel (Land Israel) und Diaspora.

Doch wie gestaltet sich die Lage des Judentums jetzt in den Jahrhunderten nach der Zerstörung des Zweiten Tempels? In **Palästina** waren die Juden nach der Wende des römischen Kaisertums zum Christentum und der Annahme des christlichen Glaubens durch alle Nichtjuden zur Minderheit geworden und im byzantinischen Reich zunehmenden Beschränkungen ausgesetzt, so daß sie die islamische Eroberung Palästinas 638 als Befreiung empfanden. Denn Juden durften sich jetzt zum erstenmal wieder in Jerusalem ansiedeln, obwohl ihr geistiger Mittelpunkt die Gelehrtenschule von Tiberias in Galiläa blieb. Nach der Dezimierung der Juden in der Kreuzzugszeit – wir kommen darauf zurück – erfolgte im Anschluß an die arabische Rückeroberung durch Sultan Saladin 1187 eine erneute jüdische Einwanderung, die auch unter der Mamlukkenherrschaft im 14./15. Jahrhundert anhielt. Wie aber stand es außerhalb Palästinas?

Schon früh waren Juden im römischen Reich bis nach Toledo und Lyon, Köln und Bonn vorgedrungen. Und nun am Ende der Antike und zu Beginn des europäischen Mittelalters finden sich bedeutende **Zentren** jüdischen Lebens und Wirkens (begründet oft schon Jahrhunderte zuvor) in der **Diaspora**:
– Zuerst, wie erwähnt (trotz Verfolgungen unter den zoroastrischen Sassaniden und ihren »Magiern«), in **Babylonien**: mit intakter jüdischer Selbstverwaltung unter angeblich davidischen Exilarchen sozusagen die zweite Heimat der Juden, wo Sicherheit und Wohlstand auch noch unter den islamischen Kalifen des 10./11. Jahrhunderts anhielten; mit dem Niedergang und schließlich Untergang des Kalifats von Bagdad im Mongolensturm 1258 sanken freilich auch die jüdischen Gemeinden in Babylonien in die Bedeutungslosigkeit ab.
– Im 4.-6. Jahrhundert im südarabischen **Jemen**, dem Land der sagenhaften Königin von Saba mit schon früher jüdischer Besiedelung, wo es sogar ein jüdisches Königreich Himjar gab, das aber 525 vom christlichen Äthiopien (mit Hilfe von Kaiser Justinian) zerstört wurde.
– Im 4.-7. Jahrhundert auch im zentralen **Arabien**[20] (vor allem in Medina), wo jüdische Stämme sich schon des längeren in sozialer Gliederung und Lebensweise den Arabern angeglichen hatten, wo sie

aber nach anfänglichem Umworbensein durch den Propheten Muhammad ausgerottet oder zur Auswanderung nach Syrien oder Mesopotamien gezwungen wurden.

– Im 8. Jahrhundert im russischen Raum zwischen Wolga, Schwarzem und Kaspischem Meer: Hier hatte sich das Reich der **Chazaren** (ein Turkvolk), um weder von Byzanz noch vom Islam abhängig zu sein, circa 740 zum jüdischen Glauben bekehrt, war dann aber um 950 vom Fürsten von Kiew zur Annahme des christlichen Glaubens gezwungen worden.

– Vom 8.-11. Jahrhundert besonders in **Spanien**: Hier hatte das Judentum – schon im frühen römischen Reich und dann im arianischen Westgotenreich war es stark vertreten gewesen – nach dem Glaubenswechsel der Westgoten zum römischen Katholizismus erhebliche Einschränkungen und viele Zwangstaufen hinzunehmen. Die Eroberung des Landes durch muslimische Araber nach 711 wurde wie die Palästinas schon 638 als Befreiung begrüßt und unterstützt! Unter dem Kalifat von Cordoba (755-1013) und nach dessen Zerstörung durch fanatische Berber noch in Granada und Sevilla (aber zunächst durchaus auch noch im christlichen Kastilien, in Toledo und in Aragonien) erlebte es eine neue kulturelle Glanzzeit.

– Im 10./11. Jahrhundert Blütezeit in **Mitteleuropa**, wo schon längst vor der Einwanderung der germanischen Stämme Juden ansässig waren, wo die Kolonisation im 9. Jahrhundert einsetzte und die jüdischen Gemeinden im allgemeinen von den Königen (Merowinger, Karolinger, Ottonen) gegen die Zugriffe der Kirche, ihrer Bischöfe und Konzilien, beschützt wurden.

– Im 11./12. Jahrhundert Blütezeit im **Ägypten** der ismaelitischen Fatimiden (außerordentlich gut erforscht aufgrund der um die Jahrhundertwende gefundenen rund 200 000 Handschriften aus der Kairoer Synagogen-»Genisa« = »Versteck« oder »Rumpelkammer«).

Überall jedoch blieben die Juden auf der Welt in erstaunlicher Weise nicht nur in Gebet und Gottesdienst, sondern auch in Ethos, Disziplin und Lebensart geformt und geprägt vom **rabbinisch-synagogalen Paradigma,** dessen Umrisse wir beschrieben haben. Der ganze Tagesablauf (von morgens früh bis abends spät), der ganze Jahresablauf (Werk-, Sabbat-, Festtage), ja, der ganze Lebensablauf (von Geburt und Beschneidung über Geschlechtsreife, Eheschließung, Familie bis zu Tod und Beerdigung) war für jeden Juden überall auf der Welt

Quelle: Encyclopaedia Britannica

- ○ Wichtige Stätten der hellenistischen Diaspora
- △ Mittelalterliche intellektuelle Zentren
- ◣ Stätten mittelalterlicher Massaker
- ▲ Kabbalistische Zentren
- ■ Städte mit wichtigen jüdischen Vierteln
- • Andere wichtige Städte

*Wichtige historische Stätten des hellenistischen
und mittelalterlichen Judentums*

durch die Weisungen von Mischna und Talmud geregelt. Ein ganz bestimmter **Lebensstil** mit zahllosen verbindlichen Vorschriften, Lebensregeln, Bräuchen, die alles mögliche betreffen: Haartracht und Kleidung, Speisen und Waschungen, Gebetsarten und Gebetszeiten, Wohnung und Sexualleben. Wohin Juden auch kamen, und sie widmeten sich im Zuge der Verstädterung zunehmend dem Handwerk und dem Handel: der Talmud zog mit ... Dankbarkeit für das Gesetz, Gottes große Gabe, und Freude an seiner Erfüllung, des Menschen Verbindung mit Gott, bestimmen die rabbinische Frömmigkeit. Keine höhere geistige Tätigkeit gibt es als das Studium des Gesetzes, ist sie doch Antwort des Menschen auf Gottes Wort.

Nochmals: Es geht nach wie vor um dieselbe Mitte und Grundlage des israelitisch-jüdischen Glaubens, um den einen **Gott**, sein **Volk** und **Land**. Aber wie schon nach anderen Zeitenwenden wird diese Glaubenssubstanz in einer neuen Welt-Zeit in einem anderen Gesamt der Überzeugungen, Werte und Verfahrensweisen realisiert, in einer anderen Konstellation, in einem neuen Paradigma gesehen: Nicht nur, daß an die Stelle des Tempels die Synagoge, an die Stelle des Altars die Schrift, an die Stelle des Opferpriesters der Rabbi trat, wie wir hörten, vielmehr wird **aus der Nationalreligion jetzt ganz und gar eine Torareligion**:
• Jerusalem tritt gezwungenermaßen zurück zugunsten der Diaspora und ihrer kulturellen Zentren;
• das Heimatterritorium (Palästina) zugunsten einer im Toragehorsam realisierten geistigen Beheimatung in jüdischem Glauben und Leben;
• die nationale Zugehörigkeit zugunsten der rituell-moralischen Reinheit über alle Nationen hinweg;
• die Bibel zugunsten der ebenso normativen Tradition: Mischna und Talmud.

Erstaunlich genug: Ohne eine zentrale religiöse oder politische Autorität gelang es dem in alle Winde zerstreuten jüdischen Volk, die Einheit seiner Religion zu bewahren:
– durch die im Talmud gesammelte und fixierte **mündliche Tora**;
– die damit gegebene **gemeinsame** hebräisch-aramäische **Sprache** sowie

– die hinter allem stehende **Autorität der Rabbinen.**

Und obwohl »die rabbinische Autorität nicht ohne Herausforderer war, so wurde sie doch im Prinzip nie umgestürzt bis zum Zusammenbruch der jüdischen Selbstverwaltung, der im späten 18. Jahrhundert begann und sich im 19. fortsetzte«[21]. Bis also in die Zeit der europäischen Aufklärung hinein! Man kann deshalb mit Fug und Recht dieses rabbinisch-synagogale auch das **jüdisch-mittelalterliche Paradigma** nennen, das in seinem Rahmen in den verschiedenen Gemeinden eine überaus große regionale und nationale Vielfalt erlaubte.

Freilich: Auch dieser Prozeß der Herausbildung eines neuen Paradigmas hatte seine Schattenseite: eine nicht unerhebliche Verschärfung jener jüdischen Selbstabsonderung, die schon in vorchristlicher Zeit zu beobachten war und die schon damals Anlaß zu einem – »heidnischen« – Antijudaismus gab. Davon muß nun die Rede sein.

4. Jüdische Selbstabsonderung und vorchristlicher Antijudaismus

Äußerlich lebten die Juden nun buchstäblich grenzenlos. Innerlich aber hatten die Rabbinen die alten Reinheitsvorschriften mittlerweile so weit ausgedehnt und abgesteckt, daß sie praktisch zu so etwas wie **inneren Grenzen** wurden zwischen dem »reinen« jüdischen Volk und der »unreinen« Gesellschaft, die schon früh kosmopolitisch-übernational, jetzt faktisch mehr und mehr christlich war. Denn nicht nur wie früher die Priester, sondern bekanntlich das ganze Volk wurde jetzt als ein abgesondertes, »priesterliches Volk« verstanden.

Das allerdings ging nie so weit wie in der mittelalterlichen christlichen Kirche, die ja nun selbst die Gerechten anderer Völker in aller Form vom Reiche Gottes ausschloß (Konzil von Florenz 1442: »Niemand außerhalb der katholischen Kirche, weder Heide noch Jude noch Häretiker oder Schismatiker, kann des ewigen Lebens teilhaftig werden, vielmehr wird er eingehen ins ewige Feuer, das dem Teufel und seinen Engeln bereitet ist, wenn er sich ihr – der katholischen Kirche – vor dem Tod ausschließt«)[22]. Das Judentum kennt kein Dogma wie »außerhalb Israels kein Heil«. Im Gegenteil: Auch nach den Rabbinen kann jeder gerechte Nichtjude – aufgrund seiner gerechten Werke – das ewige Heil erlangen. Insofern vertritt das rabbinische

Judentum einen Universalismus des Heiles[23], der freilich zusammen gesehen werden muß mit einem **Partikularismus des Volkes**, das allein das auserwählte ist und bleibt.

Dieser Partikularismus des jüdischen Volkes wirkt sich freilich erst dort verhängnisvoll aus, wo er mit einem rigorosen Verständnis des Gesetzes (Halacha) verbunden wird und so schon früh zu einem Isolationismus des jüdischen Volkes führt. Denn die schwerwiegende Konsequenz gerade der Vorstellung vom »reinen« jüdischen Volk läßt sich ja nicht übersehen. Diese, wie wir feststellten, im Babylonischen Exil grundgelegte und jetzt ganz und gar bewußt vollzogene **religiös-soziale Selbstabsonderung** von Nichtjuden (wie öffentlichen »Sündern«) bedeutete faktisch eine Art **Selbstisolierung.** Sie führte im jüdischen Volk selbst zu vielen Spannungen und Konflikten, sollte dem Judentum aber auch von Seiten anderer Völker schon längst vor der christlichen Ära viel instinktive Abneigung, ja Feindschaft und Haß eintragen – alles das, was unter dem fatalen Etikett **Antijudaismus** läuft. Dieser entstand aufgrund verwickelter politischer, sozialer und religiös-ideologischer Umstände, darf aber nicht mit dem rassisch oder ökonomisch begründeten modernen »Antisemitismus« ineinsgesetzt werden, wiewohl dieser auf jenen zurückgeht[24].

Als Faktum muß festgehalten werden: **Antijudaismus** – eine grundsätzlich ablehnende Gesinnung und Haltung gegenüber den Juden als Juden – ist **um Jahrhunderte älter als das Christentum.** Schon in vorchristlichen Jahrhunderten (selbst im toleranten Perserreich etwa der antijüdische Großkönig Ahasveros/Xerxes im 5. Jh.) gab es verschiedentlich pauschale feindliche Reaktionen gegen Juden von Seiten der »heidnischen« Umwelt, auch wenn sie später im Imperium Romanum überwiegend geachtet und gut behandelt wurden.

Was aber waren, blicken wir kurz zurück, die **Gründe** für den vorchristlich-heidnischen Antijudaismus[25]? Die Antwort wird für die Beurteilung des christlich-kirchlichen Antijudaismus nicht unwichtig sein.

1. Juden konnten und wollten neben dem einen Gott **keine anderen Gottheiten** verehren oder anbeten. Der in nachexilischer Zeit sich durchsetzende exklusive jüdische Monotheismus mußte sich gegen den traditionellen heidnischen Polytheismus, aber auch den neueren hellenistischen Herrscherkult und schließlich besonders gegen den rö-

mischen Kaiserkult samt der damit verbundenen mystischen Reichs-
idee (Einheit von Kaisertum und Reich) behaupten. Das Diaspora-
Judentum, als ethnisch-religiöse Sondergruppe ohnehin in einem eher
gespannten Verhältnis zur einheimischen Bevölkerung, war weniger
auf Rom, die Hauptstadt der Welt, als auf Jerusalem, die Stadt Davids
und des Messias, ausgerichtet. Auch das Bilderverbot war für den
antiken Durchschnittsmenschen eher befremdend. Kein Wunder,
daß sich selbst bei klassischen römischen Autoren wie Cicero, Seneca,
Quintilian und Tacitus antijüdische Bemerkungen finden und römische Kaiser die Juden – je nach politischer Opportunität – als Bundesgenossen gegen die einheimische Bevölkerung oder aber als zu strafen-
de Sündenböcke für eigenes Versagen ins Spiel brachten.

2. Die **aggressive Darstellung ihrer eigenen Heilsgeschichte** wirkte
auf andere Kulturvölker, in erster Linie die Ägypter, beleidigend. Vor
allem die Exodusgeschichte mußte sich in einer antiken Großstadt
wie Alexandrien (mit der größten jüdischen Diasporagemeinde) kontraproduktiv auswirken, wie sich aus der Verteidigungsschrift des Josephus Flavius »Contra Apionem« und den dort zitierten antijüdischen Autoren ergibt. Nach Josephus hat sich eine antijüdische Ideologie vor allem in Ägypten entwickelt, wo es denn auch immer wieder
zu gewaltsamen Ausschreitungen und im Jahre 38 n. Chr. zu einem
Judenpogrom gekommen war. Doch schon im 3. Jahrhundert **vor**
Chr. ist vom ägyptischen Priester Mantheo (oder Manetho) eine Ge-
genversion vom Ursprung der jüdischen Nation erzählt worden, die
später auch von den Römern übernommen wurde[26]: Die Juden, ursprünglich Ägypter, seien, weil vom Aussatz und anderen Krankhei-
ten befallen, aus Ägypten vertrieben worden und hätten dann unter
Mose, einem abgefallenen ägyptischen Priester, eine eigene Nation –
mit Jerusalem als Hauptstadt – gegründet. Das Verbot von Schweine-
fleisch wurde auch später noch mit der anscheinend begründeten
jüdischen Furcht vor Lepra in Verbindung gebracht, wie denn auch
noch verschiedene andere Fabeln und Geschichtslügen (die später
zum Teil auch über Christen erzählt wurden) im Umlauf waren
(Eselskopfanbetung, Kinderopfer) und möglicherweise noch sind.

3. Die **Beschneidung**, alt und weitverbreitet im Orient und für Israeliten zunächst ein Gebot unter vielen, wurde, so sahen wir, erst seit
dem babylonischen Exil ein jüdisches Charakteristikum. Seit den Be-
schneidungsverboten des Antiochos Epiphanes und Kaiser Hadrians

aber wurde sie zu einer Glaubensprobe und einem Glaubenszeichen. Den Nichtjuden jedoch erschien dieses Glaubenszeichen eher als Schandzeichen: Die Beschneidung unterschied jüdische Männer schon physisch unwiderruflich von Griechen und Römern, die einen solchen blutigen Ritus als archaisch, barbarisch, geschmacklos und abergläubisch ablehnten.

4. Vor allem aber die **Reinheits- und Speisegebote** waren es, welche die Juden von den anderen Völkern der hellenistischen Ökumene sichtbar nicht bloß unterschied, sondern abschied. Insofern kann man als Resultat festhalten, was sozusagen vom Negativen her unsere Analyse des rabbinischen Tora-Paradigmas bestätigt: »Es kann darüber kaum ein Zweifel bestehen, daß der Grund für die Fremdheit in der antiken Welt in ihrem Gehorsam gegenüber den Geboten des Gesetzes lag« (J. N. Sevenster[27]). Durfte ein Volk, das andere Völker als rituell »unrein« behandelt und deshalb nicht nur Mischehen, sondern auch gemeinsame Mahlzeiten, Feste und Vergnügungen ablehnt, mit großen Sympathien rechnen? Wegen ihrer Verweigerung der Tisch-, Ehe-, Kult- und Festgemeinschaft galten die Juden insbesondere den Griechen – und sie bildeten auch im Nahen Osten die intellektuelle Elite – nicht nur als Fremde, sondern als Feinde, ja, Menschenfeinde überhaupt. Dazu kam noch das für viele unverständliche Sabbatgebot (= Fasttag?). Jüdische Lebensart sei »eine unmenschliche und ungastliche Lebensform«, schrieb schon am Ende des 4. Jahrhunderts **vor** Chr. Hecataeus von Abdera[28] – ein Vorwurf, der später auch vom berüchtigten Antiochos Epiphanes zur Begründung seiner Zwangshellenisierung und nachher von den Römern erhoben wurde.

Dieser religiös-kulturell-politische Nonkonformismus dürfte im Hintergrund der direkten **Verfolgungen durch** eine Staatsmacht wie **Rom** gestanden haben, die, ohnehin für den Synkretismus offen, im Religiösen auch den Juden zunächst durchaus tolerant gegenübergetreten war und ihnen sogar die Sabbatruhe gestattet hatte. Allerdings: Wo, durch wen und weshalb auch immer sich politischer Widerstand oder gar Aufstand manifestierte, schritten die Römer ebenso brutal ein wie die Assyrer und Seleukiden vor ihnen. Und man vergesse nicht: Gegen die Christen wurden bis ins 3. Jahrhundert aufgrund ihrer Ablehnung des Kaiserkults ganz ähnliche Vorwürfe erhoben und ähnlicher Zwang angewandt, nur daß die Christen damals nicht zur Gewalt Zuflucht nahmen wie die Juden zur Zeit der Makkabäer und der beiden Aufstände von 68-70 und 132-135. Schon 38 n. Chr. kam es in der hellenistischen Metropole Alexandrien zum **ersten Judenpogrom** der Weltgeschichte; der römische Kaiser Claudius meinte in einem Brief an die Alexandriner sowohl vor dem Judenhaß der (autochthonen) Griechen wie vor dem Machtstreben der (reichzentralistisch orientierten) Juden warnen zu müssen. Judenfeindschaft manifestierte sich im 1. Jahrhundert auch in Rom, auf Rhodos und in Syrien-Palästina. Prinzipieller Antipaganismus (Heidenhaß) der Juden, dann terroristische Aktionen und schließlich zwei große jüdische Revolutionen heizten die antijüdischen Ressentiments und Ideologien im Imperium Romanum weiter an.

Wie rücksichtslos noch ein christlich-byzantinischer Kaiser – Konstantius II., Sohn von Konstantin dem Großen – reagieren konnte, zeigt das Jahr 351, als es im Zusammenhang einer römischen Niederlage im Partherkrieg erneut zu einem jüdischen Aufstand in Palästina gekommen war. Die blutigen Gesetze des heidnischen Kaisers Hadrian wurden vom christlichen Kaiser sogleich reaktiviert – mit katastrophalen Folgen für die Juden: Wieder werden die jüdischen Schulen geschlossen, fliehen die Gelehrten, kommt es zu verschiedenen Rechtseinschränkungen (etwa bezüglich Kalenderfestsetzung), wird schließlich um das Jahr 425 – unter nicht eindeutig geklärten Umständen[29] – das Patriarchat wie das Synhedrion aufgehoben.

Aber im neuen Paradigma hängt das Judentum nun nicht mehr – wie wir hörten – an Synhedrion, Hohepriester oder Patriarchen, wohl aber an Synagoge und Tora, Mischna und Talmud und damit an den Rabbinen, die sich immer wieder gegen eine vielfach abergläubische Volksfrömmigkeit durchzusetzen wußten.

5. Jüdisches Mittelalter und Anfänge des christlichen Antijudaismus

Deutlich wurde: Mit dem rabbinisch-synagogalen Paradigma hatte schon sehr früh das **jüdische Mittelalter** begonnen, das lange dauern sollte. Die Juden existierten ja am Ende der Antike, wie Johann Maier, der Direktor des Kölner Martin-Buber-Instituts für Judaistik, mit Recht ausführt, »als einziges Volk – wenngleich zerstreut – in ungebrochener kulturell-zivilisatorischer, organisatorischer Einheit und Kontinuität« und kamen darum »in besonderem Maß als Träger einer städtisch-zivilisatorischen Kolonisation in Frage ..., zumal sie von der antiken Diaspora her schon über eine einschlägige Tradition im Handel verfügten«[30]. Weder die germanische Völkerwanderung noch die islamische Eroberung hatten für das Judentum selbst einen Paradigmenwechsel zur Folge. Nein, in bewundernswerter Konstanz und Resistenz hat sich dasselbe rabbinische Paradigma von der römisch-byzantinischen über die islamische Herrschaft bis ins christliche Hochmittelalter, die Reformationszeit und gar noch lange in die europäische Moderne hinein durchhalten können[31].

Dieses jüdische Mittelalter, das im 1. Jahrhundert einsetzt und bis ins 18. andauert, ist nun freilich grundverschieden von dem erheblich später einsetzenden christlichen Mittelalter, das – durch die römischen Päpste der Spätantike und theologisch durch Augustin vorbereitet – erst nach der Völkerwanderungszeit im Karolingerreich Gestalt annehmen und im 11. Jahrhundert mit der Reformbewegung Gregors VII., mit päpstlichem Absolutismus, mit Scholastik, Kirchenrecht, Zölibat und Kreuzzügen, durchbrechen sollte. Was, so fragt man sich schon hier, ist der **Unterschied zwischen dem jüdischen und christlichen Mittelalter?** Diese Frage sei zur Klärung knapp im Vorgriff beantwortet:

• Statt der universalen Kirche ist für den mittelalterlichen Juden die Tora Heimat und Festung des Glaubens.

• Statt des Caesaropapismus (im christlichen Osten) und des Papalismus (im Westen) herrscht im Judentum die Cathedokratie[32]: die Herrschaft nicht vom Stuhle Petri, sondern vom Stuhl der Gelehrten aus.

• Statt der Präzisierung des religiösen Glaubens und eines dreifaltigen »Credo« (mit zahlreichen Dogmen, Glaubensstreitigkeiten und Häresien) steht im Judentum unter Voraussetzung strikten Ein-Gott-Glaubens die Präzisierung der religiösen Praxis und so der »Codex« bindenden Rechts (mit zahllosen Gesetzesbestimmungen, Rechtsstreitigkeiten und verschiedenen Schulen) im Vordergrund.

• Statt der theologischen Summen, vom Kirchenrecht abgestützt, dominiert im Judentum ein allumfassendes, kohärentes und universales Moral- und Rechtssystem für das Verhalten in jeder Situation.

• Statt Unterwerfung unter Ideale des selbstabgesonderten, elitären

Mönchtums (Zölibat, Abstinenz, Armutsbewegung) herrscht im Judentum das Ideal einer von allen Gläubigen im Alltag zu lebenden frommen Bejahung des Lebens und seiner Freuden.

Dieses mittelalterliche jüdische Paradigma ist auch heute alles andere als »überholt«. Bis auf den heutigen Tag wird es von einer der großen Gruppen des Judentums, der **pharisäisch-talmudischen Orthodoxie**, weitertradiert und im Alltag gelebt. Ob in Jerusalem, New York, London oder Paris – buchstabengetreu wird nach wie vor danach gestrebt, alle Vorschriften des Gesetzes auch unter modernen Bedingungen einzuhalten. Kompromißlos werden alle religiösen Anpassungen und Erneuerungen an die Moderne abgelehnt. Israel ist für solches mittelalterlich-orthodoxe Judentum bis heute nicht primär ein Staat, sondern eine geistige Heimat: »Israel« ist Zentrum rituell-moralischer Reinheit – gewährleistet durch das Befolgen der Tora, wo immer man auch lebt. Wir werden mehr davon hören und bleiben zunächst bei der Geschichte, einer Geschichte, die nun allerdings ganz anders als die nachmalige Erfolgsgeschichte von Christentum und Islam weitgehend als eine **Geschichte des Leidens** erscheinen mußte.

Die Schuld an der Auseinandersetzung von Juden und Christen (schon im Jahr 49/50 kam es in Rom zu derartigem Streit, daß Kaiser Claudius beide Parteien für einige Zeit aus der Hauptstadt verbannte) kann nicht einseitig zugewiesen werden. Ob die junge christliche »Häresie« eine wirkliche Bedrohung für das Judentum darstellte? Ob umgekehrt die christlichen Gemeinden angesichts der schon mit Kaiser Nero einsetzenden Verfolgungszeit die feindselige Einstellung der jüdischen Gemeinden nicht mit Bitterkeit zur Kenntnis nehmen mußten? Warum sich schon sehr früh in Palästina eine Scheidung zwischen Juden und Juden-Christen vollzog, wird in unserem zweiten Hauptteil im Hinblick auf die Gegenwart ausdrücklich zu thematisieren sein. Aber auch ohne solche Klärung ist zu verstehen, daß das (auch nach der Zerstörung Jerusalems) weiterbestehende Judentum zunehmend eine Herausforderung für das Christentum darstellte, das sich theologisch im Recht glaubte, ja mehr noch: daß viele Christen – bis hinein in die Theologenelite – die Weiterexistenz des Judentums als eine Bedrohung empfanden.

Bemerkt-unbemerkt begann sich so aus dem heidnisch-staatlichen ein spezifisch **christlich-kirchlicher Antijudaismus**[33] herauszubilden.

Dabei muß leider ein fataler Unterschied zwischen heidnischem und christlichem Antijudaismus festgestellt werden: »Während der vorchristliche Antijudaismus sporadisch, örtlich begrenzt, inoffiziell und (abgesehen von der ägyptischen Spielart und ihren Ablegern) nicht ideologisch fundiert war, ist der christliche, zumindest seit etwa der Zeit Konstantins, dauerhaft, universal, offiziell geschürt, grundsätzlich und durch ein ideologisches System untermauert. Er wurzelt nicht in historischen Ereignissen und Bedingungen, sondern findet sich auch dort, wo es gar keine Juden gibt« (N. R. M de Lange)[34]. Nach J. W. Parkes ist dies das Neue am Schicksal der Juden in christlicher Zeit, daß die christliche Einstellung im Gegensatz zur heidnischen nicht mehr auf zeitgenössischem jüdischen Verhalten beruhte, sondern »auf einer Interpretation dessen, was man als die eine mit göttlicher Autorität ausgestattete Beschreibung des jüdischen Charakters und der jüdischen Geschichte ansah«[35].

Dabei hatten einige **Kirchenväter** durchaus noch von jüdischen Lehrern Hebräisch und Bibelexegese gelernt, und der erste wissenschaftlich arbeitende christliche Theologe, der geniale **Origenes**, lebte als Leiter der Katechetenschule von Alexandrien unter Juden, unterhielt freundschaftliche Beziehungen zu ihnen und verteidigte sie gegenüber den Heiden, auch wenn er sie in den Homilien wegen ihrer Ablehnung des Messias Jesus heftig tadelte. Woher aber kam es, fragt man sich, daß das »Anti« zwischen Juden und Christen nun immer schriller werden sollte und sich schon im 2. Jahrhundert eine ausgesprochen judenfeindliche »**Adversus Judaeos**«–Literatur (Barnabasbrief, Meliton von Sardes, Tertullian, Hippolyt) bildete[36]?

Bibliotheken sind darüber geschrieben worden, und nach der Behandlung der Ursprünge des völligen Auseinanderlebens von Juden und Christen werden wir klarer sehen. Nur vorläufig seien zum Verständnis der folgenden fatalen Entwicklung kommentarlos einige gewichtige und vielfach ineinandergreifende **Faktoren** genannt, die **für den spezifisch kirchlichen Antijudaismus** verantwortlich waren:

1. Wachsende Entfremdung der Kirche vom alttestamentlich-hebräischen Wurzelboden aufgrund der Hellenisierung und Universalisierung der christlichen Botschaft.

2. Exklusive Beanspruchung der Hebräischen Bibel durch eine Kirche, die diese nicht mehr in sich würdigte, sondern sie mit Hilfe der

typologisch-allegorischen Schriftauslegung fast ausschließlich als gott-
gewollte Legitimation ihrer eigenen Existenz benutzte.

3. Abbruch der gegenseitigen Gespräche zwischen Kirche und Synagoge in wechselseitiger Isolierung, wobei der Dialog meist durch den
apologetischen Monolog ersetzt wurde.

4. Die Schuld am Kreuzestod Jesu, die nun allgemein »den Juden«,
ja, allen Juden zugeschrieben wurde, so daß deren Verstoßung und
Zerstreuung als berechtigter Fluch Gottes über ein verdammtes Volk
angesehen werden konnte.

Schon in der zweiten Hälfte des 2. Jahrhunderts fällt beim kleinasiatischen Bischof **Meliton** von Sardes das (von einer unjüdisch-anti-
jüdischen Christologie bestimmte) verderbliche Wort, das sich geschichtlich als besonders verhängnisvoll erweisen sollte: »Hört es, alle
Geschlechter der Völker, und seht es: Ein nie gewesener Mord geschah in Jerusalem … Gott ist getötet, der König Israels ist durch Israels Rechte beseitigt worden.«[37] Der Vorwurf, die Juden seien »Gottesmörder«, war damit in der Welt. Schon hier war man nicht mehr
auf Bekehrung, sondern auf Bekämpfung der Juden aus.

Die konstantinische Wende 312/313 – uneingeschränkte Religionsfreiheit und Begünstigung der katholischen Kirche durch Kaiser **Konstantin den Großen** (306-337) – bedeutete für das Judentum direkt
keine Verschlechterung seines Status. Ohne Zweifel war Konstantin
in der Wortwahl bezüglich der Juden (besonders wenn er sich an die
Kirche wandte) höchst unfreundlich (vielleicht der Einfluß seiner
christlichen Berater?). Doch wäre es – wie G. Stemberger entgegen
Pauschalurteilen, die vom Ende der Toleranz gegenüber den Juden
sprechen, feststellt – »verfehlt, Konstantin als einen ausgesprochenen
Gegner der Juden zu bezeichnen«, zumal »die Gesetze, die Konstantin
erlassen hat, für die Juden keine reale Verschlechterung gebracht, in
mancher Hinsicht ihr Privilegrecht vielmehr gestärkt« haben[38].

Die eigentliche Wende in der Reichspolitik kam ziemlich genau ein
Jahrhundert nach Konstantins Tod: Nachdem schon **Theodosius der
Große** (379-395) die Religionsfreiheit beendet und das Christentum
im Jahre 380 zur Staatsreligion und Heidentum wie Häresie zu Staats-
verbrechen erklärt hatte, wird unter Kaiser **Theodosius II.** (401-450)
schließlich auch das Judentum durch **staatskirchliche Ausnahmege-
setze** (»Codex Theodosianus« 438) aus dem sakralen Reich, zu dem

man nur durch die kirchlichen Sakramente Zugang hatte, faktisch ausgeschieden. Weil nämlich die Juden nach Bildung einer **Reichskirche** konsequenterweise nun auch die christlich gefärbte Reichsideologie ablehnten (der christliche Kaiser und seine Herrschaft das Abbild der himmlischen Herrschaft Gottes?), wird der spezifisch heidnische Antijudaismus von der Reichskirche in aller Form übernommen und durch christliche Motive mächtig verstärkt.

Ihres eigenen Verfolgtseins erinnert sich die Kirche nun nicht mehr. Im Gegenteil: Dieselbe christliche Kirche, die im Römischen Reich vor noch nicht allzu langer Zeit eine rechtlose, verfolgte Minderheit war, macht jetzt mit Hilfe des Staates das Judentum, im römischen Reich bisher immerhin Religio licita (eine »erlaubte Religion«), zu einer Größe minderen Rechtes, die zwar nicht wie die Häresien ausgerottet, wohl aber aus den christlichen Lebensbereichen ausgesondert und sozial isoliert werden soll. Zu diesem Zweck die **ersten Repressionsmaßnahmen**: Verbot von Mischehen bei Proselyten (Konvertiten zum Judentum); Verbot der Besetzung von Beamtenstellen durch Juden; Verbot des Baues oder der Erweiterung von Synagogen; Verbot jeglicher Proselytenwerbung. Gerade dieses Werbeverbot zwingt das Judentum, das früher eine offensiv-erfolgreiche Missionsreligion war, zu einer verhängnisvollen Selbstkonzentration und Selbstreproduktion, so daß man von ihr später leicht als von einer eigenen »jüdischen Rasse« sprechen konnte! Insofern bedingen sich in dieser Zeit rabbinische Selbstabsonderungsbestrebungen (aus halachischen Gründen) und christliche Diskriminierungspraxis (aus politisch-theologischen Gründen) und führen zu einer völligen Isolation des Judentums im ausgehenden römischen Reich.

So lebten die Juden jetzt auf Reichsgebiet praktisch außerhalb des Reiches, was viele Juden ihre Situation doch mehr denn früher als die einer »gola«, eines wirklichen Exils, empfinden und wieder erneut auf das baldige erlösende Kommen des Messias hoffen ließ. Und während Theologen und Bischöfe wie **Augustin** gegenüber den Juden noch eine missionarische Aufgabe sahen (für Augustin, entgegen der gängigen Gottesmordthese, blieb den Juden trotz ihrer Schuld die Hoffnung auf Bekehrung), verhinderten andere wie **Ambrosius** von Mailand den Wiederaufbau von Synagogen, ja, predigten Bischöfe wie **Chrysostomos** in Konstantinopel gegen die Juden bereits im Stil späterer antijüdischer Hetzer[39]: Die Synagoge – ein Ort der Gesetzeswidrigkeit, ein Quartier des Bösen, ein Bollwerk des Teufels; die Juden – festfreudige Schlemmer und habgierige Reiche, die, zur Arbeit untauglich, nur mehr zur Schlachtung (!) geeignet seien. Doch allen Gegenmaßnahmen zum Trotz blieb das Judentum überall im Reich als eine lebendige Religion präsent. Ja, es gab zu dieser Zeit in Konstantinopel noch Christen (»Ioudaizantes« = judaisierende Christen oder Judenchristen?), die an Sabbaten und Feiertagen zur Synagoge gingen und auch sonst Freude an jüdischen Zeremonien hatten.

Noch schwieriger wurde die Situation der Juden in ihrer großen Diasporastadt Alexandrien: 415 wurden sie von einer aufgehetzten Volksmenge aus Alexandrien vertrieben. Hinter dieser Aktion stand wie so oft ein Bischof (Presbyter oder Mönch), in diesem Fall derselbe berühmt-berüchtigte Patriarch **Kyrill**. Dieser Vertreter einer extrem-hellenistischen und so auch antijüdischen Christologie (Christus besitzt nur eine göttliche Natur = Mophysitismus), ließ dann 431 auf dem Konzil von Ephesus – vor Eintreffen der Gegenpartei – folgerichtig die»Gottesmutterschaft« Mariens definieren: Maria nicht nur »Christo-tokos«=»Christus-Gebärerin«, sondern »Theo-tokos«=»Gottes-Gebärerin«. Für das Reich insgesamt aber war es dann das Corpus Iuris Civilis des hochorthodoxen Kaisers **Justinian** (527-565), das im Zusammenhang des Kampfes gegen die Häresien die antijüdischen Maßnahmen Theodosius' II. noch einmal verschärfte (Verbot des Haltens christlicher Sklaven, was sich wirtschaftlich ruinös auswirkte, sowie Beschränkungen für den jüdischen Gottesdienst); Justinians Gesetzbuch sollte für die mittelalterliche Judengesetzgebung von Staat und Kirche maßgebend werden.

Im **westlichen Reich** war man in diesen Jahrhunderten freilich zunächst ganz und gar von den Wanderungsbewegungen der germanischen Völker absorbiert, denen schließlich auch das **Papsttum**, das in Westrom die Herrschaft der römischen Kaiser übernommen hatte, Rechnung tragen mußte: deshalb – zur bis heute nicht überwundenen Empörung der Griechen – die Krönung des »barbarischen« Frankenkönigs Karls des Großen zum römischen Kaiser im Jahr 800! Ein neuer innerchristlicher Paradigmenwechsel nahm hier Gestalt an, und zwar vom hellenistischen Paradigma der alten zum römisch-katholischen Paradigma der mittelalterlichen Kirche. Die Juden aber, von neuem hoffend auf eine Wende zum endzeitlichen Heil, begannen gerade in der Zeit der Karolinger eine eigene neue Zeitrechnung, welche die biblische Chronologie weiterführte und, wie man später feststellte, mit dem Jahr der Schöpfung (= 3761 v. Chr.) einsetzen sollte. Während das schon früh erstarkende Papsttum, besonders Gregor der Große um 600 mit Hinweis auf die verheißene Bekehrung der Juden in der Endzeit, noch eine relativ maßvolle Judenpolitik betrieben hatte (zwar Bekehrung durch gütliche Überredung oder das Angebot materieller Vorteile, aber keine Gewaltanwendungen und Zwangstaufen), kam es im frühen christlichen Mittelalter in Frankreich und besonders in Spanien nun auch zu ersten, wenngleich bis zu den Kreuzzügen **vereinzelten direkten Gewaltmaßnahmen** gegen Juden. Auch Bischof Isidor von Sevilla (gest. 637), der als der letzte abendländische Kirchenvater gilt, zeichnete sich durch eine unrühmliche antijüdische Polemik aus. Er konnte nicht ahnen, daß gut siebzig Jahre später Spanien für mehr als sieben Jahrhunderte von den Muslimen beherrscht werden würde und der **Islam** als neue Weltmacht und neue Weltreligion auf dem europäischen Kontinent auftreten sollte – als großer Gegenspieler gerade des Christentums. Kein Wunder, daß man im Abendland erste Nachrichten von guter muslimisch-jüdischer Zusammenarbeit höchst argwöhnisch aufnahm.

6. Das maurische Spanien: Was Juden und Muslime verbindet

Selbstverständlich gab es auch unter islamischer Herrschaft keine »Gleichberechtigung« im modernen Sinn: Für Juden (wie für Christen) bestanden zahlreiche Einschränkungen[40]. Und doch waren die Juden gerade hier höchst erfolgreich: in Babylonien wie in Syrien, in Ägypten wie in Nordafrika und Spanien. Aufgrund der aus dem 7./8. Jahrhundert stammenden »**Gesetze Omars**« galt freilich zumindest theoretisch für die Angehörigen der beiden anderen (zwar respektierten, aber doch als überholt betrachteten) »Buchreligionen«: kein Staatsamt, keine Muslime als Sklaven, keine Häuser höher als die der muslimischen Nachbarn, kein Reiten auf Pferden, auch keine neuen Gotteshäuser und kein auffälliges Praktizieren der eigenen Religion. Wohl aber besondere Kleider und Steuern (Grundsteuer und Kopfsteuer). Dabei erwiesen sich die Schiiten in der Regel als noch gestrenger denn die Sunniten[41].

Und doch: Faktisch hatten es die Juden unter dem Islam (= »Ismael«, Abrahams anderer Sohn!) **besser als unter der Herrschaft des Christentums,** des römischen und des römisch-germanischen Reiches (= »Edom«, die Nachkommen Esaus, Jakobs eigensüchtiger Bruder). Allein wegen der Bösartigkeit und Feindseligkeit der Christen? Nein, da waren sehr reale **Gründe und Hintergründe** gegeben[42]:

– Im islamischen Weltreich gab es für die jüdische Minderheit bei allen Einschränkungen eine **allgemein verbindliche Rechtsbasis** mit gesicherten Rechten (auch für persönlichen Besitz), die im christlichen Westen wegen der Völkerwanderung fehlte und im byzantinischen Reich nach und nach durch eine judenfeindliche Gesetzgebung ersetzt worden war.

– Die Juden verfügten gegenüber den islamischen Autoritäten von Anfang an über anerkannte **zentrale geistliche Autoritäten** im Rahmen einer gemeindeübergreifenden Selbstverwaltung (die babylonischen Exilarchen und Gaonen/Häupter der hohen Schulen, entsprechende Autoritäten auch in Ägypten und Spanien), während im christlichen Europa die autonomen jüdischen Gemeinden von alters her nebeneinander lebten und durch keine überregionale Autorität repräsentiert waren.

– Die Juden konnten dem islamischen Weltreich nach Ausfall der christlichen Syrer beim **Orient- und Mittelmeerhandel** immer wieder neu dienlich sein, während sie im christlichen Bereich den Fernhandel mit der islamischen Welt schon früh an die italienischen Städte abgeben mußten, die im Spätmittelalter auch im islamischen Bereich die Führung übernahmen.

– Die Juden konnten das mit dem Hebräischen verwandte **Arabische als internationale Verkehrs- und Handelssprache** benützen, während sie sich das zwar internationale, aber im wesentlichen auf Klerus und Gelehrte beschränkte Latein kaum je zu eigen machten und so auf die verschiedenen, noch wenig kultivierten nationalen Idiome angewiesen waren.

– Die Juden standen den Muslimen auch religiös näher als den Christen wegen des **eindeutigen Monotheismus** ohne alle mysteriösen Dogmen und wegen **ähnlicher Reinheits- und Speisegebote,** während sie sich von den Christen durch die jetzt voll entwickelte Trinitäts- und Inkarnationslehre noch mehr getrennt sahen als durch den ursprünglichen Zwist um Gesetz und Beschneidung.

– Im islamischen Bereich waren die Juden schon früh mit der islamischen **Philosophie** und nur zu einem Teil mit dem **theologischen Anspruch des Islam** konfrontiert worden, während sie sich mit der christlichen Theologie zwar erst ab dem 12. Jahrhundert, aber hier dann sogleich direkt mit dem christlichen Offenbarungsanspruch auseinanderzusetzen hatten (Ausnahme der Hof Kaiser Friedrichs II. auf Sizilien im 13. Jahrhundert).

Wieweit es trotz der muslimischen Herrschaft und aller Einschränkungen zu einem einigermaßen **harmonischen Zusammenleben** von Juden und Muslimen kommen konnte, zeigt exemplarisch das »goldene Zeitalter« des **maurischen Spanien**, das jedenfalls alles heute übliche Gerede von einer »jüdisch-arabischen Erbfeindschaft« Lügen straft. Diese jüdisch-maurische Symbiose war nach der jüdisch-hellenistischen die **zweite weltgeschichtliche Interaktion zwischen der jüdischen und einer fremden Kultur.** Anders als in den übrigen europäischen Ländern konnten die Juden hier noch in größerem Ausmaß in der Landwirtschaft tätig bleiben. Freilich darf nicht verschwiegen werden, daß Juden gerade hier auch stark in dem vom Nahen Osten bis Osteuropa florierenden Sklavenhandel engagiert waren. Aber in Cordoba und anderen Zentren hatten die Juden (zumindest die der Oberschicht) arabische Sprache, Kleidung und Sitten angenommen, partizipierten voll am wirtschaftlich-politisch-kulturellen Leben und unterschieden sich durch ihr vornehm-selbstbewußtes Auftreten deutlich von Juden anderer Länder. So kam es denn gerade in Spanien zu der mit Abstand fruchtbarsten Symbiose von Juden und Muslimen, die sich in einer unvergleichlichen geistigen Blüte der Wissenschaften und Künste ausdrückte, zu der jüdische Philosophie und Theologie, Sprachwissenschaft und profane Poesie (die erste jüdische Liebesdichtung seit dem Hohelied), Naturwissenschaft und Medizin und eine weitverzweigte Übersetzertätigkeit (arabisch-hebräisch-lateinisch) einen wesentlichen Beitrag leistete. Im 10. Jahrhundert hatte so das maurische Spanien Babylonien, wo im 9./10. Jahrhundert ebenfalls ein fruchtbarer Austausch zwischen Muslimen und Juden stattgefunden hatte, als geistiges Zentrum des Judentums weithin abgelöst.

Die arabischen Philosophen hatten durch ihre Übersetzung und Deutung des platonischen und aristotelischen Gedankengutes die jüdische und christliche Scholastik entscheidend vorbereitet. Und die

Was Juden glauben

1. »Ich glaube mit voller Überzeugung, daß der Schöpfer alle Geschöpfe erschaffen hat und lenkt und daß er allein alle Werke vollbracht hat, vollbringt und vollbringen wird.

2. Ich glaube mit voller Überzeugung, daß der Schöpfer einzig ist und keine Einheit der seinen in irgendeiner Beziehung gleicht und daß er allein unser Gott war, ist und sein wird.

3. Ich glaube mit voller Überzeugung, daß der Schöpfer kein Körper ist und Körperliches ihm nicht anhaftet und daß er seinesgleichen nicht hat.

4. Ich glaube mit voller Überzeugung, daß der Schöpfer der erste ist und der letzte sein wird.

5. Ich glaube mit voller Überzeugung, daß der Schöpfer allein Anbetung verdient und daß es sich nicht gebührt, ein Wesen außer ihm anzubeten.

6. Ich glaube mit voller Überzeugung, daß alle Worte der Propheten wahr sind.

7. Ich glaube mit voller Überzeugung, daß das Prophetentum unseres Lehrers Mose wahr ist und daß er der Meister aller Propheten ist, die vor ihm waren und die nach ihm gekommen sind.

8. Ich glaube mit voller Überzeugung, daß die Tora, wie wir sie jetzt besitzen, unserem Lehrer Mose gegeben wurde.

9. Ich glaube mit voller Überzeugung, daß diese Tora nie vertauscht wurde und daß keine andere vom Schöpfer ausgehen wird.

10. Ich glaube mit voller Überzeugung, daß der Schöpfer alle Handlungen der Menschen und alle ihre Gedanken kennt, denn so heißt es: ›Er, der ihre Herzen allesamt gebildet hat, versteht auch ihr Tun.‹

11. Ich glaube mit voller Überzeugung, daß der Schöpfer Gutes erweist denen, die seine Gebote beachten, und diejenigen bestraft, die seine Gebote übertreten.

12. Ich glaube mit voller Überzeugung an das Erscheinen des Messias, und wenn er auch noch säumt, so harre ich trotzdem täglich seiner Ankunft.

13. Ich glaube mit voller Überzeugung, daß eine Auferstehung der Toten zu der Zeit stattfinden wird, die dem Schöpfer wohlgefallen wird.

Gelobt sei sein Name und gepriesen sein Andenken für immer und in alle Ewigkeit.«

Glaubensbekenntnis des Moses Maimonides

große Symbolgestalt für das spanische Judentum bleibt bis heute der bedeutendste jüdische Gelehrte des Mittelalters: der aus Cordoba stammende, aber dann vor allem in Marokko und Ägypten wirkende **Mose ben Maimon** (1135-1204)[43], im Westen Maimonides genannt, der als Arzt, Kaufmann, Jurist, Philosoph und Theologe mit seinem Hauptwerk »Führer der Verwirrten« den religiösen Glauben und die Vernunft (wie die muslimischen Philosophen Avicenna und Averroes oder dann im Christentum Albertus Magnus und Thomas von Aquin) zu versöhnen trachtete und der für die jüdischen Gelehrten bis heute das große Vorbild blieb. Des Maimonides **Glaubensbekenntnis** von 1168, enthalten in seinem Mischnakommentar[44], hat sich im Judentum gegen alle Kritik geschichtlich durchgesetzt: Es wurde des öfteren dichterisch bearbeitet und findet sich heute als Bekenntnis in den Gebetbüchern am Schluß des Morgengebets. Es drückt das mit Christentum und Islam Gemeinsame des Glaubens (an Dasein, Einheit, Unkörperlichkeit, Allwissenheit Gottes und an Vergeltung und Auferstehung) ebenso deutlich aus wie das Trennende: gegenüber dem Christentum die absolute Einfachheit Gottes und der Glaube an den noch ausstehenden Messias, gegenüber dem Islam und seinem Koran die ewige Gültigkeit der mosaischen Tora.

Jüdische Religion ist wie die christliche und die islamische von ihren Ursprüngen her ganz wesentlich eine geschichtliche Religion, von jeder Natur-Religion ganz und gar verschieden. Doch nicht nur aus islamischer, sondern auch aus christlicher Perspektive muß jetzt die Frage gestellt werden: Läßt sich diese lange, dramatische Geschichte des jüdischen Volkes, läßt sich insbesondere die Geschichte der Juden mit den Christen ganz und gar auf eine Leidensgeschichte reduzieren?

7. Nicht zu vergessen: die Erfolgsgeschichte der Juden

Bevor wir auf den traurigen Tiefpunkt der mittelalterlich-kirchlichen Judenverfolgung eingehen, soll im Anschluß an jüdische Historiker wie Salo W. Baron[45], Bernhard Blumenkranz, Peter Riesenberg und David Biale ein vielfach Vergessenes oder Verschwiegenes zur Sprache kommen – um der Bekämpfung der Judenfeindschaft und um eines möglichen besseren Zusammenlebens von Juden und Christen in der

Zukunft willen. Denn die Verfolgung der Juden in der Christenheit war nun einmal kein Dauerzustand, sondern war durch bestimmte, nicht zuletzt sozio-ökonomische Faktoren hervorgerufen worden. Mit anderen Worten: Neben der furchtbaren Leidensgeschichte darf die **bewunderungswürdige Erfolgsgeschichte** der Juden – durch all die Jahrhunderte schon längst vor dem Aufbau des Staates Israel – nicht übersehen werden. Und dies gilt nicht nur für den islamischen, sondern auch für den christlichen Raum.

Nachdem die (besonders in der Königszeit blühende) Geschichtsschreibung im Judentum des Mittelalters beinahe ganz hinter der Arbeit an der schriftlichen und mündlichen Tora zurückgetreten und ohnedies durch die Zerstreutheit des jüdischen Volkes arg behindert war, hat **jüdische Geschichtsschreibung** erst seit der Aufklärung wieder einen mächtigen Aufschwung genommen; zu nennen hier die noch immer grundlegende elfbändige »Geschichte der Juden von den ältesten Zeiten bis zur Gegenwart« (1853-1875) von Heinrich Graetz und in unserem Jahrhundert Simon Dubnows klassische zehnbändige »Weltgeschichte des jüdischen Volkes« (1925-1929). Eines der neuesten und besten Werke nun stammt von H. H. Ben-Sasson, Professor an der Jerusalemer Hebrew University, Herausgeber und Mitautor der hier oft zitierten 1200seitigen »History of the Jewish People«[46]. Ben-Sasson hat zweifellos das Grundgefühl vieler Juden zum Ausdruck gebracht, daß »Verfolgung und Erniedrigung der Juden« stets »Akte überlegter Politik« gegen die Juden gewesen seien und daß die überwältigende Mehrheit der Juden »das Schicksal ständiger Verfolgung« geradezu »gewählt« habe, weil sie es nämlich »vorzogen, loyal zu ihrem Glauben, ihrem Volk und ihrem Erbe zu stehen«[47].

Doch solche Aussagen, welche die Verfolgung zugleich generalisieren und heroisieren[48], werden von anderen führenden jüdischen Spezialisten in Zweifel gezogen. Salo W. Baron (Columbia University/ New York), der anders als der diaspora-orientierte Dubnow, anders auch als neuere Israel-zentrierte Historiker Diaspora **und** Erez Israel als zwei Zentren der jüdischen Kreativität darzustellen sucht, bemüht sich durch sein ganzes vielbändiges Werk hindurch, die Interpretation der jüdischen Geschichte als einer **rein passiven Leidensgeschichte** zu **korrigieren** und damit jene »weinerliche (lacrymose) Sicht jüdischer Geschichte, welche das Schicksal der Juden in der Diaspora als eine reine Abfolge von Elend und Verfolgung sieht«; stattdessen versucht

Baron überall Bereiche und Elemente gegenseitiger Befruchtung von Juden und ihrer Umgebung herauszustellen[49].

In seinem wohldokumentierten Werk über »Juden und Christen in der westlichen Welt« konnte Bernhard Blumenkranz (Paris)[50] für die Zeit von 430 (Augustins Tod inmitten der Zeit der Völkerwanderung) und 1096 (Beginn der Kreuzzüge) über den ersten Teil seines Buches den Titel »**Die Beziehungen guter Nachbarschaft**« setzen: Trotz fundamentaler Glaubensunterschiede zwischen Judentum und Christentum, trotz aller theologischen Polemiken und missionarischen Bemühungen von beiden Seiten, hätte der Unterschied viele Jahrhunderte lang doch nicht einfach Opposition und Konflikt bedeutet. Machtmißbrauch von Seiten der Stärkeren (meist Christen, ausnahmsweise, etwa in Spanien, auch Juden) sei zwar immer wieder vorgekommen, und Mehrheiten (welche auch immer) behandelten Minderheiten bis heute eben meist als – Minderheiten, als Einheiten minderen Rechts. Aber das dürfe die Tatsache nicht übersehen lassen, daß erst im 11. Jahrhundert ein grundlegender Wandel in der Einstellung der römisch-katholischen Kirche zu den Juden sich angekündigt habe, der dann – durch die Kreuzzüge (gegen Muslime und Juden) verstärkt – ganz Europa erfaßte.

Vor diesem weiteren historischen Horizont macht nun aber Peter Riesenberg (Washington University, St. Louis/Mo.)[51] nachdrücklich darauf aufmerksam: Sieht man die Geschichte des Judentums von der hellenistischen Zeit bis zur italienischen Renaissance nicht von vornherein nur durch die von den allerneuesten Schreckensereignissen geschwärzten Gläser, sieht man die antijüdischen Gewalttaten im **Gesamtkontext** des Schicksals vieler nationaler und religiöser Minderheiten, des Fremdenhasses und der religiösen Intoleranz überhaupt, so wird man Professor Riesenberg zufolge sagen müssen: Was den Juden in der damaligen Epoche – wir reden noch nicht vom Holocaust! – zugefügt wurde an Erniedrigung, Vergewaltigung, Verbannung und schließlich auch Massakern, ist, Gott sei es geklagt, auch manchen **anderen kleinen Völkern und Minoritäten zugefügt** worden, von den Griechen, Manichäern und Nestorianern angefangen über die Kreuzzüge gegen Muslime, byzantinische Christen und westkirchliche Häretiker (Albigenser und Katharer), über ungezählte Schreckenstaten der Reformationszeit und des Dreißigjährigen Krieges bis hin schließlich in unserem Jahrhundert zum Mord an 1,5 Mil-

lionen Armeniern in der Türkei ... Das auszusprechen ist selbstverständlich weder eine historische Entschuldigung noch eine verharmlosende und alles gleichmachende »Historisierung«, wohl aber eine
notwendige historische Ergänzung.

Nein, das Positive in der jüdischen Geschichte ist nicht zu übersehen:
Gerade die von manchen heutigen Israelis in ihrer Existenzberechtigung in Frage gestellte jüdische **Diaspora** zeichnete sich ja nun nicht
nur durch ökonomische, sondern auch durch kulturelle und geistige
Leistungen aus, die – im Vergleich zu anderen Minderheiten – ihresgleichen suchen; jüdische Dichtung (Zehntausende von Gedichten in
hebräischer Sprache), Religionsphilosophie, Theologie, Mystik und
Wissenschaft entstammen zum allergrößten Teil der jüdischen Diaspora. Man denke nur daran, welche Bedeutung – nach dem Niedergang der jüdischen Wissenschaft in Mesopotamien – in Mainz der
rabbinische Gelehrte Gerschom ben Juda besaß, die durchaus mit der
Autorität des letzten bedeutenden Gaon (Chai, gestorben 1038) riva-
lisierte. Er war gefolgt vom noch größeren Rabbi Schlomo Jitzchaki,
genannt **Raschi** (1040-1105), der lange Zeit als der maßgebende
Kommentator von Bibel und Talmud galt[52].
    Ob man nun diese Diaspora-Existenz im einzelnen mehr als Lei-
densweg, als Buße für die Sünden der Väter, als Verkündigung von
Gottes Namen unter den Völkern oder schlicht als Ort besserer ökonomischer Möglichkeiten verstand: Unbestreitbar ist die Lebendigkeit jüdischer Gemeinden, von der wir gehört haben – gewissermaßen
überall auf der damals bekannten Welt – von Mesopotamien bis Spanien, und wir könnten vieles erzählen über blühende Judengemein-
den in Nordafrika (Kairouan!), unter den Karolingern auch in
Deutschland oder noch im 14./15. Jahrhundert auch in Italien: alles
in allem trotz Minderheitenstatus, starker Einschränkungen und gele-
gentlicher Wirren zumindest bis zu den Kreuzzügen doch eine Geschichte von höchst beeindruckender Leistung. Wir können uns deshalb dem Urteil Riesenbergs nur anschließen: Aufs Ganze gesehen
und im Vergleich mit anderen, mächtigeren Völkern und Gruppierungen war das Judentum die **einzige Diasporaminorität** in der
christlichen Welt, die lange Zeit erstaunlich **erfolgreich** war. Bei ihren
Handelsniederlassungen vielfach privilegiert, besaßen viele Juden
gerade im ganzen deutschen Reich als »Knechte der Kaiserlichen

Kammer« überall Zoll- und Marktfreiheit, beherrschten lange Zeit den Mittelmeerhandel, und als dieser von italienischen Städten übernommen wurde, den innereuropäischen und den osteuropäischen Fernhandel. So waren Juden bis zu den Kreuzzügen in relativ großer Zahl wohlhabend, gar reich (Aaron von York z. B. war zwischen 1166 und 1185 der wohl reichste Mann Englands). Und sie waren dies alles aufgrund ihrer Leistungen nicht nur auf ökonomisch-finanziellem Gebiet, sondern auch in Regierung, Wissenschaft und Kultur.

Aber das berüchtigte **Getto** für die Juden? Auch was das ausgegrenzte Wohngebiet, das jüdische Getto (oder das Schtetl in Osteuropa) betrifft, so wird man hier mit Bernhard Blumenkranz besser von einem seit dem 10./11. Jahrhundert zunächst spontan und freiwillig gewählten »jüdischen Viertel« sprechen, wie es dies seit der Antike und auch in den größeren islamischen Städten gab – alles zunächst einmal eine Folge der beschriebenen jüdischen Selbstabsonderung: der selbstgewählten Lebensweise, der liturgischen, diätischen und erzieherischen Erfordernisse eines orthodox-jüdischen Lebens. Erst später sollten die Mauern um das Viertel, welche zum Schutz der Juden gedacht waren (die erste in Speyer 1084), ausgrenzende Funktion erhalten – als Ausdruck der Diskriminierung von Juden. Erst im 16. Jahrhundert kam es angesichts eines überdurchschnittlich großen jüdischen Bevölkerungswachstums zur gesetzlichen Beschränkung jüdischer Niederlassungen auf ein bestimmtes Stadtviertel, das man im Anschluß an das venezianische Beispiel »Ghetto« nannte. In Venedig war nämlich angesichts von 5000 jüdischen Flüchtlingen in den Jahren 1515-16 beschlossen worden, alle Juden auf ein Viertel am Ende der Hauptinsel, das »Ghetto nuovo« genannt, zu beschränken und sie so – allerdings gegen heftigen jüdischen Protest – völlig abzusondern. Doch im Getto konnten sich die Juden wenigstens sicher fühlen und ein intensives kulturelles Leben entfalten (noch heute wünschen ja in Nordamerika nicht nur orthodoxe Juden, sondern auch Chinesen und andere Gruppen eine »ethnic neighbourhood«)[53]. Früher oder später mußte diese zwanghafte »Gettoisierung« freilich schauderhaft beengte Wohnverhältnisse, hygienische Mißstände und schließlich sogar amtliche Ehe- und Kinderbeschränkungen zur Folge haben.

Wie immer: Die Jahrhunderte relativer Toleranz und friedlich-schiedlicher jüdisch-christlicher Koexistenz dürfen nicht einfach unter den

Tisch heutiger Geschichtsbetrachtung fallen. Von der jüdischen Leidensgeschichte soll mit all dem kein Zoll abgestrichen werden. Aber es ist für die Bewältigung der Gegenwart gerade auch im Nahen Osten von größter Bedeutung zu erkennen, was Peter Riesenberg so formulierte: »Jüdische Geschichte kann noch immer jüdische Geschichte sein auch ohne Überbetonung von Elend, Verfolgung und besonderem Leiden. Meine Absicht ist nicht, jüdisches Leiden oder auch die konstruktive Rolle zu bestreiten, die das Gedächtnis und selbst die Übertreibung dieses Leidens in den vergangenen zweitausend Jahren jüdischer Geschichte gespielt haben. Meine Absicht ist vielmehr, zeitgenössische Juden bewußter und sogar stolzer zu machen, als sie es waren, auf ihre lange Geschichte erfolgreicher Adaptation, Überlebens und Kreativität in aller Welt. Inmitten jeglicher Art von Gesellschaft haben sie weithin die eigene Identität und den eigenen Geist bewahrt, und sie haben auch zu vielen nichtjüdischen Zivilisationen Beiträge geleistet, während sie ihre eigene vorangebracht haben.«[54]

So war denn die Geschichte der Juden zwischen dem Untergang Jerusalems und der europäischen Neuzeit eine Geschichte der Machtlosigkeit **und** eine Geschichte der Macht, wie der amerikanische jüdische Historiker David Biale (Berkeley/Calif.) besonders anhand der jüdischen Revolten des Altertums, der politischen Theorien der Rabbinen und der körperschaftlichen Macht der Juden im Mittelalter herausarbeitete[55]. Auch israelische Historiker warnen vor allen meta-historischen Versuchungen und politisch-ideologischen Instrumentalisierungen der Antisemitismus-Geschichte und Antisemitismus-Deutungen. Die Unbegreiflichkeit des Holocaust dürfe nicht zu einer einseitigen, rückwärts gewandten »Antisemitierung« der gesamten Geschichte der Beziehungen zwischen Juden und Nichtjuden verführen, was eine rationale Analyse der historischen Abläufe überdecke. Kehren wir also, solcherart vor Verengungen der jüdischen Geschichte gewarnt, zurück zu jenem kirchlichen Antijudaismus, der nun freilich im vielgepriesenen christlichen Hochmittelalter seinen erschreckenden Tiefpunkt erreicht.

8. Christliche Judenverfolgungen und ihre »Gründe«

Was hat eigentlich im 11. Jahrhundert einen völligen Stimmungs-
wandel und schließlich eine furchtbare **Wende in der Einstellung der
Kirche zum Judentum** bewirkt[56]? Hier zeigt sich eklatant die Interde-
pendenz der drei prophetischen Religionen: Es war der welthistorische Kampf des Christentums gegen den Islam! Schon zu Beginn des
Jahrhunderts war ein Gerücht durch Europa gegangen: die Juden hätten Sultan al-Hakim von Ägypten gewarnt, daß Christen sein Reich
samt Jerusalem erobern würden, falls er die dortige Kirche vom Heiligen Grab nicht zerstöre. Der Sultan tat dies denn auch – und zwar im
Jahre 1009, indem er – im Islam eine Ausnahme – Christen und Juden zu verfolgen begann ... Was sich so schon zu Anfang des Jahrhunderts zusammenbraute, kam an dessen Ende zum Durchbruch.

Zusammen mit dem verschärften Kampf gegen innerkirchliche
»Häretiker« in Südfrankreich (Albigenser) waren es zunächst die
Kreuzzüge (1095-1270), welche für viele Juden in Europa katastrophale Folgen hatten. Wurden die Juden doch jetzt mit den Muslimen
auf die gleiche Stufe gestellt. Ja, nach neueren Untersuchungen dürfte
Anti-Islamismus eine Hauptursache für das Aufbrechen des Anti-
Judaismus im Hochmittelalter gewesen sein[57]. Während des Ersten
Kreuzzuges kam es 1096 – oft aus simpler Habgier und durchaus gegen den Willen sowohl der Autoritäten wie der Bürger – zu ersten
antijüdischen Ausschreitungen. Besonders im »Heiligen Land« meinten die von Predigern fanatisierten, beutegierigen »christlichen« Ritter
mit den »Feinden Christi« gewaltsam aufräumen zu müssen. 1099
wurde in Palästina unter den hier mit den Muslimen verbündeten
Juden ein unbeschreibliches Blutbad angerichtet. Nur ein kläglicher
Rest von Juden blieb übrig (in Akkon und Tyrus). Die bisher beherrschende Stellung europäischer Juden im Fernhandel ging jetzt verloren; nur Kleinhandel und Geldgeschäft blieben übrig. Vielen Kreuz-
fahrern aber war seit dem Zweiten Kreuzzug Zahlungsaufschub oder
gar Schuldenerlaß gegenüber ihren jüdischen Gläubigern zugesichert
worden ...

Doch schon Papst **Gregor VII.** (1073-85), der bekanntlich als erster absolutistisch regierender Papst durch eine Revolution von oben
(und Dekrete gegen Laieninvestitur und Priesterehe!) dem neuen mittelalterlichen römisch-katholischen Paradigma zum Durchbruch ver-

half, hatte auch erste Dekrete gegen Juden in Staatsämtern erlassen. Die antijüdische Theologie hatte sich hier in der Rechtsprechung ausgewirkt, und diese wiederum wirkte ein auf die Theologie. **Höhepunkt des kirchlichen Antijudaimus** aber war dann der Pontifikat **Innozenz III.** (Zeitgenosse des grundverschiedenen Franz von Assisi) sowie das von ihm einberufene größte Konzil des Mittelalters, die **Vierte Lateransynode** von 1215[58]. Nicht die Ausschreitungen im Zusammenhang des Ersten Kreuzzugs 1096, sondern dieses Konzil hat die Lage der Juden juristisch und theologisch grundlegend verändert[59]. Weil die Juden als Ungläubige »Knechte der Sünde« seien, folgerte man, sollten sie jetzt Knechte der christlichen Fürsten sein. In der 68. Konstitution des Konzils wurde den Juden jetzt erstmals eine besondere, isolierende Kleidung direkt vorgeschrieben, die Ergreifung öffentlicher Ämter untersagt, der Ausgang an Kartagen verboten und eine Zwangssteuer an die christlichen Ortsgeistlichen auferlegt. Die neuen Bettelorden, die Schüler des Dominikus und leider auch des Franziskus, profilierten sich als Exekutoren der neuen antijüdischen römischen Politik[60].

Auch dieser Antijudaismus hatte gleichzeitig ökonomische, psychologische und theologische Wurzeln, wiewohl in der mittelalterlichen Theologie kaum neue Argumente gegen die Juden aufgetreten waren. Nur in der Kunst, an den Portalen gotischer Kathedralen, wurde das Selbstverständnis der mittelalterlichen Kirche auf neue Weise sinnenfällig dargestellt: Eine weibliche Figur mit verbundenen Augen, zerbrochener Fahne oder herabsinkenden Gesetzestafeln verkörperte die Synagoge, das verstockte, blinde, besiegte, verworfene Judentum. Gegenfigur – die triumphierende Ecclesia Christi! Und noch schlimmer: Seit dem 13. Jahrhundert gehört auch die »Judensau« zum Standardrepertoire der bildhaften Verketzerung der Juden durch die Kirche.

Infolge der ungeheuren Leiden begannen nun die Jahrhunderte andauernden **Wanderbewegungen der Juden** – zunächst immer mehr **nach Osten**, wo sie in den dortigen Entwicklungsländern neue kolonisatorische Wirkungsfelder fanden. Zahllose deutsche Juden wanderten so zuerst von den Rhein- und Donaustädten nach Mitteldeutschland, später nach Polen und schließlich weiter in die Ukraine und nach Rußland. Das von den Juden in Osteuropa gesprochene **Jiddische** (eigentlich Jüdisch-Deutsche) weist in seinem mit hebräisch-aramäischen und slawischen Elementen vermischten mittelhochdeutschen Grundbestand noch in die Rheingegenden zurück.

Dabei war die Lage in **Deutschland** noch vergleichsweise erträglich. Denn im »Heiligen Römischen Reich« wurden die Juden (seit dem verlorenen jüdisch-römischen Krieg angeblich allesamt Sklaven des römischen Kaisers und dessen Rechtsnachfolger!) nach vielen antijüdischen Ausschreitungen 1237 als »Knechte der kaiserlichen Kammer« (»Servi camerae«) unter den besonderen Schutz des Kaisers und dann der Territorialherren gestellt (was allerdings steuerliche Ausbeutung nach sich zog). Sehr viel schlimmer war die Lage jetzt in den zentralistisch regierten christlichen Staaten Europas, wo die Juden vertrieben wurden, als man ihrer ökonomisch nicht mehr bedurfte: in **Frankreich**, wo es zunächst zu Sondersteuern, Güterkonfiskationen, Talmudverbrennungen und Zwangstaufen gekommen war, und besonders in **England**. Nach vergeblichen Bekehrungsversuchen wurden dort im 13. Jahrhundert Hunderte von Juden gehängt, Tausende eingesperrt und schließlich 1290 alle unter Konfiskation ihres Vermögens des Landes verwiesen. »Endlösungen« des »Judenproblems« – schon hier! Und überall in Europa verbanden sich jetzt religiöse, soziale und wirtschaftliche Ressentiments zu einer tödlichen Form von Antijudaismus, welcher der rassistischen Begründung des späteren »Antisemitismus« gar nicht bedurfte, um Tausende von Opfern zu produzieren.

Auch in **Spanien** hatte sich die Lage mit dem Abschluß der Reconquista, dem gegen Ende des 15. Jahrhunderts herankommenden Ende der muslimischen Herrschaft und der Vereinigung der beiden Königreiche Kastilien und Aragon, zugespitzt. Es kam zur Errichtung der **Inquisition**, mit welcher der Dominikanerorden betraut wurde und die im Zeichen der »alleinseligmachenden Kirche« sich die »Bekehrung« der Juden – wenn nötig mit Gewalt – zum Ziel gesetzt hatte. Das sollte sich bald verheerend auswirken: 1481 verbrannte man in Sevilla allein gegen 400, im Erzbistum Cadiz 2 000 Juden, insgesamt in Spanien wohl über 12 000. Bei der Eroberung Granadas 1492 (Spaniens letztem muslimischem Königtum) und dem Abschluß der christlichen Reconquista wurden die Juden in Spanien auf Betreiben des berüchtigten Großinquisitors Torquemada, Beichtvater der Königin Isabella von Kastilien, allesamt vor die Alternative Taufe oder Auswanderung gestellt. Rund 100 000 Menschen wanderten aus, doch mehr – aus Angst vor Kosten und Strapazen – ließen sich taufen, blieben aber insgeheim Juden (= »Marranen«, vom span. »marranos« = »Schweine«, weil Scheinchristen schlimmer seien als die ausgewanderten glaubenstreuen Juden!). 1497 erfolgte schließlich gegen alle Versprechungen die Ausweisung auch aus Portugal (1501 aus der Provence). Von Papst Alexander VI. (Borgia!) erhielten Ferdinand von Aragon und Isabella von Kastilien den Titel der »Katholischen Könige«. Wirtschaftlicher und auch kultureller Nutznießer der Auswanderung der **spanisch-orientalischen** = »**sephardischen**« Juden (»Sepharad« = Spanien) aber waren vor allem das türkische Reich, bis zur Einführung der Inquisition auch Italien und im Norden Holland. Das »christliche« Spanien aber blieb den Juden im Gedächtnis als das finster-düstere Gegenbild zum maurischen Spanien.

So steuerte die Streit- und Fluchgeschichte zwischen Juden und Christen ihrem Tiefpunkt entgegen. Und man fragt sich: Haben denn in dieser ganzen Zeit überhaupt keine **Religionsgespräche**[61] stattgefunden? Die Antwortet lautet:

1. Auf **christlicher Seite** kommt es im Hochmittelalter zu **Disputationen**, die aber den Juden **aufgezwungen** wurden, oft von jüdischen Konvertiten initiiert und bestritten und von Kirche und Fürstenhöfen durchgeführt[62]: so in Paris 1240 (worauf dann öffentlich der Talmud verbrannt wurde), so in Barcelona 1263 (mit dem berühmten Rabbi Moses Nachmanides, nachher des Landes verwiesen), so vor allem in Tortosa 1413/14 zwischen dem jüdischen Konvertiten Joschua Lorki (christlich: Geronimo de Santa Fé) und dem damals führenden jüdischen Philosophen Joseph Albo. Solche Disputationen hatten mit Dialog im modernen Sinne wenig zu tun. Ging es doch nicht darum, den anderen wirklich zu verstehen und bei letztem Dissens zu respektieren. Vielmehr ging es von vornherein um die theologische Widerlegung der Juden mit dem Ziel, sie zu bekehren. Gerade die letzte der großen jüdisch-christlichen Disputationen, die von Tortosa, war nicht eine eigentliche Debatte, sondern eine »öffentliche Schau, ja ein öffentlicher Schauprozeß«[63]. Doch selbst solche Disputationen, die ja immerhin von christlicher Seite eine genaue Kenntnis der jüdischen Quellen voraussetzten, kamen nach Einführung der kirchlichen Inquisition an ihr Ende.

2. Umgekehrt gab es auch auf **jüdischer Seite** parallel zu den fast bei

jedem Kirchenvater zu findenden »Adversus-Judaeos«-Traktat eine
antichristliche Polemik, allen voran die sogenannten »Toledot Jeschu«, eine Parodie auf das in den Evangelien geschilderte Leben Jesu,
in denen Jesus als eine Art Zauberer dargestellt wurde, der sich des
göttlichen Namens gesetzwidrig bemächtigt habe. Allerdings steht
auch nach neuerer christlicher Forschung fest, »daß es keine tannaiti-
sche ›Jesus-Stelle‹ (= 1.-2. Jh.) gibt und auch von den amoräischen
Jesus-Erwähnungen (= 3.-5. Jh.) eher alle nachtalmudisch als talmu-
disch sind«: »Erst im Verlauf der repressiven byzantinischen Religionspolitik im 5., 6. und 7. Jh. (vor der arabischen Eroberung) hat
das Christentum, mit der römisch-byzantinischen Weltmacht gleichgesetzt, für das Judentum die apokalyptische Fratze des 4. Daniel-
schen Weltreichs und den Charakter des Götzendienstes angenommen.
In dieser Situation war es auch durchaus möglich, in der rabbinischen
Ben Stada/Ben-Pandera-Figur, die mit dem Vorwurf der Verführung
zum Götzendienst verbunden war, den Stifter des Christentums zu erblicken.«[64] Im Mittelalter gab es dann freilich ernstzunehmende antichristliche polemische Literatur: Bücher wie »Die Schande der Heiligen« (1397), in Spanien verfaßt von Isaak ben Moses Ephodi, oder
die »Aufhebung der Dogmen der christlichen Religion« (1397/98),
von Hasdai ben Judah Crescas ebenfalls in Spanien, oder Bücher wie
»Buch der Widerlegung« (13./14. Jahrhundert im Rheinland) oder
»Stärkung des Glaubens« des Karäers Isaak ben Moses Halevi Troki,
1593 in Litauen veröffentlicht[65]. Doch ist ein Drittes zu beachten:

3. So sehr beide Seiten sich in Polemik verhaken, gleichgewichtig
sind beide Polemiken nicht. Hatten die Juden doch nie im entferntesten die politische Macht, wie Christen sie besaßen. Ja, es ist aus heutiger Sicht auch für Christen beschämend zu sehen, wie gerade die
christliche Kirche im Namen des Juden Jesus mittels staatlicher Gewalt Juden unterdrückte und verfolgte und sich nun erst recht trium-
phierend als Nachfolgerin, Stellvertreterin, Erbin des endgültig ver-
worfenen Israel aufspielte! Welch **fatale Rollenverteilung** in Theorie
und Praxis: »Die Juden« – das verworfene Volk, dem alle Gerichts-
und Verfluchungsaussagen der Hebräischen Bibel gelten. Die Kirche
dagegen – das wahre Israel, das alle Verheißungen der Hebräischen
Bibel auf sich beziehen darf. Die Kirche also jetzt das geistliche Israel,
das Gottesvolk schlechthin! Denn hatte nach der Kreuzigung Jesu das
Judenvolk nicht faktisch aufgehört, Gottes Volk zu sein? Die Strafe

für diesen Tod wurde nun schließlich doch eine Leidensgeschichte, die ihresgleichen in der Geschichte der Menschheit sucht. Und wo blieb die christliche Liebe? Die erschien bestenfalls dem einzelnen Juden gegenüber angebracht. Nicht zuletzt aufgrund solch schwerwiegender theologisch-historischer Vorurteile sind die Jahrhunderte des Judentums nach den Kreuzzügen voll von erzwungenen Religionsgesprächen, Zwangstaufen und Talmudverbrennungen, von Karikaturen der »Judensau« (Schweinefleischverbot!), von Verurteilungen, Vertreibungen, Wiederzulassungen, Ausplünderungen, Foltern und Morden. Ein immer wieder erwünschter bequemer Nebeneffekt: Die Schulden der Christen konnten getilgt werden durch die Liquidation ihrer jüdischen Gläubiger. Muß man als Christ nicht noch heute schamrot werden angesichts dieser furchtbaren Geschichte aus Blut und Tränen?

4. Und ist dies nun alles Vergangenheit? Nein, einige **mittelalterliche Vorurteile** leben in der Christenheit fort. Zugegeben: Die von den Christen selbst erzwungene und manchmal gewiß auch ausgenutzte wirtschaftliche Sonderstellung, die Nichtjuden in größtem Maßstabe zu Schuldnern von Juden machte, war damals oft ein Vorwand zur Verfolgung der Juden. Doch etwas anderes als die gewiß manchmal berechtigten Klagen über dubiose Praktiken des Geldverleihens (in ländlichen Gegenden besonders) sind jene bis in die jüngste Vergangenheit hinein wiederholten und aus Ängsten geborenen alten und zum Teil mittelalterlichen historischen Vorurteile, deren Unhaltbarkeit jedoch leider von vielen Christen selbst heute noch viel zu wenig durchschaut wird[66]. Dazu in aller Deutlichkeit und Kürze folgendes:

a) **Die Juden sind »Geldmenschen«?** Weit verbreitet noch immer das Wort vom »Geldjuden« oder »christlichen Juden« und vom Geldgeschäft als Merkmal der »Synagoge«[67]! Als ob die Juden sich ursprünglich – in Palästina wie auch in Babylonien – nicht gerade hauptsächlich in Ackerbau, Viehzucht und Gartenwirtschaft und dann auch in Handwerk und Handel hervorgetan hätten! Als ob sie – die in der hellenistischen Zeit neben den Griechen wegen ihrer Verkehrsverbindungen und Sprachkenntnisse die Hauptträger des Orienthandels waren – auch in der europäischen Diaspora nicht neben Handel und Schiffahrt auch Landwirtschaft, ja im frühmittelalterlichen Europa sogar in erster Linie Landwirtschaft betrieben hätten!

Als ob nicht die Christen selbst die Juden zuerst aus den hohen Staatsämtern, dem Richteramt und der Armee, dann seit der Kreuzzugszeit
auch aus der Landwirtschaft (wo die Großzahl von ihnen beschäftigt
war) und dem Handwerk verdrängt hätten! Selbst die Herstellung
christlicher Devotionalien wurde ihnen von Papst Benedikt XIII.
1415 ausdrücklich untersagt. Jüdische Grundbesitzer durften keine
christlichen Arbeitskräfte beschäftigen. Die christliche Zunftordnung
hatte den Juden die handwerklichen Berufe verschlossen. Das Feu-
dalsystem verhinderte den Erwerb von Grund und Boden. Der Fernhandel war in andere Hände übergegangen. Was hätten die Juden
also, wenn sie überleben wollten, eigentlich noch tun können? Nur
der Klein- und Wanderhandel war ihnen geblieben.

Heuchlerisch hat die mittelalterliche Kirche selber Juden, die nur so
ihr Leben fristen konnten, ins nun einmal unumgängliche, obrigkeit-
lich gewünschte, aber im Volk verfemte und verhaßte Zins- und
Pfandgeschäft (auch Altwarenhandel) hineingenötigt, welches sie
ihren eigenen Mitgliedern verbot (Zins = Wucher!). Juden mußten
das (von alters her immer wieder umgangene) biblische Zinsverbot[68]
nach streng rabbinischer Gesetzesinterpretation ohnehin nur gegenüber den gesetzestreuen Juden anwenden. So wurde das Geldgeschäft
durch das Gebot der Kirche faktisch zum jüdischen Monopol. Die Juden, ihrerseits unter exzessiv hoher Besteuerung, mußten entsprechend hohe Zinsen (üblich 43-100 %) verlangen, was 1290 zuerst in
England zu ihrer Vertreibung führte. »Der Jude« wurde so im Spätmittelalter zur Feindfigur, die selbst in den seit dem 14. Jahrhundert
verbreiteten Passionsspielen typisch als Wucherer (»Judassohn«) aufzutreten hatte[69]. Ungefähr alles – das Recht zum Kommen und Gehen, zum Kaufen und Verkaufen, zum gemeinsamen Beten, zum Heiraten, zum Gebären eines Kindes – mußte der Jude sich erkaufen.

b) **Die Juden sind »zur Zerstreuung verdammt«?** Wer kennt nicht
die (faktisch erst im Hochmittelalter auftauchende) Legende von jenem jüdischen Schuster Ahasver, der Jesus auf seinem Leidensweg
verspottet haben und zur ruhelosen Wanderung bis zu Christi Wiederkunft verurteilt worden sein soll! Ist er, den manche damals gesehen haben wollen, nicht die Symbolgestalt des Juden schlechthin? Als
ob alle Juden, nur zur Buße für ihre Sünden auf Erlösung wartend, in
der Diaspora lebten! Die Sünden, die nach jüdischer Auffassung das
Volk schuldig machten (Götzendienst und Haß gegeneinander), wa-

ren ohnehin nicht dieselben, die ihnen Christen vorwarfen (Ablehnung Christi). Als ob – umgekehrt – die jüdische Diaspora nicht schon mehrere Jahrhunderte vor dem Tode Jesu begonnen hätte! Zur Zeit von Jesu Geburt lebten, wie wir sahen, nur ein Bruchteil der Juden in Palästina. Als ob dann nach der Eroberung Jerusalems durch Titus wie nach dem Bar-Kochba-Aufstand nicht noch eine große Zahl von Juden in Palästina gelebt hätte! Erst die Kreuzfahrer hatten ihnen bis auf einen kleinen Rest, der armselig sein Leben als Färber weiterfristete, ein Ende bereitet. Die Juden also zur Zerstreuung verdammt? Auch hier hat erst die Gründung des Staates Israel die Ungeheuerlichkeit dieser Legende ernsthaft erschüttert.

c) **Die Juden sind »verbrecherische Verschwörer«?** Wer kennt nicht die von Katholiken, die im mittelalterlichen Paradigma verharren, zum Teil noch heute geglaubten perfiden Fabeln: Von Ritualmorden an Christenkindern (der »heilige« Knabe William von Norwich), von angeblichen Brunnenvergiftungen, Hostienwundern und Hostienschändungen (die Gefährlichkeit jüdischer Ärzte, etwa noch die »Verschwörung« jüdischer Ärzte gegen das Leben Stalins 1953!)? Und von wie vielen Päpsten und Heiligen sind antijüdische Aussagen überliefert! Als ob nicht all diese gemeinen Anklagen Projektionen wären. Als ob die Hebräische Bibel, Mischna und Talmud nicht eine Scheu vor der Befleckung durch Blut zeigten. Als ob nicht schon mittelalterliche Kaiser wie Friedrich II. und Päpste wie Innozenz IV. die Juden gegen solche Anklagen in Schutz genommen hätten. Doch unbestreitbare Tatsache ist: Diese verbrecherischen, höchst gefährlichen Vorurteile und Legenden haben ungezählten Juden in immer wieder neuen Verfolgungen und Vertreibungen das Leben gekostet. Erst 1965 – unter dem Einfluß des Zweiten Vatikanums – wurde zum Beispiel in der Konzilsstadt Trient der von Papst Sixtus V. bestätigte Kult eines eineinhalbjährigen Knaben Simon abgeschafft, der 1475 das Opfer eines angeblich jüdischen Ritualmords gewesen sei.

Dabei waren die Kreuzzüge noch nicht einmal der absolute Tiefpunkt all der Diskriminierungen und Verfolgungen gewesen. 1348-50 war es zur **schwersten mittelalterlichen Judenverfolgung** gekommen, als im Elsaß, im Rheinland, in Thüringen, Bayern und Österreich ungefähr 300 jüdische Gemeinden vernichtet und in religiösem Fanatismus Hunderttausende von Juden abgeschlachtet wurden: Zwangsbekehrungen in großer Zahl, nur ein Rest noch geduldet. Und dies alles warum? Am Anfang stand eine Fabel! Von Südfrankreich aus war plötzlich der Vorwurf durch Europa gegeistert, Juden seien schuld an der ausgebrochenen Pestepidemie, die in Europa ungefähr jedem dritten Einwohner das Leben kostete; Juden hätten die Brunnen vergiftet! Die Folgen waren fatal. 1394 wurden die Juden nach dem Beispiel Englands hundert Jahre zuvor – natürlich immer unter lukrativen Vermögenskonfiskationen – auch aus Frankreich ausgewiesen, was erst die Französische Revolution revidieren sollte.

Das deutsche Reich stand all dem schließlich auch nicht nach, und im 15./16. Jahrhundert folgte eine Ausweisungswelle gegen die Juden nach der anderen. Größere jüdische Gemeinden bestanden jetzt nur noch in Frankfurt, Worms, Wien und Prag. Der kulturelle Niedergang des nordeuropäischen Judentums war damit zwangsläufig und unübersehbar. Die **aus Deutschland (»Aschkenasien«) stammenden Juden** (= »Aschkenasim«) wanderten – wie wir bereits hörten – ostwärts. Und so verlagerte sich schließlich das **ökonomisch-geistige Schwergewicht des Judentums im 16./17. Jahrhundert nach Polen:** Polen damals ein Entwicklungsland, wo die Juden als Pioniere des städtischen Handels und Fernhandels willkommen waren und als handel- und gewerbetreibender Mittelstand Sicherheit, Privilegien, ja eine zeitlang sogar eine recht große Autonomie genossen.

Doch bevor die Geschichte weiter erzählt werden soll, möchte ich hier angesichts des Übergangs vom europäischen Mittelalter zur Neuzeit eine Frage erörtern, die ich kaum diskutiert sehe und die doch für die Gegenwart keineswegs gegenstandslos ist: Warum eigentlich gab es im Judentum, das erst im 18. Jahrhundert den Übergang vom Mittelalter zur Moderne vollzog, keine wirkliche Reformation wie im Christentum?

9. Warum keine jüdische Reformation?

Ist das vielleicht eine sinnlose oder zumindest überflüssige Frage? Selbst manchen Juden ist es nicht genügend bekannt: Angesichts des kaum noch zu übersehenden Kommentierungs- und Kodifizierungsprozesses im rabbinischen Judentum gab es schon im frühen Mittelalter – beunruhigt von dem sich so rasch ausbreitenden Islam und gegen das rabbinische Establishment rebellierend – eine breite **jüdische Zurück-zur-Bibel-Bewegung**. Im 8. Jahrhundert war nämlich im persisch-babylonischen Raum eine jüdische Sekte entstanden, als deren Gründer ein gewisser Anan ben David gilt. Sie hatte den Talmud verworfen und als Quelle der göttlichen Offenbarung allein die Hebräische Bibel, den Tenach, gelten lassen. Was zur Erfüllung von Gottes Geboten zu wissen notwendig sei – das sei alles in der Bibel selbst zu finden. Eine postbiblische Tradition dagegen, all das in Mischna und Talmud angesammelte, kaum noch übersehbare Überlieferungsgut der »mündlichen Tora« sei unnütz. Man staunt: So kam es auch im Judentum gegen die herrschende talmudisch-rabbinische Tradition zu einer »sola scriptura«-Bewegung: »**allein die Schrift**«, an welcher spätere Überlieferungen kritisch zu messen seien. Eine Reformbewegung also, die ähnlich wie die protestantisch-reformatorische auch die Liturgie ganz nach der Bibel, mit Schwergewicht auf den Psalmen, umgestaltete. Was die Opposition zum »klerikalen«, hier rabbinischen Establishment verschärfen mußte.

Im Gegensatz zu den Anhängern des rabbinischen Judentums (in der Forschung als »Rabbaniten« bezeichnet) nannte man die Träger dieser Bewegung schon damals **Karäer** oder Karaiten (hebr.: »Kara'im« von »lesen« oder »rufen, versammeln«): »**Leute der Schrift**«[70]. Zur Konsolidierung dieser Bewegung hat ganz wesentlich Benjamin ben Moses aus Nahawend in Persien (830-886) beigetragen. Als erster karäischer Systematiker erhob er das freie und unabhängige individuelle Schriftstudium zum Grundprinzip. Zugleich versuchte er, durch eine philosophische Traditionskritik, bei der Plotin Pate stand, alle anthropomorphen Züge des Gottesverständnisses in Haggada und jüdischer Mystik zu eliminieren. Sind diese antirabbinischen »Biblizisten« vielleicht eine Quantité négligeable? Nein, sie bildeten im Orient zwischen dem 9. und dem 12. Jahrhundert die bedeutendste jüdische Sekte, die bisweilen in bestimmten Gemeinden die Mehrheit hatte und auch in Palästina, Ägypten und Nordafrika dem offiziellen rabbinischen Judentum schwer zu schaffen machte. In der Folge des Ersten Kreuzzuges 1099 jedoch wurden sie in Palästina weithin vernichtet: Die Jerusalemer Karäer wurden zusammen mit ihren rabbanitischen Gegnern von den »Kreuz-Rittern« in eine Synagoge getrieben und lebendig verbrannt.

Was die geistig-kulturelle Leistung der Karäer betrifft, so kam es im

9./10. Jahrhundert zu einer bedeutenden wissenschaftlichen Literatur. Namhafte Gelehrte in Philosophie, Theologie, Schriftauslegung, hebräischer Philologie und Lexikographie traten hervor und zwangen auch das offizielle talmudische Judentum wieder zu einer intensiveren Beschäftigung mit der Bibel selbst. Und trotz eines rabbanitischen Eheverbots mit den Karäern gab es auch noch später im byzantinischen, später türkischen Reich mehrere karäische Gemeinden, wobei allein in Byzanz im 12. Jahrhundert von 2500 Juden 500 Karäer gewesen sein sollen, die, von den orthodoxen Rabbaniten angefeindet, denn auch von anderen Juden getrennt leben mußten. Im 17./19. Jahrhundert verlagerte sich das Schwergewicht der karäischen Bewegung nach der Krim und nach Litauen. Und so sind sie (von den Samaritanern abgesehen) die einzige jüdische Sekte, die mehr als 1200 Jahre überlebte und bis heute Bestand hat. Rund 10000, schätzte man, gab es noch 1932 in der Sowjetunion. Und nach der Staatsgründung 1948 kamen viele aus islamischen Ländern nach Israel, wo sie eine von der Regierung anerkannte, aber nicht sehr einflußreiche Gemeinde bilden (1970 auf rund 7000 Gläubige geschätzt).

Warum aber konnte sich diese reformatorische Bewegung bei allen Impulsen zur Pflege und Auslegung des Bibeltextes **nicht durchsetzen gegen das rabbinische Establishment?** Daß dieses zu mächtig war, ist – vergleicht man mit der mächtigen mittelalterlichen römischen Kirche – kein Argument, vielmehr ist zu bedenken:

1. Anders als die protestantischen Reformatoren hatte der Gründer der Karäer-Bewegung, Anan ben David, mit der Berufung auf die Schrift einen **asketischen Rigorismus** verbunden, der freilich in der (quasi sadduzäischen) Rückkehr zum reinen Bibelwort, aber auch in der Reaktion gegen die Verweltlichung des babylonischen jüdischen Exilarchats begründet war. Denn gegenüber der oft abmildernden rabbanitischen Interpretation (auf der Linie der Pharisäer) vertrat der Karäismus verschärfte Bestimmungen zur Sabbatruhe, zur Beschneidung, zur rituellen Reinheit und vor allem zur Verwandten-Ehe (nach Gen 2,24 hätten auch Verschwägerte als Blutsverwandte zu gelten). Ein Leben unter Andersgläubigen war so fast unmöglich; Auswanderung nach Palästina war für viele die zwangsläufige Folge, so daß es im 20. Jahrhundert allgemein zum starken Rückgang der Karäer kam. Ihr Gründer Anan könne deshalb »nicht … als ein wahrer ›Reforma-

tor‹ des Judentums bezeichnet werden; denn weit davon entfernt, das
›Joch‹ des traditionellen Gesetzes leichter zu machen, machte er es zu
tragen schwerer«, stellen die jüdischen Gelehrten J. E. Heller und
L. Nemoy fest[71].

2. Wegen der individualistischen Maxime des Gründers »Forschet
selber tüchtig in der Tora und verlaßt euch nicht auf meine Meinung«
kam es nach dessen Tod sehr bald zur **Spaltung** in verschiedene – apo-
kalyptisch, toragläubig oder philosophisch orientierte – Gruppen und
Parteien. Ein religiöser Anarchismus drohte, und eine andere Berech-
nung des Kalenders schuf zusätzliche Probleme. In ungezählten Gruppen und Parteien zu überleben war sehr viel schwieriger als im Rahmen eines geschlossenen religiös-gesellschaftlichen Systems.

3. Ein enzyklopädisch gebildeter und höchst rational argumentie-
render **Verteidiger des rabbinischen Judentums** erwuchs den Karäern
des 10. Jahrhunderts im Gaon (»Schulhaupt«) der genannten Schule
von Sura in Babylonien), dem Ägypter **Saadja ben Joseph** (882-942).
Er war die höchste wissenschaftliche Autorität für die Juden seiner
Zeit. Er hat nicht nur die Hebräische Bibel ins Arabische übersetzt
und gescheit kommentiert. Er hat mit seinem »Buch der Glaubens-
lehren und Erkenntnisgründe«[72] auch die erste systematische theologische Darstellung des jüdischen Glaubens überhaupt geschrieben
(erste Formulierung von zehn Glaubensartikeln, die Moses Maimonides dann auf die zitierten klassischen dreizehn erweitert) und dabei
bewußt philosophisch-theologische Argumente aus der Umwelt aufgenommen. Denn seit dem 9. Jahrhundert hatte sich der Einfluß der
klassischen griechischen Philosophie im karäischen wie im rabbanitischen Judentum nun doch bemerkbar gemacht, und Saadjas Buch
war seit Philon von Alexandrien, den man im Judentum ganz vergessen hatte, das erste Werk von philosophisch-theologischem Charakter. Gerade dieser hochberühmte Mann schrieb nun mehrere Pam-
phlete (das erste übrigens schon mit 23 Jahren) gegen die Karäer, die
für ihn Häretiker und von der Mutter-Synagoge Abgefallene waren.
Es gelang ihm, dem spätere große jüdische Theologen wie Jehuda
Hallevi (gest. 1141) und Mose ben Maimon (Maimonides) nachfolgten, diese expandierende innerjüdische Oppositionsbewegung einzu-
dämmen, so daß die Gefahr einer grundlegenden Reformation abgewendet werden konnte.

4. So blieben denn diese Karäer eine kleine und immer konservati-

ver werdende **Minorität**, die sich soweit wie möglich von der Welt, ob
der rabbinischen, christlichen oder muslimischen, zurückzog und auf
weitere geistige Auseinandersetzung mit der Umwelt verzichtete. Eine
historische Chance wurde so verpaßt! Denn wann immer man sich im
Judentum auch später noch auf die Bibel besinnen wollte – so unter
den Nachfahren der zwangsgetauften geheimen spanisch-portugie-
sischen Juden, die im 17./18. Jahrhundert in London oder Amsterdam offen zur jüdischen Religion zurückkehren wollten, oder im Reformjudentum des 19. Jahrhunderts – , wann immer also quasi-karäi-
sche Argumente aufkamen: sie konnten prompt mit der Ketzerkeule
»Karaismus« abgetan werden.

Fragen für die Zukunft

✝ Hatte die römisch-katholische Kirche weise gehandelt, als sie
alle Reformvorschläge der Reformatoren (selbst Volkssprache in der Liturgie, Kelch für die Laien, Priesterehe) von vorneherein ablehnte und stattdessen das mittelalterliche Kirchensystem zu
einer gegenreformatorischen und antimodernistischen Festung
ausbaute? Mußte dieselbe Kirche nicht mit dem Zweiten Vatikanischen Konzil 450 Jahre später – zu spät – den Paradigmenwechsel
der Reformation in wesentlichen Punkten nachholen?

🕎 Hat das rabbinische Judentum auf die Dauer richtig gehandelt, als es jegliches radikal-kritisches Zurückfragen auf die
Bibel und ihre ursprüngliche Botschaft ablehnte und stattdessen
dem Festhalten am mittelalterlich-talmudischen Paradigma den
Vorzug gab? Wurden ihm die Anliegen der Reform nicht von den
gewandelten Zeiten selbst immer wieder ins Gedächtnis gerufen?

☽ War der traditionelle Islam auf Dauer gut beraten, wenn er Reformen der Scharia, jenes auf Koran und Sunna aufbauenden
mittelalterlichen Religionsgesetzes, stets ablehnte und den Itschti-
had – die vernünftige selbständige Rechtsinterpretation – als gefährlich ausschließen wollte? Kommen heute nicht manche der Fragen (etwa bezüglich der Stellung der Frau und der Nichtmuslime),
die man früher als nichtexistent oder erledigt angesehen hat, mit
um so größerer Dringlichkeit zurück?

V. Das Assimilations-Paradigma der Moderne

Mit dem **Humanismus** schien sich zunächst eine Wandlung in der Einstellung gegenüber den Juden abzuzeichnen. In Oberitalien blühen jüdische Buchdruckerkunst und Kultur, in Deutschland entwickelt sich eine hebräische Sprachwissenschaft – zum besseren Verständnis der Hebräischen Bibel und der nachbiblischen Tradition. Insbesondere findet jetzt die jüdische Mystik der **Kabbala** große Aufmerksamkeit. Wir werden später auf ihr Gottesverständnis eingehen, müssen aber schon hier fragen: Was meint »Kabbala«? Bildet sie vielleicht im Übergang vom Mittelalter zur Moderne ein neues jüdisches Paradigma?

1. Die Kabbala – kein neues Paradigma

Auch »Kabbala« meint ursprünglich nichts anderes als »Überlieferung«. Jetzt aber wird das Wort zum Synonym für eine spezifische **Geheimlehre** der jüdischen Tradition, die als der eigentliche Inhalt der Tora angesehen wird. Der führende jüdische Kabbalaforscher Gershom Scholem hat unzweifelhaft herausgearbeitet (und zumindest darin die Zustimmung des älteren Martin Buber gefunden), daß es sich bei der Kabbala um eine jüdische Form der **Gnosis** handelt, die auf die Einsicht in die oder gar die **Kenntnis der Geheimnisse der Gottheit** zielt[1]. Diese Geheimlehre hat eine lange Vorgeschichte, Blütezeit und Nachgeschichte. Sehen wir genauer zu.

Die **Vorgeschichte**: Frühe Spuren finden sich in einzelnen rätselhaft-esoterischen Äußerungen hellenistisch-jüdischer Literatur und in kosmischen Spekulationen von Rabbinen. Den neuesten Kabbala-Forschungen von Mosche Idel zufolge gibt es seit dem Beginn der jüdischen Mystik im 2. Jahrhundert v. Chr. zwei am Anfang nicht klar zu trennende Arten mystischer Erfahrung, beide repräsentiert dann im 1. Jahrhundert n. Chr. durch Rabbi Akiba: zum einen die gemäßigte Form, nämlich die theosophische Spekulation, die den Mystiker durch das hingebungsvolle Studium der Tora zu den Geheimnissen der ewigen, vorausexistierenden Tora und so zur Betrachtung, ja, Beeinflussung der Gottheit selber führt; zum anderen die intensive

Form, die durch besondere Techniken (magische Worte, Singen von göttlichen Namen und Hymnen) auf das ekstatische Erfülltsein des Mystikers zielt[2]. Erst in der zweiten Hälfte des ersten Jahrtausends kommt es zu ersten Systematisierungen des Gottes- und Schöpfungs-verständnisses: mystische Ausdeutungen des Schöpfungsberichts im Buche Genesis, eine spekulative Engellehre, vor allem aber die ent-wickelte »Thronwagen«-Mystik (Merkawa-Mystik), eine durch Tora-studium oder aber besondere Techniken erreichte Schau der Erschei-nung Gottes auf dem himmlischen Thronwagen, wie sie in der Beru-fungsvision des Propheten Ezechiel mit einem grossen Bild geschildert wird[3]. Diese Geheimlehre gelangt von Palästina aus auch nach Euro-pa, insbesondere zu französischen und deutschen Chasidim (»From-men«), und erhält mit asketisch-büßerischen Konsequenzen im »Buch der Frommen« (»sefer chasidim«) eine erste Zusammenfassung.

Vom 12. bis zum 14. Jahrhundert entwickelt sich vor allem in Süd-frankreich (Narbonne, Arles, Marseille) und Spanien (Gerona und Barcelona) – gleichzeitig treten im gleichen Raum asketisch-christ-liche Gruppen wie die Katharer und Albigenser auf – die **Kabbala-Be-wegung im eigentlichen Sinne.** In ihrem Umkreis[4] wird die theoso-phische Lehre vom Organismus sich entwickelnder göttlicher Poten-zen, Kräften oder Äonen voll entfaltet – Beleg: das einflußreiche Buch mit dem Titel »**Bahir**« (»Buch der Klarheit«). Und hier entsteht schließlich das Hauptwerk der »älteren Kabbala«, die Bibel der jüdi-schen Mystiker, das quasi-kanonische Buch »**Zohar**« (1240-1280), je-nes »Buch des Strahlens«, welches zwischen dem verborgenen Aspekt der Gottheit (»En-Sof« = »das Unendliche«) und dem geoffenbarten Aspekt unterscheidet und so die zehn Attribute und Kräfte Gottes und Stufen der göttlichen Offenbarung darlegt – zusammen mit einer Lehre von der Wanderung der Seelen. Den von der theosophischen Form jetzt klar unterschiedenen intensiven, ekstatischen Typus mysti-scher Erfahrung repräsentiert gleichzeitig der Spanier **Abraham Abu-lafia** aus Saragossa (gest. nach 1291), der auch Atemtechniken benützt und die prophetisch-messianische Note in die kabbalistische Bewe-gung bringt, die sich freilich erst später voll auswirken sollte.

Wie immer: Philosophie und profane Wissenschaften wurden jetzt allenthalben abgelehnt, die rationale Scholastik des Maimonides zu-nehmend zurückgedrängt. An ihre Stelle trat eine introvertierte, sich abkapselnde, asketisch gefärbte, neuplatonisch-spekulative Religiosi-

tät, die in einer mystisch interpretierten strengen Torafrömmigkeit
gipfelte, für welche die Tora das Weltgesetz ist, in der alle Erkenntnisse der Welt auf geheimnisvolle Weise verborgen sind und deren
Sprache, das Hebräische, schon die Ur-Sprache der Schöpfung war.

Vom 14. bis zum 17. Jahrhundert erreicht die kabbalistische Bewegung ihren **Höhepunkt**, insofern die früher elitäre Geheimwissen-
schaft von den göttlichen Mysterien jetzt durch zahllose Manuskripte,
Anthologien, schließlich Drucke sozusagen demokratisiert wird. Bedingt durch die Vertreibung der Juden aus Spanien 1492 und den
furchtbaren Leidensdruck hatte die Kabbala jetzt immer mehr messianische Züge angenommen, endzeitliche Spekulationen aufgenommen
und sich von Spanien aus in den Gettos der gesamten jüdischen Diaspora verbreitet. Ja, im Jahrhundert der protestantischen Reformation
kam es geradezu zu einer den Messias erwartenden Volksbußbewe-
gung, und die ursprünglich esoterische Kabbala verschmolz jetzt in
Mittel- und Osteuropa ganz mit dem parallel entstandenen, volks-
tümlichen aschkenasischen Chasidismus, aber auch mit manchem im
Volk verbreiteten Aberglauben (Dämonen, Buchstabenmagie, der
Kunstmensch Golem ...).

Und doch beachte man: Bei allen Systematisierungen kam es im Judentum nie zu einem einheitlichen mystischen System. Während in
den Religionen indischen Ursprungs die auf Einheit mit der Gottheit
drängende Mystik ganz und gar im Zentrum der Religion steht, blieb
sie in den Religionen prophetischen Charakters – wie in Christentum
und Islam so auch im Judentum – naturgemäß nur eine mächtige Ne-
ben- oder Unterströmung, die von der Orthodoxie entweder verdächtigt, verurteilt und ausgeschieden oder aber schließlich ins traditionelle rabbinische System integriert und domestiziert wurde. Mit anderen Worten: Eine Veränderung der Gesamtkonstellation auf Dauer, **ein neues Paradigma** vermochte auch die Kabbala **nicht** heraufzuführen. Im Gegenteil: Das Schicksal der kabbalistischen Bewegung
sollte bald besiegelt sein. Der Grund?

In Palästina, wo sich wieder mehr Juden angesiedelt hatten, genauer: im nordgaliläischen Zefat, wo der Kabbala zufolge der Messias
erscheinen wird, hatte sich indes unter exilierten Juden mit Mose
Cordovero (1522-1570) ein neues Kabbala-Zentrum gebildet, das zu
einem theologischen Zentrum des Judentums überhaupt wurde[5].

Denn hier entwickelte nun der legendäre »heilige Löwe« **Isaak Luria** (1534-1572) eine neue Meditationsmethode durch Konzentration auf die einzelnen Buchstaben der Tora, die für ihn zugleich das heilige Buch der Natur ist, um so zur Einung mit dem Göttlichen zu kommen. Zugleich legt er auch eine höchst einflußreiche spekulative Lehre von Gott, der Weltentstehung, dem Ursprung des Bösen und vom Messias vor: das klassische Beispiel, wie Gershom Scholem gezeigt hat, eines gnostischen Gedankensystems innerhalb des orthodoxen Judentums. Ein großer Mythos von Exil und Erlösung: Die »Funken« göttlichen Lichtes und Lebens sind zerstreut über die ganze Welt, und in ihrer Verbannung sehnen sie sich danach, durch des Menschen Tätigkeit wieder zu ihrem ursprünglichen Platz in der göttlichen Harmonie allen Seins erhoben zu werden.

Aber gerade vom palästinischen Kabbalismus aus kam es nun auch hundert Jahre später in einem schon länger aufgeheizten messianischen Klima zu jenem pseudomessianischen Desaster, welches die **Nachgeschichte** der kabbalistisch-messianischen Bewegung einleiten sollte. Als sich nämlich ein gewisser **Sabbataj Zwi** (1626-1676) in Palästina mit Berufung auf die Lurianische Kabbala vom »Propheten« Nathan von Gaza zum Messias ausrufen ließ und das Jahr 1666 als Erlösungsjahr verkündete, konzentrieren sich auf ihn intensive messianische Erwartungen, die jetzt auch von der Mehrzahl der Rabbinen von Palästina und Marokko bis nach Polen geteilt werden. Gerade dort, in Polen, hatten soeben noch 1648 im Zusammenhang des russischen Bauern- und Kosakenaufstands gegen die Polen und ihre jüdischen Verwalter furchtbare Judenmassaker und Flüchtlingsbewegungen stattgefunden. Doch der »Messias« Sabbataj wird auf seinem Weg nach Konstantinopel zur Erlangung der Sultanskrone in türkischen Gewässern verhaftet und eingekerkert. Ja, vor die Wahl Tod oder Konversion gestellt, tritt er im Jahr der Erlösung 1666, um sein Leben zu retten, zum Islam über. Der Sultan exiliert Sabbataj Zwi schließlich nach Albanien, wo er zehn Jahre später stirbt.

Begreiflich, daß das Schicksal Sabbatajs für Juden in aller Welt eine furchtbare Enttäuschung war, was freilich manche, besonders in Osteuropa – später Sabbatianer genannt – nicht gehindert hat, auch nach dem Tod ihres Messias weiterhin an ihn und seine Wiederkunft zu glauben. Der mangelnde Realismus der kabbalistischen Bewegung, ihre mystische Verstiegenheit und Fixiertheit auf das Jenseitig-Unirdische werden jetzt offenkundig. Vollends in die Krise aber geriet die Kabbala noch einmal hundert Jahre später durch den Führer der osteuropäischen Sabbatianer **Jakob Frank** (1726-1791), der sich als Reinkarnation von Sabbataj Zwi ausgibt und der gegenüber der Halacha die »höhere« (oder »geistige«) »Tora der Emanation« verkündet hatte. Denn als Frank von einem rabbinischen Gericht exkommuniziert wird, flieht er in die Türkei und – wird ebenfalls Muslim. Nach Polen zurückgekehrt, unterzieht er sich zusammen mit seiner Anhängerschaft einer zweiten Konversion, ausgerechnet zum römischen Katholizismus. Doch damit nicht genug: Frank endet nach einer abenteuerlichen Geschichte, auch eine neue Trinität (»guter Gott« – »großer Bruder« – »Sie« = Schechina als Jungfrau Maria) hat er konstruiert, als Anhänger der russischen Orthodoxie ...

Wahrhaftig: Die Krise des Kabbalismus tritt für viele Juden jetzt endgültig zu Tage: Diese Lehre erscheint diskreditiert, ihr Schicksal als geistige Kraft besiegelt. Was an kabbalistischer Frömmigkeit noch vorhanden war, konzentriert sich schließlich im **osteuropäischen Chasidismus**[6]: in jener von starkem Zusammengehörigkeitsgefühl durchdrungenen Bewegung der osteuropäischen »Frommen« (»Chasidim«), die, vom trockenen Rabbinismus frustriert und von Pogromen heimgesucht, sich zuerst in Podolien und Galizien entwickelt, auf den wundertätigen Charismatiker Eliëser Baal Schem Tov (kurz: »Bescht«, 1700-1760)[7] zurückgeht und vom »großen Maggid« (Dov Bär aus Meseritz, 1703-1772) und vor allem von Rabbi Nachman von Bratzlaw (1772-1811), dem Organisator der chasidischen Bewegung, weitergetragen wird. Solche große »Rebben« oder »Zaddikim« sind die Leitfiguren. Doch die Erlangung der Verbindung (Communio) mit Gott ist Zentrum auch des Chasidismus, aber die gnostischen Spekulationen über Gottes Geheimnisse werden hier moralisch umgedeutet: in Aussagen über den Menschen und seinen Weg zu Gott, den der Mensch allüberall im weltlichen Alltag, selbst in den Gesprächen auf dem Marktplatz, finden kann. Gebet und Betrachtung der göttlichen Namen sind wichtiger als Torastudium. Vom rabbinischen Judentum (den »Mitnaggedim« unter Führung des Wilnaer Gaon Elia ben Salomo) aber wird dieser kabbalistische Chasidismus überall gerade wegen der pantheistischen Ideen erbittert bekämpft und durch eine strenge und oft noch stärker formalistische Gesetzespraxis ersetzt.

Erst seitdem man in unserem Jahrhundert die jüdische Geschichte als Geschichte eines lebendigen Volkes und nicht primär als die von philosophisch-theologischen Ideen behandelt, beginnt man sich auch für die im Leben der jüdischen Massen Osteuropas wirkmächtigen Kräfte zu interessieren. Nach Simon Dubnows bahnbrechenden Forschungen zur Geschichte des Chasidismus war es vor allem Martin Buber, der es mit ungewöhnlicher religiöser Intuition und poetischer Formulierungskunst verstand, diese fremde Welt eines angeblichen Obskurantismus europäischen und amerikanischen Lesern verständlich zu machen durch seine »chasidischen Geschichten«[8] (zuerst die »Geschichte des Rabbi Nachman« 1906, und die »Legende des Baalschem« 1907). Aber wie Gershom Scholem gezeigt hat[9]: Um das umfangreiche Korpus theoretischer Schriften (Traktate, Bibelkommentare, Predigten, Vorträge) und deren Spekulationen kabbalistischen Charakters hat sich Buber nicht gekümmert. Vielmehr hat er in subjektiver Auswahl und Kombination und in einer sprachmächtigen religiös-existentialistischen Interpretation die Legenden, Anekdoten und Aussprüche der Chasidim nacherzählt, wobei das magische Element weithin weggedeutet, aber auch die soziale Eigenart des Chasidismus und die strenge Bindung an Tora und Gebote vernachlässigt wurden.

Und die **christliche** Seite: Hat man hier überhaupt die Kabbala zur Kenntnis genommen? In Europas Theologen- und Philosophen-Elite war man erst in der Zeit des Humanismus auf die Kabbala aufmerksam geworden; diese war ja auch erst seit 1480 quellenmäßig überhaupt zugänglich. G. Pico della Mirandola etwa hatte sich mit ihr ebenso zu beschäftigen begonnen wie dessen Bewunderer **Johannes Reuchlin** aus Pforzheim, der – von jüdischen Lehrern ausgebildet – zum Begründer der hebräischen Sprachwissenschaft werden sollte[10]. Ihm erschien die Kabbala als eine Art jüdischer Urweisheit (von Pythagoras den Griechen vermittelt). Und während Mirandola nur referiert hatte, versuchte Reuchlin in zwei Werken,[11] die Kabbala als das Bindeglied einer humanistischen Synthese aus Judentum, Griechentum und Christentum zu verstehen. Eine Synthese, die er mit seinen eigenen Arbeiten anstrebte. Kein ungefährliches Abenteuer.

Als ein zum Christentum konvertierter Jude, Johannes Pfefferkorn, in verschiedenen Pamphleten dazu aufgefordert, alle jüdischen Bücher außer der Bibel zu konfiszieren und zu verbrennen, da sie das Christentum angeblich diffamieren, tritt Reuchlin – gelehrter Humanist und Jurist – öffentlich entschieden dagegen auf. In einem Gutachten für den Kaiser befürwortet er mit Berufung auf das römische (und unverfälschte kanonische) Recht gegen das mittelalterliche fortgebildete Judenrecht den Anspruch der Juden auf den Besitz des Talmuds (1510), und gegen Pfefferkorn leistet er in der Schrift »Augenspiegel« (1511) entschieden Widerstand.

Die Folgen für Reuchlin sind schwerwiegend, doch können sie – nach allem, was wir über die Einstellung der Kirche zu den Juden bisher hörten – kaum überraschen. Jetzt heftig angefeindet, wird Reuchlin in einen großen Streit mit den Dominikanern und der Kölner Universität verwickelt und in einem Prozeß angeklagt, der damals die ganze gebildete Öffentlichkeit aufwühlte[12]. Zwar wird er in Speyer 1514 noch freigesprochen, 1520 aber verhindert dies seine Verurteilung durch Papst Leo X., dem er seine Hauptschrift »Über die kabbalistische Kunst« gewidmet hatte, nicht. Nur durch Unterwerfung und Eintritt in den Weltpriesterstand entgeht Reuchlin Schlimmerem; nach kurzer akademischer Wirksamkeit in Ingolstadt und Tübingen stirbt er zwei Jahre nach seiner Verurteilung. Später sollte er recht bekommen. Denn: »Daß das Judentum in die europäische Rechts- und Kulturgemeinschaft hineingehört, hat zuerst der christliche Kabbalist Reuchlin vertreten, und damit den Umbruch, der sich seit Ende des 18. Jahrhunderts in der Behandlung der Juden durchsetzte, entscheidend vorbereitet.« (W. Maurer[13])

Im christlichen Deutschland war unterdessen eine religiöse Revolution in Gang gekommen, die den Fall Reuchlin weit in den Schatten stellen sollte: ein Paradigmenwechsel par excellence, Martin Luthers Reformation. Reuchlin war der Großonkel Melanchthons gewesen, des treuen theologischen Weggefährten Luthers. Luther selber hatte im Prozeß gegen Reuchlin als Gutachter geamtet und zu dessen Freispruch beigetragen. Denn Luther war gegenüber den Juden höchst milde eingestellt – damals.

2. Auch Luther gegen die Juden

Martin Luther war es, der angesichts des radikal in die Krise geratenen
römisch-katholischen Paradigmas der spätmittelalterlichen Kirche die
Vision eines neuen, **reformatischen Paradigmas der Christenheit** mit
prophetischer Kraft angekündigt hat: Zurück zum ursprünglichen
Evangelium! Und so war denn der junge Reformator nach dem Ent-
scheidungsjahr 1517 davon überzeugt, daß in dieser neuen Konstellation und mit dem jetzt von ihm neuentdeckten und von allen römischen Zusätzen gereinigten Evangelium auch für die Juden ein neues,
letztes Zeitalter angebrochen sei[14].

Und so macht sich Luther denn entschlossen zum **Anwalt der Juden.** 1523 kommentiert er in einer Predigtreihe die Fünf Bücher Mose und verfaßt zugleich eine Schrift mit dem Titel: »Daß Jesus Christus ein geborener Jude sei«[15]. Hier verteidigt sich Luther gegen Vorwürfe von Christen, er lehre, Jesus sei der »Same Abrahams«, er leugne
also Mariens immerwährende Jungfrauschaft (vor und nach der Geburt Jesu) und vertrete somit jüdische Auffassungen. Hierbei geht
Luther nun seinerseits allzu selbstverständlich davon aus, daß die Juden nach Einführung der Reformation eigentlich keinen Grund mehr
hätten, zum wahren (und ursprünglich jüdischen) Christentum zu
konvertieren. Ja, in dieser entscheidend neuen Situation erwartet Luther, daß die Juden sich zum neu erkannten Jesus Christus, dem geborenen Juden, geboren aus der Jungfrau, positiv stellen würden – aufgrund ihrer eigenen biblischen Tradition nämlich. Denn im Grunde
bräuchten die Juden ja nur zum Glauben ihrer Väter, der Patriarchen
und Propheten, zurückkehren, zu einem Glauben, in welchem Jesu
Messianität eindeutig vorausgesagt sei: »Und wenn wir uns gleich
hoch rühmen, so sind wir dennoch Heiden, und die Juden von dem
Geblüt Christi, wir sind Schwäger und Fremdlinge, sie sind Blut-
freunde, Vettern und Brüder unseres Herrn.«[16]

So wendet sich Luther denn auch entschieden gegen Verleumdungen der Juden und gegen alle Gewaltanwendung; stattdessen verlangt
er deren Belehrung aus der Bibel und eine soziale Besserstellung. »Will
man ihnen helfen, so muß man nicht des Papstes, sondern christlicher
Liebe Gesetz an ihnen üben und sie freundlich annehmen, mitlassen
werben (sich mühen) und arbeiten, damit sie Ursache und Raum gewinnen, bei und um uns zu sein, unsere christliche Lehre und Leben

zu hören und sehen.«[17] Noch 1530 tritt der Reformator während des Augsburger Reichstages für eine begrenzte Duldung der Juden ein. Denn wenn es schon eine Reformation in der **Kirche** gibt, warum soll es nicht auch bald zu einer **Reformation im Judentum** kommen?

Doch was ist der gefährliche Hintergrund dieser Hoffnung? Es ist die in der Krise des Spätmittelalters im Christentum wieder neu virulent gewordene **apokalyptische Erwartung**[18]: die Naherwartung des Weltendes und – als Voraussetzung dafür – eine Massenkonversion der Juden. Doch gerade diese Erwartung trog. Im Gegenteil: In Mähren waren »etliche Christen« sogar zum Judentum übergetreten, hatten sich beschneiden lassen und den Sabbat zu feiern begonnen. Noch relativ gemäßigt nimmt Luther 1538 in einem Brief »Wider die Sabbather«[19] Stellung. Es sei, so argumentierte er gut paulinisch, im Prinzip durchaus möglich, daß sich ein Christ beschneiden lasse, solange er nicht der Überzeugung sei, dies sei zum Heile notwendig. Andererseits aber ist es nach Luther eine nicht zu hinterfragende Tatsache, daß die Juden nun einmal Tempel, Priesterschaft, Gottesdienst, Herrschaft und Land vor anderthalbtausend Jahren verloren haben und das mosaische Gesetz so seine Geltung eingebüßt habe. Wenn die Juden dennoch das mosaische Gesetz praktizieren wollten, sollten sie doch wieder einen Staat Israel errichten! Doch dafür fehlten nun doch die göttlichen Verheißungen, da die Juden ja offensichtlich von Gott verlassen und Gottes Volk nicht mehr seien.

Auch diese Stellungnahme Luthers fruchtete nichts, provozierte vielmehr Gegenschriften von Rabbinen, die Luther erzürnen. Und so wird der **alte Reformator** den Juden gegenüber zum **Anwalt der Gewalt.** Drei Jahre vor seinem Tod veröffentlicht er – depressiv geworden angesichts der höchst ambivalenten Resultate seiner Reformation, der Zunahme der Konversionen zum Judentum und noch immer in Erwartung des Jüngsten Gerichts – jene berühmt-berüchtigte leidenschaftlich antijüdische Schrift, eine Kampfschrift (nicht mehr Missionsschrift), die weniger in der damaligen Zeit, wohl aber in den Zeiten der Hitlers und Himmlers schreckliche Auswirkungen sollte: »Von den Juden und ihren Lügen«[20].

Statt die Juden zu bekehren, von ihnen zu lernen oder mit ihnen zu disputieren, will Luther jetzt nur noch **über** die Juden reden. In einem langen **ersten** Teil bezichtigt er sie zunächst des »Hochmuts«, da sie

mit Berufung auf Abstammung, Beschneidung, Gesetz und das verheißene Land noch immer Gottes auserwähltes Volk zu sein bean-
spruchten. In einem langen **zweiten** Teil versucht er dann erneut mit
Hilfe einer mittelalterlichen exegetischen Methode aus der Hebräischen Bibel einen Beweis für Jesu Messianität zu liefern, der endlich
auch Juden überzeugen solle. Dabei scheut er nicht mehr davor zurück, auch die üblichen mittelalterlichen Verleumdungen (Brunnen-
vergiftung, Kindermord) zu wiederholen und die Juden der Geld-,
Blut- und Rachgier, der Blindheit und Verstockung zu beschuldigen.
Mehr noch: Nach einem **dritten** Teil über die verleumderische jüdische Polemik gegen Maria (»eine Hure«), Jesus (»ein Hurenkind«)
und die Christen (»Wechselbälge«) formuliert der Reformator nun in
einem **Schlußteil** auch fatale praktische **Verfahrensvorschläge** an die
Adresse der Staatsgewalt.

   Dabei traut man als Leser seinen Augen kaum: Luther, der ein Vierteljahrhundert zuvor nur aufgrund des Einschreitens seines eigenen
Landesfürsten der römischen Inquisition und damit dem Scheiter-
haufen entgangen war, fordert jetzt für die Juden nicht mehr und
nicht weniger als die Inbrandsteckung der Synagogen, die Zerstörung
der Häuser, die Beschlagnahmung der heiligen Schriften, ja, fordert
Lehr- und Gottesdienstverbot unter Todesstrafe, Aufhebung des frei-
en Geleites, Beschlagnahmung des Bargeldes und der Kleinodien,
körperliche Zwangsarbeit und schließlich, wenn auch dies alles nichts
nütze, Ausweisung aus den christlichen Ländern und Rückkehr nach
Palästina: »So laßt uns bleiben bei der gemeinsamen Klugheit der anderen Nationen wie Frankreich, Spanien, Böhmen etc., und mit
ihnen abrechnen, was sie uns abgewuchert und darnach gütlich getei-
let, sie aber für immer zum Land austreiben.«[21] Luther konnte nicht
ahnen, wie seine Forderungen einmal realisiert werden sollten. Noch
vier Tage vor seinem Tod am 18. Februar 1546, verärgert über die
vielen Juden im Umkreis seiner Vaterstadt Eisleben, agitiert er auf der
Kanzel gegen die Juden und plädiert offen für deren Vertreibung.

   Man muß dabei gerechterweise erwähnen, daß die lutherischen
Forderungen auch vielen Fürsten damals zu extrem erschienen. 1595
wird die Anti-Juden-Schrift denn auch auf jüdische Bitten hin als
»schamloses Schmachbuch« vom Kaiser konfisziert. Und was die Wirkungsgeschichte betrifft: Der Reformator Martin Luther war gewiß
kein nationalistisch-rassistischer Antisemit, der die Juden sozial, psy-

chisch und gar biologisch für minderwertig erklärt hätte. Nein, Luther, zunächst ja alles andere als ein Judenhasser, wird aus bestimmten theologischen Grundüberzeugungen heraus, vor allem aufgrund einer mißverstandenen Apokalyptik, zum antijüdischen Prediger, der – prominentester Vertreter des Grobianismus seiner Zeit – die Juden ähnlich unflätig als Lügner und Teufel beschimpft wie die Türken und den Papst, den endzeitlichen Antichrist. Mit dieser Theologie gilt es, sich kritisch auseinanderzusetzen.

Und die übrigen Reformatoren, **Huldrych Zwingli** und **Jean Calvin**? Sie teilten die antijüdischen Vorurteile ihrer Zeit, wenngleich sie keine Apokalyptiker waren, reformatorische Theologie mit Erasmianischer Bildung verbanden, sich mit mehr Zurückhaltung über die Juden äußerten und gewaltsame Aktionen nicht befürworteten. Das freilich fiel leicht, waren doch in Zürich und Genf wie in den meisten deutschen Städten die Juden schon längst ausgewiesen worden. Insbesondere Calvin hat gegen Luther die Einheit der beiden Testamente in seiner Theologie herausgestellt und den Juden in der Zinsfrage Recht gegeben. Doch all das kann nicht darüber hinwegtäuschen, daß auch die Theologie der übrigen Reformatoren nicht frei ist von antijüdischen Vorurteilen und daß auch die Reformatoren allesamt noch vielfach **in mittelalterlichen Vorurteilen befangen** waren.

Dies gilt auch für ihre **exegetische Methode**, mit deren Hilfe etwa Luther gegen die Juden die Dogmen der Dreifaltigkeit und der Menschwerdung Gottes aus dem Alten Testament beweisen wollte. »Damit hat sich Luther so eng mit der exegetischen Überlieferung der frühen und der mittelalterlichen Christenheit verbunden«, stellt der lutherische Theologe Wilhelm Maurer fest, »daß er seinen rabbinischen Gegnern nicht gerecht werden konnte; hier hat der wissenschaftliche Fortschritt auch in der Theologie gegen ihn entschieden.«[22] Und was die **politische Einstellung** der Reformatoren betrifft: Trotz allen Kampfes gegen die mittelalterliche »Freiheit (= Macht) der Kirche« (»libertas ecclesiae«) und für die evangelische »Freiheit eines Christenmenschen« (»libertas christiana«), findet sich bei ihnen keine Spur von moderner »Religionsfreiheit« (»libertas religiosa«), von Toleranz gegenüber Nichtchristen im allgemeinen und Geltenlassen der Juden im besonderen. Nein, die »Freiheit« eines Christenmenschen war keineswegs zugleich die »Freiheit« eines Nichtchristenmen-

schen! Auch zur Zeit der Reformation gab es nach wie vor spätmittelalterliche Hysterien, Hinrichtungen von Ketzern (Genf), Kriege gegen Oppositionelle (Bauern), Hexenverbrennungen (immer Frauen!)
und – »selbstverständlich« – auch Zwangsmaßnahmen gegen Juden …

Was zu beweisen war: Die **Reformation** ist nicht, wie oft unbedacht
angenommen, der Beginn der Neuzeit, der Moderne im strengen
Sinn, sondern stellt eine durchaus eigenständige Gesamtkonstellation
dar, ein **epochales Paradigma zwischen Mittelalter und Moderne**: in
vielem nach vorne weisend, in manchem aber auch deutlich noch der
Vergangenheit verhaftet. Und dies gerade bezüglich der Juden: Luthers spätere negative Einstellung zu den Juden kann man von daher
wohl zu Recht als Regression »zu einem mittelalterlich-katholischen
Standpunkt« hin bezeichnen (C. B. Sucher[23]).

Man fragt sich da: Wie stand es zu dieser Zeit mit Rom? Dort war
trotz und wegen der in die Antike verliebten Renaissance nicht einmal
von einem reformatorischen Paradigma – geschweige von einem modernen – die Rede. Dort wies sozusagen alles zurück in die Vergangenheit, und dies hieß für die Kirchenhierarchie: zurück ins Mittelalter.

3. Die antijüdischen Päpste der Gegenreformation

Heute gibt dies auch katholische Theologie zu: Die römisch-katholische Gegen-Reformation wollte in Theologie, Liturgie, Disziplin
und kirchlichem Leben – friedlich oder zur Not auch mit Waffengewalt – eine **Wiederherstellung des mittelalterlichen Status quo ante**.
Von einem neuen Paradigma keine Rede! Begreiflich deshalb, daß sie
den Juden gegenüber nicht toleranter eingestellt war als die Reformation. Gewiß: Noch die Päpste der Renaissance, pragmatisch und ökonomisch denkend, wie sie waren, hatten sich Juden gegenüber als Be-
schützer und Nutznießer zugleich betätigt – ähnlich wie die Fürsten
und der Kaiser. Und noch der Übergangspapst Paul III. Farnese
(1534-1549) – ganz und gar ein Renaissance-Mann (vier Papst-Kin-
der!), der dennoch Reformkardinäle ernannte, den Jesuitenorden bestätigte und das Reformkonzil von Trient berief – ermutigte die Ansiedlung von jüdischen Flüchtlingen und Marranos aus den spanischen Territorien in Rom und versprach Schutz vor der Inquisition.

Doch als im Jahr des Augsburger Religionsfriedens 1555 die konfessionellen Besitzstände im deutschen Reich für Jahrhunderte zementiert waren (»Cuius regio, eius religio«) und jetzt – auch dies ein Signal – der erste römische Großinquisitor Gian Pietro Caraffa unter dem Namen Paul IV. auf den Papstthron gestiegen war, bedeutete dies für die Juden zumindest im Kirchenstaat – was nicht verschwiegen werden darf[24] – eine neue **Periode der Repression.** Um nur die entscheidenden Personen und Fakten zu nennen:

– **Paul IV.** (1555-1559): Er veröffentlicht schon zwei Monate nach seinem Amtsantritt eine antijüdische Bulle unter dem Titel »Cum nimis absurdum« und verweist wenige Tage später die Juden von Rom nach venezianischem Vorbild in ein schlechtes Quartier am Tiberufer. »Getto« wird jetzt rasch der offizielle Name für solche festumrissene Sonderquartiere. In Ancona aber läßt derselbe Papst 24 aus Portugal geflohene Marranen, stets als Heuchler und potentielle Verräter verdächtigt, verbrennen. Der Talmud und alle seine Auslegungen werden verboten.

– **Pius V.** (1566-1572), der, Großinquisitor unter Paul IV., 1570 die törichte Bann- und Absetzungsbulle gegen Elisabeth I. von England schleudert: Auch er profiliert sich 1569 mit einer antijüdischen Bulle »Hebrorum gens sola«, was in der Praxis hieß: Ausweisung selbst uralter jüdischer Gemeinden aus dem Kirchenstaat, Erlaubnis für jüdische Siedlungen nur noch in Rom und Ancona.

– **Gregor XIII.** (1572-1585), jener Papst, der in seinem ersten Pontifikatsjahr zum Dank für den Massenmord an Protestanten in der Pariser »Bartholomäusnacht« ein »Te Deum« zelebriert und dann Invasions- wie Mordpläne gegen England und Königin Elisabeth I. aktiv betreibt: Er weitet in seiner antijüdischen Bulle »Antiqua Judaeorum probitas« und anderen Dekreten die Rechte der Inquisition gegen die Juden erheblich aus, verbietet erneut den Besitz des Talmuds und befiehlt Zwangspredigten für Juden in Rom und der ganzen Kirche[25]. Obwohl er Juden vor Gewaltübergriffen zu schützen sucht, läßt er 1578 sieben Marranen vor der Porta Latina hinrichten. Derselbe Papst gründete – nachdem die Judenmission für Erwachsene kaum Erfolg gezeitigt hat – ein Internat für jüdische (und muslimische) Kinder, die schon Christen geworden waren oder werden sollten.

Gewiß: Spätere Päpste – **Sixtus V.** vor allem, unter dessen Pontifikat durch den Untergang der spanischen Armada 1588 der Aufstieg

Englands zur Weltmacht begann – haben die Ausweisungen der Juden, wie es allüberall vorkam, aus wirtschaftlichen Gründen zum Teil auch wieder rückgängig gemacht. Aber ihre Lage im Kirchenstaat bleibt prekär. Eine **theologische Auseinandersetzung** mit dem Judentum findet **im römisch-katholischen Bereich** jetzt **nicht** mehr statt. Inquisition ersetzt die Diskussion, und kirchliche Macht den christlichen Geist. Nur am Rande sei bemerkt, daß Juden im Krieg zwischen Christen und Türken zumindest als Gefangene und Sklaven höchst geschätzt waren. Im lokalen Zentrum des Mittelmeer-Sklavenhandels, auf der Insel Malta unter Obhut des Johanniterordens (!), wurden mit Vorliebe Juden verkauft – weil sie hohe Auslösesummen brachten. Ein blühender »christlicher« Sklavenhandel auf Kosten der Juden hatte eingesetzt, der noch lange weiterging, bis ihm schließlich nicht ein Papst, sondern ein Erbe der Französischen Revolution, Kaiser Napoleon, ein Ende bereitete.

Während eine offene theologische Diskussion um das Judentum im nachtridentinischen Katholizismus nicht mehr stattfindet, ist dies im **protestantischen Bereich anders**: Hier äußern sich in der Zeit zwischen 1550 und 1650 immer mehr Theologen und Juristen zugunsten der Juden. »Philosemiten«[26] nennt man sie, an deren Spitze der Niederländer Hugo Grotius, neben dem spanischen Jesuiten Francisco de Suarez Initiator des neuzeitlichen Völkerrechts; eine Gruppe protestantischer Theologen (darunter der Staats-, Natur- und Völkerrechtstheoretiker Samuel von Pufendorf) interessieren sich besonders für die Karäer in Osteuropa und fördern Publikationen über diese jüdischen »Protestanten«, die eine nachbiblische Tradition ablehnen. Diese »Naturrechtler« – wie andererseits manche Pietisten unter der Führung Philipp Jakob Speners[27] – betonen die gemeinsamen alttestamentlichen Wurzeln von Juden und Christen, wenden sich gegen die generelle Verurteilung des jüdischen Volkes, nehmen die Juden gegen Verleumdungen wie die des Ritualmordes in Schutz und betonen die Vorzüge des jüdischen Volkes vor Gott – allerdings zumeist mit dem Hintergedanken (die Pietisten sogar mit einem ausdrücklichen Missionsprogramm), sie schließlich doch noch zum Christentum zu bekehren. Nicht ganz umsonst: Zum erstenmal in neuerer Zeit dürfte es – unter dem Eindruck einer bescheiden-respektvollen und gewaltlosen pietistischen Judenmission – jüdische Konvertiten aus Überzeugung gegeben haben. Die große Masse der Juden freilich interessiert sich kaum für philosemitische Gedankengänge. Die Mauern des Gettos sind ja noch nicht gefallen, auch wenn sie jetzt langsam untergraben werden, langsam, aber sicher.

4. Das Judentum an der Schwelle zur Moderne

Und doch: Auf längere Sicht gesehen hatte die **Reformation** (ebenso wie schließlich auch die Gegenreformation) den Juden immense **Vorteile** gebracht: Denn die monolithische Glaubenseinheit des Abendlandes war jetzt gesprengt, die Juden sind jetzt nicht mehr die einzigen Dissenters. Ihre katholischen Hauptgegner, die Bettelorden und die Inquisition, waren in den protestantischen Gebieten außer Gefecht gesetzt worden. Zugleich hatten sich Freistätten der Toleranz (z. B. das um die Mitte des 17. Jahrhunderts höchst kapitalkräftige und industriell fortgeschrittene Holland) aufgetan, die zur Not auch Fluchtstätten werden konnten. Überhaupt hatte sich das **ökonomische Energiezentrum von Südeuropa nach Nordeuropa** verschoben – nach Holland zuerst, dann nach England. Insofern hatte die Reformation indirekt nun doch **die Moderne vorbereitet**, die sich – bei abnehmender Bedeutung der Kirchen im 17. Jahrhundert – gerade in politisch-wirtschaftlicher Hinsicht immer deutlicher ankündigte[28]. Juden waren überall dabei: bei der Begründung der modernen Kolonialwirtschaft, bei der Entwicklung eines modernen europäischen Wirtschaftssystems wie schließlich bei der Verwirklichung des modernen Staates, alles im Rahmen einer revolutionär neuen Gesamtkonstellation[29]:

a) Bei der Begründung der **modernen Kolonialwirtschaft** waren Juden seit Columbus' Zeiten fast überall (besonders in der Karibik und in Brasilien) als Kaufleute und Händler aktiv. 1492 – ein historisches, aber auch ein ironisches Datum: Gleichzeitig mit der Vertreibung der Juden aus Spanien wird Amerika entdeckt. Zusammen mit Christoph Columbus (selber trotz gegenteiliger Gerüchte kein Jude![30]) kommen die ersten Juden (oder Marranos) in jene Neue Welt, die später alle europäischen Reiche übertrumpfen wird.

Und dies ist eine zweite »Ironie der Geschichte«: Ausgerechnet se-

phardische, aus Spanien und Portugal vertriebene Juden haben von
Amsterdam aus wesentlich mitgeholfen, im 17. Jahrhundert gegen die
katholischen Spanier und Portugiesen die niederländische Vorherrschaft im Welthandel zu etablieren. 1654 kommen die ersten 23 jüdischen Flüchtlinge aus dem katholischen Brasilien, wo die Inquisition
ebenfalls tätig geworden ist, in das von Holländern gegründete Neu-
Amsterdam[31], das von 1664 an New York heißen wird (dort 1729 die
erste Synagoge, die portugiesischen Akten sind erhalten). Überhaupt
kann man sagen: Nirgendwo konnten sich die Juden in neuerer Zeit
so frei entwickeln wie in Nordamerika, wo sie sich von Anfang an
nicht als jüdische Gemeinde abschlossen, sondern sich – wie die einwandernden Christen um ihre Kirchen – um einzelne Synagogen organisierten: Am Ende des 18. Jahrhunderts gab es ein halbes Dutzend
Gemeinden (mit 2 000-3 000 Mitgliedern, vor allem Kaufleute) in
New York, Newport, Philadelphia, Savannah, Charleston und Rich-
mond, überall eine »würdevolle Orthodoxie« nach sephardischem Ritual etabliert[32].

b) In der Entwicklung eines auf Kapital und Kapitalverkehr aufgebau-
ten **europäischen Wirtschaftssystems** stellten Juden bald einen bedeutenden Wirtschaftsfaktor dar: Nüchtern rational kalkulierend und
zugleich global denkend, nutzten sie ihre Kapitalkraft schon früh ganz
marktorientiert und verwendeten innovationsfreudig neuartige Zahlungsmittel wie Finanzierungsmöglichkeiten. Sowohl bei der Entstehung der Wertpapiere (Wechsel, Aktie) wie beim Handel mit Wert-
papieren (Börse) waren sie führend, so für die Anfänge der modernen
Börsenspekulation im 17. Jahrhundert zuerst in Amsterdam, dann in
London. Darüber hinaus verfügten Juden über ein effektives (zum
Teil auf alten Familienbeziehungen gründendes) internationales In-
formationssystem. Keine andere geschlossene Volks- und Glaubensgemeinschaft verfügte ja wie sie über Verbindungen von Bagdad bis
Konstantinopel, von Bordeaux bis Hamburg, von Polen, Litauen und
der Ukraine bis nach Übersee. Was zur Folge hatte: In der Abschät-
zung politischer, militärischer und wirtschaftlicher Entwicklungen
waren Juden anderen oft voraus.
   Die **Entwicklung des modernen Kapitalismus** hatte also nicht nur,
wie Max Weber meinte, mit protestantisch-calvinischer Ethik, sondern **auch mit jüdischer Pragmatik** zu tun. Aus diesen wirtschaftlich-

politischen (allerdings auch theologisch-messianischen) Gründen wurden die Juden **in England** 1656, unter Oliver Cromwell und den philosemitischen Puritanern, zur Zeit also der ersten Einwanderung in Nordamerika, wieder zugelassen, wobei auch hier eine »würdevolle Orthodoxie« (sephardischer und hier auch aschkenasischer Herkunft) sich etablierte bis auf den heutigen Tag.

Auf dem europäischen Kontinent aber kam es jetzt gerade im bevorzugten jüdischen Zufluchtsland **Polen** zu einer Massenflucht wieder in Richtung Westen. Denn im Gefolge der blutigen Aufstände verarmter russisch-orthodoxer Pächter in der damals noch polnischen Ukraine 1648, unterstützt von Kosaken und Tataren aus der Krim, gegen den herrschenden polnisch-katholischen Adel war es zu Massakern vor allem an dessen jüdischen Agenten, Aktoren und Provediteuren gekommen. Es sollte für das künftige Erscheinungsbild der Juden außereuropäischen Ursprungs in Deutschland und in Amerika bedeutsam werden, daß gerade die Juden Polens im Gegensatz zur polnischen Ober- und Mittelschicht die westliche Kleidung nicht übernommen, sondern die alte polnische Kleidung (Kaftan, pelzbesetzte Hüte und Kappen) beibehalten hatten, die deshalb in der Folgezeit nicht mehr als »typisch polnisch«, sondern als »typisch jüdisch« angesehen wurde: vielen Juden bis heute ein Erkenntnis- und Bekenntniszeichen, vielen Nichtjuden aber eher ein kurioses Symbol kultureller Isolation.

c) Bei der Verwirklichung des zentralisierten **modernen Staates** stand in Europa an der Seite des Fürsten nicht selten ein Jude, sei es als leistungsfähiger Geldgeber oder als einflußreicher Heereslieferant. Ja, in einzelnen europäischen Residenzen bildeten sich bald ganze Dynastien hochprivilegierter »Hofjuden« oder »Hoffaktoren«, die für die herrschende Aristokratie unentbehrlich waren. Und da der Dreißigjährige Krieg (1618-1648) immense Summen verschlungen hatte, war der Bedarf an solchen Finanzberatern und -beschaffern ohnehin besonders groß. Es ist die Zeit, in welcher der Aufstieg so berühmter jüdischer Familien wie der Oppenheimer und Wertheimer (erst später der Rothschilds) beginnen sollte ... Symptomatisch für die Volksstimmung freilich die Tragödie des Joseph Süß-Oppenheimer (geboren 1692), die von Wilhelm Hauff literarisch gestaltet (1828), von Lion Feuchtwanger zu einem internationalen Bestseller gemacht (1925)

und von Veit Harlan im Auftrag von Goebbels tendenziös verfilmt
wurde (1940): Als Hofagent verschiedener Fürsten hatte »Jud Süß«
ein riesiges Vermögen erwirtschaftet, als Geheimer Finanzrat des Her-
zogs von Württemberg führte er in merkantilistisch-absolutistischem
Geist zahlreiche Steuern und Abgaben ohne Zustimmung der Volks-
vertretung ein; wegen Bereicherung, Frauengeschichten und Luxus
beneidet und verhaßt, wurde er unmittelbar nach dem Tod des Her-
zogs 1738 im Alter von 46 Jahren in Stuttgart wegen Hochverrat
gehängt.

Bei all dem muß man sich klarmachen: Das Paradigma der Moderne war für das Christentum die erste welthistorische Konstellation, für
die der Anstoß nicht aus dem Innenraum von Theologie und Kirche
kam, sondern »von außen«: aus einer sich rasch »**verweltlichenden**«,
»**säkularisierenden**« und so von der Herrschaft von Kirche und Theologie sich »**emanzipierenden**« Gesellschaft. Weder die lutherischen
Stammlande (im vom Krieg erschöpften Deutschland) noch die römisch-katholischen Bastionen (Italien, Spanien und Portugal), sondern die kirchlich weniger kontrollierten Länder England, Frankreich
und die Niederlande waren es in erster Linie, welche den Geist der
Moderne prägten. Und gerade hier war die Position der Juden vergleichsweise gut. Die reaktionäre – antiprotestantische, antijüdische
und antimoderne – römische Kirchenpolitik aber, dies sollte sich zunehmend zeigen, war für die katholisch gebliebenen Staaten ökonomisch und politisch kontraproduktiv und führte insgesamt zu einem
gewaltigen Machtverlust des Katholizismus.

d) Aufgrund aller dieser Entwicklungen kommt es zu grundsätzlichen
Veränderungen des globalen Gleichgewichts: Das moderne **eurozentrische Weltsystem** bildet sich heraus, das rund drei Jahrhunderte
herrschen sollte. Doch mit der Verschiebung des Wirtschaftszentrums
bewegt sich der **Schwerpunkt der Weltgeschichte überhaupt vom
Mittelmeer zum Atlantik**, der zum großen Meer des neuen Welt-
handels wird. Nach Reformation und Gegenreformation und den
unbeschreiblichen Verwüstungen der »Religionskriege« ist das Zeitalter des Konfessionalismus mit dem Ende des Dreißigjährigen Krieges (Westfälischer Friede 1648) auf dem europäischen Kontinent jetzt
endgültig abgelaufen. In England folgten die »Glorious Revolution«
und die Toleranzakte Wilhelms III. für die protestantischen Non-

konformisten 1688/89. Überall war man des langen religiösen Haders schließlich und endlich überdrüssig geworden. Man verlangte nach **Toleranz der** verschiedenen **Konfessionen** und – nach den Entdeckungsreisen schon des 16. Jahrhunderts in alle Kontinente – bald auch der verschiedenen **Religionen.**

So beginnt denn die Neuzeit unter optimistischen Vorzeichen mit einem neuen **Glauben an die menschliche Vernunft,** die im Gegensatz zu allen religiösen Autoritäten oberste Schiedsrichterin der Wahrheit wird. Deshalb ist die Moderne nicht wie die Renaissance nach rückwärts ausgerichtet, sondern nach vorne: Der Glaube an die menschliche Vernunft und die allen Menschen gemeinsame Natur (Naturrecht) wird zum Glauben an die bessere Zukunft, an den Fortschritt. Jetzt können wir von der **Moderne im strengen Sinn** sprechen, wie sie sich in der **Mitte des 17. Jahrhunderts** Bahn verschafft hat:
– In der vom menschlichen Subjekt ausgehenden **modernen Philosophie:** Von Descartes, Spinoza, Leibniz und den englischen Empiristen Locke, Hobbes und Hume begründet, findet sie in Kant ihre erste große Synthese.
– In der **empirisch-mathematischen Naturwissenschaft:** Nach der Kopernikanischen Wende erreicht sie durch Galilei und Kepler mit Newtons Physik ihre klassische Form und bildet die Voraussetzung für die Entwicklung typisch moderner Technologie und Industrie.
– In einem **säkularen Staats- und Politikverständnis:** Ohne Rücksicht auf konfessionelle oder religiöse Gesichtspunkte, im Bündnis mit Protestanten oder Türken von Kardinal Richelieu und Ludwig XIV. bereits erfolgreich praktiziert, wird es jetzt durch die auf dem Naturrecht begründete Staatslehre von Bodin, Grotius, Hobbes, Locke und Pufendorf auch theoretisch begründet. Der Staat wird ohne alle übernatürliche Zielsetzung als natürliches Produkt eines Vertrags zwischen Volk und Regierung verstanden und kann so als autonom gegenüber der Kirche betrachtet werden. Im Naturrecht gründen die Menschenrechte.
Alles in allem ein erneuter **epochaler Paradigmenwechsel,** der um die Mitte des 17. Jahrhunderts einsetzt und im 18. Jahrhundert ausreift: Die philosophisch-wissenschaftliche und bald auch technologische Revolution schlägt gegen Ende des »siècle des lumières« mit der **Amerikanischen und Französischen Revolution** und deren feierlicher

Proklamation der Menschenrechte ins Politische um; in der Industriellen Revolution des 19. Jahrhunderts kommt sie wirtschaftlich voll zur Auswirkung.

Diese moderne Gesamtkonstellation verändert grundlegend die europäische Gesellschaft überhaupt und damit schließlich und endlich auch das Judentum. Konflikte erscheinen dabei freilich unausweichlich: Jüdische Tradition und moderne Innovation, biblisch-talmudisches Gottesverständnis und kopernikanische Weltschau stehen vielfach in diametralem Gegensatz. Wie beides zusammenbringen?

5. Der Fall Spinoza und modernes Gottesverständnis

Im Jahre 1600 war nach grauenhaften Folterungen der Philosoph der Spätrenaissance Giordano Bruno in Rom auf dem Campo dei Fiori von der Inquisition verbrannt worden – wegen Pantheismus und anderer Vergehen gegen den christlichen Glauben[33]. Als erster hatte er aus der kopernikanischen Wende philosophische Konsequenzen für ein modernes Weltbild gezogen. Daß die neue Zeit auch für das jüdische Bibel- und Gottesverständnis völlig neue Herausforderungen mit sich bringen würde, sollte sich bald zeigen, und dies bei einem der tiefsten und konsequentesten Denker eines modernen Lebens-, Natur-, Welt- und Gottesgefühls, der aber zugleich der wohl meist beschimpfte Philosoph der frühen Neuzeit war: **Baruch** (Benedikt, »der Gesegnete«) **de Spinoza** (1632-1677), Sohn des orthodoxen Juden Michael Espinosa, der aus dem von der Inquisition kontrollierten Portugal geflüchtet war.

Wie die christlichen Hierarchen, Mönche und Theologen sich selbst ihre Dissenters kreierten, so auch die Rabbiner. Gerade in Amsterdam hatten sie – wie so oft zusammen mit einigen reichen vervetterten Kaufleuten und Honoratioren – eine nicht weniger autoritär-patriarchale Oligarchie gebildet, mit dem unbedingten Gehorsam gegenüber den Eltern (4. Gebot!) als Haupttugend. Und dieses jüdische Establishment Amsterdams wandte sich nun gegen einen brillanten jungen Mann aus ihren eigenen Reihen, sobald dieser als selbständiger und unabhängiger Kopf und Mitglied eines freidenkerischen Zirkels hervortrat. Die Folge: Der junge Mann, gründlich gebildet in jüdischer und lateinischer Philosophie und Literatur, aber auch an Mathematik, Naturwissenschaft und zeitgenössischer Philosophie interessiert, wird zum Außenseiter in seiner eigenen Gemeinde, darin ähnlich einem anderen großen Außenseiter, der möglicherweise sein Nachbar war im Amsterdamer Judenviertel, dem Maler Rembrandt[34].

Im Jahre 1656 wird der 24jährige Spinoza wegen schwerwiegender Irrlehren aus der Amsterdamer Synagoge **mit dem großen Bannfluch ausgestoßen** – und dies von denselben Juden, die im Jahr zuvor für ein Verbleiben der jüdischen Flüchtlinge in Neu Amsterdam (New York) eingetreten waren. Später wird Spinoza auf jüdisches Betreiben hin sogar aus Amsterdam verbannt[35]. Um vor Fanatikern sicher zu sein, wohnt er seither als freier Philosoph in christlicher Umgebung; einen Lehrstuhl in Heidelberg schlägt er aus – um eines ungestörten Daseins und geistiger Freiheit willen. Zuletzt lebt er im Haag, von Freunden unterstützt, verdient seinen Unterhalt mit dem Schleifen optischer Gläser, widmet jedoch seine ganze Zeit dem philosophischen Denken. Doch das Leben, wie anderthalb Jahrzehnte (1640) vor ihm ein anderer exkommunizierter jüdischer Häretiker in Amsterdam, Uriel de Costa, nimmt er sich nicht … Und so war denn Spinoza – wie der Jerusalemer Philosoph Yirmyahu Yovel[36] in seinem in Israel vieldiskutierten neuen Buch über Spinoza herausstellt – der erste »problematische Jude«, der die Lehren und die Autorität des Rabbinats verwarf und der doch, ohne zum Christentum zu konvertieren, seinem Judentum und seiner Religion zutiefst verpflichtet blieb. Eine ausweglose Situation unter dem Verdikt einer »doppelten Negation, verworfen von Christen als ein Jude und von den Juden als ein Ketzer«[37].

Nur ein einziges Werk (neben einem Werk über die Prinzipien der cartesianischen Philosophie) kann Spinoza zu seinen Lebzeiten veröffentlichen – und auch dieses nur anonym und mit fingiertem Erscheinungsort: den »Tractatus theologico-politicus« (1670)[38]. Er wurde prompt verurteilt. Warum? Weil sich Spinoza hier nicht nur als entschlossener Verteidiger des intellektuell redlichen Denkens und Glaubens erweist, sondern auch als entschiedener Vertreter einer modernen Bibelkritik. Die Bibel, ein inspiriertes und deshalb irrtumsfreies Buch Gottes? Nein, sie ist das (oft widersprüchliche) Dokument eines echt menschlichen Glaubens, das wissenschaftlich-historisch interpretiert werden kann und muß. Als erster bestreitet Spinoza jetzt die Verfasserschaft des Mose für den Pentateuch und untersucht die Entstehungsgeschichte auch anderer biblischer Bücher. Er wird damit zum **Ahnherrn der modernen Bibelkritik** und entgeht einer Verurteilung ebensowenig wie acht Jahre später in Paris der Vater der katholischen Bibelkritik, der Oratorianer Richard Simon, der sofort aus dem Oratorium ausgestoßen wird (1678)[39]. Hier bricht nun ein für allemal eine Debatte um die Bibel auf, die hundert Jahre später im orthodox-protestantischen Raum durch Lessings Veröffentlichung der »Fragmente eines Ungenannten« (des Hamburger Orientalisten Samuel Reimarus) einen weiteren Höhepunkt finden sollte und die bis heute die Theologie in Atem hält.

Aber nicht allein die Bibelkritik war es, die Spinoza in Verruf brachte, sondern auch sein **neues Gottesverständnis**, das wegen seiner kosmischen Dimensionen bisweilen gar als Atheismus mißverstanden wurde. Dabei wollte Spinoza im Grunde doch nur auf ein extrem anthropomorphes Gottesverständnis reagieren, wie es sich im spätmittelalterlichen Nominalismus und in der reformatorischen Prädestinationslehre herausgebildet hatte: die Vorstellung von einem allmächtigen Gott, der in absoluter Freiheit (»potestate absoluta«) über Mensch und Welt bestimmt und verfügt und der so leicht in Anspruch genommen werden kann für eigenmächtiges Bestimmen und Verfügen seiner Interpreten und Stellvertreter hier auf Erden.

Deshalb betont Spinoza gegen alle Irrationalität und Willkür die Einheit von Wille und Vernunft im unendlichen Wesen Gottes, das er – hier durchaus auf der Linie klassischer philosophischer Theologie von Platon und Aristoteles über Thomas von Aquin bis zu Descartes – als den vollkommenen Urgrund alles Wirklichen, das notwendige Sein (»ens necessarium«) und die eine in sich selbst und durch sich selbst gründende Substanz (»causa sui«) versteht. Für Spinoza kann Gott deshalb auf keinen Fall getrennt vom Universum gedacht werden. Für ihn ist **Gott in der Welt** und die **Welt in Gott**. Das Unendliche ist im Endlichen und das Endliche im Unendlichen. Die Natur? Sie ist eine bestimmte Weise, in der Gott selber existiert. Und das menschliche Bewußtsein? Es ist eine bestimmte Weise, in der Gott selber denkt. Das heißt: Das Einzel-Ich und alle endlichen Dinge sind nicht einfach selbständige Substanzen; sie sind Modifikationen der einen, einzigen göttlichen Substanz. Gott also alles in allem.

Doch ist das nicht ein rein immanenter und nicht mehr ein transzendenter biblischer Gott? In der Tat scheint für Spinoza Gott nur insofern transzendent zu sein, als seine unendlich vielen Attribute dem Menschen unzugänglich bleiben. Er ist nicht die überweltliche, vielmehr die inwendige Ursache aller Dinge und Ursache seiner selbst (»causa sui«). Und doch: Spinozas »Pantheismus« ist keine simple All-eins-lehre, die jedwedes Wirkliche für göttlich erklärt. Spinoza unterscheidet vielmehr subtil zwischen der einen unendlichen Substanz oder Gott als Seinsgrund (= »natura naturans«) und der Vielheit der einzelnen endlichen Gebilde der Ausdehnungs- und Denkwirklichkeit (= »natura naturata«).

Doch anders als manche pantheistischen oder pantheisierenden mittelalterlichen Kabbalisten blieb Spinoza stets ein moderner cartesianischer Rationalist, der mit Hilfe der geometrischen Methode sogar **Ethik als ein stringentes System** (von Grundbegriffen, Axiomen, Lehrsätzen, Beweisen, Folgesätzen) rein logisch zu deduzieren versucht[40]. Erfolg hatte er damit nicht, und Spinozas Ethiktraktat gilt heutzutage manchen als »Begriffsdichtung«. Auch Spinozas starrer Prädeterminismus, der in der Welt keine Unbestimmtheiten zulassen kann, gilt nach dem Aufkommen der neuen Physik zu Beginn unseres Jahrhundert als überholt, was einen so genialen Physiker jüdischer Provenienz wie Albert Einstein allerdings nicht daran gehindert hat, an ihm festzuhalten. Zeit seines Lebens weigerte sich Einstein, die moderne Quantenmechanik mit ihrer rein statistischen Wahrscheinlichkeit und Unschärfe (das Heisenbergsche »Unbestimmtheitsprinzip«) zu übernehmen. Und nichts anderes als der Gott Spinozas mit seiner auch für die Natur geltenden strengen Notwendigkeit stand hinter Einsteins berühmtem Wort: »Der Alte würfelt nicht!«[41]

Doch von Spinozas Rationalismus und Prädeterminismus einmal abgesehen: Sein neues Gottesverständnis war wesentlich dafür verantwortlich, daß man sich in der deutschen Klassik von Lessing bis Goethe und im deutschen philosophischen Idealismus von Fichte über Schelling bis zu Hegel »Gott« – die Gottheit, das Absolute, den absoluten Geist – **anders** dachte, als man dies in Mittelalter und Reformation gewohnt war. Anders **als die Reformatoren**, welche die biblische Gottesvorstellung noch ganz vormodern-vorkritisch übernahmen (denn nicht nur die Päpste, auch Luther und Melanchthon hatten das revolutionäre Weltmodell des katholischen Domherrn Niko-

laus Kopernikus abgelehnt); anders aber auch **als die Deisten** englischer oder französischer Provenienz mit ihrem frühmodernen aufgeklärten Gottesverständnis. Von Spinozas Weltbild her stellte sich
schon früh die Frage: Kann Gott in einer neuen Zeit noch naiv-an-
thropomorph als ein allmächtig-absolutistischer Herrscher verstanden
werden, der mit Welt und Mensch in unumschränkter Gewalt nach
völligem Belieben verfährt? Oder soll er jetzt vielleicht aufgeklärt-
deistisch gleichsam als ein konstitutionell regierender Monarch verstanden werden, der, seinerseits durch eine natur- und moralgesetzli-
che Verfassung gebunden, sich aus dem konkreten Leben von Welt
und Mensch fein heraushält? Spinoza verneinte beides.

Das Verhältnis von Gott und Welt, Gott und Mensch – dafür hatte
Spinoza bahnbrechend gewirkt – muß unter der Voraussetzung neu-
zeitlicher Philosophie und eines naturwissenschaftlich geprägten
Wirklichkeitsverständnisses gedacht werden. Angesichts des neuen
Weltbildes geht es hier um eine neuzeitlich verstandene **Weltlichkeit
Gottes.** Besser als von »Pan-theismus« (Alles ist Gott) wird man deshalb von einem »Pan-en-theismus« (Alles in Gott) reden. Und unter
neuzeitlichen Voraussetzungen läßt sich auch der transzendente Gott
der Bibel, der ja keineswegs von der Welt getrennt west, sondern all-
gegenwärtig inmitten der Welt handelt, besser verstehen als von der
klassischen griechischen oder mittelalterlichen Meta-Physik her. Als
Gottesverständnis für das moderne Paradigma hat es sich vom jüdischen Philosophen Baruch de Spinoza her mit der Zeit dann doch
weithin durchgesetzt[42]:

- Gott ist **kein überirdisches Wesen** über den Wolken, im physikali-
schen Himmel! Die naiv-anthropomorphe Vorstellung ist seit Kopernikus und Galilei überholt: Gott ist kein im wörtlichen oder
räumlichen Sinn »über« der Welt (»Überwelt«) wohnendes »höchstes Wesen«.
- Gott ist **kein außerirdisches Wesen** jenseits der Sterne, in einem
metaphysischen Himmel! Die aufgeklärt-deistische Vorstellung erscheint von Spinoza her von vornherein unangemessen: Gott ist
kein im geistigen oder metaphysischen Sinn »außerhalb« der Welt
in einem außerweltlichen Jenseits (»Hinterwelt«) wesendes, verob-
jektiviertes, verdinglichtes Gegenüber. Vielmehr:
- Gott ist **in dieser Welt und diese Welt in Gott!** Es gilt ein **einheitliches Wirklichkeitsverständnis:** Gott ist nicht nur als Teil der Wirk-

lichkeit ein (höchstes) Endliches neben Endlichem. Vielmehr ist er das Unendliche **im** Endlichen, die Transzendenz **in** der Immanenz, das Absolute **im** Relativen. Gerade als der Absolute kann Gott zu Welt und Mensch in Beziehung treten: Beziehung, »Relation« nicht im Sinne der Schwäche, der Abhängigkeit, der schlechten Relativität, sondern der Stärke, der unbeschränkten Freiheit, der absoluten Souveränität. So ist Gott der Absolute, der Relativität einschließt und schafft, der gerade als der Freie Beziehung ermöglicht und Beziehung verwirklicht: Gott als die absolut-relative, jenseitig-diesseitige-, transzendent-immanente, allesumgreifend-allesdurchwaltende Wirklichkeit, die wirklichste Wirklichkeit im Herzen der Dinge, im Menschen, in der Menschheitsgeschichte, in der Welt.

Natürlich sind mit diesen thesenartigen Aussagen noch keineswegs alle Fragen beantwortet, welche die Differenz zwischen dem »Gott der Philosophen und der Wissenschaftler« und dem »Gott Abrahams, Isaaks und Jakobs« betreffen (so hat der Mathematiker und Physiker, Philosoph und Theologe Blaise Pascal, Zeitgenosse und Antipode Descartes', das Problem gestellt); wir werden noch genügend Gelegenheit haben, diese für alle drei prophetischen Religionen grundlegende Problematik weiterzuverfolgen. Aber soviel voraus: Hinter Spinoza gibt es keinen Weg zurück.

Und nicht vergessen sei: Baruch de Spinoza selber blieb – aller Ablehnung durch Juden, Katholiken und Protestanten zum Trotz – seiner Überzeugung unerschütterlich treu. Er war zutiefst davon überzeugt, an einen »größeren« Gott zu glauben als die naiven Bibelgläubigen. Seine Kraft zog Spinoza dabei aus der – alles Vergängliche überschreitenden – Sehnsucht nach dem Ewigen, aus der »geistigen Liebe zu Gott«, wie er dies nannte. So hoffte er auch auf das Hineinsterben in die all-eine Gott-Natur. Und so starb er 1677, erst 44jährig, an Schwindsucht, äußerlich zurückgezogen und wenig emanzipiert, im Geist aber freier und frommer als die allermeisten seiner Zeitgenossen, Juden oder Christen. Er war seiner Zeit weit voraus, so weit, daß ihn selbst der erste wirklich moderne Jude ein Jahrhundert später kaum ganz verstand.

6. Der erste moderne Jude: Moses Mendelssohn

Es ist bezeichnend genug: Der erste Denker, der sich unzweideutig für die uneingeschränkte Gleichberechtigung der Juden aussprach, ist nicht ein Theologe, sondern 1714 der englische Deist, Vertreter eines undogmatischen Christentums, John Toland (1670-1722)[43]. Wir nähern uns dem Zeitalter der Aufklärung und fragen: **Aufklärung auch in Sachen Judentum**[44]?

Ein zwiespältiges Bild: Unter den französischen Aufklärern hatte sich allein **Montesquieu** bereitgefunden, die Juden Juden sein zu lassen; das heißt, sie »als solche« und nicht nur »als Bürger« gleichberechtigt zu behandeln. In seinem klassischen Werk »De l'esprit des lois« (1748) zitiert er gegen die spanisch/portugiesische Inquisition, die in Lissabon soeben ein 18jähriges jüdisches Mädchen verbrannt hatte, zustimmend einen Juden: »Ihr wollt, daß wir Christen seien, und ihr selber wollt es nicht sein. Aber wenn ihr nicht Christen sein wollt, so seid doch zumindest Menschen.«[45] Ganz anders dagegen der eigentliche Sprecher der (zumeist antireligiösen) französischen Aufklärung. Selber kein Atheist, wohl aber distanzierter Deist, hatte **Voltaire** zwar mehr als jeder andere vor der Großen Revolution zur Zerstörung des traditionellen Glaubens an das göttliche Recht des Königtums, die Privilegien des Adels und die Unfehlbarkeit der Kirche beigetragen; er hat so indirekt auch eine Emanzipation der Juden vorbereitet. Andererseits aber hatte Voltaire in seinem unbeschreiblichen Haß auf das Christentum das Judentum stets miteingeschlossen und mit seiner beißenden Ironie gegen beide dem heraufkommenden Antisemitismus Vorschub geleistet. Er nannte die jüdische Religion »absurd und abscheulich« (»absurde et abominable«) und ihre »Fabeln sehr viel dümmer, absurder, weil sie (die Juden) die gröbsten der Asiaten sind«[46]. Ähnlich Diderot und Holbach, die sich in diesem Punkt auch nicht gerade als Speerspitzen der Aufgeklärtheit zeigten. Fazit: Es waren ausgerechnet die französischen Aufklärer, die für den Antijudaismus der modernen europäischen Intelligenzia mitverantwortlich sind!

Radikales Kontrastbild dazu aber bildet der bedeutendste Vertreter der (keineswegs antireligiösen) deutschen Aufklärung: **Gotthold Ephraim Lessing** (1729-1781). Er, der schon als Zwanzigjähriger mit dem Lustspiel »Die Juden« gegen antijüdische Vorurteile angegangen war, wagte bekanntlich nicht nur die Parabel von den drei Ringen

oder Religionen zu schreiben. Er hatte auch die Kühnheit, zum erstenmal in der Geschichte des deutschen Theaters die Figur eines
edlen Juden auf die Bühne zu stellen – »**Nathan, der Weise**« (1779)[47].
Einen Juden, der obendrein in diesem Lehrstück christlicher als ein
Christ erscheint: »Ihr seid ein Christ! – Bei Gott, Ihr seid ein Christ!
Ein bessrer Christ war nie!«[48] sagt der christliche Klosterbruder bekanntlich in einer entscheidenden Szene dem Juden Nathan. Dieser
aber kehrt das Argument sofort um: »Wohl uns! Denn was mich Euch
zum Christen macht, das macht Euch mir zum Juden!« Das heißt: Für
ein wahres Leben entscheidend ist nicht mehr die formelle Zugehörigkeit zu Christentum oder Judentum. Nicht Christsein oder Judesein, wenn und insofern sie Humanität verdunkeln, sind maßgebend.
Maßgebend ist das Menschsein, sind die Werte qualitativer Humanität, die beiden gemeinsam sein können. Nathan, der Weise also – ein
durch und durch der Humanität verpflichteter Jude. Nathan – reine
Bühnenfiktion oder Widerspiegelung von Realität?

Es ist kein Geheimnis, daß sich hinter dieser Bühnenfigur eine reale
Gestalt verbarg, und zwar niemand anderer als der **erste wirklich moderne Jude**, der zu Lessings Zeiten in Berlin lebte. Mit 40 Jahren von
Dessau kommend, hatte er sich hier eine breite allgemeine Bildung
angeeignet, war von Lessing in kulturell einflußreiche Kreise eingeführt worden und blieb diesem seinem Jahrgangsgenossen in einer
lebenslangen Freundschaft verbunden. Die Rede ist von **Moses Mendelssohn** (1729-1786) – einer für die moderne jüdische Geistes-,
Sozial- und Religionsgeschichte paradigmatischen Gestalt: für viele
deutsche Juden bis 1933 so etwas wie ein moderner Messias.
     Weniger durch sein Äußeres als durch seine Geistespräsenz, Schlag-
fertigkeit und Urbanität bestechend, hatte sich dieser Philosoph aus
der Schule von Leibniz und Christian Wolff (des Aufklärungsphiloso-
phen schlechthin!) zugleich auch als Literaturkritiker, Bibelübersetzer
und Reformer einen Namen gemacht. Ihm war von dem keineswegs
judenfreundlichen König Friedrich dem Großen entsprechend einem
Gesetz von 1750 der Status eines »außerordentlichen Schutzjuden«
und von der Preußischen Akademie der Wissenschaften ein Preis für
seine »Abhandlung über die Evidenz in den metaphysischen Wissenschaften« zuerkannt worden. Mit Lessings Hilfe hatte er seine philosophischen Schriften zu publizieren begonnen – wie Lessing und Her-

der programmatisch auf Deutsch und nicht in lateinischer (oder hebräischer) Gelehrtensprache. Sein eigenes geistiges Profil stellte er mit dem internationalen Bestseller »Phaidon« unter Beweis, in dem er Platons und Leibniz' Beweise für die Unsterblichkeit der Seele aufgriff und durch einen eigenen moraltheologischen ergänzte. Moses Mendelssohn also – ein Schriftsteller, Philosoph, Ästhet, Kritiker und auch Psychologe[49]. Aber auch ein Denker des Judentums? Er sah sich genötigt, es zu werden.

Es ist leicht begreiflich, daß eine solch überragende geistige Gestalt für die christliche Bildungselite in Deutschland eine Provokation darstellte. Denn so sehr sich die frühen (besonders französischen) Aufklärer vom Judentum Argumente gegen das Christentum geborgt hatten, so wenig war ja das Judentum selbst als Agent der Aufklärung aufgetreten, völlig befangen im rabbinisch-talmudischen Paradigma, wie es nun einmal war. Hier aber war nun auf einmal mit Mendelssohn eine paradoxe Gestalt aufgetreten: **ein der Aufklärung verpflichteter Jude.** Die Frage lag nahe: Konnte ein solcher Mann noch Jude bleiben? Müßte er nicht aus seiner abendländisch-philosophischen Bildung die Konsequenzen ziehen und zum Christentum konvertieren? War ein aufgeklärtes Christentum nicht die höchste Stufe des kulturellen Fortschritts?

Vom jungen Zürcher Pfarrer Johann Kaspar Lavater öffentlich genötigt, wird Mendelssohn nun auch zum ebenso klugen wie leidenschaftlichen **Verteidiger seiner jüdischen Religion.** Vier Jahre nach Lessings »Nathan« erscheint ein kleines Buch mit dem Titel »Jerusalem, oder: Über religiöse Macht und Judentum« (1783)[50]. In diesem seinem Spätwerk legt Mendelssohn dar, daß das Judentum dem Menschen keine speziellen Lehrmeinungen oder Heilswahrheiten vorschreibe, vielmehr identisch sei mit der Vernunfterkenntnis Gottes selber. Judentum sei im wesentlichen einfach **geoffenbartes Religionsgesetz,** durch das Gott weniger zu einem Fürwahrhalten von Glaubensinhalten (»Orthodoxie«) als vielmehr zum Tun der Gebote auffordere (»Orthopraxie«): zu einer Praxis, die nur Juden und niemanden sonst verpflichte. Da Mendelssohn darüber hinaus die politisch-sozialen Bestimmungen der Tora als zeitgebunden ansieht, bildet für ihn das übriggebliebene jüdische Zeremonialgesetz weder für den heutigen Staat noch für die gegenwärtige Kirche ein Problem. So vertritt Moses Mendelssohn einen für die Moderne völlig offenen, undogmatisch-vernunftgemäßen Glauben, den er mit einer treuen Beobachtung der traditionell-jüdischen Pflichten und Riten zu verbinden trachtet. **Modern und jüdisch zugleich** wollte er sein: Volle Teilnahme am Kultur- und Geistesleben der Umwelt (und die vom Idealismus geprägte deutsche Kultur war für Juden attraktiver als die säkularistische französische), und doch kein Aufgeben des Judeseins, wie manche wohlmeinende Christen immer wieder erwarteten. Nicht aufgeben, sondern den reinen Kern bewahren – das wollte er!

Ein neues Selbstverständnis des Judeseins also hat sich hier Bahn gebrochen: der Jude als Mensch und Bürger zugleich! Und für die Gesellschaft bedeutet dies: Möglich ist eine Partizipation an der gemeinsamen deutschen Kultur bei verschiedener – christlicher oder jüdischer – Religionszugehörigkeit. Deshalb fordert Mendelssohn eine Erneuerung der hebräischen Sprache und Literatur, zugleich aber auch eine gegenwartsbezogene Erziehung, die auch profane Bildungsinhalte voll einbeziehen sollte.

Noch mehr freilich als durch seine Theorie des Judentums wirkte Moses Mendelssohn durch sein Beispiel und seinen **praktischen Einsatz**, und dies in dreifacher Hinsicht:
– durch seine Bemühung um ein korrektes biblisches Hebräisch und eine deutsche Übersetzung des Pentateuchs und der Psalmen, gedruckt in hebräischen Lettern mit einem hebräischen Kommentar, eine »deutsche Bibel«, die (nicht zuletzt zum Deutschlernen) bald populär, von den Orthodoxen allerdings als neue »Berliner Religion« angegriffen wurde;
– durch seinen Einsatz für verfolgte und vertriebene jüdische Familien und seine Bemühungen um die Verbesserung der rechtlichen Lage der Juden und des Verhältnisses zwischen Juden und Christen;
– durch seinen durch und durch humanistischen Stil, mit dem er als überzeugter Jude für Toleranz, Menschlichkeit und guten Geschmack eintrat.

So hat Moses Mendelssohn wesentlich geholfen, die Juden aus ihrem mittelalterlichen Getto heraus- und in die moderne Kultur hineinzuführen, obwohl er auch manche Rückschläge hatte hinnehmen müssen (1771 hintertrieb Friedrich II. seine Wahl zum Mitglied der Berliner Akademie). Und doch: Durch Wort, Tat und seine ganze Person wurde er **Initiator, Symbol und Idol der »Haskala«, der jüdischen**

»**Aufklärung**«, die von Berlin aus nach ganz Mittel- und Nordost-
europa ausstrahlte. Parallel dazu vollzog sich allerdings eine weniger
rationalistische jüdische Aufklärung, getragen von den (schon seit
Mittelalter und Renaissance besser integrierten und gebildeten) Juden
Norditaliens, welche schon lange etwa das Studium der Medizin in
Padua absolvieren und dort später auch das erste wissenschaftliche
Rabbinerseminar Europas, das Istituto Convitto Rabbinico, gründen
konnten. Diese gemäßigtere »Haskala« wirkte mit hebräischen Werken über das Habsburger Reich bis nach Böhmen, Mähren und Galizien hinein; denn im vielsprachigen Österreich-Ungarn konnte das
Hebräisch neben dem Deutschen (der jetzt hochmodernen Kultur-
sprache) durchaus seinen Platz bewahren[51].

Allerdings fragte man sich schon damals unter Juden wie Nichtjuden, ob sich die von Mendelssohn vollzogene **Trennung zwischen
aufgeklärter Theorie und traditioneller jüdischer Gesetzespraxis** auf
die Dauer aufrecht erhalten ließe. Läßt sich das Judentum denn so
einfach auf einen (mit der abendländischen philosophischen Tradition gemeinsamen) ethischen Monotheismus einerseits und eine zeremonielle jüdische Tradition andererseits aufspalten? Führt dies nicht
zu einer kulturell-religiösen Schizophrenie? Und wie steht es um die
Konstanten des israelitisch-jüdischen Glaubens, die vom rational aufgeklärten Mendelssohn wenn nicht vernachlässigt, so doch ganz und
gar spiritualisiert wurden: Was bleibt noch von Israel als Gottes Volk
und Gottes Land? An einem eigenen jüdischen Staat waren Moses
Mendelssohn und die jüdischen Aufklärer (»Maskilim«) kaum interessiert. Löst sich das Judentum als Einheit von Gott, Volk und Land
also nicht auf – in einen privaten Glauben Einzelner?

Schon 1781, im Jahr von Kants »Kritik der reinen Vernunft«, welche die rationalen Beweise für die Unsterblichkeit der Seele und die
Existenz Gottes zertrümmerte, war Lessing gestorben. Kurz darauf
wird Moses Mendelssohn wider Willen noch einmal in eine große
öffentliche Kontroverse hineingezogen, die ihn wie kaum etwas
vorher erschüttert. Es ging – man staunt und staunt wieder nicht –
um den »Fall Spinoza«. Denn kein geringerer als ausgerechnet
Mendelssohns Freund Lessing wird von F. H. Jacobi in einer Schrift
»Über die Lehre des Spinoza in Briefen an den Herrn Moses Mendelssohn« in aller Öffentlichkeit des Spinozismus angeklagt. Und der
Pantheismus-Vorwurf lief damals im Klartext auf den Atheismus-

Vorwurf hinaus. Mendelssohn schreibt in Erwiderung auf Jacobis und anderer Angriffe »An die Freunde Lessings. Ein Anhang zu Herrn Jacobis Briefwechsel über die Lehre Spinozas«. Schon leidend bringt er diese Schrift am 31. Dezember selber auf den Weg; am 4. Januar 1786 stirbt er. Niemand ahnt bei der großen Beerdigung dieses allgemein hochangesehenen ersten großen jüdischen Aufklärers, welche Wende die Aufklärung schon in drei Jahren nehmen sollte: mit dem Sturm auf die Bastille in Paris am 14. Juli 1789.

7. Menschenrechte auch für Juden

Es war der aufgeklärte österreichische Monarch **Joseph II.**, Maria Theresias Sohn, der als erster durch Toleranzedikte (für Böhmen/ Mähren 1781/82, für Ungarn 1783, für Galizien 1789) den Juden im Prinzip die gleiche menschliche Würde zuerkannte – als »Bürgern« freilich, nicht als »Juden«. Konkret hieß dies: Der Kaiser selber hatte die staatlich-rechtliche Emanzipation der Juden dekretiert, ihre volle Einordnung in die Staats- und Rechtsordnung, und zwar mit dem Ziel, alle Juden zu »nützlichen Staatsbürgern« zu machen. Dazu gehörte auch die von Juden nur mit Widerstreben akzeptierte Annahme deutsch klingender Namen – je nach finanziellen Möglichkeiten von »Schwarz« und »Weiss« angefangen bis »Lilienthal« und »Rosenthal«. Aber gerade mit dieser Politik war der forsche kaiserliche Aufklärer bei vielen jüdischen Gemeinden und besonders deren Rabbinern auch auf Widerstand gestoßen – bei Gemeinden, die bisher ja weithin autonom-rabbinisch gelebt und diese Art Assimilation ans Nichtjüdische ablehnten. Denn ihrer Meinung nach mußte dies alles zum Abfall vom jüdischen Glauben führen.

Doch bei aller vorgeschriebenen Emanzipation: Der mit Mendelssohn in Deutschland begonnene Dialog zwischen Kirche und Judentum wurde kaum fortgesetzt – wenn man von der, von Mendelssohn angeregten, einflußreichen liberalen Programmschrift Christian Wilhelm Dohms »Über die bürgerliche Verbesserung der Juden« (1781) absieht. Auch noch das Urteil des Weltbürgers Immanuel Kant über die Juden war (wiewohl Freund Mendelssohns) alles andere als günstig ausgefallen. Die »Dichter und Denker« des deutschen Idealismus – von Fichte über Schleiermacher bis zur Romantik – waren zuallermeist antijüdisch eingestellt. Der große Philosoph **G. F. W. Hegel** sieht schon in seinen Jugendfragmenten den Gott Jahwe nur als Prinzip der einfachen Einheit und das Volk Israel als Verkörperung der Entzweiung; in seinen religionsphilosophischen Vorlesungen dann verbinden sich ein dreifaltiges Christentum und ein idealisiertes Germanentum auf Kosten des Judentums zur großen Synthese der »absoluten Religion«[52]. Aber auch für Hegels Antipoden, **Friedrich Schleiermacher**, der Kirchenvater der protestantischen Theologie im 19. Jahrhundert werden sollte, ist das Judentum »schon lange eine tote Religion«, deren Zentralanschauung es ist, sich das ewige Walten der Gottheit als »allgemeine unmittelbare Vergeltung« (»belohnend, strafend, züchtigend«) vorzustellen[53].

Doch die große **Revolution** fand **in Deutschland** bekanntlich nicht in der Politik, sondern (leider) nur **im Reich der Ideen** statt, in Philosophie, Dichtung und Musik. Und auch der Name Mendelssohn lebte in Deutschland vor allem durch den Enkel des Philosophen weiter, den Musiker und Komponisten Felix Mendelssohn-Bartholdy. Dieser erweckte nicht nur das Werk des halbvergessenen Johann Sebastian Bach wieder zum Leben, indem er etwa dessen Mattäuspassion wieder zur Aufführung brachte. Er komponierte ein Oratorium mit dem Titel »Paulus« (1836), verschiedene kirchliche Chorgesänge (unter anderem »Tu es Petrus«), eine Symphonie-Kantate »Lobgesang« und zur 300-Jahrfeier der Augsburgischen Konfession 1830 sogar eine »Reformations-Symphonie«. Nur: Felix Mendelssohn-Bartholdy war mit sieben Jahren bereits getauft worden und hatte damit das vollzogen, was sein Großvater Moses stets zu vermeiden getrachtet hatte, was aber schon dessen Kinder trotzdem taten: den Schritt vom Judentum weg. Anders gesagt: Der **Konflikt Judentum-Moderne** war in Deutschlands vielleicht berühmtester jüdischer Familie, die nicht nur Philosophen und Komponisten, sondern auch Wissenschaftler, Schriftsteller und Bankiers hervorgebracht hat, **zuungunsten des Judentums** entschieden worden. Und Mendelssohn war nur ein Fall von jetzt immer zahlreicheren jüdischen Konvertiten zum Christentum, der »besseren« Religion[54]. Die Taufe war nun zu dem geworden, was ein anderer berühmter konvertierter deutscher Jude, Heinrich Heine, mit sarkastischem Unterton »das Entréebillett zur europäischen Kultur« genannt hat.

Radikale politische Konsequenzen aus der Aufklärung wurden freilich zuerst in Amerika und ein Dutzend Jahre darauf in Frankreich gezogen: mit den **Menschenrechtserklärungen der Amerikanischen und der Französischen Revolution**, die auch die Juden einschloß. In den Vereinigten Staaten, hörten wir, waren die jüdischen Einwanderer sozusagen von Anfang an freie Bürger gewesen, und bald nach der Unabhängigkeit wurde ihnen die bürgerliche und religiöse Gleichstellung zugesichert. In Europa aber kam es zu langwierigen Auseinandersetzungen. »Frei und gleich an Rechten werden die Menschen geboren und bleiben es«: Dieser erste Satz der französischen Menschenrechtserklärung vom August 1789 wurde schon im Monat darauf von der französischen Nationalversammlung nach heftigem Einspruch (aus dem judenreichen Elsaß vor allem) durch einen Beschluß verdeutlicht: daß nämlich allen Juden, die den Eid als französische Bürger leisten, das **uneingeschränkte Bürgerrecht** zustehe.

So also hatte die Französische Revolution die formelle Proklamation der Menschenrechte für alle Menschen und damit eben auch **für die Juden** gebracht – freilich für die Juden nicht als eine Religionsgemeinschaft (sozusagen eine Nation in der Nation), sondern, ganz auf der Linie des modernen Individualismus und Liberalismus, für die Juden **als individuelle Bürger**. Und auch **Napoleon**, dem Promotor, Erbe und Überwinder der Revolution, ging es bei seiner Politik nicht um die Gemeinschaft der Juden als Religion innerhalb eines christlichen Imperiums; Religion war für ihn ohnehin Privatsache. Nein, es ging ihm um die Heranbildung der Juden zu loyalen »französischen Citoyens mosaischen Glaubens«, und zwar innerhalb eines säkularen Staates, der sich in Sachen Weltanschauung Neutralität und Toleranz gegenüber allen Konfessionen und Religionen aufzuerlegen hatte. So sind die zwölf Fragen zu verstehen, die Napoleon 1806 den mehr als hundert Delegierten der französischen Judenschaft aus dem ganzen Empire (das Rheinland und Italien eingeschlossen) feierlich vorlegte. So auch seine Einberufung eines »Grand Sanhedrin«, dem 45 Rabbiner und 26 Laien angehörten. Doch mit dieser Politik hatte Frankreich mehr für die Juden getan als jede andere europäische Nation – bis die Affäre um den französischen Hauptmann Dreyfus am Ende des Jahrhunderts auch hier Illusionen zerstören sollte.

Und **Deutschland**? Auch Deutschland konnte sich auf Dauer den hohen Werten der beiden großen Revolutionen nicht verschließen –

trotz aller Skepsis der herrschenden Schichten diesen »westlichen« Ideen gegenüber. Die französischen Heere hatten ohnehin begonnen, die Gleichberechtigung der Juden mit Hilfe des Code Napoleon überall, wohin sie in Europa kamen, durchzusetzen: Aufhebung des Gettozwangs, der Berufsverbote, der Sondersteuern für Juden, aber zugleich auch eine neue staatlich anerkannte konsistoriale Gemeindeordnung. Die Restaurationsversuche des Ancien Régime der Metternich-Ära nach 1815 versuchten zwar, die Errungenschaften der Aufklärung zu verdrängen und die Emanzipation der Juden zu vergessen, und zwar im Zeichen der Lehre vom christlichen Staat, des romantischen Mythos vom Volk und eines seit den Napoleonischen Kriegen zunehmend nationalistischen Patriotismus.

Doch bei der nächsten Revolutionswelle 1848 kam es jetzt auch in Deutschland zur Proklamation der »Grundrechte des deutschen Volkes«, gültig auch für Juden – und zwar durch die erste deutsche Nationalversammlung in Frankfurt (ähnliches passierte im selben Jahr auch im italienischen Piemont). 1869 schließlich beschließt der Norddeutsche Bund ein Gesetz, daß »alle noch bestehenden, aus der Verschiedenheit des religiösen Bekenntnisses hergeleiteten Beschränkungen der bürgerlichen und staatsbürgerlichen Rechte aufgehoben seien«, was für die Juden eine Aufhebung der Berufswahl- und Wohnrechtsbeschränkungen bedeutete. Alles in allem eine – im Wilhelminischen Kaiserreich dann überall geltende – Zulassung der Juden zur Vollbürgerschaft (mit Einschränkungen nur bezüglich Militär und höherem Beamtentum) und zur bürgerlichen Gesellschaft. Der Weg führte nicht über das alte Stadtbürgertum, auch nicht über das mit dem Adel verflochtene Wirtschaftsbürgertum, sondern über das **Bildungsbürgertum**, über welches die Beamteneliten wachten. So hatte die Verbürgerlichung des Judentums in Deutschland begonnen – und eine wachsende Zahl jüdischer Bildungsbürger in Universitäten und freien Berufen zeigte, wie erfolgreich sie war. Diese deutsch-jüdische Symbiose – wir werden es noch genauer sehen – war nach der jüdisch-hellenistischen und der jüdisch-maurischen die **dritte weltgeschichtliche Interaktion zwischen der jüdischen und einer fremden Kultur**[55].

Ein europäischer Staat des 19. Jahrhunderts freilich sollte den Juden am längsten die bürgerliche und kulturelle Gleichberechtigung verweigern – und dies kann nach allem, was wir gehört haben, kaum noch überraschen: der päpstliche **Kirchenstaat**[56]. Noch am Vorabend der Französischen Revolution hatte **Pius VI**. seinen Pontifikat mit einem Judendekret (»Editto sopra gli Ebrei«) begonnen, das neue Demütigungen, Gewalttätigkeiten, Zwangstaufen und Einsperrungen jüdischer Kinder zur Folge hatte. Und noch unter dem absolutistisch-reaktionär regierenden **Pius IX**. wird 1858 in Bologna das sechsjährige jüdische Kind Edgaro Mortara, weil von einer Magd heimlich getauft, von der päpstlichen Polizei seinen Eltern entrissen, nach Rom entführt und trotz weltweiter Proteste (Interventionen Napoleons III. und Kaiser Franz Josephs!) unerbittlich katholisch erzogen, ja nach Jahren sogar noch zum Priester geweiht. Erst 1870 konnten durch den Einmarsch der italienischen Befreiungsarmeen die Mauern des römischen Gettos fallen – kaum drei Monate nach der Definition des päpstlichen Primats und der Unfehlbarkeit, die vom selben ebenso antiliberalen wie antisemitischen Papst auf dem Ersten Vatikanischen Konzil aus mittelalterlich-gegenreformatorisch-antimoderner Grundhaltung heraus vollzogen worden war. Paradoxer Vorgang: Der Entgettoisierung der Juden folgte die Selbstgettoisierung des Papsttums!

Und in **Osteuropa**[57]? In Rußland am anderen Ende Europas hatten bestenfalls Mitglieder der hauchdünnen jüdischen Oberschicht, Hofjuden, reiche Kaufleute und manche Rabbiner, Bekanntschaft mit der mitteleuropäischen jüdischen Aufklärung gemacht – aufgrund von Geschäftsbeziehungen, Reisen und Bildung. Die Massen dagegen – gegenüber allen von der Regierung unterstützten jüdischen Aufklärern von vorneherein reserviert bis ablehnend – blieben davon so gut wie unberührt. Sie standen in dieser Zeit zuallermeist noch immer unter dem Einfluß des uns bereits bekannten **Chasidismus** und praktizierten gegen die alle Ekstasen, Wunder und Visionen ablehnende, autoritäre Kathedokratie eine gefühlsbetonte Frömmigkeit der Inbrunst und Freude: fröhlich laute Zeremonien in eigenen Gebetshäusern, ein (oft sich auf die Buchstaben der Bibel richtendes) enthusiastisches oder meditatives Gebet, dabei merkwürdige Leit- und Heilsfiguren, Gerechte oder Heilige (»Zaddikim«); alles in allem eine seltsame religiöse Sonderwelt, die in Westeuropa in unserem Jahrhundert durch Martin Bubers Darstellungen doch wohl allzu poetisch verklärt worden ist.

Nur langsam entwickelte sich auch in Rußland eine der **Aufklärung**

verpflichtete jüdische Bewegung – gegen den erbitterten Widerstand sowohl der Rabbiner wie der Chasidim. Denn im Zarenreich, wo jetzt im 19. Jahrhundert nach der Annexion der Krim, Bessarabiens und vor allem Polens rund zwei Drittel aller europäischen Juden wohnten, wurde den Juden die Gleichberechtigung höchst zögernd, wenn überhaupt zugestanden. Wie sollte da eine nationale Assimilation jüdischer Gläubiger überhaupt möglich sein: in einem Land, wo faktisch eine Nationalreligion herrschte – ob nun die russische Orthodoxie oder der polnische Katholizismus? Die Politik der Zaren zielte denn auch faktisch auf eine gewaltsame, rein äußerliche Assimilation: auf Militärdienstpflicht und Schulbesuch auch für Juden. Ja, unter Zar Alexander III. kam es sogar wieder – der christliche Oberkurator des Heiligen Synod hatte die Hand im Spiel – zu harten Gegenmaßnahmen. Ebenso in Polen. Hier überall mußten Juden wieder einmal als Sündenböcke herhalten für die allgemeine soziale Misere. Die innerjüdische Aufklärung war dabei der größte Verlierer. Denn der rabbinischen Orthodoxie gelang es, sich mit dem Chasidismus gegen die jetzt ohnehin durch die staatliche Zickzack-Politik desavouierte jüdische Aufklärungsbewegung zu verbünden; zur Gründung akademischer Rabbinerseminare kam es denn auch – im Gegensatz zu Zentral- und Westeuropa – in Osteuropa nirgendwo.

Dies alles sollte Folgen haben gerade auch für Länder, in welche die Juden jetzt wieder zahlreicher auswanderten. Und dies nicht zuletzt im ökonomischen Bereich. Zu Recht stellt Johann Maier mit Blick auf »die im Mittelalter entstandene ungünstige Konzentration auf einige wenige Erwerbszweige« fest: »Das Problem der ungesunden Sozialstruktur als unheilvolles Erbe des Mittelalters wurde durch die jüdische Aufklärung nicht gelöst, sondern nur teilweise modifiziert und wirkte sich nun in beiderlei Gestalt in der Umwelt aus. Die große jüdische Mehrheit Osteuropas, arm, beruflich eingeschränkt und zunächst traditionsgebunden, stellte ein immenses soziales Problem dar. Dieses Problem verlagerte sich in dem Maß auch nach Mitteleuropa, als ›Ostjuden‹ nach dem Westen drängten.«[58] Und der Westen, das war nun für immer mehr Juden Amerika.

Wir erinnern uns: 1654 hatte die Geschichte der Juden in den **Vereinigten Staaten** mit jenen 23 Flüchtlingen aus Brasilien begonnen und sich in der Folge um ein halbes Dutzend sephardischer Synagogen stabilisiert. Eine Periode ruhiger innerjüdischer Koexistenz folgte, bis es Anfang des 19. Jahrhunderts zur Abspaltung aschkenasischer Synagogen kam. Die Situation verschärfte sich, seit mit Beginn der dreißiger Jahre eine massenhafte **Einwanderung deutschsprachiger Juden** begann, so daß die jüdische Bevölkerung der Vereinigten Staaten um 1880 bereits 250 000 jetzt fast ausschließlich deutschsprachige Juden umfaßte. Denn unter den deutschen Einwanderern waren nicht mehr nur arme Händler und Hausierer, sondern auch immer mehr Wohlhabende und an deutschen Universitäten ausgebildete Rabbiner, die aus Deutschland radikale Reformideen bezüglich modernem Gottesdienst, welche sie im freien Amerika ohne »Kirchensteuer« und Staatsregulierung sogar besser verwirklichen konnten als im Staatskirchensystem der deutschen Staaten. Wie aber wirkte sich diese Konfrontation mit der Moderne auf die Juden aus – ihre Psyche, Erziehung, Bildung, ihren Gottesdienst und ihre Gemeindeorganisation?

8. Identitätskrise und Paradigmenwechsel: Reformjudentum

Es ließ sich nicht mehr übersehen: Bis zur Aufklärung hatte sich das Judentum die im Mittelalter ausgeprägten Lebens-, Gesetzes- und Glaubensformen bewahren können. Aber mit dem 18./19. Jahrhundert war das lange **jüdische Mittelalter** und die zunächst gewollte, schließlich erzwungene »Absonderung« der Juden von der übrigen Menschheit definitiv **abgelaufen**. Das Judentum erfuhr die Aufklärung später, jetzt aber dafür um so heftiger. Die Juden werden nun doch **dem Geist der Moderne voll ausgesetzt** – aufgrund ihres Zerstreutseins quer durch Europa und Amerika früher und radikaler als etwa die Muslime. Denn wie wir hörten: Aus der wissenschaftlich-technologischen Revolution des 17. Jahrhunderts und der gesellschaftlich-politischen Revolution des 18. Jahrhunderts war im 19. Jahrhundert die industrielle Revolution gefolgt. Für die Stadtgestaltung bedeutete dies: Wie vom Ende des 18. bis zum Beginn des 20. Jahrhunderts die meisten mittelalterlichen Stadtmauern fielen – in Folge des ungeheuren Wachstums der Städte und immer stärkerer modernen Industrieagglomerationen –, so waren jetzt sukzessive auch die Mauern des zuerst erwünschten, dann erzwungenen jüdischen Gettos gefallen.

Nun kam es zum **Auszug aus dem Getto – auch geistig**! Denn ein (jüdischer) Staat im Staat war jetzt – im nationalen Einheitsstaat – nicht mehr möglich. Menschenrechte für die Juden hieß ja gerade umgekehrt: Aufgabe der alten pharisäisch-rabbinischen Autonomie und Selbstabsonderung – nicht nur in Frankreich und England, sondern auch in den deutschen Staaten und in der Donaumonarchie. Ja, gerade in Deutschland kam es zur großen Auseinandersetzung um die **Reform des Judentums.** Eine religiöse Reformation also nicht wie im Christentum als Voraussetzung für die rationale Aufklärung, sondern umgekehrt: die **rationale Aufklärung als Voraussetzung der religiösen Reformation!**

Bewußt und energisch hat sich das deutsche Judentum um den Eintritt und die Eingliederung in die bürgerliche Gesellschaft bemüht[59]. Zum erstenmal war der Abfall vom jüdischen Glauben nicht mehr gefragt, wohl aber die perfekte Aneignung der deutschen Sprache (statt Jiddisch), die Übernahme des bürgerlichen Bildungsideals, des bürgerlichen »Anstandes«, der bürgerlichen »Sittlichkeit«. Schon seit dem zweiten Jahrzehnt des vorigen Jahrhunderts hatte man in Deutschland vereinzelt angefangen, den jüdischen Gottesdienst bürgerlich »anständig« (ohne herumzulaufen und Emotionen zu zeigen) in der Volkssprache zu feiern, Predigt und Orgelbegleitung zuzulassen, die Iniiationsfeier für Knaben »Bar Mitzva« »Konfirmation« zu nennen, die Gesetzesbeobachtung auf die ethischen Gebote zu konzentrieren und statt auf talmudische auf säkulare Bildung Gewicht zu legen. Im religiösen Bereich ging es um entschiedene Ethisierung und Verinnerlichung. Und sollte man jetzt, so fragen sich viele Juden gerade angesichts des ungeheuren jüdischen Bevölkerungswachstums, die neuen Möglichkeiten der Schulbildung, der Berufsausbildung, des Gemeinwesens nicht nützen? **Erziehung** und **Bildung** wurde Problem Nummer eins – und dies nicht mehr nur für die hochprivilegierten »Hofjuden« des fürstlichen Absolutismus, sondern im Zeitalter der Demokratie für jeden »jüdischen Bürger«!

Ja, in ganz West- und Zentraleuropa, von wenigen Widerstandsnestern abgesehen, kommt es jetzt angesichts der Herausforderung durch die Moderne, konkret durch moderne Wissenschaft, Kultur und Demokratie auch im Judentum nach langer Stagnation zu einem neuen **Paradigmenwechsel**: vom mittelalterlich-rabbinischen Paradigma des zerstreuten Gottesvolkes zum **Paradigma der Moderne**

(Paradigma V = P V) des aufgeklärten Reformjudentums. Also wiederum eine neue Gesamtkonstellation:

- Statt der mittelalterlichen Absonderung und Autonomie der jüdischen Gemeinde jetzt die rechtlich-politisch-soziale **Integration der Einzelnen wie der »Kultgemeinden« in den modernen Nationalstaat**: neue Gemeindeordnung und teilweise Ersetzung des halachischen Rechtes durch das staatliche Recht. Das »Exil«, die Fremde soll zur Heimat werden.

- Statt der herkömmlichen rabbinisch-talmudischen Bildung jetzt eine **moderne Allgemeinbildung**: eine auch profane, gegenwartsbezogene und berufsbezogene Erziehung und Ausbildung in öffentlichen Schulen.

- Statt der Rabbinen, die Rechtexperten und Richter waren, jetzt **Rabbiner**, welche, akademisch ausgebildet (Rabbinerseminare!), die jüdische Lehre aus Bibel, Talmud, Geschichte und Philosophie erklären und so als **Prediger, Seelsorger, Liturgen und Pädagogen** amten.

- Statt eines weithin unverständlichen, formalistisch und ritualistisch gewordenen hebräischen Gottesdienstes jetzt eine **reformierte jüdische Liturgie** in der Volkssprache mit Predigt und Einbeziehung kulturell angepaßter Elemente (Musik einschließlich Orgel) unter Aufhebung des Hutzwanges wie der Geschlechtertrennung in Chor und Gemeinde.

- Statt eines durch alle möglichen mittelalterlichen Bräuche eingeengten und isolierenden Getto-Lebens jetzt eine **Modernisierung der ganzen jüdischen Lebensgestaltung,** von der Kleidung angefangen bis zu den Essensgewohnheiten.

In **Deutschland** stagnierte allerdings die Reform seit der Mitte vergangenen Jahrhunderts wegen des Konservativismus des deutschen Judentums und seiner Gemeindeorganisation, aber auch des deutschen Staates und der deutschen Gesellschaft. Nur mit der »**Wissenschaft des Judentums**« (seit 1819), wie sie von Leopold Zunz und anderen[60] begründet worden war, ging es voran. »Wissenschaft« – das hieß konkret systematische Erforschung der jüdischen Religion, Geschichte und Literatur in umfassender quellenkritischer Weise, wie dies nach der Zerstörung des Zweiten Tempels nicht mehr geschehen war. Höhepunkt später: die Gründung der hebräischen Universität

Jerusalem 1925, wo dann auch das Studium der jüdischen Lyrik, Kabbala und Sozialgeschichte einbezogen wurde. Bis heute existiert diese »Wissenschaft des Judentums« als internationale Wissenschaftsgemeinschaft, »Jewish Studies« oder »Judaistik«genannt. Großartige Leistungen vor allem auf lexikalischem Gebiet wurden hervorgebracht, wie nicht nur die »Jewish Encylopedia« in zwölf Bänden (New York 1901-1906) dokumentiert, sondern auch das »Jüdische Lexikon« (5 Bände, Berlin 1928-1934; Neuauflage 1987) und jetzt schließlich die imponierende »Encyclopaedia Judaica« (17 Bände, Jerusalem o. J.) Und doch: Schon im 19. Jahrhundert konnte sich das Reformjudentum nicht allgemein durchsetzen – weder in Deutschland noch in den Vereinigten Staaten. Vor allem Juden aus kleinbürgerlichen Schichten und Juden östlicher Provenienz machten nicht mit.

Dabei hatte sich in den **Vereinigten Staaten** die Entwicklung zunächst gerade umgekehrt vollzogen. Hier war das **Reformjudentum** schon um die Mitte des 19. Jahrhunderts gewaltig erstarkt, als aus dem deutschsprachigen Raum so bedeutende Rabbiner wie Leo Merzbacher, Samuel Adler, Max Lilienthal, der pragmatische Organisator Isaac Mayer Wise und der um theoretische Klärung bemühte David Einhorn eingewandert waren. Sie hatten zunächst »Reformvereine« und »Tempel« (dieser Name wurde dem der Synagoge vorgezogen) gegründet. Ja, vor allem durch Initiativen von Rabbi Isaac Mayer Wise kommt es schon bald zur Veröffentlichung eines radikal reformierten Gebetbuches auf deutsch und hebräisch (1857), in dem bezeichnenderweise jeder Hinweis auf ein verheißenes Land und eine Restauration des jüdischen Staates fehlt. 1873 folgt die Gründung der Union of American Hebrew Congregations, zwei Jahre später die der ersten jüdischen Hochschule, des Hebrew Union College in Cincinnati.

Den Kulminationspunkt dieser Reformbewegung stellt ein **Programm** dar, das **1885 in Pittsburgh** verabschiedet und als definitive Position des Reformjudentums einige Jahre später auch durch das Reformrabbinat akzeptiert wird: Wie wird Judentum hier verstanden? Judentum wird ausdrücklich als eine »progressive« Religion bestimmt, als eine Religion, die immer danach strebe, »in Übereinstimmung mit den Forderungen der Vernunft« zu sein und in der Erkenntnis »fortzuschreiten«. Konkret heißt das: Die moderne Zeit erfordere die Verwerfung all jener mosaischen Gesetze (man denkt vor allem an Speise-

und Reinheitsgebote), die »nicht in Übereinstimmung mit den Ansichten und Gewohnheiten der modernen Zivilisation sind«. Sie erfordere auch die Verwerfung jeglicher nationaler Ambitionen des
Judentums: »Wir betrachten uns selber nicht mehr länger als eine Nation, sondern als eine religiöse Gemeinschaft, und deswegen erwarten
wir weder eine Rückkehr nach Palästina noch Opfergottesdienst unter
den Söhnen Aarons, noch die Restauration irgendeines jener Gesetze,
die einen jüdischen Staat betreffen.«[61]

Modernisierung also auf der ganzen Linie. Nicht mehr Absonderung und Isolation war die Parole, sondern Angleichung, Partizipation und Assimilation! Und da so alles auf eine **nationale und kulturelle Anpassung** hinauslief, kann man das Paradigma der Moderne
auch mit Fug und Recht das **Assimilations-Paradigma** nennen: Assimilation an die jeweilige nationale und kulturelle Umgebung.

Freilich: Wie bei jedem Paradigmenwechsel handelt es sich auch hier
um einen tiefgreifenden geschichtlichen Prozeß, bei dem die Reaktionen entsprechend zwiespältig waren. Denn mußte ein solches rationa-
listisches Reformjudentum nicht zwangsläufig in **Widersprüche** nicht
nur mit anderen Gruppen, sondern auch mit sich selbst geraten?

– Statt des »Exils«, der Unterdrückung und Verfolgung des Volkes
Israel, betonte man ja jetzt seine »Mission« unter den Heiden zur Verbreitung der wahren Gotteserkenntnis – ohne aber diese Mission faktisch ernsthaft zu betreiben.

– Statt des Tempels und seines Opferkultes pries man die Bedeutung
der prophetischen Predigt von der sozialen Gerechtigkeit – ohne freilich, von Ausnahmen abgesehen, durch soziale Reforminitiativen in
der Gesellschaft besonders hervorzutreten.

– Statt der spezifisch jüdischen Bräuche (etwa am Sabbat, bei Hoch-
zeiten oder Festen) unterstrich man ja jetzt das mit allen anderen gemeinsame humane Ethos – ohne aber den alten Ritus der Beschneidung aufgeben und die Mischehen wirklich tolerieren zu wollen.

– Statt des Judentums als Volksgemeinschaft betonte man ja jetzt das
Judentum als Religionsgemeinschaft – ohne aber die Bindung an
dieses besondere Volk ganz aufzugeben.

Kein Wunder: Der Reform, die sich in Amerika allgemein durchzusetzen schien, erwuchsen bald mächtige Gegenkräfte. Und von diesen Gegenkräften, die das Bild des Judentums ungemein vielfältig er-

scheinen lassen, wird jetzt am Ende dieses ersten großen Hauptteils
noch die Rede sein müssen. Denn die hier beschriebene »Vergangenheit« ist gerade an diesem Punkt besonders »gegenwärtig«. Wie seit
den Zeiten des Hellenismus nicht mehr, leben heute große Gruppen
von Juden mit je unterschiedlichen Theologien, Lebensformen und
Weltbildern, kurz mit je unterschiedlichen Paradigma-Abhängigkei-
ten, nebeneinander.

9. Gleichzeitigkeit konkurrierender Paradigmen

Eine **erste Gegenkraft** zum Reformjudentum bildete das **orthodoxe
Judentum**. Schon lange hatten manche den im 19. Jahrhundert auf-
brechenden Assimilations- oder Emanzipationsprozeß mit größter
Sorge betrachtet; »Emanzipation«, ein Wort, das man von den in
Großbritannien um ihre Selbständigkeit (»Emancipation«) kämpfenden Iren übernommen hatte. War das alles wirklich »Emanzipation«,
»Selbständigkeit«? Lief diese Emanzipation oft nicht simpel auf Con-
nubium und Conversio hinaus, also auf Mischehe und Glaubensab-
fall? War die eigene Religion so nicht auf dem besten Weg, durch solche »Emanzipation« oder Assimilation sich selbst aufzulösen?

Tatsache ist: Das Reformjudentum, gegen Ende des Jahrhunderts
stark verbreitet, begann, einen Preis für seine Assimilationspolitik zu
zahlen. Denn unter dem Einfluß des Rationalismus hatte man spätestens seit der zweiten Hälfte des 19. Jahrhunderts auch im deutschsprachigen Judentum Amerikas kaum noch einen Sinn für Symbol-
und Gefühlswerte in der Religion: für Poesie und Emotion im Gottesdienst, für metaphorische und mythologische Ausdrucksweise in der
Bibel und für jüdische Folklore. Der Preis? Gegen Ende des Jahrhunderts zeigte sich immer deutlicher ein Rückgang der Teilnahme am
Gottesdienst, bei dem ja nun von der alten jüdischen Religion nur
noch wenig zu finden war. Selbst eine Verbindung des modernen Reformjudentums mit dem liberalen Christentum schien jetzt nicht
mehr ausgeschlossen ...

Nicht erstaunlich, daß sich nun auch in Deutschland eine jüdische
Orthodoxie organisierte, von der noch die Rede sein wird, und daß
sich auch die osteuropäische **Orthodoxie der Vereinigten Staaten** angesichts des Durchbruchs der Reform, der inneren Schwierigkeiten in

den orthodoxen Synagogen und des Glaubensabfalls vieler Ostjuden **zusammenzuschließen** versuchte: 1896 wird von Rabbi Isaac Elchanan eine erste amerikanische Yeshiva gegründet, eine höhere Schule für rabbinische Erziehung, aus der 1928 das Yeshiva College (die erste allgemeine höhere Bildungsanstalt unter jüdischer Leitung) und 1946 die Yeshiva University hervorgehen sollte. 1898 erfolgt die Gründung der Union of Orthodox Jewish Congregations und 1902 die der bis heute bestehenden Union of Orthodox Rabbis, denen allerdings nur ein Teil der osteuropäischen Gemeinden und Rabbiner beitrat (später bildete sich noch eine englischsprachige Rabbiner-Union). Wie aber konnten die Orthodoxen auch in Amerika diesen Einfluß gewinnen?

Das Erstarken der Orthodoxie in Amerika hat vor allem **demographische Gründe**. Um 1820 waren aus Osteuropa nur 8 000 Juden in die Vereinigten Staaten immigriert. Aber 1881/82, nach schrecklichen Pogromen und antijüdischen Gesetzen in Rußland und Polen, begann eine Masseneinwanderung, welche die Zahl der Juden in den Staaten 1908 bereits auf 1,8 Millionen, rund drei Viertel jetzt osteuropäischen Ursprungs, anwachsen ließ: zum großen Teil ein jüdisches Proletariat, das – im Gegensatz zu den früheren, über das ganze Land verteilten deutsch-jüdischen Kaufleuten und Händlern – als Fabrikarbeiter ganz auf die großen Städte konzentriert blieb, oft ohne Schulbildung und doch von Anfang an intelligent alle Möglichkeiten zum sozialen Aufstieg nützend.

Entscheidend ist: Wohin die von ihrer mittelalterlichen Religion geprägten, für »rückständig« gehaltenen »Ostjuden« auch immer flohen, ob nach Westeuropa, Palästina oder Amerika: sie verblieben zuallermeist (und zum Ärger der »Westjuden«) in ihren traditionellen Lebensordnungen und Strukturen. Sie pflegten ihren bisherigen **abgesonderten Lebensstil** weiter, mit bestenfalls äußeren Anpassungen etwa an moderne Verkehrs-, Kommunikations- und Zahlungsmittel! Ähnlich wie römische Prälaten, ebenfalls ihrem mittelalterlichen Paradigma verhaftet, in merkwürdigen Gewändern der Vorzeit aufzutreten belieben und entschieden gegen Geburtenregelung und für viele Kinder sind, so bewegen sich bis heute orthodoxe Ostjuden, auch äußerlich in Distanz zur verführerischen Moderne, im traditionellen dunklen Sonntagsgewand der polnischen Bauern des 18. Jahrhunderts durch die Straßen von London, Paris, Antwerpen, Jerusalem oder eben New York.

Die Folge: Wie nie mehr seit dem Untergang des Zweiten Tempels kommt es, je nach Herkunft eines Juden aus religiösem Lebenskreis, Bevölkerungsschicht oder Nation, zu einer **Ungleichzeitigkeit des Bewußtseins** – mit schwerwiegenden Langzeitwirkungen bis heute auf die innerjüdische Situation von Ost- und Zentraleuropa bis nach Amerika und Palästina. Denn immer deutlicher zeigten sich jetzt die Folgen der modernen Entwicklung. War im mittelalterlichen Getto die Identität und damit die Würde des Judenvolkes allen Belästigungen und Anfeindungen zum Trotz unangefochten geblieben (gerade die Aussonderung war ja ein Zeichen der Auserwähltheit Gottes), so brach jetzt, da die Mauern des Gettos fielen und viele Juden Anschluß an die moderne, säkulare Kultur suchten, eine **Identitätskrise** großen Stils über das jüdische Volk herein. Eine Identitätskrise, wie wir sie zwar bei jedem Paradigmenwechsel beobachten konnten, wie sie nun aber die mittelalterliche Einheit des Judenvolkes aufzusprengen und den uralten jüdischen Gottesglauben völlig zu untergraben drohte.

Eine zweite Gegenkraft: das **säkularisierte Judentum.** Neben Orthodoxie und Reform ist eine Entwicklung ernstzunehmen, die sich ebenfalls zunächst vor allem in **Deutschland** abzeichnete und die von einer Reform des Judentums gar nichts wissen wollte – freilich aus ganz anderen Gründen als die Orthodoxie. Denn immer mehr junge jüdische Intellektuelle aus der Generation von Heinrich Heine (1797-1856) und Karl Marx (1818-1883) gaben ihren jüdischen Glauben zugunsten der aufgeklärten Moderne auf – und dies beinahe noch radikaler als viele ihrer Altersgenossen aus christlicher Tradition[62]. Begreiflich, waren doch die nachrevolutionären Geistesströmungen der Restauration (Metternich) und der Romantik, weil politisch reaktionär und zumeist antijüdisch, für Juden kaum sehr attraktiv. Sie verstärkten unter jüdischen Intellektuellen eher noch die **Abneigung gegen Religion jeder Art.** Was zur Folge hatte: Auch konservative Christen und Kirchen betrachteten diese innerjüdische Entwicklung mit zunehmendem Argwohn und Unmut; sie hätten das isolierte traditionelle Judentum vorgezogen. Denn waren nicht gerade diese modernen, säkularisierten, aber lese- und lerngewohnten Juden, die jetzt in Scharen auch in den kulturellen Sektor, in die Bildungsberufe und in die Publizistik drängten und sich, weil Minderheit, durch außerordentliche Leistungen hervortun wollten, waren nicht gerade sie besonders gefährliche Aufklärer, Liberale, gar Sozialisten und Kommunisten? Und was sollte man als braver Christenmensch erst von einem Sigmund Freud und seiner subversiven Psychoanalyse denken?

Revolutionäre, sozialistische und anarchistische Juden wuchsen aber auch in **Osteuropa** heran; sie sahen sich mit keiner ethnisch homogenen Gesellschaft wie in Deutschland konfrontiert, der man sich in Reform hätte anpassen können. Das ganz im rabbinischen Gesetz verwurzelte orthodoxe System schloß auch nur die leiseste Reform von vornherein aus. Jüdische Opponenten hatten gar keine andere Wahl, als sich im Falle von Dissens von der Religion völlig abzuwenden – ein ähnliches Dilemma wie das vieler russischer Christen, die in Opposition zur zaristisch gelenkten russischen Orthodoxie standen.

Spätestens wenn Ostjuden aus ihren Dörfern in die großen Städte Europas oder Amerikas zogen, brach das traditionelle Gesetzes- und Ritualsystem für viele zusammen. Denn immer weniger schien plausibel, warum man sich im 19./20. Jahrhundert eigentlich noch an solch vorzeitliche Regeln halten sollte. Wo war die zeitgemäße theologische Begründung für diese uralte rituelle und gesetzliche Praxis, die vielen als sinnentleert erschien? Wozu Beschneidung? Wozu rituelles Schlachten (»Schächten« um des »koscheren« Fleisches willen)? Wozu schließlich auch das Hebräische im Gottesdienst, vom verachteten Jiddischen gar nicht zu reden? Soll dies alles direkt von Gott geoffenbart und ein für allemal verbindlich vorgeschrieben sein? Und umgekehrt: Warum eigentlich sollten Juden die Bestattung nicht in einem Sarg vollziehen dürfen? Warum sollten sie um des medizinischen Fortschritts willen nicht Leichen öffnen und so vieles mehr, was vom jüdischen Gesetz verboten war?

Das Ergebnis: Auch wenn man sich oft noch äußerlich an bestimmte Riten hielt, so glaubte man doch nicht mehr daran. In **Totalassimilation** entstand so ein völlig **religionsloses Judentum.** Und seine Kehrseite fand es eben darin, daß viele junge intellektuelle Juden sich neuen, radikal säkularen **quasireligiösen Heilsbewegungen** des ausgehenden 19. Jahrhunderts mit all ihren verschiedenen Spielarten anzuschließen begannen: dem Sozialismus, Anarchismus oder – und dies sollte im Judentum die bestimmende Kraft der Zukunft sein – dem **Zionismus.**

Was aber meint unter solchen Umständen überhaupt noch »Judentum«? Das wurde zur **Kernfrage** in Europa wie in Amerika: Ist Judentum Religion oder Volkstum oder beides? Meint Judentum denn nicht – im Gegensatz zu Christentum und Islam – immer auch ein bestimmtes **Volk** mit einer gemeinsamen Identität, einem gemeinsamen kulturellen Erbe, einer gemeinsamen Herkunft, einer gemeinsamen **Religion**? Doch auch umgekehrt ließe sich fragen: Sollte nicht auch dies möglich sein: jüdisch bleiben und doch zugleich modern sein?

Eine **dritte Gegenkraft** begann sich abzuzeichnen – zwischen der orthodoxen und der säkularisierten Extremlösung: das **konservative Judentum**. 1886/87 hatte es sich formiert in Reaktion auf das Pittsburgh-Manifest der Reformrabbis: unter der Leitung von Rabbi H. Pereira Mendes die Jewish Theological Seminary Association. Ein lebendiges religiöses Zentrum erhielt dieses konservative Judentum jedoch erst, als die einflußreichen deutschstämmigen New Yorker Juden Cyrus Adler und Jakob Schiff das Jewish Theological Seminary auf eine solide finanzielle und wissenschaftliche Basis stellten und 1902 aus England den bedeutenden Gelehrten (Entdecker jener Kairoer Geniza-Manuskripte) Solomon Schechter[63] zum Präsidenten der Hochschule beriefen zusammen mit einem neu konstituierten Lehrkörper aus deutschen und osteuropäischen jüdischen Gelehrten. Schechter, von dem wir später noch Genaueres hören werden, gelang es, einen Weg aufzuzeigen, wie man die moderne Entwicklung bejahen und doch der mosaischen Tora und den rabbinischen Traditionen treu bleiben und so den wahren jüdischen Geist bewahren könne.

Auf diese Weise wurde das Seminary – und besonders das mit ihm 1909 verbundene Teachers Institute (das schon bald im Gegensatz zur Reform alle Kurse auf Hebräisch gab und den Gebrauch des im modernen Palästina bereits üblich gewordenen Neu-Hebräisch auch in Amerika verbreitete) – eine Brücke zu der intellektuell oft reichlich hilflosen Orthodoxie. Hier wurden Rabbiner wie Lehrer für manche sozial avanciertere orthodoxe Synagogen ausgebildet, denn man war auch hier überzeugt: Bessere familiäre Erziehung (Mutter nicht berufstätig) und der quasi-eingeborene Drang eines Juden zu lernen (höhere Schulen) schafften beste Chancen für den sozialen Aufstieg und den damit verbundenen Wohnungswechsel aus den Slums in die besseren Stadtviertel (und von dort später in einer dritten Bewegung in die Vororte der großen Städte), wobei leider gerade die religiöseren (orthodoxen) Juden als die ärmeren zurückblieben.

1925 kommt es aufgrund vorgeschriebener Quoten zu einem Stop der Masseneinwanderung. Doch im Jahr 1927 zählte man in den Vereinigten Staaten immerhin bereits 4,2 Millionen Juden (3,6 % der Gesamtbevölkerung) mit 3100 Gemeinden. Allerdings zeigen Umfragen aus den 30er Jahren, daß trotz des imposanten Ausbaus der Synagogen und vieler jüdischer Verbände und Institutionen die überwiegende Mehrheit der Kinder jüdischer Immigranten sich vom jüdischen Glauben abwandte und daß die jüdischen Studenten ein erheblich höheren Anteil an Atheisten, Agnostikern und Skeptikern aufwiesen als ihre katholischen oder protestantischen Kommilitonen[64]. Das intensiv ausgebaute jüdische Schul- und Sozialsystem (mit Spitälern, Waisen- und Altersheimen) hatte oft ebenso wenig mit jüdischer Religion zu tun wie viele jüdische Jugendverbände (YMHA, YWHA = Young Men/Women Hebrew Association) und caritative jüdische Gesellschaften (B'nai B'rith; American Jewish Committee). Wichtiger als »Judaism« (Judentum im Sinn von jüdischem Glauben) wurde nun für viele »Jewishness« (Jüdischsein im Sinne von jüdischem Volk und Kultur) – eine vielfach von Sozialisten propagierte völkische Ideologie, die freilich weder der strenggläubigen Orthodoxie noch der radikal modernen Reform akzeptabel schien, wohl aber dem konservativen Judentum, das jüdische Geschichte, Literatur, Sprache, Brauchtum pflegte.

Keine Frage: Mit Ende des 19., Anfang des 20. Jahrhunderts hatte sich die innere Lage innerhalb des Judentums drastisch verschärft – und zwar durch die nun erkennbare **Gleichzeitigkeit divergierender und konkurrierender Paradigmen**, die alle ihre je eigenen Probleme hatten. Noch drängender und ernsthafter als die Fragen, die von aussen an die verschiedenen jüdischen Strömungen gerichtet wurden, waren ja die Fragen, die man sich in diesen verschiedenen Schulen, Richtungen, »Sekten«, »Konfessionen«, »**Denominationen**« selber und zugleich einander stellte:

Fragen angesichts der Moderne

– An die **Orthodoxen**: Kann man die technischen und ökonomischen Möglichkeiten der modernen Welt in Anspruch nehmen und sich zugleich geistig, kulturell und religiös von der übrigen gesellschaftlichen Entwicklung abkoppeln, eine besondere göttliche Erwählung behaupten, Mischehen verbieten und sich überall »im Exil« fühlen? Wird man sich so nicht als Gemeinschaft völlig isolieren und dadurch gefährliche Ressentiments und Aggressionen wecken? Kann das Judentum eine Nationalreligion und Religionsnation bleiben in einer Zeit, die Staat und Religion trennt? Ja, kann Religion im Judentum überhaupt noch diese beherrschende Rolle spielen, wenn sich die Gesellschaft ganz allgemein »säkularisiert«?

– An die **Säkularen**: Kann man jüdisches Volkstum und Religionszugehörigkeit einfach aufgeben, um wie alle anderen als säkularer Bürger deutscher, französischer, britischer oder amerikanischer Nationalität zu leben? Wird man nicht früher oder später grausam von der nichtjüdischen Umwelt daran erinnert werden, daß man eben doch Jude sei, daß unsichtbare Mauern zwischen Juden und Christen stehengeblieben und manche Türen und Bereiche ohnehin verschlossen seien? Kann man also die jüdische Religion vergessen und das jüdische Volk zu einem Volk wie andere Völker machen? Ob antireligiöse Tendenzen gerade bei diesem Volk auf die Dauer nicht zum Scheitern verurteilt sind?

– An die **Reformer**: Kann man jüdische Liturgie, Erziehung, Bildung, Lebensart reformieren und jüdische Gesetzesbeobachtung auf das rein Ethische beschränken, ohne damit auch das spezifisch Jüdische zu opfern und jüdischen Glauben und Gemeinschaft im Kern zu gefährden? Kann man vom Nationalen in der jüdischen Religion einfach absehen und sie zu einer Religion wie andere Religionen machen? Ob antinationale Tendenzen nicht gerade bei dieser Religion auf die Dauer zum Scheitern verurteilt sind?

– An die **Konservativen**: Kann man öffentlich-säkulares und privat-jüdisches Leben auseinanderhalten, ohne daß man der Gefahr geistiger Schizophrenie unterliegt – zwischen einem zur Schau getragenen Modernsein und einem verdrängten Judesein? Muß man sich nicht entscheiden, ob man es in der Bibel mit Gottes Offenbarung zu tun hat oder nicht, ob man das mosaische Gesetz mit all seinen Einzelgeboten wirklich halten muß oder nicht?

Judentum als verschiedene Religion, verschiedenes Volk, verschiedene »Rasse«: diese Fragen sollten bald, Gott sei es geklagt, Fragen auf Leben und Tod werden. Denn welcher jüdischen Richtung man auch immer angehörte: **alle** Juden wurden am Ende des 19. Jahrhunderts noch einmal mit einer ganz anders fatalen Entwicklung konfrontiert! Was niemand im »aufgeklärten«, zivilisierten Europa nach all den mittelalterlichen Judenpogromen je noch für möglich gehalten hätte, tritt nun ein: eine nochmalige radikale Verschärfung des Antijudaismus, der jetzt die Form eines **biologisch-rassisch begründeten Antisemitismus** annimmt. Die Folgen werden furchtbar sein, nicht nur eine erneute Judendiskriminierung und Judenvertreibung, sondern jetzt sogar eine systematische Judenausrottung.

Wir sind gezwungen, uns diese fatale Entwicklung, die für die gesamte Judenschaft zum furchtbaren Fatum wird, noch sehr viel genauer anzusehen. Und da diese Vorgänge unsere eigene Zeitgeschichte betreffen, werden wir von ihnen berichten unter dem neuen zweiten Haupttitel: Die Herausforderungen der Gegenwart.

Zweiter Hauptteil

DIE HERAUSFORDERUNGEN
DER GEGENWART

A. Vom Holocaust zum Staat Israel

Bevor wir ein so emotionsgeladenes Problem der Zeitgeschichte wie die in Deutschland versuchte und beinahe gelungene Judenvernichtung berühren, sind einige grundsätzliche Bemerkungen zu machen. Denn angesichts einer düsteren Vergangenheit übt jedes Volk – jedes – lieber die Kunst des Vergessens als die des Erinnerns. Aber nicht Vergessen und Verdrängen befreien, sondern Erinnern und Anerkennen.

Es geht mir dabei nicht um die Vergangenheit isoliert und abstrakt, um die Pflege eines Vergangenheitskomplexes. Es geht mir um jene Vergangenheit, die nicht vergehen will, eine Vergangenheit, welche die Gegenwart noch mitbestimmt und die heute noch in großen Teilen der Völker virulent ist. Verdrängte Vergangenheit wird leicht zum Fluch.

Also nicht Vergangenheitsfixiertheit ist hier beabsichtigt, nicht die moralische Aburteilung des Gestern vom hohen Roß der Nachgeborenen, nicht die ressentimentgeladene Kritik an damaliger Kirche und damaligem Staat aus gegenwartspolitischen Interessen. Beabsichtigt ist die kritisch-selbstkritische Analyse derjenigen Mächte und Strukturen, welche die Vergangenheit damals bestimmten und die auch heute noch wirksam sind. Alles im Blick auf eine bessere Zukunft.

I. Eine Vergangenheit, die nicht vergehen will

Wenngleich National- oder Kirchengeschichte selbstverständlich nicht als eine einzige Kette von Versäumnissen, Versagen und Verbrechen dargestellt werden dürfen und die erfreulichen Seiten des Geschehens mit der gleichen größtmöglichen Sachlichkeit wahrzunehmen sind (in einem späteren Buch soll dies auch für das Christentum geschehen), so darf doch nicht nur die »gute Vergangenheit« eines Volkes oder auch einer Religionsgemeinschaft kultiviert werden. Grundsätzlich gilt:

- Weder eine National- noch eine Kirchengeschichte darf im Interesse einer bestimmten Partei-, Staats- oder Kirchenpolitik undifferenziert als Mittel zur Beschaffung von Identität »instrumentalisiert« werden. Geschichte ist »**kein Religionsersatz**« (Habermas), der den im Modernisierungsprozeß Entwurzelten kompensatorisch Sinn stiften und in Staat und Kirche einen Konsens zu verschaffen vermöchte.

- National- wie Kirchengeschichte sind vielmehr kritisch zu überprüfen und **selbstkritisch anzueignen**: und dies nicht nur im Hinblick auf die historische Dialektik von Kontinuität und Bruch, sondern auch im Hinblick auf die ethische Differenz von Humanität und Inhumanität, Gut und Böse.

- Wer also aufgrund negativer geschichtlicher Erfahrungen ein kritisches Verhältnis zu seiner eigenen Geschichte und wer so ein vertieftes moralisches Empfinden und eine größere humane Sensibilität besitzt, der kann die Wiederholung früherer Fehler vermeiden helfen. Er kann zu einer neuen, **freieren Identifikation mit seinem Staat oder seiner Religion** finden, welche die frühere unkritische Totalidentifikation mit all ihren totalitären Folgen ausschließt.

Eine **Bewältigung** der Vergangenheit im Sinne einer Verabschiedung oder Vergleichgültigung der Vergangenheit ist unmöglich; die Vergangenheit bleibt immer, gewollt oder ungewollt, ein Stück Gegenwart. Möglich aber ist eine kritisch-selbstkritische **Aufarbeitung** der Vergangenheit. Ja, die noch immer gegenwärtige Vergangenheit kann für die Zukunft genützt werden, die Ursachen vergangener Tragödien können analysiert, und es können Lehren daraus gezogen werden. Deshalb wenden wir uns einer für eine bessere Zukunft von Juden und Christen zentralen Thematik der Gegenwart zu: der gegenwärtigen Beurteilung des Massenmordes an – diese Zahl ist gut bezeugt[1] – sechs Millionen Juden.

1. Im Streit der Historiker

Anlaß für diese kritisch-selbstkritische Aufarbeitung besteht genug. Denn es sollte nach vierzig Jahren Spätfolgen offenbar werden, daß schon 1945 (und erst recht 1946/47 nach der Wende der US-Politik gegenüber der stalinistischen Sowjetunion und dem besetzten, dann umworbenen Deutschland) offensichtlich ein Prozeß der **Verharmlosung und der Verdrängung der Schuld** einsetzte. So wurde in der 1949 neu konstituierten Bundesrepublik Deutschland (wie in der stalinistisch orientierten DDR) die so dringend notwendige »Trauerarbeit«[2] versäumt und im Westen weithin durch den mit den Amerikanern gemeinsamen (und unter Stalin begreiflichen) Antikommunismus ersetzt.

»Niemand war dabei und keiner hat's gewußt«[3]: Den Eindruck einer weitverbreiteten Lüge über angebliches Nichtwissen bekamen nach dem Krieg viele Besucher des besiegten Deutschlands – und dies besonders bezüglich der Judenberaubung, Judenverfolgung und Judenvernichtung. Als hätte dies nicht in aller Öffentlichkeit stattgefunden: die massive Judenhetze schon vor 1933; dann 1933 der Beginn der Entfernung der Juden aus Staat, Wirtschaft, Kultur und Wissenschaft; dann 1935 die Nürnberger Rassengesetze zum »Schutz des deutschen Blutes und der deutschen Ehre«; dann 1938 im November – keine drei Monate nach dem Münchner Abkommen mit England und Frankreich – die organisierten Ausschreitungen, Krawalle, Synagogenzerstörungen und Judenpogrome, die Demolierung und Beraubung (»Arisierung«) jüdischer Banken, Geschäfte und Kaufhäuser; und schließlich die Verhaftung und der Abtransport von Zehntausenden deutscher Juden in die allseits berüchtigten Konzentrationslager[4].

Aber im Deutschland der Nachkriegsjahrzehnte hatte man – vom Wiederaufbau verständlicherweise absorbiert und vom »Wirtschaftswunder« fasziniert – die nationalsozialistischen Jahre aus der deutschen Geschichte weithin als Fremdkörper ausgeklammert. Man meinte zunächst, sich mit moralischer Betroffenheit gegenüber einer dem deutschen Volk angeblich von außen (von Hitler und seinen Genossen) aufgezwungenen »Gewalt- und Willkürherrschaft« begnügen zu können. Man redete von dem, was man persönlich erlitten hatte: Verluste von Angehörigen, Bombardierungen, Vertreibungen. Man

vergaß, was von deutscher Seite zuerst den anderen angetan wurde:
Überfälle auf friedliche Länder im europäischen Westen, Norden und
Osten, die ersten Flächenbombardements, die Massenhinrichtungen,
Deportationen, Vergasungen usw. Als ob man für das »Verhängnis«
nicht – direkt oder indirekt, in größerem oder kleinerem Ausmaß –
mitverantwortlich und deshalb mitschuldig gewesen wäre. Eine apo-
logetisch-verschleiernde Sprachregelung – die Juden (möglichst nicht
ausdrücklich genannt) unter die »Gewaltopfer« subsumiert – begann
sich durchzusetzen; man sprach allgemein von den »im Namen des
deutschen Volkes« (von wem?) begangenen Verbrechen. Zu der allzu
spät (erst am 20. Juli 1944) wirklich zur Tat schreitenden kleinen Widerstandsgruppe, die bei Erfolg und sofortiger Kapitulation Deutschlands die Zerstörung vieler Städte (Berlin, Dresden, Heilbronn ...),
Millionen von Kriegstoten und vor allem die Ermordung weiterer
Millionen von Juden verhindert hätte, zeigte man ein ambivalentes
Verhältnis (»Verräter«[5]).

War es da verwunderlich, daß der nun einmal unausgetragene Streit
um die Verantwortung für Weltkrieg und Holocaust nach Jahrzehnten mit um so größerer Vehemenz ausbrach? Symptom dafür ist –
nach einer ersten leidenschaftlichen Historikerdebatte schon 1961
über Fritz Fischers Buch »Griff nach der Weltmacht«[6] um den unbestreitbaren deutschen Schuldanteil am Ersten Weltkrieg – der sogenannte »**Historikerstreit**« um Nationalsozialismus und Zweiten Weltkrieg, der in den 80er Jahren, gut vierzig Jahre nach Ende des Krieges,
ausbrach und zu Flammen entfachte, was schon lange schwelte.
   Dieser neueste ebenso grundsätzliche wie hochemotionale Revisio-
nismus-Streit deutscher Zeitgeschichtler und Publizisten um die Neu-
bewertung der Naziverbrechen[7] wurde selbstverständlich auch im
Ausland, besonders in Frankreich, Israel und Amerika, mit großer
Aufmerksamkeit verfolgt. Und für manche direkt Beteiligte und Beobachter hatte er, mit erstaunlicher Offenheit geführt, durchaus
schmerzliche Folgen; ließ er doch alte Wunden wieder aufbrechen
und teilte die deutsche Historikerzunft in zwei Lager.
   Blickt man jetzt mit etwas Abstand auf die Historiker-Debatte
zurück und wägt man so unvoreingenommen wie möglich die Argumente beider Seiten, so muß ein Doppeltes gesagt werden:
– Ausgelöst hatte die allerneueste Debatte der Berliner Historiker

Ernst Nolte mit **apologetischen Spekulationen,** Insinuierungen und Zweideutigkeiten: über den Bolschewismus als Vorbild und Schreckbild des Nationalsozialismus; über den bolschewistischen Klassenmord als Voraussetzung für den nazistischen Rassenmord, über einen »europäischen Bürgerkrieg« von »1917(!) bis 1945«; über eine angebliche »Kriegserklärung« des Präsidenten der Jewish Agency Chaim Weizmann an das »Dritte Reich«. Das waren abenteuerliche, ja gefährliche Hypothesen. Noch gefährlicher aber als die Rede von einem Präventivkrieg Hitlers gegen Rußland war die Rede von einem Präventivmord Hitlers an den wehrlosen Juden!

– Als nur zu berechtigt erweist sich im nachhinein, auch wenn er mehrere Autoren vielleicht allzu undifferenziert in einen Topf warf, die anklagende Analyse des Philosophen **Jürgen Habermas:** solche »Historisierung« der Nazi-Vergangenheit laufe faktisch auf eine relativierende Einebnung und verharmlosende Trivialisierung hinaus. Sie sei »eine Art von Schadensabwicklung« und offenbare eine politisch motivierte »apologetische Tendenz in der deutschen Zeitgeschichtsschreibung«[8].

In der Tat: Es hat nichts, wie Nolte meint, mit einem »negativen Mythos des absolut Bösen« zu tun, sondern mit der nackten geschichtlichen Wirklichkeit, wenn das **Dritte Reich** bis heute eine »**durch und durch negative Lebendigkeit**« behalten hat[9]. Hatte nicht Nolte selber die **Gründe** dafür noch 1980 im Prinzip richtig umschrieben? Die **zwei** wichtigsten seien hier – angesichts der welthistorischen Bedeutung der Frage und unterschwelliger Tendenzen zur Abschiebung der deutschen Verantwortung für den von langer Hand geplanten Krieg, bei dessen Ausbruch kein General meuterte und kein Arbeiter streikte, und für den Holocaust – nach Nolte selber zitiert:
– Erstens: »Der erste, stärkste und allgemeinste Grund ist der folgende: Das Dritte Reich hat nach einer kaum bestrittenen Auffassung den größten und opferreichsten Krieg in der Geschichte der Menschheit begonnen und verschuldet; Hitler hat diesen Krieg durch seine Weigerung, rechtzeitig zu verhandeln, abzutreten oder zu kapitulieren, an ein so katastrophales Ende gebracht, daß zumal für die Deutschen die Erinnerung unauslöschlich sein muß. Hinzu kommt die moralische Verurteilung der Überlebenden durch Hitler, so daß das negative Urteil in Deutschland einfach eine Lebensnotwendigkeit darstellt.«[10]

– Zweitens: »Die Gewalttaten des Dritten Reiches sind singulär. Zwar gibt es mancherlei Präzedentien und Parallelen zu den Konzentrationslagern und sogar zu der ›Zerschlagung der Arbeiterbewegung‹, aber die Vernichtung von mehreren Millionen europäischer Juden – und auch vieler Slawen, Geisteskranker und Zigeuner – ist nach Motivation und Ausführung ohne Beispiel, und sie erregte insbesondere durch die kalte, unmenschliche, technische Präzision der quasi-industriellen Maschinerie der Gaskammern ein Entsetzen ohnegleichen.«[11]

Man fragt sich nach diesen Sätzen, wie Nolte später (nach der politischen Wende in der Bundesrepublik von 1982!) eine solche historische Relativierung der Naziverbrechen, eine solche Entlastung des deutsch-nationalen Bürgertums, der Generalität und des Massenmörders Adolf Hitler versuchen konnte? Als ob der Nazismus vor allem eine Antwort auf den Bolschewismus und nicht ein ursprünglich nationalistisch-deutscher Rassen- und Eroberwahn gewesen wäre – mit katastrophalen Folgen für die ganze Welt! Schon Sebastian Haffner hatte in seinen »Anmerkungen zu Hitler« (1978)[12] überspitzt, aber im Prinzip richtig die globalen Konsequenzen der zwölfjährigen Hitler-Diktatur deutlich gemacht: »Die Welt von heute, ob es uns gefällt oder nicht, ist das Werk Hitlers. Ohne Hitler keine Teilung Deutschlands und Europas; ohne Hitler keine Amerikaner und Russen in Berlin; ohne Hitler kein Israel; ohne Hitler keine Entkolonisierung, mindestens keine so rasche, keine asiatische, arabische und schwarzafrikanische Emanzipation und keine Deklassierung Europas. Und zwar, genauer gesagt: nichts von alledem ohne die Fehler Hitlers. Denn gewollt hat er das alles ja keineswegs.«[13]

Jene vereinzelten deutschen Politiker, Historiker und Volksgenossen, die als ehemalige Weltkriegssoldaten sich noch vierzig Jahre später als »Verteidiger des christlichen Abendlandes« (wo eigentlich: in Bergen oder Bordeaux? in Rotterdam oder Oradour? auf Korsika oder auf Kreta? vor Tobruk oder vor Stalingrad?) gegen den Bolschewismus präsentierten, lasen die Geschichte in geradezu abenteuerlicher Weise rückwärts: Sie, die Angreifer, möchten sich gerne zu Opfern umstilisieren. Alle Opfer? Die Überfallenen und die Aggressoren, die Unschuldigen und die Verbrecher, die amerikanischen Soldaten und die SS-Truppen (auf dem Friedhof Bitburg 1986!) – alle Opfer? Nein, diese Art von Schuldentilgung, bei der am Ende keine Täter übrig bleiben, ist eine Fälschung der historischen Bilanz. Nur weil die Täter

schließlich für ihre Untaten zu bezahlen hatten, sind sie nicht zu
»Opfern« geworden, wenn dieses Wort überhaupt noch einen Sinn
haben soll. Aus Aggression läßt sich keine »Notwehr« konstruieren.
Und mit einer »Historisierung« des Nationalsozialismus – durch
Überbrückung oder Einebnung oder Ausklammerung der zwölf Jahre
Naziherrschaft – ist keine neue nationale Identität zu gewinnen.

Man fragt sich nach all dem: War der Streit der Historiker nicht eigentlich überflüssig? Nein, er hatte sein Gutes: Denn die Versuche einer »Historisierung« des Holocausts führten gegen den Willen derer,
die sie betrieben, zur **Aktualisierung** des Holocausts! Statt einer »Normalisierung« der Geschichte des Dritten Reiches jetzt also verstärkt
eine selbstkritische **Besinnung** auf die Einzigartigkeit und Unaus-
löschlichkeit des nazistischen Massenmordes, der sich offenkundig
nicht so leicht mit dem Hinweis auf den stalinistischen Gulag historisch relativieren, der sich nicht so bequem ideologisch neu definieren
und rational domestizieren ließ[14].

Wie aber soll man nun aufgrund der Historikerdebatte den Holocaust heute beurteilen? Eine falsche Alternative ist zu vermeiden.

2. Wie mit dem Holocaust umgehen?

1. **Keine moralische Nivellierung**: Ohne jegliche »Besessenheit« von
einem »Schuldkomplex« ist festzuhalten (was ja gerade der deutsche
»Historikerstreit« noch einmal gezeigt hat): Der **Holocaust ist ein sin-
guläres Verbrechen**. Nicht weil jedes Ereignis, jede Person, jede Epoche einmalig ist; das ist eine Binsenweisheit. Sondern, weil die hier erreichte Dimension des **ideologisch-industriellen Massenmords prä-
zedenzlos, inkommensurabel** und bis heute **kaum vorstellbar** ist: »Es
trat an uns die Frage heran: Wie ist es mit den Frauen und Kindern?
Ich habe mich entschlossen, auch hier eine ganz klare Lösung zu finden. Ich hielte mich nämlich nicht für berechtigt, die Männer auszurotten – also, umbringen oder umbringen zu lassen – und die Rächer
in Gestalt der Kinder für unsere Söhne und Enkel groß werden zu lassen. Es mußte der schwere Entschluß gefaßt werden, dieses Volk von
der Erde verschwinden zu lassen.« So am 6. Oktober 1943 der Chef
der SS, **Heinrich Himmler**, der sich auf einen »Führerbefehl« berufen
konnte[15]. Schon am 30. Januar 1939 hatte **Adolf Hitler** für den Fall

eines Krieges »die Vernichtung der jüdischen Rasse in Europa« angedroht, im Frühjahr 1941 hat er sie im Zusammenhang mit dem Rußland-Feldzug geplant und dann durch Heydrichs Einsatzkommandos eingeleitet. Vermutlich im Sommer 1941, jedenfalls auf dem Höhepunkt seiner Siegeszuversicht, hat er Himmler den mündlichen Geheimbefehl gegeben, die Vernichtung aller europäischen Juden im deutschen Machtbereich durchzuführen. Bis zu seinem Ende und auch noch in seinem politischen Testament rühmt sich Hitler, die Juden in Deutschland und Mitteleuropa ausgerottet zu haben[16].

Und so kann ich denn dem Historiker **Eberhard Jäckel** nur zustimmen, wenn er gegen alle Verharmlosung durch Historikerkollegen auf das geschichtlich unerhörte Ausmaß hinweist: Der nationalsozialistische Mord an den Juden ist deswegen einzigartig gewesen, »weil noch nie zuvor ein Staat mit der Autorität seines verantwortlichen Führers beschlossen und angekündigt hatte, eine bestimmte Menschengruppe einschließlich der Alten, der Frauen, der Kinder und der Säuglinge möglichst restlos zu töten, und diesen Beschluß mit allen nur möglichen staatlichen Machtmitteln in die Tat umsetzte«[17].

Nein, es ist historisch ungerechtfertigt und somit auch theologisch unverantwortlich, »Auschwitz« zu minimieren, auf das Niveau anderer Schädelstätten der Weltgeschichte einzuebnen und so das ganze grausame Geschehen schließlich anthropologisch-moralisch mit der nun einmal immer gegebenen Gebrechlichkeit und Sündhaftigkeit des Menschen zu erklären. Es bleibt dabei: Eine moralische Nivellierung und vergleichende Harmonisierung des Holocausts ist unverantwortlich. In Auschwitz-Birkenau (seit Januar 1942) – dem größten Vernichtungslager – sind mindestens zwei Millionen Juden ermordet worden! Kein Hinweis auf die Fehler und Verbrechen anderer Völker (und auch kein christliches Kreuz beim Lagereingang in Auschwitz) kann und darf je von diesem in seiner Inhumanität einzigartigen Massenmord an jüdischen Menschen ablenken. Aber – dies alles unzweideutig eingestanden, muß auch ein anderes überlegt werden:

2. **Keine Verabsolutierung**: Bei aller Scham und Trauer muß auch dieses gigantische Verbrechen von Menschen an Menschen im Rahmen der deutschen und der Menschheitsgeschichte betrachtet werden können. Das dafür von Martin Broszat, damals Direktor des Münchner Instituts für Zeitgeschichte, eingeführte Wort »Historisierung«

(weil »Archivierung«, »Musealisierung«, »Relativierung« und so Ver-harmlosung nahelegend) ist dazu, so sahen wir, ungeeignet. Doch be-rechtigt ist es, Bezüge herzustellen zu anderen Genoziden unseres Jahrhunderts: von dem Armeniermord durch die Türken angefangen bis zu den Pol-Pott-Schlächtereien in Kambodscha[18].

Insbesondere dürfen die von vielen Linken lange ignorierten oder relativierten Massenmorde **Stalins** nicht verschwiegen werden. Stän-dige Parteisäuberungen, Zerschlagen der Bauernschaft, terroristischer Druck auf die Intelligenzija und das Proletariat, Moskauer Prozesse (gegen Bucharin und die alten Freunde) haben ebenfalls Millionen an Opfern gekostet. Nach Nikita Chruschtschows Darlegungen vor dem 20. Parteikongreß der KPdSU in Moskau 1956, welche die Entstali-nisierung einleiteten, ist es vor allem **Alexander Solschenizyns** histori-sches Verdienst – auch er auf der Linken lange verschwiegen –, daß der Menschheit der »Archipel Gulag« des kommunistischen Sowjet-rußland in seiner erschreckenden Konkretheit vor Augen geführt wer-den konnte[19]. Wahrhaftig: Dies alles ist schon deshalb nicht zu ver-harmlosen, weil zwar die KZ und der Gulag, doch das KGB und seine Folgen noch keineswegs aus der Welt geschafft sind. Michail Gorbat-schows »Glasnost« hat, bei allen immensen internen Problemen, die selbstkritische Durchleuchtung der Geschichte der Sowjetunion – von der Vereitelung echter Demokratie durch Lenins Bolschewiki 1917 bis zum Hitler-Stalin-Pakt 1939 – im Prinzip eingeleitet[20].

Trotzdem: Wer wollte da im einzelnen den Schrecken des Nazi-Terrors mit dem des Sowjet-Terrors aufrechnen wollen[21]!? Wenn man indessen alle vergleichende Harmonisierung a limine abgelehnt hat, darf man auch einen Kontrapunkt setzen. Denn ebenso historisch un-gerechtfertigt und so auch theologisch unverantwortlich erscheint es, »Auschwitz« – aus welchen Interessen auch immer – zu einem aus der menschlichen Gewalt- und Leidensgeschichte herausgelösten Mo-ment oder Monument zu machen. Allzu leicht läßt sich so die Verant-wortung abschieben auf irgendein historisch verhängnisvolles Schick-sal, einen Antichristen, Dämon oder Satan. Allzu leicht auch läßt sich so vergessen, daß eine Holocaust-Gesinnung unter anderen Umstän-den auch unter den Verfolgten von gestern gegenüber den Verfolgten von heute aufkommen könnte. Deshalb gilt es konkret zu werden und die Ursachen zu analysieren und sie zunächst in einem weiteren europäischen Kontext zu sichten.

3. Nationalismus und Rassismus – ein brisantes Gemisch

Mit erfreulicher Klarheit haben es uns in diesen Jahren deutsche Historiker wie Eberhard Jäckel, Jürgen Kocka, Christian Meier, Hans und Wolfgang Mommsen u. a.[22] wieder zum Bewußtsein gebracht: Wer die nationalsozialistische Diktatur mit all ihren verbrecherischen Folgen einfach als tragische, schicksalshaft-unentrinnbare Verstrickung (Folge der geopolitischen »Mittellage«, des deutschen »Sonderwegs« und ganz direkt des Versailler Vertrags, der Weltwirtschaftskrise und der Massenarbeitslosigkeit) darzustellen versucht, wer sie gar auf den einen Adolf Hitler und dessen »dämonische« Verführungskunst abschieben will, um das deutsche Volk und seine herrschenden Schichten in Politik und Diplomatie, Militär, Wirtschaft und Wissenschaft zu entlasten, der vereinfacht nicht nur in unverantwortlicher Weise die Geschichte, nein, der verfälscht sie.

Nicht zu bestreiten ist freilich: Der radikale Judenhaß des Nationalsozialismus hatte seine jahrhundertelange »christliche« und seine unmittelbare, **politisch-säkulare Vorgeschichte**. Wir haben davon berichtet: Mit allergrößten individuellen und auch kollektiven Anstrengungen hatten es die Juden in Deutschland geschafft, Bürger im rechtlichen Sinn (Staatsbürger) und – in großer Zahl – auch im kulturellen Sinn (Bildungsbürger) zu werden, wie ja zur gleichen Zeit auch andere gesellschaftliche Gruppen (Katholiken, Arbeiter, Frauen) um gesellschaftlichen Aufstieg und Anerkennung zu kämpfen hatten.

Dabei hatte gerade die Geschichte der Juden in Deutschland eine zutiefst **ambivalente Entwicklung** genommen, wie es in kritischer Sichtung der neuesten historischen Forschung Shulamit Volkov, Direktorin des Instituts für deutsche Geschichte an der Universität von Tel Aviv, herausgestellt hat: Weder handelte es sich einfach um einen schrittweisen, konsequenten, erfolgreichen Prozeß der Assimilation, wie man dies zuerst in Deutschland und dann vielfach auch in der deutsch-jüdischen Emigration darstellte. Noch ging es umgekehrt um einen Prozeß ständig sich steigernder Hindernisse auf dem Weg zur rechtlichen, gesellschaftlichen und kulturellen Integration, so daß alle Hoffnung auf eine echte Emanzipation von vornherein trügerisch war, wie dies die zionistische Schule vor allem in Israel darstellt[23]. Bei aller Ablehnung und Feindseligkeit gegenüber den Juden war ihre Geschichte der Assimilation doch auch vielfach die eines geglückten Zusammenlebens und des gesellschaftlichen wie kulturellen Erfolgs. Ihnen halfen ihre wirtschaftlich-finanziellen Verbindungen, ihre große Tradition des Lesens und Lernens, ihr im allgemeinen intaktes Familienleben und ihre bewährte Erziehung. Faktisch also waren die deutsch-jüdischen Erfahrungen höchst vielfältig, war die Entwicklung ungleich vorangeschritten, waren sowohl assimilatorische wie dissimilatorische, abstoßende Kräfte im Spiel. Erst relativ spät, im Nationalsozialismus, haben die antisemitischen Kräfte gegenüber der Fülle gemeinsamer jüdisch-deutscher Erfahrungen, Befürchtungen und Hoffnungen die Oberhand gewonnen[24].

Dabei wirkte sich vor allem der allmählich aufsteigende **Nationalismus** verhängnisvoll aus, und der schon im 18. Jahrhundert sich herausbildende»Patriotismus« (»Vaterlandsliebe«) entartete bald zu einer Form chauvinistischer Überheblichkeit. Den Juden ließ sich so trotz aller sozialen Integration leicht mangelndes Nationalbewußtsein vorwerfen, sofern sie noch immer aus ihrer jahrtausendalten Tradition und einem die Grenzen der Nationen überschreitenden Zusammengehörigkeitsgefühl heraus lebten. Und vor allem wegen dieses Nationalismus – in Deutschland aufgrund der späten nationalen Einigung besonders virulent – war es im 19. und 20. Jahrhundert vielfach zu kaum mehr als einer theoretisch-rechtlichen Gleichstellung und einer oft nur oberflächlichen deutsch-jüdischen Symbiose gekommen: oft mehr äußere Akkulturation als wahrhaft integrierende Inkulturation. Mehr Assimilation – jetzt auch für die modern angepaßten Juden immer mehr ein negativ besetztes Wort – denn wirkliche Gemeinschaft.

Auch von Seiten der christlichen Kirchen handelte es sich oft nur um eine bloße Duldung der jüdischen Mitbürger – in der Hoffnung auf eine schließlich völlige Konversion. So blieben die Juden denn für viele in Deutschland – sowohl in Wirtschaft und Politik, wie in Literatur, Publizistik und Kunst – ein »Unruheelement«. Und immer wenn es mit der Anerkennung von Juden einen Schritt vorwärts zu gehen schien, zeigten sich auch konterkarierende antijüdische Aufwallungen. Nationalistische und kirchliche Gegenkräfte fanden sich dabei nur zu oft. Nur so ist es überhaupt erklärbar, daß nach der Zeit der Aufklärung (in sich schon ambivalent) die große Finsternis über die Juden noch einmal hereinbrechen sollte.

Welch heimlich-unheimliche Entwicklung in Ost-, West- und Zentraleuropa – aller Aufklärung zum Trotz! In **Rußland** (und Polen) hatte sich die jüdische Aufklärungsbewegung zunächst, wir hörten davon, durchaus regierungsfreundlich verhalten. Doch nach der Ermordung des Zaren Alexander II. 1881 – durch ein Gerücht »den Juden« angelastet – kam es erneut zu schweren Ausschreitungen des judenfeindlichen Pöbels: Pogrome, die sich in den folgenden Jahren, bis hinein in die Revolutionswirren 1917-21, wellenweise wiederholten.

Und **Frankreich?** »Interessanterweise stellte sich bei der näheren Untersuchung heraus«, so Shulamit Volkov, »daß das, was mir zunächst als einzigartig für Deutschland, besonders während des Kaiserreichs, erschienen war, auf mindestens eine weitere Hochburg der antisemitischen Agitation dieser Zeit, nämlich das Frankreich der dritten Republik, ebenfalls zutraf«; es sei vor allem das antijüdische Werk von Edouard Drumont, »La France Juive« von 1886, gewesen, welches »mehr Popularität und mehr ernsthafte Erörterung in maßgeblichen Kreisen erreicht hat als alles, was die deutschen Antisemiten in dieser Zeit verfaßt haben.«[25]

In der Tat: In Frankreich sollte die Affäre um den Generalstabs-Hauptmann **Alfred Dreyfus** den Glauben an die Verwirklichung der aufklärerischen Emanzipationsideale zunichte machen. 1894 fälschlich des Landesverrats für Deutschland angeklagt, wurde der Jude Dreyfus zunächst zu lebenslänglicher Deportation, dann 1899 unter offensichtlichem Rechtsbruch zu zehn Jahren Festung verurteilt. Eine Affäre brach los, die nicht nur die Dritte Republik in ihre größte innenpolitische Krise führte, sondern zugleich das ganze Ausmaß des nach wie vor vorhandenen Antisemitismus in Frankreich offenlegte. Armee, Adel, Monarchisten, Großbürgertum, Rechtspresse und Klerus stemmten sich jahrelang gegen die (von Radikalrepublikanern, Sozialisten, Linkskatholiken, liberaler Presse geforderte) Wiederaufnahme des Verfahrens. Erst 1906 (sieben Jahre danach!) konnte dieser jüdische Elsässer Dreyfus seine volle Rehabilitation erlangen.

Mit dem europäischen Nationalismus und gefördert von zahlreichen antijüdischen Klischees (ebenfalls überall in Europa verbreitet) war so schon im 19. Jahrhundert ein Antijudaismus herangewachsen, der nun nicht mehr in erster Linie religiös, sondern – ganz im Sinn des sozial-darwinistischen Zeitgeistes und seines Selektionsprinzips (das »Überleben des Tüchtigsten«) – **rassisch-biologistisch** begründet war:

also nicht biblisch-religiös, sondern anscheinend naturwissenschaftlich. Geschichte jetzt verstanden nicht als Klassenkampf, sondern als Rassenkampf: Rassenkampf der indogermanischen »arischen« Herren-Rasse gegen die Slawen, vor allem aber gegen die »semitische« Rasse der Juden. Dieses Weltbild hatte sich der französische Diplomat und Schriftsteller Graf **Joseph Arthur Gobineau** – ähnlich auch der Deutsch-Engländer **Houston Stewart Chamberlain** (Schwiegersohn des Antijuden Richard Wagner) – zurechtgezimmert und »wissenschaftlich« in seinem vierbändigen »Versuch über die Ungleichheit der Menschenrassen«[26] zu untermauern versucht. Der rassistische Antisemitismus dieses französischen Aristokraten (auch er ein Freund Richard Wagners!) richtete sich ursprünglich gegen die Aufklärung überhaupt, gegen die egalitären Ideen von 1789, gegen Menschenrechte, Demokratie, Freiheit und Gleichheit – und brauchte zu diesem Zweck den Typus des »Ungleichen« schlechthin, den Juden.

Dabei hatte das Wort »**semitisch**« noch bis ins 19. Jahrhundert hinein die ganze Sprachgruppe der Semiten abgedeckt, die ja auch die Araber umfaßt. 1879 aber wird von einem deutschen Pamphletisten namens Wilhelm Marr das Wort »**antisemitisch**« kreiert und popularisiert[27]. Warum? Um dem Judenhaß einen respektablen, »wissenschaftlichen« Namen zu geben. Denn gerade in **Deutschland**, wo man den Staat nicht französisch-national als Willenseinheit verschiedener, unterschiedlicher Bürger verstand, sondern – nach der patriotischen Welle der Napoleonischen Kriege – romantisch als einheitliche »Volksindividualität« mit besonderem »Volksgeist« und »Volkscharakter«: da braute sich nun Ende des 19. Jahrhunderts aus Nationalismus und Rassismus ein explosives Gemisch völkischer Schwärmerei zusammen (oft Ersatz für die fehlende Nationalreligion), dessen zunehmende Brisanz, weil scheinbar nur die altbekannte Judenfeindschaft, weithin unterschätzt wurde.

Die alte »Judenfrage« war keineswegs erledigt, sondern wurde jetzt geradezu als »die soziale Frage« (Otto Glogau) erklärt, ja, als wesentliche Komponente der antidemokratisch-antiemanzipatorischen Ideologie des deutschen Nationalismus (Heinrich von Treitschke und die Folgen) hoffähig gemacht. Denn unterdessen hatten Juden im Prozeß der Assimilation zunehmend Einfluß in Wirtschaft, Politik und Kultur erlangt, was die entsprechenden Haß- und Neidgefühle vieler nichtjüdischer Zukurzgekommener nach sich zog. Und nach dem

Ersten Weltkrieg, in dem 12 000 (!) deutsche Juden auf dem Schlacht-feld für Deutschland fielen[28], und nach dem Zusammenbruch des Zweiten Deutschen Reiches 1918, als sich nicht wenige jüdische In-tellektuelle auf Seiten der sozialistischen Linken zu engagieren begon-nen hatten, sollte die schreckliche Saat aufgehen, die in der zweiten Hälfte des 19. Jahrhunderts gesät worden war. Der spezifische Anti-semitismus wird jetzt zur Ersatzreligion des heraufkommenden natio-nalsozialistischen »Dritten Reiches« ...

4. Eine Niederlage der europäischen Aufklärung

Dennoch kann man den Antisemitismus des Nationalsozialismus nicht einfach aus der Geschichte ableiten, als ob es hier nur um ein zyklisch wiederkehrendes Phänomen oder aber nur um einen sich be-schleunigenden Prozeß hin auf eine letzte Katastrophe ginge. Shula-mit Volkov hat gegen diese weitverbreiteten Auffassungen zu Recht das **Neue des nationalsozialistischen Antisemitismus** betont. War doch jetzt nicht mehr nur ein Antisemitismus des geschriebenen Wor-tes, des Diskutierens und der Ideologie am Werk, sondern ein Antise-mitismus des gesprochenen Wortes, der Propaganda, des Gebrülls und des Handelns. Erst im Nazismus – und das war das Neue – ging es im großen Stil um einen **Antisemitismus der Tat**: der nackten Ge-walt, des Terrors und schließlich der Vernichtung[29]. Damals also kam es – aufgrund des in vielem doch geglückten deutsch-jüdischen Zu-sammenlebens auch für die Juden trotz allem unerwartet – zu jener welthistorischen Katastrophe, die den Assimilationsprozeß des Juden-tums zumindest in Europa radikal unterbrechen sollte. Sie schien jene orthodoxen Juden zu bestätigen, welche die Moderne ohnehin ab-gelehnt hatten, und schien jene Kräfte des liberalen wie konservativen Judentums zu desavouieren, die sich um Assimilation oder zumindest Koexistenz mit der Moderne bemüht hatten. Zu Recht?

Im Rückblick ist es keine Frage, daß der rassistische und besonders nazistische Antisemitismus eine beispiellose **Niederlage der europäi-schen Aufklärung** darstellte. Nach Gotthold Ephraim Lessing und Moses Mendelssohn, nach der Amerikanischen und Französischen Revolution, nach Karl Marx, Sigmund Freud, Martin Buber und Al-bert Einstein, nach Gustav Mahler, Jakob Wassermann und Joseph

Roth, nach so vielen prominenten modernen jüdischen Philosophen, Schriftstellern, Künstlern, Musikern und Wissenschaftlern in Deutschland: ein erschreckender Rückfall in barbarische Bereiche des Mittelalters, in alte Ignoranz, verhängnisvollen Aberglauben und unerhörte Grausamkeiten gegenüber den Juden! Eine Absage zweifellos auch an die Ideale von 1789! Die Deutschen seien, meinte 1945 Thomas Mann, er, der Repräsentant deutschen Geistes in der Zeit nazistischen Ungeistes, »ein Volk der romantischen Gegenrevolution gegen den philosophischen Intellektualismus und Rationalismus der Aufklärung« gewesen; und die deutsche Innerlichkeit, der die Welt deutsche Metaphysik und deutsche Musik verdanke, habe sich auf das menschliche Zusammenleben schließlich doch negativ ausgewirkt in einem typisch »deutschen Dualismus von kühnster Spekulation und politischer Unmündigkeit«[30].

Ja, diese – mit dem »Mythos des 20. Jahrhunderts« (A. Rosenberg), das heißt mit Legenden, Lügen und Mystifikationen erkaufte – grausame Regression einer ganzen aufgeklärten Nation: sie war eine in der deutschen Lebensgeschichte tief verwurzelte, aber letztlich selbstverschuldete Unmündigkeit. Und aufgrund der ungeheuren Möglichkeiten der Moderne, aufgrund moderner Wissenschaft, Technologie, Industrie und Massenmobilisation, waren die Wirkungen noch einmal unendlich viel erschreckender als all der Schrecken, der in Mittelalter und Reformationszeit über die Juden gekommen war.

Es ist in der Tat bis heute kaum begreiflich: Gerade in einem Land, in dem Juden geistig am weitesten fortgeschritten waren, das viele Juden als ihre Heimat mehr als jedes andere Land außerhalb Palästinas liebten, gerade in einem Land, zu dem sie ihre stärksten kulturellen Beiträge geleistet hatten[31], gerade in dieser alten Kulturnation der Dichter, Denker und Musiker, wurde – nach einer allgemein bekannten und bejahten mehrjährigen Verfolgung – schließlich jener monströse Massenmord an rund sechs Millionen Juden organisiert und durchgeführt. Gerade hier wurde der wahnwitzige Versuch einer »**Endlösung**« unternommen, der Versuch einer totalen Ausrottung eines ganzen Volkes: die »Schoa«, die »Katastrophe«, oder das »Ganz-Opfer«, der »**Holocaust**« des jüdischen Volkes. Die Frage ist in unserer Gegenwart nach wie vor offen und schmerzt die Besten unter den Deutschen am meisten: Wo liegt die Schuld? Was sind die Folgen für das jüdische Volk und das deutsche Volk, aber auch für die jüdische

Theologie, den christlichen Glauben und das jüdisch-christliche Gespräch? Auf all das werden wir einzugehen haben, doch zunächst ist eines unumgänglich:

5. Die Schuldigen benennen: die Eliten und die Massen

Adolf Hitler war weder ein »Betriebsunfall« deutscher Geschichte noch eine »Fügung« des »Schicksals«. Adolf Hitler ist mit breiter Zustimmung des deutschen Volkes an die Macht gekommen und ist bei aller versteckten Kritik bis zum bitteren Ende in noch heute erschreckender Loyalität vom Großteil der Bevölkerung getragen worden. Und was würde man heute von diesem Hitler sagen, wenn er 1941, auf dem Höhepunkt der Macht, verunglückt wäre oder wenn er gar den Krieg gegen die freie Welt gewonnen (und die Judenausrottung vollendet) hätte? Das Phänomen Hitler stellt bis heute jeden absoluten Pazifismus in Frage: Friede um **jeden** Preis? Friede auch um den Preis von Auschwitz?

Gewiß, politischen Widerstand gegen die Nazi-Barbarei hat es damals gegeben – doch war er die Ausnahme, nicht die Regel. Gewiß, man muß zwischen Anführern und Verführten, Befehlenden und Gehorsamen unterscheiden – aber nur mit dem Ziel, die je spezifische Verantwortung auf beiden Seiten klar zu benennen. Denn die NS-Diktatur hätte weder entstehen noch sich durchhalten können ohne das »interessenbedingte« **Versagen** auch des »kleinen Mannes« und der »kleinen Frau«, ohne den ganz alltäglichen Faschismus. Aber das andere gilt auch und wird in Gedenkreden meist verschwiegen: Dieses Verbrecherregime hätte erst recht sich nicht emporarbeiten können ohne Toleranz oder Förderung durch die herrschenden, nun einmal mehrheitlich konservativ orientierten **Eliten in deutscher Bürokratie, Industrie**[32], **Justiz**[33], **Medizin**[34], **Publizistik**[35] **und Wehrmacht**[36], die das Kaiserreich getragen hatten und der Weimarer Demokratie skeptisch gegenüberstanden. Das gilt im übrigen ebenso für die **Universitäten**[37], die Studenten wie die Professoren: Die prominentesten »Fälle« sind der Philosoph und gefügige Freiburger Nazirektor 1933/34 Martin Heidegger[38] (Parteimitglied bis 1945!) sowie – als Vordenker eines Führers, der als oberster Gerichtsherr unmittelbar Recht schaffe – der Staatsrechtler und Parteigenosse Carl Schmitt[39]. Beide, wie so

viele, die unter den Nazis einen verantwortungsvollen Posten einge-
nommen hatten, auch nach dem Krieg ohne Eingeständnis eines Versagens, ohne Reue und Schuldbekenntnis …

Hinzu kam – wer wollte das leugnen – eine in Deutschland überall
verbreitete, offene oder latente **Angst vor dem »Osten«**: genauer, eine
Angst vor dem in der russischen Oktober-Revolution siegreichen totalitären Bolschewismus und einer wie schon 1918 drohenden chaoti-
schen »Räterepublik«. Und hinzu kam der traditionelle (und wahrhaftig von Spanien bis Polen und anderswo verbreitete) »**Antisemitismus**«. Dies alles mag wenigstens ansatzweise erklären, warum es in
Deutschland zu **keinem politisch relevanten Protest gegen die Ju-
denunterdrückung** kam, genauer: warum Mitleid, Empörung, gar aktiver Widerstand gegen die nazistische Judengesetzgebung, Judenverfolgung, Judendeportation und Judenvernichtung nur in Ausnahme-
fällen vorkam, obwohl rund eine Million Deutsche, so hat man berechnet, an den »Maßnahmen« gegen die Juden ganz direkt beteiligt
waren. Ein Schlüssel zur Erklärung des mangelnden Widerstands
dürfte hier liegen: Die bei der liberal-kapitalistischen Entwicklung zu
kurz gekommenen Schichten der Kleinhändler, Handwerker, Bauern
und Bildungsbürger waren nur zu gerne bereit, die angeblich reichen
und sich immer mehr bereichernden Juden für ihren eigenen ökonomisch-sozialen Abstieg verantwortlich zu machen. Sündenbock-
Denken herrschte vor. Und die Eliten – jetzt auch noch im Zeichen
des Antikommunismus – trugen die Fahne voran, während Staat und
Banken sich an den vertriebenen oder vernichteten Juden be-
reicherten.

Was allerdings die »Endlösung« der Judenfrage betrifft, wußten in
Deutschland doch wohl nur relativ Wenige genauer Bescheid. **Walter
Laqueur** dürfte mit seinem vorsichtigen Résumé recht haben: »Millionen Deutscher wußten Ende 1942, daß die Juden praktisch verschwunden waren. Gerüchte über die Schicksale gelangten hauptsächlich über Ostfronturlauber, Offiziere und Soldaten, nach Deutschland. Auch gab es in den Kriegsreden der Naziführer deutliche Hinweise, daß Drastischeres als eine Umsiedlung sich ereignet hatte. Das
Wissen, wie die Juden getötet wurden, war auf wenige Personen
beschränkt. Und verhältnismäßig wenige Deutsche interessierten sich
für das Schicksal der Juden, die meisten waren mit einer Menge ihnen
persönlich wichtigerer Probleme befaßt. Das Thema war unange-

nehm, Vermutungen ergaben nichts, vor Diskussionen über das jüdische Schicksal schreckte man zurück. Überlegungen zu dieser Frage wurden beiseite geschoben und auf Dauer verdrängt.«[40]

Auch von den **Kirchen**? Von kirchlicher Seite wird nicht selten zur Selbstentlastung angeführt: der nationalsozialistische Antisemitismus sei das **Werk gottloser antichristlicher Verbrecher** gewesen. Hitler, Rosenberg, Göring, Goebbels, Himmler, Heydrich, Eichmann, samt ihren Helfern und Schergen seien, obwohl meist getauft, schon längst keine Christen mehr gewesen, ja, hätten es dezidiert abgelehnt, solche sein zu wollen. Sie seien Neuheiden gewesen, die nach dem Kriege in ihrem »Tausendjährigen Reich« nicht nur mit den Synagogen, sondern auch mit den Kirchen »aufgeräumt« hätten. Hatten nicht einige geschlossene, enteignete und profanierte Kirchen und Klöster dies bereits angekündigt?

Diese Sicht ist zwar nicht falsch, aber doch wohl nur die halbe Wahrheit. Wir werden davon ausführlich zu berichten haben. Zwar gab es die »Bekennende Kirche« der Protestanten und eine schweigende Renitenz eines Teils des katholischen Klerus. Aber zu einem überzeugten Widerstand gegen die Judenverfolgung auf breiter Front ist es auch durch die offiziellen Kirchen nie gekommen. Warum nicht? Die grundsätzliche Antwort sei schon hier – im Lichte der von uns im ersten Hauptteil erzählten Geschichte – ausgesprochen: Es hängt dies mit dem tiefverwurzelten religiösen, christlichen Antijudaismus zusammen, der auch für einen Katholiken wie etwa Joseph Goebbels – zusammen mit dem Führerkult – Grundlage seines nationalsozialistischen Engagements war[41]. So bitter die Erkenntnis ist, sie darf nicht verschwiegen werden: Der **rassistische Antisemitismus**, der im Holocaust seine terroristische Aufgipfelung erreichte, wäre **nicht möglich** gewesen **ohne die fast zweitausendjährige Vorgeschichte des religiösen Antijudaismus der christlichen Kirchen**[42]. Und ist dafür der Fall des österreichischen Katholiken Adolf Hitler nicht das abgründigste Beispiel? Die religiösen Wurzeln seines Antisemitismus werden noch heute von vielen nicht durchschaut.

Kirchliche und nazistische antijüdische Maßnahmen

Kanonisches Recht	Nazimaßnahmen
Verbot der Ehe und des geschlechtlichen Verkehrs zwischen Christen und Juden (Synode von Elvira, 306)	Gesetz zum Schutze des deutschen Blutes und der deutschen Ehre, 15. Sept. 1935 (RGBl. I, 1146)
Verbot der gemeinsamen Speiseneinnahme von Juden und Christen (Synode von Elvira, 306)	Juden wird die Benutzung von Speisewagen untersagt (Verkehrsminister an Innenminister, 30. Dezember 1939, Nü.Doc.: NG-3995)
Juden ist es nicht erlaubt, öffentliche Ämter zu bekleiden (Synode von Clermont, 535)	Gesetz zur Wiederherstellung des Berufsbeamtentums, 7. April 1933 (RGBl. I, 175)
Juden ist es nicht erlaubt, christliche Knechte, Mägde oder Sklaven zu halten (3. Synode von Orleans, 538)	Gesetz zum Schutze des deutschen Blutes und der deutschen Ehre, 15. Sept. 1935 (RGBl. I, 1146)
Juden ist es nicht erlaubt, sich während der Karwoche auf den Straßen zu zeigen (3. Synode von Orleans, 538)	Polizeiverordnung zur Ermächtigung der Lokalbehörden, Juden an bestimmten Tagen (d. h. an Nazi-Feiertagen) von den Straßen zu verbannen, 28. Nov. 1938 (RGBl. I, 1676)
Verbrennung des Talmud und anderer jüdischen Schriften (12. Synode von Toledo, 681)	Bücherverbrennungen in Nazideutschland
Christen ist es untersagt, jüdische Ärzte zu Rate zu ziehen (Trullanische Synode, 692)	4. Verordnung zum Reichsbürgergesetz vom 25. Juli 1938 (RGBl. I, 969)
Christen ist es nicht erlaubt, bei Juden zu wohnen (Synode von Narbonne, 1050)	Anordnung Görings vom 28. Dez. 1938, wonach Juden in bestimmten Häusern zu konzentrieren seien (Bormann an Rosenberg, 17. Jan. 1939, Nü.Doc.: PS-69)
Juden müssen gleich Christen den Kirchenzehnt entrichten (Synode von Gerona, 1078) Verbot der Sonntagsarbeit (Synode von Szabolcs, 1092)	Die »Sozialausgleichsabgabe« vom 24. Dez. 1940, wonach Juden als Ausgleich für die den Nazis auferlegten Parteispenden eine besondere Einkommensteuer zu entrichten haben (RGBl. I, 1666)
Juden dürfen Christen nicht anklagen und können nicht Zeugen gegen Christen sein (3. Lateranisches Konzil, 1179, Kanon 26)	Vorschlag der Parteikanzlei, Juden die Erhebung von Zivilklagen zu verbieten, 9. Sept. 1942 (Bormann an Justizministerium, 9. Sept. 1942, Nü.Doc.: NG-151)
Den Juden ist es verboten, ihre zum Christentum übergetretenen Glaubensbrüder zu enterben (3. Lateranisches Konzil, 1179)	Ermächtigung des Justizministeriums, Testamente, die das »gesunde Volksempfinden« beleidigen, für nichtig zu erklären, 31. Juli 1938 (RGBl. I, 973)
Juden müssen ein Unterscheidungszeichen an ihrer Kleidung tragen (4. Lateranisches Konzil, 1215. Als Vorbild diente ein Erlaß des Kalifen Omar I., 634-44, wonach Christen blaue und Juden gelbe Gürtel zu tragen hatten.)	Verordnung vom 1. Sept. 1941 (RGBl. I, 547)

Kanonisches Recht	Nazimaßnahmen
Verbot des Synagogenbaus (Konzil von Oxford, 1222)	Zerstörung von Synagogen im gesamten Reich am 10. Nov. 1938 (Heydrich an Göring, 11. Nov. 1938, Nü.Doc.: PS-3058) Nazimaßnahmen
Christen ist es nicht erlaubt, an jüdischen Feierlichkeiten teilzunehmen (Synode von Wien, 1267)	Verbot freundschaftlicher Beziehungen zu Juden vom 24. Okt. 1941 (Gestapo-Anordnung, L-15)
Juden dürfen mit einfachen Leuten nicht über den katholischen Glauben disputieren (Synode von Wien, 1267)	
Juden dürfen nur in Judenvierteln wohnen (Synode von Breslau, 1267)	Heydrich-Befehl vom 21. Sept. 1939 (PS-3363)
Christen ist es nicht erlaubt, Grund und Boden an Juden zu verkaufen oder zu verpachten (Synode von Ofen, 1279)	Verordnung vom 3. Dez. 1938, die den Zwangsverkauf jüdischen Grund und Bodens vorsah (RGBl. I, 1709)
Übertritt eines Christen zum Judentum oder Rückkehr eines getauften Juden zu seiner früheren Religion ist wie erwiesene Häresie zu behandeln (Synode von Mainz, 1310)	Der Übertritt eines Christen zur jüdischen Religion setzt ihn der Gefahr aus, als Jude behandelt zu werden; Urteil des Oberlandesgerichts Königsberg, 4. Zivilsenat, vom 26. Juni 1942 (in: Die Judenfrage, Vertrauliche Beilage, 1. Nov. 1942, S. 82, 83)
Verkauf oder Verpfändung kirchlicher Gegenstände an Juden sind verboten (Synode von Lavaur, 1368)	
Juden dürfen nicht als Unterhändler bei Verträgen zwischen Christen, insbesondere nicht als Vermittler von Ehen auftreten (Konzil von Basel, 1434, XIX. Sitzung)	Gesetz vom 6. Juli 1938 über die Auflösung jüdischer Grundstücks- und Immobilienagenturen sowie jüdischer Heiratsvermittlungsinstitute, die an Nichtjuden vermitteln (RGBl. I, 823)
Juden dürfen keine akademischen Grade erwerben (Konzil von Basel, 1434, XIX. Sitzung)	Gesetz gegen die Überfüllung deutscher Schulen und Hochschulen vom 25. April 1933 (RGBl. I, 225)

(nach: R. Hilberg, Die Vernichtung der europäischen Juden. Die Gesamtgeschichte des Holocaust, Berlin 1982, S. 15f.)

6. Der fatale Antisemitismus eines Katholiken: Adolf Hitler

Bei allen notwendigen historischen Strukturanalysen des nationalsozialistischen Antisemitismus – die ausschlaggebende ganz persönliche Rolle Adolf Hitlers und seiner Helfershelfer darf man nicht außer acht lassen[43]. Geschichtsschreibung kann nie mathematische Exaktheit erreichen, und die Beschreibung von ökonomisch-sozialen Entwicklungen und Gesetzmäßigkeiten reicht erst recht nicht aus. Nur eine Verbindung von Strukturgeschichte, politischer Geschichtsschreibung und biographischer Interpretation dürfte der Wirklichkeit annäherungsweise gerecht werden.

Über Hitlers Weg zur Macht, zur Totalherrschaft, in den Krieg, zum Mord an den Juden lese man etwa die zusammenfassenden Analysen des Stuttgarter Historikers Eberhard Jäckel: Es ging tatsächlich um **Hitlers** »Weltanschauung«[44], um **Hitlers** »Herrschaft«[45]. Oder man lese des Münsteraner Historikers Hans-Ulrich Thamer große Synthese über das Deutschland von 1933 bis 1945 mit dem Titel »Verführung und Gewalt«[46]. Was die NS-Vernichtungspolitik gegenüber den Juden betrifft, stellt Jäckel fest, daß »die Entfernung der Juden Hitlers ältestes Ziel« war[47]. Und Thamer: »Unübersehbar ist, daß der Antisemitismus mit Hitlers Eintritt in die Politik die zentrale Rolle in seinem politischen Denken und Agitieren spielte und daß der Antisemitismus seine Politik blieb.«[48] Man bedenke: Schon im September 1919 (als er noch Angehöriger der Armee war), hatte Hitler geschrieben: »Der Antisemitismus aus rein gefühlsmäßigen Gründen wird seinen letzten Ausdruck finden in der Form von Progromen (sic). Der Antisemitismus der Vernunft jedoch muß führen zur planmäßigen gesetzlichen Bekämpfung und Beseitigung der Vorrechte des Juden, die er zum Unterschied der anderen zwischen uns lebenden Fremden besitzt (Fremdengesetzgebung). Sein letztes Ziel aber muß unverrückbar die Entfernung der Juden überhaupt sein.«[49]

Was heißt das? Das heißt: Schon bevor Hitler großdeutscher Nationalist war, war er radikaler **Antisemit**. Und wie andere die Geschichte einfach als Klassenkampf ansahen, sah Hitler sie – wir haben die fatale Traditionslinie angedeutet – als **Rassenkampf**: Kampf der germanischen Herren-Rasse um die Weltherrschaft. Und diejenige Rasse, die es in diesem Kampf vor allem zu besiegen galt, war für ihn das »internationale Weltjudentum«: der Menschheitsfeind Nummer 1! **Lebensraumeroberung** und **Judenvernichtung** – die beiden zentralen Programmpunkte der Nationalsozialistischen Bewegung – gehören für Adolf Hitler von Anfang an zusammen. Weltkrieg und Holocaust gründen hier.

Bereits als Schüler muß Hitler, der, sechsjährig, als Chorknabe und Meßdiener begonnen und sich »oft und oft am feierlichen Prunke der äußerst glanzvollen kirchlichen Feste« berauscht hatte[50], durch einen primitiv-autoritären Religionsunterricht irreligiös gemacht worden

sein. Einfluß auf den Schüler hatten vor allem antijudaistische Aussagen des Johannesevangeliums (»Kinder des Lichts« = Christen;
»Kinder der Finsternis« = Juden), und auch später ist Hitlers Judenhaß ohne das antisemitische Klima Österreichs und Wiens, von dessen Kirche und christlich-sozialer Partei, undenkbar. Es ist bekannt:
Schon seit der Aufklärung hatte Österreichs katholische Kirche den
traditionellen Antijudaismus der österreichischen Bevölkerung geschürt, ja, bewußt als politisches Instrument eingesetzt, und zwar sowohl gegen die Monarchie wie gegen die Demokratie: zuerst gegen
den aufgeklärten Kaiser Joseph II., den die jüdische Bevölkerung wegen seines Toleranz-Patents hoch verehrte; dann gegen Kaiser Franz
Joseph I. wegen persönlicher Beziehungen zu Juden und schließlich
auch gegen die liberalen Bürgerlichen, die als »jüdisch verseucht« und
für den Untergang der Donaumonarchie verantwortlich galten. Kein
Zufall also, daß es nach 1918 der höchst populäre Wiener Bürgermeister, antisemitische Gründer und Führer der christlich-sozialen
Partei, Karl Lueger, war, der Hitlers erstes Vorbild als großer charismatischer Massenführer wurde. Der österreichische Historiker Friedrich Heer hat in seiner monumentalen Studie über den Glauben des
Adolf Hitler (1968) – im katholischen Milieu viel zu wenig beachtet
– dazu das Nötige gesagt[51].

Wie war es denn damals gewesen? **Wien**, Schmelztiegel unzähliger
Völker und volkhafter Elemente, hatte gegen Ende des 19. Jahrhunderts zunehmend unter sozialer Not gelitten. Alte Vorurteile waren
wieder wach geworden: Juden, deren Bevölkerungsanteil in der ihnen
gewogenen Kaiserstadt von circa 6 200 im Jahr 1857 auf weit über
200 000 im Jahr 1923 gestiegen war, nahmen sowohl in Finanz und
Handel als auch in Ärzteschaft und Justiz sowie schließlich in Presse
und Universität eine immer beherrschendere Stellung ein. Nach
Österreichs Niederlage bei Königgrätz von 1866 und erst recht nach
dem Börsenkrach von 1873 aber hatten sie wieder einmal als Sündenböcke für die verschlechterte wirtschaftlich-gesellschaftliche Lage
der Massen herzuhalten. All die immensen Probleme der modernen
Urbanisierung, der Industrialisierung und des Frühkapitalismus – sie
wurden »den Juden« angelastet. »Die Juden« steckten angeblich überall dahinter: hinter Aufklärerei, Liberalismus und Libertinismus, aber
auch hinter Sozialismus und Marxismus. Wie bequem: Kirchen und
bürgerliche Parteien, aber Teile auch der Sozialdemokratie hatten

plötzlich einen gemeinsamen Gegner im Kampf um die Gunst der Massen. »Die Juden« galten als Urheber nicht nur der wirtschaftlichen Krise, sondern auch als Verschwörer gegen Kirche, Klerus und religiöse Ordnung. Und der Katholik Adolf Hitler? Er hat diese antisemitische Luft Wiens und Österreichs von Jugend an tief eingeatmet ...

Aber zugleich muß deutlich gesagt werden: **Hitlers persönlicher Antisemitismus** war wesentlich **mehr als der religiöse Antijudaismus** der Kirche, der ja nie auf physische Ausrottung, sondern auf Ausgrenzung oder Bekehrung ausgerichtet war. Er war auch wesentlich **mehr als der sozial begründete Antisemitismus** der finanziell Verschuldeten, der sich gegen jüdische Geldverleiher und nicht etwa gegen jüdische Ärzte richtete. Nein, der Antisemitismus Hitlers war **biologistisch-rassistisch** und damit **total** – gegen »den Juden« schlechthin. Wesentlichen Einfluß schon auf den jungen Hitler hatten die wirren Hefte eines Ex-Mönchs gehabt, eines gewissen Georg Lanz von Liebenfels[52]; Einfluß aber hatte auch Hitlers »Freund Bernhard«, jener katholische Ex-Ordensmann Bernhard Stempfle, der an der Redigierung von »Mein Kampf« beteiligt war und Hitler noch in München nahestand, bis er dann durch einen Irrtum der SS beim Röhm-Putsch 1934 aus Versehen miterschossen wurde (Hitler empört: »Diese Schweine haben meinen guten Pater Stempfle auch umgebracht!«[53]).

Gewiß: Parteiführer geworden, verachtete Hitler die deutschen Bischöfe als Schwächlinge, obwohl er als Machtmensch die Organisation, Dogmenfestigkeit und liturgische Prachtentfaltung der 2 000-jährigen römischen Kirche (und insbesondere die Disziplin der Jesuiten) bewundern konnte. Und wenngleich er seine Kirchensteuer bis zum bitteren Ende korrekt an die katholische Kirche abführte, so sann er für die Zeit nach dem Krieg auf Rache gegenüber zahlreichen schweigsamen, renitenten katholischen Pfarrern und Kaplänen. Die Juden aber, die haßte Hitler mehr als alles andere in der Welt.

Und wahrhaftig, als er angesichts der totalen Niederlage am 30. April 1945 durch Selbstmord seinem Leben ein Ende setzte, hätte er seinem ideologisch-pathologischen Vernichtungswillen beinahe wirklich einen »**Holo-caust**«, ein »**Ganz-Opfer**« dargebracht: Fast sechs Millionen Menschen starben, nur weil sie Juden waren, dazu kamen noch 500 000 nichtjüdische Häftlinge. »Holocaust« (vom jüdisch-amerikanischen Schriftsteller und Auschwitz-Überlebenden Elie Wiesel eingeführt), ist dabei ein nicht unproblematisches Wort, meint es

doch ursprünglich im religiösen Sinn ein »Ganz-Opfer« oder »Brandopfer«. Die vernichteten Juden aber wollten ja nun keineswegs »Opfer« sein, sondern leben! Und die Vernichter wollten nicht eigentlich
ein »Opfer« vollziehen (wem gegenüber eigentlich?), sondern total
ausrotten. Das ist der Grund, warum viele Juden heute für diese Massenvernichtung das Wort »Schoa« vorziehen, das Jesaja 47,11 entnommen ist und »Unheil«, »Katastrophe«, meint. Ob man dabei freilich genug bedacht hat, daß sich das Wort Schoa bei Jesaja nicht auf
Israel, sondern auf Babel bezieht? Bevor freilich kein adäquates Wort
gefunden ist, wird man sich am besten an den am weitesten verbreiteten Sprachgebrauch »Holocaust« halten.

Die **Schuldfrage** aber am Holocaust ist durch die Konzentration auf
den »Führer« selbstverständlich noch **nicht beantwortet.** Zu viele –
und wahrhaftig nicht nur die über 10 Millionen Parteigenossen –
haben sich nach dem Krieg in die Unwahrhaftigkeit geflüchtet. Freilich verführte gerade die schematische und auf die ganze Bevölkerung
ausgedehnte alliierte Entnazifizierungskampagne dazu, das in die Fra-
gebogen zur Entlastung Hineingeschriebene auch zu glauben und die
Sache damit erledigt sein zu lassen. So wurden aus Hauptschuldigen
Belastete, aus Belasteten Mitläufer und aus Mitläufern Entlastete. Im
übrigen hatte man sich jetzt zunächst um Essen und Wohnung, um
Wiederaufbau der zerstörten Städte, um Reorganisation des Wirt-
schaftslebens und den Neubau eines demokratischen Staatswesens zu
kümmern! Was vorbei ist, ist vorbei!?
    Und so ist es denn nicht verwunderlich, wenn die zunächst und
dann so lange verdrängten Fragen nach den Verantwortlichkeiten erst
Jahrzehnte später wieder neu aufbrachen: In auffälliger Gleichzeitigkeit mit dem Historiker-Streit und dem Fall des Gestapo-Schergen
Barbie in Lyon auch der »Fall« des früheren Generalsekretärs der Vereinten Nationen **Kurt Waldheim** in Wien. Auf Betreiben gerade der
Christlich-Sozialen zum österreichischen Bundespräsidenten gewählt,
erwies sich Waldheim, der immer mehr als Mitmacher in Hitlers
Kriegsmaschinerie überführt wurde, als fast ideale Identifikationsfigur
vieler seiner Landesgenossen, die Vergangenheit durch Verleugnen
oder Verdrängen des eigenen Schuldanteils zu bewältigen[54].
    Bedenklich ist: Die Kritik an Waldheims Verhalten, die nicht nur
von jüdischen Organisationen, sondern auch von Ungezählten **in**

Österreich erhoben wurde, führte weniger zu einer Selbstbesinnung als zu einem deutlich spürbaren **Neuaufflackern des Antisemitismus in Österreich.** Kein geringerer als der Wiener Weihbischof Krätzl sah sich deshalb gezwungen, im März 1988 gegen solche Tendenzen Stellung zu nehmen: »Mit Schweigen und Zuwarten wird man den Antisemitismus nicht zum Verschwinden bringen. Bis vor kurzem noch habe ich geglaubt, es sei übertrieben, in Österreich noch immer allzuviel Antisemitismus zu vermuten. Seit ich aber am Nationalfeiertag in Mariazell darüber predigte, wie unchristlich eigentlich Antisemitismus sei, bin ich eines anderen belehrt worden. Persönlich gleich nach der Messe, später in Briefen und per Telefon erhielt ich kräftige Vorwürfe über meine Aussagen. Wir Christen hätten ganz und gar nichts mit den Juden zu tun. Man müsse die Schuld am Antisemitismus ganz allein bei den Juden suchen. Über Antisemitismus zu reden, rufe diesen nur neu hervor. Einer verstieg sich sogar zur Behauptung, die immer wieder erwähnten Greueltaten in Auschwitz seien nur eine Geschichtslüge. Es scheint also wieder notwendig zu sein, den Wurzeln des Antisemitismus nachzugehen und zu fragen: War er wirklich noch da oder ist er wieder neu entflammt?«[55]

Zur Beschreibung gerade der kirchlichen Situation bedürfen heute besonders vier Problemfelder weiterer, auch historischer Aufklärung: die Verantwortung der deutschen Protestanten, die des Vatikans, die der deutschen katholischen Bischöfe und die des polnischen Katholizismus.

II. Die Verdrängung der Schuld

»In der Nacht zum 10. November 1938 erhielt der Landrat des ost-
preußischen Kreises Schloßberg, Wichard von Bredow, ein Fern-
schreiben der Gauleitung, die ihm mitteilte, daß in diesen Stunden
alle Synagogen in Deutschland brennten. Polizei und Feuerwehr sollten nicht eingreifen. Bredow zog sich seine Wehrmachtsuniform an
und verabschiedete sich von seiner Frau, Mutter von fünf Kindern,
mit den Worten: ›Ich fahre nach Schierwindt zur Synagoge und will
als Christ und Deutscher eines der größten Verbrechen in meinem
Amtsbereich verhindern.‹ Er wußte, daß er sein Leben riskierte oder
von der Gestapo in ein Konzentrationslager eingewiesen werden
konnte. ›Ich kann nicht anders handeln!‹ – Als SA, SS und Parteileute
auftauchten, um Feuer zu legen, stand der Landrat bereits vor dem
Gotteshaus. Er lud vor ihnen die Pistole durch; der Weg in die Synagoge ginge nur über seine Leiche. Darauf verzogen sich die Brandstif-
ter. Die Synagoge blieb als einzige im Regierungsbezirk unzerstört.
Niemand hat es gewagt, gegen den Landrat vorzugehen.«[1]
    Zweifellos könnte man noch andere Heldentaten dieser Art aus den
Jahren des Terrors 1933-1945 berichten[2]. Aber sie blieben Ausnahmen. Diese eine Synagoge wurde nicht zerstört, mindestens 267 Synagogen und Kapellen aber wurden zerstört in jener Nacht zum 10. November 1938, die entweder der fanatische antisemitistische Propagan-
daminister Joseph Goebbels selber oder der Berliner Volksmund zynisch »Reichskristallnacht« nannte – als ob nur die Fensterscheiben
(und schon diese Schäden gingen in die Millionen) geklirrt hätten.

1. Was wäre geschehen, wenn ...?

Zweifellos haben viele Deutsche, ob Protestanten, Katholiken, Sozialisten oder Humanisten aller Art, ihren jüdischen Mitbürgern und
Mitbürgerinnen in diesen Jahren im Einzelfall zu helfen versucht, und
es ist wichtig, daß man solche Taten sammelt und bis in Details dokumentiert. Nur das eine sollte man unterlassen: mit solch ungezählten
Details vom Wesentlichen ablenken und die Gewichte verschieben.
Einige Fakten zur »Reichskristallnacht«[3]: 8 000 Geschäfte von Juden

wurden in jener einen Nacht zerschlagen, zahllose Wohnungen ver-
wüstet und ausgeraubt, über hundert deutsche Juden ermordet, viele
mißhandelt, verletzt und ihrer Menschenwürde beraubt. Zehntausende zumeist vermögende Juden wurden verhaftet, um an ihr Vermögen
heranzukommen, sie zur Auswanderung zu zwingen oder in Konzentrationslager zu verschleppen. Von 520 000 deutschen Juden hatten
1938 bereits 130 000 ihre Heimat verlassen. Diese Abwanderung sollte nun beschleunigt werden – aber nicht ohne vorherige Enteignung
und Ausraubung (das Gesamtvermögen der Juden in Deutschland
wurde damals auf 8,5 Milliarden Reichsmark geschätzt).

Man vergesse nicht: Der totalitäre, zutiefst antidemokratische und
antisemitische Charakter von Adolf Hitlers Person, Bekenntnisschrift
»Mein Kampf« und Parteiprogramm (»Kein Jude kann Volksgenosse
sein«) war von Anfang an – nicht erst 1938, sondern schon 1933 – allgemein bekannt. Ob sich nicht manches hätte verhindern lassen,
wenn es noch einige andere tapfere Landräte, Bürgermeister, Beamte,
Militärs, Wirtschaftsführer und Universitätsprofessoren gegeben hätte, die wie jener Landrat – unbekümmert um die Folgen – gesagt hätten:»Ich kann nicht anders handeln ...« Ja, was wäre geschehen, wenn
auch nur die aktiven Christen, Pfarrer, Bischöfe und der Papst mehr
Christenmut bewiesen hätten[4]? Konkret:

Man stelle sich **erstens** vor: Was wäre geschehen, wenn der **deutsche Episkopat** – statt nach Hitlers Regierungserklärung vom 23.
März 1933 vor dem Nationalsozialismus zum Entsetzen vieler Katholiken zu kapitulieren[5] – vor dem offen antisemitischen Programm der
Nazis gewarnt und angesichts sofort einsetzender Terror- und Ge-
waltakte gegen alle freiheitlich Gesinnten öffentlich protestiert hätte?

Man stelle sich **zweitens** vor: Was wäre geschehen, wenn der **Vatikan** – statt Hitler als erste ausländische Macht schon am 20. Juli 1933
mit einem Konkordat hoffähig zu machen – Deutschland und die
Welt gewarnt hätte vor einem Mann, dessen verheerende Absichten in
»Mein Kampf« und im Vierundzwanzigpunkteprogramm seiner Partei völlig unzweideutig zutage lagen und der programmgemäß schon
anfangs 1933 mit Boykott jüdischer Geschäfte, Ärzte und Rechtsanwälte und anderen diskriminierenden Maßnahmen gegen jüdische
Bürger vorgegangen war?

Man stelle sich **drittens** vor: Was wäre geschehen, so hat nach dem
Krieg Pastor Martin Niemöller, einer der wenigen kirchlichen Wider-

ständler, gefragt, wenn die 14 000 evangelischen Pfarrer in Deutschland – statt zu schweigen oder gar mitzumachen – gewagt hätten, von Anfang an gegen das Nazi-Regime aktiv Front zu machen und zum politischen Widerstand aufzurufen?

Doch da höre ich schon den Zwischenruf der politischen und kirchlichen Apologeten: alles nur illusionäre Spekulationen!

2. Alles nur illusionäre Spekulationen?

Nein, es hat durchaus realistische Möglichkeiten gegeben. Und Urteile von Historikern heute zeigen, was verpaßt wurde: »Die Kirchen waren die einzigen Institutionen, die sich dem weltanschaulichen Totalitätsanspruch des Nationalsozialismus entziehen oder auch widersetzen konnten, doch zum politischen Widerstand haben sie nicht aufgerufen. Ihre Gleichschaltung mißlang, aber ihre überwiegend konservativ-nationale Grundhaltung bewirkte immer wieder ihre Loyalität zum Staat.« (H.-U. Thamer[6])

Doch da höre ich wieder den Zwischenruf der Apologeten: Wer darüber reden will, der muß dabei gewesen sein; wie will ein Historiker des Jahrgangs 1943 sich über diese Zeit ein Urteil erlauben! Ob damit aber nicht jeder Geschichtsschreibung faktisch die Berechtigung abgesprochen wird? Muß man denn bei den Napoleonischen Kriegen dabei gewesen sein, um sich darüber ein sachliches und faires Urteil bilden zu können? Könnte es nicht nachgerade umgekehrt sein: daß diejenigen, die damals nicht nur »dabei waren«, sondern mit allen Verpflichtungen und Verflechtungen aktiv mitmachten, die letzten sind, die ein einigermaßen sachliches, faires Urteil über diese Zeit abgeben können? Auf meine Frage an den evangelischen Theologen Helmut Gollwitzer, Mitglied der Bekennenden Kirche, warum man nach vierzig Jahren vielleicht doch offener über die damalige Zeit und das Versagen auch der Kirchen reden könne, antwortete er sinngemäß: Weil jetzt langsam diejenigen abtreten, die damals die Verantwortung hatten.

Nein, die Kritik nachgeborener Historiker – im katholischen Raum prominent der oft von katholischen Kollegen deshalb angegriffene Georg Denzler – ist keineswegs nur eine von außen und im nachhinein gedachte. Angesichts der Tatsache, daß die deutsche katholische

Bischofskonferenz aus Selbstschutz mit Hilfe geneigter Historiker und dem Sammeln von Fällen des »Widerstands« unter Katholiken (den es vereinzelt gegeben hat!) ihr eigenes Versagen nach wie vor zu vertuschen versucht, sei hier zur Haltung des deutschen Episkopats während der Nazizeit das Urteil eines unverdächtigen Mannes aus dem Jahr 1946 zitiert. Ein Brief vom 23. Februar 1946 des von den Nazis abgesetzten katholischen Kölner Oberbürgermeisters und kommenden ersten Bundeskanzlers der Bundesrepublik Deutschland **Konrad Adenauer** an den Bonner Pastor Dr. Bernhard Custodis lautet wie folgt:

»Nach meiner Meinung trägt das deutsche Volk und tragen auch die Bischöfe und der Klerus eine große Schuld an den Vorgängen in den Konzentrationslagern. Richtig ist, daß nachher vielleicht nicht mehr viel zu machen war. Die Schuld liegt früher. Das deutsche Volk, auch Bischöfe und Klerus zum großen Teil, sind auf die nationalsozialistische Agitation eingegangen. Es hat sich fast widerstandslos, ja zum Teil mit Begeisterung ... gleichschalten lassen. Darin liegt seine Schuld. Im übrigen hat man aber auch gewußt – wenn man auch die Vorgänge in den Lagern nicht in ihrem ganzen Ausmaß gekannt hat –, daß die persönliche Freiheit, alle Rechtsgrundsätze, mit Füßen getreten wurden, daß in den Konzentrationslagern große Grausamkeiten verübt wurden, daß die Gestapo, unsere SS und zum Teil auch unsere Truppen in Polen und Rußland mit beispiellosen Grausamkeiten gegen die Zivilbevölkerung vorgingen. Die Judenpogrome 1933 und 1938 geschahen in aller Öffentlichkeit. Die Geiselmorde in Frankreich wurden von uns offiziell bekannt gegeben. Man kann also wirklich nicht behaupten, daß die Öffentlichkeit nicht gewußt habe, daß die nationalsozialistische Regierung und die Heeresleitung ständig aus Grundsatz gegen das Naturrecht, gegen die Haager Konvention und gegen die einfachsten Gebote der Menschlichkeit verstießen.« Adenauers Brief schließt: »Ich glaube, daß, wenn die Bischöfe alle miteinander an einem bestimmten Tag öffentlich von den Kanzeln aus dagegen Stellung genommen hätten, sie vieles hätten verhüten können. Das ist nicht geschehen und dafür gibt es keine Entschuldigung. Wenn die Bischöfe dadurch ins Gefängnis oder in Konzentrationslager gekommen wären, so wäre das kein Schade, im Gegenteil. Alles das ist nicht geschehen und darum schweigt man am besten.«[7]

»Am besten schweigen«? Dies ist es, was der andere große Kölner

Katholik, der Schriftsteller und Nobelpreisträger Heinrich Böll, so gar nicht verstehen konnte. Nein, auch Konrad Adenauer, dieser bedeutende Bundeskanzler, ist nicht frei von Mitverantwortung für die Verdrängung der Schuld in Staat und Kirche nach dem Krieg. Gewiß: Er stand zum Hitlerreich, das nach seiner Auffassung dem expansiven preußisch-deutschen Reich (die Linie Friedrich II. – Bismarck – Wilhelm II. – Hitler) nachfolgte, von Anfang an in Opposition und war von den Nazis völlig kaltgestellt worden. Und nach dem Krieg hat gerade er Grundlegendes in Zusammenarbeit mit Israels erstem Ministerpräsidenten David Ben-Gurion für die Versöhnung von Deutschen und Juden getan, nicht zuletzt dadurch, daß er politisch klug – anders als der unbelehrbare Pius XII. – die Anerkennung des Staates Israel durch die Bundesrepublik gegen allen arabischen Widerspruch in die Wege leitete und auch die finanzielle Wiedergutmachung gegen alle innerdeutschen Gegner durchsetzte. Seine Politik der Restauration und der weitgehenden Integration auch der großen Nazis (der Fall Globke!) nach 1945 aber – es gab keine »Stunde Null«! – leistete kirchlicher Unbußfertigkeit nicht geringen Vorschub. Und es hätte in den 40er und 50er Jahren ebenso wenig zu einem »geistigen Bürgerkrieg«, es hätte vielmehr zur Einsicht geführt, wenn man damals der Wahrheit die Ehre gegeben hätte, wie wenn man jetzt in den 90er Jahren die Stasi-Akten öffnet.

Damit nach dem unendlich vielen, das damals und in den folgenden Jahrzehnten versäumt wurde und die Gegenwart noch immer vergiftet, im Jahre 1995 der 50. Jahrestag des Endes der Naziherrschaft und des Zweiten Weltkrieges mit besserem Gewissen gefeiert werden kann, hilft nur eines: vor dem Horizont dessen, **was hätte geschehen können**, anhand einiger unbestreitbarer Fakten sich nochmals vergegenwärtigen, **was geschehen ist**. Nur wenn man sich in rückhaltloser Offenheit das Geschehene und Versäumte vor Augen führt, wird man zu einem befreienden Eingestehen von Schuld fähig werden. Und nicht als nachträgliches Verurteilen durch die Nachgeborenen, sondern als Hilfe zur zukunftsorientierten Aufarbeitung der Vergangenheit mögen die folgenden Ausführungen verstanden werden. Deshalb:

3. Protestanten, die nicht protestierten: Deutsche Christen

Der deutsche Protestantismus war durch die Krise des modern-bürgerlichen Paradigmas 1918 in ganz anderer Weise getroffen worden als der Katholizismus. Denn: Mit dem Untergang des tausendjährigen deutschen Kaisertums war ja auch das in die Moderne hineingerettete vierhundertjährige protestantische Staatskirchensystem zusammengebrochen. Mit dem Wegfall der Fürsten erschien die protestantische Kirchenorganisation zum erstenmal auf sich selbst gestellt: wirtschaftlich, politisch, geistig-religiös[8]. Hatte man sich doch vorher in jeder Hinsicht mit der deutschen Nation und ihrem Krieg identifiziert: »Gott mit uns«! Und jetzt? Konnte man das nach einer derart katastrophalen Niederlage, besiegelt mit dem Vertrag von Versailles, noch behaupten? Immerhin, durch ein Arrangement mit der auch von den Kirchenleitungen wenig geliebten Weimarer Republik und mit Hilfe des Deutschen Evangelischen Kirchenbundes und seiner Organe vermochten die nun autonomen protestantischen Landeskirchen eine neue nationale Einheit zu finden und standen mit einer hochrespektablen Theologie und zahllosen Gruppen, Vereinen und Verbänden wieder machtvoll da.

Allerdings waren die protestantischen Kirchen in Deutschland aufgrund ihrer stärker deutsch-nationalen Tradition von Anfang an für den National-Sozialismus sehr viel anfälliger als die katholische Kirche. Und im Jahr des »neuen Heils« 1933 wollte man jetzt, anders als bei der Neuordnung 1918, von vornherein aktiv gestaltend mit dabeisein. Während der Katholizismus, wie wir noch sehen werden, hauptsächlich wegen des »Reichskonkordats« vor Hitler kapitulierte und dann weithin begeistert zustimmte, sprach ein Großteil des Protestantismus von allem Anfang an ein offenes Ja zur nationalsozialistischen Bewegung – nicht zuletzt deshalb, weil dies zugleich ein Nein gegen Marxismus, Liberalismus und Atheismus bedeutete. Was den Katholiken ihr »Reichskonkordat« war, war vielen Protestanten die versprochene »Reichskirche«. Und während katholische Theologen das Verhältnis von Nazismus und Katholizismus verharmlosend verglichen mit dem Verhältnis von natürlicher und übernatürlicher Ordnung (was der Nazismus auf der »natürlichen« Ebene leiste, leiste der Katholizismus auf der »übernatürlichen«!), so war für Protestanten mit Martin Luther jene große Orientierungsfigur gegeben, in der sich

Christentum und Deutschtum, Protestantismus und Nationalsozialismus angeblich von vornherein verbanden. Volk, Volkstum, Volksbewegung, meinte man, gehörten nun einmal zur »gottgewollten Schöpfungsordnung«. Warum sollte man protestieren gegen die Aufhebung der demokratischen Grundrechte schon am 28. Februar 1933 oder gegen das Ermächtigungsgesetz vom 23. März 1933 oder gegen die Errichtung der ersten Konzentrationslager? Zwar zeigte sich das neue Regime vom ersten Tag an als ein Terrorregime, aber der Terror traf zunächst einmal die, die man ohnehin nicht mochte: Kommunisten, Sozialdemokraten, Juden … Warum sollte man nicht doch mit dem Mann der »Vorsehung« Adolf Hitler gegen Marxismus, Judentum und Atheismus und für die nationale deutsche Wiedergeburt und die gesellschaftliche Erneuerung des deutschen Volkes sein?

Die Nationalsozialisten nutzten die Situation geschickt: Mit der Glaubensbewegung der »**Deutschen Christen**«, zu der am Anfang immerhin ein Fünftel der protestantischen Pfarrer und noch mehr Laien gehörten, verfügte die Partei bereits seit Ende der 20er Jahre über eine Sympathisanten-Organisation innerhalb der protestantischen Kirche. Und die war für eine Synthese von Kirche und Nationalsozialismus geradezu prädestiniert. Im Klartext lief das auf eine nach dem Führerprinzip gleichgeschaltete Kirche hinaus, die sich dem Staat völlig unterordnete. Luthers Zwei-Reiche-Lehre, verstanden als ein schiedlich-friedliches Nebeneinander von Staat und Kirche, schien dafür von vornherein die theologisch beste Grundlage zu bieten und dem Staat für seine Belange einen Herrschaftsraum zuzugestehen, in den die Kirche sich nicht einmischen wollte, vorausgesetzt, der Staat respektierte die Autonomie der Kirche. Diese aber fühlte sich bestenfalls für die Judenchristen verantwortlich, die übrigen Juden fielen in die Verantwortung des Staates[9].

Schon die Richtlinien der Glaubensbewegung »Deutsche Christen« vom 26. Mai 1932 (!) verlangten einen »bejahenden artgemäßen Christus-Glauben«, wie er deutschem Luther-Geist und heldischer Frömmigkeit entspricht: »Wir sehen in Rasse, Volkstum und Nation uns von Gott geschenkte und anvertraute Lebensordnungen, für deren Erhaltung zu sorgen uns Gottes Gesetz ist. Daher ist der Rassenvermischung entgegenzutreten. Die deutsche Äußere Mission ruft auf Grund ihrer Erfahrung dem deutschen Volk seit langem zu: ›Halte deine Rasse rein!‹«[10] So wurde denn im Protestantismus möglich, was bei der katholischen Kirchenverfassung von vornherein ausgeschlossen war: die schnelle Gründung einer »Reichskirche« unter einem »Reichsbischof«, und zwar unter dem von Hitler gewünschten früheren Wehrkreispfarrer Ludwig Müller.

Diese Entwicklung mußte verhängnisvolle Auswirkungen gerade auf die **Judenfrage** haben, denn der Staat verlangte diesbezüglich schon sehr bald von der Kirche Gefolgschaft. Schon am 6. September 1933 mußte die Generalsynode der Altpreußischen Union, freilich gegen massiven Widerstand, beschließen, den staatlichen Arierparagraphen auch im kirchlichen Bereich anzuwenden: »Wer nicht arischer Abstammung oder mit einer Person nichtarischer Abstammung verheiratet ist, darf nicht als Geistlicher oder Beamter der allgemeinen kirchlichen Verwaltung berufen werden. Geistliche und Beamte arischer Abstammung, die mit einer Person nichtarischer Abstammung die Ehe eingehen, sind zu entlassen.«[11] Allerdings: Jetzt formierte sich auch sehr rasch eine innerkirchliche Oppositionsbewegung.

4. Innerkirchliche Opposition und Schuldbekenntnis

Auf Initiative von Pfarrer Martin Niemöller kam es wenige Tage nach jener Generalsynode zur Gründung eines »Pfarrernotbundes«. Noch im selben Jahr 1933 traten ihm circa 6000 Pfarrer bei und verpflichteten sich in einer Erklärung, ihr »Amt als Diener des Wortes auszurichten allein in der Bindung an die Heilige Schrift und an die Bekenntnisse der Reformation als die rechte Auslegung der Heiligen Schrift«[12]. Und doch gab es einen Vorbehalt: Da manche Pfarrer die Arierbestimmung für den staatlichen Bereich durchweg anerkennen wollten, ging ihnen Artikel 4 der Erklärung zu weit: »In solcher Verpflichtung bezeuge ich, daß eine Verletzung des Bekenntnisstandes mit der Anwendung des Arier-Paragraphen im Raum der Kirche Christi geschaffen ist.«[13] Und die evangelischen Fakultäten? Die Erlanger Fakultät (mit Paul Althaus![14]) sprach sich in einem Gutachten für, die Marburger Fakultät (mit Rudolf Bultmann![15]) gegen die Einführung eines Arierparagraphen in der Kirche aus.

Als sich dann aber in der Folge die »Deutschen Christen« immer deutlicher an die nationalsozialistische Ideologie, ja, an die völkische Religion eines Alfred Rosenberg anschlossen (Ablehnung des »jüdischen« Alten Testaments und des »Rabbiners« Paulus zugunsten des arischen Helden Jesus!), da verloren sie zunehmend ihre kirchliche Basis, so daß sie sich in kleinere Gruppen auflösten und der Reichsbischof sich schließlich gar nicht mehr zu einer effektiven Kirchenleitung imstande sah. Mit einem »Maulkorberlaß« verbot jetzt das Regime alle kirchenpolitischen Stellungnahmen von den Kanzeln, und man könnte endlos fortfahren, die Geschichte weiter zu erzählen, was hier nicht unsere Aufgabe ist. Die komplizierte »Vorgeschichte und Zeit der Illusionen 1918-1934« und vor allem die dramatischen Entwicklungen im »Jahr der Ernüchterung 1934« mit den Barmer Synoden ist ohnehin reich dokumentiert in den beiden Bänden meines allzufrüh verstorbenen Tübinger Kollegen Klaus Scholder: »Die Kirchen und das Dritte Reich«, die mittlerweile Standardwerke geworden sind.

Für uns ist wichtig zu sehen: Anders jedenfalls als im katholischen Bereich gab es im Protestantismus neben all der Zustimmung auch öffentlichen Widerspruch gegen die Politik der Nazis. Wohlgemerkt: **keinen aktiven politischen Widerstand** gegen das totalitäre Regime, wohl aber einen **organisierten innerkirchlichen Widerstand!** Denn als es im Pfarrernotbund ebenfalls kriselte, kam es gegen alle Versuche staatlicher Gleichschaltung und Verfolgung zur Gründung der **Bekennenden Kirche**, inspiriert von dem damals in Bonn lehrenden Schweizer reformierten Theologieprofessor **Karl Barth**[16]. Er und seine Gesinnungsgenossen von der »Dialektischen Theologie« wollten den »Herrschaftsanspruch Christi« über alle Gebiete, auch den Staat, zur Geltung bringen.

Sichtbaren Ausdruck fand dies denn auch auf der **Bekenntnissynode von Barmen** im Mai 1934, wo ein klares Bekenntnis zu Jesus Christus als dem alleinigen »Herrn« der Kirche[17] ausgesprochen wurde, was als klare Absage an das »Führerprinzip« im nationalsozialistischen Sinn verstanden werden mußte. Zur Judenfrage allerdings wollte sich damals die Bekennende Kirche nicht äußern, nicht zuletzt weil ihre hohe dogmatische Christologie mit dem Juden Jesus wenig anzufangen wußte. Karl Barth aber wurde schon damals von seinem Lehrstuhl vertrieben und lehrte künftig in Basel[18]. Erst im Mai 1936 verfaßte die vorläufige Kirchenleitung der Bekennenden Kirche eine Denkschrift nun auch gegen Rassenpolitik und Willkür des Regimes[19]. **Martin Niemöller** kam 1937 ins KZ, **Dietrich Bonhoeffer**, ein Vorkämpfer gegen Judenverfolgung und Judenvernichtung, erhielt Rede- und Schreibverbot, schloß sich 1940, auf dem Höhepunkt deutscher Macht, einer politischen Widerstandsgruppe an und wurde nach dem Attentat auf Hitler am 20. Juli 1944 hingerichtet[20]. Doch diese Bekennende Kirche, die sich allein auf das Evangelium stützte, konnte sich – trotz aller sich verschärfenden Spannungen zwischen Kirche und Regime – bis zum Ende des Krieges halten; sie war nicht nur vielen Pfarrern, sondern auch ungezählten Gläubigen ein Rückhalt in schwierigster Zeit. Bei der Volkszählung 1940 bekannten sich – zur Ernüchterung der Herrschenden – noch immer 95 % der Deutschen zu ihren Kirchen, zur evangelischen wie zur katholischen Kirche.

Nach dem Krieg, dies muß anerkannt werden, war es ebenfalls die Evangelische Kirche in Deutschland, welche die große Mitschuld ihrer Kirche für das endlose Leiden unter dem Naziterror zum Ausdruck brachte. Im »**Stuttgarter Schuldbekenntnis**« vom 19. Oktober 1945[21] erklärte der Rat der Evangelischen Kirche – allerdings ohne die Juden zu nennen, und zum Ärger vieler frommer und damals noch immer verblendeter Protestanten: »Durch uns ist unendliches Leid über viele Völker und Länder gebracht worden ... wir klagen uns an, daß wir nicht mutiger bekannt, nicht treuer gebetet, nicht fröhlicher geglaubt und nicht brennender geliebt haben.« Noch sehr viel deutlicher – wenngleich auch wieder ohne Nennung der Juden – fiel am 8. August 1947 das »**Darmstädter Wort**« der Bekennenden Kirche aus, das Martin Niemöller und der spätere Bundespräsident Gustav Heinemann mittrugen, andere aber, wie etwa der prominente Bischof von Berlin, Martin Dibelius, als Zumutung empfanden, weil die Wurzeln des Unheils nicht erst bei der Person Hitlers gesehen wurden: »Wir sind in die Irre gegangen, als wir begannen, den Traum einer besonderen deutschen Sendung zu träumen, als ob am deutschen Wesen die Welt genesen könne. Dadurch haben wir dem schrankenlosen Gebrauch der politischen Macht den Weg bereitet und unsere Nation auf den Thron Gottes gesetzt. – Es war verhängnisvoll, daß wir begannen, unseren Staat nach innen allein auf eine starke Regierung, nach außen allein auf militärische Machtentfaltung zu begründen.«[22]

Wie schwer es der Evangelischen Kirche in Deutschland fiel, sich nach 1945 überhaupt auf die Judenfrage einzulassen, wie wenig man

sich um die wegen ihrer Rassenzugehörigkeit verfolgten Christen,
Judenchristen insbesondere, kümmerte, wie wenig man die antijüdischen Traditionen der Kirche aufarbeitete und wie sehr man statt an
einer öffentlichen Schulderklärung an Judenmission interessiert war,
zeigt die hindernisreiche Vorgeschichte des »Wortes zur Judenfrage«
der Evangelischen Kirche in Deutschland vom April 1950[23].

Nicht zuletzt durch die Art ihrer **Kritik an der Entnazifizierung** begünstigte die Mehrheit der Bischöfe und der Kirchenleitungen die
Verdrängung ihrer unheilvollen Nähe zum Nationalsozialismus: Ge-
fangen in ihrer immer noch vorhandenen deutschnationalen Gesinnung boykottierten manche – bei verbaler Anerkennung ihrer Ziele –
die Entnazifizierungsmaßnahmen der Militärregierung, leisteten der
Verharmlosung der nationalsozialistischen Untaten Vorschub (besonders 1948, als endlich die Chance bestand, die Hauptschuldigen zu
verurteilen) und unterstellten ihren Verfechtern immer wieder unlau-
tere Motive. Ob sie so nicht zum Scheitern der Maßnahmen bei-
trugen[24]?

Wie schwer sich die protestantischen Kirchen aber auch auf Welt-
ebene mit ihrem Verhältnis zum Judentum nach wie vor tun, zeigt
nicht zuletzt der **Weltrat der Kirchen.** Die erste Vollversammlung des
Weltrates in Amsterdam 1948, an der teilzunehmen die katholische
Kirche unter Pius XII. sich geweigert hatte, hatte einen Abschluß-
bericht über »Das christliche Verhalten gegenüber den Juden« ent-
gegengenommen und ihn an die Einzelkirchen weitergeleitet. Die
zweite Vollversammlung in Evanston 1954 dagegen hat einen auf Israel sich beziehenden Passus zum Hauptthema »Christus unsere Hoffnung« abgelehnt, und seither stand dieses Thema merkwürdigerweise
nicht wieder auf der Tagesordnung einer Vollversammlung des Weltrates der Kirchen. Gewiß gab es Erklärungen zum Antisemitismus
und zum Nahostkonflikt, die theologische Fragen berührten. Aber
auffällig ist wiederum, daß die Vollversammlung von Uppsala 1968
eine Erklärung »Zur Lage im Mittleren Osten« abzugeben wagte,
ohne den Staat Israel auch nur mit einem Wort zu erwähnen. Diplomatische Rücksichten? Theologische Hemmungen? Oder mangelnder christlicher Freimut?

Doch dies mag genügen bezüglich der Haltung der protestantischen Kirchen zum Judentum in der Kriegs- und Nachkriegszeit. Wie
steht es um die katholische Kirche?

5. Ein Papst, der schwieg: Pius XII.

Es muß wohl mit dem päpstlichen Anspruch auf »Unfehlbarkeit« zusammenhängen, daß man selbst dort, wo es nicht um formell »unfehlbare« Erklärungen geht, die allergrößte Mühe hat, Fehler zuzugeben – ganz ähnlich wie bei anderen autoritären Regimen: Könnte nicht das Eingeständnis schon eines einzigen Fehlers den ganzen Unfehlbarkeits-Anspruch erschüttern, der zwar offiziell »nur« Fragen von Dogma und Moral betrifft, indirekt aber alle Äußerungen des Papstes mit einer entsprechenden Aura umgibt? Pius XII.: Es kann hier nicht um eine Gesamtwürdigung des Pontifikats dieses »Pastor Angelicus« gehen, den ich zu Beginn meiner römischen Studienjahre 1948-1955 wie alle Welt bewunderte, dessen Politik ich aber zunehmend der Kritik ausgesetzt sah – wegen seiner diktatorischen »Innenpolitik« und seiner hochdiplomatischen »Judenpolitik«, die hier unseren Gegenstand bildet. Denn welch grausame Ironie: Derselbe Pius XII., letzter unangefochtener Vertreter des vorkonziliaren mittelalterlich-gegenreformatorisch-antimodernistischen Paradigmas, der noch unmittelbar nach dem Zweiten Weltkrieg (1950) äußerst forsch vorging bei der Definition eines »unfehlbaren« Mariendogmas, dem gleichzeitigen Verbot der Arbeiterpriester und der Absetzung der bedeutendsten Theologen seiner Zeit, derselbe Pius XII. war von Anfang an äußerst zurückhaltend gewesen gegenüber einer öffentlichen Verurteilung von Nationalsozialismus und Antisemitismus.

Warum? Kurz beantwortet: Weil Eugenio Pacelli von seiner Person und Laufbahn her 1. ausgesprochen germanophil und ganz von deutschen Mitarbeitern umgeben war (»der Papst der Deutschen«), 2. vor allem juristisch-diplomatisch und nicht theologisch-evangelisch dachte, 3. statt pastoral-menschenbezogen kurial-institutionsfixiert agierte, 4. seit dem Schockerlebnis von München im Jahre 1918 (»Räterepublik«) von einer körperlichen Berührungsangst und einer Kommunismusfurcht besessen, zutiefst autoritär-antidemokratisch eingestellt (»Führer-Katholizismus«) und so 5. für eine pragmatisch-antikommunistische Allianz mit dem totalitären Nazismus geradezu prädisponiert war. Wichtig war für den Berufsdiplomaten Pacelli die »Freiheit der Kirche«, verstanden als die weitestmögliche staatliche Anerkennung der Kircheninstitution und des neuen Kirchenrechts, jenes von ihm mitausgearbeiteten und 1917 mitten im Krieg ohne

Zustimmung des Weltepiskopats promulgierten zentralistischen neu-
en Codex Iuris Canonici. »Menschenrechte« und »Demokratie« blieben diesem Papst im Grunde fremd. Und was die Juden betrifft, so
waren für ihn schon als Kardinal nicht mehr Jerusalem und sein Volk
die Stadt und das Volk Gottes. Nein, für ihn, den Römer, war Rom –
nicht die Römer, sondern Rom und immer wieder Rom – das neue
Zion, und römisch war für ihn jedes Volk, das den römischen
Glauben lebt. In diesem mittelalterlich-antijüdischen Sinn war Pacelli
römisch-katholisch[25].

Positiv ausgedrückt: Der Kardinalstaatssekretär Pacelli, am 2. März
1939 unerwartet zum Papst gewählt, war zuerst und zuletzt »**ein
Mann der Kirche**«, wie ich es in meinen römischen Studienjahren
von seinem Privatsekretär und engstem Vertrauten P. Robert Leiber
SJ selber hören konnte. Und das hieß im Klartext: Pius XII. war entgegen aller Fremd- und Eigenstilisierung »kein Heiliger« (so nicht
ohne kritischen Unterton derselbe P. Leiber). Doch die für unseren
Zusammenhang entscheidende Frage ist: War Eugenio Pacelli auch
die für diese Zeit so bitter notwendige prophetische Gestalt?

Pacelli war ein alle Welt beeindruckender Kirchenmonarch, der als
Papst primär die Interessen der kirchlichen Institution und des Vatikans im Auge hatte und der sich deshalb angesichts des Nationalsozialismus und des Judentums in einem **Gewissenskonflikt** befand. Gewiß: Der jüdische Gelehrte Pinchas Lapide dürfte mit seiner wohl-
wollenden Studie »Rom und die Juden« (1967) recht haben: Katholiken (die katholische Presse sagte dann: »der Papst«) mögen insgesamt
»Hunderttausende« von Juden vor dem sicheren Tod bewahrt haben
(auf das sehr unsichere Zahlenspiel möchte ich mich hier nicht einlassen). Aber was ist das gegen die sechs Millionen Ermordeten?

Unbestreitbare welthistorische Tatsache ist nun einmal: Eugenio
Pacelli, der Kardinalstaatssekretär, der schon im August 1931 (!) den
katholischen Reichskanzler Brüning zu einer Koalition mit den Nationalsozialisten gedrängt hatte und es nach dessen Weigerung zum
Bruch mit ihm kommen ließ, hat – auch hier »nur« das Interesse der
Kirche und der Kurie im Auge – Hitler vor der Weltöffentlichkeit in
beispielloser Weise politisch aufgewertet. Nach Vorbild des Lateran-
vertrags mit Mussolini (1929) schloß er als erster schon am 20. Juli
1933 mit dem neuen Regime einen völkerrechtlichen Vertrag, das un-

glückselige »Reichskonkordat«[26], nur wenige Monate also, nachdem der braune »Führer« an die Macht gekommen war (später folgten solche mit den Diktatoren Franco in Spanien und Salazar in Portugal). Was Pacelli in Kauf nahm: daß dieser Vertrag Hitler sowohl die außenpolitische Anerkennung wie die Integration des katholischen Volksteils in das nazistische System einbrachte. Denn Artikel 32 (»Entpolitisierungsklausel«) untersagte katholischen Geistlichen wie schon im Mussolini-Konkordat jegliche politische Tätigkeit (die allerdings, wie die Fälle der Prälaten Seipel, österreichischer Bundeskanzler, und Tiso, slowakischer Staatspräsident, zeigen, auch ihre problematischen Seiten hatte). Aber wohl noch wichtiger: Die Neutralisierung der katholischen Verbände nach Artikel 31 (»Verbandsschutzklausel«), von den deutschen Bischöfen freilich schon seit 1928 betrieben, zielte auf die völlige Ausschaltung der Laienverbände und so auch der katholischen Zentrumspartei[27]. Einer totalitären Einparteienherrschaft wurde so der Weg entscheidend geebnet.

Welch verhängnisvolle Fehleinschätzung des braunen Terror-Regimes, das die **katholische Kirche** zwar nicht gleichschaltete, faktisch aber zur **politischen Neutralität** verurteilte! Wie zu erklären? Eben durch die erwähnte Fixierung des traditionalistischen Römers, Juristen und Diplomaten Pacelli auf die Kirche als Institution (Schutz der katholischen Körperschaften, Schulen, Vereine, Hirtenbriefe, freien Religionsausübung). Und zweitens: durch eine – auch vom Konkordatsvermittler Prälat Kaas offen ausgesprochene – Affinität zwischen seinem **autoritären**, das heißt: antiprotestantischen, antiliberalen, antisozialistischen und antimodernen **Kirchenverständnis** und einem **autoritären**, das heißt: faschistischen **Staatsverständnis**. Denn »Einheit«, »Ordnung«, »Disziplin« und »Führerprinzip«: sollte das alles wie auf der übernatürlich-kirchlichen Ebene nicht auch auf der natürlich-staatlichen Ebene gelten?

So jedenfalls hatten es damals zunächst auch »fortschrittliche« deutsche **katholische Theologen** gesehen, wie etwa der Münsteraner Dogmatiker Michael Schmaus, der Braunsberger Kirchengeschichtler Joseph Lortz und der Tübinger Karl Adam. Schon 1933 wies der berühmte Dogmatiker Adam – nach enthusiastischem Lobpreis des »Volkskanzlers« Hitler (»aus dem katholischen Süden kam er, aber wir kannten ihn nicht«) – auf, daß »Nationalismus und Katholizismus kein innerer Gegensatz« seien, sondern zusammengehörten »wie Natur und Übernatur«: »Die deutsche Forderung der Blutreinheit« liege »in der Linie der alttestamentlichen Gottesoffenbarung«, und es sei »Recht und Aufgabe des Staates, durch entsprechende Verfügungen die Blutreinheit seines Volkes zu wahren«[28]. Daß Adam noch 1943 (nach Wannsee-Konferenz und entsprechenden Maßnahmen) das Dogma der »unbefleckten Empfängnis« Marias bemühte, um zu zeigen, daß Jesus Christus kein »Juden-Stämmling« sei, weil seine »Mutter Maria in keinerlei physischem und moralischem Zusammenhang mit jenen häßlichen Anlagen und Kräften stand, die wir am Vollblutjuden verurteilen«[29], zeigt den Bankrott solcher Dogmatik auf.

Noch einmal: Es ehrt Pinchas Lapide (die zahlreichen römisch-katholischen Apologeten fallen hier nicht ins Gewicht), daß er Pius XII. gegen pauschale Angriffe in Schutz nahm. Es ist in der Tat falsch zu behaupten, Pius XII. habe »nichts für die Juden getan«, sei Rassist oder Antisemit gewesen oder habe aus Feigheit oder zur Wahrung finanzieller Interessen des Vatikans geschwiegen. Wahr ist vielmehr: Pacelli hat sich mit diplomatischen Demarchen und karitativen Hilfen besonders gegen Ende des Krieges für die Rettung **einzelner Juden** oder Gruppen von Juden, vor allem in Italien und Rom, eingesetzt und zweimal – in seiner Weihnachtsansprache 1942 sowie im Geheimen Kardinalskonsistorium vom 2. Juni 1943 – kurz, allgemein und abstrakt das Schicksal der »unglücklichen Leute« beklagt, die um ihrer Rasse willen verfolgt würden. Das steht außer Frage. Aber die Grundfrage bleibt: Genügte das in dieser historischen Stunde, genügte das für einen, der »Stellvertreter Christi« auf Erden zu sein beanspruchte?

Wohl nicht. Denn was ist das alles im Vergleich zu dem, was derselbe **Papst nicht getan** hat? Auch dies ist Tatsache – und der persönliche Hintergrund dieses Papstes macht hier einiges begreiflicher:

1. In allen seinen Stellungnahmen benutzte der Papst verblüffend allgemeine Wendungen. Er sprach von »unglücklichen Leuten«; das Wort »**Juden**« dagegen nahm er, von der traditionell-antijüdischen römischen Theologie geprägt, **öffentlich nie in den Mund**; die unter direkter Aufsicht seines Staatssekretariats erscheinende römische Jesuitenzeitschrift veröffentlichte zur selben Zeit antijüdische Artikel.

2. Pacelli sah sich offensichtlich nicht genötigt, auch nur mit einem Wort den alles Völkerrecht brechenden **deutschen Überfall auf Polen** ausdrücklich zu verurteilen, der ein ganzes (immerhin katholisches)

Volk ins Unglück stürzte. Nicht einmal eine Protestnote, öffentlich oder geheim, ging nach Berlin ab. Vielmehr beteuerte er angesichts dieses Verbrechens stets seine »Neutralität« und drückte bestenfalls sein Mitleid mit den Leiden des polnischen Volkes aus, ohne diesem katholischenVolk, dessen Repräsentanten ihn um ein Wort oder eine Geste der Unterstützung gebeten hatten, effektiv zu helfen[30].

3. Der kirchenpolitisch und kirchenjuristisch denkende Papst **überschätzte** aufgrund seiner »déformation professionelle« den Einfluß von **Diplomatie und Konkordaten** maßlos. Das alte römische Wort »Quod non est in actis non est in mundo« (»Was nicht in den Akten ist, ist nicht in der Welt«) hatte für ihn beinahe auch den umgekehrten Sinn »Quod est in actis, est in mundo«.

4. Unendlich viel wichtiger als die leidige Judenfrage waren für ihn, den entschiedenen Antizionisten, **zwei politische Ziele:** der Kampf gegen den über alles gefürchteten **Sowjetkommunismus,** der von den Deutschen gewonnen werden, und – natürlich auch hier – die Erhaltung der **Institution Kirche,** die über den Krieg hinweggerettet werden mußte. Dahinter mußten die Interessen einer bestimmten Minderheit und im Grunde auch der Weltfrieden zurückstehen.

5. Die noch unter seinem Vorgänger Pius XI. (der 1937 gegen den Nationalsozialismus die Enzyklika »Mit brennender Sorge« veröffentlicht hatte[31]) ausgearbeitete **Enzyklika gegen Rassismus und Antisemitismus** – 1938 ohnehin viel zu spät – veröffentlichte Pacelli, jetzt Papst, nicht[32]; er unterstützte auch die holländischen Bischöfe nicht, die sich öffentlich für die Juden eingesetzt hatten, so daß die Nazischergen dort freie Hand hatten.

6. Obwohl schon der öffentliche Protest eines einzigen deutschen Bischofs (Clemens August Graf von Galen in Münster 1941) gegen Hitlers monströses »Euthanasieprogramm«, wenngleich viel zu spät (1941), breite öffentliche Wirkung zeigte (die Bischofskonferenz, schon seit Herbst 1940 informiert, konnte sich zu keinem Protest aufraffen) und auch die lutherischen Bischöfe Dänemarks mit ihrem öffentlichen Eintreten für die Juden erfolgreich waren, **vermied** Pacelli als Staatssekretär und Papst – sonst in Tausenden von Ansprachen zu allen möglichen Themen sich äußernd – **jeglichen öffentlichen Protest gegen den Antisemitismus** oder gar die naheliegende Kündigung des von den Nazis doch von Anfang an ständig mißachteten Konkordats (oder des Konkordats mit dem faschistischen Italien).

Man darf es nicht verschweigen: Schon **vor dem Zweiten Weltkrieg**
– **kein Protest** gegen die nazistischen Gewalttaten 1933 unmittelbar
vor und nach dem Konkordat;
– kein Protest gegen die Nürnberger Rassengesetze von 1935;
– kein Protest gegen den Überfall Äthiopiens 1936 durch Mussolini,
den er öffentlich als Restaurator jenes imperialen Roms pries, das
durch die göttliche Vorsehung zur Hauptstadt der Welt und zum zentralen Sitz der Religion bestimmt worden sei;
– kein Protest gegen die Judenverfolgung in der Enzyklika »Mit brennender Sorge« von 1937, in der ein einziges Mal das Wort »Rasse«
und kein einziges Mal das Wort »Jude« erwähnt, wohl aber der Chri-
stusmord-Vorwurf an die Juden wiederholt wird;
– kein Protest gegen das Reichspogrom der sogenannten »Kristallnacht« vom 9./10. November 1938;
– kein Protest gemeinsam mit den Führern der anderen christlichen
Kirchen gegen Hitlers hemmungslosen Eroberungsdrang nach dessen
Annexion von Böhmen und Mähren, wie dem Papst vom Erzbischof
von Canterbury Dr. Lang am 20. Mai 1939 vorgeschlagen;
– kein Protest gegen den Überfall Albaniens durch das faschistische
Italien am Karfreitag 1939;
– kein Protest gegen die Auslösung des Zweiten Weltkriegs durch die
nationalsozialistischen Verbrecher am 1. September 1939.

Vergebens wartete die Welt. Pius XII., dessen Friedensappelle verhall-
ten, betonte immer wieder seine »Neutralität«, drückte manchen Opfern sein Mitgefühl aus und zog es im übrigen vor, **auch während des
Krieges zu schweigen**: nicht nur zu den notorischen deutschen
Kriegsverbrechen überall in Europa und zu dem ethnisch wie politisch
bedingten Massenmord an mindestens Zehntausend orthodoxen Ser-
ben durch das rechtsradikal-katholische Ustascha-Regime in Kroatien
in den Jahren 1941 bis 1945[33]. Nein, er schwieg **auch zur Judenvernichtung**, dem größten Massenmord aller Zeiten, über den er seit
1942 (über den Berner Nuntius Bernardini und italienische Militär-
pfarrer in Rußland) wohl besser informiert war als jeder andere Staatsmann des Westens. Und Pacelli (auf seine beiden Ziele fixiert) ließ
sich selbst dann nicht umstimmen, als er im Verlauf des Krieges immer mehr nicht nur vom Berliner Bischof Konrad von Preysing, dem
einzigen deutschen Bischof von politischem Format, von jüdischen

Organisationen, selbst von Präsident Roosevelt und anderen westlichen Staatsmännern, schließlich auch vom Oberrabbiner Herzog von Palästina um eine öffentliche Stellungnahme gebeten wurde. Und dies blieb unverändert seine Haltung während und nach der kurzen, gewaltlosen Besetzung Roms durch die Deutschen (Oktober 1943 bis Juni 1944) – obwohl gerade damals die »Endlösung« mit der Deportation der ungarischen Juden nach Auschwitz in die Gaskammern ihren Höhepunkt erreichte[34].

Gewiß, Pius XII., persönlich keineswegs feige, hatte eine nicht unbegründete Angst vor Vergeltungsschlägen der Nazis, in erster Linie vor solchen gegen die katholische Kirche und – nach der Besetzung Roms durch die deutschen Truppen – auch gegen den Vatikan. So berichtete denn auch beim Abtransport der römischen Juden im Oktober 1943 der damalige deutsche Vatikanbotschafter **Ernst von Weizsäcker** nach Berlin, »der Papst« habe sich, »obwohl dem Vernehmen nach von verschiedenen Seiten bestürmt, zu keiner demonstrativen Äußerung gegen den Abtransport der Juden aus Rom hinreißen lassen«, wiewohl »sich der Vorgang sozusagen unter den Fenstern des Papstes abgespielt« habe[35]. Ja, der Papst habe »auch in dieser heiklen Frage alles getan, um das Verhältnis zu der Deutschen Regierung und den in Rom befindlichen deutschen Stellen nicht zu belasten«. Zwar sei im Osservatore Romano am 25./26. Oktober ein offizielles Kommuniqué über die Liebestätigkeit des Papstes veröffentlicht worden, aber wie in diesem Blatt üblich »reichlich gewunden und unklar«: der Papst »lasse seine väterliche Fürsorge allen Menschen ohne Unterschied der Nationalität, Religion und Rasse angedeihen«. Dazu der Botschafter: »Gegen diese Veröffentlichung sind Einwendungen umso weniger zu erheben, als ihr Wortlaut ... von den wenigsten als spezieller Hinweis auf die Judenfrage verstanden werden wird.«[36]

Es ist paradox genug: Wiewohl Papst Pacelli nach dem Krieg 1949 nicht die geringsten Hemmungen zeigte, alle kommunistischen Parteimitglieder der ganzen Welt (aufgrund kurzsichtiger italienischer Wahlinteressen der Kurie) auf einen Schlag zu exkommunizieren, sah er nicht nur von einer Exkommunikation, sondern auch von jeglicher öffentlicher Verurteilung so prominenter »Katholiken« und Massenmörder wie Hitler, Himmler, Goebbels und Bormann ab (Göring, Eichmann und andere führende Nazis waren nominell Protestanten) – vom antisemitischen katholischen Prälaten und Staatspräsidenten

Tiso der besetzten Slowakei, vom ebenfalls antisemitischen Ustascha-
führer Ante Pavelic sowie vom französischen Marschall Pétain ganz zu
schweigen. Den großen antifaschistischen Führer der italienischen
»Democrazia Christiana« und ersten Ministerpräsidenten Italiens
nach dem Krieg aber, Alcide de Gasperi, empfing er nie[37]. Dieser war
während der faschistischen Zeit im Vatikan als Hilfsbibliothekar beschäftigt; Pacelli, der die Monarchie in Italien beibehalten wollte und
de Gasperi später gar ein Wahlbündnis mit den Neofaschisten nahe-
legen ließ, erschien er zu wenig klerikal und zu devot.

6. Vatikanische Diplomatie und Johannes XXIII.

Nein, man kommt um die Feststellung des amerikanischen katholischen Priesters John F. Morley nicht herum, die dieser aufgrund der
unterdessen veröffentlichten elfbändigen Dokumenten-Sammlung
»Vatican Diplomacy and the Jews during the Holocaust 1939-1949«
getroffen hat[38]: Der Vatikan war in den ersten Kriegsjahren vorwiegend um die **getauften** Juden bemüht. Einer Diplomatie verfallen, die
beinahe zum Selbstzweck geworden war, ignorierte er weitgehend das
Leiden der großen Masse des jüdischen Volkes. Von päpstlichen Diplomaten dieses Schlages sagt Morley wörtlich: »Während sie bei der
Verteidigung kirchlicher Rechte höchst aktiv waren, war ihr Engagement für das Judenproblem bestenfalls peripher, schlechtestenfalls ge-
ringfügig«, um dann das Fazit zu ziehen: »Daraus ist zu folgern, daß
die vatikanische Diplomatie hinsichtlich der Juden während des Holocaust versagte, indem sie nicht all das tat, was in dieser Hinsicht für
sie möglich gewesen wäre. Sie versagte auch vor sich selbst, denn bei
dieser Vernachlässigung der Juden und bei dieser Verfolgung eines
Ziels der Zurückhaltung statt eines humanitären Engagements verriet
sie die Ideale, die sie sich selber gesetzt hatte. Die Nuntien, der Staatssekretär und vor allem der Papst selbst teilen die Verantwortung für
diese fatale Situation.«[39] Dies trifft vor allem für den Papst selber zu,
der für Juden nie irgendwelche persönliche Sympathie zeigte, sondern
sie als Gottesmörder-Volk ansah, der als triumphalistischer Vertreter
der Rom-Ideologie Christus als einen Römer und Jerusalem als abgelöst durch Rom betrachtete und der deshalb auch von Anfang an –
wie sein Vorgänger und die gesamte römische Kurie – **gegen die**

Gründung eines jüdischen Staates in Palästina Stellung bezogen hatte.

Kein Zweifel mehr: Während selbst seine kluge deutsche Vertraute Sr. Pasqualina Lehnert[40] und andere wie Kardinal Eugenio Tisserant immer wieder zu deutlichen Stellungnahmen gegen das nationalsozialistische Regime drängten, schwieg sich der Papst selber öffentlich aus – trotz zunehmender Informationen zum Holocaust. Dies war mehr als ein politisches, es war ein moralisches Versagen: Es war das bis heute unbegreifliche **Verweigern eines moralischen Protestes ohne Rücksicht auf politische Opportunitäten** durch einen Christen, der in aller Form der »Stellvertreter Christi« par excellence zu sein beansprucht. Noch unbegreiflicher freilich ist, daß derselbe Papst **seine Fehler nach dem Krieg verdrängte** und durch autoritäre Maßregelung innerkatholischer Dissenters besonders in Frankreich kompensierte: im Gefolge der neuen Antimodernisten-Enzyklika »Humani generis« (1950) die Absetzung der drei französischen Jesuitenprovinziale und der berühmten Jesuitentheologen P. Teilhard de Chardin, H. de Lubac, H. Bouillard (und drei weiterer Professoren), dann im Gefolge des Verbots der Arbeiterpriester die Absetzung der nicht weniger bedeutenden Dominikanertheologen M.-D. Chenu, Y. Congar und H.-M. Féret … Und am unbegreiflichsten (oder aufgrund der schlimmen Vorgeschichte nur zu begreiflich) ist, daß Pius, der mit Hitler und anderen Diktatoren paktiert hatte, nach dem Holocaust dem jungen demokratischen **Staat Israel** durch alle die Jahre bis zu seinem Tod 1958 die **diplomatische Anerkennung versagte**[41].

So war denn der Pontifikat Pius' XII.,

der zweifellos beste Intentionen besaß und eine wegweisende Enzyklika für die katholische Bibelexegese (»Divino afflante Spiritu« 1943) veröffentlicht hatte, aber in fast allen entscheidenden Punkten (Liturgiereform, Ökumenismus, Antikommunismus, Religionsfreiheit, Judenfrage, »moderne Welt«) vom Nachfolger und dessen Konzil korrigiert werden mußte;

der mehr öffentlich redete als je ein Papst zuvor, aber schwieg zu dem allergrößten Verbrechen seiner Zeit;

der rastlos für seine Kirche tätig war und doch passiv blieb angesichts der allergrößten Katastrophe seines Pontifikats;

der die Katholiken paternalistisch auf kindlichen Gehorsam gegenüber sich selbst, aber auch gegenüber Hitler, Mussolini, Franco und

Salazar festlegte, nur um »die Kirche«, ihr »Recht«, ihren Apparat und
ihre Institutionen zu retten;

der mit den eigentlichen Feinden des Christentums paktierte, aber
gegen alle »Abweichler« und »Neuerer« in der eigenen Kirche einen
erbarmungslosen Kirchenkampf führte:

so war denn dieser Pontifikat bei allem äußeren Glanz in Wahrheit
»ein christliches Trauerspiel«.

Und wer gegen das Drama mit diesem Untertitel, Rolf Hochhuths
»Der Stellvertreter« aus dem Jahre 1963, noch ein Vierteljahrhundert
später protestiert – wie noch 1988 anläßlich einer Neuinszenierung in
München uni sono der dortige Erzbischof, der Generalsekretär der
deutschen Bischofskonferenz, der Wissenschaftsminister, gleichgeschaltete kirchliche Presseorgane –, der beweist eben nicht nur, daß er
die Geschichte nicht unvoreingenommen studiert, sondern auch, daß
er in der Zwischenzeit rein nichts hinzugelernt hat. Besser hätte man
sich das Wort Johannes' XXIII. zu eigen gemacht, der auf die Frage,
was man gegen Hochhuths Drama tun könne, Hannah Arendt zufolge gesagt haben soll: »Tun? Was kann man gegen die Wahrheit tun?«

Und so wird denn die Grundproblematik des »Stellvertreters« (nicht
alle Thesen des Autors Hochhuth) auf der Tagesordnung bleiben –
zum Ärger uninformierter Bischöfe und aufgehetzter Katholiken –,
bis der Vatikan eines Tages seine Schuld eingesteht, den Staat Israel
anerkennt und zugleich alle diesbezüglichen Dokumente der unvor-
eingenommenen historischen Forschung zugänglich macht. Joachim
Kaisers Bemerkung, anläßlich der Inszenierung des »Stellvertreters«
im Münchner Prinzregententheater, ist hier nichts hinzuzufügen:
»Ändert sich so wenig? Müssen nicht kritisch-liberale Geister mit lei-
sem Ingrimm erkennen, daß die Wortführer des katholischen Establishments, denen Hochhuth in seinem viel umstrittenen ›Stellvertreter‹-Stück vorwarf, sie und Papst Pius XII. hätten sich angesichts der
Hitlerschen Judenmorde doch einst zu taktisch, zu wohlerwogen politisch verhalten, nun auch gegenüber dem Drama genauso taktisch-
politisch ausweichen – während ein Karl Jaspers, ein Golo Mann dieses Drama ernst nahmen? ... Eine gewisse Betroffenheit gegenüber der
Dringlichkeit von Hochhuths moralischem Engagement stünde auch
gläubigen Christen gut an. Statt dessen drückten sich Münchens
subventionierte Theater ein Vierteljahrhundert um dieses Stück.«[42]

Wahrhaftig, daß gerade diejenige Institution, die am römisch-katholischen Antijudaismus seit dem 13. Jahrhundert durch alle die Jahrhunderte die Hauptschuld trägt, hier nicht sensibler, schlicht christlicher reagieren konnte, ist auch für alle informierten Katholiken ein öffentliches Ärgernis, das leider auch von **Johannes Paul II.** trotz seines spektakulären, aber eben gerade nicht »historischen« Synagogenbesuches vom 13. April 1986 keineswegs aus der Welt geschafft wurde: Kein unzweideutiges Schuldbekenntnis und keine diplomatische Anerkennung des Staates Israel durch den Vatikan auch unter dem polnischen Pontifex[43], was die tiefsitzenden Ressentiments und die innere Widersprüchlichkeit der römischen Kurie und ihrer Politik gegenüber dem Staat der Juden nur bestätigt. Eine Kombination von Klerikalismus und Pro-Nazismus habe schon damals den Italienern die Ausrottung der Juden akzeptabel gemacht, so der bedeutende italienisch-jüdische Historiker Arnaldo Momigliano, Professor an den Universitäten von Pisa und Chicago, in einer seiner letzten Veröffentlichungen vor seinem Tod[44]. Und bis heute ist in der damals weithin faschistischen und auch heute noch autoritären römischen Kurie ein (nur schlecht verschleierter) Argwohn gegenüber den Juden geblieben. Viele Katholiken berührte es peinlich, daß Johannes Paul II. sogar nach dem ersten irakischen Raketenangriff auf Tel Aviv zwar die Kriegsausweitung und die Opfer beklagte, aber es strikt vermied, Israel beim Namen zu nennen; die jüdische Gemeinde Roms fühlte sich an das Schweigen Pius' XII. erinnert, protestierte und appellierte erneut an den Papst, endlich den Staat Israel anzuerkennen. Indessen fragen sich auch ungezählte Katholiken in aller Welt: Müßte nicht, wer ständig der ganzen Welt Bekehrung predigt, zuerst sich selber bekehren, um wirklich glaubwürdig zu werden?

Daß die Situation für das römische Papsttum nicht ganz so erbärmlich aussieht, hat die Kirche **Johannes XXIII.** zu verdanken, dem ersten römischen Papst, der auch im Verhältnis zu den Juden die Weichen anders stellte. Als Apostolischer Delegat in der Türkei hatte er bereits während des Zweiten Weltkrieges Tausende von Juden, besonders (durch Blanko-Taufscheine) Kinder, aus Rumänien und Bulgarien gerettet. 1958 Papst geworden, ließ er schon im Jahr darauf – sein Vorgänger Pius XII. hatte dies trotz jüdischer Bitten stets abgelehnt – in den Fürbitten der Karfreitagsliturgie das Gebet gegen »die treulosen Juden« (»Oremus pro perfidis Judaeis«) zugunsten von juden-

freundlichen Fürbitten ausmerzen, was zu Recht als Signal einer neu-
en Einstellung zu diesem Volk verstanden wurde[45].

1960 empfing dieser Papst zum erstenmal eine Gruppe von über
hundert amerikanischen Juden und begrüßte sie zu ihrer Überraschung mit den Worten des biblischen Joseph in Ägypten: »Son io,
Giuseppe il fratello vestro! – Ich bin Joseph, euer Bruder!« Statt seines
Amtsnamens also – zum Ausdruck eines neuen Beginns – sein Eigenname Giuseppe, eingekleidet in ein biblisches Zitat. Spontan (ohne
allen gegenwärtig üblichen, einkalkulierten Medienrummel) hatte jener Papst eines Tages sein Auto bei der römischen Synagoge anhalten
lassen, um die zufällig gerade herausströmenden Juden zu segnen.
Kein Wunder, daß seinerzeit auch der Oberrabbiner Roms mit zahlreichen jüdischen Gläubigen in der Nacht vor dem Tod jenes Papstes
zum Petersplatz ging, um zusammen mit den Katholiken zu wachen
und zu beten. Johannes XXIII. starb – allzu früh – nach einem kaum
fünfjährigen, aber doch epochemachenden Pontifikat am 3. Juni
1963, nach der ersten Session des von ihm völlig überraschend einbe-
rufenen und im Herbst 1962 erstmals zusammengetretenen **Zweiten
Vatikanischen Konzils**.

In diesem Geist hat das Konzil 1965 schließlich doch – gegen vehe-
mente Opposition der traditionell antijüdischen römischen Kurie
und nahöstlicher Bischöfe – die epochale Erklärung »Nostra aetate«
über das »Verhältnis der Kirche zu den nichtchristlichen Religionen«
durchgesetzt: am 28. Oktober 1965, dem Wahltag von Papst Johannes sieben Jahre zuvor. Im 4. Abschnitt dieser Erklärung (»Nostra
aetate« Nr. 4) wird erstmals in einem Konzilstext in jener Frage Klarheit geschaffen, die, wie wir hörten, unendliches Leid über Juden aller
Jahrhunderte gebracht hatte: die Frage einer »Kollektivschuld« des
damaligen oder gar heutigen jüdischen Volkes aufgrund des Todes
Jesu. Das Konzil erklärte unmißverständlich: »Obgleich die jüdischen
Obrigkeiten mit ihren Anhängern auf den Tod Christi gedrungen
haben, kann man dennoch die Ereignisse seines Leidens weder allen
damals lebenden Juden ohne Unterschied noch den heutigen Juden
zur Last legen.« Zugleich besinnt man sich in diesem Dokument
kirchlicherseits endlich auf die Aussagen des Apostels Paulus in Röm
9-11, die so oft in der Geschichte der Kirche verraten wurde: Aus der
Tatsache, daß die Kirche das neue Volk Gottes sei, dürfe man nicht
folgern, die Juden seien von »Gott verworfen oder verflucht«[46].

Freilich: Schon damals haben viele Juden und Christen – Papst Johannes war bereits tot – nicht verstanden, daß die katholische Kirche als ganze sich nach den entsetzlichen Massenmorden und einer langen Geschichte des christlichen Antijudaismus nur zu vagen Formulierungen des »Beklagens« durchringen konnte – ein »condemnare« (»verurteilen«) wurde aus der Erklärungsvorlage wieder gestrichen, und auch Papst Johannes Paul II. hat noch anläßlich seines Besuches bei den Vereinten Nationen zwar pathetisch das Wort »Auschwitz« in den Mund genommen, hat es aber lange vermieden, ein deutliches Wort des Verurteilens über den spezifisch katholischen oder gar römischen Antisemitismus zu sprechen. Und die deutschen katholischen Bischöfe? Welche Rolle haben sie gespielt?

7. Ein Episkopat, der kapitulierte: die deutschen Bischöfe

Der deutsche Episkopat stand schon im 19. Jahrhundert dem modernen Staat, gegen den man im »Kulturkampf« gestanden hatte, aber dann nach dem Ersten Weltkrieg auch der jungen Demokratie von Weimar reserviert gegenüber. Man befand sich in einem Dilemma: Theologisch war man nun einmal grundsätzlich gegen Liberalismus und Sozialismus, praktisch aber wollte man doch das demokratische System für die eigenen Interessen soweit wie möglich nutzen. Und – was allein Thema dieses kurzen Kapitels ist[47] – die Einstellung zum Nationalsozialismus? Den lehnte man wegen seines Rassenprogramms ab, aber seinen Anti-Liberalismus wie seinen Anti-Bolschewismus beobachtete man nicht ohne Sympathie (»lieber braun als rot«). Aufgrund des eigenen kirchlichen Antijudaismus hatte man auch zum rassischen Antisemitismus eine zwiespältige Einstellung.

So war es denn vor diesem historischen Hintergrund so erstaunlich nicht, daß der mit Pacelli befreundete Führer des politischen Katholizismus, Prälat Ludwig Kaas, mit seiner Zentrumspartei **für Hitlers** »Ermächtigungsgesetz« stimmte und so dem kommenden »Führer« die entscheidende Mehrheit verschaffte: »**der Kardinalfehler des deutschen Katholizismus**«, wie heute auch katholische Historiker zugeben[48]. Oder wie es der protestantische Historiker Klaus Scholder formuliert: »die Kapitulation des Katholizismus« – und zwar, wie historisch heute unzweideutig feststeht, primär um des von Hitler in Aus-

sicht gestellten »Reichskonkordats« willen[49]! Vorher nämlich hatte
»der deutsche Katholizismus – der kirchliche wie der politische«, so
stellt auch Scholder fest, »mit einer aufs Ganze gesehen bewunde-
rungswürdigen Standfestigkeit und Geschlosssenheit den Nationalsozialismus« abgelehnt – »bis Rom es aus den höheren Gründen seiner
Konkordatspolitik heraus für geboten hielt, diese Front zu räumen«[50]!
Allerdings hat gerade diese gefährlich-konformistische Geschlossenheit die Kirche unfähig gemacht, politisch zu agieren. Die deutschen
Bischöfe, von der vatikanischen Wende überrascht, machten schließlich allesamt mit. Ging es nun einmal auch ihnen – unbekümmert um
das Schicksal derer »draußen«, der »anderen« (Kommunisten, Sozialisten, Slawen, Juden) und um die Demokratie überhaupt – ganz um
die Selbstbewahrung der Kirche, religiös, kulturell, pädagogisch, welche das »Reichskonkordat« angeblich garantieren sollte: »Das Drängen Hitlers, die Politik von Kaas und die Wünsche und Illusionen
Roms hatten die deutschen Bischöfe in eine Situation gebracht, in der
ihnen tatsächlich nichts anderes blieb als die Kapitulation.«[51]

Kapitulation? In der Tat, von politischem Widerstand gegen das
System konnte von nun an keine Rede mehr sein. Nicht nur war Widerstand schon aufgrund der offiziellen katholischen Staatslehre, wie
von Leo XIII. entwickelt, kaum zu rechtfertigen. Die katholische Kirche hatte sich überdies, wie wir sahen, durch das Konkordat (Entpoli-
tisierungs- und Verbandsschutzklausel) freiwillig auf **politische Abstinenz** verpflichtet. Proteste und Mahnungen in Predigten blieben so
vereinzelt, Eingaben waren zuallermeist nutzlos. Nein, über alles das
müßte man nicht erneut sprechen, wenn die Wahrheit offiziell deutlich und klar eingestanden würde. So aber muß angesichts der bedau-
erlichen Selbstgerechtigkeit des deutschen Episkopats das klar ausgesprochen werden, was offiziell allzugern verschwiegen oder verschlei-
ert wird:

1. Schlimm: Der deutsche Episkopat hat – aufgrund der von Hitler,
Kaas und Vatikan heraufgeführten Situation – wenige Tage nach Hitlers Regierungserklärung vom 23. März 1933 vor dem an die Macht
gekommenen Nationalsozialismus trotz dessen wohlbekanntem na-
tionalistisch-rassistischem Programm und trotz aller Terrorakte gegen Andersdenkende **kapituliert** – zum hellen Entsetzen vieler Geistlicher und Laien, von denen viele auch später noch in einer stillen und
stummen Abwehrhaltung gegen das Regime verharrten.

2. Schlimmer: Der deutsche Episkopat, nur um die »Eigenständigkeit« der Kirche bemüht, hat auch während der ganzen Zeit des Nationalsozialismus **kein einziges öffentliches Wort für die Juden** (und auch kaum eines für die nicht wenigen verhafteten katholischen Priester und Laien) gewagt. Auch nach der »Reichskristallnacht« und dem Überfall auf Polen volle Loyalität zum verbrecherischen NS-Regime; seit 1940 traten auch die meisten deutschen Bischöfe immer häufiger für einen deutschen Sieg ein[52].

3. Noch schlimmer: Die deutschen Bischöfe, die in ihrem Hirtenbrief unmittelbar nach dem Krieg im August 1945 in peinlicher Weise vor allem um ihre Konfessionsschulen besorgt waren und die Juden noch damals in Nazi-Manier als »Nichtarier« bezeichneten, haben sich **bis heute um ein klares Bekenntnis zur Schuld gerade des Episkopats herumgedrückt.**

4. Am schlimmsten: In den fast fünfzig Jahren seit Kriegsende hat man von Seiten der Hierarchie alles getan, um Schweigen, Tolerieren und Kooperieren kirchlicher Instanzen während der Naziherrschaft mit Papstlob und Selbstlob, mit Apologetik, Seligsprechungen, Fragebogenaktionen und zuarbeitenden Historikern in **»Widerstand«** umzustilisieren. Als ob die wenigen wirklichen Helden des Widerstandes – der Berliner Propst **Bernhard Lichtenberg**, der öffentlich für die Juden betete und auf dem Weg nach Dachau starb, der hingerichtete Jesuitenpater **Alfred Delp** und der enthauptete Pfarrer Dr. **Max Josef Metzger**, Inspirator der Friedensbewegung und der Ökumene –, als ob diese und einige wenige andere für die Hierarchie der Kirche gestanden hätten und nicht zuallermeist (wie auch die Kriegsdienstverweigerer) von ihr im Stich gelassen worden wären! Wenn doch wenigstens, spät genug, der für die Verlesung auf allen Kanzeln am zweiten Adventssonntag 1941 entworfene Hirtenbrief, der mit dem Nazi-Regime scharf abrechnete, verabschiedet worden wäre, oder auch nur das geplante, sehr abgemilderte Hirtenschreiben vom März 1942. Nein, schriftliche Eingaben an staatliche Behörden gab es durchaus. Aber, so ja auch der Wille des Papstes: keine einzige klare öffentliche Stellungnahme gegenüber einem Regime, das doch nach den Juden zweifellos auch die Kirchen liquidiert hätte.

Gewiß, die deutschen katholischen Bischöfe waren keine Nazis. Und der Seelsorgeklerus manifestierte in vielem – und im allgemeinen mehr als die Großzahl der evangelischen Amtsbrüder – eine nonkonformistische Verweigerungshaltung. Und so gab es denn so etwas wie ein »selbstverständliches« Zeugnis mancher Katholiken, die alltägliche Widerstandskraft und Mut zum konkreten Einstehen zeigten[53]. Aber Bischöfe und Klerus haben sich nun einmal von Anfang an auf den »religiösen« Bereich zurückdrängen lassen. Und auf allen öffentlichen Protest haben sie trotz mancher Diskussionen immer wieder verzichtet. Noch 1941 wies ein beratender Ausschuß der Bischofskonferenz auf die Tragweite einer öffentlichen Erklärung mit folgenden dramatischen Worten hin: »Es wird eines Tages von gewaltiger historischer Bedeutung sein, wenn die deutschen Bischöfe in der Stunde der Entscheidung für die Kirche Deutschlands öffentliche Verletzung von göttlichem und natürlichem Recht öffentlich mißbilligt und damit für Millionen von Seelen eine Vorentscheidung getroffen haben. Andererseits, wenn die Bischöfe schweigen, würde für Nichtkatholiken der Weg nicht nur vorübergehend, sondern für Jahrzehnte und länger versperrt ... Im übrigen darf die Frage, ob Erfolg oder Mißerfolg nicht von Bedeutung sein. Entscheidend ist nur die Frage: Was ist im gegenwärtigen Augenblick unsere Pflicht? Was verlangt das Gewissen? Was erwartet Gott, das gläubige Volk von seinen Bischöfen?«[54] Doch es kam zu keinerlei öffentlicher Erklärung, wiewohl evangelische Kirchenführer an den Episkopat herangetreten waren, um gemeinsam Protest zu erheben.

Und was die **Juden** betrifft: Selbst der einzige Bischof, der – wie wir hörten – sich schließlich doch zu einem späten öffentlichen Protest gegen die Ermordung Geisteskranker (und später die Schließung und Enteignung katholischer Institutionen) ermannte, Bischof Graf Galen von Münster, hat, deutschnational gesinnt und römisch-linientreu, bekanntlich nie ein Wort für die Juden riskiert[55], obschon sein Vetter, der Bischof von Berlin, Konrad von Preysing, sich noch 1937 für eine klare Konfrontationsstrategie gegenüber dem Naziregime eingesetzt hatte[56] und der oppositionell gesinnte Bischof von Rottenburg Johann Baptista Sproll als einziger die öffentliche Konfrontation (insbesondere durch offene Wahlenthaltung bei der Abstimmung über die Angliederung Österreichs im April 1938) auch gewagt hatte und deshalb vertrieben wurde[57]. Das Wort »Jude«, nein, das nahmen die deutschen Bischöfe öffentlich so wenig in den Mund wie ihr Papst, was noch für ihren ersten Hirtenbrief nach dem Kriege galt!

In dieser Frage also ein Versagen auf der ganzen Linie, auch nicht zu vernebeln durch nachträgliche (unter Papst Johannes Paul II. in Deutschland vollzogene) Seligsprechungen, die auch von vielen Katholiken als Selbstbeweihräucherung einer kirchlichen Institution verstanden wurden, die dieses ihr Versagen nie überzeugend genug bekannt hat. Respekt vor unbeugsamen Gestalten wie dem Jesuitenpater **Rupert Mayer** (verschont, weil Offizier im Ersten Weltkrieg) und der jüdischen Karmeliterin **Edith Stein**! Aber auch viele Karmeliterinnen und Karmeliter haben sich anläßlich der Seligsprechungsereignisse gefragt: Ist die bedeutende Philosophin und Laientheologin Edith Stein vergast worden, weil sie katholische Ordensfrau war, und nicht vielmehr, weil sie dem Judentum entstammte, sie, die schon 1933 den Papst (vergebens) um eine Enzyklika gegen Rassenhaß und Antisemitismus gebeten hatte? Im Karmel war sie als Jüdin jedenfalls völlig isoliert und unverstanden. Wo war der Protest der kirchlichen Hierarchie und ihrer Ordensoberinnen damals, als Edith Stein abgeholt wurde? Dazu hat man vom Papst bei den Seligsprechungsfeierlichkeiten in Köln (1987) kein Wort gehört[58].

Und so mußte man als Christ Verständnis haben für die Proteste vieler Juden, als 1989 ein Konvent ausgerechnet des Karmeliterinnenordens auf dem Gelände des ehemaligen **KZ Auschwitz** errichtet werden sollte – mit einem riesigen Kreuz als sichtbarem Symbol. Gewiß, die Motive der dortigen Schwestern mögen ehrenhaft gewesen sein. Aber die Äußerungen des Primas von Polen, Kardinal Glemp, und das sprechende Schweigen des polnischen Papstes haben erneut Fragen nach dem Antisemitismus (und der Aufrichtigkeit) katholischer Hierarchen wachgerufen. Erst nach weltweiten jüdischen und christlichen Protesten wurde die Aktion abgebrochen. Doch das Kreuz stand im September 1990, als ich dort war, noch immer. Kann man denn das wirklich nicht verstehen: Auschwitz ist nun einmal ein Ort, den Juden auf der ganzen Welt als ein nicht christlich zu vereinnahmendes **jüdisches Massengrab** betrachten!

Auch diese Geschichte können wir hier nicht weiter verfolgen. Verwiesen sei nochmals auf die Veröffentlichungen des kritischen katholischen Historikers **Georg Denzler**, der mutig gegen alle offizielle Schuldverdrängung, Glorifizierung und Legendenbildung (von allgemeiner »Unwissenheit« und »kirchlichem Widerstand«) angegangen

ist. Hier kann man alles Wissenswerte zur buchstäblich weithin erbärmlichen Haltung der Deutschen Bischofskonferenz nachlesen[59].
Nachlesen kann man auch alles Nötige zur skandalösen Behandlung
derjenigen katholischen Priester, die in KZs zu leiden hatten und denen bis zu ihrem Tod die Einsicht in die diesbezüglichen Akten verweigert wurde. Warum? Weil so die damalige Einstellung bestimmter
bischöflicher Behörden zum brauenen Faschismus ans Licht gekommen wäre; die elf Priester-KZ-Häftlinge der Diözese Freiburg, die sich
nach dem Krieg bitter und vergebens gegenüber dem »braunen Conrad« (so wurde ihr Erzbischof Gröber in der Nazizeit genannt) beklagten, hatten in fast allen Diözesen ihresgleichen. Erst 1991 aber wurde
es – durch die Fernsehsendung »Persilscheine und falsche Pässe« des
durch mehrere einschlägige Publikationen ausgewiesenen Ernst Klee
– einer breiteren Öffentlichkeit bekannt, »wie die Kirchen (und der
Vatikan besonders) nach dem Krieg den Nazis halfen«.

Die katholische Hierarchie Deutschlands, wohlausgestattet mit
dem (leider höchstgerichtlich als »gültig« erklärten) »Reichskonkordat« und mit Kirchensteuermilliarden wurde die höchstbürokratisierte und reichste Kirche der Welt. Sie konnte es sich in der Nachkriegszeit leisten, am eigenen Volk und seinen Nöten selbstherrlich-unduldsam vorbeizuregieren und – auf dem rechten Flügel des Weltepiskopats – Dissenters, Männer und Frauen, unter den Jugendverbänden,
Studentengemeinden, Religionslehrern, Seelsorgern und Theologen
unbarmherzig zu unterdrücken und in die äußere oder innere Emigration zu treiben. Wahrhaftig, noch weniger als für den Staat war 1945
für die Kirche ein markanter Neubeginn.

Ja, die **katholische Bischofskonferenz** hat selbst 35 Jahre nach Ende
des Naziregimes und 15 Jahre nach dem Ende des Zweiten Vatikanums zur Judenfrage nur gezwungenermaßen Stellung genommen:
erst 1980! Und selbst dann hat sie alles vermieden, was nach einem
unzweideutigen Bekenntnis zur **eigenen** historischen **Mitschuld** aussehen konnte. So sei denn zum Abschluß dieses Abschnitts – gerade
weil diese Erklärung des deutschen Episkopats »Über das Verhältnis
der Kirche zum Judentum« vom 28. April 1980[60] diesbezüglich enttäuschend ausfiel – das klare Schuldbekenntnis zitiert, das unter dem
Einfluß von Theologen und der Laienschaft in der **Erklärung der gemeinsamen Synode der katholischen Bistümer der Bundesrepublik
Deutschland** schon 1975 zum Ausdruck gebracht worden war:

»Wir sind das Land, dessen jüngste politische Geschichte von dem Versuch verfinstert ist, das jüdische Volk systematisch auszurotten. Und wir waren in dieser Zeit des Nationalsozialismus, trotz beispielhaften Verhaltens einzelner Personen und Gruppen, aufs Ganze gesehen doch eine kirchliche Gemeinschaft, die zu sehr mit dem Rücken zum Schicksal dieses verfolgten jüdischen Volkes weiterlebte, deren Blick sich zu stark von der Bedrohung ihrer eigenen Institutionen fixieren ließ und die zu den an Juden und Judentum verübten Verbrechen geschwiegen hat. Viele sind dabei aus nackter Lebensangst schuldig geworden. Daß Christen sogar bei dieser Verfolgung mitgewirkt haben, bedrückt uns besonders schwer. Die praktische Redlichkeit unseres Erneuerungswillens hängt auch an dem Eingeständnis dieser Schuld und an der Bereitschaft, aus dieser Schuldgeschichte unseres Landes und auch unserer Kirche schmerzlich zu lernen: Indem gerade unsere deutsche Kirche wach sein muß gegenüber allen Tendenzen, Menschenrechte abzubauen und politische Macht zu mißbrauchen, und indem sie allen, die heute aus rassistischen oder anderen ideologischen Motiven verfolgt werden, ihre besondere Hilfsbereitschaft schenkt, vor allem aber, indem sie besondere Verpflichtungen für das so belastete Verhältnis der Gesamtkirche zum jüdischen Volk und seiner Religion übernimmt.«[61]

8. Eine Kirche, die verdrängte: die Kirche Polens

Schon 1965 hatte im Rahmen des Zweiten Vatikanischen Konzils ein »historischer« Briefwechsel der polnischen Bischöfe, die Vergebung gewährten und um Vergebung baten, mit den deutschen Bischöfen stattgefunden. Ich selber konnte damals im Konzil feststellen, wie unmutig und verlegen man auf Seiten der deutschen Bischöfe auf dieses noble (wenn auch nicht selbstlose) Versöhnungsangebot reagierte. Sie wollten ihre Jurisdiktion über die jetzt polnischen Ostgebiete nicht aufgeben. Doch wurden sie schließlich 1989 von der politischen Entwicklung völlig überrollt. »Wer zu spät kommt, den bestraft das Leben« (M. Gorbatschow)!? Doch noch im November 1990 – ja 1990! – kommt es bei gemeinsamen Gesprächen zwischen zehn deutschen und fünfzehn polnischen Bischöfen bezüglich Schuldfrage, Vertreibung (die bekanntlich nicht auf polnischen Wunsch, sondern auf Be-

fehl der Alliierten geschah) und Sonderseelsorge für deutsche Minderheiten in Polen zu keiner Verständigung ...[62]
Doch ein Kontrapunkt ist hier durchaus am Platz. Denn im Blick
auf Antisemitismus und Holocaust läßt die Frage nach der Verantwortung der deutschen Hierarchie die Frage nach der Mitverantwortung einer anderen Hierarchie, der katholischen Hierarchie in **Polen**
nämlich, nicht übersehen. Denn: Von ihr gibt es in der Nazizeit erstaunlicherweise ebenfalls **keine offizielle Äußerung gegen die Vernichtung der polnischen Juden!**

Gewiß, es ist mehr als verständlich, daß sich die Polen auch heute
noch als das nach den Juden zweitgrößte Opfer der Naziherrschaft betrachten (sechs Millionen Tote auch aus diesem Volk). Und ich ver-
hehle als Angehöriger einer kleinen Nation nicht meine Sympathie
für die – zwischen Großmächten ständig eingeklemmte – unendlich
tapfere polnische Nation, die ich zuerst als Zwölfjähriger 1940 in
Gestalt von in der Schweiz internierten Polen kennengelernt habe.
Ungeheures und bis heute Nachwirkendes wurde dem polnischen
Volk angetan. Es wurde die polnische Nation von Hitlers Armeen ja
nicht nur überfallen und terrorisiert. In einem Abkommen zwischen
Hitler und Stalin wurde sie zum vierten Mal in ihrer Geschichte (nach
den drei Teilungen im späten 18. Jahrhundert) zerstückelt und
schließlich im dritten Akt der Tragödie mit der Kooperation der
Westmächte in den Herrschaftsbereich Stalins und seiner Nachfolger
eingegliedert. 2 800 polnische Geistliche sollen in Dachau gewesen
sein, und der polnische Ordensmann **Maximilian Kolbe**, der in
Auschwitz für einen Familienvater in den sicheren Tod ging, stellt ein
weit leuchtendes Beispiel christlicher Selbsthingabe dar[63]. Keine Frage: Polen ist eine erst heute befreite Nation, der unsere ganze Bewunderung gehört. Der eine Name des (von der römischen Kurie lange
Zeit fallengelassenen) Arbeiterführers Lech Walensa möge hier für andere stehen. Und doch – hier stockt man, war es nicht gerade auch
Lech Walensa, der Friedensnobelpreisträger und jetzige Staatspräsident, der, wiewohl nicht Antisemit, durch Äußerungen im Wahl-
kampf um die Präsidentschaft antisemitische Phobien bestätigte? Offensichtlich gibt es in der Solidarnosc-Bewegung eine Gruppe von
»wirklichen Polen«, die sich »durch Intoleranz gegenüber Andersden-
kenden, Unterdrückung von Kritik und primitiven Chauvinismus«
(B. Borusewicz) profiliert und der die Kirchenhierarchie nahesteht[64].

Dies läßt bestimmte Rückfragen nicht unterdrücken: Ent-schuldigt die deutsche Gewaltherrschaft die Haltung der katholischen Kirche Polens gegenüber den Juden während und nach dem Kriege? Waren von den sechs Millionen toter Polen nicht die Hälfte Juden, rund ein Fünftel der polnischen Bevölkerung? Warum hat kein einziger polnischer Bischof die Stimme erhoben zu dem Völkermord, der von Deutschen an Juden auf polnischem Boden durchgeführt wurde? Und hat es nicht auch im polnischen Volk viel Gleichgültigkeit, gar heimliche Freude über das Vorgehen der Nazis gegeben? Auch polnische Historiker verschleiern hier bisweilen wesentliche Tatsachen. »Uns eint vergossenes Blut«, so lautet der dramatische Obertitel des Buches des (um das Schicksal vieler Juden hochverdienten) katholischen Historikers Wladislaw Bartoszewski über »Juden und Polen in der Zeit der ›Endlösung‹«[65]. Beide also allesamt Opfer? Doch stimmt das in dieser Allgemeinheit? Juden lehnen solch posthume Anbiederung und Behauptung einer »gemeinsamen Erinnerung« mit Entschiedenheit ab. Das mag zunächst erstaunen, läßt sich aber leicht verstehen. Warum?

Der religiös begründete Anti-Judaismus, ja rassische **Antisemitismus** war **auch im Vorkriegs-Polen** tief verwurzelt und weit verbreitet. Ein Beleg möge genügen: »Das jüdische Problem wird es geben, solange die Juden bleiben. Es ist eine Tatsache, daß die Juden die katholische Kirche bekämpfen, in Freidenkerei verharren und die Vorhut der Gottlosigkeit, des Bolschewismus und der Subversion bilden. Es ist eine Tatsache, daß der jüdische Einfluß auf die Sitten verderblich ist und daß ihre Verlage Pornographie verbreiten. Es ist wahr, daß die Juden betrügen, wuchern und Zuhälterei betreiben. Es ist wahr, daß der Einfluß der jüdischen Jugend in den Schulen auf die polnische Jugend in religiöser und ethischer Hinsicht negativ ist.« Originalton des Katholiken und Nazi-Propagandaministers Joseph Goebbels? Nein, das steht in einem Hirtenbrief des Jahres 1936, verfaßt vom katholischen Primas von Polen, Kardinal Hlond[66].
Der Direktor des Salomon Ludwig Steinheim-Instituts für deutschjüdische Geschichte, Prof. Julius H. Schoeps, bemerkt dazu: »Die Praxis des Antisemitismus im Vorkriegspolen hat derjenigen in Deutschland vor dem 9. November-Pogrom 1938 entsprochen – vielleicht nur mit dem Unterschied, daß es dafür keiner formellen antijüdischen

Gesetze bedurfte. Auch in Polen wurden Juden im Berufs- und Wirtschaftsleben massiv diskriminiert. Körperliche Mißhandlungen jüdischer Schüler und Studenten an polnischen Schulen und Universitäten gehörten Ende der dreißiger Jahre zum Alltag. Die Berufsverbände der Ärzte, Architekten und Ingenieure verstießen ihre jüdischen Mitglieder ›unter Berufung auf Arierbestimmungen‹, die sich unverkennbar am Paragraphenwerk der Nürnberger Gesetze von 1935 orientierten, und beweisen, daß auch die polnische Gesellschaft vom antisemitischen Bazillus befallen war.«[67]

1939 gab es in Polen 3,5 Millionen Juden; nach den Vereinigten Staaten war Polen die zweitgrößte jüdische Diaspora in der Welt mit 30 jüdischen Tageszeitungen und 400 jüdischen Friedhöfen. Fast ein Drittel der Bevölkerung Warschaus und rund 16 % der Bevölkerung Polens waren jüdisch. 3 Millionen von ihnen brachten die Nazis ums Leben, mehr als die Hälfte aller von den Nazis ausgerotteten Juden überhaupt. Man lese und betrachte das erschütternde Photo-Buch der beiden jungen nicht-jüdischen Polen Malgorzata Nierzabitowska und Tomasz Tomaszewski über »**Die letzten Juden in Polen**«[68]: Heute leben, wie ich von Dr. Pawel Wildstein, dem Vorsitzenden des jüdischen Koordinationskomitees in Polen, hörte, nur noch 8 000 bis 10 000 Juden, viele Alte und Gebrechliche und durch Kleidung nicht unterschieden, in Polen. Und dies nicht nur wegen der Nazis! Soll man das alles – bei aller Bewunderung für das freiheitsliebende polnische Volk – verschweigen? Ich meine: nein. Die **historischen Tatsachen** auch hier in aller Kürze:

– Die deutsche Besatzung hat den traditionellen polnischen Antijudaismus nicht etwa gemildert, sondern verschärft; es gab auch polnische Mitarbeiter der Deutschen beim Holocaust.

– Umgekehrt haben viele polnische Juden, weil Polen für sie keine Heimat war, den Einmarsch der Sowjettruppen 1940 begeistert begrüßt und sind so zu Helfershelfern der sowjetischen Besatzungsmacht geworden.

– Ein polnischer »Hilfsrat« für Juden (»Zegota«) wurde erst 1942 eingerichtet, als ein Großteil der Bewohner des jüdischen Gettos bereits in die Todeslager eingeliefert worden war.

– Die Unterstützung der Juden im Warschauer Getto-Aufstand 1943 geschah von Seiten der polnischen Widerstandsbewegung höchst zögerlich und halbherzig.

– Nach dem Krieg war der Antijudaismus in Polen so stark wie eh und je, ja kam es, als manche Juden (darunter nicht wenige Kommunisten) in ihre alte Heimat zurückkehren wollten, zu schweren antijüdischen Ausschreitungen, zu eigentlichen Pogromen in Krakau noch am 11. August 1945 und in Kielce am 4. Juli 1946 (60-70 Ermordete), ohne daß kirchliche Autoritäten dagegen öffentlich Stellung bezogen hätten[69]. Allein 1945 wurden nachweislich 353 Juden vom Pöbel erschlagen, so daß es zu einer Massenflucht von ungefähr 80 000 polnischen Juden in den Westen kam[70].

– 1968 gab es nach einer staatlich organisierten Antisemitismus-Kampagne, wiederum ohne kirchlichen Protest, nochmals einen Massenexodus; 1970 schließlich verließ der letzte Rabbiner Polen.

Das also sind mitbestimmende Gründe, warum heute kaum 10 000 Juden mehr in Polen übrigblieben sind. »Uns eint vergossenes Blut«? Der im Pogromjahr 1946 zum Priester geweihte **Karol Wojtyla**, späterer Erzbischof von Krakau und jetziger römischer Pontifex, der an der UNO in New York 1979 dramatisch, aber recht allgemein Auschwitz (50 km westlich von Krakau gelegen!) beschwor, hat zu all diesen peinlichen Fragen auf seinen polnischen »Pilgerfahrten« nie Stellung genommen. Warum schweigt er, der ähnlich wie Pius XII. zu fast allen Fragen der Gegenwart und Vergangenheit Ansprachen hält?

Um so erfreulicher ist es, daß sich von beiden Seiten zumindest in Nordamerika Organisationen um **Verbesserung der jüdisch-polnischen Beziehungen** und um Klärung der anstehenden historischen und noch immer aktuellen Fragen bemühen. Hingewiesen sei nur auf polnisch-jüdische Kongresse an der Columbia University in New York (1983) und an der Oxford University England (1984), veranstaltet vom Oxford Institute of Polish-Jewish Studies. Seit 1986 erscheint hier jährlich ein (von A. Polonsky herausgegebenes) »Journal of Polish-Jewish Studies«.

In Polen selbst, wo diese Frage des polnischen Antisemitismus die ganze Nachkriegszeit über tabuisiert war, hat erst der **Film** »**Schoah**« (1985) des französischen Juden Claude Lanzmann die Diskussion über eine mögliche polnische Mitschuld am Holocaust in Gang gebracht. Kein Wunder, daß die polnische Regierung beim französischen Außenminister gegen einige Passagen des Films Protest einlegte – immerhin ohne ihn zu verbieten[71]. Kein Wunder auch, daß der

Film in der Bevölkerung zu heftigen Protesten führte, zeigt er doch ein wenig schmeichelhaftes Bild von Land und Leuten in dieser Zeit. Und doch war die **Diskussion** auch in Polen fruchtbar. Auch in Polen wollen viele die Wahrheit wissen. Und so hat denn der bedeutende polnische Literaturwissenschaftler **Jan Blonski** in der katholischen Wochenzeitung »Tygodnik Powszechny« vom 11. Januar 1987 mit nicht geringem Mut zu den üblichen polnischen Selbstrechtfertigungen erklärt: »Wir sollten aufhören, die Schuld den politischen, gesellschaftlichen und ökonomischen Umständen zuzuschreiben, sondern **zuerst** sagen: ja, wir sind schuld.« Und im Blick auf die Pogrome nach dem Krieg fährt Blonski fort: »Wir verstanden es nicht einmal, die Übriggebliebenen zu begrüßen und in Ehren aufzunehmen, auch wenn sie verbittert, verwirrt und uns vielleicht auch lästig waren. Kurz gesagt, statt aufzurechnen und uns zu entschuldigen, sollten wir zuerst uns selbst prüfen, an unsere Sünde, unsere Schwachheit denken. Eben diese moralische Umkehr ist in unserem Verhältnis zu der polnisch-jüdischen Vergangenheit unbedingt notwendig.«[72]

Doch obwohl Blonski genau »zwischen Teilnahme und Mitschuld« unterschieden hatte, erhielt die Redaktion Hunderte von mehrheitlich kritischen und polemischen Zuschriften, so daß ihr Chefredakteur **Jerzy Turowicz** sich schließlich zu folgender Stellungnahme veranlaßt sah: »Wir müssen beschämt feststellen: Wenngleich manche Autoren dies leugnen, so beweisen doch gerade diese Briefe, daß weiterhin ein Antisemitismus in Polen existiert, obwohl es heute in unserem Land praktisch keine Juden mehr gibt.«[73] Mutig und redlich die Feststellungen dieses führenden Katholiken Polens: Anders als die Polen seien ihre jüdischen Landsleute von Anfang an zum Tode verurteilt gewesen. Und obwohl die polnischen Staatsbürger mit drei Millionen Menschen genauso viele Opfer zu beklagen hätten wie ihre jüdischen Landsleute, seien so von der jüdischen Minderheit in Polen 95 % ausgerottet worden, von der polnischen Gesamtbevölkerung nur 10 %. Das tradierte Denkschema – solange wir Polen Opfer waren, sind wir vollkommen unschuldig – sei aufzugeben.

Ein erstaunliches Phänomen ähnlich im katholischen Polen wie im katholischen Österreich: ein **Antisemitismus ohne Juden!** Obwohl es in Polen praktisch keine Juden mehr gibt, mußte ich selber bei einem Besuch 1990 feststellen, daß der Antisemitismus noch so virulent ist, daß sogar die damalige Regierung Mazowiecki insgesamt als »jüdisch verseucht« diffamiert werden konnte – ohne von der Hierarchie entsprechend verteidigt zu werden. Umgekehrt mußte ich feststellen, daß der übergroße jüdische (auch polnisch-jüdische) Anteil an den Opfern gegenüber den polnischen weder in Auschwitz noch im Warschauer Stadtmuseum genügend hervorgehoben wird[74]. Sowohl die Insensibilität des Primas von Polen, Kardinal Jozef Glemp (vom schweigenden polnischen Papst lange gestützt), in Sachen Karmelitinnenkloster in Auschwitz, wie dann die antijüdischen Äußerungen von Lech Walensa sind von daher so überraschend nicht. Immerhin hat dieser im Mai 1991 in Jerusalem die Juden um Vergebung gebeten.

Allerdings hat nun endlich, endlich auch in der polnischen Hierarchie eine Gewissensprüfung eingesetzt: Der polnische Episkopat hat nicht nur eine Unterkommision für den Dialog mit dem Judentum gebildet, sondern schließlich am 20. Januar 1991 – durch die negative Reaktion der Weltöffentlichkeit provoziert und gedrängt – zum erstenmal in aller Form den Antisemitismus verurteilt und sein »aufrichtiges Bedauern über alle Vorfälle zum Antisemitismus« zum Ausdruck gebracht, »die sich auf polnischem Boden, wann und durch wen auch immer, zugetragen haben«: »Wir tun dies in tiefster Überzeugung, daß jedwede Erscheinungsformen von Antisemitismus unvereinbar sind mit dem Geist des Evangeliums.«[75] Daß aber die verschleiernde Formel »wann und durch wen auch immer« gebraucht und zugleich dagegen protestiert wird, daß von einem »polnischen Antisemitismus« als von einer besonders gefährlichen Form des Antisemitismus gesprochen werde, macht deutlich, daß die Vergangenheit auch in der Kirche Polens noch nicht genügend aufgearbeitet ist.

Für mich drängt sich aus diesen und analogen Ereignissen als grundsätzliche Schlußfolgerung, wahrhaftig nicht nur für Polen, auf: Das Verhältnis zwischen Juden und Christen ist – historisch, emotional, theologisch – offensichtlich noch immer weithin unbereinigt. Ein neues konstruktives Verhältnis zwischen Juden und Christen ist nur möglich, wenn die Christen, welcher Stellung auch immer, ihre Mitschuld am Holocaust ohne alle Verschleierung und Apologetik offen bekennen. Nicht um einen Schuldkomplex zu pflegen, sondern um zu echter Umkehr, vertiefter Verständigung und verstärkter Zusammenarbeit mit den jüdischen Mitbürgern zu kommen. Doch – zu einer solchen kritischen Selbstbesinnung besteht auch in anderen christlichen Ländern, wo Juden gelebt haben, durchaus Anlaß.

Ermordete Juden

**im nationalsozialistisch besetzten Europa
1. September 1939 – 8. Mai 1945**

Polen **3 000 000**
Sowjetunion **1 000 000**
Tschechoslowakei **217 000**
Ungarn **200 000**
Bessarabien **200 000**
Deutschland **160 000**
Litauen **135 000**
Bukowina **124 632**
Holland **106 000**
Nord-Transilvania **105 000**
Frankreich **83 000**
Lettland **80 000**
Griechenland **65 000**
Österreich **65 000**
Jugoslawien **60 000**
Karpatenukraine **60 000**
Rumänien **40 000**
Belgien **24 387**
Italien **8 000**
Memelland **8 000**
Makedonien **7 122**
Thrakien **4 221**
Rhodos **1 700**
Estland **1 000**
Danzig **1 000**
Norwegen **728**
Luxemburg **700**
Libyen **562**
Kreta **260**
Albanien **200**
Kos **120**
Dänemark **77**
Finnland **11**

Zahlen: M. Gilbert, Endlösung, Reinbek 1982.

9. Keine Nation in Unschuld: die Schweiz, die USA?

Kaum eine Nation hat in der Judenfrage Anlaß zur Selbstgerechtigkeit: Als auf Initiative von Präsident Franklin D. Roosevelt am 6. Juli 1938 in Evian am Genfersee eine von 32 Staaten beschickte Konferenz zur Lösung des Flüchtlingsproblems zusammentrat, zeigte sich, wie gering die Neigung war, deutsche beziehungsweise jüdische Flüchtlinge aufzunehmen. Es ist zu wenig bekannt. Gerade die großräumigen **nord- und südamerikanischen Staaten und Australien** schränkten während des Krieges die Zulassung von jüdischen Flüchtlingen eher ein, als daß sie die Grenzen öffneten. Symptomatisch: Im Mai 1939 mußte das mit deutschen Juden vollbesetzte Schiff »St. Louis« nach Europa zurückkehren, weil kein Staat bereit war, sie aufzunehmen. **Großbritannien** ließ die Tore in Palästina für Nazi-Verfolgte schließen. Man fragt sich: Was hätte doch alles auch in besetzten europäischen Ländern von Polen bis Frankreich für die Juden getan werden können – etwa nach dem Beispiel **Dänemarks**, seines Königs und seines lutherischen Episkopats, wo in einer beispiellosen Aktion fast die gesamte jüdische Bevölkerung (rund 7 000 Personen) vom dänischen Untergrund nach Schweden geschmuggelt wurde? Ja, wieviel Antisemitismus gab es doch auch in anderen europäischen Ländern!

Selbst in der neutralen **Schweiz**, wo man während des Zweiten Weltkriegs gegen 300 000 Flüchtlinge für längere oder kürzere Zeit aufgenommen hatte, war man – aus Angst vor Hitlers Zorn und einer ständig drohenden deutschen Invasion – in der Asylantenpolitik höchst restriktiv. Man vertrat weithin die Auffassung, man könne nicht mehr Juden ins Land hineinlassen. »Das Boot ist voll«, lautete die Alibiformel vieler Schweizer damals und machte sie so politisch blind für die Not des jüdischen Volkes, nachzulesen unter diesem Titel im deprimierenden Bericht von Alfred A. Häsler über »Die Schweiz und die Flüchtlinge 1933-45«[76]. Große Persönlichkeiten aus deutscher Literatur, Kunst und Kultur waren aufgenommen worden[77]. Bei Kriegsende am 8. Mai 1945 beherbergte die Schweiz noch über 115 000 Flüchtlinge. Aber allein in der Zeit vom August 1942 bis 1945 waren 9 751 Flüchtlinge zurückgewiesen und Ungezählte von vornherein abgeschreckt worden[78].

Kein Anlaß also zur – noch immer weit verbreiteten – eidgenössischen Selbstgefälligkeit und Selbstgerechtigkeit! Erst zum fünfzigsten Jahrestag der sogenannten »Kristallnacht« im November 1988 hat endlich ein kirchliches Gremium der Schweiz – die Ehre gehört dem Evangelischen Kirchenbund – ein deutliches Schuldbekenntnis abgelegt. Erinnert wurde daran, daß nur zwei Tage nach jenem Nazi-Pogrom die Schweiz offiziell mit Deutschland ein Abkommen unterzeichnet habe, durch welches den Juden eine legale Ausreise aus Deutschland faktisch unmöglich gemacht wurde! Es erfülle die Kirche noch heute mit »großer Scham«, daß an den Grenzen der Schweiz Tausende von Ausreisewilligen, die einen »J-Stempel« im Paß trugen, abgewiesen wurden: »und zwar auch zu der Zeit, als man wissen konnte, daß man sie in den sicheren Tod zurückschickt«[79].

Nur knapp angemerkt sei, daß – trotz zweifellos immenser Verdienste um Linderung der Kriegsnot, Gefangenenfürsorge und humanitäre Hilfe aller Art – auch das **Internationale Komitee vom Roten Kreuz** im Oktober 1942 die Welt nicht über den Holocaust aufklärte: Gegenüber einer Großmacht, die eine ganze Rasse auslöschen wolle, meinte man kaum etwas tun zu können, fühlte man sich zur Unparteilichkeit und Neutralität verpflichtet. In Wirklichkeit aber bestand auch hier kein großes Interesse an der Rettung der europäischen Juden. Viele leitende Mitglieder des IKRK, allen voran C. J. Burckhardt, schreckten vornehmlich aus Gründen der eidgenössischen Staatsräson vor öffentlichem Protest zurück – und dies, obwohl man spätestens seit Herbst 1942 in Genf genaue Kenntnis vom Inhalt der Wannsee-Konferenz hatte. Man verschanzte sich weiterhin hinter bruchstückhaften Informationen. Tausende von Juden wären wohl gerettet worden, wenn das Rote Kreuz – wie ursprünglich geplant – rechtzeitig energisch interveniert hätte[80].

Und **Frankreich**? Mehr als 75 000 Juden sind aus Frankreich verschleppt und ermordet worden, und, wie Serge Klarsfeld aufgewiesen hat, ungezählte Franzosen – von Regierungsmitgliedern des Vichy-Regimes und hohen Verwaltungsbeamten bis zu einfachen Gendarmen – haben an der »Endlösung« mitgearbeitet[81]. Was versteckt sich alles in den »schwarzen Jahren« 1940-1945 zwischen Occupation und Libération hinter dem Vichy-Regime und der »Kollaboration«? »Orte und weiße Flecken im französischen Gedächtnis«: darüber schreibt Alfred Grosser ein ausführliches Kapitel[82]. Nein, auch Frankreich war – trotz der Ideale von 1789 – alles andere als judenfreundlich (selbst ein Dichter vom Rang Paul Claudels sah Frankreich unter Pétain befreit vom Joch der antikatholischen Partei – Professoren, Anwälte, Freimaurer und Juden!). Erst als Bischof Théas und die Kardinäle Saliège und Gerlier, obwohl aus Abneigung gegen die Republik auf der Seite Marschall Pétains, in Hirtenworten gegen die unmenschliche Behandlung der Juden protestierten, lehnte Vichy 1943 die Ausbürgerung aller seit 1927 naturalisierten Juden ab.

Und **Nordamerika**? Was haben die **Vereinigten Staaten** getan, wo man wie im Vatikan aus der Schweiz die ersten Nachrichten über die »Endlösung« erhalten hatte? »The Abandonment of the Jews«: Unter diesem Obertitel hat David S. Wyman seine Untersuchungen über »Amerika und den Holocaust« (1984) gestellt. Oder wie der Titel der deutschen Ausgabe heißt: »Das unerwünschte Volk« (1986)[83]. Zum Erschrecken vieler gelang es Wyman, überreich zu dokumentieren: In den Vereinigten Staaten (ähnlich wie in Canada) hatten in den 30er und 40er Jahren erstens politischer Opportunismus, zweitens allgemeine Einwanderungsfeindlichkeit und drittens ein traditioneller Antisemitismus die Medien (auch die New York Times), die Kirchen, Parteien und Gewerkschaften weitgehend gelähmt, aber auch den Kongreß, das State Department und vor allem den Präsidenten Franklin D. Roosevelt, der ohnehin allzu großer »Judenfreundlichkeit« verdächtig war (»Jew Deal« war die spöttische Umkehrung von Roosevelts programmatischem Wort »New Deal«).

Der katholische Theologe Ronald Modras hat vor kurzem darauf aufmerksam gemacht: Der in den 30er Jahren wohl einflußreichste Radioprediger der USA, der katholische Geistliche **Charles Coughlin**, der mit seinen Sonntag-Nachmittag-Ansprachen bisweilen 30 Millionen Hörer erreicht haben soll und darüber hinaus noch eine Wochenzeitschrift mit einer Auflage von rund 185 000 herausgab, agierte mit stillschweigender Duldung durch Episkopat und Vatikan als erklärter Antisemit, der Nazi-Märchen über jüdischen Einfluß in der Sowjetregierung auftischte und es 1938 fertigbrachte, sogar die »Reichskristallnacht« seinen Hörern als eine Verteidigungsaktion der Nazis gegen den jüdisch inspirierten Kommunismus zu rechtfertigen. Coughlin fand breite Unterstützung, da neueren Forschungen zufolge noch bis 1943 beinahe die Hälfte aller Amerikaner mehr oder weniger deutlich antisemitische Ansichten vertrat[84].

Vor dieser allgemeinen Stimmungslage ist es nicht so erstaunlich:

Nachrichten über den Holocaust wurden so auch in den USA eher ignoriert und unterdrückt – bis auch von hier alle Hilfe zu spät kam.
    Doch gab es damals überhaupt eine Alternative? Gewiß: »Hätte der
Präsident«, so Wyman, »beispielsweise auch nur bei einigen wenigen
Gelegenheiten ein paar klare Worte über den Völkermord in Europa
verloren, so wäre dieses Thema zumindest einmal in die Schlagzeilen
und in den Mittelpunkt des öffentlichen Interesses gerückt, was den
Forderungen nach Rettungsmaßnahmen eine größere Resonanz verliehen hätte.«[85] Der Verfasser hat dabei Rettungsmaßnahmen im Auge, die durchaus mit den alliierten Kriegsplänen vereinbar gewesen
wären. Mit alliierter Hilfe konnten immerhin problemlos Hunderttausende von nichtjüdischen Flüchtlingen aus Europa evakuiert werden. Für einen Großteil der europäischen Juden aber fehlte es zur selben Zeit an Transport- und Unterbringungsmöglichkeiten. Trotz
entsprechender Informationen wollte man selbst in jüdischen Hilfsor-
ganisationen Amerikas erst sehr spät, ja vielleicht zu spät das Ausmaß
der nationalsozialistischen Vernichtungsmaßnahmen wahrhaben, wie
dies das Beispiel des American Jewish Joint Distribution Committee
Yehuda Bauer zeigt[86]. Die »amerikanische Apathie«, so eine Untersuchung von Chaim Genizi, bezog sich aber nicht nur auf jüdische, sondern auch – trotz der bewundernswerten Arbeit einiger kleiner und fi-
nanzschwacher christlicher Hilfswerke – auf nicht-jüdische christliche
Flüchtlinge, die ungefähr 30 % der Gesamtzahl ausmachten[87]!
    Eine Geschichtswissenschaft, die nicht nur Geschichtspolitik ist,
vermag es allenthalben zu belegen: wie es **keine unschuldige Religion**
gibt, so gibt es auch **keine unschuldige Nation**! Doch – das Ziel unserer historischen Analyse ist nicht Beschuldigung, sondern Aufbar-
tung der Schuld. Die Frage: Welche positiven Folgerungen für die
Gegenwart sollen aus diesem wenig erfreulichen historischen Befund
über eine Vergangenheit, die nicht so leicht vergehen will, gezogen
werden? Historische Fragen erwiesen sich ja überall als politisch
höchst aktuell, und politisch-aktuelle Fragen als historisch bestimmt.
Historische wie politisch-aktuelle Fragen aber – auch das ist klar geworden – haben nur zu oft einen religiös-theologischen Hinter- und
Untergrund. Welche Grundhaltung ist hier religiös-theologisch gefordert?

10. Strategie des Schlußstrichs?

Wenn man zu echter Versöhnung und zu wahrem Frieden kommen soll, ist Umkehr und Einkehr gefordert, und dies – trotz des grundlegenden Unterschieds zwischen Tätern und Opfern – von beiden Seiten. **Michael Wolffsohn**, als jüdischer Staatsbürger Israels und Professor an einer deutschen Hochschule berechtigt, nach beiden Seiten deutlich zu reden, hat recht, wenn er in einer scharfsinnigen Analyse in bezug auf den Holocaust feststellt,

– daß sich individuelle und kollektive Schuld theoretisch-akademisch feinsäuberlich trennen lassen, politisch-praktisch aber kaum: Alle, ob alt oder jung, hoch oder niedrig, schuldig oder unschuldig, stehen in nicht völlig entflechtbarer nationaler Schuldverflochtenheit;

– daß die nationalsozialistische Vergangenheit Deutschlands »schon längst nicht mehr reine Geschichte« ist: »Sie wurde zum politischen Instrument«, zum »Instrument des Antigermanismus«, dessen sich Nichtdeutsche, ob Juden oder nicht, bei Bedarf bedienen;

– daß die »politische Mechanik« des Antigermanismus ähnlich abzulaufen droht wie die des Antijudaismus (beide für Wolffsohn eine Art »politischen Biologismus'«, der die Menschen einfachhin auf ihre Geburt behaftet): »Ähnlich wie die Juden rund zweitausend Jahre als Christusmörder gebrandmarkt wurden, bleibt der Holocaust, der Judenmord, für Jahrhunderte an den Deutschen haften. In beiden Fällen waren die jeweiligen Zeitgenossen nicht kollektiv schuldig; in beiden Fällen tragen die nachfolgenden Generationen überhaupt keine Schuld – weder individuell noch kollektiv; doch in beiden Fällen bleibt das Kainszeichen ein übernommenes Instrument und Argument gegen ihre Vorfahren, sie selbst und ihre Nachfahren. Die Nachwelt reagiert im Bereich der Politik wie der Pawlowsche Hund: In bezug auf die Juden hieß der bedingte Reflex ›Christusmörder‹, in bezug auf Deutschland heißt er – und das wird lange so bleiben – Auschwitz.«[88]

Aber, so frage ich mich, muß das wirklich lange so bleiben zwischen Deutschen und Juden? Und wäre es gut, wenn die Deutschen sich zur Entlastung immer mehr von der Vergangenheit abwendeten und die Juden sich – vielleicht zur Beschaffung ihrer eigenen Identität – immer mehr auf die Vergangenheit, den Holocaust, fixierten?

a) Wie oft hört man in Deutschland die Parole: **Vergessen, endlich vergessen!** Es muß doch endlich ein Schlußstrich unter die ganze Geschichte gezogen werden. Eine ständig wachsende Mehrheit deutscher Männer und Frauen leidet in der Tat darunter, daß sie, obwohl sie persönlich für die Verbrechen ihrer Vorfahren nicht verantwortlich sind, bei jeder Gelegenheit dafür international in oft höchst selbstgerechter Weise gebrandmarkt werden. Ich frage: Wäre hier nicht bisweilen mehr die vielgerühmte »com-prehension« oder »com-passion« angebracht? Martin Buber, in Israel zu wenig geschätzt und ernst genommen, hat dieses Verständnis und Mitleid gezeigt, als er 1953 in der Paulskirche zu Frankfurt den Friedenspreis des deutschen Buchhandels entgegennahm. Er sagte bei dieser Gelegenheit: »Wenn ich an das deutsche Volk der Tage von Auschwitz und Treblinka denke, sehe ich zunächst die sehr vielen, die wußten, daß das Ungeheure geschah und sich nicht auflehnten; aber mein der Schwäche des Menschen kundiges Herz weigert sich, meinen Nächsten deswegen zu verdammen, weil er es nicht über sich vermocht hat, Märtyrer zu werden.«[89]

Eines freilich dürfen Deutsche nicht erwarten: ein Vergessen der Schuld! Das wäre historische Verantwortungslosigkeit. Und wenn ein deutscher Bundeskanzler, weil in der Zeit des Grauens noch nicht mündig oder gar in einem Amt, in Jerusalem im Jahr 1984 in verharmlosender Weise (und vor dem Hintergrund eines Waffengeschäftes mit Saudi-Arabien) von der »Gnade der späten Geburt« redet, um sich als der politische Repräsentant der Nation aus der Gesamtverantwortung seines Volkes auszunehmen und ein eindeutiges öffentliches Schuldbekenntnis im Namen der Nation zu umgehen, dann begünstigt er jene politisch so gefährliche Mentalität der Verdrängung. So läßt sich die deutsche Politik nicht von der Geschichte abkoppeln, so lassen sich die deutsch-jüdisch-israelischen Beziehungen nicht »normalisieren«. Schuldbewußtsein ist ja nicht »Schuldbesessenheit«. Und wenn ein freiwilliges Schuldgeständnis verweigert wird, erfolgt um so schärfer die Anklage. Denn wer sich nicht selber erinnert, wird erinnert. Dabei hätte doch gerade ein »christlicher« Demokrat noch mehr Anlaß als andere Demokraten, der Schuldverflochtenheit der Generationen eingedenk zu bleiben, was weder mit einer mythologischen »Erb-Sünde« noch mit einer ideologischen »Kollektivschuld« etwas zu tun hat. Nein, statt »aus dem Schatten der eigenen Geschichte« (F. J. Strauß) heraustreten zu wollen, empfiehlt es sich theologisch und politisch, zur Geschichte des eigenen Volkes auch in der Gegenwart zu stehen, wie dies der deutsche Bundespräsident Richard von Weizsäcker, auch Christdemokrat, in einer Rede vierzig Jahre nach 1945 getan hat.

Wohin das Vergessen der Geschichte führen kann, zeigt der **Golfkrieg** des Jahres 1991 auf drastische Weise. Ungezählte Deutsche leiden darunter, daß das Ansehen des wiedervereinigten Deutschlands in der Welt und besonders in Israel ernsthaft beschädigt wurde durch skrupellose und durch die Regierungen geduldete Firmen und Geschäftemacher. Um ihrer Profite willen haben sie rücksichtslos gegen die Gesetze oder an den Gesetzen vorbei dazu beigetragen, für den Kriegstreiber Saddam Hussein einen bombensicheren Bunker zu bauen, Sowjetraketen auf längere Distanzen umzurüsten und Giftgas zu produzieren. Geschichtsblind und zynisch haben sie in Kauf genommen, daß diese furchtbaren Waffen auch gegen Israel eingesetzt werden könnten. Und dies nach dem millionenfachen Mord an den Juden! Nein, hier kommt man nur weiter, wenn man sich in Zukunft anders verhält, im Hinblick auf Waffenproduktion und -export.

Fragen für die Zukunft

† Der Holocaust ist auch in der Gegenwart Deutschlands wirksame Vergangenheit. Sollte deshalb für deutsche Politiker, Publizisten, Geschäftsleute, Wissenschaftler oder Kirchenleute nicht künftig gelten: Keine Strategie des Schlußstrichs? **Versöhnung nicht durch Vergessen**, Vertuschen, Verdrängen und »Normalisieren«? Wie indessen ist Versöhnung auf der Basis kritischen **Sicherinnerns** in die politische Praxis (des Staates, der Wirtschaft, der Wissenschaft und der Kirchen) umzusetzen?

b) Aber Gegenfrage: Heißt das nicht, die Schuld verewigen? Es muß die Schuld der Deutschen immer wieder neu in den wachsenden Baum der Geschichte eingekerbt und unsterblich gemacht werden, meinen manche Juden. Ihre Parole also lautet: **kein Vergeben, nie!** Ewig währt ihre Schuld ... Nun kennt freilich eine ständig wachsende Mehrheit jüdischer und auch israelischer Männer und Frauen (über 60 % der israelischen Staatsbürger sind bereits nach dem Krieg

geboren) das unendliche Leid des Holocausts nur noch aus der Erinnerung. Und manche Jüngere möchten auch in Jerusalem nicht ständig auf die Vergangenheit fixiert leben. So kann man die intensiven
weltweiten Bemühungen besonders der älteren Generation verstehen,
die Erinnerung an den Holocaust wachzuhalten. Solange Verbrechen
noch aufgeklärt und Schuld noch gesühnt werden kann, sollen Gerichte tätig werden. Ist doch der Antisemitismus keineswegs ausge-
storben und können sich Juden selbst im Staat Israel noch keineswegs
so sicher fühlen, daß – wie es der Yom-Kippur-Krieg 1973 und die
Raketen des irakischen Diktators Saddam Hussein 1991 gezeigt haben – ein neuer Holocaust völlig ausgeschlossen wäre. Nicht noch
einmal – dies bleibt ein jüdisches Trauma aus der Nazi-Zeit – sollen
Juden ohne Widerstand wie Schafe zur Schlachtbank geführt werden.

Eines freilich sollte man nun allerdings von jüdischer Seite ebenfalls
nicht anstreben: das Verewigen der Schuld! Durch Hegen und Pflegen von Schuldgefühlen läßt sich auf die Dauer keine Politik machen;
dies hatte Israels erster Ministerpräsident David Ben-Gurion schon
früh erkannt. Und wenn – ich erlaube mir auch hier in helvetischem
Freimut geradeheraus zu reden – ein israelischer Staatspräsident auf
dem Boden des früheren Konzentrationslagers Bergen-Belsen noch
im April 1987 als unfrohe Botschaft verkündet: »Kein Verzeihen habe
ich mit mir gebracht – und kein Vergessen«: dann möchte man dem
politischen Repräsentanten dieses Landes gewiß entschieden zustimmen, wenn er zur Begründung sagt: »den Lebenden ist nicht erlaubt
zu vergessen«, ihm aber ebenso entschieden widersprechen, und zwar
im Namen der Hebräischen Bibel widersprechen, wenn er behauptet:
»Nur die Toten haben das Recht zu verzeihen.« Man fragt sich: Steht
das denn wirklich so geschrieben? Und wie soll man sich denn eigentlich eine echte Versöhnung vorstellen, wenn sie nicht nur jegliches
Vergessen (richtig!), sondern – ich weiß, das ist ein heikler Punkt, auf
den wir zurückkommen müssen – auch jegliches Verzeihen ausschlies-
sen soll? Gerade weil von jeher gilt »facta infecta fieri nequeunt«, »Ge-
schehenes kann nicht ungeschehen gemacht werden«, scheint es doch
keine wirkliche Versöhnung und keinen wahren Frieden zu geben
ohne – Vergebung. Nein, statt einen Abgrund an Schuld diplomatisch
aus außen- und innenpolitischen Zweckerwägungen zu überspielen,
drängt sich politisch und theologisch auf: die Schuld vergeben!

Wohin es führt, wenn man gerade die Frage der Vergebung der

Schuld nicht ernsthaft diskutiert, zeigt wiederum der **Golfkrieg** auf erschreckende Weise. Das Verhältnis von Deutschen und Israelis wurde nicht nur durch die kriminellen Aktivitäten deutscher Firmen schwer belastet, sondern auch durch den **Antigermanismus**, der im israelischen »Volkszorn« und in den israelischen Medien ungehemmt durchbrechen konnte und der – nach bald einem halben Jahrhundert deutsch-israelischer Zusammenarbeit – die Wolffsohnsche These leider voll bestätigte, insofern er das heutige Deutschland verzeichnete und überzeichnete. Die nur zu berechtigten Klagen gegen die Machenschaften deutscher Firmen (vor allem im Zusammenhang mit Giftgasproduktion) drohten in der israelischen Öffentlichkeit weithin gegen »die Deutschen« generell durchzuschlagen. Kaum Klagen gab es dagegen über die Beteiligung anderer Staaten an der Aufrüstung des irakischen Diktators, kaum Klagen über Frankreich, das 880 Exocets-Raketen und 113 Mirage-Kampfbomber an den Irak geliefert hatte; über die UdSSR, die 2000 Scuds, 1000 T-72-Panzer und 64 Migs geliefert hatte; über Südafrika, das den Irak mit 200 Stück schwerer Artillerie bestückte; über See- und Land-Minen, die von Rußland, Taiwan und Italien geliefert wurden; über die Radaranlagen, die aus Brasilien, England und Frankreich stammen[90].

Dabei muß die Tatsache ins Auge springen, daß Deutschland in dieser Liste der Waffenlieferungen fehlt. Und doch gab es massiven und vielfach haßerfüllten Protest gegen dieses eine Land und die Insinuierung einer deutschen Kollektivschuld, so daß deutsche Politiker – anders als Adenauer, der die Sühne mit persönlicher Würde und politischer Festigkeit verkörperte – sich gedrängt sahen, in Scharen »Bußgänge« nach Jerusalem zu unternehmen und sich dort öffentliche Anklagen und Tiraden anzuhören, und dies sogar im israelischen Parlament, dessen Vorsitzender keinem Deutschen und auch nicht der deutschen Parlamentspräsidentin die Hand reichen wollte. Als Schweizer Staatsbürger frage ich mich: Ob hier in Israel nicht mehr durchgeschlagen ist als berechtigter Protest gegen skrupellose deutsche Profiteure? Ob auf diese Weise das politische Argument des Holocaust nicht verschlissen oder gar – im Blick auf die Palästinafrage – zum Bumerang werden kann? Ob das alles nicht mit der mangelnden Fähigkeit zu tun hat, über die Schuldfrage im Geiste der Versöhnung zu reden? Als Freund der deutsch-israelischen Verständigung frage ich mich, ob durch solche Holocaust-Fixierung und Holocaust-Reakti-

vierung der Verständigung zwischen Deutschen und Israelis ein
Dienst geleistet wurde. »Wer Auschwitz als Mittel zum politischen
Zweck mißbraucht, betreibt geistige Grabschändung«, stellt Michael
Wolffsohn fest, der sich als engagierter Anwalt der Versachlichung der
deutsch-jüdischen Beziehungen oft gegen deutsch-jüdische Glaubensgenossen verteidigen muß[91]. Nein, kein Verbrechen soll entschuldigt,
keine Aufklärung behindert, keine Bestrafung hintertrieben werden.
Selbstkritische Fragen sind am Platz, doch selbstkritische Fragen auf
beiden Seiten, in Deutschland und in Israel. Und diese Fragen haben
zu tun mit dem Problem von Versöhnung und Vergebung. Deshalb
ist auch diese Frage für die Zukunft unvermeidbar:

Fragen für die Zukunft

Der Holocaust kann in Israel jederzeit als außen- und innen-
politisches Argument und Instrument benutzt werden. Sollte
aber für jüdische Politiker, Publizisten, Geschäftsleute, Wissenschaftler oder Theologen nicht künftig gelten: Keine Strategie holo-
caustfixierter Geschichtspolitik? **Versöhnung nicht durch Verewigen**, Einschüchtern oder Erkaufen, **sondern durch Vergeben**? Wie aber soll ein Vergeben, das nicht zu verstehen ist als Verharmlosen oder Auslöschen der Vergangenheit, fruchtbar gemacht
werden für ein neues Verhältnis zur Vergangenheit im Blick auf
neue Möglichkeiten der Zukunft?

Doch diese Fragen sollen erst später theologisch vertieft werden. Abstrakt können sie ohnehin nicht adäquat behandelt werden, da sie
zahlreiche politische Vorausetzungen und Implikationen haben. Und
Hauptvoraussetzung ist die Frage des **Staates Israel**. Sie darf nicht, wie
in manchen kirchlichen Dokumenten, als angeblich nur politische
Frage einfach ausgeklammert werden. Komplexe religiöse und theologische Probleme sind hier involviert, so daß es nun an der Zeit ist,
daß wir uns dem Staat der Juden direkt zuwenden. Wir erzählen in
diesem zweiten Hauptteil zunächst die Geschichte seiner Entstehung
und seiner Selbstbehauptung in der Gegenwart, um dann im dritten
Hauptteil auf die Frage der Zukunft dieses Staates unter Einschluß
der religiös-theologischen Dimension einzugehen.

III. Die Rückkehr nach Israel

»An den Strömen Babylons,
da saßen wir und weinten,
wenn wir Zions gedachten«,

so beteten Juden schon in den Psalmen[1]. Weinen – wegen Zion, dem Berg, der schon damals Synonym für Jerusalem war? In der Tat, seit der Zerstörung des Ersten Tempels und dem Exil in Babylon gibt es eine jüdische Diaspora, gibt es aber auch in der jüdischen Tradition das Erleben der Verbannung vom »Lande Israel« (»Erez Israel«), gibt es die Sehnsucht nach Befreiung und das Heimweh nach **Zion**: das Heimweh nach Jerusalem, der Stadt Gottes. Erst seit dem 19. Jahrhundert jedoch hat sich die Sehnsucht der Rückkehr des jüdischen Volkes mit der nationalen Idee verbunden: zum Zionismus, der den Staat Israel aufgebaut hat.

Der Staat Israel steht heute – bald ein halbes Jahrhundert nach Holocaust und Staatsgründung – noch immer im Zentrum leidenschaftlicher Auseinandersetzung, der politischen zwischen Israelis und Arabern ebenso wie der religiösen zwischen Juden, Christen und Muslimen. Der schon fast fünfzigjährige Streit um den Staat Israel ist – der Golfkrieg hat dies erneut gezeigt – ein Hauptgrund für die Spannungen zwischen der westlichen und der arabischen Welt. Nach wie vor ist der Staat Israel deshalb eine politische **und** theologische Herausforderung ersten Ranges. Dies muß man erkannt haben, wenn man dem Frieden in diesem friedlosen Teil unserer Welt dienen will. Denn zu wirklichem Frieden wird es nur kommen, wenn nicht nur eine diplomatische Lösung gesucht, sondern eine tieferliegende politisch-ethisch-religiöse Verständigung angestrebt wird. Es darf doch nicht so bleiben, daß die Nahostregion geradezu ein Symbol ist für politischen Fanatismus, nationale Leidenschaften und religiöse Blockagen. In diesem Sinne – fern aller parteipolitischen Einmischung – mögen die folgenden Ausführungen des christlichen Theologen verstanden werden. Sie mögen der Verständigung und dem Frieden dienen.

1. Statt Assimilation Zionismus: Leon Pinsker

Zion ist ein altes, das Wort **Zionismus**[2] aber ein modernes Wort, gebraucht erst seit dem Ende des vergangenen Jahrhunderts, geprägt von Nathan Birnbaum in seiner Zeitschrift »Selbstemanzipation«, die später mit dem Untertitel »Organ der Zionisten« erschien. Zionismus wird dabei von Anfang an nicht praktisch-philanthropisch, sondern konkret parteipolitisch verstanden: Es ging um die Institutionalisierung einer national-politischen Zionistischen Partei zur Selbstbefreiung und staatlichen Selbstorganisation des jüdischen Volkes.

Der Staat Israel ist deshalb keineswegs, wie oft von Nichtjuden angenommen, das Ergebnis des Holocausts. Auch ohne Hitler hätte es einen Staat Israel gegeben! Seit Jahrhunderten erwarteten Juden, wie wir hörten, die Wiederherstellung des Reiches Israel. Nach dem Scheitern der pseudomessianischen Bewegung des Sabbataj Zwi im 17. Jahrhundert allerdings mit sehr passiver Grundeinstellung: Alles machte man vom peinlich genauen Halten der Gebote der Tora abhängig und erwartete so die Herstellung des Reiches vom mächtigen Eingreifen Gottes, »von oben« gewissermaßen durch das Kommen des Messias. Man kann dies die **eschatologisch-messianische** Zionserwartung nennen, die bis heute von bestimmten jüdisch-orthodoxen Gruppen selbst in Israel geteilt wird, die einen säkularen Staat Israel deshalb ablehnen.

Im Gegensatz zu dieser rein religiösen Zionserwartung ist der **Zionismus** eine **politisch-soziale** Bewegung, welche die Errichtung eines jüdischen Staates (ob in Palästina oder anderswo) »von unten«, also durch menschliche Aktivität und Aktion heraufführen will. Dabei fehlte freilich nicht die ideologische und emotionale Einfärbung durch den alten Messianismus. Dies gilt insbesondere für die beiden osteuropäischen Vorläufer des Zionismus, den Rabbiner **Juda Alkalay** und den Gelehrten **Zewi Hirsch Kalischer**, deren Ideen seit den 60er Jahren des vergangenen Jahrhunderts zur Auswirkung kamen.

Der politische Zionismus ist folglich nicht erst eine Reaktion auf den rassischen Antisemitismus. Er ist vielmehr zu sehen im Zusammenhang der jüdischen Aufklärung (Haskala) im 18. Jahrhundert, aber auch romantischer Volkstumsideen und dem Aufkommen des **Nationalismus** unter den europäischen Völkern im 19. Jahrhundert, ein Nationalismus, der sich im Judentum zunächst in der Erneuerung und Modernisierung des **Hebräischen** (= »Iwrit«) als Literatur- und Nationalsprache äußerte; ihr Wiederaufleben als allgemeine Umgangssprache auch in Schule und Familie verdankt sie vor allem **Eliëzer Ben Jehuda**, der, 1881 nach Palästina eingewandert, viele neue Worte und das erste neuhebräische Wörterbuch schuf, aber auch eine hebräische Zeitung und mit anderen das Hebräische Sprachkomitee gründete. Insofern ist der politisch-soziale Zionismus eine **typisch moderne Bewegung**, welche die **religiöse Verheißung zunehmend säkularisierte und politisierte**. Zu nennen ist hier vor allem der dritte große Vorläufer des Zionismus, der sozialistische Rabbiner **Moses Hess**, der in Paris auch den Trierer Juden Karl Marx inspirierte und der in seinen Auffassungen seinerseits vom größten jüdischen Historiker des 19. Jahrhunderts, Heinrich Graetz, beeinflußt war.

Erst seit den 1860er Jahren freilich begannen sich die Ideen dieser drei bedeutenden Zionisten auszuwirken, ohne daß es bis in die 70er Jahre hinein zu einem nennenswerten Exodus von Juden aus Europa nach Israel gekommen wäre. Erst nach den Judenverfolgungen in Rumänien, den Judenpogromen in Rußland nach der Ermordung des Zaren Alexander II. (1881) und dem wachsenden Antisemitismus in Deutschland und Österreich kam es seit 1882 zu größeren Auswanderungen auch nach Israel und zur Organisation einer Bewegung, die sich zunächst Hibbat-Zion, »Zionsliebe«, nannte, später aber in der zionistischen Bewegung aufging. Das Jahr 1882 markiert somit durch die Immigration von weithin orthodoxen »Zionsfreunden« den Beginn der **ersten »Alija« oder »Einwanderung«** in Israel[3].

Leidenschaftlichen und zugleich scharf analytischen Ausdruck aber gab den politischen Zion-Bewegungen ein russischer Jude und aufgeklärter Arzt mit Namen **Leon Pinsker** (1821-1891)[4]. Nach dem Pogrom von 1881 hatte er begonnen, die Durchführbarkeit der von ihm zuerst völlig bejahten Assimilation zu bezweifeln. In einem in deutscher Sprache geschriebenen Pamphlet über »**Autoemanzipation**«[5] legte er schließlich wortmächtig die gedanklichen Grundlagen des politisch-sozialen Zionismus dar. Pinskers **Diagnose**: Nicht die Not des jüdischen Individuums, sondern die Heimatlosigkeit des jüdischen Volkes ist das zentrale Problem: »Die Juden bilden im Schoße der Völker, unter denen sie leben, tatsächlich ein heterogenes Element, welches von keiner Nation assimiliert zu werden vermag, dem-

gemäß auch von keiner Nation gut vertragen werden kann.«[6] Der
Antisemitismus ist deshalb kein zeitlich und örtlich beschränktes Phänomen, sondern eine (durchaus verständliche) vererbte sozial-patho-
logische Erscheinung allüberall, die als Judäophobie angesichts einer
»Geisternation« diagnostiziert werden müsse. Überall sei das Judentum eben nur eine Minderheit: keine Nation, bloß Einzelne; bestenfalls Gäste, nie Gastgeber; nie ebenbürtig, ewig verachtet.

Und die **Therapie**? Sie kann Pinsker zufolge nicht durch bürgerliche und politische Gleichstellung, sondern nur durch »Selbstbefreiung«, nur durch eine **neue Heimat** kommen: nicht unbedingt das
»heilige«, sondern das »eigene« Land (zunächst dachte Pinsker mehr
an Amerika als an Palästina), wohin die Juden ihr »Heiligstes«, nämlich Gottesidee und Bibel, mitbrächten. Ein Land jedenfalls, wo Juden nicht mehr Fremde, sondern ihre eigenen Herren seien: »Das
rechte, das einzige Mittel wäre die Schaffung einer jüdischen Nationalität, eines Volkes auf eigenem Grund und Boden, die Autoemanzipation der Juden, ihre Gleichstellung als Nation unter Nationen
durch Erwerbung einer eigenen Heimat.«[7]

Auch die Zionisten verstanden den Unterschied zwischen Juden
und Nichtjuden also primär **ethnisch**; Judentum war für sie in erster
Linie nicht eine Religions-, sondern eine **Volksgemeinschaft**. Der
Zionismus aber zog daraus naturgemäß die umgekehrten Konsequenzen wie der Antisemitismus: Der Aufbau eines eigenen säkularen jüdischen Staates für das jüdische Volk sei unvermeidlich. Dieses Programm sollte jetzt auch praktisch realisiert werden. Und so gelang es
damals dem Odessaer Komitee des Palästinakolonisationsvereins unter Pinskers Leitung, rund 25 000 Juden ins Heilige Land zu bringen.
Dies mußte gegen das Verbot durch die Regierung des Osmanischen
Reiches geschehen, das im 19. Jahrhundert noch von Kleinasien bis
zum Balkan und von Ägypten bis nach Mesopotamien alles beherrschte und zu dem natürlich auch Palästina gehörte. Unter deutschen Juden freilich hatte Pinsker zu Lebzeiten keinerlei Erfolg. Erst
Jahrzehnte nach seinem Tod, 1934, wurden seine Gebeine nach Jerusalem überführt und dort auf dem Skopusberg feierlich beigesetzt.
Der entscheidende Impuls für einen Judenstaat indessen war von einem anderen ausgegangen, der gerade auch die deutschen Juden anzusprechen vermochte.

2. Ein Judenstaat: Theodor Herzl

Es ist unbestritten die Leistung des promovierten jüdischen Juristen und Wiener Publizisten **Theodor Herzl** (1860-1904)[8], daß sich der Zionismus als politische Kraft organisieren konnte. Ohne Kenntnis von Pinskers Schrift und Werk begründete er, der in seinem ganzen Auftreten die Ausstrahlung einer prophetischen Figur hatte, nun seinerseits die Forderung nach einem Staat der Juden: »**Der Judenstaat**«[9] – so hieß denn auch seine luzid argumentierende, ebenso programmatische wie pragmatische Broschüre von 1896. Eine visionäre Schrift, in der es Herzl nicht etwa um einen »jüdischen Staat«, sondern um einen »Staat von Juden« geht. Denn: nicht die jüdische Religion war für diesen Vordenker entscheidend, sondern das **jüdische Volk**. Mit seinem Slogan »Wir sind ein Volk – wir sind **ein** Volk!«[10] sprach er östliche Juden ebenso an wie westliche. Rückkehr nach »Erez Israel«, dem »Land Israel«, und zwar aus religiösen Gründen, war für Herzl zunächst keine Notwendigkeit. Entscheidend war für ihn die wachsende und durch keine Assimilation zu überwindende »Judennot«[11] und – als einzig sinnvolle Lösung – die Selbstorganisation des jüdischen Volkes in Form eines Staates, wo auch immer.

Um dies zu verstehen, muß man wissen, daß Herzl selber ein aufgeklärter, assimilierter Jude war, mit der typischen Distanz zu jüdischer Tradition, Kultur und Religion, ein Wiener Intellektueller, der etwa von der Erneuerung des Hebräischen für die Juden wenig hielt. Die Judenfrage war für ihn keine religiöse und keine soziale, sondern eine **nationale Frage**. In früher Zeit hat er sogar einmal darüber phantasiert, ob er nicht alle Juden Wiens zum Stephansdom zur Taufe führen solle, um so allem Antisemitismus ein für allemal den Boden zu entziehen.

Die Wende in Herzls Leben hatte dann mit zwei Faktoren zu tun: Zum einen mit dem Pariser Dreyfus-Prozeß und dem Geschrei des Pariser Pöbels »Tod den Juden« bei der öffentlichen Degradierung des jüdischen Hauptmanns Dreyfus, worüber Herzl, höchst persönlich betroffen, als Paris-Korrespondent einer liberalen Wiener Zeitung zu berichten hatte. Dieser Prozeß öffnete ihm die Augen für den trotz aller Aufklärung offenbar unausrottbaren Antisemitismus. Wenn selbst ein Land wie Frankreich, das ja als erstes europäisches Land die Menschenrechte gerade auch für die Juden proklamiert hatte, einen

solch schrecklichen Rückfall in Judenhaß erlebte! Der zweite Faktor
war der wachsende Antisemitismus in Wien, der 1897 – nach dreima-
liger Ablehnung durch Kaiser Franz Joseph I. – doch noch zur Wahl
des christlich-sozialen und opportunistisch-antisemitischen Volks-
tribuns Karl Lueger zum Wiener Oberbürgermeister führte, jenem
Volkstribun, der später Idol des jungen Adolf Hitler werden sollte.

Nein, wie Pinsker ist auch Herzl jetzt überzeugt, daß eine totale
Assimilation der Juden nicht realisierbar ist, weil keines der Gast-
länder sie wirklich wünsche. Vergebens all die großen Leistungen von
Juden nicht nur in Wirtschaft und Bankwesen, sondern auch in Literatur, Kunst und Kultur! Vielmehr gilt: Je stärker Juden sich eman-
zipieren, desto bedrohlicher und verhaßter erscheinen sie. Deshalb:
Wer sich nach wie vor als Fremder, nicht als Angehöriger des betreffenden europäischen »Wirtsvolkes«, sondern als Jude fühle, der ziehe
jetzt in das neue Land der Juden, ob dies nun in Palästina, in Argen-
tinien oder in einem anderen Territorium sei. Entscheidend ist: Das
»**Volk ohne Land**« **braucht** endlich ein »**Land ohne Volk**«!

Einen wohlorganisierten Exodus aus der Knechtschaft »Ägyptens«
stellt Herzl sich vor: zuerst die Armen, Entrechteten und Verfolgten,
dann die gelernten Arbeiter, dann der besitzende Mittelstand, schließlich die Reichen. So könnten alle in Gruppen – ihre Rabbiner voran –
nach Erwerbung von jüdischen Charterrechten auf das betreffende
Land in einen neuen Staat übersiedeln. Eine allmähliche, illegale Infiltration lehnte Herzl dabei ab. Staatsbildende Macht, als moralische
Person anerkannter juristischer Rechtsträger des wandernden Volkes,
würde die »Society of Jews« sein. Davon unterschieden als Erwerbs-
wesen und Träger der vermögensrechtlichen Gemeinschaft die »Jewish Company«. Helfen könnte eine Entwicklungsbank, und organisiert und überwacht werden sollte dies alles von einer Aufsichtskom-
mission. Religiöses Gefühl und Sehnsucht nach Heimat würden mithelfen. Doch dies eine war für den aufgeklärten Herzl ebenfalls klar:
Dieser Judenstaat sollte kein hierokratischer Gottesstaat, sondern ein
moderner, freiheitlicher und sozial gerechter Staat (mit 7-Stunden-
Tag!) sein, der Toleranz verpflichtet nach allen Seiten.

Theodor Herzl war nicht nur ein begeisternder Redner, brillanter
Feuilletonist, leidenschaftlicher Dramatiker und visionärer Roman-
cier, dessen zionistischer Zukunftsroman »Altneuland« 1902 die

Phantasie vieler Juden ebenso angeregt hatte wie seine Programmschrift »Der Judenstaat«. Er war auch ein begabter Organisator und ein auf dem internationalen Parkett sich rasch zurechtfindender Diplomat. So gelang es ihm, die zionistischen Bewegungen zu bündeln, ihnen eine organisatorische und programmatische Grundlage zu geben und ihre Einheit trotz riesiger Schwierigkeiten zu bewahren. 1897 – drei Jahre nach dem Dreyfus-Prozeß – kommt es in Basel/Schweiz zum ersten **Zionistischen Weltkongreß**, den Herzl leitet und der ein erstes Grundsatzprogramm der zionistischen Bewegung verabschiedet, das »Basler Programm«. Im Zentrum dieses Programms steht die »Schaffung einer öffentlich-rechtlich gesicherten Heimstätte für das jüdische Volk«, und zwar doch – hier mußte Herzl einlenken – »in Palästina«.

Auf dieser Basis kämpft nun Herzl als Präsident der Zionistischen Weltorganisation (WZO = World Zionist Organization) für seine Ideen – stets in Abgrenzungskämpfe nach rechts wie links verwickelt (sein Zentralorgan: »Die Welt«/Wien). Denn gegen eine Entpolitisierung des Zionismus durch den die politische Dimension vernachlässigenden Kultur-Zionismus eines Achad ha-Am, der die Idee eines kulturell-geistigen Zentrums vertritt, wehrt Herzl sich ebenso wie gegen eine religiöse Aufladung durch national-religiöse Orthodoxe, aber schließlich auch gegen eine einseitige Politisierung, die sich in der Errichtung einer sozialistischen Fraktion ausdrücken will. Herzls Bewegung stand von Anfang an also unter erheblichem Druck; er persönlich litt unter den starken Spannungen und Flügelkämpfen. Von russischen Juden wird ihm wegen seiner Befürwortung jüdischer Charterrechte in Britisch-Uganda – eine Ersatzlösung angesichts neuer Pogrome – sogar entrüstet Verrat am Land Israel vorgeworfen. Und in der Palästina-Frage selber kann er trotz Verhandlungen mit Kaiser Wilhelm II. und dem türkischen Sultan, mit Baron Edmond de Rothschild (der 1882 die Siedlung Sichron Jakob gegründet hatte) und anderen jüdischen Persönlichkeiten, mit dem Papst und der britischen Regierung keine konkreten Ergebnisse erzielen.

All diese Konflikte, Schmähungen und Enttäuschungen – sie zehren an den Kräften Herzls und sind mit die Ursache für die Erschöpfung und den raschen Tod des Vierundvierzigjährigen, der am 3. Juli 1904 stirbt, noch bevor er die Früchte seiner rastlosen Arbeit ernten kann. Aber, wie es so geht, nach Herzls Tod und einem riesigen Begräbnis in Wien ist allen klar: Dieser selbstlose Mann ist der eigentliche Vater des Judenstaates. Seine Gebeine werden denn auch schon kurz nach der Gründung des Staates Israel im August 1949 seinem Wunsch gemäß von Wien nach Jerusalem gebracht, wo sie auf dem Mount Herzl in einem Ehrenmal beigesetzt werden.

Herzls Todesjahr aber markiert faktisch – nach den Pogromen in Rußland und Polen – die **zweite Alija**. 1906 werden die erste hebräische Oberschule (in Jaffa) und Kunstakademie (in Jerusalem), 1909 der erste Kibbuz (in Deganja am See Genesaret)[12] und die erste moderne jüdische Stadt (Tel Aviv) gegründet, allerdings auch – dies war offensichtlich notwendig geworden – die erste jüdische Selbstverteidigungsbewegung Haschomer (»Der Wächter«).

3. Auf dem Weg zur Staatsgründung: Chaim Weizmann

Nur weil Herzl aus der schwachen zionistischen Bewegung eine starke internationale Organisation geschaffen hatte, kam es zu ihrer Anerkennung durch die britische Regierung, die schon 1914 dem Osmanischen Reich den Krieg erklärte und so direkt mit der Palästina-Frage konfrontiert werden sollte. Die wichtigste Figur in der zionistischen Bewegung der Zeit um den Ersten Weltkrieg wurde nun der in Pinsk geborene und in Berlin wie Freiburg/Schweiz ausgebildete **Dr. Chaim Weizmann** (1874-1952)[13]. Früh von Herzls Ideen begeistert, vertrat er jedoch einen »synthetischen Zionismus«, der die Ziele des politischen Zionismus mit der jüdischen Kultur vereinen wollte. Seit 1903 Professor für Biochemie in Manchester, leitete er 1916-19 die Munitionslaboratorien der britischen Admiralität. Er war es, der jetzt die entscheidenden Kontakte zum britischen Staatsmann James Arthur Balfour herstellen sollte. Schon 1916 hatte die britische Regierung mit der französischen ein geheimes Abkommen (Sykes-Picot-Abkommen) zur Teilung des Heiligen Landes getroffen, welches die Gebiete westlich des Jordans von den arabischen ausschloß. Als dann britische Truppen von Ägypten aus 1916/17 gegen Palästina vorrückten, war die britische Regierung selbstverständlich an einer jüdischen Unterstützung gegen die Türken höchst interessiert.

Das war die historische Chance, auf welche die Zionisten so lange gewartet hatten und die sie nun zu nutzen gedachten. 1917 erreichte

Weizmann von Lord Balfour, jetzt britischer Außenminister, die offiziöse Erklärung (und zwar in einem Brief an Lord Rothschild), daß »die Regierung Ihrer Majestät« die Errichtung einer »**nationalen Heimstätte**« (»national home«) für das jüdische Volk in Palästina mit Sympathie betrachte und sich nach besten Kräften bemühen werde, die Verwirklichung dieses Vorhabens zu erleichtern[14]: »A national home«! Das war ja die Forderung des ersten Zionistischen Weltkongresses gewesen. Endlich war sie in einem politisch relevanten Dokument bestätigt – und zwar von der damaligen Weltmacht England. Waren die Zionisten am Ziel?

Diese sogenannte »**Balfour-Declaration**« scheint eindeutig, und doch enthält sie einen Zusatz, den man nicht unterschlagen sollte. Denn in dieser Erklärung heißt es zugleich, daß »selbstverständlich nichts unternommen werden soll, was die bürgerlichen und religiösen Rechte existenter nichtjüdischer Gemeinschaften in Palästina oder die Rechte und den politischen Status, wie sie die Juden in irgendeinem anderen Land innehaben, präjudiziert«[15]. Und genau hier sollte der Konflikt sich zuspitzen: bei den »bürgerlichen und religiösen Rechten existenter nichtjüdischer Gemeinschaften in Palästina«! Denn nicht wenige der führenden Zionisten dachten von Anfang an nur an die eigenen Rechte, die der jüdischen Einwanderer, nicht aber an die der anderen, die Rechte der seit weit mehr als einem Jahrtausend ansässigen arabischen Bevölkerung.

Wenige Wochen nach der Balfour-Erklärung, am Chanukatag 1917, zieht General Allenby – die Brücke zwischen Jordanien und der Westbank erinnert mit ihrem Namen noch heute an ihn – an der Spitze der britischen Truppen in Jerusalem ein: Die 400 jährige osmanisch-islamische Herrschaft ist beendet. Präsident der auf Wunsch der englischen Regierung gebildeten Zionist Commission, welche in Jerusalem nun als Bindeglied zwischen englischer Regierung und jüdischer Bevölkerung dienen soll, wird niemand anderer als Chaim Weizmann. Schon 1918 gründet er die Hebräische Universität Jerusalem; 1925 wird sie auf dem Skopus-Berg eingeweiht. 1920-1931 und wieder 1935-1946 dient er als Präsident der Zionistischen Weltorganisation. Und wie wird es weitergehen?

Schon 1919 hatte die Zionistische Weltorganisation – die Balfour-Erklärung als ihre Magna Charta benützend – auf der Pariser Friedens-

konferenz eine Landkarte vorgelegt. In ihr umfaßte die »Heimstätte«
der Juden ganz Palästina, inklusive Transjordanien – also weit mehr
als die seit 1967 besetzten Gebiete eines »Groß-Israel«. Dies blieb, wie
der Altzionist und Historiker Simcha Flapan (1954-1981 Sekretär der
Mapai-Partei und Leiter des Referats für Arabische Angelegenheiten)
erst neuerdings herausgearbeitet hat[16], die mehr geheim als offen propagierte Zielvorstellung der maßgebenden zionistischen Führer, wobei man untereinander nur über die Methoden – ob mehr diplomatisch und evolutiv oder mehr gewaltsam-militärisch – im Streite lag.
1937 etwa hat der 20. Zionistische Kongreß mit Unterstützung aller
Fraktionen bestätigt, die Juden hätten ein unveräußerliches Recht, in
allen Teilen Palästinas zu siedeln – auf beiden Seiten des Jordans!

Um solche Rechte begründen zu können und Menschen unterschiedlicher Nation, Sprache, Kultur und wirtschaftlich-sozialer
Schicht aus aller Welt in diesem einen Land anzusiedeln, mußten
auch die in ihrer Mehrheit säkularistischen Zionisten auf Religion
und Bibel zurückgreifen: auf die alle Juden verbindende religiöse Tradition, auf die Erinnerung an die vor 2 000 Jahren verloren gegangene
staatliche Souveränität, auf die Grenzen des davidisch-salomonischen
Großreichs, als das alte Israel noch in Blüte stand. Und schon hier
zeichnet sich ab, daß im kommenden jüdischen Staat **verschiedene
Paradigmen** zur Geltung kommen und im Streite liegen würden:
nicht nur Elemente des aufgeklärt-modernen Paradigmas (P V: eine
parlamentarische Demokratie), sondern auch solche des davidischen
Reichsparadigmas (P II: das Reich Juda und das Nordreich vereint,
Jerusalem als Hauptstadt, die Grenzen so weit ausgedehnt wie möglich). Kleine religiöse Parteien und das Oberrabinat würden dafür sorgen, daß eine eigenständige religiöse Gerichtsbarkeit eingeführt (P III)
und daß zur Bestimmung des Judeseins und mancher Fragen des
Privat- und Familienrechts das mittelalterlich-rabbinische Paradigma
(P IV) zum Tragen kommen wird.

Noch war man freilich vom Ziel einer Staatsgründung weit entfernt.
Aber nach dem Ersten Weltkrieg war es zu einer **dritten Alija** gekommen, getragen vor allem von polnischen Einwanderern, die in der
Mehrzahl landwirtschaftliche Siedlungen gründeten. Innerhalb der
zionistischen Organisation, mittlerweile eine Massenbewegung, diskutierte man jetzt immer heftiger über Ziele und Wege des Zionis-

mus: über Strategie und Taktik, über die Wirtschaftspolitik, über die Gründung einer (vom Völkerbund gewünschten) Jewish Agency für Palästina, vor allem aber über die Haltung gegenüber der Mandatsmacht England. Denn 1920 wurde Palästina auf Beschluß des Völkerbunds **offizielles britisches Mandatsgebiet**, wobei das Ostjordanland (Transjordanien) als eigenes Gebiet abgetrennt und 1921 von den Briten dem Haschimiden-Emir Abdallah in Amman unterstellt wurde, der nach der Unabhängigkeit 1946 König von Jordanien werden sollte (Abdallas jüngerer Bruder Faisal wird von den Briten ebenfalls 1921 als König des Irak installiert; Sturz der Monarchie 1958).»In Anerkennung der geschichtlichen Verbundenheit des jüdischen Volkes mit Palästina« hatte der Völkerbund 1922 Großbritannien aufgefordert,»die jüdische Einwanderung und Ansiedlung im Land zu erleichtern«. Allen jüdischen Forderungen zum Trotz bleibt diese jedoch inTransjordanien durch Großbritannien verboten!

So begann 1924 die **vierte Alija**, wiederum aus Polen, jetzt aber vornehmlich in die Städte der Mittelmeerküste. Die verschiedenen ideologischen Flügel des Zionismus freilich (neben den religiös Orthodoxen zugleich zahllose jüdische Sozialisten und Kommunisten) waren nach wie vor nicht so ohne weiteres zu versöhnen. 1929 wurde schließlich in Zürich eine **Jewish Agency** gegründet – bestehend aus Zionisten und Nicht-Zionisten. Chaim Weizmann hatte in dieser Zeit eine konziliante Politik gegenüber England vertreten: Statt sich in militärischen Auseinandersetzungen zu verausgaben, sollten mit aller Energie ökonomische Positionen in Palästina aufgebaut werden, die zu Trümpfen würden für spätere politische Ansprüche. Und niemand kann bestreiten, daß die jüdische Neubesiedlung Palästinas zu einem höchst beachtlichen wirtschaftlichen Aufschwung in dem unter der osmanischen Herrschaft zuletzt weithin heruntergewirtschafteten, verarmten, verödeten und entwaldeten Land geführt hat. Hier zeigten Juden gegen alle weitverbreiteten Zerrbilder, was sie gerade in der ihnen so lange verwehrten Landwirtschaft zu leisten vermochten.

Schon lange hatte sich freilich gezeigt: Mit der Balfour-Erklärung war im Grunde eine **widersprüchliche Position** formuliert worden. Sie trug entscheidend mit dazu bei, daß Palästina zu einem der umkämpftesten Länder der Erde wurde. Denn das eine war den Kennern der Lage und auch führenden Zionisten von vornherein bekannt, was freilich von vielen, die im Geist des europäischen Nationalismus und

Kolonialismus auftraten, unterschätzt wurde: Palästina war eben gerade **nicht das »Land ohne Volk«**, in welches das »Volk ohne Land« so einfach einziehen konnte. Herzls nur zu verständliche große Vision schien gerade in Palästina nicht aufzugehen.

4. Kein Land ohne Volk: das Palästinenserproblem

Der Grund ist einfach: In dem relativ kleinen Land Palästina gab es bereits eine **beträchtliche einheimische Bevölkerung**, die zu 6/7 aus **Arabern** bestand[17]. Von den Siedlern aber wurde sie, wenn nicht einfach ignoriert, so mit Gleichgültigkeit, bestenfalls Gönnerhaftigkeit betrachtet, zunehmend aber in ihrer Würde und ihren Rechten mißachtet – als ob man allein das Anrecht auf ganz Palästina hätte.

Die Folge: Obwohl anfangs politisch kaum organisiert, begannen sich die palästinensischen Araber zunehmend gegen die jüdischen Einwanderungswellen zur Wehr zu setzen. Zu antijüdischen »Aufständen« kam es schon 1920 und 1929, und zwar keineswegs nur von arabischen »Extremisten«, sondern von seit Jahrhunderten eingesessenen Einwohnern Palästinas. Denn die Zahl der zionistischen Siedler nahm – hier ging Herzls Vision in Erfüllung – rasant zu: von nahezu 60 000 im Jahr 1919 auf das Zehnfache, rund 600 000, in den 40er Jahren[18]. Hauptmotivation der Einwanderung bildete dabei weniger die zionistische Vision als schlicht die Angst vor dem Antisemitismus – zuerst besonders in der Ukraine und in Polen, wo sich die größte jüdische Gemeinschaft außerhalb der Vereinigten Staaten befand und wo sie neben zahlreichen gesetzlichen Einschränkungen eigentliche Pogrome zu erdulden hatte, und dann natürlich in Nazideutschland und schließlich in ganz Europa. Wie aber mit diesem Problem in Palästina fertig werden?

Was die Araberfrage betraf, so bildeten sich innerhalb der zionistischen Bewegung **zwei Hauptfraktionen**, die sich gegenseitig heftig bekämpften und von zwei Persönlichkeiten verkörpert wurden:
– Da war auf der einen Seite **David Ben-Gurion** (1886-1973)[19], der, in Polen geboren, schon 1906, von Herzls Ideen bewegt, nach Palästina ausgewandert und dort zuerst als Landarbeiter tätig gewesen war. Bald einer der Führer der jüdischen Arbeiterbewegung, wurde er noch von den Türken ausgewiesen und avancierte dafür in den USA zum

Organisator der jüdischen Legion. 1918 nach Palästina zurückgekehrt, wurde er 1920 Mitbegründer und Generalsekretär der jüdischen Gewerkschaft Histradut, 1930 Gründer auch der Arbeiterpartei (Mapai). Ben-Gurion und die zionistischen Sozialisten (unterstützt
von Liberalen) waren in erster Linie am Aufbau einer sozialistischen
Gesellschaft in Palästina interessiert. Durch Einwanderung und Sied-
lungstätigkeit sollte möglichst ohne Konflikte, vielmehr in Kooperation mit den arabischen Arbeitern eine tragfähige jüdische Wirt-
schaftsstruktur und auf diese Weise Schritt um Schritt ein jüdischer
Staat aufgebaut werden, der nach Ben-Gurions Auffassung in fernerer
Zukunft durchaus auch das Ostjordanland umfassen sollte.
– Und da war auf der anderen Seite **Vladimir Jabotinsky** (1880-
1940)[20], in Odessa geborener Journalist, vielsprachiger und sprachge-
waltiger Redner und schon früh führender zionistischer Aktivist im
vorrevolutionären Rußland. Während des Ersten Weltkrieges wurde
er Gründer der jüdischen Legion, die mit den Alliierten für die Befreiung Palästinas gegen die Türken kämpfte. Vladimir Jabotinsky und
seine Revisionistische Partei zielten ganz direkt auf einen jüdischen
Staat in den biblischen Grenzen auf beiden Seiten des Jordans, der
ohne Waffengewalt nicht zu errichten sei. Es brauche eine kampfer-
probte jüdische Jugend aus Palästina und der ganzen Welt. Ein mit
militärischer Macht gesicherter souveräner Staat sei Voraussetzung für
eine massenhafte jüdische Einwanderung. Die Kraftprobe mit Briten
und Arabern sei deshalb unvermeidlich.

Schon 1920 organisierte der Rechtszionist Jabotinsky deshalb die
Hagana, jene jüdische Untergrundarmee, die sich aus der Jewish Legion und den Verteidigungsorganen der jüdischen Siedlungen in Palästina rekrutierte. Ostern 1920 wagte sie in Jerusalem die erste offene
Konfrontation mit den hocherregten arabischen Massen. Jabotinsky
wurde samt der Führung der Hagana von den Briten verhaftet, aber
wieder freigelassen. 1925 gründete er, jetzt in offenem Zwist mit dem
gemäßigten Weizmann, seine eigene aggressive New Zionist Organisation mit faschistischen und terroristischen Zügen, die auf »einen jüdischen Staat auf beiden Seiten des Jordans« und auf »soziale Gerechtigkeit ohne Klassenkampf« (gegen die Sozialisten ein »Revisionist
Zionism«) hinarbeitete. Die Araber Palästinas, meinte Jabotinsky,
könnten sich ja schließlich in anderen arabischen Ländern ansiedeln,
die Juden nicht.

Aber nicht nur er, auch Ben-Gurion, dessen gesamte Politik von Anfang an auf eine größtmögliche territoriale Ausdehnung der jüdischen
»Heimstatt« ausgerichtet war, rechnete mit sogenannten »Umsiedlungen« (»Transfers«) der »arabischen Bevölkerung«: Im Zeitalter
des Nationalismus, Imperialismus und Kolonialismus (von den Um-
siedlungsaktionen Stalins und Hitlers zu schweigen) waren sie als Mittel der Politik weithin akzeptiert; England und Frankreich hatten ja
gerade eben auch – entgegen der britischen Zusage an die Araber! –
den ganzen Nahen und Mittleren Osten mit zum Teil willkürlichen
Grenzen und »Einflußzonen« aufgeteilt, wobei ein Volk ohne Macht
und Lobby wie die muslimischen Kurden (ähnlich wie früher die
christlichen Armenier) keine Chance hatte.

Doch unmittelbar im Anschluß an die Gründung der Jewish Agency 1929 kam es in Palästina erneut zu größeren Unruhen unter den
Arabern und zu einem Massaker an Juden in Hebron. Schon längst
hatte so jener endlose Kreis von Gewalt und Gegengewalt begonnen,
der in den Jahren 1936-1939 einen ersten Höhepunkt erreichte und
der bis heute Israel und die Welt in Atem hält. Jabotinsky war seit
1937 Kommandeur der seit 1931 von der Hagana abgespaltenen terroristischen Untergrundbewegung Irgun Zwai Leumi (Etzel), dem
militärischen Arm der rechtsradikalen Revisionistischen Partei. Die
Irgun wollte durch geplante Provokationen und willkürliche Bom-
benattentate bewußt Haß und Feindschaft säen und versuchen, die
Araber mit jenen terroristischen Methoden und Praktiken zu bekämpfen, die dann dreißig Jahre später der Al-Fatah, der palästinensischen Terrororganisation unter der Leitung von Jasir Arafat, als Vorbild dienen sollten[21].

Schon damals wurde der arabische Widerstand von den Zionisten,
die allesamt konstant eine Politik der wirtschaftlichen, politischen
und später vor allem der militärischen »Faits accomplis« verfolgten,
weit unterschätzt. Natürlich waren die Araber in Palästina noch nicht
staatlich oder quasi-staatlich organisiert. Standen sie doch seit dem
16. Jahrhundert unter osmanischer, seit dem Ersten Weltkrieg unter
britischer Herrschaft und wurden die heutigen Grenzen doch erst, wie
wir hörten, nach dem Ersten Weltkrieg von England und Frankreich
festgelegt. An einen selbständigen Staat konnten diese palästinensischen Araber zunächst kaum denken. Und doch besaßen auch die
palästinensischen Araber durchaus ihre eigene Identität, die sie unter-

schied von den syrischen, ägyptischen oder mesopotamischen Arabern – von palästinensischen Juden nicht zu reden. Und gerade die seit den 80er Jahren des 19. Jahrhunderts immer zahlreicher einwandernden Zionisten provozierten einen wachsenden palästinensischen Nationalismus, ja, eine moderne palästinensische Nation[22]. Wann das palästinensische Volk, dem man von jüdischer Seite lange den Volkscharakter, die Nationalität, ja, oft sogar Namen und Existenz zu bestreiten versucht hat, auch das nationale Selbstbestimmungsrecht verlangen sollte, war nur eine Frage der Zeit[23].

Schon der Generalstreik im Mai 1936 sowie der darauffolgende dreijährige Aufstand (mit fast 3000 arabischen, 1200 jüdischen und 700 britischen Opfern) manifestierten ein stark gewachsenes Nationalbewußtsein der Palästinenser. Dabei zeigte sich freilich schon damals, daß die Palästinenser sich mit viel Leidenschaft, aber ohne viel Realitätssinn und Kooperationsbereitschaft auf die falsche Seite stellten: Weil sie im Westen niemand ernstnahm, arbeitete die palästinensische Nationalbewegung unter dem Mufti von Jerusalem, Amin el-Husseini, 1936 bis 1943 sogar mit Hitler-Deutschland zusammen, so wie sie ein halbes Jahrhundert später unter Jasir Arafat aus Frustration heraus mit Iraks Diktator Saddam Hussein zusammenarbeiten sollte.

Und die **britische Regierung?** Sie, die während des Ersten Weltkriegs Palästina den Arabern und den Juden versprochen hatte, manövrierte sich angesichts dieser Fronten immer mehr in eine **ausweglose Politik** hinein. Zugleich Förderung der neuen jüdischen Heimstätte und zugleich Verteidigung der Rechte der alteingesessenen arabischen Bevölkerung? Das konnte auf die Dauer nicht gutgehen. Was aber tun angesichts der seit den späten 30er Jahren immer mehr zunehmenden bewaffneten Konflikten zwischen Juden und Arabern? Was tun angesichts der illegalen Immigration so vieler europäischer Juden, die nach der nazistischen Machtergreifung 1933 eine **fünfte Alija** zur Folge hatte? Was tun angesichts der Tatsache, daß die Hagana den Kampf jetzt gleichzeitig gegen die Araber **und** die Briten führte?

Schon 1937 empfiehlt der Bericht der britischen Peel-Kommission die Teilung Westpalästinas in einen jüdischen und einen arabischen Staat, was von den Arabern jedoch strikt abgelehnt, von Ben-Gurion, dem Führer der Arbeiterpartei, der stärksten Kraft innerhalb des Zionismus, jedoch aus klugen taktischen Erwägungen (als Hebel nämlich

für die allmähliche Eroberung ganz Palästinas) akzeptiert wird. Doch
das eine scheint für die Briten klar: Die Errichtung eines jüdischen
Staates gegen den Willen der Araber kommt nicht in Frage (so noch
in einem Weißbuch 1939). Im Gegenteil: Die jüdische Immigration
soll jetzt endgültig auf die Zahl von 75 000 jährlich beschränkt werden, mit totaler Einstellung nach fünf Jahren.

   Der **Zweite Weltkrieg** (1939-1945) jedoch bringt auch diese Politik zum Scheitern. Denn jetzt sind die Briten erneut froh um jede Unterstützung durch die Juden, die sich in Palästina denn auch freiwillig
zur britischen Armee melden. So heben die Briten die Beschränkungen für den Erwerb von Grundbesitz in Palästina auf und übertragen
die Kontrolle über die jüdische Einwanderung der Jewish Agency.

   Trotzdem wird der Terror gegen die Briten weitergeführt, und zwar
vor allem durch jene Irgun Zwai Leumi, die jetzt – der mehr als alle
anderen Zionisten umstrittene Jabotinsky war 1940 in Amerika an einem Herzschlag plötzlich gestorben – unter der Führung des erst
1942 in Palästina eingewanderten jungen polnischen Rechtsanwaltes
Menachem Begin (geb. 1913)[24] steht, dessen erklärte Absicht es ist,
die Briten aus Palästina hinauszubomben. Die polnischen Juden, da
seit der wiedererlangten Unabhängigkeit ihrer Heimat zunehmend
drangsaliert, schienen offensichtlich eher bereit als andere, auch selber
gewalttätig zu werden. Vor allem Begins Irgun (zusammen mit der
LEHI) trägt die Verantwortung für terroristische Anschläge in den
arabischen Märkten von Jerusalem und Haifa, für die Ermordung des
britischen Nahost-Bevollmächtigten Lord Moyne (1944), für die teilweise Sprengung des von der britischen Regierung benutzten Hotels
King David in Jerusalem mit 91 Todesopfern (1946) sowie für die
überall auf der Welt mit Empörung zur Kenntnis genommene Ermordung (durch die LEHI) auch des UNO-Vermittlers Graf Folke Ber-
nadottes (1948), nachdem er einen neuen Teilungsplan vorgelegt hatte: terroristische Anschläge, die von der Jewish Agency (ihre Residenz
war 1948 von den Arabern gesprengt worden) und der Hagana offiziell stets verurteilt, aber faktisch toleriert wurden. Als zwischen 1944-
1948 rund 200 000 Holocaust-Überlebende auf geheimen Wegen
(»Illegale Einwanderung«, »Alija Beth«) nach Palästina gebracht und
darin von der Hagana und allen jüdischen Untergrundbewegungen
unterstützt wurden, trieben die zunehmenden Konflikte zwischen der
jüdischen und der arabischen Bevölkerung einer Entscheidung zu.

Einen wirklichen Gegenpol zu Begin, aber auch zu Ben-Gurion, stellte der 1933 aus Deutschland geflüchtete führende Zionist **Nahum Goldmann** (1895-1982) dar, der 1935-1940 als Vertreter der Jewish Agency beim Völkerbund in Genf und nachher in Amerika als »Staatsmann ohne Staat«[25] für die Gründung des Staates Israel wirkte. Aber im Unterschied zu Ben-Gurion und anderen führenden Zionisten setzte sich Goldmann, der auch zu den Mitbegründern der großartigen »Encyclopaedia Judaica« gehört, von allem Anfang an und dann besonders als Präsident des Jüdischen Weltkongresses (1949-1977) entschieden für eine Zusammenarbeit zwischen Juden und Arabern ein. Als unermüdlicher Förderer der jüdisch-arabischen Verständigung mußte der in und außerhalb der jüdischen Welt hochangesehene Mann in Konflikt geraten mit jenen israelischen Politikern zur Rechten und zur Linken, die offen oder geheim auf einen homogenen Judenstaat hinarbeiteten, der sich über die Gesamtheit oder jedenfalls den größten Teil Palästinas erstrecken sollte. Selbst ein Chaim Weizmann war nicht willens, den Palästinensern jene nationalen Rechte oder Ziele zuzuerkennen, die er als ganz selbstverständlich für die Juden beanspruchte. Man kann es nicht übersehen: Auf die Gründung des Staates Israel fiel von Anfang ein Schatten – ganz gegen Herzls und vieler anderer Zionisten Intentionen. Wie anders wäre doch manches verlaufen, wenn man mehr auf Nahum Goldmann (oder Martin Buber) gehört hätte.

5. Der Staat Israel: David Ben-Gurion

Das eine war sicher: Der Traum vieler Zionisten von einer Heimstätte hatte sich in Palästina nur halb erfüllt. Ein Land war zwar gefunden, sogar **das** Land der Juden schlechthin, aber Ruhe und Frieden für das jüdische Volk war auch jetzt noch nicht eingekehrt. Im Gegenteil. Das »jüdische Problem« war von Europa nach Palästina transferiert worden. Und dieses Problem sollte sich erst recht verschärfen, als der Zionismus, der schon in der Zwischenkriegszeit Gemeindeautonomie, weitgehende Selbstverwaltung und sogar ein Parlament, Israels »Knesset« (= »Versammlung«, Name und Zahl der 120 Abgeordneten übernommen von der »großen Versammlung« Esras und Nehemias), durchgesetzt hatte, schließlich doch – Weltkrieg und Holocaust hat-

ten nicht begründend, aber beschleunigend gewirkt – an sein Ziel
kam: die Gründung eines Staates.

Schon im Mai 1942 hatte sich **David Ben-Gurion**, Rivale des liberalen Weizmann, auf einer zionistischen Konferenz in New York mit
Hilfe militanter amerikanischer Zionisten gegen versöhnlichere Elemente durchgesetzt: Sein »Biltmore-Programm« (im Hotel Biltmore
vorgelegt) war faktisch auf einen **ganz Palästina umfassenden Staat**
ausgerichtet; weder eine Mitgestaltung der Araber noch irgendwelche
Grenzen wurden auch nur erwähnt. Denn: Nicht ein jüdischer Staat
in Palästina war das Ziel, sondern Palästina als jüdischer Staat.

Doch aufgrund der neuen Mächtekonstellation nach Ende des
Zweiten Weltkrieges und der jetzt zuständigen **Vereinigten Nationen**
kam es anders. Am 14. Mai 1948 sollte das britische Mandat enden.
Nahum Goldmann hatte sich schon vorher für eine Teilung und die
Schaffung eines lebensfähigen jüdischen Staates in einem angemessenen Teil Palästinas eingesetzt, und Chaim Weizmann legte den Entwurf eines Teilungsplanes vor, der noch stark verändert wurde. Eine
solide UNO-Mehrheit (USA und UdSSR!) beschließt schließlich am
29. November 1947, **Palästina aufzuteilen** in einen jüdischen und einen arabischen Staat – mit klar umschriebenen Grenzen, Wirtschaftsunion der beiden Staaten und Internationalisierung Jerusalems unter
UN-Verwaltung. Die Juden, die zu diesem Zeitpunkt 10 % des Bodens in Palästina besitzen, sollen 55 %, rund 15 000 qkm erhalten, die
mit 1,3 Millionen fast doppelt so zahlreiche arabische Bevölkerung
11 000 qkm. Die Araber – und zwar die Hauptmächte der arabischen
Liga (die Palästinenser waren damals noch ohne politische Vertretung
und Organisation) – lehnen diese Aufteilung ab. Ein geschichtlich
schwerwiegender Fehler, wie sich herausstellen sollte, denn die **Araber
verpaßten** auf diese Weise die **Gründung eines eigenen palästinensischen Staates**, den sie heute so sehr wünschen!

Mit ihrer Ablehnung freilich arbeiten die Araber faktisch Ben-Gurion, Chef nicht nur der Arbeiterpartei, sondern seit 1935 auch der
Jewish Agency und der zionistischen Exekutive in Palästina, in die
Hände, der im Geheimen stets nach einem ganz Palästina umfassenden jüdischen Staat strebte. Politisch klüger als die Araber stimmt
Ben-Gurion denn auch dem Teilungsplan trotz Bedenken zu und
schreitet entschlossen zur Staatsgründung: Am 15. Mai 1948 wird
vom Nationalrat der Juden der **Staat Israel proklamiert**. Daß David

Ben-Gurion, der dann erster Ministerpräsident und Verteidigungs-
minister Israels wurde (1948-1953 und 1955-1963), anders als der
Vertreter der Jewish Agency in Washington die von der UNO festgelegten Grenzen in der Unabhängigkeitserklärung zu erwähnen unter-
ließ, hat damals für einige Aufregung gesorgt.

Nun wissen wir freilich seit neuestem – seit der Veröffentlichung der
Kriegstagebücher Ben-Gurions (1982) und Tausender weiterer bis
dahin geheimgehaltener Dokumente rund um die Staatsgründung
durch das israelische Staatsarchiv – über Motivation und Intention
Ben-Gurions und führender Zionisten genauer Bescheid. Und wir haben es den Mühen des bereits genannten israelischen Historikers und
Publizisten **Simcha Flapan** (1911-1987) zu verdanken, daß das riesige Material mit Unterstützung amerikanischer Stiftungen und einem
großen Forscherteam an der Harvard-University genau untersucht
wurde. Flapan, der seit seinen polnischen Jugendjahren für den Sozialistischen Zionismus tätig war, über 40 Jahre in einem israelischen
Kibbuz lebte und fast 30 Jahre als Generalsekretär jener linken Ma-
pam-Partei amtete, die als einzige Fraktion im Zionismus das Selbstbestimmungsrecht der arabischen Palästinenser anerkannte und sich
mit anderen kleinen Gruppen für eine friedliche Zusammenarbeit
zwischen Juden und Arabern einsetzte, ist über allen Verdacht der Is-
raelfeindlichkeit erhaben. Und wenn ich hier, als europäischer christlicher Theologe, auf diese Forschungen gestützt, um der historischen
Wahrheit willen von der zwiespältigen Rolle bedeutender jüdischer
Persönlichkeiten bei der »Geburt Israels« sprechen muß, so will ich
keinen Moment die monströse Schuldgeschichte von Christen und
Europäern vergessen, die im Hintergrund dieser Geburt steht. Und
ich will keinen Schatten des Zweifels aufkommen lassen an der Existenzberechtigung dieses Staates Israel und seines Rechtes, in sicheren
und anerkannten Grenzen zu leben. Darauf werde ich im dritten
Hauptteil in aller Ausführlichkeit zu sprechen kommen. Und doch
steht dies alles nicht im Widerspruch zur Aufgabe einer Entmytholo-
gisierung dort, wo Mythen die Wahrheit zu verdrängen oder zu ver-
decken drohen.

   Hier genau hat Simcha Flapan angesetzt, und seine Ergebnisse bezüglich der Staatsgründung konnte er noch unmittelbar vor seinem
Tod in einem ersten Buch veröffentlichen. In der Einleitung bekennt

der Verfasser, wie die meisten Israelis habe auch er »immer unter dem
Einfluß bestimmter Mythen gestanden, die allgemein als historisch
verbürgte Wahrheiten galten«[26]. Und der erste von sieben Mythen,
auf denen die ganze »israelische Staatsmythologie« aufgebaut worden
sei, lautet: »Das Einverständnis der zionistischen Bewegung mit der
UN-Teilungsresolution vom 29. November 1947 stellte einen ein-
schneidenden Kompromiß dar, mit dem die palästinensischen Juden
ihre Vorstellung von einem sich über ganz Palästina erstreckenden jüdischen Staat aufgaben und den Anspruch der Palästinenser auf einen
eigenen Staat anerkannten. Israel war zu diesem Opfer bereit, weil es
die Voraussetzung dafür war, daß die Resolution in friedlicher Zusammenarbeit mit den Palästinensern verwirklicht werden konnte.«[27]
   Doch wie Flapans und seines Teams Nachforschungen ergeben haben, war dies »in Wirklichkeit nur ein taktisches Zugeständnis im
Rahmen einer unveränderten Gesamtstrategie. Diese Strategie zielte
darauf ab, zunächst einmal die Schaffung eines selbständigen Staates
der arabischen Palästinenser zu hintertreiben. Ein erster Schachzug in
diese Richtung war der Abschluß eines Geheimabkommens mit Abdallah von Transjordanien, der mit der Annektierung des für einen
Palästinenserstaat vorgesehenen Gebiets den ersten Schritt in Richtung auf sein erträumtes großsyrisches Reich zu tun glaubte. Des weiteren zielte diese Strategie auf die Ausweitung des von der UNO für
den jüdischen Staat ausgewiesenen Territoriums.«[28]
   War der **Krieg** zwischen Juden und Arabern deshalb wirklich **unvermeidlich?** Dies wird oft so dargestellt. Doch vor der Unabhängigkeitserklärung Israels hatten sich viele palästinensische Führer und
Gruppen durchaus um einen Modus vivendi bemüht. Und es war erst
Ben-Gurions Widerstand gegen einen Palästinenserstaat, der die Palästinenser auf die Seite jenes Mufti von Jerusalem trieb, der den Staat
Israel fanatisch bekämpfte und sich deswegen nicht scheute, auch
Kontakte zum Todfeind der Juden, Adolf Hitler, aufzunehmen. Ein
in letzter Minute vorgelegter amerikanischer Vermittlungsvorschlag
für einen dreimonatigen Waffenstillstand unter der Bedingung einer
zeitweiligen Verschiebung von Israels Unabhängigkeitserklärung wurde von den Arabern akzeptiert, aber von der provisorischen israelischen Regierung unter Ben-Gurion mit knapper Mehrheit (6:4) verworfen. Hat also, wie oft behauptet, Israel seine Hand immer zum
Friedensschluß ausgestreckt und gab es, da kein arabischer Führer Is-

raels Existenzrecht anerkannt hat, nie jemanden, mit dem man Friedensgespräche hätte führen können? »Im Gegenteil«, führt Flapan breit aus, »zwischen dem Ende des Zweiten Weltkriegs und 1952 wies Israel nacheinander etliche von arabischen Staaten und neutralen Vermittlern unterbreitete Vorschläge zurück, die zu einer Friedensregelung hätten führen können«[29]. Ben-Gurion also hatte den Dauerkonflikt mit der arabischen Welt bewußt in Kauf genommen, wußte er die USA und die westliche Welt doch auf seiner Seite – nicht zuletzt die 1949 neu gegründete Bundesrepublik Deutschland.

Nach der Staatsgründung ist dann die **politische Versöhnung mit Deutschland** Ben-Gurions größte staatsmännische Leistung. Mit dem Deutschland Adenauers suchte Ben-Gurion wirklich eine Verständigung – und dies so wenige Jahre nach dem Holocaust! Adenauer und Ben-Gurion waren beide Politiker von außerordentlichem Format, von hohem Macht- und Verantwortungsbewußtsein, aber auch höchst nüchternem Pragmatismus. Wiedergutmachungszahlungen, so war Ben-Gurion überzeugt, würden Israel wirtschaftlich und Deutschland moralisch helfen, und als Menachem Begin 1952, damals noch in der Opposition, jeden Deutschen und auch Adenauer öffentlich als Nazi und Mörder beschimpfte und mit Bürgerkrieg drohte, nannte Ben-Gurion die Ideologie solcher Wiedergutmachungsgegner faschistisch und drohte ihnen den Einsatz der Armee an. So gelang es ihm, mit der Bundesrepublik Deutschland 1952 ein Wiedergutmachungsabkommen (Luxembourger Abkommen, Israelvertrag) über 3,45 Milliarden DM bis 1965 (vor allem für die Ansiedlung und Wiedereingliederung jüdischer Flüchtlinge in Israel) abzuschließen; auch diplomatische Beziehungen wurden dann, 1965 unter Bundeskanzler Ludwig Erhard, aufgenommen.

Ben-Gurion vermochte schließlich, nach Abzug der britischen Truppen, die Existenz des Staates Israel in den ersten beiden entscheidenden Kriegen mit den Arabern zu sichern, und Entscheidendes hat er geleistet für den technologisch-wirtschaftlichen und wissenschaftlich-kulturellen Aufbau des Staates Israel sowie für die Eingliederung der riesigen Einwanderungsmassen aus aller Welt. Aber – den Frieden vermochte er seinem Staat nicht zu verschaffen. Im Gegenteil: Weil die ganze Politik dieses »bewaffneten Propheten« von vornherein auf größtmögliche territoriale Ausweitung des israelischen Staates und so ipso facto gegen einen Staat Palästina ausgerichtet war, legte er – zusammen mit den Unversöhnlichen auf der arabischen Seite – die Grundlage für einen Rüstungswettlauf, für stets neue Kriege, für die hohe Staatsverschuldung und einen wirtschaftlichen (manche Israelis sagen sogar: einen moralischen) Niedergang. Alle arabischen Anstrengungen richteten sich von 1948 an darauf, die Gründung des Staates Israel rückgängig zu machen und die Lage in Palästina zu ihren Gunsten mit Waffen zu entscheiden. Die Folge: Vom Tag der Gründung an befand sich der junge Staat mit seinen arabischen Nachbarn faktisch im Kriegszustand.

6. Fünf Kriege – und kein Frieden

Fünf blutige Kriege verschiedenen Charakters innerhalb der nächsten fünfundzwanzig Jahre sollten zwischen Arabern und Israelis ausgefochten werden[30]. Das Ergebnis vorweg: Aus dem um Unabhängigkeit kämpfenden Kleinstaat Israel wird eine weite arabische Gebiete besetzt haltende Militärmacht Groß-Israel, und aus dem eingeborenen palästinensischen Volk von rund fünf Millionen ein Volk von Flüchtlingen und Unterdrückten (im Westen freilich oft allesamt als »Extremisten« und »Terroristen« abqualifiziert).

1. Der **Unabhängigkeitskrieg**, der am Tag der Staatsgründung ausbricht, vom 15. Mai 1948 bis 24. Februar 1949 ausgefochten wird und in den Jordanien, Ägypten, Irak, Syrien und Libanon verwickelt sind: Er endet angesichts der Uneinigkeit des arabischen Lagers und der schlechten Qualitäten seiner Armeen mit dem Sieg Israels: Jerusalems Teilung bestätigt; Israels Gebiet jetzt erheblich größer als vom UN-Teilungsplan zugesprochen; ein Teil des Gebiets westlich des Jordans (»West Bank«) Jordanien zugestanden. Die dunklen Seiten des Sieges: aufgrund von Krieg, Angst und Einschüchterung (kaltblütig geplanter Überfall, Massaker und Erschießung der Frauen und Kinder des friedlichen palästinensischen Dorfes Dir Jassin durch Irgun und LEHI wirkte in ganz Palästina als Fanal) eine sich rasch ausbreitende Massenflucht, aber auch eine (zwar nicht geplante, aber von der israelischen Regierung durchaus tolerierte) Vertreibung von rund 850 000 Arabern aus ihren angestammten Gebieten in die angrenzen-

den arabischen Staaten. 360 arabische Dörfer und 14 Städte werden innerhalb des Staates Israel dem Erdboden gleichgemacht und so eine Rückkehr der arabischen Flüchtlinge verunmöglicht; deshalb die großen Flüchtlingslager und die Entstehung der palästinensischen Befreiungsbewegungen.

In den folgenden Jahren kommt es zu jüdischen Masseneinwanderungen, meist aus Afrika und Asien, so daß die jüdische Bevölkerung (1947 noch ungefähr 600 000) auf mehr als das Doppelte ansteigt. Eine bewundernswerte wirtschaftliche Kultivierung des Landes beginnt. Denn: Anders als die Araber haben die Israelis die wissenschaftlichen, technologischen und industriellen Möglichkeiten, die ihnen das moderne Paradigma bot, voll auszunützen gewußt.

2. Der **Sinai-Feldzug** vom 29. Oktober bis 8. November 1956: Nach arabischen Terroranschlägen und der Schließung der lebenswichtigen Seestraße von Tiran führt Israel – genau abgestimmt mit der verhängnisvollen französisch-britischen Militärintervention (Suezkrise!) – einen Präventivkrieg gegen das Ägypten Gamal Abd el-Nassers. Es kommt zur Besetzung des Gazastreifens und der Halbinsel Sinai. Von der UdSSR und den USA zum Waffenstillstand gezwungen, zieht Israel sich im Dezember 1956 – gegen die Garantie freier Schiffahrt im Golf von Akaba – vom Sinai und dann auch vom Gazastreifen zurück.

3. Der **Sechstage-Krieg** vom 5. bis 11. Juni 1967: Dem massiven Aufmarsch der Truppen Ägyptens, Syriens und Jordaniens kommt Israel erneut durch einen Präventivkrieg und die Zerstörung der ägyptischen Luftwaffe am Boden zuvor. In einem Dreifrontenkrieg wird der Ägypten unterstellte 38 km lange Gazastreifen besetzt sowie der Sinai, die syrischen Golanhöhen, aber auch das sogenannte West-Jordanien (»West Bank« ca. 115 km lang und 50 km breit) und vor allem das arabische Jerusalem!

Indirekte Folgen: Zum erstenmal kommt es jetzt – aus Angst zuerst vor einem neuen Holocaust und dann in stolzer Freude über den Sieg – zu einer weitgehenden Identifikation auch der nichtzionistischen Juden in aller Welt und vor allem in den USA mit dem Staat Israel. Verbunden ist damit eine massive wirtschaftlich-finanzielle Unterstützung, die zu einem verstärkten wirtschaftlichen Aufschwung führt, und noch wichtiger: zur Erneuerung des Bewußtseins, doch

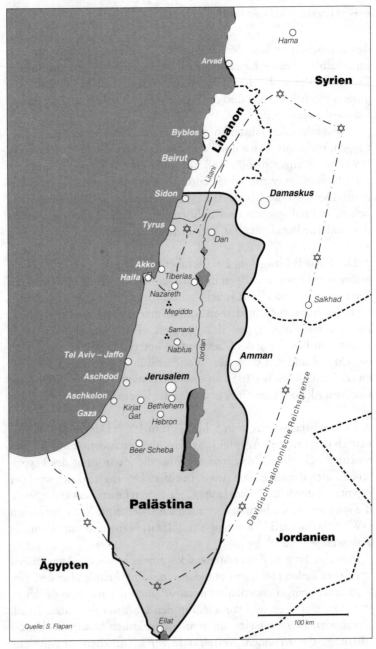

Palästina-Plan der Zionisten von 1919

Staat Israel heute mit besetzten Gebieten

nicht nur eine internationale religiöse Gemeinschaft, sondern wirklich ein Volk zu sein. Die **historische Chance** aber, aus einer Position der Stärke heraus (wie von vielen israelischen Intellektuellen und Politikern gewünscht) im Austausch gegen die besetzten Gebiete einen wirklichen **Frieden zu erreichen** und an der Errichtung eines friedlichen unabhängigen arabischen Staates Palästina mitzuarbeiten, wird nun **von Israel verpaßt**. Israel wird zur **Besatzungsmacht** und wird ab jetzt hauptverantwortlich für das Ausbleiben des Friedens im Nahen Osten.

4. Der **Jom-Kippur-Krieg** vom 6. bis 25. Oktober 1973, der mit einem Überraschungsangriff von Ägypten und Syrien, unterstützt von der Sowjetunion, begonnen wird. Ägypten am Suezkanal und Syrien auf den Golanhöhen tragen eine massive, zunächst erfolgreiche Offensive vor, die nur unter hohen israelischen Verlusten gestoppt werden kann. Nach mehr als zweiwöchigen erbitterten Kämpfen ein Waffenstillstand, dann später 1974 – unter Druck der USA – ein Truppenentflechtungsabkommen mit Ägypten und Syrien. Aber wiederum kommt es zu keinem Frieden.

Im Gegenteil: Die jüdischen Ansiedlungen in den besetzten Gebieten, vor allem von den religiösen Parteien gefordert, bilden seither eine ständige Streitfrage. Vor allem die Spannungen aufgrund der umstrittenen jüdischen Siedlungen in den besetzten Gebieten sind es, die 1976/77 zum Rücktritt der Arbeiter-Regierung und zu Neuwahlen führen: Zum erstenmal in der Geschichte Israels befindet sich nun die Vereinigte Arbeiterpartei (Mapai) in der Opposition. An die Regierung aber kommt die im Geiste des rechtsextremen Jabotinsky 1948 gegründete Cherut-Partei, beziehungsweise der rechtskonservative Likud-Block, alle unter dem früheren Terroristen und berüchtigten Irgun-Chef **Menachem Begin,** der jetzt als Ministerpräsident amtet und zu direkten Verhandlungen auffordert: der erste Ministerpräsident Israels – dies ist freilich nicht zu vergessen –, der vom Holocaust direkt betroffen war.

Da ergreift der ägyptische Präsident **Anwar el-Sadat** eine kühne Initiative: Im November 1977 besucht er für drei Tage Jerusalem – in der Hoffnung auf eine Rückgabe aller besetzten Gebiete um eines Friedens mit den Arabern willen. Doch gerade dies wird von Begin abgelehnt. Nur durch Einschaltung der Amerikaner kommt es – drei

Jahrzehnte nach der Staatsgründung am 17. September 1978 – zu einem **Abkommen** zwischen Ägypten, den Vereinigten Staaten und Israel unter Vermittlung des amerikanischen Präsidenten Jimmy Carter in Camp David: zum **Camp-David-Abkommen**. Am 26. März 1979 endlich schließt Israel mit Ägypten auf Druck Washingtons einen Friedensvertrag, der zum Rückzug Israels aus dem Sinai führt.

Weil aber die Hauptfrage, die **Palästinenserfrage**, nicht in die Lösung einbezogen wird, sabotieren alle übrigen Staaten nun nicht nur Israel, sondern auch Ägypten. Noch immer also kein Friede: Die militärische Lage im Nahen Osten bleibt unstabil; Israel erfüllt kaum eines der vertraglich zugesicherten Versprechen bezüglich der palästinensischen Autonomie; die Terroraktionen, jetzt der Palästinenser, gehen weiter, und nach einem palästinensischen Busüberfall bei Tel Aviv mit 45 Todesopfern besetzen die israelischen Streitkräfte den ganzen Südlibanon (15. März bis 13. Juni 1978).

5. Die **Libanon-Invasion**, die am 6. Juli 1982 erfolgt, verschleiernd als »Operation Frieden für Galiläa« bezeichnet: Es handelt sich eindeutig um einen **Angriffskrieg**, der bis hin zur libanesischen Hauptstadt Beirut vorangetrieben wird, gerichtet vor allem gegen die »terroristische« PLO, wobei »christliche« Milizen mit Deckung durch israelisches Militär die Welt aufschreckende Massaker in den Palästinenserlagern von Sabra und Schatila begehen können. Beabsichtigt ist die endgültige Liquidation der Palästinenser und die Errichtung eines christlichen Reststaates Libanon. Ministerpräsident M. Begin, durch die erste massenhafte Friedensdemonstration Israels zur Rechtfertigung seiner aggressiven Politik gezwungen, beruft sich – wie historische Untersuchungen unterdessen bewiesen haben: zu Recht – auf das Beispiel des ersten Ministerpräsidenten Israels, der durch eine Geheimpolitik angestrebt habe, was er, Begin, mit offenen Karten tue: »Er verwies auf den Plan Ben-Gurions, den Libanon durch die Errichtung eines christlichen Staates nördlich des Litani-Flusses zu teilen, auf dessen unermüdliche Bemühungen, die Bildung eines palästinensischen Staatswesens zu hintertreiben, und zuletzt auch darauf, daß die Israelis im Krieg von 1948 ganze arabische Dörfer und Kleinstädte innerhalb der Grenzen Israels dem Erdboden gleichgemacht und ihre Bewohner aus dem Land getrieben hätten – alles im Interesse des Aufbaus eines homogenen jüdischen Staates.«[31]

Doch durch Israels Eingreifen wird das Chaos in dem schon von
verschiedenen muslimischen und christlichen Fraktionen zerrissenen
Land erst recht perfekt. Die PLO muß zwar abziehen, ist aber unge-
schlagen. Die israelischen Truppen, ihrerseits in eine ausweglose
Situation geraten, müssen sich wieder zurückziehen: ein verlorener
Krieg. Menachem Begin wird jetzt durch Jizchak Schamir abgelöst.
Im Libanon hat freilich Syrien die besten Karten, und der fanatische
Christen-General Michel Aoun, von Amerikanern und Franzosen fal-
lengelassen, muß schließlich im Herbst 1990 kapitulieren. Syrien
kontrolliert seither den ganzen Libanon. Der Konflikt Israels mit den
palästinensischen Arabern aber und auch der Konflikt mit Syrien und
Jordanien schwelt weiter. Ja, die palästinensische Befreiungsbewegung, schon tot geglaubt, wird jetzt erst recht eine Volksbewegung ...

Mein Bericht über die Staatsgründung und die Folgen fiel aufgrund
neuester Forschung kritischer aus als ursprünglich angenommen und
niedergeschrieben; mit Bedauern stelle ich dies fest. Und wie wird die
Zukunft sein? Zu dieser Stunde (nach dem Golfkrieg im Juni 1991)
weiß dies niemand. Wir müssen in unserem dritten Hauptteil auf den
tragischen Konflikt zurückkommen, um dann auch Möglichkeiten
der Lösung zu sichten.

In weitergespannter Perspektive ist trotz der auch für viele Juden
enttäuschenden Entwicklung des Staates Israel grundsätzlich daran
festzuhalten: Für das Judentum, anders als für das Christentum, gehören nun einmal Glaube, Volk und Land zusammen; das Judesein ist
weder rein religiös noch rein ethnisch ausreichend definiert. Gewiß
hat das Judentum, wie wir ebenfalls sahen, auch die fast 2 000jährige
tempel- und staatslose Zeit als »Gelehrtenrepublik« mit intensivem
Gemeindeleben trotz aller Katastrophen erstaunlich gut überstanden.
Der **Staat Israel** aber – selbst wenn man ihn sowohl als ultraorthodoxer wie als linkspolitisch-säkularer Jude nach wie vor als ein Problem ansieht – **hat die Situation des Weltjudentums grundlegend
verändert**: Die Regierung Israels hat faktisch die zentrale Aufgabe der
Zionistischen Weltorganisation übernommen; für die zionistische Bewegung umgekehrt ist Zionist nur, wer den ernsthaften Willen oder
zumindest das Ideal hat, in den neuen Staat einzuwandern. Ja, in
Israel gibt es Zionisten, die der Meinung sind, wenn alle sechs Millionen Juden in den USA, die jetzt dem Wort Gottes nicht gehorchen,

morgen sich besännen und ins verheißene Land kämen, dann wäre der Tag der Erlösung gekommen. Gegenüber solchen zionistischen Übertreibungen einerseits und manchen christlichen Unterbietungen andererseits legen sich einige kritische grundsätzliche Fragen nahe (auf die direkt politischen werde ich im 3. Hauptteil eingehen):

Fragen für die Zukunft

Seit dem Holocaust ist ein jüdischer Staat als unausweichliche Notwendigkeit im **Judentum** weithin anerkannt. Kann jedoch Judesein nicht nach wie vor sowohl im Lande Israel selbst wie in der Diaspora sinnvoll gelebt werden? Die Großzahl der Juden in aller Welt lehnt eine Rückkehr nach Israel ab. Ist ein selbständiger Staat, der, wie sich in der Geschichte von 70 bis 1948 gezeigt hat, für das Judentum nicht unbedingt notwendig ist, religiös gesehen wirklich ein Ziel in sich selbst? Ein Staat des jüdischen Volkes gewiß, aber auch ein Staat der jüdischen Religion?

Müßten **Christen** nicht stärker als bisher begreifen, daß das Volk der Juden, wo immer zerstreut in der Welt, im Lande Israel nun einmal seine ethnischen Wurzeln hat? Auch völlig säkularisierte Juden empfinden sich immer noch von anderen Mitbürgern unterschieden. Bleibt das Judesein also, ob bejaht oder abgelehnt, nicht von der jüdischen Tradition her bestimmt? Ist der Staat Israel also nicht Mittel und Zeichen für das Weiterbestehen des Bundes Gottes mit seinem Volk?

Doch, werden manche von christlicher Seite einwerfen, läßt sich denn aus der Sicht christlicher Theologie so leichthin vom Weiterbestehen des Bundes sprechen? Darf denn verschwiegen werden, daß für Christen Jesus Christus einen **neuen Bund** gebracht hat, der den früheren Bund zum **alten Bund** werden ließ? In der Tat: Steht hier, auf dem Schnittpunkt zwischen Altem und Neuem, nicht die Gestalt des Juden Jesus von Nazaret, der für die Christen und nur für die Christen der Christus ist? Unbestreitbar ein riesiger Felsblock auf dem Weg zur jüdisch-christlichen Verständigung, für die Juden ein Stein des Anstoßes, für die Christen aber geradezu der Grundstein!

Nein, auch in politischer Hinsicht können wir der bis heute anhaltenden theologischen Auseinandersetzung um den Nazarener nicht ausweichen. Allzuoft hat man dies, von jüdischer wie christlicher Seite, im interreligiösen Gespräch getan, aus Angst oder Bequemlichkeit. Doch bin ich der Überzeugung, daß die Voraussetzungen heute für ein offenes und faires Gespräch günstiger sind als noch vor Jahrzehnten.

B. Der Streit zwischen Juden und Christen

I. Jesus im jüdisch-christlichen Dialog heute

Machen wir uns nichts vor: Es geht hier um die schwierigste, weil von schier unüberwindlichen Vorurteilen und Mißverständnissen belastete Frage zwischen Juden und Christen. Und wie schwierig es ist, unmißverständlich zu formulieren, macht gerade die grundsätzlich positive Erklärung der deutschen katholischen Bischöfe zum Verhältnis »der Kirche« zum Judentum von 1980[1] noch einmal deutlich. »Heute entdecken auch jüdische Autoren das ›Jude-Sein‹ Jesu«, heißt es gleich zu Beginn dieses Schreibens. Und »wer Jesus Christus begegnet, begegnet dem Judentum«[2]. Ob man hier nicht gerade hätte umgekehrt formulieren sollen? Denn in Wirklichkeit hatten doch die christlichen Kirchen begonnen, das »›Jude-Sein‹ Jesu« zu entdecken, das sie so lange (auch schon längst vor der Zeit des Nationalsozialismus) nicht wahrhaben und ernst nehmen wollten, weil sie nur an einem interessiert waren: »Wer Jesus Christus begegnet, begegnet dem Christentum.« Die Sachfragen sind kompliziert und können hier nicht alle behandelt werden[3]. Hier kommt es darauf an, in aller Kürze den gegenwärtigen Stand der Forschung nachzuzeichnen, und zwar im Gespräch vor allem mit jüdischen Autoren.

1. Das Jude-Sein Jesu und die jüdische Forschung

Im Jahr 1900 hatte **Adolf von Harnack**, der große Historiker und Synthetiker der liberalen Theologie, seine Vorlesungen über »Das Wesen des Christentums« veröffentlicht[4]. Ihm antwortete im Jahr darauf ein 27jähriger Rabbiner, der kurz vorher beim Philosophen

Wilhelm Dilthey in Berlin promoviert hatte und der eine führende
Gestalt des Judentums zwischen den beiden Weltkriegen werden sollte, **Leo Baeck** (1873-1956): »Die meisten Darsteller des Lebens Jesu
unterlassen es, darauf hinzuweisen, daß Jesus in jedem seiner Züge
durchaus ein echter jüdischer Charakter ist, daß ein Mann wie er nur
auf dem Boden des Judentums, nur dort und nirgend anders, erwachsen konnte. Jesus ist eine echt jüdische Persönlichkeit, all sein Streben
und Tun, sein Tragen und Fühlen, sein Sprechen und Schweigen, es
trägt den Stempel jüdischer Art, das Gepräge des jüdischen Idealismus, des Besten, was es im Judentum gab und gibt, aber nur im Judentum damals gab. Er war ein Jude unter Juden; aus keinem anderen
Volke hätte ein Mann wie er hervorgehen können und in keinem anderen Volke hätte ein Mann wie er wirken können.«[5] Konnte man das
bestreiten?

Aber Leo Baeck, der nach seinem »Wesen des Judentums« (1905)
und anderen Veröffentlichungen erstaunlicherweise noch 1938 sein
Jesus-Bild in der Schrift »Das Evangelium als Urkunde der jüdischen
Glaubensgeschichte« publizieren konnte, bevor im Jahr darauf die
Hochschule für die Wissenschaft des Judentums in Berlin, an der er
ein Vierteljahrhundert doziert hatte, von der Gestapo geschlossen und
er selber 1943 ins KZ Theresienstadt deportiert wurde, wo er nur
knapp überlebte, er, Leo Baeck, war wahrhaftig nicht der erste jüdische Gelehrte, der sich mit der Gestalt des Nazareners beschäftigt hatte. Mit dem Paradigmenwechsel zur Moderne war ja im Judentum
eine freiere Einstellung zur eigenen jüdischen Tradition möglich geworden. Und in dieser liberalen Atmosphäre entstand im 19. Jahrhundert auch eine moderne jüdische Theologie, die sich historisch-
kritisch nicht nur mit der Hebräischen Bibel, mit Mischna und Talmud auseinandersetzte, sondern auch mit dem Neuen Testament[6].

Es braucht nur am Rande bemerkt zu werden, daß Jesus von Nazaret für alle jüdischen Gelehrten selbstverständlich kein Mythos, sondern eine durchaus datierbare und lozierbare historische Gestalt ist:
eine ganz und gar konkrete Gestalt der jüdischen Geschichte am Beginn der »Common Era« (der christlichen Zeitrechnung), die mit den
Mitteln und Methoden der modernen Historie erforscht werden
kann. Im schon früher als anderswo emanzipierten französischen
Judentum war es der Geschichtsphilosoph **Joseph Salvador** gewesen,
der bereits 1838 mit einer zweibändigen wissenschaftlichen Mono-

graphie die moderne jüdische Jesusforschung initiiert hatte: »Jésus-Christ et sa doctrine« – eine historische Untersuchung, wie der Untertitel anzeigt: »Histoire de la naissance de l'eglise, de son organisation et de ses progrès pendant le premier siècle«[7].

Und im deutschen Sprachraum? Hier beschäftigte sich zuerst der Reformrabbiner und Religionsphilosoph **Samuel Hirsch** in seinem Buch »Das System der religiösen Anschauungen der Juden und sein Verhältnis zum Heidentum, Christentum und zur absoluten Philosophie« (1842) eingehend mit der Jesus-Gestalt[8]. Ihm folgte **Abraham Geiger**, für den die Erforschung der jüdischen Zeitgeschichte eine wesentliche Voraussetzung jeglichen Verstehens Jesu darstellt, mit seinem Buch »Das Judentum und seine Geschichte« (1864)[9], bis schließlich der uns bereits bekannte große jüdische Historiograph **Heinrich Graetz** in seiner elfbändigen »Geschichte der Juden« im dritten Band unter den Stichworten »Sinai und Golgatha« auch in Sachen Jesus und »Ursprung des Christentums« Maßstäbe setzte[10]. Das Neue an dieser Entwicklung? Das Neue war, daß alle jüdischen Gelehrten im **Jesus der Geschichte eine durchaus positive Figur** zu sehen bereit waren, allerdings auch eine, die sie nun – gegen die christlichen Kirchen – ganz und gar für das Judentum reklamierten. Warum? Habe der Jesus der Geschichte doch nichts gelehrt, was nicht auch ein Jude seiner Zeit hätte sagen können, ob er sich nun für den Messias gehalten habe (so Salvador und Geiger) oder nicht (so Hirsch und Graetz).

Diese Tendenz sollte sich im 20. Jahrhundert fortsetzen. 1922 – noch vor der Zeit des Nationalsozialismus – erschien das wohl berühmteste jüdische Jesus-Buch, geschrieben von **Joseph Klausner**, »Jesus von Nazaret, seine Zeit, sein Leben und seine Lehre«: das erste in hebräischer Sprache (in Jerusalem) geschriebene Jesus-Buch, das dann in zahlreiche andere Sprachen übersetzt wurde[11]. Für Klausner ist Jesus »jüdischer als die Juden«, und gerade durch sein »**übertriebenes** Judentum« dem »nationalen Judentum« gefährlich[12]. Und zu nennen sind auch die wichtigen Arbeiten von **Claude G. Montefiore**, dem führenden Vertreter des englischen Reformjudentums und universalistisch eingestellten Präsidenten der liberalen »World Union for Progressive Judaism«, der sich bereits 1909 in einem Buch auf die synoptischen Quellen der Jesus-Geschichte eingelassen hatte[13]. **Max Nordau**, der treue Mitarbeiter des Gründers der zionistischen Bewegung Theodor Herzl, dürfte die Stimmung vieler jüdischer Forscher

damals mit der eindrücklichen Formel eingefangen haben: »Jesus ist
die Seele unserer Seele, wie er das Fleisch unseres Fleisches ist. Wer
möchte ihn also ausscheiden aus dem jüdischen Volk?«[14]

Dann kam der Holocaust – und mit ihm ein Stillstand jüdischer Jesus-Forschung? Die erfreuliche Überraschung ist: Der Holocaust hat
die Jesus-Forschung zwar unterbrochen, aber nicht gestoppt. Und
nach der Gründung des Staates Israel hat das neue jüdische Selbstbewußtsein in wenigen Jahrzehnten so viele Veröffentlichungen über
Jesus von Nazaret hervorgebracht wie früher Jahrhunderte nicht: »Die
187 hebräischen Bücher, Forschungen, Gedichte, Schauspiele, Monographien, Dissertationen und Aufsätze, die in den letzten 27 Jahren
seit der Staatsgründung Israels über Jesus geschrieben wurden, rechtfertigen die Presseberichte über eine ›Jesus-Welle‹ in der heutigen
Literatur des Judenstaates«, kann deshalb der jüdische Theologe **Pinchas Lapide** schreiben[15]. Und in einem Dialog sagte mir derselbe Gelehrte über die von ihm untersuchten 29 Jesus-Bücher, daß sie alle »als
gemeinsamen Nenner eine Sympathie und eine Liebe für den Nazarener« hätten, »wie sie 18 Jahrhunderte lang unmöglich war«[16].

Freilich: »Liebe« – dieses Wort dürfte doch wohl übertrieben sein;
»Sympathie« trifft da schon eher zu, und alles das, was es einschließt
an Respekt, Achtung und Verständnis. In diesem Kontext zitiert nun
die genannte Erklärung der deutschen Bischofskonferenz zu Recht
schon am Anfang den großen jüdischen Denker **Martin Buber**, der in
seiner Schrift »Zwei Glaubensweisen« Jesus als seinen »großen Bruder« bezeichnet hat[17], dessen Botschaft urjüdisch gewesen sei, sowie
dessen Schüler **Schalom Ben-Chorin**, der die Bubersche Aussage wie
folgt verdeutlicht hatte: »Jesus ist für mich der ewige Bruder, nicht
nur der Menschenbruder, sondern mein jüdischer Bruder. Ich spüre
seine brüderliche Hand, die mich faßt, damit ich ihm nachfolge ...
Sein Glaube, sein bedingungsloser Glaube, das schlechthinnige Vertrauen auf Gott, den Vater, die Bereitschaft, sich ganz unter den Willen Gottes zu demütigen, das ist die Haltung, die uns in Jesus vorge-
lebt wird und die uns – Juden und Christen – verbinden kann.«[18]

Doch auch hier Vorsicht mit einem Zitat aus der bischöflichen Erklärung! Denn wie lauten die mit drei Punkten signalisierten ausge-
lassenen Sätze? Dahinter verbirgt sich Ben-Chorins entscheidende
Abgrenzung, und sie im Zitat eines kirchlichen Dokumentes auszu-
lassen, grenzt an intellektuelle Unredlichkeit: »Es ist nicht die Hand

des Messias, diese mit den Wundmalen gezeichnete Hand, es ist bestimmt keine göttliche, sondern eine menschliche Hand, in deren Linien das tiefste Leid eingegraben ist ... Der Glaube Jesu einigt uns, aber der Glaube an Jesus trennt uns.«[19] Mit anderen Worten: Für Ben-Chorin wie für Buber und viele andere jüdische Jesus-Interpreten ist Jesus ein vorbildlicher Jude – aber nur Jude; ein vorbildlicher Mensch – aber nur ein Mensch. Und was immer Christen hier einwenden mögen, entscheidend ist, daß diese jüdischen Jesus-Interpreten die Vorbehalte überwunden haben, die viele Juden nach wie vor gegen das Neue Testament empfinden, das ihnen in vielem ausgesprochen gegen »die Juden« geschrieben zu sein scheint.

2. Wie müßte der Dialog über Jesus einsetzen?

Eines muß im jüdisch-christlichen Dialog von vornherein klar sein: Nicht nur die **jüdischen Jesus-Forscher** des vergangenen, sondern auch die unseres Jahrhunderts **lehnen den Christus der späteren kirchlichen Dogmatik ab**: Jesus aus Nazaret, der Zimmermannssohn – die zweite Person der göttlichen Trinität? Unakzeptabel, sagen glaubende Juden, unakzeptabel gerade deshalb, weil der Nazarener ein Jude war. Die deutsche Bischofskonferenz bestätigt in ihrer Erklärung überraschenderweise diese Schwierigkeiten: »Der wesensgleiche Sohn Gottes«, lesen wir, erscheine »vielen« (besser müßte es heißen: allen) Juden »als etwas radikal Unjüdisches«, »etwas dem strengen Monotheismus, wie er besonders im ›Schema Israel‹ für den frommen Juden täglich zur Sprache kommt, absolut Widersprechendes, wenn nicht gar als Blasphemie«[20].

Wahrhaftig: Was hätte wohl der Jude Jesus zu all dem gesagt, der Jude Jesus, von dem der Satz überliefert ist: »Warum nennst du mich gut? Niemand ist gut außer Gott, dem Einen«[21]? Was hätte der Jude Jesus von solchen dogmatischen Formulierungen der griechisch-hellenistischen Christenheit über seine »Wesensgleichheit mit Gott« gehalten? Die jüdischen Gelehrten jedenfalls sind allesamt der Meinung, daß Jesus als Jude so etwas unmöglich hätte von sich sagen können. Und ist dies nicht vielleicht auch für Christen von Belang, nachdem sie sich für das Fundament ihres Christus-Glaubens auf den Juden Jesus von Nazaret berufen? Darauf aber wollte die Bischofserklärung offenbar nicht weiter eingehen. Im Gegenteil. Als wenn sie Angst vor den Folgen hätte, beendet sie jegliche weitere Diskussion mit einer für beide Seiten wenig tröstlichen Bemerkung: Für diesen »tiefsten Glaubensunterschied« zwischen Juden und Christen müsse »der Christ Verständnis haben, auch wenn er selbst in der Lehre von der Gottessohnwürde Jesu keinen Widerspruch zum Monotheismus sieht«[22].

Die Frage drängt sich auf: Wird auf diese Weise der **Dialog** über Jesus, der für die Christen der Christus ist, nicht abgebrochen, bevor er überhaupt angefangen hat? Jedenfalls wird an diesem entscheidenten Punkt kein Weg aus der Sackgasse aufgezeigt. Ob aber dieser Weg wirklich nicht zu finden ist? Schon Jahre vor dieser Erklärung hatte ich im Gespräch mit dem jüdischen Gelehrten Pinchas Lapide, der ebenfalls ein Schüler Martin Bubers ist, vorgeschlagen, den jüdisch-christlichen Dialog **nicht** »von oben«, sozusagen vom Himmel her, von der hohen Christologie der Konzilien, an denen im Gegensatz zu dem sogenannten »Apostelkonzil« in Jerusalem leider keine Judenchristen mehr teilnehmen konnten, zu beginnen, **sondern** »von unten«: daß man »von der Erde her, von den Menschen von damals her Jesus und seine Geschichte betrachtet und fragt: Was haben die Menschen eigentlich an ihm gesehen, wie haben die Jünger Jesu ihn überhaupt verstanden?«[23] Sind denn die jüdischen Jünger Jesu von einem bereits offenkundigen Messias oder gar himmlischen Gottessohn ausgegangen und nicht vielmehr von einem jüdischen Menschen? Diese Perspektive »von unten« würde es uns ermöglichen, »mit den Juden doch eine lange Strecke des Weges gemeinsam zu gehen, weil auch sie von sich aus fragen könnten: ›Wer war er denn eigentlich?‹«[24]

Die zugespitzte Antwort meines jüdischen Gesprächspartners lautete damals: »Wir können von unten theologisierend 33 Jahre lang zusammen gehen, die ganze Zeitspanne des irdischen Lebens Jesu, und das ist bei weitem nicht wenig. Was uns eigentlich trennt, sind die letzten 48 Stunden vom Nachmittag des ersten Karfreitags an. Das sind knappe zwei Tage, aber natürlich die ausschlaggebenden Tage, auf denen so gut wie die ganze Christologie beruht.«[25] Darüber wird nun freilich noch genauer und differenzierter zu reden sein. Im Buch »Christ sein« (1974) jedenfalls, das unserem Dialog (1976) zugrunde lag, habe ich den Konsens der christlichen historisch-kritischen Forschung in Sachen »Jesus der Geschichte« zusammenzufassen und systematisch zu analysieren versucht. Und es sei mir nun gestattet, diesen (bei allen notwendigen Korrekturen noch immer gültigen) Konsens[26] mit den Ergebnissen der heutigen jüdischen Jesus-Interpreten zu verbinden – zum Zwecke nicht nur eines hilflosen »Verständnisses« für die jüdischen Gesprächspartner, die solch hohe, begrifflich ausdifferenzierte Christologie leider nicht zu verstehen vermögen, sondern im Hinblick auf eine wachsende echte »Verständigung«.

In der Zwischenzeit hat der evangelische Leipziger Theologe **Werner Vogler** eine ebenso kenntnisreiche wie faire Bestandsaufnahme unter dem Titel »Jüdische Jesusinterpretationen in christlicher Sicht« (1988)[27] vorgenommen, die sich in ihrer Kritik auch zur Methode »von unten« bekennt und die bei der Sichtung der Position der einzelnen jüdischen Autoren sehr hilfreich ist. Zugleich können uns neuere Arbeiten christlicher Theologen und Judaisten, die in Diskussion mit jüdischen Fachgelehrten stehen, weiterhelfen. Soviel vorweg: Die Jesus-Forschung müßte in Zukunft noch stärker auf zwei Beine gestellt werden! Denn **jüdische Jesus-Interpreten** können wieder neu konkret sichtbar machen, was Jesus mit seinen jüdischen Volksgenossen von jeher verbindet. **Christliche Jesus-Interpreten** aber könnten helfen, das originär Jesuanische schärfer herauszuprofilieren. Und es könnte ja sein, daß dieser Jesus für beide Seiten, für Juden und für Nichtjuden, ein Fremder ist, der in der Begegnung durchaus für beide Seiten eine Herausforderung darstellt.

Dabei wird sich der christliche Theologe freilich immer bewußt bleiben, daß der jüdische Jesus-Interpret von einer völlig anderen Geschichte und Gemütslage an diese Gestalt herankommt. Keinen Moment darf der Christ all das Ungeheuerliche vergessen, das den Juden im Laufe der Zeit »im Namen Jesu Christi« angetan wurde und was es folglich für einen Juden bedeutet, sich dieser Gestalt ohne Antipathie und Ressentiments zuzuwenden, geschweige sie gar mit »Sympathie« zu erforschen. Es will mir nicht aus dem Kopf, was mir schon im Jahre 1968 bei einem Kongreß über die Evangelien am Pittsburgh Theological Seminary der leider allzu früh verstorbene Reform-Rabbiner und Professor am Hebrew Union College / Cincinatti, **Samuel Sandmel**, einer der bedeutendsten jüdischen Kenner des Neuen Testaments in Amerika, verriet: Noch sein Vater habe jedesmal ausgespuckt, wenn der Name Jesus gefallen sei. Man wird es von daher als ein kleines Wunder bezeichnen dürfen, wenn später der Sohn sich öffentlich um »A Jewish Understanding of the New Testament«[28] bemühte ...

Doch was können wir von Jesus von Nazaret wissen, nachdem die neutestamentlichen Schriften ja auch jüdischen Gelehrten zufolge die einzigen sind, die uns über den Nazarener authentisch Auskunft geben können?

3. Was können wir von Jesus wissen?

Diese **neutestamentlichen Schriften** sind in der Tat keine uninteressierten Dokumentarberichte und erst recht keine neutrale wissenschaftliche Geschichtsschreibung, sie sind vielmehr **engagierte Glaubenszeugnisse**, die bereits zum Glauben an diesen Jesus aufrufen. An einer eigentlichen Chronologie, Topologie, gar Psychologie des Lebens Jesu sind sie nicht interessiert. Ja, ein »Leben Jesu« im neuzeitlichen Sinn wollen sie gerade nicht bieten: Nur zwei der vier Evangelien enthalten Geschichten von der Kindheit Jesu, und alle vier enthalten nichts weiteres über die Zeit bis zum 30. Lebensjahr Jesu. Erst mit der Verkündigung des 30jährigen setzen sie bekanntlich ein.

Aber heißt dies nun, daß sie als historische Quellen für das, was der irdische, geschichtliche jüdische Jesus selber gesagt, getan und erlitten hat, gar nicht in Frage kommen? Gegen das, was Karl Barth, Rudolf Bultmann und Paul Tillich, aber auf jüdischer Seite auch Samuel Sandmel und andere jüdische Gelehrte in der ersten Jahrhunderthälfte, oft mit falscher Berufung auf Albert Schweitzers »Geschichte der Leben-Jesu-Forschung«[29] und aufgrund dogmatischer Vorurteile, behauptet haben, hat sich gezeigt: Es ist durchaus möglich, auch sinnvoll, ja notwendig, hinter die Glaubenszeugnisse auf den Jesus der Geschichte zurückzufragen. Denn wenn diese auch nicht einfach Berichte sind, so enthalten sie doch Berichte und **gründen in Berichten vom wirklichen Jesus**. Mit anderen Worten: Die Geschichten von Jesus selbst lassen nach seiner wirklichen Geschichte fragen.

Gegen eine immer noch allzu verbreitete historische Skepsis sei gesagt: In der langen und oft stürmischen Geschichte der modernen Exegese hat sich die Jesus-Überlieferung als historisch relativ zuverlässig erwiesen. Und zwischen der oberflächlichen Leichtgläubigkeit des unkritischen und der radikalen Skepsis des hyperkritischen Lesers läßt nur eine möglichst umfassend angewandte historisch-kritische Methode den richtigen Weg finden. Geht es doch **nicht** darum, eine kontinuierlich sich entwickelnde **Biographie** zu eruieren, wohl **aber** das wirklich mit Jesus Geschehene: die **charakteristischen Grundzüge und Umrisse von Jesu Verkündigung, Verhalten und Geschick.**

Davon sind denn faktisch auch immer die dogmatischen Quellen-Skeptiker christlicher oder jüdischer Provenienz ausgegangen, soweit, daß selbst Rudolf Bultmann ein äußerst dichtes, inhaltsreiches Jesus-Buch (1926)[30] hatte schreiben können. Auch Samuel Sandmel wollte zumindest »gewisse reine Fakten« als »historisch unbezweifelbar« festhalten: »Jesus, der die öffentliche Aufmerksamkeit in Galiläa unter der Herrschaft von Herodes Antipas als Tetrarchen auf sich zog, war eine wirkliche Persönlichkeit, der Anführer einer Bewegung. Er hatte Anhänger, die Jünger genannt wurden. Der Anspruch wurde erhoben, entweder durch ihn oder für ihn, daß er der langerwartete jüdische Messias sei. Er begab sich von Galiläa nach Jerusalem, vermutlich um das Jahr 29 oder 30, und dort wurde er hingerichtet, gekreuzigt von den Römern als ein politischer Rebell. Nach seinem Tod glaubten seine Jünger, daß er von den Toten auferweckt und zum Himmel aufgefahren sei, daß er aber zu gegebener Zeit zur Erde zurückkehren werde, für das letzte göttliche Gericht über die Menschheit.«[31]

Die meisten jüdischen Jesus-Forscher meinen nun freilich bezüglich der charakteristischen Grundzüge und Umrisse von Jesu Verkündigung, Verhalten und Geschick erheblich mehr sagen zu können, und dies zuallermeist in Übereinstimmung mit den maßgeblichen christlichen Exegeten. Ein breiter **jüdisch-christlicher Konsens** steht hinter folgenden historischen Ergebnissen[32]:

– daß Jesus aus Nazaret in Galiläa stammte,
– daß er als Sohn des Zimmermanns Joseph und der Mirjam geboren wurde,
– daß er im Kreis von mehreren Brüdern und Schwestern aufwuchs,
– daß er sich vom asketischen Bußprediger Johannes die (wie immer zu verstehende) Taufe geben ließ,
– daß er sich erst jetzt zur öffentlichen Wirksamkeit berufen sah und die Jesus-Bewegung (mehr oder weniger unmittelbar) aus der Täuferbewegung hervorgegangen ist,
– daß er als Wanderprediger die Nähe des endzeitlichen Gottesreiches angesagt und sein Volk zur Umkehr aufgerufen hat,
– daß er dabei auch zahlreiche Heilungswunder, besonders auch an psychisch Kranken, wirkte,

– daß er, in Distanz zur eigenen Familie, zu Mutter und Geschwistern, eine Jüngergruppe um sich sammelte,
– daß er vor allem bei den »Armen« aller Art, den Deklassierten, den Verfemten, den Kranken und besonders den Frauen, Gehör fand,
– daß er sich schon in Galiläa in einen sich verschärfenden Konflikt mit den jüdischen Autoritäten verwickelt sah,
– daß er so beim Volk immer weniger Anklang fand,
– daß er dann besonders bei der Verkündigung in Jerusalem einen augenscheinlichen Mißerfolg und schließlich einen gewaltsamen Tod erfuhr.

Die meisten christlichen Exegeten zeigen sich etwas zurückhaltender bezüglich wunderbarer Erscheinungen (z. B. die Historizität der Himmelsstimme bei der Taufe oder bei Naturwundern[33]) und bezüglich eines Messiasbewußtseins Jesu[34]. Wie immer: »Nie seit Reimarus«, so meint der Exeget James H. Charlesworth aus amerikanischem Blickwinkel für die 80er Jahre feststellen zu dürfen, »haben so viele Gelehrte so viele bemerkenswerte Bücher über den historischen Jesus veröffentlicht«[35], und hebt unter über 30 wissenschaftlichen Werken hervor auf christlicher Seite F. F. Bruce[36] und E. P. Sanders[37] und auf jüdischer Seite G. Cornfeld[38], D. Flusser[39], G. Vermes[40].

4. Das Christentum eine jüdische – eine eigene Religion

In der **Exegese** ist eine – begrüßenswerte, aber in ihren Übertreibungen auch zu kritisierende – Tendenzwende unübersehbar. Konnte man früher in exegetischer Schwarz-Weiß-Malerei nicht genug tun, um Jesus von Nazaret auf Kosten der Pharisäer zum Leuchten zu bringen, so macht sich jetzt auch bei einzelnen christlichen Exegeten die umgekehrte Tendenz bemerkbar, Jesus und das Judentum so Grau in Grau zu malen, daß man Jesu Eigenprofil nur noch schwer erkennen und auch gar nicht mehr verstehen kann, warum es zu einer vom Judentum verschiedenen Religion kam, die sich von Anfang an gerade auf seinen und keinen anderen Namen zurückführt.

Fragen drängen sich auf: Kann man Jesu ganze Auseinandersetzung um das Gesetz auf die (so erfinderische?) Urgemeinde schieben und Jesus selber zum harmlos-liberalen (und unoriginellen) Pharisäer machen, der dann natürlich auch heute weder für Christen noch für Juden etwas Entscheidendes zu sagen hätte? Kann man Jesu Streit mit den Schriftgelehrten um Sabbat, Reinheits- und Speisegebote, wie er schon im frühesten Evangelium des Markus berichtet wird, einfach eskamotieren, und kann man die Bergpredigt und ihre Antithesen mit Hilfe exegetischer Vivisektion und Parallelen als im wesentlichen gemeinjüdisch aufweisen? Nein, solche Hermeneutik liefert sich der subjektiven Willkür aus und führt denn auch zu völlig widersprüchlichen Resultaten. Der jüdisch-christliche Gegensatz reduzierte sich so auf ein großes, zweitausendjähriges Mißverständnis und der jüdisch-christliche Dialog auf ein Schattenboxen. Weder Juden noch Christen ist mit Illusionen geholfen. Doch manche christliche Exegeten – und deutsche besonders – scheinen Angst zu haben, Kritik zu üben an planmäßiger exegetischer Nivellierung[41], weil sie so leicht des Antisemitismus angeklagt werden könnten[42]; wird doch der Holocaust nicht nur als politisches, sondern bisweilen auch als theologisches Argument instrumentalisiert[43].

Ich werde mich im folgenden darum bemühen, jeglicher übertriebenen Entgegensetzung von Jesus und Pharisäertum entgegenzutreten, ohne aber die Konflikte, die nach den biblischen Quellen allesamt zu Jesu Verhaftung und Tod geführt haben, zu ignorieren oder zu verniedlichen[44]. Denn es ist beides zu erklären: Kontinuität und Diskontinuität! Einerseits wurzelt das Christentum ganz im Judentum (David Flusser: »Das Christentum – eine jüdische Religion«[45]), andererseits ist das Christentum doch eine andere Religion als das Judentum: das Christentum – eine eigene, sich auf Christus berufende und in diesem Sinn christliche Religion[46].

Hier ist zu bedenken: Die Jesus-Bewegung hätte eine Reformbewegung im Judentum sein können – und ist doch eine eigene Weltreligion geworden. Warum? Wir werden sehen: Der Apostel Paulus allein erklärt das nicht. Ohne Jesus, den Christus, von dem sich Saulus »gesandt« sah, kein Paulus. Joseph Klausner behält recht gegen »terribles simplificateurs« unserer Tage: »Ex nihilo nihil fit (aus nichts wird nichts): Enthielte die Lehre Jesu nicht auch einen Gegensatz zum Judentum, so wäre es Paulus unmöglich gewesen, in ihrem Namen die Zeremonialgesetze abzuschaffen und die Schranken des nationalen Judentums zu durchbrechen. Paulus fand zweifellos bei Jesus manchen Anhaltspunkt für seine Tendenzen. Bei der Darstellung seines Lebens begegneten wir schon manchen Gegensätzen zwischen seiner

Lehre und dem Pharisäertum, das ja das biblische und traditionelle Judentum verkörpert.«[47]

Anders als in der Exegese präsentiert sich die Lage in der **christlichen Dogmatik**, wo noch immer eine von ihren jüdischen Wurzeln weit entfernte, ganz auf den hellenistischen Konzilien der alten Kirche aufbauende Trinitätslehre und Christologie dominiert, wie sie zuletzt noch einmal von **Karl Barth** schon in den Prolegomena zu seiner »Kirchlichen Dogmatik« grundgelegt und dann in der Versöhnungslehre in zweifellos großartiger Weise entfaltet worden ist. Auf der Basis einer Dogmatik, die mit dem »dreieinigen Gott« und »Gott dem Sohn« einsetzt[48], ist ein Dialog mit Juden allerdings kaum möglich[49].

Es ist deshalb hocherfreulich, wenn nun immer mehr Autoren beginnen, auch in der systematischen Theologie auf die Erfordernisse des christlich-jüdischen Dialogs einzugehen, indem sie vom Menschen und Juden Jesus von Nazaret ausgehen. Der evangelische Tübinger Systematiker **Jürgen Moltmann** zeichnet sich vor anderen dadurch aus, daß er programmatisch »auf der Basis der gemeinsamen messianischen Hoffnung eine Christologie im christlich-jüdischen Dialog zu entwickeln versucht«[50]. Er geht dabei von der Messiashoffnung und Menschensohnerwartung im alten Israel aus und entwickelt von daher eine »Geist-Christologie, die Jesus als den messianischen Propheten der Armen begreift«[51]. Dabei sieht er sich allerdings schon von Anfang an mit den jüdischen Einwänden (etwa Bubers, Ben-Chorins, Scholems, Moltmann hätte hier auch christliche Exegeten zitieren können) gegen Jesu Messiasbewußtsein konfrontiert[52]. Um sie aufzufangen, kritisiert Moltmann scharf die Christologie der hellenistischen Konzilien, die von einer menschlichen und einer göttlichen Natur in Jesus sprechen; er möchte statt dessen gut neutestamentlich »von der besonderen Beziehung Jesu zu Gott, den er Abba, lieber Vater, nannte, ausgehen«[53]. Allerdings setzt Moltmann dabei einen »trinitarischen Gottesbegriff« schon von vornherein voraus[54]. In einem früheren Buch hatte er auf den Pfaden Karl Barths und Karl Rahners in ständiger Polemik gegen den Monotheismus eine außerordentlich massive Trinitätslehre entwickelt, und auch seine jüngste Christologie gipfelt wieder in »Selbstverhältnissen Gottes, in denen Jesus sich entdeckt und findet …«[55]. Ob aber solche Selbstverhältnisse Gottes für Juden dialogfähig sind?

Ohne sich der von Moltmann zu Recht kritisierten »Subjektivität«

einer rein »anthropologischen Christologie« (Schleiermacher, K. Rahner) auszuliefern, kann man sich doch fragen, ob nicht ein weniger
spekulativer Ausgangspunkt gewählt und ein konsequenterer Weg gegangen werden muß. Wer »nach vorn« (Moltmanns Anspruch) gehen
will, muß wissen, ob er »von oben« (aus dem »Himmel« der Trinität)
oder »von unten« (von der »Erde« des Nazareners) herkommt. Der
Problemlage des christlich-jüdischen (und christlich-islamischen)
Dialogs, wie hier skizziert, wird man meines Erachtens nur dann gerecht, wenn man weder einen trinitarischen Gottesbegriff noch auch
von vornherein ein Messiasbewußtsein und eine Geistgeburt Jesu voraussetzt. **Jesus** muß **als Jude** im zeitgenössischen jüdischen Rahmen
(in historischer Distanz) und zugleich in seiner Bedeutung für die Gegenwart (in geschichtlicher Relevanz) gesehen werden.

Anders setzt denn auch ein anderer evangelischer Systematiker,
Friedrich-Wilhelm Marquardt, mit seiner Christologie unter dem
provozierenden Titel »Das christliche Bekenntnis zu Jesus, dem Juden«[56] ein: ohne trinitarische Voraussetzungen beim Jesus des Neuen
Testaments, wie es christliche und jüdische Jesus-Forscher heute verstehen, wobei sich Marquardt allerdings auf die lebensbedrohenden
Konflikte Jesu mit den religiösen Gruppierungen seiner Zeit – den
ganzen Streit um Gesetz und Tempel – ebenfalls nicht näher einläßt.

Ein Pendant zu diesen systematischen Entwürfen ist von amerikanischer Seite **Paul van Burens** jetzt dreibändige »Theology of the Jewish-Christian Reality«, die von einer »Unterscheidung des Weges«
über »eine christliche Theologie des Volkes Israel« zu einer »Christologie im Kontext« fortschreitet[57]. Aufgrund der Realität des Holocaust
(und des Staates Israel) leitet van Buren eine besondere Verpflichtung
der christlichen Theologie und Kirche ab, das jüdische Volk nicht zu
schwächen, von einer Judenmission abzusehen und sich in Dialog
und Zusammenarbeit zu üben; Kirche und Theologie hätten von
ihren historischen Irrtümern zu lernen. Doch gegen alle jüdisch-
christlichen Vermischungstendenzen warnt van Buren gleichzeitig davor, sich als Christ jüdische Bräuche und Traditionen einfach einzuverleiben. Ginge es doch nicht darum, ein »Judentum für Heiden« zu
schaffen. Es gäbe nun einmal einen Weg für Juden und einen Weg für
Christen. Christen sollten den eigenständigen Weg der Juden respektieren und anerkennen. Denn dahinter stünde die Wirklichkeit des einen Gottes Israels, der ja auch der Gott der Kirche sei. Dieser Gott

hätte Israel berufen, der Tora zu folgen, und derselbe Gott hätte die Kirche (die sich nicht Israel nennen sollte) berufen, Jesus Christus zu folgen. Zwei Wege also, aber doch der eine und selbe Bund und nicht zwei Bünde, der alte und der neue. Jesus Christus sei nach dem Neuen Testament selber im Rahmen des ewigen Bundes zwischen Gott und Judenvolk zu sehen.

Auf die hier aufgeworfenen Sachfragen kommen wir zurück. Doch zunächst ist die grundlegende Frage wichtig: Wie ist Jesus konkret zu sehen? In welchem Milieu, Kraftfeld, Lager steht er? Erhebliche **Differenzen** zwischen den einzelnen jüdischen Autoren wie auch unter ihren christlichen Partnern sind unübersehbar, wenn man Jesus und sein Programm nun einer ganz bestimmten **religiösen Partei** des damaligen Judentums zuordnen möchte. Wer war er? War er ein Mann des sadduzäischen Establishments oder ein politischer Revolutionär? War er ein mönchischer Asket oder ein pharisäischer Frommer? Natürlich muß ich mich in diesem Buch über das Judentum äußerster Knappheit befleißigen, mich auf die Beziehung Jesu zu seinen jüdischen Zeitgenossen beschränken und bis auf einige Ausnahmen auf Schriftbelege und Literaturangaben, die ich in »Christ sein« in Fülle geboten habe, verzichten.[58] Wer das Neue Testament auch nur einigermaßen kennt, wird in vielen Sätzen ohnehin Worte dieser besonderen Bibel der Christen wiedererkennen.

II. Wer war Jesus?

»Es sind gerade die Lehren Jesu – und nicht die Christologie sowohl im weiteren wie im engeren Sinn«, sagt David Flusser, Professor für Neutestamentliche Studien an der Hebräischen Universität Jerusalem im Artikel »Christianity« des repräsentativen theologischen Wörterbuchs »Contemporary Jewish Religious Thought«, »welche das Gebiet sind, auf welchem Juden und Christen sich am leichtesten treffen, sich gegenseitig helfen und voneinander lernen können«. Und Flusser verweist auf ausgesprochen jesuanische Strömungen in der Kirchengeschichte, die sich weniger an einer kirchlichen Dogmatik als am Jesus der synoptischen Evangelien orientieren: viele friedliche Christen und Märtyrer in der vorkonstantinischen Zeit, aber auch die evangelischen Bewegungen des Mittelalters und der Reformationszeit (Böhmische Brüder, Mennoniten, Quäker, aber auch Erasmus), dann die Betonung des Ethos Jesu durch die Aufklärung und nach dem Zweiten Weltkrieg viele katholische Theologen, die für die Rückkehr zur sozialen Liebesbotschaft Jesu plädieren[1]. Aber – die sehr umstrittene Frage: Wer war Jesus wirklich? Was war der Jesus der Geschichte?

1. Ein politischer Revolutionär?

Unter jüdischen und christlichen Gelehrten besteht Übereinstimmung darüber, daß Jesus **kein Mann des jüdischen Establishments** war: Er war kein Sadduzäer, war weder Priester noch Theologe. Er war ein »Laie«! Er sah seinen Platz nicht bei der herrschenden Klasse und zeigte sich nirgendwo als Konformist, Apologet des Bestehenden oder Verteidiger von Ruhe und Ordnung. Man kann dem jüdischen Jesus-Forscher Joseph Klausner nur zustimmen, wenn er sagt: »Jesus und seine Jünger, die den breiten Volksschichten und nicht der herrschenden und reichen Klasse entstammten, wurden von den Sadduzäern nur wenig beeinflußt ... Jesus, der galiläische Zimmermann und Sohn eines Zimmermanns, und die einfachen Fischerleute seiner Umgebung ... (waren) vom Sadduzäismus ... so weit entfernt wie jene aristokratischen Priester vom einfachen Volke. Die bloße Tatsache, daß die Sadduzäer die Auferstehung der Toten leugneten und den messianischen Gedanken nicht weiter entwickelten, muß Jesus und seine Jünger von ihnen ferngehalten haben.«[2]

Aber – die wichtige Frage: War er deshalb **ein politischer Revolutionär?** So sehen ihn – und das ist eine erste Gruppe jüdischer Interpreten – Robert Eisler[3], Joel Carmichael[4], S. G. F. Brandon[5] und (zumindest für Jesu letzte Lebensetappe mit stark messianischem Vorzeichen) auch Pinchas Lapide[6].

Nun zeigen uns die Evangelien zweifellos einen sehr klarsichtigen, entschlossenen, unbeugsamen, wenn es sein mußte, auch kämpferischen und streitbaren, in jedem Fall aber furchtlosen Jesus. Er sei ja gekommen, um Feuer auf die Erde zu werfen. Keine Furcht müsse man haben vor denen, die nur den Leib zu töten und darüber hinaus nichts vermögen. Eine Schwertzeit, eine Zeit größter Not und Gefahr stehe bevor. Oder geht es etwa in diesem Text[7], wo Jesus seine Jünger für diese Notzeit zum Kauf eines Schwertes auffordert, um eine Wende zur Militanz? Bezeichnend, daß seine Jünger nur zwei Schwerter vorweisen können, mit denen kaum Revolution zu machen gewesen sein dürfte, und Jesus schließlich abbricht: »Genug davon!«

Nein, Jesus ist **kein Gewaltprediger.** Die Frage nach der Gewaltanwendung wird später in völliger Übereinstimmung mit der Bergpredigt negativ beantwortet[8]. Bei der Verhaftung sagt Jesus denn auch: »Steck dein Schwert in die Scheide, denn alle, die zum Schwert greifen, werden durch das Schwert umkommen.«[9] Jesus selber war bei seiner Verhaftung waffenlos, wehrlos, gewaltlos. Und so werden denn auch die Jünger, die als politische Verschwörungsgruppe zweifellos mitverhaftet worden wären, unbehelligt gelassen.

Aber wie steht es mit der **Tempelreinigung**[10], die manchmal als eine Tempelbesetzung interpretiert wird? Nun, Jesus hatte durchaus den Mut zur zeichenhaften Provokation. Der Nazarener war keineswegs so mild und sanft, wie die »Nazarener« des 19. Jahrhunderts ihn zu malen beliebten. Doch von einer Tempelbesetzung kann nach den Quellen keine Rede sein; da hätte ja auch die römische Kohorte von der Burg Antonia aus sofort eingegriffen, und die Passionsgeschichte hätte einen anderen Verlauf genommen. Nein, um eine Vertreibung der Händler und Wechsler geht es nach den Quellen: ein symbolträchtiges Eingreifen, eine individuelle **prophetische Provokation**, welche eine demonstrative Parteinahme darstellt: gegen das Markttreiben und die daraus Gewinn ziehenden Hierarchen und Profiteure und für die Heiligkeit des Ortes als eines Ortes des Gebetes! Diese Tempelaktion war möglicherweise verbunden mit einem Drohwort über die Zerstörung des Tempels und seinen Neubau in der Endzeit. Jesus hat nicht nur die klerikale Hierarchie, sondern auch die am Wallfahrtsrummel und am weitergehenden Tempelausbau finanziell interessierten Kreise der Stadtbevölkerung in krasser Weise herausgefordert. Der Tempel spielte bei der späteren Verurteilung Jesu offensichtlich eine gewichtige, wenngleich nicht exklusive Rolle[11].

Aber nochmals: Von einer **zionistisch-messianischen Revolution** kann **keine Rede** sein:

– Forderte Jesus zur Steuerverweigerung auf? Kaum! »Gebt dem Kaiser, was des Kaisers ist!«[12], lautet seine Antwort, und das ist kein Aufruf zum Steuerboykott. Das heißt aber auch umgekehrt: Gebt dem Kaiser nicht, was Gottes ist! Wie die Münze dem Kaiser gehört, gehört der Mensch selber Gott.

– Proklamierte Jesus einen nationalen Befreiungskrieg? Nein: Von übelsten Kollaborateuren ließ er sich bekanntlich zum Essen einladen, und den beinahe noch mehr als die Heiden verhaßten samaritanischen Volksfeind stellte er als Beispiel hin.

– Propagierte Jesus den Klassenkampf? Wie denn? Teilte er doch die Menschen nicht wie so viele Militante seiner Zeit in Freunde und Feinde ein.

– Hob Jesus das Gesetz auf um der Revolution willen? Nein, helfen, heilen, retten wollte er, keine Zwangsbeglückung des Volkes nach dem Willen einzelner. Zuerst das Reich Gottes, und alles andere wird hinzugegeben werden!

So gipfelte denn Jesu Botschaft vom Gottesreich nicht im Appell zum Erzwingen der besseren Zukunft durch Gewalt: Wer zum Schwert greift, wird durch das Schwert umkommen. Seine Botschaft zielt auf einen Verzicht von Gewalt: Dem Bösen nicht zu widerstehen; denen wohlzutun, die uns hassen; die zu segnen, die uns fluchen; für die beten, die uns verfolgen. In diesem Sinn war Jesus ein »Revolutionär«, dessen Forderungen im Grunde radikaler waren als die der politischen Revolutionäre und die Alternative von etablierter Ordnung und sozialpolitischer Revolution überstiegen. Richtig verstanden also war Jesus **revolutionärer als die Revolutionäre**:

• Statt Vernichtung der Feinde Liebe zu den Feinden!

- Statt Zurückschlagen bedingungslose Vergebung!
- Statt Gebrauch von Gewalt Bereitschaft zum Leiden!
- Statt Haß- und Rachegesänge Seligpreisung der Friedfertigen!

Hatte es vielleicht auch nachher mit Jesu Botschaft und Einstellung zu tun, daß jene **Juden, die Jesus nachfolgten**, im großen jüdischen Aufstand gerade nicht gemeinsame Sache mit den zelotischen Revolutionären machten, sondern aus Jerusalem flohen – nach Pella auf die andere Seite des Jordans? Ist es ein Zufall, daß die Christen dann beim zweiten großen Aufstand unter Bar Kochba gar fanatisch verfolgt wurden? Ist es ein Zufall, daß die Römer bezeichnenderweise bis zur Verfolgung des Nero nicht gegen die Christen vorgegangen sind? Kaum. Denn wie Jesus selber, so strebten auch seine Jünger offenkundig keine politisch-soziale Revolution an, sondern eine Revolution der Gewaltlosigkeit, eine Revolution vom Innersten und Verborgensten, von der Personmitte, vom »Herzen« des Menschen her – auf die Gesellschaft hin. Überwindung des Bösen, das nicht nur im System, in den Strukturen, sondern im Menschen selber liegt.

Ich kann mich deshalb dem Urteil von Werner Vogler in seiner sehr sachlichen Bilanzierung der »Jüdischen Jesusinterpretation in christlicher Sicht« (1988) nur anschließen, wenn er gegen eine politisch-messianische Interpretation im Stile von Eisler und Carmichael schwerwiegende methodische und hermeneutische Einwände erhebt und grundsätzlich folgert: »Auf Grund der ihnen eigenen Arbeitsweise ist es beiden Autoren zwar gelungen, ein Jesusbild zu entwerfen, das sie selbst als außerordentlich phantasiebegabt ausweist, doch die Jesusforschung wurde dadurch nicht bereichert. Mögen die sozialkritischen Züge ihres Jesusbildes auch eine Art Korrektiv zu der (christlichen) Jesusforschung der Vergangenheit darstellen, die die sozialkritische Komponente in der Botschaft wie in dem Verhalten Jesu vielfach unbeachtet gelassen hat, so haben doch Eisler und Carmichael den wissenschaftlichen Nachweis für ihre Deutung Jesu als Sozialrevolutionär nicht erbracht. Und ebenso gilt: Sollte es zutreffen, ›daß Jesus von den Evangelisten aus einem politisch-kämpferischen Messias in einen pazifistischen Erlöser verwandelt wurde, wie auch manche christliche Theologen zuzugeben bereit sind‹ (G. Baumbach), so sind Eisler und Carmichael den überzeugenden Beweis auch für ihr Verständnis Jesu als eines jüdischen Freiheitskämpfers durchweg schuldig geblieben.«[13] – Heißt das nun aber, daß Jesus der Vertreter einer weltabgewandten Frömmigkeit war?

2. Ein mönchischer Asket?

Daß es damals Mönche gab, und zwar im **Qumran-Kloster** am Toten Meer, weiß man erst seit der Mitte unseres Jahrhunderts. Daß es von der Welt abgesondert in den Dörfern (und vereinzelt auch in den Städten) lebende »Fromme« (aramäisch »chasidjja«, hebräisch »chasidim«), jetzt »Essäer« oder »Essener« genannt, gab, ist freilich schon seit dem Geschichtsschreiber Flavius Josephus bekannt. Und es war vor allem der Historiker Heinrich Graetz, der Jesus als einen Essener verstehen wollte; David Flusser und A. Winkel (in seiner Dissertation) sprechen von einer ebenso essenischen wie pharisäischen Herkunft Jesu. In den Hoch-Zeiten der Qumran-Forschung hat man immer wieder Verbindungen zwischen Qumran und dem Täufer Johannes (die möglich sind), aber auch zwischen Qumran und Jesus finden wollen, was sich aber als eine immer unwahrscheinlichere Hypothese herausgestellt hat. Weder die Qumran-Gemeinde noch die Essener-Bewegung werden ja in den neutestamentlichen Schriften auch nur erwähnt, wie sich umgekehrt in den Qumran-Schriften auch keine Erwähnung des Namens Jesus findet. Jüdische wie christliche Exegeten werden heute dem jüdischen Religionsgeschichtler Hans-Joachim Schoeps zustimmen, wenn er kategorisch erklärt: »Es ist des öfteren versucht worden, Jesus als einen geheimen Anhänger oder Angehörigen der Essäergemeinschaft darzustellen. Aber es fehlen solchen Vermutungen alle Anhaltspunkte, geschweige denn die sicheren Beweise.«[14]

Es war vor allem Albert Schweitzer, der gegen die gutbürgerlichen Liberalen darauf aufmerksam gemacht hat[15]: Die Evangelien präsentieren Jesus **nicht** als **eine sozial angepaßte Erscheinung**. Während seiner öffentlichen Tätigkeit führt er ein unstetes Wanderleben fern von seiner Familie, so daß diese ihn als »verrückt« zurückholen will. Auch lebt Jesus offensichtlich ehelos, was die Phantasie von Romanschreibern, Filmregisseuren und Musicalkomponisten immer wieder zu wilden Spekulationen verlockt hat. »A Marginal Jew« – so der Titel des allerneuesten Jesus-Buches (von John P. Meier, New York 1991).

Und trotz allem: Jesus war **kein hochgeistiger Ordensmann und kein asketischer Mönch.** Was unterscheidet ihn?

– Jesus lebte nicht abgesondert von der Welt: Er wirkte in aller Öffentlichkeit, in den Dörfern und Städten, mitten unter den Menschen. Selbst mit gesellschaftlich Anrüchigen, mit den gesetzlich »Unreinen« und von Qumran Abgeschriebenen hält er Kontakt und nimmt Skandale in Kauf. Wichtiger als alle Reinheitsvorschriften ist ihm die Reinheit des Herzens.

– Jesus predigte keine Zweiteilung der Menschheit: Eine Einteilung der Menschen in Söhne des Lichts und Söhne der Finsternis, in Gute und Böse – und zwar von vornherein und von Anfang an – war seine Sache nicht. Jeder hat umzukehren, jeder kann aber auch umkehren; allen wird Vergebung angeboten.

– Jesus lebte nicht asketisch, war kein Gesetzeseiferer wie auch die essenischen und qumranischen Ordensleute: Er forderte keine Entsagung um der Entsagung willen, keine asketischen Sonderleistungen. Vielmehr nahm er am Leben teil, aß und trank mit den Seinen und ließ sich zu Gastmählern einladen. Verglichen mit dem Täufer mußte er sich offensichtlich den Vorwurf gefallen lassen, er sei ein Fresser und Säufer. Nicht durch die Taufe, sondern durch sein Abendmahl vor seiner drohenden Verhaftung hat er sich seinen Jüngern unvergeßlich eingeprägt. Die Ehe aber war für ihn nichts Verunreinigendes, sondern Wille des Schöpfers. Eheverzicht war freiwillig, und niemandem legte er ein Zölibatgesetz auf. Auch der Verzicht auf materiellen Besitz war nicht unbedingt notwendig zur Nachfolge.

– Jesus stellte keine Ordensregel auf: Die auch in den Orden übliche hierarchische Ordnung wurde von ihm auf den Kopf gestellt; die Niedrigen sollen die Höchsten, und die Höchsten die Diener aller sein. Unterordnung hat gegenseitig zu geschehen, im gemeinsamen Dienst. Und dafür braucht es kein Noviziat, keinen Eintrittseid, kein Gelübde. Jesu forderte keine regelmäßigen Frömmigkeitsübungen, keine langen Gebete, keine rituellen Mahle und Bäder, keine unterscheidenden Kleider. Was ihn ausmacht, ist eine im Vergleich mit Qumran sträfliche Ungeregeltheit, Selbstverständlichkeit, Spontaneität und Freiheit. Unermüdliches Beten meint für ihn nicht ein Stundengebet oder einen unaufhörlichen Gebetsgottesdienst, vielmehr die ständige Gebetshaltung des Menschen, der allzeit alles von Gott erwartet.

Jesus im Koordinatenkreuz innerjüdischer Optionen

Establishment
(Sadduzäer)

prophetische Provokation

kein Priester

gegen Asketismus — kein Mönch — Gottes-**Liebe**-Nächsten- — kein Rabbi — gegen Gesetzlichkeit

Emigration (Qumran-Leute) ← → Kompromiß (Pharisäer)

kein Revolutionär

gegen Gewalt

Revolution
(Zeloten)

Gottes Wille = Wohl des Menschen = Liebe

Doch – was bleibt nun übrig? Wenn Jesus sich nicht dem Establishment verschreiben und andererseits weder den politischen Radikalismus einer gewalttätigen Revolution noch den apolitischen Radikalismus der frommen Emigration übernehmen wollte, muß dann nicht die vierte damalige innerjüdische Option für ihn zutreffen: die Option des moralischen Kompromisses, die Harmonisierung von Gesetzesforderungen und Alltagsforderungen? Das war ja damals das Lebenskonzept des Pharisäismus gewesen. Die Frage ist also:

3. Ein frommer Pharisäer?

Daß die **Pharisäer**[16] in den Evangelien zum Teil karikiert erscheinen, ist bereits erwähnt worden; sie waren ja die einzigen Vertreter des offiziellen Judentums, die nach dem Untergang des Tempels und der ganzen Stadt Jerusalem übergeblieben waren. Sie waren jetzt die

Hauptgegner der jungen Christengemeinden. Heute kann man auch in vielen kirchlichen Dokumenten die Forderung nach einem Umdenken gegenüber den Pharisäern finden: Den Pharisäern ging es entscheidend darum, die Tora als in der Gegenwart verpflichtendes Wort Gottes zu aktualisieren. »Sie waren Männer, denen es mit großem Ernst um die Sache Gottes ging. Es gehört zu den Aufgaben der heutigen Exegese, Katechese und Homiletik, über die Pharisäer in gerechter Weise zu sprechen«, so heißt es etwa in der Erklärung der deutschen Bischofskonferenz von 1980[17].

Der Name Pharisäer, was, wie wir hörten, die »Abgesonderten« meint, hätte im übrigen auch auf die Essener und Qumranmönche gepaßt, die sich als eine Art »radikaler Flügel« dieser Bewegung selbständig gemacht hatten. Die Pharisäer wollten zweierlei: Sie wollten **Gottes Gebote** unbedingt **ernst nehmen** und peinlich genau einhalten. Ja, ausgehend von der Überzeugung, daß Israel ein »Königreich von Priestern und ein heiliges Volk«[18] sei, wollten sie freiwillig die nach dem Gesetz nur für die Priester verbindlichen Reinheitsvorschriften (und besonders auch die Zehntvorschriften) streng einhalten. Zugleich aber wollten sie als Männer, die dem Volk ganz anders nahe waren als die Priester im Tempel, das **Gesetz durch geschickte Anpassung** an die Gegenwart **im Alltag lebbar** machen. Sie wollten das Gewissen der Menschen entlasten, ihnen Sicherheit geben; wollten genau bestimmen, wie weit man gehen dürfe, ohne zu sündigen. Anders gesagt: Die Pharisäer wollten Auswege anbieten, wo das Gesetz allzu schwer einzuhalten schien. Beispiel: Das Gesetz sagt, man dürfe am Sabbat nicht arbeiten, und 39 am Sabbat verbotene Arbeiten seien zu unterlassen. Aber ausnahmsweise? Ja, bei Lebensgefahr darf man den Sabbat entweihen. Oder: Am Sabbat dürfe man nichts aus dem Haus tragen. Außer? Außer wenn man die Höfe mehrerer Häuser als einen gemeinsamen Hausbezirk versteht. Oder: Am Sabbat dürfe man keine schwere Arbeit tun. Und im Notfall? Ja, wenn ein Ochs in die Grube fällt, den darf man dann – anders übrigens als in Qumran – herausholen …

Und Jesus? Hatte er nicht vieles gemeinsam gerade mit den Pharisäern? Differenziert ist die Beziehung Jesu zum Pharisäismus zu diskutieren[19]. Allzusehr haben christliche Jesus-Interpreten tendenziös auf Kosten des Judentums die **Gemeinsamkeiten Jesu mit den Pharisäern** übersehen oder vernachlässigt. Dabei lebte Jesus wie die Pharisäer mitten unter dem Volk; er wirkte, diskutierte und lehrte in Synagogen wie sie. Mit Pharisäern stand Jesus in Verbindung und hielt er nach Lukas auch Tischgemeinschaft. Ja, folgt man jüdischen und christlichen Autoren, so können fast zu jedem Vers der Bergpredigt irgendwelche rabbinischen Parallelen und Analogien aufgewiesen werden.

Kein Wunder also, daß die meisten jüdischen Jesus-Interpreten den Nazarener in der Nähe der Pharisäer sehen[20]. Ja einige, wie etwa Abraham Geiger und Paul Winter, behaupten darüber hinaus, Jesus sei nichts als ein Pharisäer gewesen, eine Art »Liebespharisäer«, die im Talmud erwähnt und dort als die einzig guten Pharisäer von sieben Typen aufgezählt werden. Eine überzeugende Lösung? Nein – so einfach ist die Sache nicht. Ein Kontrapunkt ist fällig.

In der Tat, so wie für die Pharisäer, so stand auch für Jesus die Autorität des Mose nicht in Frage. Man hätte es nie bestreiten dürfen: Auch er wollte die Tora nicht abschaffen, nicht aufheben, er wollte sie »erfüllen«[21]. Aber was »erfüllen« heißt, ergibt sich aus den diesem Wort folgenden Passagen der Bergpredigt. »Erfüllen« heißt für Jesus, darüber besteht wohl heute weithin Konsens, **das Gesetz Gottes vertiefen, konzentrieren und radikalisieren:** von seiner innersten Dimension, nämlich von der Grundabsicht Gottes her. Nichts darf nach Jesu Überzeugung aus dem Gesetz herausgelesen, nichts in das Gesetz hineingelesen werden, was dieser Grundabsicht widerspricht: dem Willen Gottes, der auf das Wohl des Menschen zielt! Dies bezieht sich naturgemäß besonders auf den halachischen Teil der Tora, der mit seinen Worten, Geboten und Rechtssätzen knapp ein Fünftel des Pentateuchs ausmachen dürfte. Konkret heißt »erfüllen«:
• das Gesetz vertiefen durch das entschlossene Ernstnehmen des Willens Gottes im Gesetz;
• das Gesetz konzentrieren durch die Verbindung von Gottes- und Nächstenliebe: Liebe als Kern und Richtmaß des Gesetzes;
• das Gesetz radikalisieren durch die Ausdehnung der Nächstenliebe über die Volksgenossen hinaus auf die Feinde: durch das Insistieren auf einem Vergeben ohne Grenzen, einem Verzicht auf Macht und Recht ohne Gegenleistung, einem Dienst ohne Über- und Unterordnung.

Soll also Jesus wirklich niemand anderer als ein sogenannter »Liebes-

pharisäer« gewesen sein? Eine solche Behauptung läßt die genannten
Gegensätze Jesu zu den Pharisäern völlig außer acht. Nach den Pri-
märquellen machen sie nun einmal von allem Anfang an den problematischen Hintergrund von Jesu Reich-Gottes-Verkündigung aus
und werden denn auch von den meisten jüdischen Interpreten ernst
genommen. An Konfliktstoff fehlte es nicht.

Und was die rabbinischen Parallelen und Analogien zur Bergpredigt
(und zur Verkündigung Jesu überhaupt) betrifft, so dürfte Pinchas
Lapide mit seiner Feststellung recht haben: Die Bergpredigt ist im
Vergleich zu den jüdischen Parallelen so verschieden wie das Gebäude
von den Steinen eines Steinbruchs, aus dem es errichtet wurde[22]. Nur
so erklärt sich ja die ungeheure Wucht der Botschaft, welche die Christen selbst immer wieder beschämt und die selbst Menschen aus
einem völlig anderen Kulturkreis wie Mahatma Gandhi inspirieren
konnte. Es ist nun einmal ein Unterschied, ob sich drei Dutzend Sen-
tenzen bei drei Dutzend verschiedenen Rabbinern belegen lassen oder
bei einem einzigen, und dort pointiert. Nicht die einzelnen Sätze Jesu
sind unverwechselbar, sondern seine Botschaft insgesamt. Und nicht
ob Gottes- und Nächstenliebe sich auch schon in der Hebräischen Bibel finden, ist die Frage (sie finden sich unbestreitbar), sondern welchen Stellenwert sie in der Verkündigung des Rabbi aus Nazaret besitzen und welche Rangordnung sie einnehmen.

Gewiß, die großen Verdienste der Pharisäer um die Volksfrömmigkeit sind nicht zu leugnen. Zugleich aber darf die Art pharisäischer
Gläubigkeit auch nicht – durch Kompilation bestimmter pharisäischer Texte und Vernachlässigung kritischer evangelischer Texte –
verharmlost und verniedlicht werden, wie dies heute manchmal in gut
gemeinter Kompensation eines früheren verhängnisvollen Antiphari-
säismus geschieht. Denn kann man es übersehen? Die positiven und
negativen Urteile über die Pharisäer halten sich bei den jeweiligen
Zeitgenossen die Waage. Der Regensburger Exeget Franz Mußner[23]
weist darauf hin, »daß auch die rabbinische Tradition z. T. Kritik an
den Pharisäern geübt hat«[24]. Und – ich habe es schon erwähnt – daß
im Talmud[25] »sieben Sorten von Pharisäern unterschieden« werden:
der ›Schulterpharisäer‹ (der seine guten Taten auf der Schulter trägt);
der ›Warte-noch-Pharisäer‹; der Pharisäer ›mit dem blauen Fleck‹ (der
seinen Kopf an die Wand schlägt, um eine Frau nicht ansehen zu
müssen); der ›Mörserkeulen-Pharisäer‹ (der nur scheinbar demütig

ist); der ›Buchhalter-Pharisäer‹ (der seine Tugenden verrechnet), der ›Furcht-Pharisäer‹ (der Gott nur aus Furcht gehorcht); und schließlich der ›Liebes-Pharisäer‹ (der Gott aus Liebe gehorcht). **Nur dieser gilt als der wahre Pharisäer!** Gegen die meisten anderen dieser Pharisäer finden sich denn auch in den Evangelien Anspielungen. Und an den »Schulterpharisäern«, die »das gute Werk (miswata) auf die Schulter laden«, um es andern aufzubürden, übt Jesu sogar ausdrücklich scharfe Kritik: »Sie schnüren schwere Lasten zusammen und legen sie den Menschen auf die Schultern, wollen selber aber keinen Finger rühren, um die Lasten zu tragen.«[26]

Wahrhaftig, nichts gegen die Pharisäer »an sich« und ihre echten Tugenden. Gerade der von Jesus in der berühmten Parabel als Exempel herangezogene Pharisäer[27] ist ja kein Heuchler. Er ist ein durchaus ehrlicher, frommer Mann, der die reine Wahrheit spricht. Hatte er doch nach seiner Überzeugung alles getan, was das Gesetz von ihm verlangte. Die Pharisäer waren überhaupt von vorbildlicher Moral und genossen entsprechendes Ansehen bei denen, die es damit nicht so weit brachten. Was soll also gegen sie sprechen?

Die Antwort kann nur lauten: Nicht unbedingt in Details des täglichen Lebens, wohl aber **in seiner ganzen religiösen Grundhaltung war Jesus anders.** Nichts von Stolz auf eigene Leistungen, eigene Gerechtigkeit, nichts von Verachtung des gesetzesunkundigen gemeinen Volkes (»Am-ha-arez«). Keine Absonderung von den Unreinen und Sündern, keine strenge Vergeltungslehre. Was dann? Vertrauen allein auf Gottes Gnade und Erbarmen: »Gott, sei mir Sünder gnädig!«[28]

Nein, aufgrund der Quellen kommt man um die Feststellung nicht herum: Ein typischer Pharisäer mit »Freude am Gebot« und kasuistischer Auslegung war Jesus nun gerade nicht. Man soll nicht kontextlos nur einzelne Sätze vergleichen, man soll die Texte im Kontext lesen, und dann stellt man fest, wie alle Evangelien es völlig übereinstimmend bezeugen: Die 613 Gebote und Verbote des Gesetzes, die für die Pharisäer so wichtig waren, waren nicht das, was Jesus einschärfen wollte. Nirgendwo fordert er seine Jünger zum Torastudium auf. Nirgendwo will er wie die Pharisäer mit Ausführungsbestimmungen einen »Zaun um das Gesetz« bauen, eine Schutzwehr, um die Einhaltung der Gebote zu garantieren. Nirgendwo will er wie sie die Ideale der Reinheit und Heiligkeit der Priester beim Tempeldienst auf die Laien und ihren praktischen Alltag ausdehnen.

Kurz, die Grundhaltung, die Gesamttendenz ist anders: Jesus ist im Vergleich zu allen Pharisäern von erstaunlicher Liberalität! Mußte es nicht die gesamte Moral untergraben, wenn man sich so mit den Unreinen und Sündern solidarisiert, ja zu Tische setzt, wenn der verlorene und verlotterte Sohn beim Vater schließlich besser dasteht als der brav daheimgebliebene, ja, wenn der Zollgauner bei Gott besser abschneiden soll als der fromme Pharisäer, der doch wohl wirklich nicht ist wie andere Menschen, wie Betrüger und Ehebrecher?

4. Nicht übliche Schulstreitigkeiten, sondern Konfrontation und Konflikt

Die meisten jüdischen und christlichen Jesus-Interpreten stimmen heute darin überein, daß es Jesus, dem »größten Beobachter und Kritiker der pharisäischen Spiritualität«[29], **nicht um die Einhaltung der Tora um ihrer selbst willen, sondern um den konkreten Menschen** ging. Seine freiere Einstellung zum Gesetz und sein Umgang mit Gesetzesunkundigen und Gesetzesbrechern hatte so ernsthafte Konfrontationen zur Folge. Dies ist das unzweideutige Gesamtbild: Durch eine Tempelkritik nicht nur, sondern durch eine verschiedene Gesetzesinterpretation, ja, seine ganze Grundhaltung – und Interpreten sollten Jesus nicht weniger Kohärenz und Konsistenz als sich selber zubilligen – hat Jesus im Konkreten Anstoß, Ärgernis erregt. Dies betrifft den Quellen zufolge vor allem die **Reinheitsvorschriften**, die **Fastenvorschriften** und den **Sabbat**[30].

Daß Jesus durch seine eigene Gesetzesinterpretation und seine Haltung im Konkreten Anstoß erregte, wird von verschiedenen jüdischen Autoren verschieden interpretiert. Das Ärgernis sei entstanden[31],
– weil Jesus in die für Menschen unbegreifliche »Urabsicht Gottes«, in die »Ur-Unbedingtheit des Gesetzes« habe eindringen wollen (Martin Buber);
– weil Jesus einzelne Ausführungsbestimmungen zu den Geboten der Tora abgelehnt, weil er eine Freiheit vom Buchstaben des Gesetzes und eine kompromißlose Bindung des Einzelnen ans Doppelgebot der Gottes- und Nächstenliebe gefordert und so das Hauptprinzip des pharisäischen Denkens angegriffen habe (Claude Montefiore);
– weil Jesus der kasuistischen Verflachung des Gesetzes durch gewisse

Schulen der Pharisäer die Ur-Absicht des Gesetzes gegenüber gestellt und auf diese Weise das Gesetz »total« erfüllt habe durch die Verinnerlichung des Gesetzes, wobei die Liebe das entscheidende und motorische Element gebildet habe (Schalom Ben-Chorin);
– weil Jesus die sittliche Seite des Lebens gegenüber der rein formellen Seite der Gesetzespraxis hervorgehoben, ja durch das von ihm radikalisierte Liebesgebot – das Gebot der Feindesliebe mit seiner unpharisäischen Hinwendung zu den »Sündern« – Grenzen gesprengt habe, so daß sich der religiöse Grundansatz mit dem sozialen Aspekt verbinden konnte (David Flusser).

Wenn ich mich als christlicher Ökumeniker gegen die christliche Isolierung Jesu vom jüdischen Wurzelboden wende, so werden sich also umgekehrt jüdische Ökumeniker auch gegen die jüdische Nivellierung der im Judentum so lange abgelehnten Botschaft Jesu wenden. Reicht es – historisch gesehen – wirklich aus, Jesus einen großen Pharisäer zu nennen, der wie andere große Pharisäer sein »Sondergut« hatte, und Jesu tödlich endenden Konflikt auf das Niveau üblicher Auslegungsstreitigkeiten innerhalb pharisäischer Schulen herabzunivellieren? Jesus von Nazaret – gestorben wegen Schulstreitigkeiten?
   Gerade historisch-kritisch geschulte jüdische Gelehrte wie **Hans-Joachim Schoeps** setzen hier deutlich andere Akzente: Sie stimmen mit christlichen Interpretationen darin überein, daß Jesus zwar die Tora bejaht und sich auch an Zeremonialgesetze hält, daß er aber
   1. »unterscheidet zwischen dem Willen Gottes und dem diesen ausdrückenden Gesetz der Thora le-Moscheh mi Sinai. Dies bedeutet: Das buchstäbliche Befolgen des Gesetzes ist nicht identisch mit dem Tun des göttlichen Willens. Er nimmt für sich das Recht in Anspruch, zu entscheiden, wann das Gesetz Gottes Willen zum Ausdruck bringt und wann nicht«;
   2. »dieser Unterscheidung zufolge ... Rangunterschiede (sieht) im Gesetz zwischen (wesentlichen) ethischen und (weniger wesentlichen) rituellen und zeremoniellen Gesetzen, ohne freilich die Verbindlichkeit der letzteren prinzipiell zu bestreiten«;
   3. »unterscheidet zwischen der Autorität des Schriftwortes und der Autorität rabbinischer Satzungen. Er opponiert mithin gegen das rabbinische Traditionsprinzip, das er als eine neue Institution aus seiner eigenen Gegenwart ansieht, und behält sich das Recht eigener Schrift-

auslegung und mit ihr begründeten Verhaltens für jede konkrete Situation vor«;

4. »das Gesetz erfüllen« wollte und »daher nicht auf dem Wege zu einer neuen eigenen Halacha« war[32].

Auch Joseph Klausner ist mit anderen jüdischen Autoren der Meinung, daß die Konzentration Jesu auf das Religiös-Ethische und die Ausklammerung des nationalen Lebens etwas Unjüdisches, ja für das Judentum Gefährliches, weil Auflösendes sei. Aber lassen wir das dahingestellt: Es war jedenfalls Jesus von Nazaret und nicht irgendeiner der anderen »liberalen« Rabbiner, der in einen tödlich endenden Konflikt gezogen wurde. Folgen wir den Quellen, so lösten diese Konflikte immer wieder die Frage aus: Mit welchem Recht, welcher Vollmacht redest Du und tust Du das eigentlich? Diese Frage nach der Vollmacht darf nicht übergangen, sondern muß thematisiert werden.

5. In wessen Namen?

Als eine schon vorösterliche Frage durchzieht sie die nachösterlichen Evangelien und ist bis heute nicht zur Ruhe gekommen: Was haltet ihr von ihm? Wer ist er? **Einer der Propheten?** Oder mehr? Auch konservative christliche Theologen geben heute zu: Jesus selber hat das Reich Gottes und nicht seine eigene Rolle, Person, Würde in die Mitte seiner Verkündigung gestellt.

Das gilt auch für den **Messias-Titel**: Nach den synoptischen Evangelien – anders natürlich das späte (und bereits theologisch reflektierend vom »Gottessohn« redende) Johannesevangelium – hat sich Jesus niemals selbst die Messias-Bezeichnung oder sonst einen der hoheitlichen Titel – außer vielleicht den zweideutigen Titel »Menschensohn« – beigelegt. Darin stimmen christliche Interpreten mit jüdischen heute weithin überein. Noch der früheste Evangelist Markus behandelt ja Jesu Messianität als Geheimnis, das vor der großen Öffentlichkeit verborgen ist, bevor es unter dem Kreuz bekannt und nach Ostern proklamiert wird. Warum? Erst von der Ostererfahrung her konnte man die Jesus-Überlieferung eindeutig in messianischem Licht sehen und so das Messiasbekenntnis in die Darstellung der Jesus-Geschichte eintragen. Und vorher? Jesu Verkündigung und Praxis hatte den damaligen widersprüchlichen und meist theo-politischen

Messiaserwartungen seiner Zeitgenossen – auch die meisten Rabbinen erwarteten einen triumphierenden Messias – kaum entsprochen.

Gerade weil nun aber Jesus mit keinem der gängigen Titel adäquat »begriffen« werden kann, gerade weil es **nicht um ein Ja oder Nein zu einer bestimmten Würde**, zu einem bestimmten Amt oder auch zu einem bestimmten Dogma, Ritus und Gesetz geht, verschärft sich die Frage, die sich schon den ersten Jüngern stellte: Wer mag er in Wirklichkeit gewesen sein, er, der mit keinem Titel begriffen werden kann?

Die große Frage nach seiner Person bleibt: der Messias? Die Vermeidung aller Titel verdichtet das Rätsel. Ein Rätsel, das gerade angesichts des gewaltsamen Todes Jesu in besonderer Weise gestellt ist. Ist der **Tod Jesu von der Frage nach seiner Botschaft und Person ablösbar?** Hier war nun einmal ein Mann aufgetreten, der sich unbekümmert um die Hierarchie und ihre Experten in Wort und Tat über kultische Tabus, Fastengewohnheiten und besonders das Sabbatgebot, wie es damals weithin als »Hauptgebot« verstanden wurde, praktisch hinweggesetzt hat. Ja, ohne seine Meinung mit Schriftzitaten abzustützen, wie dies bei pharisäischen Schulhäuptern üblich war, geht Jesus gegen damals maßgebliche jüdische Auslegungstraditionen der Tora an (»Überlieferungen der Alten«): im Verbot der Ehescheidung, im Verbot der Wiedervergeltung, im Gebot der Feindesliebe. Er hebt zwar selbst die »kleinsten Gebote«[33] nicht auf, doch relativiert er sie von Fall zu Fall. Und wenn dies auch von manchen jüdischen Interpreten bestritten wird, so hat dieser Jesus nach den Evangelien in freier Vollmacht gegen die herrschende Lehre und Praxis, die die Lehre und Praxis der Herrschenden war, eine Autorität in Anspruch genommen, welche die Schriftgelehrten fragen läßt: »Wie kann dieser Mensch so reden? Er lästert Gott.«[34] Doch – lästerte er Gott?

Nach den Zeugnissen ergibt sich übereinstimmend: Jesus hat aus einer ungewöhnlichen **Gotteserfahrung, Gottesverbundenheit und Gottesunmittelbarkeit** heraus gehandelt, wenn er in Konfrontation mit den Herrschenden Gottes Herrschaft und Willen verkündet und die menschlichen Herrschaftsverhältnisse nicht einfach hinnimmt:
– wenn er offen ist für **alle Gruppen**,
– wenn er die **Frauen** in der Ehe nicht der Willkür der Männer ausgeliefert haben will,
– wenn er die **Kinder** gegen die Erwachsenen, die **Armen** gegen die Reichen, überhaupt die **Kleinen** gegen die Großen in Schutz nimmt,

– wenn er sich sogar für die **religiös Andersgläubigen**, die **politisch Kompromittierten**, die **moralischen Versager**, die sexuell Ausgenützten, die an den Rand der Gesellschaft Gedrängten einsetzt und ihnen vielleicht sogar – als der Gipfel der Anmaßung – Vergebung zusagt, was doch nur dem Hohepriester in kultischem Kontext gestattet war.

Das Erstaunliche aber: Seinen Anspruch begründet Jesus nirgendwo. Ja, in der Vollmachtdiskussion lehnt er eine Begründung ausdrücklich ab. Er nimmt diese Vollmacht in Anspruch, handelt aus ihr, ohne sich mit dem prophetischen »So spricht der Herr!« auf eine höhere Instanz zu berufen. Und während im rabbinischen Schulbetrieb mit der Antithese »Es ist gesagt worden« – »Ich aber sage« ein Rabbiner seine Auffassung der eines anderen Rabbiners gegenüberstellt, so wird in den Antithesen der Bergpredigt Jesu Wort dem der Tora gegenübergestellt: nicht nur kein Mord, sondern kein Zorn; nicht nur kein Ehebruch, sondern auch kein böses Begehren; nicht nur kein Meineid, sondern überhaupt kein Schwören; nicht eine Ehescheidung unter bestimmten Bedingungen, sondern überhaupt keine Ehescheidung. Die Gemeinde sollte mit solchen radikalen Jesusworten Probleme bekommen und hat sie bisweilen abgemildert; sie hat sie gewiß nicht selbst erfunden.

Jesus macht allen Quellen zufolge eine unabgeleitete, höchst persönliche Autorität geltend. Wie soll man sie beschreiben? Vom typischen »Rabbi« (obwohl er so angeredet wird) unterscheidet er sich ebenso wie vom charismatischen »Wanderprediger« (obwohl er zweifellos Heilungen vornimmt). Man hat ihn als endzeitlichen »Propheten« bezeichnet, wiewohl gerade dieser Titel in seiner direkten Kennzeichnung in den Evangelien (und selbst in der von Mattäus und Lukas benutzten ganz alten Redenquelle Q) tunlichst vermieden wird. Wie immer man ihn betitelt: Nicht nur ein Sach-Kenner und Sach-Verständiger spricht hier wie die Priester und Rechtsgelehrten. Sondern einer, der ohne alle Ableitung und Begründung vollmächtig in Wort und Tat Gottes Willen verkündet, der auf das Wohl des Menschen zielt: der sich mit Gottes Sache, welche die Sache des Menschen ist, identifiziert; der ganz in dieser Sache aufgeht; der so ohne allen Anspruch auf Titel und Würden zum höchst **persönlichen Sach-Walter Gottes und der Menschen** wird. Konnten so nicht Fragen aufkommen wie: »mehr als Jona (und die Propheten) hier«[35]; »mehr als

Salomo (und alle Weisheitslehrer) hier«[36]? Der Grund für den Prozeß gegen Jesus muß den Quellen zufolge ganz eindeutig hier gesucht werden.

6. Wer ist schuld am Tod Jesu?

Am **Prozeß Jesu** vor den jüdischen Instanzen bleibt **vieles unsicher:** Eher als das Plenum des Synhedrions dürfte nur ein (vor allem saddu-zäisch besetzter) Ausschuß tätig gewesen sein; die Pharisäer werden in den Prozeßberichten auffälligerweise nicht erwähnt. Eher als daß ein förmliches Todesurteil ausgesprochen wurde, dürfte nur die Auslieferung an Pilatus beschlossen worden sein. Ja, statt eines regelrechten Prozeßverfahrens hat vielleicht nur ein Verhör zur genauen Bestimmung der Anklagepunkte stattgefunden – und zwar zu Händen des römischen Präfekten. Die direkte, förmliche Frage nach der Messianität oder Gottessohnschaft dürfte als Anklagepunkt wenig wahrscheinlich sein; sie geht auf das Konto der späteren Gemeinde. Die Rede ist von »vielen« Anklagen, die aber (was oft nicht beachtet wird!), von einem Wort gegen den Tempel abgesehen, gar nicht angeführt werden. Sie müssen aus den Evangelien als ganzen erschlossen werden. Und da haben die Evangelisten genug an Konflikten berichtet, was nicht simpel als Rückprojektion der Auseinandersetzung zwischen Urkirche und Synagoge deklariert werden kann, sondern Widerspiegelung des historischen Konflikts schon zwischen dem geschichtlichen Jesus und dem jüdischen Establishment gewesen ist.

Übersieht man die Evangelien, so lassen sich die **Anklagepunkte**, die auf eine durchaus kohärente Grundhaltung schließen lassen, wie folgt zusammenfassen:
- Radikal war die **Kritik** des Juden Jesus **an** der überkommenen Religiosität gerade vieler jüdischer **Frommen.**
- Anmaßend erschien Jesu Protestaktion und Prophetie gegen den **Tempel** und damit gegen dessen Hüter und Nutznießer.
- Provokatorisch war Jesu ganz auf den Menschen ausgerichtetes Verständnis des **Gesetzes.**
- Skandalös waren Jesu **Solidarisierung** mit dem gesetzesunkundigen gemeinen Volk und sein Umgang mit notorischen Gesetzesbrechern und Deklassierten.

• Massiv war Jesu **Kritik an den herrschenden Kreisen,** denen er bei
seiner zahlreichen Gefolgschaft im Volk mehr als nur lästig fiel.

Aber wie immer es um die Details des Gerichtsverfahrens bestellt sein
mag: Jesus – darin stimmen alle Evangelisten überein – ist **von den jüdischen Behörden dem römischen Gouverneur Pontius Pilatus ausgeliefert und nach römischer Sitte gekreuzigt worden.** Und bei Pilatus, als Statthalter von Judäa (26-36 n. Chr.) in den zeitgenössischen
Quellen sehr negativ beurteilt, spielte nach sämtlichen Berichten der
– von der Gemeinde später als messianischer Titel nie gebrauchte! –
Begriff »König der Juden« die Hauptrolle, hält doch die Kreuzesin-
schrift nach römischem Brauch den jeweiligen Verurteilungsgrund
(»causa damnationis«) fest. »König der Juden« konnte von den Römern nur politisch verstanden werden: die Anmaßung eines Königs-
titels war eine Beleidigung der römischen Majestät (»crimen laesae
maiestatis«). Obwohl Jesus, dieser Prediger der Gewaltlosigkeit, einen
solchen politischen Anspruch nie erhoben hatte, lag es nahe, ihn von
außen unter solcher Schablone zu sehen.

   Wer also hat Jesus umgebracht? Das römische Gesetz allein, die
Lex Julia Maiestatis, wie manchmal jüdischerseits behauptet wird?
Die Römer also, während es Jüdinnen und Juden waren, die Jesus auf
seinem Leidensweg betrauerten? Solche Rollenverteilung dürfte die
tatsächliche Geschichte doch unzulässig vereinfachen:
– Der schon in den Evangelien sichtbaren sukzessiven Entlastung der
römischen Autoritäten muß zweifellos widersprochen werden. Aber
von einer Alleininitiative und Alleinschuld der Römer kann ebenfalls
nicht die Rede sein. Im juristischen Sinn war der römische Prokurator
für das Geschehen auf Golgota verantwortlich: Er allein hatte damals
das »ius gladii«, das Exekutionsrecht, und die Kreuzigung ist eine römische Form der Hinrichtung[37]. Doch wie immer es um die Beteiligung der römischen Kohorte bei der Verhaftung steht, die vom frühen Markusevangelium[38] gerade nicht, sondern nur von Johannes[39]
erwähnt wird:
– Nach allen Berichten ist Jesus zuerst von den damaligen **jüdischen
Behörden** in Gewahrsam genommen worden. Und weiter: Ohne De-
nunziation und die Zustimmung zumindest des amtierenden Hohen-
priesters wäre ein römisches Verfahren gegen Jesus kaum angestrengt
worden. Vor dem römischen Verfahren waren nach allen Quellen jü-

dische Instanzen mit dem »Fall« des Nazareners befaßt – zumindest maßgebliche Synhedristen um den Hohenpriester. Das Argument jüdischer Exegeten, daß nach jüdischem Recht ein Kapitalprozeß nicht in der Nacht hätte verhandelt und ein Todesurteil erst am Tag nach der Verhandlung hätte ausgesprochen werden dürfen, gilt erst für das gegen Ende des 2. Jahrhunderts n. Chr. in der Mischna kodifizierte rabbinische Recht. In der Tora, an die sich das sadduzäische Establishment hielt, gibt es keine solchen Bestimmungen.

Worum ging es der Sache nach? Folgen wir den Quellen, so ging es im Falle Jesu nicht um einen politischen Aufruhr, sondern in erster Linie um eine religiöse Provokation! Hier dürfte der Grund liegen, warum von vornherein jüdische Instanzen eingeschaltet waren, weil hinter der politischen im Grunde eine religiöse Anklage sich verbarg. Und diese religiöse Anklage kann den Evangelien zufolge nur mit Jesu kritischer Einstellung zu Gesetz und Tempel und deren Repräsentanten zu tun gehabt haben. Als rein politischer Aufrührer wäre Jesus wie andere auch – vom Namen abgesehen – vermutlich der Vergessenheit anheimgefallen. Als **religiöse Gestalt** aber hat er sich mit seiner Botschaft und seinem Verhalten wie andere prophetische Gestalten auch dem Gedächtnis der Menschen bleibend und unverwechselbar eingeprägt. Vom Standpunkt der herrschenden Gesetzesinterpretation und Tempelreligion her mußte die jüdische Hierarchie zwar nicht gegen einen Messiasprätendenten oder Pseudomessias tätig werden, wohl aber gegen einen Irrlehrer, Lügenpropheten, Volksverführer und Gotteslästerer. Die neueste Analyse des juristischen Textmaterials von A. Strobel (1980)[40] weist auf, daß nicht, wie noch J. Blinzler in seinem bekannten Buch »Der Prozeß Jesu«[41] meinte, Voreingenommenheit und Böswilligkeit zur Verurteilung Jesu führten, sondern: »Die Rolle und die Stellungnahme des Kaiphas leiten sich aus seiner bedingungslosen Bindung und Treue zum Gesetz ab. Er mußte daher in tragischer Weise auch das Gesetz an Jesus vollstrecken.«[42]

Für damals konnte der grausame Tod Jesu also nichts anderes bedeuten als das: Das Gesetz hat triumphiert! Als am Schandpfahl Hängender erschien Jesus als Gottverfluchter, was auch das zeitgenössische jüdische Schrifttum bezeugt. Die Verurteilung zum Tod durch Kreuzigung, faktisch nur dem römischen Prokurator erlaubt, konnte auch eine jüdische Strafe sein und wurde – wie Y. Yadin anhand der in

Qumran entdeckten Tempelrolle eindeutig nachgewiesen hat[43] – in
Anlehnung an Deut 21,22f. verstanden als Strafe für Lästerung und
zugleich als Zeichen der Verfluchung des Gekreuzigten durch Gott[44].
Noch Josephus berichtet übrigens von einem Fall: Ein Prophet Jesus,
Sohn des Ananias, habe den Untergang des Tempels angekündigt und
sei deshalb von den jüdischen Autoritäten den Römern übergeben
und von diesen gegeißelt worden. Und daß die Hohepriester und
Vornehmen bei einem Prozeß vor dem römischen Prokurator dabei
waren, ist für einen anderen Fall ebenfalls von Josephus bezeugt[45].
Anders gesagt: Beim Verfahren gegen Jesus ging es um die »Umfor-
mung der jüdischen, auf Religionsvergehen lautenden Anklage hin
zur politischen Anklage des Hochverrats«[46]. Das heißt:
• Die politische Anklage, daß Jesus nach politischer Macht gestrebt,
  zur Verweigerung der Steuerzahlung an die Besatzungsmacht, zum
  Aufruhr aufgerufen und sich so als politischer Messias-König der
  Juden verstanden habe, war eine falsche Anklage.
• Aber Jesus, der religiöse Provokateur, wurde als politischer Revolutionär hingestellt und das hieß als militanter Gegner der römischen Macht. Für Pilatus war dies eine einleuchtende Anklage, zumal bei den damaligen Verhältnissen politische Unruhen und Aufrührer nichts Ungewöhnliches waren. Das heißt: Jesus wurde als
  politischer Revolutionär verurteilt, obwohl er gerade dies nicht war!

Wer also trägt die **Schuld an Jesu Tod**? Die historisch genaue Antwort kann nur lauten: Jüdische und römische Autoritäten waren **beide auf ihre Weise** in diesen Fall verwickelt. Für heute aber ist etwas
anderes entscheidend:
• Als Volk haben die Juden schon damals Jesus nicht verworfen; von
  einer Kollektivschuld des damaligen Judenvolkes (warum nicht
  auch des Römervolkes?) hätte nie die Rede sein dürfen.
• Absurd ist erst recht eine Kollektiv-Beschuldigung des späteren
  Judenvolkes: Schuldvorwürfe wegen des Todes Jesu an die heutige
  jüdische Nation waren und sind abstrus und haben unendlich viel
  Leid über dieses Volk gebracht.

Das Zweite Vatikanische Konzil hat hier angesichts einer monströsen
Schuldgeschichte der Christen, die gerade vom Vorwurf, »die Juden«
seien Christusmörder, gar Gottesmörder, genährt wurde, endlich

Klarheit geschaffen: »Obgleich die jüdischen Obrigkeiten mit ihren Anhängern auf den Tod Christi gedrungen haben, kann man dennoch die Ereignisse seines Leidens weder allen damals lebenden Juden ohne Unterschied noch den heutigen Juden zur Last legen.«[47]

Ist also nach allem, was wir gehört haben, eine »Heimholung« Jesu ins Judentum heute möglich, von der jüdische Autoren sprechen? Nein und ja. Vielleicht nicht in die Halacha, die, von Jesus relativiert, zurückschlug und die denn auch von denen, die später an Jesus als den Christus glaubten, nicht mehr als unbedingt heilsnotwendig betrachtet wurde. Wohl aber in das jüdische Volk, das bleibend auserwählte Volk, das den Rabbi aus Nazaret lange abgelehnt hat, lange hat ablehnen müssen. Heute aber erscheint auch vielen Juden der Nazarener als die Urgestalt des in der Welt verfolgten und zum unsäglichen Leid verurteilten Judenvolkes. Und wenn er heute zurückkäme, wie in Dostojewskis »Großinquisitor«: Wen hätte er wohl heute mehr zu fürchten? Wer würde ihn wohl eher aufnehmen – die Synagoge oder die Kirche?

Die Frage ist jedoch: Warum sind seine Botschaft, seine Lebenspraxis und sein Lebensschicksal noch so lebendig? Warum ist er als Person noch so lebendig?

III. Der Glaube an Jesus als den Messias?

War mit Jesu Tod alles aus? Offensichtlich nicht. Als unbestrittenes Faktum steht fest: Die von Jesus ausgehende Bewegung hat erst nach seinem Tod richtig begonnen, wurde erst jetzt richtig geschichtsmächtig. Worin hat sie ihren Grund? Sie hat ihren Grund in der Glaubensüberzeugung der jüdischen Anhänger Jesu von seiner Auferweckung aus dem Tod[1].

1. Auferweckung von den Toten – unjüdisch?

Dieses eine war die felsenfeste Überzeugung der ersten Christusgemeinde, die sich wie der Apostel Paulus auf spirituelle Erfahrungen berief: Dieser Gekreuzigte ist nicht ins Nichts gefallen. Er ist aus der vorläufigen, vergänglichen, unbeständigen Wirklichkeit in das wahre, ewige Leben Gottes eingegangen. Ein »über-natürlicher« Eingriff eines Deus ex machina? Eher das »natürliche« Hineinsterben und Aufgenommenwerden in die eigentliche, wahre Wirklichkeit: ein Endzustand jedenfalls ohne alles Leiden. Wie der Sterbensruf Jesu »Mein Gott, mein Gott, warum hast du mich verlassen?« (Mk 15,34) schon im Lukasevangelium ins Positive gewendet wird mit dem Psalmwort: »Vater, in deine Hände lege ich meinen Geist« (Ps 31,6; Lk 23,46), und dann bei Johannes: »Es ist vollbracht!« (19,30)

Gewiß: Diese Botschaft ist nicht ohne Schwierigkeiten, legendäre Konkretisierungen und Ausmalungen, situationsbedingte Erweiterungen (»Erscheinungen«), Ausgestaltungen (»Himmelfahrt«) und Akzentverschiebungen (»leeres Grab«) überliefert worden. Und doch: Im Grunde zielt sie auf etwas Einfaches, was in der Frühzeit durch formelhaft knappe Wendungen – in den neutestamentlichen Briefen und in der Apostelgeschichte erhalten – überliefert wird: »Gott, der ihn/Jesus aus den Toten erweckte«[2] oder »Gott erweckte ihn aus den Toten«[3] (aus dem Scheol, dem schattenhaften Totenreich). Erst später wird dieser Glaube durch die Geschichte vom leeren Grab erzählerisch ausgestaltet. Doch darin stimmen die verschiedenen urchristlichen Zeugen, Petrus, Paulus und Jakobus, die Briefe, die Evangelien und die Apostelgeschichte durch alle Unstimmigkeiten, ja Widersprüchlichkeiten bezüglich Ort und Zeit, Personen und Ablauf der Ereignisse überein: **Der Gekreuzigte lebt für immer bei Gott – als Verpflichtung und Hoffnung für uns**[4]! Die judenchristlichen und heidenchristlichen Menschen aus den Gemeinden des Neuen Testaments sind getragen, ja fasziniert von der Gewißheit, daß der Getötete nicht im Tod geblieben ist, sondern lebt, und daß, wer sich an ihn hält und ihm nachfolgt, ebenfalls leben wird. Das neue, ewige Leben des Einen als Herausforderung und reale Hoffnung für alle!

Daß mit Jesu Tod nicht alles aus war, daß er selber nicht im Tod geblieben, sondern in Gottes ewiges Leben eingegangen ist, war allerdings von Anfang an keine bewiesene historische Tatsache; es gibt im ganzen Neuen Testament keine »Augenzeugen« und keine direkte Beschreibung der Auferstehung. Auferweckung war schon immer eine – freilich begründete – **Glaubensüberzeugung**. Aber sollte eine Auferweckung von den Toten durch Gott selbst – nur in diesem Sinn darf von »Auf-erstehung« die Rede sein – etwa von vornherein ein unjüdischer Gedanke sein, ein Mirakel, analogielos in der jüdischen Glaubenserfahrung? Was meint überhaupt das Geschehen von »Ostern«? Scheiden sich hier Judentum und Christentum?

Keineswegs! Der »Glaube an die Auferweckung von den Toten (Techijat hametim) ist ein ausdrückliches Dogma des klassischen Judentums, bestätigt und ausgebaut durch Moses Maimonides, behandelt von Hasdai Crescas als ein ›wahrer Glaube‹ (anders als ein fundamentales Prinzip des Judentums), zurückgenommen auf eine problematisiertere Ebene der Deduktion von Joseph Albo und fast als eine zentrale Lehraussage verlorengegangen, seit die mittelalterlichen Diskurse abgeschlossen wurden. Dennoch: Trotz seines Verlustes dogmatischer Eminenz, wo sie – unter anderen Glaubenssätzen – als ein sine qua non rabbinischer eschatologischer Lehre betrachtet wurde, bleibt Auferweckung in der traditionellen Liturgie bejaht. Eingeführt als zweiter Segen des Achtzehnbittengebetes (das ›Schemone Essre‹), wiederholt während der Amida (wörtlich: stehendes Gebet), bekräftigt sie, daß Gott an die zu glauben nicht aufhört, die im Staub liegen, und daß er nach seinem Erbarmen die Toten erweckt, ihre Körper wieder herstellt und ihnen ewiges Leben gewährt« – so beschreibt Arthur A. Cohen (1928-1986), Buber-Biograph und Professor an der University of Chicago, die wechselhafte Geschichte des Auferstehungsglaubens im Judentum[5]!

»Auferweckung« durch Gott also ist etwas ganz und gar Jüdisches,
und jüdisch ist nicht nur der **Inhalt** des Glaubensbekenntnisses zu Jesu Auferweckung: »Gepriesen seist du, Jahwe, der die Toten lebendig
macht« (so der Wortlaut jenes zweiten Segens, ähnlich aber auch die
Friedhofliturgie). Jüdisch ist auch die **Form**: »Gott, der ihn aus den
Toten erweckt hat«, ähnlich wie die oft gebrauchten jüdischen Glau-
bensformeln: »Gott, der Himmel und Erde gemacht hat« oder »Gott,
der euch aus Ägypten herausgeführt hat«.

Doch die Frage bleibt: Warum wurde der Auferweckungsglaube ausgerechnet mit Jesus verbunden? Warum konnte man gerade an ein
solches hoffnungsloses Ende irgendwelche Hoffnungen knüpfen?
Warum konnte man den von Gott Gerichteten als Gottes Messias
proklamieren? Warum konnte man den Galgen der Schande zum Zeichen des Heiles erklären, warum den offensichtlichen Bankrott der
Bewegung zum Ausgang ihrer phänomenalen Neuerstehung machen?
   Hier haben wir schlicht zur Kenntnis zu nehmen: Nach den Zeugnissen geben die ersten Jünger Jesu als Grund für ihren an Ostern neu
geweckten Glauben an: der Gott Israels und Jesus selber! Sie berufen
sich dabei auf ihre **Erfahrungen** mit Gott und dem erhöhten Herrn.
Gewiß: Unsere Kenntnisse bezüglich geistiger Erfahrungen, Ekstasen,
Visionen, Bewußtseinserweiterungen, »mystischer« Erlebnisse sind
noch immer zu beschränkt, um klären zu können, was sich an Wirklichkeit hinter solchen Geschichten letztlich verbirgt. Aber sicher wird
man solche Erlebnisse weder als Halluzinationen einfach abtun[6] noch
im supranaturalistischen Schema als ein Eingreifen Gottes von oben
oder von außen erklären können. Wahrscheinlich dürfte es sich um
visionäre Vorgänge im Inneren, nicht in der äußeren Realität gehandelt haben. Aber »subjektive«, psychische Tätigkeit der Jünger und
»objektives« Handeln Gottes schließen sich keineswegs aus; denn
Gott handelt auch durch die Psyche des Menschen. Jedenfalls geht es
in Visionen oder Auditionen nicht um ein neutrales, objektives Erkennen, sondern um ein gläubiges und Zweifel keineswegs ausschlie-
ßendes Vertrauen: Es geht um **Glaubenserfahrungen** – am besten ver-
gleichbar mit den **Berufungserfahrungen** der Propheten Israels. Auch
die Apostel fangen ja jetzt an, sich berufen zu fühlen, zu verkünden
und ihr Leben für die Botschaft einzusetzen.
   Nun hat man immer wieder darauf hingewiesen, daß es in der An-

tike auch Zeugnisse von anderen Auferstehungen gebe. Immer wieder wird vor allem die Geschichte von einer Erscheinung des Apollonios von Tyana nach dessen Tod angeführt, wie sie Philostratos berichtet hat[7]. Aber man beachte den Unterschied zur Auferweckung Jesu: Hat denn je ein Mensch von dieser Auferweckungserfahrung des Apollonios die das ganze Leben verändernde Überzeugung gewonnen: daß durch diesen einen Menschen Gott entscheidend gesprochen und gehandelt hat? Wieweit Jesus selber, der ja eine dramatische eschatologische Wende noch zu Lebzeiten erwartet hatte, seine Jünger auf ein solches dramatisches Ereignis vorbereitet hat, wissen wir nicht; die Prophezeiungen von Tod und Auferweckung, wie sie in den Evangelien berichtet werden, sind in dieser Form sicher erst nachträglich formuliert worden.

Sicher ist nur: Die Jünger, welche das Reich Gottes in Bälde erwartet hatten, sahen diese Erwartung nun zunächst einmal als erfüllt an – und zwar im Lichte der Auferweckung Jesu zu neuem Leben. Sie wurde verstanden als Beginn der endzeitlichen Erlösung. Auch das war damals ein »gut jüdischer« Gedanke: Nicht nur die jüdischen Anhänger Jesu, viele Juden erwarteten ja damals die Auferweckung der Toten, nachdem, wie wir hörten, im Danielbuch und der apokalyptischen Literatur der Glaube an die allgemeine Auferweckung der Toten oder zumindest der Gerechten zum erstenmal aufgebrochen war. Freilich: Was viele Juden für alle Menschen in der Zukunft erwarteten, das war für die junge Christengemeinde in diesem einen bereits vorweggenommen: Die **Auferweckung Jesu** war der **Anfang der allgemeinen Totenerweckung**, der Beginn einer neuen Zeit. Das alles war gut jüdisch begründet in der Glaubenswelt von damals.

Als einer der wenigen jüdischen Theologen der Gegenwart hat denn auch Pinchas Lapide den Mut gehabt, »Auferstehung« wieder neu als ein authentisch »jüdisches Glaubenserlebnis« herauszustellen[8]. Zu Recht hat er betont, daß »die Auferstehung ... zur Kategorie der wahrhaft wirklichen und wirksamen Ereignisse« gehört: »Es muß etwas geschehen sein, das wir als historisches Ereignis bezeichnen können, da seine Folgen historisch waren – obwohl wir völlig außerstande sind, die genaue Natur des Widerfahrnisses zu erfassen.« Dabei wird nun freilich bei Lapide nicht ganz klar, ob es sich hier um einen »Fakt der Geschichte« oder nur um einen »subjektiv begründeten Glauben«

handelt. Ich würde präzisieren: Beim Glauben der Jünger geht es um
ein historisches (mit historischen Mitteln erfaßbares) Geschehen; bei
Gottes Auferweckung zum ewigen Leben aber geht es um kein historisches, kein anschauliches und vorstellbares, gar biologisches, wohl
aber um ein wirkliches Geschehen. Was ist damit gemeint? Eine kritische Quellenbenutzung kann da weiterhelfen, da sie unter allen legen-
darischen Entwicklungen das Entscheidende des Auferstehungsglaubens herausstellen kann. Er lebt: Was heißt hier »leben«?

Die einschlägige Forschung zeigt sehr deutlich, daß die ältesten
Zeugnisse des Neuen Testaments Jesu Auferweckung gerade **nicht** als
eine **Wiederbelebung zum irdischen Leben** verstehen, wie dies Pinchas Lapide in Analogie zu den drei alttestamentlichen Wiederbele-
bungen durch Prophetenhand annimmt. Nein, es geht vor apokalyp-
tisch-jüdischem Erwartungshorizont eindeutig um die **Erhöhung** dieses hingerichteten und begrabenen Nazareners **durch Gott zu Gott**,
zu einem Gott, den er selber »Abba«, »Vater« genannt hatte. Damit ist
nie – wie etwa im Griechentum – nur eine Unsterblichkeit der »Seele«
gemeint, sondern, da der Mensch im Judentum immer als physisch-
psychische Einheit gesehen wird, ein neues Leben der ganzen Person
bei Gott. Erst später freilich berichten vor allem lukanische und johanneische Texte in legendärer Weise geradezu von einem leiblichen
Verkehr des Auferstandenen mit seinen Jüngern. Was also meint – für
heute überlegt – Auferweckung?

- Auferweckung meint **keine Rückkehr in dieses raumzeitliche Leben**: Der Tod wird nicht rückgängig gemacht (keine Wiederbelebung eines Leichnams), sondern definitiv überwunden: Eingang in
ein ganz anderes, unvergängliches, ewiges, »himmlisches« Leben.
- Auferweckung meint **keine Fortsetzung dieses raumzeitlichen Lebens**: Schon die Rede von »nach« dem Tod ist irreführend; die
Ewigkeit ist nicht bestimmt durch ein »vor« und »nach«. Sie meint
vielmehr ein die Dimensionen von Raum und Zeit nach innen
übersteigendes neues Leben in Gottes unsichtbarem, unbegreiflichem Bereich (= »Himmel«).
- **Auferweckung meint positiv:** Jesus ist nicht ins Nichts hineingestorben, sondern ist im Tod und aus dem Tod in jene unfaßbare
und umfassende letzte und erste Wirklichkeit hineingestorben, von
jener wirklichsten Wirklichkeit aufgenommen worden, die wir mit
dem Namen Gott bezeichnen. Wo der Mensch sein Eschaton, das

Allerletzte seines Lebens erreicht, was erwartet ihn da? Nicht das Nichts, sondern jenes Alles, das Gott ist. Der Glaubende weiß: Tod ist Durchgang zu Gott, ist Einkehr in Gottes Verborgenheit, in jenen Bereich, der alle Vorstellungen übersteigt, den keines Menschen Auge je gesehen hat, unserem Zugreifen, Begreifen, Reflektieren und Phantasieren entzogen!

Soll man also die Auferweckung Jesu christlicherseits triumphalistisch als Sieg über das Judentum verstehen? Dies ist zweifellos oft geschehen, und A. Roy und Alice L. Eckardt, die sich als christliche Theologen in verdienstvoller Weise für die Revision gefährlicher christlicher Positionen im Licht des Holocaust einsetzen, sind der Auffassung, daß der Glaube an die Auferweckung Jesu die Wurzel alles christlichen Antijudaismus sei: Mit dem Auferweckungsglaube »habe das Christentum seinen ›**Supersessionismus**‹ (supersessionism = Überholtheits-Theorie) und seinen Triumphalismus über das Judentum und über das jüdische Volk historisch-theologisch legitimiert«[9].

Gewiß: Die Auferweckung Jesu, das wissen auch die beiden Theologen, gehört zur unaufgebbaren Grundsubstanz des christlichen Glaubens, die aber, so sahen wir ebenfalls, nicht fundamentalistisch mißverstanden werden darf. Schon Paulus erinnert die christlichen Triumphalisten in Korinth daran, daß der Auferweckte der Gekreuzigte ist und kein Mensch einen Grund zum Prahlen habe. Wird die Auferstehung gemäß der Schrift verstanden, so wird sie gewiß nicht als Botschaft gegen die Juden, sondern nur als Botschaft auch für die Juden verstanden werden dürfen. Nicht eine unjüdische Wahrheit, die niederschmettern will, sondern eine jüdische Wahrheit, die Hoffnung machen will. Kein Überholen, sondern ein Bewahren: Nicht nur weil der erhöhte Herr durch die Auferweckung als identisch mit dem Juden Jesus von Nazaret manifestiert wird, sondern auch weil der auferweckte Herr eine Einladung ist zu einer großen Entscheidung, die für jeden Menschen ansteht. Für jeden Menschen.

Denn jeder Mensch, ob Jude, Christ oder Nichtgläubiger, steht hier vor der letzten großen Alternative: Ist Sterben Sterben ins Nichts oder in die letzte Wirklichkeit hinein? Der Glaube an eine Auferweckung vertraut auf ein **Sterben in Gott hinein**, statt eine letzte Sinnlosigkeit des Menschenlebens anzunehmen. Tod und Auferweckung stehen so in engstem Zusammenhang. Die Auferweckung geschieht mit dem

Tod, im Tod, aus dem Tod. Was Jesus betrifft, so wird dies am deut-
lichsten in frühen vorpaulinischen Hymnen herausgestellt, in denen
Jesu Erhöhung schon vom Kreuz her zu erfolgen scheint (»bis zum
Tod am Kreuz. Darum hat Gott ihn über alle erhöht und ihm den
Namen verliehen, der größer ist als alle Namen ...«[10]). Besonders im
Johannesevangelium ist dies der Fall, wo Jesu »Erhöhung« zugleich
seine Erhöhung am Kreuz wie seine »Verherrlichung« meint und beides die eine Rückkehr zum Vater bedeutet. Doch geht es im Glauben
an eine Auferweckung im Grunde einfach um einen radikalen Glauben – und zwar nicht an irgendeine religiöse Spezialität, sondern an
Gott selbst, der das Subjekt des Handelns ist. Ein zweiter Reflexions-
gang ist deshalb nötig, der ebenfalls einem Juden nicht unjüdisch vorkommen muß.

2. Radikalisierung des Glaubens an den Gott Israels

Das In-Gott-hinein-Sterben ist alles andere als eine Selbstverständlichkeit. Sie ist keine natürliche Entwicklung, kein unbedingt zu er-
füllendes Desiderat der menschlichen Natur: Tod und Auferweckung
müssen in ihrem nicht notwendig zeitlichen, aber sachlichen Unterschied gesehen werden. Wie das auch durch die alte, vermutlich weniger historische als symbolische Angabe »Auferstanden am dritten
Tag« betont wird: »drei« nicht als Kalenderdatum, sondern als Heils-
datum für einen Heilstag. Der **Tod** ist **des Menschen Sache**, das **neue
Leben** kann nur **Gottes Sache** sein. Von Gott selbst wird der Mensch
in seine unfaßbare, umfassende letzte Wirklichkeit aufgenommen,
gerufen, heimgeholt, also endgültig angenommen und gerettet. Im
Tod, oder besser: aus dem Tod, als einem eigenen Geschehen, gründend in Gottes Tat und Treue. Wie bei der ersten Schöpfung eine verborgene, unvorstellbare, neue Schöpfertat dessen, der das, was nicht
ist, ins Dasein ruft. Und deshalb – und nicht als supranaturalistischer
»Eingriff« gegen die Naturgesetze – ein wirkliches Geschehen, so wie
eben Gott ganz und gar wirklich ist für den, der glaubt.

Ob jüdisch oder christlich verstanden: Der Auferweckungsglaube
ist nicht ein Zusatz zum Gottesglauben, sondern eine Radikalisierung
des Gottesglaubens. Ein Glaube an den Gott, der nicht auf halbem
Weg anhält, sondern den Weg konsequent zu Ende geht. Ein Glaube,

in welchem sich der Mensch ohne strikt rationalen Beweis, wohl aber in durchaus **vernünftigem Vertrauen** darauf verläßt, daß der Gott des Anfangs auch der Gott des Endes ist, daß er wie der Schöpfer der Welt und des Menschen so auch ihr Vollender ist.

Der Auferweckungsglaube ist also nicht nur als existentiale Verinnerlichung oder soziale Veränderung zu interpretieren, sondern als eine Radikalisierung des Glaubens an den Schöpfergott: Auferweckung meint die reale **Überwindung des Todes durch den Schöpfergott**, dem der Glaubende alles, auch das Letzte, auch die Überwindung des Todes, zutraut. Das Ende, das ein neuer Anfang ist! Ist dies nicht folgerichtig? Wer sein Credo mit dem Glauben an »Gott den allmächtigen Schöpfer« anfängt, darf es auch ruhig mit dem Glauben an »das ewige Leben« beenden. Weil Gott das Alpha ist, ist er auch das Omega! Das heißt: Der allmächtige Schöpfer, der aus dem Nichtsein ins Sein ruft, vermag auch aus dem Tod ins Leben zu rufen[11].

Nur von daher läßt sich jetzt auch die Frage nach der **Messianität Jesu** beantworten. Ich habe es schon dargelegt: Jesus selber hat diesen Titel nach allem, was wir wissen, nie in Anspruch genommen und hat sich messianischen Huldigungen von Seiten des Volkes verschiedentlich entzogen[12]. Und doch bekommt jetzt der Messiastitel für ihn von der Auferweckung her einen tiefen Sinn und eine authentische Glaubwürdigkeit. Man kann es als christlicher Theologe nicht genügend betonen: Es waren jüdische Anhänger Jesu, die aufgrund ihrer Glaubenstradition Konsequenzen aus dem Glauben an die Auferweckung zogen. Es war der jüdische Horizont der Apokalyptik, in der Kategorien (z. B. »Menschensohn«, »Messias«, »Richter«) und Vorstellungen (z. B. Entrückung des Henoch) bereitlagen, um die »Enthüllung« (= »Apokalypsis«) des zu Gott Erhöhten schon jetzt und die Hoffnung auf seine Wiederkunft zum Ausdruck zu bringen.

Wo ist der Auferweckte jetzt? Auf diese höchst dringende Frage gab den ersten Christen Psalm 110,1 die Antwort: »Setze Dich zu meiner Rechten ...« Der zur Rechten Gottes Erhöhte konnte jetzt als **von Gott gerechtfertigt** betrachtet werden! Wiewohl bei den Menschen offensichtlich gescheitert, hatte er von Gott doch Recht bekommen. Mit dem Gottverlassenen hatte sich Gott selber identifiziert! Auferweckung bedeutete für diese jüdischen Anhänger demnach: Gott ergriff Partei für den, der sein Leben für seine und der Menschen Sache hingegeben hatte. Zu ihm bekannte sich Gott und nicht zur Hierarchie Jerusalems, die ihn angeklagt, und nicht zur römischen Militärmacht, die ihn hingerichtet hatte. Gott sagte Ja zu seiner Verkündigung, seinem Verhalten, seinem Geschick.

Das bedeutet nun allerdings so etwas wie eine »Umwertung aller Werte«, eine Umwertung vor allem des Leidens. Mit der christlichen Messiaserwartung werden der traditionell-jüdische Messiastitel und die herkömmliche **Messiaserwartung inhaltlich umgepolt.** Messias: Dieser Titel des in der Endzeit erwarteten Vollmachtträgers und Heilbringers konnte – wie wir sahen – vieles besagen. Im weitest verbreiteten politischen und jüdisch-nationalen Verständnis, welches später oft mit dem apokalyptischen vom Menschensohn vermischt wurde, meinte der »Messias Gottes« den mächtigen Kriegshelden der Endzeit und königlichen Befreier des Volkes. Doch durch Jesu Schicksal erhält der Messiastitel nun eine völlig neue Interpretation: Er meint jetzt einen gewaltlosen, wehrlosen, einen verkannten, verfolgten, verratenen und schließlich sogar leidenden und sterbenden Messias. Für das übliche jüdische Verständnis mußte dies ebenso skandalös klingen wie bei der Passion der entsprechende Kreuzestitulus »König der Juden«. In diesem völlig umgeprägten Sinn ist der Messiastitel, griechisch der Christustitel, auch nach dem Neuen Testament für die Christenheit bis heute der häufigste Hoheitsname Jesu von Nazaret geblieben. Keine Frage: Wir sind hier am entscheidenden theologischen Wendepunkt des Gesprächs zwischen Christen und Juden angekommen.

3. Eine Entscheidung des Glaubens

Mag die Frage nach Verkündigung, Praxis und Selbstverständnis Jesu, nach dem Profil von Jesu Judentum und dem Glauben der jüdischen Urgemeinde auch geschichtlich umstritten sein – sie verbleibt noch im Raum der Geschichtsforschung, wo es ein Mehr oder Weniger, ein Wahrscheinlicher oder Unwahrscheinlicher gibt. Hier an dieser Stelle kommt jedoch eine andere Dimension ins Spiel: die wirkliche, aber nicht historisch kontrollierbare Dimension Gottes selber. An dieser Stelle muß der Christ sein eigenes vernünftiges Vertrauen, seine Glaubensentscheidung einbringen, die er niemand anderem aufzwingen kann, bei der es nicht ein Mehr oder Weniger, ein Wahrscheinlicher oder Unwahrscheinlicher gibt, sondern nur ein Ja oder Nein. Eine Glaubensentscheidung nämlich, zu der nichts zwingt, aber vieles einlädt: daß Gott selbst, der Gott der Schöpfung und des Exodus, der Gott der Propheten und der Weisen Israels nicht nur durch die Propheten und Weisen, sondern schließlich und endlich auch entscheidend durch den gekreuzigten Nazarener gesprochen, gehandelt, sich durch ihn geoffenbart hat.

Freilich – und da stimmen Juden und Christen im Prinzip wieder überein: Die Auferweckung des Einen ist noch nicht die Vollendung des Ganzen. Christen sollten Juden nicht widersprechen, die von jeher die Auffassung vertraten: Auch nach dem Christus-Ereignis ist die Welt noch nicht zur Gänze verwandelt; zu groß ist ihr Elend! **Die endzeitliche Erlösung und Vollendung steht auch für Christen noch aus**; die »Parusie« hat sich verzögert – für Juden und Christen! Gottes Reich wird umfassend und alles bestimmend erst kommen. Deshalb kann im »Vater unser«-Gebet die Bitte Jesu stehen: Dein Reich »komme«!

Andererseits aber war es die Glaubensüberzeugung schon der Juden, die Jesus nachfolgten: Wir müssen nicht alles von diesem kommenden Reich erwarten; in Jesus selber, seinen befreienden Worten und heilenden Taten, ist die Macht des kommenden Reiches schon jetzt aufgeleuchtet, sind Zeichen gesetzt worden für die kommende Erlösung der Welt, ist der Anfang der Erlösung, eine »anfängliche Erlösung« bereits geschehen. Mögen Jesus und seine ersten Anhänger sich auch »getäuscht« haben, dieser Tatbestand einer »präsentischen Eschatologie« eröffnet eine Perspektive auch für die Zukunft, auf deren Vollendung Juden und Christen gemeinsam warten. Für Christen aber ist er, der da gekommen ist, nicht nur ein Verkünder, sondern in Wort und Tat zugleich der Bürge des Reiches Gottes. Für Christen ist er der Messias, der Christus – der entscheidende Grund, warum auch schon die Juden, die Jesus damals folgten, auf griechisch »Christen« genannt werden konnten.

Ob Jesus der Messias war, wird sich für Juden herausstellen – wenn der Messias kommt, hat der große jüdische Theologe Franz Rosenzweig einmal gesagt, ein im jüdisch-christlichen Dialog häufig zitiertes Wort. Christen können dieses Wort dahingehend verstehen: Wenn der Messias kommt, wird er – davon sind Christen überzeugt –

niemand anderer sein als Jesus von Nazaret, der Gekreuzigte und Auferweckte. Er, der von Gott bereits zum Leben Erweckte und Gerechtfertigte, ist die Hoffnung auf die endgültige Erlösung für alle.

4. Was Juden und Christen gemeinsam bleibt

Und doch: Bevor wir – ausgehend von der angesprochenen Glaubensentscheidung – nicht nur auf das spannungsgeladene Verhältnis von Christen und Juden, sondern auch auf die fatale Geschichte ihrer Entfremdung zu sprechen kommen müssen[13], soll in Erinnerung gerufen werden, was Juden und Christen nach wie vor gemeinsam bleibt. Und erfreulicherwiese gibt es heute kein kirchliches Dokument, ob katholisch, evangelisch oder ökumenisch, das im Verhältnis von Juden und Christen nicht von diesen Gemeinsamkeiten ausginge. Und diese Gemeinsamkeiten sind wichtig im Blick auf ein ökumenisches Gespräch der Zukunft.

Unbestritten ist die **jüdische Basis des Christentums:**

1. Jesu Mutter (Mirjam) war Jüdin, und so wuchs Jesus ganz selbstverständlich als Jude in einer jüdischen Familie auf, und zwar im galiläischen Nazaret, ohne zunächst öffentlich hervorzutreten.

2. Der Name, den man ihm gab, war gut jüdisch (hebräisch »Jeschua«, Spätform von »Jehoschua« = »Jahwe ist Hilfe«), die heiligen Schriften, die er kannte und las, der Gottesdienst, den er besuchte, die Feste, die er feierte, die Gebete, die er sprach: all das war nichts als jüdisch.

3. Er wirkte unter Juden für Juden: seine Botschaft galt dem ganzen jüdischen Volk; die Jünger und Jüngerinnen, die er um sich sammelte, und seine ganze Gefolgschaft waren Juden und Jüdinnen aus der jüdischen Gemeinde.

4. Auch die älteste Gemeinde, die sich nach seiner Verhaftung und Hinrichtung und nach anfänglicher Zerstreuung im Glauben an ihn als den zu Gott Auferweckten wieder gesammelt hatte, waren aramäisch sprechende Jüdinnen und Juden, die sich als eine Gruppe innerhalb des Judentums verstanden.

Und insofern Jesus und seine ihm nachfolgenden Anhänger Juden waren, hat sich trotz einer grauenhaft-konfliktreichen Geschichte **eine bis heute andauernde Gemeinsamkeit** durchgehalten:

- der Glaube an den einen **Gott**, genauer an den einen Gott Abrahams, Isaaks und Jakobs, dem der Mensch als Schöpfer, Erhalter und Vollender von Welt und Geschichte vertrauen darf;
- die Sammlung heiliger **Schriften** (der Tenach oder das »Alte« Testament), welche die Quelle des gemeinsamen Glaubens und zahlreicher gemeinsamer Werte und Denkstrukturen ist;
- der **Gottesdienst**, in dem viele Elemente (Psalmen), viele Grundvollzüge (Gebete, Lesungen) und inhaltlich-religiöse Momente sich durchgehalten haben;
- das **Ethos** der Gerechtigkeit sowie der Gottes- und Nächstenliebe, wie es vor allem die Zehn Gebote zeigen;
- der Glaube an Gottes weitergehende Geschichte mit seinem Volk und dessen **Vollendung** in voller Gemeinschaft mit Gott.

Viel zu wenig aber blieb darüber hinaus im Bewußtsein, was den Juden, die Jesus nachfolgten, und den übrigen Juden **zunächst ebenfalls gemeinsam** war und erst **später** – in einer reichlich komplexen Geschichte – **aufgegeben** wurde. Zunächst galt auch für die jüdischen Jesus-Anhänger
– der Vollzug der Beschneidung[14]
– die Heiligung des Sabbats[15]
– die Beachtung jüdischer Feste[16]
– die Befolgung der gesetzlichen Reinheitsforderungen[17]
– bis zur Zerstörung des Tempels auch die Teilnahme am Tempelgottesdienst[18], wo das »Schema Israel« (»Höre, Israel!«), das Bekenntnis zum einen und einzigen Gott, erklang, und das »Schemone Essre«, das Achtzehnbittengebet, sowie andere Gebete gesprochen wurden.
    Diese Juden, die Jesus als ihrem Messias nachfolgten, gab es nicht nur in Jerusalem und Palästina; sie missionierten später überall und fanden sich so auch in Griechenland und Kleinasien, in Syrien und in Ägypten. Und so ist es denn nicht überraschend, was James H. Charlesworth jüngst noch einmal in Erinnerung gerufen hat[19],
– daß die junge Christenheit überall nicht nur die jüdische Tradition der spontanen persönlichen Gebete, sondern auch fixierte **liturgische Gebete** übernahm;
– daß in den neutestamentlichen Schriften neben den Psalmen besonders **Hymnen** aus dem Judentum übernommen, eingepaßt oder auch unter dem Einfluß jüdischer Tradition neu formuliert wurden;

– daß sogar noch bis ins 4. Jahrhundert der Einfluß nicht nur der jüdischen **Exegese** (etwa auf Origenes und Hieronymus), sondern auch der jüdischen **Liturgie** zu beobachten ist, ja, daß in Einzelfällen Christen selbst noch in Konstantinopel, wie Chrysostomos bezeugt, am synagogalen Gottesdienst teilgenommen haben.

In der Tat, wer immer als Christ heutzutage an einem synagogalen Gottesdienst, gar an einem großen jüdischen Fest teilnimmt, der wird sich über alles das freuen, was ihm da, von der Schriftlesung, den Psalmen angefangen, bis hin zu den Hymnen als bekannt entgegentritt. Was gibt es denn da, was man nicht lauteren Herzens mitbeten könnte? Ob also in Zukunft eine neue Gemeinschaft bei allen Unterschieden so ganz ausgeschlossen sein müßte?

IV. Die Geschichte einer Entfremdung

In der Liturgie, so sahen wir, sind die Gemeinsamkeiten zwischen Judentum und Christentum besonders deutlich; manche Gebete sind ohnehin gemeinsam oder zumindest gegenseitig so akzeptabel, daß heute ein ökumenischer Gottesdienst möglich ist und auch hin und wieder praktiziert wird. Ein schönes Zeichen für echten ökumenischen Fortschritt. Allerdings gibt es vom Judentum her gesehen bis heute keine simple Gegenseitigkeit. Christen können an einem jüdischen, Juden aber nicht so ohne weiteres an einem spezifisch christlichen Gottesdienst teilnehmen, so viele jüdische Elemente er auch immer enthalten mag. Warum nicht? Weil Juden in der christlichen Liturgie bis heute einen **fundamentalen Unterschied** feststellen: Es ist der Name jenes Juden, der in der spezifisch christlichen Liturgie nun einmal im Zentrum steht! Dieser Name soll in der jüdischen Liturgie besser nicht einmal genannt und erst recht nicht gepriesen werden, aufgrund sehr alter und sehr gewichtiger Tradition.

1. Was Christen und Juden von Anfang an unterscheidet

Ja, es wäre falsch, die **Unterschiede** zwischen den Juden, die Jesus nachfolgten (von uns »Juden-Christen« genannt), und den übrigen Juden zu übersehen, **die sich schon früh abzeichneten** (der Harvard-Exeget Helmut Köster hat sie folgendermaßen zusammengefaßt[1]):
– das enthusiastische Bewußtsein des Geistbesitzes: die Ausgießung desjenigen Gottesgeistes, der in Zungen reden, prophezeien und Heilungswunder wirken läßt (Schlüsselgeschichte: das Pfingstereignis zu Beginn der Apostelgeschichte);
– provisorische Strukturen angesichts des bald erwarteten apokalyptischen Endes: den Kreis der Zwölf, die nicht als Apostel oder Gemeindeleiter, sondern als Repräsentanten der zwölf Stämme des endzeitlichen Israel verstanden wurden (erst bei Lukas, der Evangelium und Apostelgeschichte nach dem Untergang des Zweiten Tempels schrieb, werden die Zwölf zu den »zwölf Aposteln«, die eine Art von Jerusalemer Ober-Presbyterium für die Gesamtkirche bilden);
– die endzeitliche Taufe: vom Täufer Johannes übernommen, jetzt

aber »im Namen Jesu« gespendet, um sich auf diese Weise ihm, dem Christus, ganz zu übergeben und so den Geist zu empfangen;
– das gemeinsame endzeitliche Mahl: Wie es Jesus selber schon gefeiert hatte mit den Seinen, wird es jetzt gefeiert als »Herrenmahl« zur Erinnerung und in Erwartung des wiederkehrenden »Herrn«, aramäisch »Maran«; deshalb das Gebet »Maran atha«, »Herr, komme bald«.

Damit ist offenkundig, daß **in der Mitte des Zwistes** zwischen Juden und Christen von allem Anfang an **der Name des Nazareners** steht, der vom offiziellen Judentum als falscher Messias strikt abgelehnt, von einer jungen jüdischen Gemeinde aber als wahrer Messias angenommen wird. Wir hörten, warum: Weil jüdische Frauen und Männer nach dem Schock seiner Hinrichtung verschiedenartige pneumatische Erfahrungen (Visionen, Auditionen) im Horizont der jüdischen Auferweckungshoffnung gemacht haben, die sie nicht etwa als selbst produzierte Deutung, sondern als von Gott geschenkte Offenbarung ansahen: Er, der Geschundene und Erniedrigte, wurde von Gott selbst erhöht und herrscht nun auf dem Ehrenplatz »zur Rechten Gottes« über die Welt. Deshalb ist er jetzt der Hoffnungsträger des kommenden Gottesreiches: Wegweiser und Heilbringer, der bald mit allen möglichen jüdischen Würdetiteln ausgezeichnet werden wird.

Es wäre folglich leichtsinnig und würde der jüdisch-christlichen Verständigung nicht dienen, wenn man das, was durch alle Jahrhunderte Grund des Streites war, heutzutage verschleiern und ausklammern würde. Bei aller Gemeinsamkeit sowohl des Glaubens an den einen Gott wie der einen Heilsgeschichte, der heiligen Schriften, des Gottesdienstes, des Ethos und der kommenden Vollendung zeichnet sich nun einmal von Anfang an eine **theologische Grunddifferenz** ab: Alles Glauben und Hoffen konzentriert sich auf diesen Jesus. Und dies hat Konsequenzen für das Zentrum des jüdischen Glaubens:

• Immer weniger stehen hier das (ohnehin bald zerstreute) Volk und das (ohnehin bald verlorene) Land als Ausdruck des Bundes im **Mittelpunkt**. Mittelpunkt ist dieser **Jesus** als der Garant des Bundes, der als der »Messias« oder »Herr« (»Menschensohn«, »Davidsohn« oder mit welchem Titel auch immer) erwartet wird und der immer deutlicher als der Stellvertreter des einen Gottes selbst im Zentrum des Glaubens steht: »Jesus ist der Herr« – so heißt eines der ältesten Bekenntnisse der jungen Christenheit.

• Bei allem unverrückten Glauben an den einen Gott wurde so das

Zentrum des Glaubens neu bestimmt: Jesu Name steht zeichen-
haft für das Gottesreich, dessen Kommen er verkündet hatte. Der
Glaube an Gott wird so christologisch konkretisiert, ja personifiziert. Nein, kein zweiter Gott neben dem einen Gott, kein Bi-theis-
mus statt des Mono-theismus. Aber: Der eine Gott Israels wird
durch diesen seinen letzten Propheten, Gesandten, Messias und
Christus neu gesehen und dieser selber neu verstanden: als Gottes
Bild, Wort und Sohn.

Man fragt sich: Ob es sich bei dieser neuen Jesus-Bewegung vielleicht
nur um einen Paradigmenwechsel innerhalb des Judentums handelt,
nur um eine andere zeitbedingte Konstellation der Überzeugungen,
Werte, Verfahrensweisen? Die damals sich entwickelnde Verschiedenheit muß noch klarer ins Auge gefaßt werden. Die Verhältnisse sind
erheblich verwickelter, als lange Zeit angenommen.

2. Die hellenistischen Juden-Christen

Jahrzehntelang hatte man in der Nachfolge Rudolf Bultmanns und
der religionsgeschichtlichen Schule angenommen, daß man mit einem **Drei-Gemeinden-Schema** zur Erklärung der urchristlichen Geschichte (bis zum »Apostelkonzil« um das Jahr 49) auskäme. Auch
viele jüdische Gelehrte sahen es so: Die aramäisch sprechende Urgemeinde aus christlich orientierten Juden oder »Juden-Christen« in Jerusalem, deren Glaube und Praxis noch weitgehend im Rahmen des
Judentums (Tempel- und Toratreue) verblieben war, sei außerhalb
Jerusalems und Palästinas durch eine griechisch sprechende Gemeinde aus »Heiden-Christen« abgelöst worden. Diese hätten das Christentum mit hellenistischem Synkretismus vermischt und hätten es
im Grunde zu einer »ganz neuen Religion« gemacht, bevor es dann
durch Paulus zu weiteren heidenchristlichen Gemeindegründungen
gekommen sei. Die Urgemeinde erscheint in diesem Schema noch als
eine rein »eschatologische Sekte innerhalb des Judentums«[2].

Dieses Bild ist indessen von führenden Exegeten seit den 60er und
70er Jahren entscheidend korrigiert worden[3]. Enge **Verbindungen
von »Judentum und Hellenismus«** (Martin Hengel[4]) schon in Palästina konnten nachgewiesen werden, mit Auswirkungen bis in die An-

hängerschaft Jesu und in die Urgemeinde hinein. Wir haben zu fragen: Was ging in Jerusalem vor sich und was in Antiochien[5]?

Das zwar schon immer bekannte, aber historisch nicht genügend analysierte Phänomen: In Jerusalem dürfte die Gemeinde, die Jesus nachfolgte, nach Jesu Tod keineswegs nur aus aramäisch sprechenden Juden allein, sondern auch zu einem nicht geringen Teil aus **griechisch sprechenden hellenistischen Juden** bestanden haben. Der in der Apostelgeschichte 6,1 berichtete Konflikt um die tägliche Witwenversorgung[6] jedenfalls scheint schon in der Urgemeinde selbst eine starke Trennung zwischen »Hellenisten« einerseits und »Hebräern« andererseits zu spiegeln. Sie wird noch dadurch unterstrichen, daß beide judenchristlichen Gruppen allem Anschein nach über eine eigene Synagoge und eigene Hausgemeinschaften verfügten, in der die Schrift im Gottesdienst entweder hebräisch oder eben griechisch gelesen wurde. Diese Griechisch als Muttersprache sprechenden Judenchristen – soziokulturell dem städtischen Milieu des hellenistischen Diaspora-Judentums entstammend und, weil gebildeter, wohl auch geistig aktiver – dürften von dem gleichfalls in der Apostelgeschichte erwähnten Stephanuskreis (»die Sieben«, die alle rein griechische Namen tragen) geleitet worden sein: wohl relativ selbständig neben dem die »Hebräer« repräsentierenden Apostelkreis (»die Zwölf«, welche die zwölf Stämme Israels repräsentieren). Das heißt gleichzeitig: »Die Sieben« dürften wohl kaum einfache, »den Zwölf« unterstellte Armenpfleger gewesen sein, wie die Apostelgeschichte des Lukas eine Generation später berichtete. Man wird sie eher als das »Führungskollegium einer selbständigen Gemeindegruppe« anzusehen haben, das schon damals in Jerusalem missionarisch aktiv war[7].

Entscheidend ist nun, daß es in der Urgemeinde schon bald nach Jesu Tod – wohl in den Jahren 32-34, jedenfalls vor dem Apostel Paulus! – zum **Konflikt mit dem synagogalen Establishment** gekommen sein muß, und zwar nicht primär wegen der aramäisch sprechenden Juden-Christen, die ja weitgehend gesetzes- und tempeltreu gelebt haben, sondern wegen dieser aktiveren hellenistischen Juden-Christen, die aus der Diaspora stammten und deshalb eher für Gesetzes- und Tempelkritik offen gewesen sein dürften. Die Apostelgeschichte jedenfalls berichtet von einem Konflikt um die angebliche Lästerung von Tempel und Gesetz im Namen Jesu[8], der mit der Verhaftung[9] und Steinigung des Stephanus[10] sowie der Vertreibung der hellenisti-

Die Jesus-Bewegung

das urchristlich-
apokalyptische Paradigma:

Juden
(="Juden-Christen")

aramäisch sprechend, aus Palästina stammend:
"Hebräer" mit den "Zwölfen"; tempeltreu und **gesetzestreu**

griechisch sprechend, aus der Diaspora stammend:
"Hellenisten" mit den "Sieben"; tempelkritisch und **gesetzeskritisch**

Saulus/Paulus
Apostel der Heiden

gesetzeskritisch → Saulus/Paulus →

Nichtjuden
(="Heiden-Christen"): griechisch / lateinisch sprechend; **gesetzesfrei**

An **Jesus Christus** glaubten

Weltreligion:

das altkirchlich-
hellenistische Paradigma

schen Judenchristen (nicht aber der aramäischen: die »Apostel« bleiben!) aus Jerusalem seinen Höhepunkt findet[11]. Bekanntlich setzten diese hellenistischen Judenchristen ihre Missionstätigkeit in Judäa und Samaria, aber auch in Phönikien, Zypern und Antiochien fort. Gerade **Antiochien**, 300 km nordöstlich von Jerusalem am Fluß Orontes gelegen, kommt eine besondere Bedeutung zu, war Antiochien doch nach Rom und Alexandria die drittwichtigste Stadt des römischen Imperiums, Hauptstadt der damaligen römischen Doppelprovinz Syrien und Kilikien[12]. Wir haben also davon auszugehen: Durch die trennenden Sprachbarrieren einerseits und die »selbständige Gottesdienstgemeinschaft«[13] andererseits war die institutionelle Voraussetzung dafür gegeben, »daß sich die ›Hellenisten‹ – auf der Grundlage der besonderen Voraussetzungen der kulturellen Tradition des Diaspora-Judentums – zu einer Gruppe mit besonderem Profil entwickeln konnten«[14].

Die antiochenische Gemeinde, deren Gründung durch die aus Jerusalem Vertriebenen Mitte der 30er Jahre erfolgt sein dürfte, bestand somit anfangs keineswegs nur aus hellenistischen Heiden-Christen, deren synkretistische Ausrichtung aus dem Kerygma der Urgemeinde eine völlig neue, mystisch-kultische Religion gemacht haben soll. Antiochien ist anfangs vielmehr als eine Gemeinde aus **griechisch sprechenden Juden-Christen** anzusehen, die **nicht gesetzesfrei, aber gesetzeskritisch** waren. Sie waren es, die in dieser Stadt – angesichts eines großen jüdischen Bevölkerungsanteils (zwischen 20 000 und 40 000) – zunächst »nur die Juden«[15] zu missionieren versuchten, dann aber, als sie von diesen abgewiesen wurden, immer stärker dazu übergingen, »auch den Griechen das Evangelium von Jesus, dem Herrn zu verkünden«[16]. Ein gesetzesfreies Heidenchristentum ist also auch in Antiochien erst allmählich neben ein selbständig weiterbestehendes gesetzeskritisches hellenistisches Judenchristentum getreten und hat dies erst nach dem Jahr 48 weitgehend abgelöst[17].

3. Wie kam es zum Bruch zwischen Christen und Juden?

Wir haben bei unserer Skizzierung des **theokratischen Paradigmas** (P III) des nachexilischen Judentums ausführlich davon berichtet, wie sehr das palästinische Judentum damals auf **Gesetz und Tempel** fixiert war: »Der ›Eifer für Gesetz und Heiligtum‹ war ein feststehender Zug jüdischer Frömmigkeit in Palästina zwischen Herodes und 70 n. Chr. ... Für eine offene, den Gesetzgeber Mose selbst betreffende Kritik an Tora und Heiligtum war innerhalb des palästinischen Judentums kein Freiheitsraum« (M. Hengel[18]). Von daher erklärt es sich leicht, warum jegliche innerjüdische **Tora- und Tempelkritik** auf mehr oder weniger heftigen Widerstand der führenden Autoritäten stoßen mußte, zumal wenn sie sich auf einen galiläischen Wanderprediger berief, den man soeben noch als religiösen Unruhestifter hingerichtet hatte.

Daß schon Jesus selber zwar nicht antinomistisch eingestellt war, sich aber im Einzelfall durchaus gesetzes- und tempelkritisch verhalten hatte, haben wir gehört. Auf ihn konnte sich nach seinem Tod die gesamte Bewegung seiner Anhänger berufen – allerdings in ganz verschiedener Weise. Denn während die aramäisch sprechende judenchristliche Gemeinde sich offensichtlich noch wie Jesus selber im wesentlichen einer Tora- und Tempeltreue befleißigt hat, versteht es sich, »daß es gerade die ›Hellenisten‹ waren« – so Martin Hengel –, »die unter dem einzigartigen, dynamisch-schöpferischen Impuls des Geistes die eschatologisch motivierte, torakritische Intention der Botschaft Jesu weiterführten. Das durch das Erlebnis des Geistes und die Gewißheit der angebrochenen Endzeit neu ausgelegte Wort Jesu gab die Kraft, die starke traditionelle Bindung an Tora und Kult zu durchbrechen. Die heiligen Schriften wurden konsequenterweise nicht mehr primär unter dem Gesichtspunkt des Gesetzes und seiner 613 Gebote und Verbote, sondern als prophetische Verheißung auf Jesus hin verstanden.«[19]

Anders gesagt: Das theokratische Paradigma wurde von den hellenistischen Judenchristen faktisch im Geist des zu Gott erhöhten Kyrios Jesus allmählich unterlaufen. Und hier dürfte die **Hauptquelle des Konflikts** mit dem offiziellen Judentum gelegen haben. Hätten solche Judenchristen nur eine Spiritualisierung des Tempels und des Gesetzes vollzogen, wäre es zum großen Streit möglicherweise nicht gekommen. Selbst die Proklamierung Jesu als des Messias hätte man vielleicht noch toleriert. Völlig inakzeptabel aber war die Konsequenz, daß **Tora und Propheten ausgerechnet** von **Jesus** her und auf Jesus hin **zu interpretieren** seien, ja, daß er faktisch über oder anstelle der Tora stehe und daß in ihm womöglich allein das Heil sei. Gegen einen solchen ungeheuerlichen Anspruch reagierte das jüdische Tora- und Tempelestablishment mit harten und zur Not auch gewaltsamen **Gegenmaßnahmen.**

So kam es, daß umgekehrt die christologische und pneumatologische Interpretation der Tora wie von selbst immer mehr auch eine **antijüdische Tendenz** annahm: insofern man in der Hebräischen Bibel nicht nur den Messias »prophezeit« fand, sondern auch schon dessen Gegner! Und so zeigt sich denn schon in den frühen neutestamentlichen Schriften: Die Konzentration der jungen Christengemeinde auf den erhöhten, als Kyrios herrschenden und im Geist präsenten Jesus Christus hatte eine zunehmende Polemik gegen die ihn ablehnende Synagoge zur Folge. Eine sich verschärfende Polemik also nicht nur gegen bestimmte jüdische Autoritäten, sondern gegen ganze Gruppen, »die Pharisäer und Schriftgelehrten«, ja schließlich pauschal gegen »die Juden« überhaupt. Die peinliche Frage läßt sich deshalb nicht umgehen: Liegen nicht schon im Neuen Testament selbst die Wurzeln der Judenfeindschaft, des Antijudaismus, vielleicht gar des Antisemitismus?

4. Antijudaismus im Neuen Testament

Nein, ein rassischer Antisemitismus findet sich wie überhaupt in der Antike so auch im Neuen Testament nicht. Er ist, wie wir hörten, ein Produkt des 19. Jahrhunderts. Daß es jedoch schon im Neuen Testament einen Antijudaismus gibt, der in späteren Zeiten verheerende Folgen haben sollte, läßt sich kaum bestreiten. Die entscheidende Frage ist freilich, **wie dieser Antijudaismus im Neuen Testament zu bewerten ist:**
– Jahrhundertelang hatten christliche Theologen keine Mühe, die Welt davon zu überzeugen, daß die junge Kirche im Recht war und zu Unrecht von der Synagoge verfolgt wurde.
– Heute überwiegt in verständlicher Reaktion auf den modernen Antisemitismus in jüdischen wie christlichen Publikationen sehr oft die entgegengesetzte Tendenz: Die junge Christengemeinde wird von vorneherein ins Unrecht versetzt und die feindselige Reaktion des jüdischen Establishments bagatellisiert.
Versucht man die Positionen beider Seiten so unvoreingenommen

wie möglich zur Kenntnis zu nehmen, so wird man um die Feststellung nicht herumkommen, die im folgenden genauer belegt werden soll: der **Entfremdungsprozeß war gegenseitig!** Schon früh lebte man sich völlig auseinander, und die zunehmende Verwerfung »der Juden« in den neutestamentlichen Schriften ging Hand in Hand mit der nicht minder radikalen Verwerfung »der Nazarener« seitens der Synagoge. Anders gesagt: Das traditionelle Judentum wies die kleine, doch rasch wachsende Christengemeinde als eine durch den Gang der Ereignisse überholte apokalyptisch-messianische Sekte ab. Die junge Kirche umgekehrt wendete sich immer mehr gegen die Synagoge als eine von Jesus überholte Tempel- und Gesetzesreligion. Was da im einzelnen Ruf und was Echo, was Aktion und was Reaktion war, dürfte sich kaum sauber rekonstruieren lassen.

»So wurden Kirche und Synagoge wie die zwei Brüder in Rebekkas Schoß geboren« – schreibt die katholische Theologin Rosemary Ruether in ihrer Schrift über die Wurzeln des Antisemitismus »Glaube und Brudermord«: »mit dem Jüngeren sich festhaltend an der Ferse des Älteren – und beanspruchend, der rechtmäßige Erbe zu sein. Die Kirche, die ihre Theologie zwischen dem zweiten und fünften Jahrhundert erarbeitet, und das Judentum, das seine mündliche Tora in derselben Periode im Talmud kodifiziert, stehen da als parallele, aber sich gegenseitig ausschließende Antworten auf dieselbe Frage, wie der hebräische nationale Glaube seinen Weg in die postnationale Zukunft finde«.[20]

So kam es denn zu zwei konkurrierenden, ja unvereinbaren Schriftinterpretationen. Und es muß christlicherseits ohne Wenn und Aber zugegeben werden, daß die **christologische Auslegung** der Hebräischen Bibel **eine antijüdische Auslegung nach sich zog.** Wer die neutestamentlichen Schriften liest, wird ohne Nachhilfeunterricht feststellen können:

– daß die junge Christengemeinde unter Legitimationszwang das sich verweigernde offizielle Judentum zunehmend als abgefallenes, apostatisches Israel hinstellt;

– daß Priester und Schriftgelehrte immer mehr als nicht nur unverständige, sondern als »blinde Führer«, ja als »Natterngezücht«, »übertünchte Gräber« und anderes mehr beschimpft werden[21];

– daß man das ganze jüdische Volk für ein »böses und treuloses Geschlecht« zu halten beginnt[22];

– daß besonders die Pharisäer, nach dem Untergang des Zweiten
Tempels die herrschende Gruppe, in dem vom Juden-Christen Mattäus geschriebenen Evangelium als »Heuchler«, als Vertreter eines reinen Legalismus und Formalismus, abqualifiziert werden[23];
– daß die Römer bezüglich der Verantwortung am Tode Jesu auf Kosten der Juden möglichst entlastet werden[24];
– daß der Terminus »die Juden« im Neuen Testament zunehmend
negativ konnotiert, statt rein beschreibend gebraucht wird und das
Wort »jüdisch« für die junge Christenheit als solche konstant vermieden wird;
– daß »den Juden« schließlich mit Berufung auf das angebliche
Schicksal früherer Propheten von vornherein eine Tötungsabsicht
und ein selbst verschuldetes Schicksal zugeschrieben wird. Am
schlimmsten der später verhängnisvollste, aber doch kaum historische
Satz: »Da rief das ganze Volk (vor Pilatus): ›Sein Blut komme über uns
und unsere Kinder.‹«[25]

5. Die Exkommunikation der Christen

Solcher Antijudaismus kann nicht entschuldigt werden. Aber er ist in
zeitgeschichtlichem Kontext zu sehen, was keine Abschwächung oder
Verharmlosung bedeuten soll. Und doch ist es nicht unwichtig, sich
in Erinnerung zu rufen: Die Christenheit war damals alles andere als
eine mächtige Staatskirche, die gegen Juden hätte vorgehen können,
so wie es später geschehen wird. Nein, angesichts der mächtigen jüdischen Mehrheit war die junge Christenheit eine kleine, ohnmächtige
Gruppe, die um ihre Existenzberechtigung zu kämpfen hatte, und
dies bisweilen gegen gewaltsame Unterdrückungsversuche durch ein
Establishment, das sich schon durch eine relativ kleine Oppositions-
gruppe beunruhigt fühlte. Drei historische Fälle geben zu denken und
dürfen ebensowenig unterschlagen werden:

(1) **Der Fall des Stephanus:** Gewiß, die Stephanusrede der Apostelgeschichte[26] ist lukanische Komposition und kann nicht unkritisch zur
historischen Rekonstruktion der Ansichten des Stephanus und seiner
Parteigänger benutzt werden. Was Stephanus über Israels Apostasie
und die Tötung der Propheten sagt, geht zunächst auf das Konto des

Redaktors Lukas. Aber ein historischer Kern dürfte sich hier erhalten haben: Jegliche Kritik an Mose, jegliche Behauptung der Vorläufigkeit von Tempel und Gesetz mit Berufung auf Jesus konnte leicht als Gotteslästerung denunziert werden. Gewiß: Ob Stephanus ein förmlicher Prozeß vor dem Synhedrium gemacht wurde, wo er Gelegenheit zu einer ausführlichen Missionspredigt gehabt haben soll, ist ebenfalls unsicher. Sicher ist jedoch, daß der Fall des Stephanus schlimm endete, nämlich in einer Art jüdischer »Lynchjustiz«, die mit der Steinigung des Delinquenten ihren Höhepunkt erreichte[27].

(2) **Der Fall des Saulus:** Was immer über die theologische Position des vielumstrittenen Apostel Paulus zu sagen sein wird: Daß das jüdische Establishment mit bestimmten Juden-Christen nicht gerade zimperlich umging, zeigt eindeutiger noch als der Fall des Stephanus der des hellenistischen Diaspora-Juden und Pharisäerzöglings Saulus aus Tarsus. »Saulus aber versuchte die Kirche zu vernichten; er drang in die Häuser ein, schleppte Männer und Frauen fort und lieferte sie ins Gefängnis ein«, so die Nachricht in der Apostelgeschichte[28] über diesen Diaspora-Juden, der sich als Verfolger vermutlich vor allem der hellenistischen Juden-Christen (in Damaskus oder auch in Jerusalem), welche die Gesetzeskritik Jesu fortsetzten, religiös zu profilieren verstand. Dieser Bericht wird in seiner Authentizität dadurch erhärtet, daß Paulus selber von sich bekennt – und zwar in seiner Korrespondenz nach Philippi: »Ich wurde am achten Tag beschnitten, bin aus dem Volk Israel, vom Stamm Benjamin, ein Hebräer von Hebräern, lebte als Pharisäer nach dem Gesetz, verfolgte voll Eifer die Kirche und war untadelig in der Gerechtigkeit, wie sie das Gesetz vorschreibt.«[29]

Paulus also – dieser Pharisäer strenger Observanz, ein »Eiferer für die Überlieferungen meiner Väter«[30] –, er hatte sich durch die Infragestellung des Gesetzes in seinem echt pharisäischen Eifer für Gott und sein Gesetz herausgefordert gesehen. Fanatisiert, wie er war, hatte er sich zur aktiven Bekämpfung »über die Maßen«, ja »zur Vernichtung« der Gemeinde entschlossen, wie es im Galaterbrief heißt[31]. Das Skandalon, welches mit der Behauptung eines unter dem Fluch des Gesetzes gekreuzigten Messias für jeden Juden gegeben war, hatte ihn in seinem maßlosen Verfolgungseifer nur noch bestärkt[32]. Eine Christenverfolgung durch Juden also gab es.

Paulus ist aber auch die archetypische Figur einer großen Lebenswende, einer Wende vom Christenverfolger zum Christusverkünder – so schwierig sie für uns nachträglich historisch oder psychologisch zu erklären sein mag. Paulus selber jedenfalls führt diese radikale Wende nicht auf eine menschliche Belehrung, ein neues Selbstverständnis, eine heroische Anstrengung oder eine selbstvollzogene Bekehrung zurück. Vielmehr auf eine – von ihm nicht ausgemalte und wie immer zu deutende[33] – Erfahrung des lebendigen Christus, eine »Offenbarung« (ein »Sehen«) des auferweckten Gekreuzigten. Dieses Widerfahrnis wird von ihm weniger als eine individuelle Bekehrung denn als Berufung zum Apostel, zum bevollmächtigten Gesandten zur Missionierung der Heiden verstanden[34]. Und wenn man an einem authentischen Kern der Berufungsgeschichte der hebräischen Propheten wie Jesaja, Jeremia und Ezechiel nicht zweifelt, wird man auch nicht von vorneherein am authentischen Kern der Berufungsgeschichte des Pharisäers Saulus zweifeln dürfen.

Jedenfalls ist es jetzt der ehemalige Christenverfolger selber, der vom jüdischen Establishment während seiner Missionsreisen Diskriminierung, Verfolgung, Gefangenschaft und Züchtigung erdulden muß. Die Apostelgeschichte ist davon voll, und auch hier bestätigt Paulus selber die Authentizität solcher Berichte – vor allem, als er sich zu verteidigen hatte, und zwar besonders in der zweiten Korrespondenz nach Korinth: »Ich ertrug mehr Mühsal, war häufiger im Gefängnis, wurde mehr geschlagen, war oft in Todesgefahr. Fünfmal erhielt ich von Juden die 39 Hiebe; dreimal wurde ich ausgepeitscht, einmal gesteinigt, dreimal erlitt ich Schiffbruch, eine Nacht und einen Tag trieb ich auf hoher See. Ich war oft auf Reisen, gefährdet durch Flüsse, gefährdet durch Räuber, gefährdet durch das eigene Volk, gefährdet durch Heiden, gefährdet in der Stadt, gefährdet in der Wüste, gefährdet auf dem Meer, gefährdet durch falsche Brüder.«[35] Trotz allem aber hat er sein ganzes Leben lang als Jude an den Verheißungen Gottes für sein Volk streng festgehalten, wir werden mehr davon hören.

(3) **Der Fall der johanneischen Gemeinde:** Es ist keine Frage, daß das vierte Evangelium, um das Jahr 100 geschrieben, die schärfsten antijüdischen Passagen enthält. »Die Juden« werden nicht nur zu einem feindseligen Kollektivstereotyp (selbst innerjüdische Gruppen werden

sprachlich nicht mehr unterschieden), sondern programmatisch mit dem Bösen und Dunklen in der Welt überhaupt identifiziert. Und ihnen gegenüber erscheint die Christengemeinde als die neue, verinnerlichte, geistige Gemeinschaft des neuen Äons. Statt der Tora ist jetzt Jesus »der Weg, die Wahrheit, das Leben«; nur durch ihn kommt man zum Vater[36]. Und Jesus wird nicht von den Römern als politischer Aufrührer zum Tod verurteilt, sondern durch die jüdischen Autoritäten für das religiöse Verbrechen der Blasphemie.

Auch bei diesem neutestamentlichen Text muß der religionsgeschichtliche, politische und gesellschaftliche Hintergrund beachtet werden. Folgt man der neuesten Forschung, dürfte die johanneische Gemeinde ursprünglich ebenfalls aus Juden-Christen bestanden haben. Diese dürften aber spätestens in dem Moment in Konflikt mit dem jüdischen Establishment geraten sein, wo sie – unter welchem Einfluß auch immer – zu ihrer sehr hohen Christologie (Jesus der schon vor Abraham existierende himmlische Gottessohn) und zu ihrem ebenfalls hohen Eucharistieverständnis (»Ich bin das Brot des Lebens«[37]) gelangt war. Dem jüdischen Establishment muß dies wie Blasphemie vorgekommen sein. Das Johannesevangelium jedenfalls spiegelt diesen Vorwurf – im Gegensatz zu den Synoptikern, bei denen Jesus im Konflikt mit dem Gesetz (Sabbat) stand! – deutlich wider: »Darum waren die Juden noch mehr darauf aus, ihn zu töten, weil er nicht nur den Sabbat brach, sondern auch Gott seinen Vater nannte und sich damit Gott gleichstellte.«[38]

Die Folgen waren auch für diese Gruppe schwerwiegend; denn die jüdische Synagoge schloß offenbar die judenchristliche Gemeinde des Johannes aus dem jüdischen Glaubensverband in aller Form aus – und zwar vermutlich unter dem Vorwurf der Blasphemie: »Wir steinigen dich nicht wegen deines guten Werkes, sondern wegen Gotteslästerung, denn du bist nur ein Mensch und machst dich selbst zu Gott.«[39] Was hier als Vorwurf an die Adresse Jesu erscheint, ist Widerspiegelung der Ablehnung der Gemeinde selbst[40].

Man muß aber auch das Johannesevangelium vor dem gesamten zeitgeschichtlichen Horizont sehen, wurde es doch geschrieben, als die formelle »Exkommunikation« der Christen bereits in Kraft war. Wir hörten ja davon, daß nach der Katastrophe des Jahres 70 der Pharisäismus sich in der Stadt Jawne (bei Jaffa) als jüdische Orthodoxie neu etabliert hatte und eine grundlegende Neuordnung und Neukonstitution des Judentums anstrebte. Das theokratische Paradigma hatte keine Basis mehr: Die Tempelhierarchie war funktionslos geworden; die sadduzäische Oberschicht liquidiert oder zerstreut; die Zeloten waren in einen aussichtslosen Todeskampf mit den Römern verwickelt (Masada!). Als geschlossene Gruppe übriggeblieben waren die Pharisäer allein, die sich jetzt im neuen **tempellosen rabbinischen Paradigma (P IV)** als eine Art »normatives Judentum« durchzusetzen und andere jüdische Gruppen und Richtungen »auszuschalten« versuchten.

Von Jawne und seiner Lehrakademie aus (zunächst unter der Führung von Rabbi Jochanan ben Sakkai, dann unter der Rabbi Gamaliels II.) hatte das pharisäische Rabbinat offensichtlich streng darauf zu achten begonnen, daß niemand von der vorgezeichneten Linie abwich. Nur in diesem Rahmen ist wohl ein verhängnisvoller Text zu verstehen, die berühmte »**Ketzerverfluchung**«, die – zwei bis drei Jahrzehnte nach der Zerstörung des Tempels etwa in den Jahren 90 bis 100 – auf dem sogenannten »Konzil« in Jawne, wohl im Auftrag Gamaliels, verfaßt wurde. Als zwölfte Benediktion wurde sie damals in das Achtzehnbittengebet eingefügt – das jüdische Gebet schlechthin, das dreimal täglich gesprochen wird und Bestandteil der Liturgie ist – wo schon damals neben den Häretikern möglicherweise auch die Judenchristen genannt wurden. In einer frühen Version lautet sie wie folgt: »Den Abtrünnigen sei keine Hoffnung und das anmaßende Königreich rotte eilends aus in unseren Tagen, und die Nazarener (›notzerim‹) und die Häretiker (›minim‹) mögen wie ein Augenblick dahingehen, ausgelöscht werden aus dem Buche des Lebens und mit den Gerechten nicht aufgeschrieben werden. Gepriesen seist du, Herr, der die Anmaßenden demütigt.«[41]

Es richten sich also die Verfluchungen nicht ausschließlich gegen die Judenchristen, sondern, wie P. Schäfer aufzeigt, »sowohl gegen die feindliche Obrigkeit als auch gegen verschiedene Gruppen von Häretikern«[42], und es wäre sicher übertrieben, sie mit I. Elbogen als »Mittel zur völligen Scheidung der beiden Religionen«[43] zu verstehen. Faktisch mußte aber eine solche Verfluchung – zu Beginn eines jeden Gottesdienstes gesprochen – zur Aussperrung der Judenchristen aus der Synagoge führen.

Man beachte dabei: Dieser Ausschluß aus der Synagoge war damals mehr als nur eine rein »religiöse Maßnahme«. Die Brandmarkung als

Ketzer und ein Ausschluß aus der Glaubensgemeinschaft hatten vor allem soziale und ökonomische Folgen, die das ganze Leben der Beteiligten veränderte: »Alte Bindungen (wurden) total zerschnitten, jeder persönliche und gesellschaftliche Verkehr unterbunden und jede Hilfe ausgeschlossen« (K. Wengst[44]). Begreiflich also, daß auf diese Weise eine **Atmosphäre der Angst** um die johanneische Gemeinde herum geherrscht haben muß: Die Eltern des blind geborenen Mannes können nicht zugeben, daß Jesus der wundertätige Heiler war, »weil sie sich vor den Juden fürchteten«[45]; viele »von den führenden Männern Israels« wagten nicht, ihren Glauben an Jesus offen zu bekennen, »um nicht aus der Synagoge ausgestoßen zu werden«[46]; Nikodemus, der Pharisäer, fand es besser, des Nachts zu Jesus zu gehen; auch Josef von Arimatäa blieb nur ein »heimlicher Jünger Jesu« – aus »Furcht vor den Juden«[47].

Nimmt man alles zusammen, so dürfte sich kaum bestreiten lassen: Die **Exkommunikation der Christen** durch Juden **ging der Verfolgung der Juden** durch Christen **voraus**. Das Neue Testament spiegelt beides wider: die jüdischen Verfolgungen und antijüdischen Polemiken zugleich[48]! Und leider muß man hinzufügen: Die **Polemik** wurde zunehmend **schlimmer**, und dies wiederum **auf beiden Seiten**: Spätere jüdische Schriften, bis heute kolportiert, behaupten die uneheliche Abkunft Jesu von einem römischen Soldaten, Josef Pandera, und der Jungfrau Mirjam, und seine Steinigung wegen Magie mit dem Gottesnamen; und noch bis ins Mittelalter sollten diese verleumderischen, auf Legenden und Geschichtsverfälschung beruhenden »Toledot Jeschu« (»Geschlechter/Geschichte Jesu«) anwachsen. Christen ihrerseits griffen zunehmend zu verallgemeinernden Anklagen, Juden seien ohnehin »Christusmörder«, ja, »Gottesmörder«, was nun freilich umgekehrt eine groteske Verfälschung des Neuen Testaments darstellt und allerschlimmste Folgen hatte. Doch wir haben – im Zusammenhang der langen Geschichte vom Antijudaismus zum Antisemitismus – genug Schreckliches darüber gehört. Hier interessiert uns die Frage: Um welche Unterschiede ging es wirklich, jetzt, wo die Kirche aus Juden offensichtlich immer mehr zu einer Kirche aus Heiden wird?

V. Ein erster christlicher Paradigmenwechsel: Vom Juden- zum Heidenchristentum

Unsere Ausgangsfrage kann nun beantwortet werden: Bei der neuen Jesus-Bewegung handelt es sich nicht nur um einen Paradigmenwechsel innerhalb des Judentums, sondern je länger desto mehr um eine andere konkurrierende Religion. Dieser Vorgang wird aber nur dann verständlich, wenn wir uns darüber Rechenschaft geben, daß es sehr bald auch schon **innerhalb der jungen Christenheit zu einem ersten eigenen Paradigmenwechsel** kommt: dem **Übergang vom** (teils aramäisch, teils griechisch sprechenden) **Juden-Christentum zu einem ausschließlich griechisch** (oder dann lateinisch) **sprechenden Heiden-Christentum.**

1. Der umstrittene Paulus

Und hier müssen wir nun vor allem jenes Mannes gedenken, dessen persönliche Wende vom Verfolger zum Nachfolger schließlich zu einer entscheidenden Wende in der Geschichte der jungen Christenheit, ja der antiken Welt führen sollte: des **Apostel Paulus**[1]. Aber gerade hier sind wir am vielleicht delikatesten Punkt des jüdisch-christlichen Gesprächs[2]. Denn es ist nun einmal Tatsache, daß manche Juden den Juden Paulus aus Tarsus noch entschiedener ablehnen als den Juden Jesus von Nazaret. Denn wie wir hörten, haben sich nicht wenige Juden, vor allem die informierten, der prophetischen Gestalt des Nazareners mit Sympathie genähert. Aber Paulus? »Was hat man dem Paulus von jüdischer Seite seit 1900 Jahren nicht alles nachgesagt« – so Pinchas Lapide: »daß er 80 mal die Tora zitiere, lediglich, um sie abzuschaffen; daß er sich häufig in seinen Briefen widerspreche; daß er eine unjüdische Krankheit erfunden habe, die Erbsünde, um sie mit einem antijüdischen Heilsmittel zu kurieren – mit einem Menschenopfer als Sühnetod. Daß er weiter jedermann alles geworden sei, um einige zu retten, wie er im 1. Korintherbrief sagte (1 Kor 9,22), daß er also aus Propaganda bereit gewesen sei, Prinzipien zu opfern; daß er den Glauben Jesu in einen Glauben an Jesus verfälscht habe; daß er den Schöpfungsoptimismus der Genesis, nach dem der Mensch gut sei, in einen hellenistischen Pessimismus verwandelt habe, nach dem der Mensch zu sündig und zu schwach von Natur aus sei, um sich ohne Gottesgnade der Erlösung würdig zu erweisen.«[3]

Ein leider nicht untypisches neuestes Beispiel für eine wissenschaftlich unhaltbare und polemisch tendenziöse Darstellung ist das Paulus-Buch von **Hyam Maccoby**, »Der Mythenmacher« mit dem Untertitel »Paulus und die Erfindung des Christentums«[4]. Wissenschaftlich eindrucksvoll dagegen, auch für christliche Leser, ist die neueste Paulus-Studie des jüdischen Religionshistorikers von Columbia University **Alan F. Segal**, »Paulus der Konvertit«, der zweierlei herausstellen will: »Das Apostolat und die Apostasie von Saulus, dem Pharisäer«[5]. Im Unterschied zu zahlreichen Texten der Mischna und des Talmud, die man in keiner Weise sicher auf das Judentum der Zeit Jesu zurückführen könne, handle es sich bei den Schriften des Paulus um die (von denen des Josephus abgesehen) einzigen »persönlichen Schriften, die ein Pharisäer des 1. Jahrhunderts hinterlassen hat«: Gerade sie sollten entgegen bisheriger Praxis jüdischer Forschung, die Paulus aus Voreingenommenheit abtut, als »eine Hauptquelle für das Studium des Judentums im 1. Jahrhundert behandelt werden«[6]. Wie Segal in ausführlichen historischen und psychologischen Analysen herausstellt, muß man dabei »die Authentizität der Bekehrungserfahrung des Paulus«[7] ernstnehmen: Es war dies eine **Bekehrung des Pharisäers Saulus vom Pharisäismus zum Glauben an Jesus Christus** (visionär als lebendig erfahren), die sich als sehr viel mehr denn nur ein innerjüdischer Paradigmenwechsel herausstellen sollte.

Zweierlei muß hier vorausgesetzt werden:

1. Schon längst vor der persönlichen Bekehrung des Paulus zum Christusglauben, schon von ihren österlichen Erfahrungen des Auferweckten her, haben jüdische Nachfolger Jesu den einen Gott im Lichte des zu Gott erhöhten Gekreuzigten neu zu verstehen begonnen; ihr Gottesglaube wurde so zunehmend messianisch christologisch orientiert und konkretisiert.

2. Der zum Glauben an Christus bekehrte Jude Paulus verstand den Messias Israels als Messias der ganzen Welt aus Juden und Heiden. Doch auch er hat nie daran gedacht, den jüdischen Ein-Gott-Glauben durch einen christlichen Zwei-Götter-Glauben zu ersetzen. Vielmehr sah auch er den durch Gottes Geist erhöhten Jesus dem einen Gott und Vater stets untergeordnet: als des einen Gottes Messias, Christus,

Bild, Sohn. Seine Christozentrik gründet und gipfelt in der Theozentrik: »von Gott durch Jesus Christus« – »durch Jesus Christus zu Gott«[8]. Am Ende wird »Gott selbst (ho theós) alles in allem sein«[9].

Anders gesagt: Nicht Paulus ist für die grundlegende Wende vom jesuanischen Glauben zum Christusglauben der Gemeinde verantwortlich. »Verantwortlich« dafür ist die Ostererfahrung vom auferweckten Jesus, seit so für eine bestimmte Gruppe von Juden der Gott Israels nicht mehr abgesehen vom gekommenen Messias Jesus geglaubt werden konnte. Wohl aber ist Paulus dafür verantwortlich, daß trotz seines universalen Monotheismus **nicht das Judentum**, das damals auch intensiv Mission betrieb, **sondern das Christentum zu einer universalen Menschheitsreligion wurde**.

Darin also besteht die welthistorische Bedeutung des Apostels Paulus: Er, der überall zunächst Juden predigte, aber von ihnen zumeist abgelehnt wurde, hat entschieden Nichtjuden Zugang zum jüdischen Gottesglauben verschafft und hat damit den ersten Paradigmenwechsel im Christentum – vom Judenchristentum zum hellenistischen Heidenchristentum – initiiert. Inwiefern? Insofern er gegen die führenden Jerusalemer Christenkreise die Entscheidung durchgefochten hat, daß auch **Heiden Zugang zum universalen Gott Israels** haben können, **ohne** daß sie vorher die **Beschneidung** und die sie befremdenden jüdischen Reinheitsgebote, die Speise- und Sabbatvorschriften der Halacha – die »Werke des Gesetzes« – übernehmen müssen[10]. Mit anderen Worten: Ein Heide kann Christ werden, ohne vorher Jude zu werden! Die Folgen dieser Grundentscheidung für die gesamte westliche Welt (und nicht nur die westliche) sind unübersehbar:
– Nur durch Paulus war die christliche Heidenmission (die es schon vor und neben Paulus gab) im Gegensatz zur jüdisch-hellenistischen ein durchschlagender Erfolg geworden.
– Nur durch ihn war aus der Gemeinde palästinischer und hellenistischer Juden eine Gemeinde aus Juden und Heiden geworden.
– Nur durch ihn hat sich aus der kleinen jüdischen »Sekte« schließlich eine »Weltreligion« entwickelt, in der Orient und Okzident enger miteinander verbunden wurden als selbst durch Alexander den Großen.
– Also: ohne Paulus keine katholische Kirche, ohne Paulus keine griechisch-lateinische Vätertheologie, ohne Paulus keine christlich-hellenistische Kultur, ohne Paulus keine Konstantinische Wende.

Die weltgeschichtliche Rolle des Apostels Paulus wird heute auch von jüdischen Theologen wie Pinchas Lapide hervorgehoben: »Für mich ist Paulus vor allem ein Held des Glaubens, dessen tragisches Scheitern – wie das seines Herrn und Erlösers – erst nach seinem Tode mit dem größten Missionserfolg der Weltgeschichte gekrönt worden ist. Dreifach abgelehnt, sowohl vom Judentum, von der Gnosis und den Heidenkulten als auch von seiner eigenen Mutterkirche in Jerusalem, rang sich dieser Kosmopolit zu einem globalen Ökumenismus durch, dank dem er den prophetischen Auftrag, ›ein Licht für die Völker zu sein‹ (Jes 49,6), stellvertretend für Israel vollzogen hat. Franz Rosenzweig hat mit Recht bemerkt, daß nicht das Judentum, sondern das Christentum die Hebräische Bibel bis auf die fernsten Inseln gebracht hat, ganz im Sinne der Prophezeiungen Jesajas.«[11]

Doch die Frage bleibt: Hat Paulus Jesus nicht doch mißverstanden, und ist so nicht er zum eigentlichen Stifter des Christentums geworden?

2. Die kongeniale Transformation

Es ist bereits überdeutlich geworden, daß sich durch Paulus und durch seine rastlose geistig-theologische wie missionarisch-kirchenpolitische Tätigkeit in der jungen Christenheit tatsächlich Entscheidendes verändert hat. Doch eine nähere Überlegung bestätigt uns des Paulus eigene Überzeugung: Dies geschah nicht in Widerspruch zu Jesus, sondern **im Anschluß an Jesus**, von dem Paulus aufgrund seiner Kontakte mit Augenzeugen in Jerusalem und anderswo zweifellos mehr gehört hatte, als seine wenigen Briefe, meist fragmentarische Gelegenheitsschreiben, erkennen lassen[12]. Denn: Der Konflikt mit dem Gesetz, der Jesus entscheidend den Tod gebracht hat, ist auch der Konflikt des so untadelig gesetzestreuen Pharisäers Saulus mit Jesu Gemeinde geworden. Gerade die Lehre vom Gesetz, die der vom pharisäischen Verfolger zum Apostel Christi bekehrte Paulus vertritt, stellt sich als die Fortführung des Verkündigens und Verhaltens Jesu selber dar.

Allerdings eine radikale Fortführung. Denn was steht zwischen der Verkündigung des Juden Jesus und der Verkündigung des Juden Paulus? Antwort: **Jesu Hinrichtung**, die – davon hatte schon der Ge-

setzeseiferer Saulus gehört, und davon ist der Gesetzeskritiker Paulus
überzeugt – durch die Infragestellung des Gesetzes heraufgeführt worden war und nicht etwa (Paulus führt die Aufrührer-Hypothese vollends ad absurdum) durch politische Rebellion. Und diese Hinrichtung hatte für Paulus durch die visionäre Erfahrung des Gekreuzigten
als eines zum Leben Auferweckten einen Sinn erhalten. Besser als die
spätere Kirche wußte Paulus noch, was für eine Zumutung es bedeutet für die Juden, an einen gekreuzigten Messias, und für die Heiden,
an einen gekreuzigten Heroen oder Gottessohn zu glauben. Nur weil
sich der Gekreuzigte als lebendig erwiesen hat, ließ sich dies glauben.

Wenn Paulus also im Kreuzestod all das konzentriert sieht, was der
geschichtliche Jesus gebracht, gelebt und bis zu seinem Ende durchgehalten hat, wenn er die christliche Botschaft, sein »Evangelium«, für
das er sich auf Leben und Tod einsetzt, abgekürzt und zugespitzt, das
Wort vom Kreuz[13] nennt, dann meint er damit nicht das Wort
»Kreuz« und nichts als das Kreuz. Vielmehr meint er das Wort **vom**
Kreuz und das heißt die Verkündigung, daß Gott den Gekreuzigten
gerechtfertigt, durch seinen Geist auferweckt und zu sich erhöht hat.
Das »Wort vom Kreuz« meint also den Glauben an die **Auferweckung**
des Gekreuzigten stets mit!

Vom auferweckten Gekreuzigten her bekommt die Theologie des
Paulus jene tiefe Leidenschaft und kritische Schärfe zugleich, die sie
vor anderen auszeichnet. Von dieser Mitte her – sie ist auch bei Paulus
nicht das Ganze – sieht er Gott und Mensch, geht er alle Situationen
und Probleme an; weist er die verwirrten konservativen judenchristlichen Moralisten in der kleinasiatischen Landschaft Galatien, welche
Beschneidung, jüdisches Ritual, Sabbat und Kalender als für das Heil
entscheidend ansahen[14], ebenso zurecht wie die progressiven pneuma-
tischen Enthusiasten in der großen hellenistischen Hafenstadt Korinth, welche die neu gewonnene geistliche Freiheit »fleischlich« mißverstanden und mißbrauchten[15]. Von dieser Mitte her konnte der
Apostel Paulus das theologisch explizieren, was Jesus faktisch getan
und oft nur implizit gesagt hatte. So wird er zum **ersten »christlichen
Theologen«.** Seine rabbinische Schulung insbesondere in der Exegese
und der oft sehr freien Anwendung biblischer Texte (Paulus war möglicherweise in Jerusalem Schüler des berühmten Gamaliel I.) nutzte
Paulus dafür ebenso eigenwillig wie manche Begriffe und Vorstellungen seiner hellenistischen Umwelt (des römischen Bürgers Paulus Ge-

burtsstadt Tarsus war ein Zentrum hellenistischer Bildung). Deshalb muß die Botschaft Jesu für diejenigen – Juden oder Christen –, die von der damals noch mündlichen Jesus-Überlieferung her zu den paulinischen Briefen kommen, zunächst in einem eher verfremdenden Licht erscheinen: umgeschmolzen in ganz andere Perspektiven, Kategorien und Vorstellungen, hineinübertragen in eine ganz andere Gesamtkonstellation.

Und trotzdem: Sieht man näher zu, so erkennt man, daß bei Paulus, der sich stets bescheiden-stolz bevollmächtigter »Botschafter«, eben »Apostel« Jesu Christi für die Heiden nannte, von der Verkündigung Jesu sehr viel mehr bewahrt ist, als einzelne »Herrenworte« ausweisen, die er in den Briefen zufällig aufnimmt, ja, daß die **»Substanz« der Verkündigung Jesu** durch den Paradigmenwechsel hindurch in die Verkündigung des Paulus durchaus **kongenial transformiert** ist:
– Auch Paulus lebt ja noch ganz intensiv in **Erwartung des kommenden Reiches Gottes.** Hatte Jesus dabei in die Zukunft geblickt, so blickt Paulus jetzt allerdings zugleich zurück auf das durch Tod und Auferweckung Jesu bereits angebrochene Reich Gottes: für Gottes Reich steht jetzt schon der Name Jesu Christi.
– Auch Paulus geht aus von der faktischen **Sündhaftigkeit** (keine sexuell übertragene Erb-Sünde!) des Menschen, gerade auch die des gerechten, frommen, gesetzestreuen und trotzdem verlorenen Menschen. Aber er entfaltet diese Einsicht theologisch: durch Verwertung biblischen, rabbinischen und hellenistischen Materials und die Entgegensetzung Adam – Christus als Typus des Alten und des Neuen.
– Auch Paulus sieht den Menschen in der **Krise,** ruft zum **Glauben** auf und fordert **Umkehr.** Aber die Botschaft vom Gottesreich konzentriert sich bei ihm im Wort von Christi Kreuz, welches ärgerniserregend die jüdische wie die griechische Weise des »Sichrühmens« vor Gott in die Krise führt: Kritik einerseits des legalistischen Gesetzesgehorsams der Judenchristen (etwa im Galaterbrief), Kritik andererseits der überheblichen Weisheitsspekulation der Heidenchristen (etwa im Ersten Korintherbrief).
– Auch Paulus nimmt für sein Wirken **Gott** in Anspruch. Aber er tut dies im Licht von Kreuz und Auferweckung Jesu, wo für ihn das Wirken Gottes, eines Gottes der Lebendigen und nicht der Toten, zum definitiven Durchbruch gekommen ist: Aus Jesu impliziter faktischer

Christologie ist nach Tod und Auferweckung schon vor Paulus und
dann durch Paulus die explizite, ausdrückliche Christologie der Gemeinde geworden.

– Auch Paulus hat ganz praktisch über die Grenzen des Gesetzes hinweg sich den Armen, Verlorenen, Bedrängten, Außenstehenden, Ge-
setzlosen, Gesetzesbrechern zugewandt und in Wort und Tat einen
Universalismus vertreten. Aber aus Jesu grundsätzlichem Universalismus bezüglich Israel und seinem faktischen oder virtuellen Universalismus bezüglich der Heidenwelt ist nun bei Paulus – im Lichte des
Gekreuzigten und Auferweckten – ein direkter Universalismus bezüglich **Israels und der Heidenwelt** geworden, der die Verkündigung der
frohen Botschaft unter den Heiden geradezu verlangt.

– Auch Paulus vertritt die Vergebung der Sünden aus reiner Gnade:
die Freisprechung, Gerechtsprechung, **Rechtfertigung des Sünders**
nicht aufgrund der Werke des Gesetzes (Jesu Parabel vom Pharisäer
im Tempel), sondern aufgrund eines unbedingten Vertrauens (Glaubens) auf den gnädigen und barmherzigen Gott. Aber seine Botschaft
von der Rechtfertigung des Sünders ohne die Gesetzeswerke (ohne
Beschneidung und sonstige rituelle Leistungen) setzt Jesu Kreuzestod
voraus, wo der Messias von den Hütern von Gesetz und Ordnung im
Namen des Gesetzes als Verbrecher und Verfluchter hingerichtet,
aber dann als Auferweckter vom lebendigmachenden Gott gegen das
Gesetz gerechtfertigt erscheint, so daß Paulus jetzt die negative Seite
des Gesetzes offenbar wurde.

– Auch Paulus hat die **Liebe Gottes und des Nächsten** als die faktische Erfüllung des Gesetzes verkündet und sie in unbedingtem Gehorsam gegenüber Gott und in selbstlosem Dasein für die Mitmenschen und auch die Feinde in letzter Radikalität gelebt. Aber Paulus
erkannte gerade im Tode Jesu die tiefste Offenbarung dieser Liebe
von seiten Gottes und Jesu selbst, welche Grund sein möge für des
Menschen eigene Liebe zu Gott und zum Nächsten.

Damit ist nun deutlich geworden: Paulus – trotz hoher Emotionalität, starker Rhetorik und mancher hochpolemischer Formulierungen
nie ein Mann des Hasses, sondern der Liebe, ein echter »froher Botschafter« – hat keine neue Religion erfunden. Er hat kein neues System geschaffen, keine neue »Glaubenssubstanz« kreiert. Er hat als Jude – allerdings in einer völlig neuen paradigmatischen Konstellation –

auf jenem Fundament aufgebaut, welches nach seinen eigenen Worten ein für alle Mal gelegt worden ist: Jesus Christus[16]. Dieser ist Ursprung, Inhalt und kritische Norm auch seiner, des Paulus Verkündigung. Im Lichte einer grundsätzlich anderen Situation nach Jesu Tod und Auferweckung hat er also keine andere, sondern die gleiche Sache vertreten: die **Sache Jesu**, die nichts anderes ist als die **Sache Gottes** und **Sache des Menschen** – jetzt aber, von Tod und Auferweckung besiegelt, kurz zusammengefaßt verstanden als die **Sache Jesu Christi**[17]. Dieser lebendig erfahrene Jesus Christus war für Paulus Ursprung und Kriterium der neuen Freiheit, die unverrückbare Mitte und Norm des Christlichen.

Letztlich geht es in der Verkündigung des Paulus um ein **radikal vertieftes Verständnis Gottes** – im Lichte Jesu Christi! Darum ringen Juden und Christen seither auf je verschiedene Weise – und der bedeutende evangelische Paulus-Exeget **Ernst Käsemann** hat dies noch jüngst in einer Antwort an Pinchas Lapide ausgeführt. Und in der Tat: Betrachtet man die Geschichte Israels seit der Wüstenwanderung über die Geschichte der Propheten und der Qumran-Sekte hinweg bis in die Gegenwart, so stand das Volk Israel immer unter der Notwendigkeit, sich von falschem Gottesdienst zu trennen. Die Schriften der Hebräischen Bibel sind ja voll davon: Gott wird nicht nur bei den Heiden verkannt, er wird verkannt auch vom Volk Gottes selber. Und dieses Volk hat immer wieder dramatische und tragische Spannungen und Spaltungen erlebt, hat immer wieder mit Abtrünnigen und Rebellen um den wahren Gott und den rechten, vollkommenen Gottesdienst gestritten. Darum ging es im Letzten und Tiefsten auch bei Jesus: »Wo und wann und wie wird der himmlisch verborgene Gott irdisch richtig erkannt und angemessen verehrt? Von dieser Frage Israels her kommt auch der Jude Paulus, gibt er darauf Antwort, indem er den Gottesglauben christologisch orientiert ... Den Rabbi von Nazaret ehren wir vielleicht heute auf beiden Seiten, sei es als Lehrer, als Propheten, als Bruder. Bild des göttlichen Willens, Antlitz des die Gottlosen suchenden Gottes, der die Frommen und Moralischen, Gesetzestreuen und Normengebundenen zu allen Zeiten skandalisiert und die gefallene, verlorene Welt als seine Schöpfung segnet, ist für Paulus allein der gekreuzigte Christus. Von da aus ist die gesamte Theologie des Apostels zu verstehen und verständlich.«[18]

So hat Paulus nicht mehr und nicht weniger getan, als jene Linien konsequent auszuziehen, die in Verkündigung, Verhalten und tödlichem Geschick Jesu vorgezeichnet waren. Er hat damit die Botschaft über Israel hinaus für die gesamte Oikumene der damaligen Welt verständlich zu machen versucht. Und er, der in der Nachfolge seines Meisters nach ungeheurem Einsatz seines ganzen Lebens unter Kaiser Nero (wohl 66) in Rom den gewaltsamen Tod eines Glaubenszeugen erlitten hat, er hat mit den wenigen erhalten gebliebenen Briefen der Christenheit durch alle Jahrhunderte hindurch, dies wird jetzt vielleicht auch ein Jude verstehen können, wie kein zweiter nach Jesus immer wieder neue Impulse gegeben: um im Christentum – was nicht selbstverständlich ist – den wahren Christus wiederzufinden und ihm nachzufolgen. Seither ist klar: Das Unterscheidende, das »**Wesen**« **des Christentums** gegenüber dem Judentum, den alten Weltreligionen wie auch den modernen Humanismen ist dieser **Christus Jesus selbst.** Gerade als der Gekreuzigte unterscheidet er sich von den vielen auferstandenen, erhöhten, lebendigen Göttern und vergotteten Religionsstiftern, Cäsaren, Genies, Herren und Heroen der Weltgeschichte.

Damit dürfte ausreichend erläutert worden sein, warum es im Christentum **nicht** nur um **ein anderes innerjüdisches Paradigma, sondern** schließlich wirklich um **eine verschiedene Religion mit freilich unaufgebbarem jüdischem Wurzelboden** geht, nachdem Jesus als der Messias Israels nun einmal vom Großteil des Volkes Israel abgelehnt worden war. Die Konsequenzen zeigten sich deutlich bei der näheren Betrachtung der Konsequenzen jenes ersten innerchristlichen Paradigmenwechsels, vom Judenchristentum zum Heidenchristentum.

3. Eine universale Menschheitsreligion

Ein radikal neues Verständnis sowohl der Bibel wie des Gesetzes wie des Volkes ist die Folge dieses ersten durch die hellenistischen Judenchristen vorbereiteten und von Paulus grundgelegten Paradigmenwechsels, der Voraussetzung ist für das Christentum als universaler Menschheitsreligion. Fassen wir die Änderungen kurz zusammen:

Es änderte sich **erstens** das **Bibelverständnis:** Jüdische Gruppen, die Jesus ablehnten, hielten selbstverständlich an ihrer traditionellen Auslegung der biblischen Schriften fest und warteten zunächst weiter auf die Ankunft des Messias, bis im Gefolge des letzten Aufstands gegen die Römer unter dem zum Messias ausgerufenen Bar Kochba die Messiashoffnung auf Dauer erschüttert werden sollte.

Jene Juden aber, die Jesus nachfolgten, die aramäisch oder griechisch sprechenden **Juden-Christen**, sie begannen jetzt, die heiligen Schriften anders, sozusagen in der Retrospektive, zu lesen. Das Jesus-Ereignis konnte sich ja nicht blindem Zufall oder göttlicher Willkür verdanken. Im Gegenteil: Erst jetzt im Rückblick lernte man viele »Verheißungen« der Propheten »richtig« verstehen – bis hin zur Figur des »leidenden Gottesknechts«, den Deutero-Jesaja so eindrücklich geschildert hatte. Deshalb konnte man jetzt auf Jesus übertragen, was an Deutungen und Würdetiteln aus den jüdischen heiligen Schriften vorgeprägt war: »Messias«, »Herr«, »Davidsohn«, »Menschensohn«, »Gottessohn«. Die – damals in Qumran und auch außerhalb endzeitlich auf die messianische Zeit bezogene – Nathan-Weissagung zum Beispiel von der ewigen Herrschaft eines Nachkommen Davids wird jetzt von den Juden, die Jesus folgten, auf Jesus, nach allen Quellen davidischer Abstammung, bezogen: »Ich will ihm ein Vater, und er soll mir ein Sohn sein.«[19] Jesus wird jetzt also gut jüdisch als »Gottes Sohn« verstanden.

Im nichtjüdischen Kontext jedoch wurden manche dieser typisch jüdischen Würdetitel (insbesondere »Davidsohn« oder »Menschensohn«) von hellenistischen **Heiden-Christen** nur schwer verstanden. Sie fehlen deshalb in den frühen wie den klassischen griechisch oder lateinisch formulierten christlichen Glaubensbekenntnissen. Dem Titel »Gottessohn« freilich ging es gerade umgekehrt: »Gottessohn«, in den hebräischen Schriften nur vereinzelt für Israels König und das ganze Volk gebraucht, wird bei den hellenistischen Heiden-Christen – weil auch für den Kaiser und andere Heroen benutzt – außerordentlich beliebt. So beliebt, daß »Gottessohn« jetzt immer mehr griechisch-hellenistisch-naturhaft verstanden wurde und sich vom jüdischen Ursprung immer weiter entfernte. Gerade hier vollzog sich ein theologischer Mikroparadigmenwechsel im Kontext eines Wechsels des kirchlichen Makroparadigmas, der schwerwiegende Folgen haben sollte. In jüdischen Augen jedenfalls, wie im Johannesevangelium gespiegelt, scheinen die Christen den Nazarener zunehmend mit Gott gleichgestellt und damit den Glauben an den einen und einzigen Gott gefährdet zu haben.

Es veränderte sich aber **zweitens** auch das **Gesetzesverständnis**: Wir werden davon noch mehr hören: Nach dem Wechsel vom theokratischen zu einem neuen rabbinischen Paradigma im 2. nachchristlichen Jahrhundert legt man im Judentum immer stärkeres Gewicht auf die minutiöse Einhaltung und Kodifizierung der Halacha (des gesetzlichen Teiles der Tora) und der Gebote (Mizwot) im täglichen Leben: In Synagogen und Tora-Schulen drängt man in pharisäischen Kreisen zunehmend auf die strikte Befolgung nicht nur der Tora, sondern auch ihrer Ergänzungen in Mischna und Talmud, der Überlieferungen der Väter, der »mündlichen« Tora, also des ganzen Gesetzes, der ganzen Halacha.

Für jene Juden aber, die Jesus nachfolgten, die **Juden-Christen**, werden alle die zeremoniell-rituellen Gebote weniger wichtig als die ethischen. Im Geiste Jesu hatten besonders die hellenistischen Judenchristen, die aus der Diaspora stammten, begonnen, ihre Lehre auf die zentralen ethischen Aussagen der Tora, zu konzentrieren. Ihr Ideal war weniger die Gerechtigkeit im Sinne des Gesetzes als die tätige Liebe, das allem übergeordnete Hauptgebot, konkretisiert und radikalisiert im Geist der Bergpredigt.

Die **Heiden-Christen** schließlich fühlen sich an das jüdische Ritualgesetz nicht mehr gebunden. Das hieß ganz praktisch: Für sie bestand kein Zwang zur Beschneidung mehr, kein Zwang zur rituellen Halacha. Sie mußten nicht erst Juden werden, um Christen sein zu können. Nicht mehr die Beschneidung, welche für die Juden das Zeichen der Identität, für Griechen wie Römer aber etwas Verabscheuungswürdiges ist, vielmehr Glaube und Taufe gelten jetzt als das entscheidende Zeichen der christlichen Identität und des Bundes mit Gott. Nicht mehr die Befolgung des Gesetzes ist entscheidend zum Heil, sondern der Glaube und die Nachfolge Christi.

Verändert hat sich **drittens** das **Gottesvolkverständnis**: Das Judentum nimmt zwar auch eine Heilsmöglichkeit außerhalb des Judentums an; auch die gerechten Heiden können aufgrund ihrer gerechten Werke das ewige Heil erlangen (vom jüdischen Universalismus des Heiles war schon im ersten Hauptteil die Rede). Aber zugleich hält man im Judentum daran fest, daß die Zugehörigkeit zum Gottesvolk mit der Zugehörigkeit zum Volk Israel identisch ist (der Partikularismus des jüdischen Volkes). Das jüdische Volk kommt vor dem einzelnen Juden. Vor allem nach dem Verlust jeglicher staatlicher Eigenständigkeit (70 n. Chr.) betonte man erst recht die innere, geistige Einheit des eigenen, auserwählten Volkes[20]. In dieses auserwählte Volk wird man durch seine Mutter hineingeboren oder gelangt man durch eigentliche Konversion.

Die **Juden-Christen** fühlten sich dem Volk Israel noch durchaus zugehörig, wenngleich die griechisch-sprechenden hellenistischen Juden-Christen ein distanzierteres Verhältnis zu Tempel und Gesetz hatten als die aramäisch-sprechenden.

Die nun immer zahlreicheren **Heiden-Christen** aber, die von vornherein nicht zum auserwählten Volk gehörten und ihm auch nicht durch die Beschneidung beitreten mußten, um Christen zu werden, bewirkten wie von selbst eine Neuinterpretation auch des Gottesvolkverständnisses: Entscheidend für die Zugehörigkeit war jetzt nicht mehr die Abstammung, sondern der Glaube an Jesus Christus, begleitet vom ursprünglich jüdischen Initiationsritus der Taufe, der jetzt aber im Namen Jesu vollzogen wurde. Die Ablehnung des Christusglaubens durch die Großzahl der Juden allüberall verstärkte erst recht den Gedanken eines »neuen Bundes« und eines »neuen Gottesvolkes« der »wahren Kinder Abrahams«. Und nach der Evakuierung der Jerusalemer Christengemeinde im Zusammenhang des jüdisch-römischen Krieges und der Zerstörung des Tempels war ja nun auch ein gemeinsamer Tempelgottesdienst nicht mehr möglich und ein völliges Auseinanderleben kaum vermeidbar[21]. Die intellektuelle Auseinandersetzung schließlich reduzierte sich in der Folgezeit leider immer mehr auf ein unaufhörliches Ringen um Beweistexte für oder gegen die Erfüllung der biblischen Verheißungen in Jesus – bis auch dies schließlich überflüssig und langweilig wurde ...

Dieser weitreichende Beerbungsvorgang, diese neue inhaltliche Füllung vor allem des Begriffs »Volk Gottes« macht mehr als alles andere begreiflich, warum die Beziehung zwischen Juden und Christen im Lauf der weiteren 1500jährigen gemeinsamen Geschichte seit frühesten Zeiten so vergiftet waren. Aber ob das für immer so bleiben muß? Es ist ein Zeichen der Hoffnung, daß heute auch von jüdischer Seite betont wird: Keine der beiden Religionen, weder das Christentum noch das Judentum, kann heute ohne die je andere voll verstanden werden. Sie gehören zusammen wie »**Rebeccas Kinder**«. Unter diesem Titel hat der jüdische Gelehrte **Alan Segal** programmatisch ausgeführt: »Die Prophezeiung über Jakob und Esau, Rebekkas Zwillingen, in Gen 25,23, ist sowohl im Judentum wie im Christentum dazu benutzt worden, ihren rivalisierenden Anspruch auf göttliche Gnade zu fördern (z. B. Midrasch Rabba, zur Stelle; Röm 9,6-13). Sowohl Judentum wie Christentum betrachten sich als die Erben der Verheißungen, die Abraham und Isaak gegeben wurden, und sie sind in der Tat brüderliche Zwillinge, die aus der Staatsnation des zweiten Commonwealth Israel hervorgegangen sind. Wie Brüder es oft tun, wählten sie verschiedene, sogar gegensätzliche Wege, ihr Familienerbe zu bewahren. Diese Differenzen wurden so wichtig, daß für zwei Jahrtausende nur wenige Menschen in der Lage gewesen sind, ihre untergründigen Gemeinsamkeiten zu würdigen und, von daher, die Gründe für ihre Differenzen. Obwohl sie Zwillinge sind, ist es schwierig zu beurteilen, welche Religion die ältere und welche die jüngere ist, denn ihr Erstgeburtsrecht ist eines der Probleme, das sie trennt. Beide beanspruchen jetzt, Jakob zu sein, das jüngere Kind, das das Erstgeburtsrecht erhielt. Das rabbinische Judentum hält daran fest, daß es die Traditionen Israels bewahrt hat, Israel, das ja Jakobs neuer Name ist, nachdem er mit Gott kämpfte. Das Christentum hält daran fest, daß es das neue Israel ist, das die Intentionen von Israels Propheten bewahrte. Wegen der überwältigenden Ähnlichkeiten der beiden Religionen und trotz der großen Bereiche von Unterschieden, sind beide Aussagen wahr. Mehr noch: Keine Religion kann voll in Isolation von der anderen verstanden werden. Das Zeugnis von jeder ist nötig, um die Wahrheit der anderen zu zeigen.«[22]

Dazu gehört nun freilich auch, daß man das Spezifikum jeder Religion ernstnimmt. Und wie das Spezifikum des Christentums nun einmal das Bekenntnis zu Jesus Christus als »Gottessohn« ist, so ist das Spezifikum des Judentums der Glaube: Israel und nur Israel ist das »Volk Gottes«! Gottes Volk (Land) – Gottes Sohn (Messias) – Gottes Wort (Buch): mit diesen drei Schlüsselworten, so sahen wir schon zu Beginn dieses Buches, ist zugleich die Einheit und die Verschiedenheit der drei prophetischen Religionen semitischen Ursprungs – des Judentums, des Christentums und des Islam – ausgesprochen: Die Einheit gründet im Glauben an den einen und selben Gott, und die Verschiedenheit gründet im Glauben an das je verschiedene zentrale Heilsereignis, das diesen Gottesglauben neu zu sehen lehrt. In diesen verschiedenen Spitzenaussagen über das rechte Gottesverständnis kulminierte immer wieder der jahrhundertelange Streit – so oft verbunden mit Verachtung und Unterdrückung – der gerade deshalb auch so intim verfeindeten prophetischen Religionen, die sich möglicherweise aufgrund ihres Monotheismus immer wieder durch Exklusivität, Aggressivität und Intoleranz »ausgezeichnet« haben.

Was das Christentum betrifft, so haben die durch die altkirchlichen Konzilien definierten hohen christologischen Aussagen über Gottessohnschaft, Menschwerdung und Trinität den Dialog mit Juden stets belastet. Und wenn man sich als christlicher Theologe ernsthaft auf die jüdischen Gesprächspartner einlassen will, wird man gerade in bezug auf diese Lehraussagen den jüdischen Fragen nicht ausweichen können. Zum Abschluß dieses großen Abschnittes wollen wir uns deshalb kurz dieser Aufgabe stellen – in vollem Bewußtsein der Schwierigkeiten. Aber ich glaube es den Lesern schuldig zu sein, ehrlich Auskunft zu geben, wie die schwierigen Dogmen des Christentums im Dialog »eingebracht« werden können, und zwar so, daß die christliche Glaubensidentität noch gewahrt und doch eine größtmögliche ökumenische Offenheit gezeigt wird.

VI. Christliche Selbstkritik im Lichte des Judentums

Gerade die Lehren Jesu, so David Flusser, seien ein Gebiet, auf dem Juden und Christen sich am leichtesten treffen und voneinander lernen könnten, nicht die Christologie. Und ohne die vielen jesuanischen Strömungen im Christentum zu verkennen, die sich am Jesus der Evangelien orientieren, hatte er hinzugefügt: »Für viele Christen berührt eine solche Klärung nicht direkt ihre hauptsächliche christliche Erfahrung und ihr Interesse, obwohl dies sich sogar als hilfreich erweisen und ihren eigenen Glauben stärken mag. Die Kenntnis des ›historischen‹, jüdischen Jesus ist nur ein notwendiger Rahmen für den Kern ihres Glaubens, nämlich das metahistorische Drama der Christenheit«[1], womit Flusser den bei Gott präexistenten Christus, seine Inkarnation und seinen Sühnetod am Kreuz, seine Auferweckung, seine Rückkehr zu seinem Vater und seine Wiederkunft meint.

In der Tat: Vor allem Präexistenz und Inkarnation Christi und dann die Trinität gelten als »Zentraldogmen des Christentums«. Und wir können diesen Fragen christlicher Dogmatik nicht ausweichen, nachdem schon Gotthold Ephraim Lessing zwischen der »Religion Jesu« und der »christlichen Religion« und auch Martin Buber zwischen dem »Glauben Jesu« und dem »Glauben an Jesus« unterschieden haben und zahlreiche Juden nach der Devise das Gespräch bestimmen: Der Glaube Jesu eint uns, der Glaube an Jesus trennt uns.

1. Christliche Selbstkritik

Ein ökumenischer Weg zum Frieden mit den anderen prophetischen Religionen wird freilich nur dann glaubwürdig beschreitbar sein, wenn er mit entschiedener christlicher Selbstkritik verbunden ist – und zwar auf der Basis des Neuen Testaments. Erfreuliche Zeichen dieser Selbstkritik sind auch im Raum der Kirchen erkennbar.

Wir erinnern uns an die Aussage der deutschen katholischen Bischöfe von 1980, »daß bestimmte christliche Glaubensaussagen wie die vom ›wesensgleichen Sohn Gottes‹ Juden als etwas radikal Unjüdisches«, weil »dem strengen Monotheismus absolut Widersprechendes« erscheinen. Schon die Richtlinien und Hinweise für die Durch-

führung der Konzilserklärung »Nostra aetate Art. 4« von 1974[2] hatten
für Verständnis gerade in Sachen Inkarnation geworben: »In gleicher
Weise werden sie (die Katholiken) bestrebt sein, die Schwierigkeiten
zu verstehen, die die jüdische Seele, gerade weil sie von einem hohen
und sehr reinen Begriff der göttlichen Transzendenz geprägt ist, gegenüber dem Geheimnis des fleischgewordenen Wortes empfindet.«
Und auch das allerneueste protestantische Dokument, die europäische »Erklärung zur Begegnung zwischen lutherischen Christen und
Juden« von 1990[3], unterstreicht, daß das Verhältnis zwischen Christen und Juden verwurzelt sei »in dem Zeugnis von dem einen Gott
und seiner Bundestreue, wie es in Büchern der Heiligen Schrift des
Alten Testaments, die wir gemeinsam haben, überliefert ist«[4]. Zwar
geht das Dokument auf die Frage des trinitarischen Glaubens nicht
ein, erhebt jedoch grundsätzlich die Forderung: »Unerläßliche Voraussetzung für unsere Begegnung ist die Bereitschaft der Christen, auf
das Zeugnis der Juden zu hören, von ihrer Glaubens- und Lebenser-
fahrung zu lernen und dadurch neue Seiten der biblischen Überlieferung wahrzunehmen.«[5]

Insofern kann man alle die Bemühungen nur nachdrücklich unterstützen, die auf so etwas wie eine »christliche Theologie des Judentums« zielen, worunter **Clemens Thoma**, einer der besten christlichen
Kenner der jüdischen Tradition versteht: »ein radikales christliches
Ernstnehmen und Deuten der Ursprungs-, Widerspruchs- und Be-
gleitfunktion des Judentums für die christlichen Kirchen«[6]. Für die
christlichen Kirchen bedeutet dies »eine kirchenkritische Theologie,
weil und insofern sie den christlichen Kirchen das dem Christentum
inhärente jüdische Erbe und das im Judentum lebende Christliche ins
Gedächtnis zurückruft und sie darauf hinweist, daß die Nichtbeachtung dieser Gegebenheiten für Oberflächlichkeiten, Verwirrungen
und Verirrungen gestern und heute mitverantwortlich sind«[7].

Nun ist es ja kein Geheimnis, daß die von Christen in der Trinitätslehre gebrauchten **Unterscheidungen** in Gott (**drei** Personen, aber
eine Natur) weder je einem Juden noch einem Muslim eingeleuchtet
haben. Warum – so fragen sie – wird der von Abraham vertretene und
sowohl von Mose wie von Jesus entschieden festgehaltene Ein-Gott-
Glaube eigentlich nicht aufgegeben, wenn mit der einen Gottheit, der
einen göttlichen Natur, von Ewigkeit her zugleich eine zweite Person,
ja gar drei Personen in Gott angenommen werden?

In diesen Fragen den Juden, wie jahrhundertelang geschehen, einfach »Blindheit« oder gar »Verstocktheit« zu unterstellen, heißt, die eigenen christlichen Probleme übersehen[8]. Denn auch kritische Christen haben hier ja spätestens seit der Aufklärung und dem Beginn der historisch-kritischen Exegese, der eine historisch-kritische Dogmengeschichtsschreibung folgte, ihre Fragen. Mit Juden und Muslimen sehen sie gemeinsam, daß die aus dem Syrischen, Griechischen und Lateinischen herkommenden Begriffe, mit der die christliche Gotteslehre in der Geschichte durchdacht worden war, heutzutage oft eher irreführen als erhellen. Schrecklich kompliziert ist die christliche Gotteslehre geworden, wie sie in der klassischen Trinitätslehre ihren Ausdruck gefunden hat. Ein verwirrendes Begriffsspiel mit drei Hypostasen, Personen, Prosopa, zwei Prozessionen oder Hervorgängen und vier Relationen oder Beziehungen. Und wie viele Hunderte von Seiten brauchen christliche Theologen seit Augustin, um das alles in hoher Dialektik zu erklären, was für Paulus und Johannes noch so einfach war.

Schon immer sagten Juden, was christliche Theologen nur ungern hören und noch weniger gern beantworten: Was sollen mit dem Blick auf den einen Gott alle die dialektischen theologischen Kunstgriffe! Wozu und mit welchem Recht überhaupt eine Unterscheidung zwischen Natur und Person im absolut einen und einzigen Gott? Ist Gott nicht auch für das Neue Testament schlechterdings einfach, weder so noch so zusammengesetzt: der Einzig-Eine? Was soll also eine reale Differenz in Gott zwischen Vater, Sohn und Geist, die doch die reale Einheit Gottes nicht aufheben soll? Was andererseits eine logische Differenz zwischen Gott als »Vater« und Gottes »Natur«, die doch ein reales Fundament in der Sache haben soll? Ist das noch die neutestamentliche Botschaft? Warum zur Einheit und Einzigkeit überhaupt noch etwas hinzufügen wollen, was doch den Begriff der Einheit und Einzigkeit wieder nur verwässern oder aufheben kann?

Natürlich wird der jüdische Gesprächspartner in diesem Zusammenhang wissen wollen: Warum mußte es im Christentum überhaupt zu einer so komplizierten Dogmenentwicklung kommen? Doch ist in diesem Band über das Judentum **nicht** der Ort, die **Geschichte der christlichen Dogmen** zu entfalten und zu erzählen, wie es in nachbiblischer Zeit zu Aussagen über metaphysische Sohnschaft, Menschwerdung und Trinität gekommen ist; in der diesem Buch nachfolgenden Studie über das Christentum soll diese christliche Lehrentwicklung im Kontext des hellenistisch-altkirchlichen Paradigmas nachgezeichnet und kritisch gewürdigt werden. Hier möchte ich – auf der Basis meiner früheren Ausführungen[9] und des in unserem Institut neu erarbeiteten Materials[10] – nur ganz kurz skizzieren, wie vom Neuen Testament, von der **ursprünglichen christlichen Botschaft** her, jene »christlichen Zentraldogmen« zumindest so weit verständlich gemacht werden können, daß sie Juden nicht von vorneherein als völlig absurd, gar blasphemisch erscheinen. Alles kommt darauf an, im Gespräch mit Brüdern und Schwestern anderer Religionen falsche Fronstellungen zu vermeiden.

Und hier gilt: Es wäre von christlicher Seite in der Tat absurd, ausgerechnet von Juden, welche die Hüter des Ein-Gott-Glaubens sind, etwas »radikal Unjüdisches« zu verlangen, etwas »dem strengen Monotheismus« absolut Widersprechendes. Haben nicht auch Christen von ihrem jüdischen Meister den Glauben an den einen und einzigen Gott geerbt? Ein »Verstehen« der »jüdischen Seele«, ein Hören auf das »Zeugnis der Juden« bleibt also nur dann nicht folgenlos, wenn es zur Rückbesinnung von Christen auf ihre jüdischen Ursprünge führt. Insofern läßt sich die »christliche Theologie des Judentums« mit Clemens Thoma nochmals anders bestimmen: »Sie ist ein christlich-theologischer Versuch, die Konsequenzen aufzuzeigen und darzustellen, die sich für das Christentum daraus ergeben, daß Jesus Christus, seine ersten Jünger und die Evangelisten Juden waren und in jüdischer Umgebung lebten.«[11]

Wir wollen deshalb – in knappen Vorüberlegungen für ein besseres jüdisch-christliches Verstehen im Zentrum der Theologie – versuchen, die Fragen nach Gottessohnschaft, Menschwerdung und Trinität von den ursprünglich **jüdischen Wurzeln** her selbstkritisch neu zu überlegen, und wenden uns deshalb zunächst der Frage zu:

2. Was heißt: Gott hat einen Sohn?

Es ist oft selbst Juden, jedenfalls Muslimen, aber manchmal auch Christen zu wenig bekannt: Auch im **Judentum**, in der Hebräischen Bibel, wird das Wort »Vater« für Gott gebraucht[12], auch in der Hebräischen Bibel das Wort »Sohn« Gottes für Menschen: etwa für das Volk Israel[13], für die Israeliten als »Kinder Gottes«[14] oder als »Söhne des lebendigen Gottes«[15], vor allem aber für den König Israels als »Sohn« Gottes[16].

Unsere Frage ist nun: Hat sich der Jude **Jesus von Nazaret** je als Sohn Gottes bezeichnet? Hier muß zunächst bedacht werden: Wie das Judentum überhaupt, so war auch Jesus von Nazaret selbst offenkundig nicht auf Formeln und Dogmen festgelegt. Man braucht nur die synoptischen Evangelien zu lesen, um festzustellen: Jesus übte weder tiefsinnige Spekulationen wie griechische Philosophen oder Mystiker noch freilich auch gelehrte Halachakasuistik wie die Rabbinen. In allgemein verständlichen, eingängigen Spruchworten, Kurzgeschichten, Gleichnissen aus dem jedermann zugänglichen, ungeschminkten Alltag stellte er nicht seine eigene Person, Rolle, Würde in die Mitte seiner Verkündigung, sondern **Gott: Gottes** Reich komme, **Gottes** Name werde geheiligt, **Gottes** Wille geschehe. Gottes Wille, den der Mensch im Dienst an seinem Mitmenschen erfüllen soll. Keine geheimen Offenbarungen, keine tiefsinnigen Allegoresen mit mehreren Unbekannten. Niemand wird von ihm nach dem wahren Glauben, nach dem orthodoxen Bekenntnis, nach der Einhaltung der Halacha abgefragt. Keine theoretische Reflexion wird erwartet, sondern die sich aufdrängende praktische Entscheidung: Nachfolge, Orthopraxie im radikalen Sinn engagierter Liebe.

Solche Verkündigung Gottes wäre für Juden bestimmt nicht von vornherein inakzeptabel; »radikal unjüdisch« jedenfalls war sie nicht. Aber: Wie soll man Juden einigermaßen einleuchtend machen, daß dieser Verkünder des Gottesreiches auch der Gottessohn, nach manchen sogar Gott zu nennen sei? Ist es unter diesen Umständen verwunderlich, daß Jesus auch nicht in der Art späterer Theologie redete und als großes »Geheimnis« verkündete: Gott ist einer, eine Natur, aber in drei Personen, und ich bin die zweite, göttliche Person, die eine zweite menschliche Natur angenommen hat?

Doch stellt sich dann umgekehrt die konstruktive Frage: Wie ist nach dem Neuen Testament selber Jesu Verhältnis zu Gott zu sehen? Dies ist die **ursprüngliche** christologische (und im Keim auch die trinitarische) Frage.

Über dreierlei besteht nach den Quellen kein Zweifel:
– Jesus hat aus einer letztlich unerklärlichen Gotteserfahrung, Gottes-

gegenwart, Gottesgewißheit, ja, aus einer Einheit mit Gott als seinem Vater heraus geredet, gebetet, gekämpft und gelitten.

– Aber den Titel Gottessohn hat er – darin stimmt heute historisch-kritische Exegese jüdischer wie christlicher Provenienz überein – für sich nicht gebraucht.

– Doch – und hier beginnt der jüdisch-christliche Disput – ging **sein Anspruch faktisch über den eines Propheten hinaus**: insofern er gegen die herrschende Lehre und Praxis, die Lehre und Praxis also der Herrschenden, Gottes Autorität für sich in Anspruch nahm. Hier, in ihm – und dies konnte man positiv oder negativ werten – war faktisch »mehr als Mose«, mehr als die Propheten auf dem Platz. Er hat den verabsolutierten Tempel wie das verabsolutierte Gesetz, geheiligte Traditionen und Ordnungen, aber auch die Grenzen zwischen rein und unrein, Gerechten und Ungerechten faktisch in Frage gestellt. Und dies alles nicht für »einst« und »künftig«, sondern – im Horizont der Endzeit – für »heute« und »jetzt« proklamiert.

Wie aber erklärt sich, daß es trotz seines schmählichen Todes zu einer Jesus-Bewegung, zum Glauben an Jesus als Sohn Gottes kam? Erst **nach** seinem Tod, als man aufgrund der Ostererfahrungen glauben durfte, daß er in Gottes ewiges Leben aufgenommen, durch Gott zu Gott, seinem »Vater«, »erhöht« worden war, hat die **glaubende Gemeinde angefangen, den Titel »Sohn« oder »Sohn Gottes« für ihn zu gebrauchen**. Warum? Dies dürfte auch für einen heutigen Juden durchaus noch nachvollziehbar sein.

– Erstens gab es für Juden, die Jesus nachfolgten, einen sachlichen Grund und eine innere Logik dafür, daß er, der Gott ohne Scheu seinen »Vater« genannt hatte, von seinen gläubigen Anhängern dann auch ausdrücklich der »Sohn« genannt wurde. Die Verkündigung dieses Gottes war jetzt eben unlösbar mit seiner Person verbunden. Dieser »Vater« war nicht mehr zu haben ohne den »Sohn«. Nicht der König Israels, sondern er, der Messias, war Gottes Sohn.

– Zweitens: Die Erhöhung zu Gott konnte man sich als Jude leicht in Analogie zur Thronbesteigung des israelitischen Königs denken. Dieser wurde – jüdischer Tradition zufolge – im Moment seiner Thronbesteigung zum »Sohn Gottes« eingesetzt, so wie jetzt der Gekreuzigte durch seine Auferweckung und Erhöhung. In Psalm 2 ist noch ein solches Thronbesteigungsritual überliefert mit dem Satz:

»Mein Sohn bist du; ich habe dich heute gezeugt.«[17] »Zeugung« ist hier Synonym für Erhöhung. Von einer physisch-sexuellen (oder auch meta-physischen) Zeugung im Sinne der hellenistischen Göttersöhne gibt es im Neuen Testament noch keine Spur!

Deshalb kann es in einem der ältesten Glaubensbekenntnisse (wohl schon vorpaulinisch) zur Einleitung des Römerbriefes heißen: Jesus Christus wurde »eingesetzt zum Sohne Gottes in Macht seit der Auferstehung von den Toten«. Deshalb kann in der Apostelgeschichte dieser Thronbesteigungspsalm 2 aufgegriffen und auf Jesus angewendet werden: »Er (Gott) sprach zu mir (nach Ps 2,7 zum König, zum Gesalbten, nach Apg 13,33 aber zu Jesus): ›Mein Sohn bist du; ich habe dich heute gezeugt.‹« Und warum kann dies alles geschehen? Weil hier im Neuen Testament noch gut jüdisch gedacht wird: »Gezeugt« als König, »gezeugt« als Gesalbter (= Messias, Christus), gezeugt als Stellvertreter und Sohn, und dies »heute«: womit in der Apostelgeschichte eindeutig nicht etwa Weihnachten, sondern Ostern gemeint ist, nicht das Fest der »Inkarnation«, sondern der Auferweckung und Erhöhung Jesu. Im gleichen Sinn wird ja auch Psalm 110,1 vom priesterlichen König im Neuen Testament[18] auf den zu Gott erhöhten Jesus angewandt, um ihn als »Sohn« Gottes zu erweisen: »Es spricht der Herr zu meinem Herrn: ›Setze dich zu meiner Rechten.‹« Kein Satz der Hebräischen Bibel wird im Neuen Testament mehr zitiert als dieser Satz von einer »Throngemeinschaft« (M. Hengel) des zu Gott Erhöhten mit Gott selbst.

Was also ist ursprünglich jüdisch und so auch neutestamentlich mit der Gottessohnschaft gemeint? Hier ist ohne Frage nicht eine Abkunft, sondern die Einsetzung in eine Rechts- und Machtstellung **im hebräisch-alttestamentlichen Sinne** gemeint. Nicht eine physische Gottessohnschaft, wie von Juden bis heute oft angenommen und zu Recht verworfen, sondern eine **Erwählung und Bevollmächtigung** Jesu durch Gott, ganz im Sinn der Hebräischen Bibel. Gegen ein solches Verständnis von Gottessohn war vom jüdischen Ein-Gott-Glauben her kaum etwas Grundsätzliches einzuwenden; dies konnte die jüdische Urgemeinde durchaus vertreten. Dagegen bräuchte, scheint es, auch heute vom jüdischen Monotheismus her kaum Grundsätzliches eingewendet zu werden.

Und doch blieb es dabei nicht: Dem ursprünglichen Streit zwischen

Juden und Christen um den Juden Jesus von Nazaret sollte später im
heidenchristlich-hellenistischen Paradigma eine dogmatische Erhöhung Jesu als Sohn Gottes zur vollen Gleichheit mit Gott selbst folgen, ja, seine förmliche Anbetung durch die Christen. Diese spätere
Dogmatisierung der Christologie in hellenistischen Kategorien (325
auf dem Konzil von Nikaia wird Jesus Christus als »eines Wesens mit
dem Vater« bestimmt) und erst recht die – Ende des 4. Jahrhunderts
begrifflich entfaltete – Dreieinigkeitslehre (das neu-nizänische Bekenntnis »ein Gott in drei Personen«) erschienen den Juden (wie drei-
einhalb Jahrhunderte später den Muslimen) als klarer Verstoß gegen
das erste Gebot »Kein Gott neben dem einen wahren Gott«. Ob die
aramäisch sprechende Jerusalemer Judenchristengemeinde eine solche
Lehre je verständen hätte?

Es ist nun einmal eine Tatsache: Die **Juden-Christen**, die nach
Osten gegangen waren, **fielen schon nach dem 1. Jahrhundert als
Korrektiv** gegenüber westlich-hellenistischer Spekulation und römischer Organisation in der Kirche weitgehend **aus**. Als das jüdische
Volk nach der totalen Zerstörung Jerusalems (135) und der Vertreibung aus Palästina zumindest im Westen zu einer bedeutungslosen
Gruppe herabgesunken war, als andererseits die lange verfolgte christliche Heidenkirche im 3. Jahrhundert immer mehr erstarkte und zu
Beginn des 4. Jahrunderts mit der Konstantinischen Wende zur
mächtigen Reichskirche aufsteigen konnte: da fiel es dieser Kirche allzu leicht, sich als das einzige noch legitime Volk Gottes anzusehen,
das die Verheißungen Israels geerbt habe. Um aber einen Weg der
Verständigung in der schwierigen christologischen Frage zu weisen,
sei hier in aller Kürze eine Frage aufgegriffen, die im Band II über das
Christentum im Lichte der Dogmengeschichte ausführlicher verhandelt werden soll:

3. Was heißt Menschwerdung?

Auch im **Judentum** wird **Gottes Wort** als Mittler zwischen Gott und
den Menschen gesehen. Und schon der erste moderne jüdische Systematiker Kaufmann Kohler hat darauf aufmerksam gemacht, daß die
Erschaffung der Welt durch Gottes schöpferisches Wort bedeutet:
»Das Wort erscheint ... als der erstgeschaffene Bote, der zwischen dem

Weltengeist und der sichtbaren Weltordnung als Vermittler gewirkt hat und wirkt. Noch bedeutsamer als im Reich der sichtbaren Schöpfung ist das Wort Gottes zum Vermittler der geistig-sittlichen Weltordnung in der Offenbarung Gottes an die Menschen der Vorzeit wie an Israel als Träger der Lehre geworden. Das **Wort** (hebräisch: Maamar, aramäisch: Memra und griechisch: Logos) wurde daher lange Zeit in der älteren Haggada neben der Schechina als das Medium oder Mittelwesen der Gottesoffenbarung genannt.«[19]

Aber vor allem die Verkündigung Christi als fleischgewordenes Wort hat diesen Gedanken in der jüdischen Theologie zurückgedrängt: Es stellte sich nämlich Kohler zufolge »allmählich heraus, daß man in hellenistischen Kreisen unter dem Einfluß der platonischen und stoischen Philosophie seit Philo von Alexandrien diesem Gottesspruch oder Logos als ›dem erstgeschaffenen Sohn Gottes‹ eine Persönlichkeit zuschrieb, die ihn zu einer Art Statthalter Gottes erhob, und von da zu seiner weiteren Erhebung zu einem Nebenbuhler Gottes, wie das seitens der Kirche mit dem in Christus zum Fleisch gewordenen Wort geschah, war bloß ein kleiner Schritt«[20].

Auch für das **Judentum** kann also der unendliche Gott dem Menschen sehr nahe sein, und der Mensch dem unendlichen Gott. Der Hocherhabene kann sich zum Menschen hinabneigen, herabsteigen, mit ihm sein, ihn begleiten: »Hoch und heilig throne ich und bei dem, der zerknirscht und demütigen Geistes ist«, heißt es im Buch Jesaja[21]. Ist doch Israels Gott eben der Gott **Israels**, der dem Volk gerade auch in dessen dunkelsten Stunden als der Gnädige und Barmherzige stets nahe bleibt: »Wo gibt es ein großes Volk, dem Gott so nahe ist, wie der Herr unser Gott uns ist, wann immer wir ihn anrufen?«[22]

Aber so nahe sich Gott und Mensch auch kommen können, immer bleiben Gott und Mensch **unterschieden**, so daß es für Juden bis auf den heutigen Tag als Blasphemie gilt, zu behaupten, daß zu irgendeiner Zeit in der menschlichen Geschichte Gott Mensch geworden sein soll. Für viele Juden kann das schon deshalb nicht stimmen, weil die christliche Behauptung einer Menschwerdung Gottes nun einmal überaus »schlechte Früchte« für das Volk Gottes gebracht hat. Eine Lehre aber – darauf weist Clemens Thoma mit Recht hin – könne für Juden »nicht wahr und wirklich sein, wenn sie sich feindlich oder abwertend gegen das Volk Gottes der Juden und die von diesem Volk

bezeugte Sinai-Offenbarung« richtet[23]. Doch der eigentliche Gegen-
grund ist: Mit der Menschwerdung geschieht doch – wie schon in der
Wüste bei der Anbetung des goldenen Kalbes durch die Israeliten –
»Schittuf«: gotteslästerliche »Vermischung«, »Verbindung«, »Beigesel-
lung« von etwas Geschaffenem, Menschlichem zu Gott. Und in der
Tat, diese Fragen müssen sich Christen gefallen lassen: Wird in der
Verehrung des Menschen Jesus als Gott nicht Ähnliches getrieben?

Doch nein, eine solche »Vermischung« wird von Christen nicht behauptet, und um einen »Nebenbuhler Gottes« geht es erst recht nicht.
Freilich – wir deuteten es an: Mit der Ausbreitung des Christentums
in die Welt hellenistischen Denkens und dem ersten Paradigmenwechsel im Christentum von der apokalyptisch-judenchristlichen zur
hellenistisch-heidenchristlichen Gesamtkonstellation war Jesus immer mehr als Gottessohn **auf eine Seinsebene mit dem Vater gestellt**
worden, was zu wachsenden theologischen Schwierigkeiten führen
mußte. Denn je mehr man dieses Verhältnis zwischen Vater und
Sohn in einer unvorstellbar komplexen Dogmengeschichte mit hellenistisch-naturhaften Kategorien zu definieren versuchte, um so
mehr Probleme hatte man, den Ein-Gott-Glauben und die Gottessohnschaft begrifflich zusammenzudenken, um so mehr Probleme,
die Unterscheidung des Gottessohnes von Gott und zugleich seine
Einheit mit Gott auszusagen.

Je länger desto mehr wurde so das Verhältnis von Vater, Sohn und
Geist zu einem »mysterium logicum«, in welchem die Widersprüchlichkeit – sieht man genau zu – zwischen Einheit und Vielheit **nur
verbal**, nur mit immer neuen Begriffsdistinktionen (zuletzt Natur –
Person) überwunden schien. Gott: eine göttliche Natur, drei göttliche
Personen? Jesus Christus: eine göttliche Person – zwei Naturen: eine
göttliche und eine menschliche!? Angesichts solcher theologischer
Unterscheidungen war es kaum verwunderlich, daß es in der Folgezeit
immer unmöglicher wurde, die Botschaft von diesem Gott (Israels)
und diesem (jüdischen) Jesus, als dessen Gesalbten, Messias, Christus,
den Juden und später dann auch den Muslimen glaubhaft zu verkünden. Konversionen vom Judentum (und vom Islam) zum Glauben an
Jesus Christus kamen so später kaum noch vor. Der Name Jesu wurde
von den Juden im christlichen Imperium vielfach krampfhaft verschwiegen.

Ob man hier im Dialog mit Juden nicht an einem toten Punkt an-

gelangt ist? Nicht notwendigerweise. Denn kehrt man aus der Dogmengeschichte zum Neuen Testament zurück, so lautet hier die entscheidende Frage gerade nicht: Wie verhalten sich in Gott drei Personen in einer göttlichen Natur, oder wie in Christus zwei Naturen in
einer Person zueinander? Solche Fragen stellen sich nur dann mehr
oder weniger zwangsläufig, wenn man in hellenistisch-naturhaften
Kategorien zu denken versucht. In der Sprache des Neuen Testaments
lautet die Frage vielmehr: Wie ist die Einheit von Gott und Jesus, von
Vater und Sohn (und dann auch dem Geist) zu denken und zu bekennen? Und zwar so, daß die Einheit und Einzigkeit Gottes ebenso gewahrt bleibt wie die Identität der Person Jesu Christi?

Nun spricht das Neue Testament von einer »**Sendung**«[24] des Gottessohnes oder einer »Fleischwerdung« des Gotteswortes[25] – also nicht
etwa Gottes, des Vaters selbst, sondern seines Wortes! Wie muß man
das verstehen? Sind damit schon alle Brücken zum Judentum abgebrochen, wie Kaufmann Kohler mit vielen anderen jüdischen Theologen meint? Karl-Josef Kuschel hat in seiner großen Studie zur Präexistenz-Christologie überzeugend herauszustellen vermocht, daß die
paulinischen Aussagen von der **Sendung** des Gottessohnes keine Präexistenz Christi als mythologisch verstandenes Himmelswesen voraus-
setzen, sondern gut jüdisch verstanden werden können, im Kontext
der Propheten-Tradition nämlich: »Die Metapher ›Sendung‹ (der
prophetischen Tradition entlehnt) bringt die Überzeugung zum Ausdruck, daß Jesu Person und Werk nicht innergeschichtlichen Ursprungs sind, sondern sich ganz Gottes Initiative verdanken.«[26] Unter
Berufung auch auf katholische Exegeten hat er herausgearbeitet:
»Nichts« könne man »in den Briefen des Paulus über die Präexistenz
des Sohnes oder seine Wesensgleichheit mit dem Vater finden. Im
Gegenteil: eine Annahme der Wesensgleichheit steht in einer bestimmten Spannung zu dem Gedanken, daß Jesus das Ebenbild des
Vaters ist.«[27]

Ähnliches ist zu sagen vom **Johannesevangelium**. In diesem Evangelium jedenfalls kann noch nicht die Rede sein von einem »meta-
historischen Drama Christi«, wie dies von jüdischer Seite oft einge-
wandt wird[28]. Gerade in diesem späten, vierten Evangelium wird noch
so formuliert: »Das ist das ewige Leben: dich, den einzigen wahren
Gott zu erkennen und Jesus Christus, den du gesandt hast.«[29] Oder:

»Ich gehe hinaus zu meinem Vater und zu eurem Vater, zu meinem Gott und eurem Gott.«[30] Gott und Jesus Christus sind hier klar unterschieden. Nein, auch dieses Evangelium enthält keine spekulative metaphysische Christologie – herausgerissen aus dem jüdischen Wurzelboden –, sondern eine mit der Welt des Judenchristentums verbundene Sendungs- und Offenbarungschristologie, in der freilich die unmythologisch verstandene Präexistenzaussage eine verstärkte Bedeutung bekommt: »Johannes fragt nicht nach dem metaphysischen Wesen und Sein des präexistenten Christus; ihm geht es nicht um die Erkenntnis, daß es vor der Inkarnation zwei präexistente göttliche Personen gegeben habe, die in der einen göttlichen Natur verbunden seien. Dieses Vorstellungsschema ist Johannes fremd. Fremd ist ihm ebenso die Vorstellung einer ›innergöttlichen Zeugung‹. ›Ich und der Vater sind eins‹: ›Dieser Satz hat mit irgendwelchen dogmatisch-spekulativen Aussagen über das innergöttliche Wesensverhältnis nichts zu tun.‹«[31] Was wollte Johannes positiv? »Die Bekenntnisaussage steht im Vordergrund: der Mensch Jesus von Nazaret ist der Logos Gottes in Person. Er ist es gerade als sterblicher Mensch; er ist es aber nur für die, die bereit sind, in seinem Wort Gottes Wort, in seiner Praxis Gottes Taten, in seinem Weg Gottes Geschichte, in seinem Kreuz Gottes Mitleiden vertrauend zu glauben.«[32]

Also doch »**Menschwerdung**« des Sohnes Gottes? Gewiß: Die Kategorie »Menschwerdung« ist jüdischem Denken fremd und entstammt der hellenistischen Welt. Und doch kann auch dieses Wort vom jüdischen Kontext her richtig verstanden werden. Denn alles wird falsch, wenn man sich als Christ bei der Menschwerdung auf das »punctum mathematicum« oder »mysticum« der Empfängnis oder Geburt Jesu fixiert[33]. Im Kontext der Geschichte des Juden Jesus muß das griechische Vorstellungsmodell »Inkarnation« gewissermaßen geerdet werden. Tut man dies, so wird – wie angedeutet – Menschwerdung nur vom **ganzen Leben und Sterben und neuen Leben Jesu** her richtig verstanden. Denn in **all** seinem Reden und Verkündigen, in seinem ganzen Verhalten, Geschick, in seiner ganzen Person hat der Mensch Jesus gerade nicht als Gottes »Nebenbuhler« gewirkt, sondern hat des einen Gottes Wort und Willen verkündet, manifestiert, geoffenbart. So kann man denn auch sagen: In diesem Menschen haben Gottes Wort und Wille menschliche Gestalt angenommen. Ja, so könnte auch in jüdischem Kontext die Aussage gewagt werden: Er, in dem sich nach den Zeugnissen Wort und Tat, Lehren und Leben, Sein und Handeln völlig decken, **ist** in menschlicher Gestalt Gottes »Wort«, »Wille«, »Sohn«. Um eine Einheit Jesu mit Gott geht es hier. Aber selbst nach den christologischen Konzilien nicht um eine »Vermischung« und »Beigesellung«, sondern – so nach dem Neuen Testament – um eine Einheit des Erkennens, des Wollens, des Handelns, kurz des Offenbarens Gottes durch Jesus.

4. Trinität – ein unüberwindliches Hindernis?

Wenn die **jüdische Tradition** an einer Grundwahrheit des jüdischen Glaubens immer unerschütterlich festgehalten hat, so am »Schema, Israel«: »Höre, Israel: Jahwe ist unser Gott, Jahwe allein!«[34], welches durch die Jahrhunderte immer wieder neu gedeutet und erklärt worden ist, wie dies ein anderer jüdischer Systematiker, **Louis Jacobs**, zusammenfassend darlegt[35]: Dieses Bekenntnis zur Einheit und Einzigkeit Gottes bedeutete die strikte Ablehnung nicht nur jedes Dualismus, sondern auch jedes Trinitarismus. Zwar warfen im Mittelalter jüdische Kritiker den Kabbalisten Tendenzen zum Trinitarismus vor, doch diese wiesen solche Vorwürfe stets emphatisch zurück. Eher würden jüdische Märtyrer ihr Leben hingeben, als daß sie den trinitarischen Glauben angenommen hätten.

In späteren Jahrhunderten fühlten sich die Juden durch den strikten Monotheismus des **Islam**, der unterdessen zu einer das Christentum bedrohenden Weltmacht geworden war, außerordentlich gestärkt. Der Triumph des Islam über den Christusglauben erschien auch den Juden als Triumph des einen Gottes Abrahams über den dreifaltigen Gott der Christen. In den mittelalterlichen Debatten besonders in Spanien, von denen wir gehört haben, spielte die Trinität auf beiden Seiten eine große Rolle, wobei man auf christlicher Seite allerdings oft mit problematischen und leicht zurückzuweisenden Analogien statt direkt mit dem Neuen Testament argumentierte.

Umgekehrt wußten und wissen natürlich auch informierte Juden, daß die klassische **christliche Tradition** an der **Einheit Gottes** zumindest im Prinzip immer festgehalten hat: Nach allgemeinem christlichen Verständnis darf ja aus der Rede vom Vater, Sohn und Geist auf keinen Fall eine Zwei-Götter-Lehre oder Drei-Götter-Lehre gemacht werden (ähnlich etwa wie in Indien Brahman, Schiva und Vischnu, oder in Ägypten Osiris, Isis und Horus). Nein, Gott ist wie für Jesus so auch für Christen aller Zeiten immer der eine und einzige geblieben. Es gibt – ganz gemäß der Hebräischen Bibel – außer Gott von Ewigkeit her keinen anderen Gott! Zwischen Monotheismus und Polytheismus gibt es – auch nach dem Neuen Testament – allen wieder florierenden theologischen Spekulationen zum Trotz kein Drittes. Nach dem Neuen Testament gibt es auch keine einfache Identität zwischen Gott und Jesus, wie dies in heterodoxen Strömungen der ersten Jahrhunderte (Monarchianismus, Modalismus) geschah: Der Sohn ist nicht Gott, der Vater; umgekehrt ist Gott, der Vater, nicht der Sohn: »Sohn« ist nicht einfach ein Name (Modus) Gottes.

Der transzendente Gott in der Immanenz? Nein, das ist keine Blasphemie, das ist alles andere als ein unjüdischer Gedanke. Auch das Judentum kennt eine Hinwendung und Herablassung Gottes, die Gottes Gottsein nicht aufhebt, sondern bestätigt. Die Präsenz, das Dasein, die Wirkmächtigkeit Gottes, der da war, ist und sein wird, kommt zum Ausdruck in all dem, was im rabbinischen Judentum mit »**Schechina**« (von »wohnen«) gemeint ist: Gottes »Wohnung«, aber gerade so auch »Herrlichkeit« (»kabod«) und »Pracht« (»hod«) unter den Menschen dieser Erde. Und schon die Rabbinen machten deutlich, daß Gottes besondere Gegenwart nicht nur im Heiligtum, im Bundeszelt und im Tempel gewährt wird, sondern daß Gott auch in der Gemeinschaft des Volkes Wohnung nehmen kann – bis hinein in die Verbannung. »Im-manu-El«: »Mit uns ist Gott«!

Und warum sollte Gottes Gegenwart, Schechina, statt in einem Tempel nicht auch einmal in einem einzelnen Menschen Wohnung nehmen können, so daß in ihm Gottes verborgene »Herrlichkeit« aufscheinen kann für den, der sich vertrauend auf sie einläßt? Eine Teilung, eine Aufspaltung, ein Zwiespalt im Einen-Einzigen kann damit ja auf keinen Fall gemeint sein. Wohl aber die Schechina, die Einwohnung und Offenbarung des Einen-Einzigen in diesem einen Menschen, erfahrbar freilich nur im Glauben. Gottes Weisheit (Logos), im »Fleisch« verborgen, offenbar nur dem Glaubenden: »Und das Wort ist Fleisch geworden und hat unter uns gewohnt, und wir haben seine Herrlichkeit gesehen, die Herrlichkeit des einzigen Sohnes vom Vater, voll Gnade und Wahrheit.«[36] So im johanneischen Prolog. Oder wie in der paulinischen Tradition: »In ihm wohnt die ganze Fülle der Gottheit leibhaftig.«[37]

Nur vom jüdischen Horizont her wird es also richtig verstanden, was zwanzig Jahrhunderte Christentum und alle Kirchen gemeinsam bekennen: Nicht einfach ein heiliges Buch oder Gesetz ist im Christentum Grund und Mitte des Glaubens. Grund und Mitte des Glaubens ist wie in Judentum und Islam **Gott selber** (»Theozentrik«); aber Gott – so haben es schon die ersten Juden-Christen erfahren –, wie er sich in der geschichtlichen **Person Jesu Christi** manifestiert, endgültig geoffenbart hat (»Theozentrik« also konkretisiert durch »Christozentrik«). Und auf diese Person – nicht auf ein Buch oder ein Gesetz – gilt es sich als den definitiven Maßstab christlichen Gottes- und Menschenverständnisses einzulassen.

Ich weiß, was wir Christen damit unseren jüdischen (und muslimischen) Gesprächspartnern zumuten und würde mir von Herzen wünschen, daß an diesem Punkt das Gespräch weitergehe – nicht zum Zwecke des Rechthabens, sondern zum Zwecke der Vertiefung des Glaubens an Gott. Denn das eine muß dem jüdischen Gesprächspartner als gemeinsame Basis von vornherein zugestanden werden: Das **Prinzip der Einheit** ist auch nach dem Neuen Testament nicht eine, mehreren Größen gemeinsame göttliche »Natur«, wie man sich dies seit der neunizänischen Theologie des 4. Jahrhunderts denkt, sondern ist **der eine Gott** (**ho** théos: **der** Gott = der Vater), aus dem alles und auf den hin alles ist. Es geht somit nach dem Neuen Testament nicht um metaphysisch-ontologische Aussagen über Gott an sich und seine innerste Natur: über ein statisches, in sich ruhendes, uns offenbares inneres Wesen eines dreieinigen Gottes. Es geht vielmehr um soteriologisch-christologische Aussagen über die Art und Weise der **Offenbarung Gottes** durch Jesus Christus in dieser Welt: um sein dynamisch-universales Wirken in der Geschichte, um sein Verhältnis zum Menschen und um des Menschen Verhältnis zu ihm. Wie wäre dann aber, fragt man sich, unter diesen neutestamentlichen Voraussetzungen vor jüdischem Horizont der Glaube an Vater, Sohn und Geist für das Gespräch mit Judentum und Islam – ein Testfall für jede christliche Theologie – zu verstehen und auszusagen? Ich versuche, knapp zusammenzufassen, was im Band über das Christentum verdeutlicht werden soll:

- An Gott, den Vater, glauben, heißt nach dem Neuen Testament, an den einen Gott glauben: Diesen Glauben an den einen Gott haben das Judentum, das Christentum und der Islam gemeinsam.
- An den Heiligen Geist glauben, heißt, an Gottes wirksame Macht und Kraft in Mensch und Welt glauben: Auch dieser Glaube an Gottes Geist kann Juden, Christen und Muslimen gemeinsam sein.
- An den Sohn Gottes glauben, heißt, an des einen Gottes Offenbarung im Menschen Jesus von Nazaret glauben: Über diese entscheidende Differenz müßte gerade unter den drei prophetischen Religionen weiter gesprochen werden.

5. Bedarf Gott des Opfers des eigenen Sohnes?

Allzu selbstverständlich sehen Christen und besonders christliche Theologen die Hinrichtung Jesu als Opfertod und höchsten Liebeserweis Gottes: »Denn Gott hat die Welt so sehr geliebt, daß er seinen einzigen Sohn hingab, damit jeder, der an ihn glaubt, nicht zugrunde geht, sondern das ewige Leben hat.« Dieser Satz wiederum aus dem Johannesevangelium[38] wird dafür gern, aber unüberlegt zitiert.

Ganz auf der Linie der **jüdischen Tradition** bemerkt auch Pinchas Lapide dazu höchst kritisch: »Daß Gott eines Menschenopfers bedarf, um seine eigene Schöpfung mit sich selbst zu versöhnen, daß er, der Weltenherr, ohne Blutopfer keinen Menschen zu rechtfertigen vermag, das ist für Juden ebenso unbegreiflich wie bibelwidrig.«[39] Menschenopfer seien Gott ein Greuel. Und Lapide stellt dann die Frage: »Was für ein Gott ist das, … der ja sagen kann zu den sadistischen Todesqualen seines Kindes, ja, der sogar diese bestialische Peinigung erwirkt, nur um die rein heidnische Tortur der Kreuzigung anzunehmen: als stellvertretende Entsühnung, wie Paulus behauptet …; als Beschwichtigungsopfer des Zornes Gottes nach Römersitte, wie Augustinus es darstellt; als Loskauf vom Teufel in einer Art von Tauschgeschäft zwischen Gott und Satan, wie Origenes es will; oder als feudale Genugtuung und Schuldenbezahlung, wie Anselm von Canterbury es in seiner Satisfaktionslehre zu beweisen sucht?«[40]

Was soll man von der **christlichen Tradition** her dazu sagen? Hier bedürfen in der Tat einige traditionelle Vorstellungen, die zum Teil schon im Neuen Testament begründet sind, der **Korrektur**. Um es elementar auszudrücken: Der Tod Jesu war von Menschen verursacht; er darf nicht in nachösterlichem Überschwang so zum Ratschluß und Heilswillen Gottes erklärt werden, daß er geradezu zur Tat Gottes gemacht wird. Was Gott zugelassen hat, hat er nicht explizit gewollt, gar kalkuliert initiiert. Der Gott des Neuen Testaments ist kein anderer als der Gott des »Alten Testaments«, dem Menschenopfer ein Greuel sind. Als ob Gott im Alten Testament das Isaak-Opfer verworfen hätte, um es im Neuen Testament in der Gestalt seines Sohnes grausam zu exekutieren.

Um aber den Eindruck zu vermeiden, erst durch jüdischen Einspruch sei christlicher Theologie dieses Problem aufgegangen, sei mir gestattet zu zitieren, was ich schon vor Jahren aufgrund der neutestamentlichen Exegese zu dieser Frage geschrieben habe: »Läßt sich bestreiten, daß gerade der Begriff des **Sühnopfers** zumindest in populären Vorstellungen oft geradezu peinliche Mißverständnisse aufkommen ließ: als ob Gott grausam, ja sadistisch sei, daß sein Zorn nur durch das Blut seines eigenen Sohnes besänftigt werden könne? Als ob ein Unschuldiger als Sündenbock, Prügelknabe und Ersatz für die eigentlichen Sünder dienen müsse?«[41] In der Antwort auf diese Frage habe ich deutlich gemacht:

1. Nach dem Neuen Testament standen die ersten jüdischen Jesus-Anhänger vor der ungeheuer schwierigen Frage, **wie** überhaupt – im Licht des Glaubens an Jesu neues Leben bei Gott – sein peinlicher, widerlicher, **schändlicher Tod verstanden werden könne**. Als Unheilsereignis – aber was ist dann mit Gott? Als Heilsereignis – aber warum dann dieser Tod? Was wir im Neuen Testament sehen, sind erste tastende Verstehensbemühungen, um diesen Tod und vor allem seine bleibende Bedeutung und positive Auswirkung für die Menschen, »für uns«, verständlich zu machen. In den synoptischen Evangelien spielt die Sühnetod-Vorstellung bestenfalls am Rand eine Rolle.

2. Im Neuen Testament wie auch noch in der Patristik gibt es **kein exklusives normatives Deutungsmodell des Todes Jesu**. Statt dessen gibt es verschiedene, mehrschichtige und ineinander übergehende Sinnesdeutungen: die juristische (Jesu Tod als Gerechtsprechung des Sünders) ebenso wie die kultische (als Stellvertretung, Opfer, Heiligung); die finanzielle (als Bezahlung des Lösegeldes), schließlich sogar die militärische Deutung (als Kampf mit den bösen Mächten).

3. **Jesus selber** wurde von daher in höchst **verschiedenen Bildern** und doch bezüglich seines Schicksals letztlich in der gleichen Dialektik gesehen: als der Lehrer – und doch verworfen; als der Prophet – und doch verkannt; als der Zeuge – und doch verraten; als der Richter – und doch gerichtet; als der Hohepriester – und doch sich selbst opfernd; als der König – und doch dornengekrönt; als der Sieger – und doch gekreuzigt.

4. Der **Ertrag** des Kreuzesgeschehens wurde entsprechend **verschieden umschrieben**: als Beispiel, Erlösung, Befreiung, Sündenvergebung, Reinigung, Heiligung, Versöhnung und Rechtfertigung ...

Man fragt sich: Ist es eigentlich verwunderlich, daß **nicht jede** dieser Begrifflichkeiten und Bildlichkeiten, die alle auf verschiedene Weise die Heilsbedeutung des Todes Jesu herausheben wollen, **heute noch gleich verständlich** ist? Manche damalige Denkmodelle sind uns fremd geworden. Einige können direkt irreführen[42].

Nun ist im Neuen Testament unübersehbar, daß **Jesu Tod** als eine **Tat der Menschen** verstanden wird. Juden und Heiden gemeinsam sind dafür verantwortlich gemacht. Und doch läßt sich ebenfalls nicht übersehen, daß der Kreuzestod Jesu auch mit Gott selber zu tun hat: Gott hat zumindest zugelassen, daß sein »einziger Sohn« umgebracht wird, auch wenn er es nicht direkt gewollt oder gar initiiert hat.

Wie aber ist es dann möglich, daß im Neuen Testament einzelne Stellen auch davon reden, daß die Kreuzigung Jesu direkt eine **Tat Gottes** sei, von ihm nicht nur zugelassen, sondern gewollt und initiiert wurde, ja als ein sündentilgendes Geschehen gewesen sei? Der Leipziger Exeget Werner Vogler hat diese zweite Aussagenreihe des Neuen Testaments kritisch untersucht und kommt zu dem Schluß: Die Kreuzigung Jesu ist »allein eine Tat von Menschen. Doch Ostern läßt erkennen: Auch im Leiden und Sterben Jesu hat Gott seinen unabänderlichen Heilswillen durchgesetzt«[43]. So ungefähr wird die frühe Christengemeinde überlegt haben: »Wenn Ostern mehr war als eine nachträgliche Korrektur der von Gott nicht verhinderten Hinrichtung des Gottessohnes, dann konnte der Tod Jesu keine Katastrophe gewesen sein, sondern er mußte dem Heilswillen Gottes entsprechen. Jesu Kreuzigung war dann nicht ein gottwidriger Willkürakt von Menschen, sondern dieses zunächst so rätselhaft erscheinende Geschehen war dem Willen Gottes gemäß«[44]. Aber Vogler weiß auch, daß die Mißverständnisse der entsprechenden neutestamentlichen Stellen »schon sehr alt« seien und die Kirche sich von daher wohl »von einem Stück ihrer Frömmigkeitsgeschichte zu trennen« (etwa in manchen Kirchenliedern) haben werde. Es bedürfe einer »gründlichen Ausmusterung«[45].

Die in der Tat notwendige »gründliche Ausmusterung« müßte sich besonders auf die Satisfaktionslehre des Anselm von Canterbury beziehen. Hier muß man wirklich von einem fragwürdigen »metahistorischen Drama Christi« reden. Diese »feudale« Erlösungslehre ist nur zu verstehen vor dem Hintergrund einer im Frühmittelalter aufblühenden Rechtswissenschaft, wo es hilfreich schien, durch ein großangelegtes, scheinbar lückenloses Beweisverfahren die Notwendigkeit der Menschwerdung und vor allem der Erlösung durch den Kreuzestod rational zu demonstrieren. Diese Satisfaktionslehre, gegen deren logischen Zwang schon Thomas von Aquin Bedenken anmeldete, kann, wenn wir Maß nehmen am Neuen Testament, die unsrige nicht mehr sein, sowenig wie die andere von einer ontologischen Verwandlung dieser Welt in der Karfreitagsnacht oder am Ostersonntag. Erlösung durch Jesus Christus, schriftgemäß und zeitgemäß verstanden, meint die reale Ermöglichung der Verwandlung unser Selbst im vertrauenden Glauben und in der Nachfolge praktizierter Liebe.

Dies muß in diesem Band genügen, um die Richtung anzudeuten, in die ein Gespräch zwischen Christen, Juden (und dann auch Muslimen) über all die schwierigen Fragen der Gottes-, Christus- und Erlösungslehre zu gehen hätte. Und so schwierig dies für die jüdischen und muslimischen Partner zu verstehen und zu akzeptieren sein mag – um falsche Diskussionen zu vermeiden, muß von christlicher Seite in aller Unzweideutigkeit gesagt werden: **Kriterium für das Christsein** ist nicht die Jahrhunderte später herausgebildete kirchliche Trinitäts-, Inkarnations- und Satisfaktionstheorie (sonst wären die frühen Christen keine Christen!), sondern ist der Glaube an den einen und einzigen Gott, ist die praktische Nachfolge Jesu Christi im Vertrauen auf die Kraft des heiligen Geistes Gottes. Und dieser Geist, der auch, davon bin ich überzeugt, im Dialog mit den jüdischen (und muslimischen) Brüdern und Schwestern am Werk ist , wirkt, **wo** er will, und wird uns führen, wohin **er** will.

Allerdings fragt es sich nun, ob die christliche Selbstkritik im Licht des Judentums nicht auch eine Rückseite hat, die ebenso deutlich zu beleuchten ist. Wenn von Jesus, dem Juden, her sich eine Revision der Christologie aufdrängt, stellt dieser selbe Jude Jesus mit seiner Botschaft nicht auch eine Herausforderung an manche traditionelle jüdische Auffassungen dar, die von Juden aufzugreifen wäre? Dazu nur wenige Anregungen, wobei Theologie und Politik nicht ganz zu trennen sein werden.

VII. Jüdische Selbstkritik im Licht der Bergpredigt?

Ich bin mir des Risikos voll bewußt, gerade gegenüber Juden die **Bergpredigt** des Neuen Testaments als Spiegelbild hinzustellen, auch wenn es sich bei der Bergpredigt gewiß nicht um eine Drohbotschaft, sondern ganz gewiß um eine Frohbotschaft handelt. Christen wie Nichtchristen haben dies bezeugt; Jakobiner der Französischen Revolution ebenso wie Sozialisten aus dem Geist der Russischen Revolution (K. Kautsky), Moralisten aller Art, unter ihnen so große Gestalten wie Leo Tolstoj, Albert Schweitzer und Mahatma Gandhi. Und gleich hinzugefügt werden muß: Wie oft wurde im Verlauf einer langen Geschichte die Bergpredigt von den Christen selber verraten – nicht zuletzt auch Juden gegenüber …!

Freilich: Widerlegt wurde diese Botschaft trotz einer monströsen Mißbrauchsgeschichte keineswegs. Im Gegenteil. Die Sache selbst erwies sich umso dringender, die Sache des Juden von Nazaret, wie sie von den Juden, die seine ersten Jünger waren, aufgenommen wurde. Dabei müssen wir uns an dieser Stelle nicht auf die Probleme der Text- und Literarkritik einlassen. Daß Jesus von Nazaret nicht wirklich auf einem »Berge« gesessen hat, um wortwörtlich so zu »predigen«, wie der Evangelist Mattäus es uns glauben macht, ist heute Gemeingut der Exegese. Schon die Parallelpassage im Lukas-Evangelium handelt nicht von einer »Berg«-, sondern von einer »Feldpredigt«. Nein, in diesen von den beiden Evangelisten Mattäus und Lukas gesammelten und redigierten Texten handelt es sich um kurze Sprüche und Spruchgruppen hauptsächlich aus der Logienquelle Q, in denen die Predigt des Nazareners ein spezifisches Profil bekommt, ein Profil, das auch nicht dadurch verwässert wird, daß wir heute auf zahlreiche Parallelen zwischen einzelnen Sätzen der Bergpredigt und der Hebräischen Bibel oder der rabbinischen Literatur hinweisen können. Gerade so wird das Einzigartige der Botschaft Jesu deutlich. Bei ihm finden sich diese Sätze eben nicht vereinzelt, sondern geballt und kompakt, sozusagen personifiziert. Ist doch seine Lehre zugleich gedeckt durch sein Leben, Verhalten, sein ganzes Geschick.

Die Frage, die sich für mich in diesem Zusammenhang stellt, ist die folgende: Wenn man die Bergpredigt seiner eigenen Glaubensgemeinschaft gegenüber stets selbstkritisch ins Spiel gebracht hat, muß es dann nicht erlaubt sein, diese für den Juden Jesus so charakteristische Botschaft auch seinem eigenen Volk gegenüber zur Sprache zu bringen – ohne alle christliche Selbstgerechtigkeit und Arroganz? Und wenn die Glaubensgemeinschaft der Christen sich stets kritisch messen lassen muß an der in der Bergpredigt zur Sprache kommenden Herausforderung zur Vergebungsbereitschaft und zum Rechts- und Machtverzicht, wäre es dann unangebracht, dies dem Volk der Juden oder irgendeinem Volk gegenüber zu verschweigen? Dabei setze ich als bekannt voraus, daß es sich bei der Bergpredigt nicht nur um eine rein private Botschaft für die persönlichen und familiären Beziehungen, sondern um eine Botschaft mit politischen Implikationen handelt. Sie macht eine Gesellschaftsordnung und Staatsverfassung, die staatliche Gewalt und Rechtsordnung, Polizei und Armee zwar nicht überflüssig, relativiert sie aber von der Wurzel her: durch ihr Ziel einer Bekehrung der »Herzen«.

1. Bereitschaft zur Vergebung?

Das Vergeben von Schuld unter Menschen ist nicht »natürlich«, ist keine Selbstverständlichkeit. Schon im Anschluß an den Holocaust habe ich gegen das Verewigen und für ein Vergeben (nicht Vergessen) der Schuld plädiert, da man nur so zu einer Versöhnung zwischen Israelis und Deutschen, Juden und Christen kommen könne. Aber wann immer ich mich privat oder öffentlich **gegen das Vergessen** und zugleich **für das Vergeben** der übergroßen Schuld ausgesprochen habe, wurden mir von jüdischer Seite hauptsächlich zwei Antworten gegeben:
– Wer an Gott glaubt, sagt: Das Vergeben ist nicht unsere, sondern **Gottes Sache**; nur er kann Schuld, und gerade diese Schuld, vergeben.
– Wer nicht an Gott glaubt, wendet ein: Nicht die Lebenden, **nur die Opfer** selber können die Schuld vergeben. Und da die Opfer nicht mehr unter den Lebenden sind, müßten die Schuldigen mit der Schuld leben.
In beiden Fällen also: keine Vergebung zwischen Mensch und Mensch, Volk und Volk, vielmehr das Ertragen einer ewigen Schuld. Auf diese Weise kann die deutsche Schuld gegenüber Juden niemals enden – nicht in dieser Generation, noch in der nächsten. Genau mit

einer solchen Begründung hatte etwa Ministerpräsident Begin die bedingungslose Unterstützung des israelischen Staates durch die Deutschen einfordern wollen. Was ist darauf zu antworten?

– Daß nur die **Toten** Schuld vergeben könnten, klingt gerade bei denen, die unbedingt die Schuldscheine für die »zweite«, »dritte« und wievielte Generation bewahren möchten, nicht überzeugend. Nehmen ja doch auch die Überlebenden des Holocausts und ihre Nachkommen die Schuldbekenntnisse wie die materielle Wiedergutmachung stellvertretend für die Opfer gerne entgegen. Warum sollen sie also nicht stellvertretend dann auch verzeihen können? So wie etwa Kinder Beleidigungen ihrer verstorbenen Eltern verzeihen können – um des Friedens zwischen den Familien willen?

– Daß nur **Gott** die Schuld vergeben könne, widerspricht der jüdischen Tradition. Zwar wird die Vergebung von Mensch zu Mensch in der Hebräischen Bibel kaum gefordert. Aber sie ist doch zumindest im Talmud vereinzelt bezeugt[1]. Ja, schon in dem allerdings nur in griechischer Übersetzung überlieferten (und deshalb nichtkanonischen) Buch des Jesus Sirach aus dem 2. Jahrhundert v. Chr. lesen wir: »Denk an das Ende, laß ab von der Feindschaft … denk an den Bund des Höchsten, und verzeih die Schuld.«[2]

Doch Vorsicht: Wie oft haben auch Christen einander und anderen die Schuld nicht vergeben? Und wie oft hat man im Lauf der Jahrhunderte zwischen »christlichen Nationen« statt nach Vergebung nach Rache gerufen, was zu einer Verhärtung der Herzen der Völker, zu immer neuem Haß und schließlich zu neuem Krieg führen mußte. Das zeigt jene durch Jahrhunderte vom gegenseitigen »Revanche«-Gedanke beherrschte, unversöhnliche »Erb-Feindschaft« zwischen Frankreich und Deutschland – mit dem Resultat von drei großen Kriegen und einem Vielfachen der sechs Millionen jüdischer Toten![3]

Ich frage: Ob in dieser Situation nicht gerade die Botschaft Jesu eine **Herausforderung für Juden und Christen** sein könnte? Denn nicht nur irgendwo, nebenbei, sondern ganz zentral findet sich bei Jesus die Forderung: Es gibt keine Versöhnung mit Gott ohne Versöhnung mit dem Bruder! Die göttliche Vergebung ist gebunden an die Vergebung der Menschen untereinander! Deshalb findet sich im Vaterunser nach den Bitten um das Kommen des Reiches Gottes und das Geschehen seines Willens die Bitte: »Vergib uns unsere Schuld, wie auch wir vergeben unsern Schuldigern«[4]. Der Mensch kann nicht Gottes große Vergebung empfangen und seinerseits den Mitmenschen die kleine Vergebung verweigern; er soll die Vergebung weitergeben! Das ist der Sinn der Parabel vom großmütigen König, der seinem Minister eine Riesensumme an Schulden vergibt: Jesus verurteilt die Handlungsweise des Ministers ungewöhnlich scharf, weil dieser nach dem großen Schuldenerlaß nun seinerseits seinen eigenen Schuldner wegen einer kleinen Summe ins Gefängnis werfen läßt[5].

Das also scheint das bis heute Provozierende an dieser Botschaft: Jesus plädiert für eine **Vergebungsbereitschaft ohne Grenzen**: nicht siebenmal, sondern siebenundsiebzigmal – also immer wieder, endlos[6]. Und jedem ohne Ausnahme. Ihm selber, aufgehängt am Kreuzesgalgen, wird denn auch noch in der letzten Stunde ein Wort der Vergebung in den Mund gelegt: »Vater, vergib ihnen, denn sie wissen nicht, was sie tun.«[7] Und charakteristisch für Jesus erscheint in diesem Zusammenhang auch die Untersagung des Richtens[8]: Nicht meinem Urteil untersteht der andere; alle unterstehen letztlich Gottes Urteil. Bei Jesus heißt es also gerade nicht: Gott allein kann vergeben, wohl aber: Gott allein soll richten. Die Menschen aber sollen einander vergeben.

Manche Juden werden einwenden, ein solches Ethos sei unrealistisch und überzogen. Wirklich? Dabei gilt es, von vornherein ein Mißverständnis abzuwehren. Jesu Forderung nach Vergebung ist nicht juristisch zu interpretieren. Es wird damit **kein neues Gesetz** aufgerichtet, nach dem Prinzip: 77 mal soll man vergeben, aber beim 78. Mal nicht. Aus Jesu Forderung kann man also nicht einfach ein Staatsgesetz machen; die Gerichte der Menschen sind deshalb nicht außer Kraft gesetzt. **Aber** Jesu Forderung ist ein **sittlicher Appell** an die Großherzigkeit und Großzügigkeit des Menschen, an den einzelnen Menschen – unter Umständen aber auch an die Repräsentanten der Staaten – in einer ganz bestimmten Situation das Gesetz sozusagen zu unterlaufen: zu vergeben und immer wieder neu zu vergeben.

Europa, leidgeprüft, hatte das Glück, daß mitten aus der Katastrophe heraus Staatsmänner vom Format eines Charles de Gaulle, Konrad Adenauer, Maurice Schumann, Jean Monnet, Alcide de Gasperi u. a. auftraten, die Europa nicht bloß technokratisch à la Bruxelles organisieren, sondern von politisch-ethisch-religiösen Impulsen her neu inspirieren und verändern wollten. Sie vermochten so einen **neuen An-**

fang zu setzen und eine **echte Verständigung** heraufzuführen, die alte Feindschaften begrub und heute einen neuen Krieg zwischen europäischen Völkern, Franzosen und Deutschen insbesondere, als völlig undenkbar erscheinen läßt. Und wie sehr das gegenseitige Verzeihen eine religiöse Basis hatte, zeigten de Gaulle und Adenauer durch die bewegende Versöhnungsfeier in der Krönungskathedrale der französischen Könige zu Reims.

Keine Frage: Dies war christlich gehandelt; aber sollte dies deshalb unjüdisch sein? Daß ein Rabbi und früherer Knessetabgeordneter wie Meïr Kahane »Vergeltung« als »ein ureigenes jüdisches Konzept« verkündet hat, machte ihn zum Helden nicht nur einiger Extremisten im jüdischen Staat – aber zugleich auch zum Opfer eines Attentäters. Und das hier viel zitierte und leider auch in »christlicher« Politik allzuviel praktizierte »Aug um Aug, Zahn um Zahn«? Kundige wissen, daß dieser Satz der Bibel ursprünglich nicht im Sinne maximaler Vergeltung, sondern im Sinne der Schadensbegrenzung gedacht war: nicht mehr als »ein« Auge, nicht mehr als »ein« Zahn.

Nein, es entspricht durchaus tiefer jüdischer Frömmigkeit, was in dem Psalmwort zum Ausdruck kommt, und was dann auch die Christen von den Juden gelernt haben: »Aus der Tiefe rufe ich, Herr, zu dir. Würdest du, Herr, unsere Sünden anrechnen, Herr, wer könnte da bestehen? Doch bei dir ist Vergebung.«[9] Ja, wer könnte da bestehen: die Deutschen oder die Schweizer, die Amerikaner oder die Israelis …?

»Doch bei Dir ist Vergebung«: Es soll uns unsere Schuld »nicht angerechnet«, also »verziehen« werden. Und dieses Vergeben, dieses Verzeihen, dieses Erbarmen, von Gott den Menschen geschenkt, – das ist Jesu Forderung – soll von den Menschen weitergegeben werden: »Hättest Du nicht auch mit jenem … Erbarmen haben müssen, so wie ich mit Dir Erbarmen hatte?«, so die Antwort des Königs an den unbarmherzigen Minister[10]. Allerdings: Vergeben kann man nicht verlangen – auch nicht nach Milliarden der Wiedergutmachung. Um Vergebung kann man nur bitten! Vergeben ist ein Geschenk, ist Gnade. Meine Frage wird von daher verständlich: Könnte es sich nicht lohnen, zwischen Deutschen und Israelis, Christen und Juden gerade über das Vergeben – ohne alles Vergessen, Beschönigen, Verdrängen, Entschuldigen und Rechtfertigen – in historisch-politisch-theologischer Perspektive nachzudenken und in einem freien, offenen, verständigen Dialog miteinander zu reden: als tragfähige Basis für eine konstruktive Zusammenarbeit?

Dazu eine Überlegung, welche die unmittelbare Gegenwart, aber auch die Zukunft betrifft: Bald ein halbes Jahrhundert ist es seit dem Holocaust her, und gerade jetzt werden in den Vereinigten Staaten neben den vielen kleineren Holocaust-Gedenkstätten (ganz neu 1990 etwa mit einem Aufwand von drei Millionen Dollar ein 20 Meter hoher bronzener »Arm der sechs Millionen« in Miami-Beach) drei neue **Holocaust-Museen** an zentralen Plätzen auf geschenktem öffentlichem Grund in Washington, New York und Los Angeles erstellt – keines unter 100 Millionen Dollar Baukosten. Man versteht es, daß die langsam aussterbende Holocaust-Generation die Erinnerung an den Holocaust wachhalten will, ja daß für viele amerikanische Juden der Holocaust zur Identitätsfindung heutzutage wichtiger ist als der Glaube an den Gott Abrahams, Isaaks und Jakobs. Und kein Zweifel: Der Kampf gegen das Vergessen des Holocaust ist mehr als legitim.

Und doch fragen sich auch manche amerikanische Juden: Holocaust-Museen – warum gerade in Amerika und gerade jetzt? Ein Alibi für eigene Versäumnisse? Eine auf Dauer angelegte politische Aktion? Warum aber wehren sich manche Juden dagegen, neben der sechs Millionen Juden auch der fünf Millionen Getöteten aus anderen Völkern (Slawen, Zigeuner usw.) zu gedenken? Und warum wurde gerade von Seiten des israelischen Botschafters und anderer Juden Protest laut, daß man am 24. April 1990 in den USA einen Gedenktag für die fast zwei Millionen (christlicher) Armenier feierte, welche 1915 von den Türken brutal und gnadenlos ermordet wurden? Ob eine Monopolisierung des Leides nicht allzu leicht das Leid übersehen läßt, das anderen zugefügt wurde? Und was würde man wohl sagen, wenn die rund 600 000 Muslime New Yorks ein Museum auf öffentlichem Grund für die aus Palästina vertriebenen Palästinenser, die israelische Besatzungspolitik und die mehr als tausend Opfer der Intifada fordern wollten?

Mir steht ein Urteil nicht zu, aber ich darf es offen gestehen: Der notwendigen Erinnerung an den Holocaust angemessener, der Opfer des Holocausts würdiger und zur Bekämpfung des Antisemitismus wirksamer wäre es gewesen, statt der kunstvoll-prunkvoll restaurierten Erinnerung an das unvorstellbare Grauen jetzt **Tempel des Friedens**

und der Versöhnung – zum gemeinsamen Gedenken, Bitten und Gesprächen – zu schaffen, in denen sich die Retrospektive auf die tödliche Vergangenheit verbände mit der Prospektive auf einen lebendigen Neubeginn. Ein »Temple of Understanding« (so der Name einer weltweiten Organisation aus Juden, Christen, Muslimen und anderen Religionen zur religiösen Verständigung): ganz wörtlich verstanden ein Tempel des Verstehens, wie etwa die berühmte ökumenische Kapelle in Houston / Texas, die von der Christin Dominique de Menil gestiftet und vom jüdischen Maler Mark Rothko mit monumentalen schwarz-grauen mystischen Farbfeldern ausgestattet wurde.

Beispiele einer konkreten aktiven Versöhnung gibt es. Und ein besonders bewegendes gibt der Direktor des Leo-Baeck-Instituts in London, der in Deutschland geborene Rabbiner **Albert H. Friedlander**, der 1988 ziemlich genau fünfzig Jahre nach seinem Weggang aus Deutschland statt einen längeren Studienaufenthalt in Jerusalem zum Unbehagen seiner Londoner Gemeinde einen Studienaufenthalt in Deutschland wählte, als prominenter Gastprofessor, Redner und Gesprächspartner. Nein, er hatte nichts vergessen (auch nicht jene Schweizer Grenzpolizisten, die 1940 den Onkel seiner Frau auf der Flucht vor den Nazis ergriffen und ihn nach guter Verpflegung über die Grenze zurückschickten, so daß er in Auschwitz sein Ende fand). Warum also wollte er nach Deutschland? Nicht um zu vergessen, wohl aber um Versöhnung zu suchen, um nach dunkler Nacht im langsamen Morgengrauen einen »weißen Strich am Horizont«, einen »Streifen Gold« ... zu sichten. Dies könne »auch zwischen Menschen geschehen, auch im Bereich der Versöhnung«[11]. »Ich wollte nach Deutschland gehen, um den Anfang einer inneren Reise in Richtung Versöhnung zu finden. Die Versöhnung selbst liegt in der Zukunft, weil ich nicht den inneren Weg der Deutschen und Deutschlands bestimmen kann.«[12]

Es gibt aber auch schon jetzt ungezählte Juden in der Welt, die in der Gegenwart aktiv Versöhnung nicht nur zwischen Juden und Christen, sondern zwischen Juden und Deutschen leben und praktizieren. Einer sei stellvertretend genannt: der Sohn des in Theresienstadt ermordeten bedeutenden deutschen Rabbiners Dr. Leopold Lucas, Generalkonsul **Franz Lucas** (London), der an der Universität Tübingen einen Preis für Völkerversöhnung in Höhe von 50 000 DM stiftete, der jährlich an Geisteswissenschaftler vergeben wird[13]. In einer solchen Haltung der konkreten Versöhnung ließe sich auch über einen weiteren neuralgischen Punkt sprechen, den wir hier nicht umgehen können.

2. Verzicht auf Recht und Macht?

Von der Problematik der Gründung des Staates Israel und dem Streit zweier Völker um dasselbe Land haben wir gehört. Recht- und Machtverzicht fällt schwer, ist ebenfalls nicht »natürlich«. Und wenn ich zu Juden über einen möglichen Verzicht auf bestimmte politische Positionen (etwa in Jerusalem) oder Territorien (das Westjordanland vor allem) sprach, wurde mir sehr oft als Antwort gegeben: Alles das ist unser gutes Recht; verzichten können wir darauf nicht. Und wir haben jetzt endlich auch die Macht, dieses Recht zu behaupten. Land für Frieden? Im Gegenteil: Wir werden unsere Macht ausdehnen, wie wir es bisher getan haben. Denn das ganze Land gehört uns. Und nicht gegen, sondern nur mit der Respektierung dieser unserer Ansprüche wird es Frieden geben.

Aber Vorsicht auch hier: Wie oft haben Christen andere widerrechtlich behandelt; wie oft haben sie andere unterdrückt und ausgebeutet! Und wie lange haben noch in den letzten Jahrzehnten »christliche« Nationen, haben Deutschland (welches sechs Millionen toter Polen auf dem Gewissen hat) und Polen (mehr als sieben Millionen Deutsche wurden aus seit Jahrhunderten von ihnen bewohnten Gebieten des heutigen polnischen Bereichs vertrieben[14]) Rechte auf die genau gleichen Territorien geltend gemacht (Schlesien, östliches Brandenburg, Pommern, südliches Ostpreußen). »Verzichtspolitiker« wurden alle diejenigen in Deutschland verächtlich genannt, die nicht ins Konzept einer bestimmten »Vertriebenenpolitik« hineinpassen wollten.

Auch hier bedeutet die Botschaft des Juden Jesu von Nazaret eine **Herausforderung für Juden und Christen** gleichermaßen: Denn Jesus forderte nicht nur wie in der Hebräischen Bibel allüberall den Verzicht auf Negatives, auf Böses in Gedanken, Worten und Werken. Nein, Jesus forderte darüber hinaus einen Verzicht auch auf Positives: auf Recht und Macht. Und zwar nicht nur dann, wenn man von anderen dazu gezwungen wird, sondern – in gegebener Situation – freiwillig von sich aus. Dies scheint das bis heute Provozierende an dieser Botschaft zu sein: Jesus plädiert für einen **freiwilligen Verzicht ohne Gegenleistung.** Konkret kann dies heißen:

– Verzicht auf Rechte zugunsten der anderen: mit dem zwei Meilen gehen, der mich gezwungen hat, eine mit ihm zu gehen[15];

– Verzicht auf Macht auf eigene Kosten: dem auch noch den Mantel geben, der mir den Rock abgenommen hat[16];

– Verzicht auf Gegengewalt: dem die linke Backe hinhalten, der mich auf die rechte geschlagen hat[17].

Manche Juden werden an diesem Punkt noch mehr als im Zusammenhang der Vergebungsbereitschaft einwenden, daß ein solches Ethos des Verzichtes unrealistisch sei, den Menschen überfordere. Gerade sie, die Juden, hätten ja in der Nazizeit durch Verzichten auf fast jeden Widerstand teuer bezahlen müssen. Doch auch hier ist noch mehr als vorher zu unterstreichen: Jesu Forderungen dürfen **nicht** als wörtlich zu befolgende **absolute Gesetze** mißverstanden werden. Sie sind und bleiben ethische Appelle. Jesus vertritt nicht die Meinung: Bei einem Schlag auf die linke Backe ist Vergeltung nicht erlaubt, wohl aber bei einem Schlag in den Magen. In der Bergpredigt geht es nicht um Gesetzesparagraphen, die genau regeln, was geboten und verboten ist. Und Verzicht auf Gegengewalt meint auch keineswegs von vornherein Verzicht auf jeden Widerstand; Jesus selber, stets furchtlos, hat bei einem Schlag auf die Wange vor Gericht keineswegs die andere hingehalten, sondern aufbegehrt; Verzicht darf also nicht mit Schwäche verwechselt werden.

Nein, bei den Forderungen Jesu geht es nicht um moralische, gar asketische Leistungen, die um ihrer selbst willen einen Sinn hätten. Es geht vielmehr auch hier um **provozierende Beispiele** und um **drastische Appelle** zur radikalen Erfüllung des Willens Gottes – von Fall zu Fall zugunsten der Mitmenschen. Aller Verzicht ist also nur die negative Seite einer neuen positiven Friedenspraxis.

Gerade an der »deutschen Frage« läßt sich illustrieren, wie sich eine solche Grundhaltung auch konkret politisch auswirken kann. Jahrzehntelang war das Verhältnis zwischen der Bundesrepublik und den östlichen Staaten blockiert, vor allem wegen der von Stalin erzwungenen Verlagerung des polnischen Territoriums nach Westen und der Unwilligkeit Deutschlands, die neuen Grenzen anzuerkennen. Schon am Ende des Zweiten Vatikanischen Konzils (1965) hatten die polnischen Bischöfe, wie wir hörten, ihren deutschen Amtskollegen gegenüber erklärt: »Wir gewähren Vergebung und bitten um Vergebung.« Aber auf deutscher Seite kamen die starren Fronten erst dann in Bewegung, als die Evangelische Kirche in Deutschland jene Denkschrift veröffentlichte, in welcher sie auf die Notwendigkeit der Versöhnung auch zwischen Deutschen und Polen hinwies. Diese Versöhnung aber war ohne den Verzicht auf bestimmte Gebiete nicht zu verwirklichen.

Durch diese »Denkschrift« aus dem Geist des Rechts- und Machtverzichtes wurde in Deutschland ein geistiges Klima geschaffen, das nun auch eine konkrete Politik auf der Ebene der Regierungen erleichterte. Denn ohne diesen geistigen Gesinnungswandel und die Unterstützung der Kirchen wäre es – angesichts von insgesamt rund 12 Millionen vertriebener Deutscher[18] – unmöglich gewesen, daß die Regierung Brandt-Scheel 1970/1971 den Deutsch-Sowjetischen und den Deutsch-Polnischen Vertrag abzuschließen vermochte, ein Vertragswerk, welches im Prinzip »die deutsche Frage« nach außen hin (Oder-Neiße-Grenze) regelte, so daß auch die Regierung Kohl/Genscher nach der Wiedervereinigung im Jahre 1989 diesen Status quo definitiv bestätigte.

Anders gesagt: In dieser besonderen historischen Situation wurde nicht nach Vergeltung gestrebt, wurden bestehende Rechte nicht geltend gemacht und Macht nicht ausgespielt, sondern wurde, wenn auch nach langem Hin und Her, auf Rechte und Machtausübung verzichtet. Ob es wie in der »deutschen Frage« so auch in der »**Palästinafrage**«, welche die Welt ebenfalls seit dem Zweiten Weltkrieg immer neu beunruhigt, ohne Rechtsverzicht (vielleicht von beiden Seiten) gehen wird? Von israelischen Politikern des herrschenden Likudblockes jedenfalls hat man in den letzten Jahren kaum ein anderes Wort so viel gehört wie »**Vergeltung**«: »retaliation«, »retaliatory measures«, »retaliatory strikes«: also »Vergeltungsmaßnahmen« und »Vergeltungsschläge«, womit alle möglichen Maßnahmen von Schulenschließung über Häuserzerstörung bis zu Flugangriffen gemeint sind; es wird davon noch die Rede sein müssen. Im Golfkrieg war es einzig der Einfluß der USA, der das sofortige Mitlosschlagen der überaus vergeltungsbereiten Politiker und Militärs und dann Vergeltungsschläge nach den glücklicherweise wenigen Skud-Raketen auf Tel Aviv verhinderte. Die meisten der durchgeführten wie geplanten »Retaliationsmaßnahmen« gingen über jenes von der Hebräischen Bibel zugestandene »Ius talionis« weit hinaus, das mit »Aug um Aug«, wie wir hörten, nur eine angemessene »Wiedervergeltung« gestattete und nicht eine Überreaktion.

Dazu nur ein illustratives Beispiel, welches in Deutschland Gegenstand einer Kontroverse war: Anläßlich der Verleihung des Heinrich-Heine-Preises der Stadt Düsseldorf an die Herausgeberin der »Zeit«, **Marion Gräfin Dönhoff**, hatte diese es gewagt, auf »Zweierlei Maß« hinzuweisen: die Überreaktion Israels auf den Tod eines seiner Soldaten und die Gleichgültigkeit gegenüber den allwöchentlichen Erschießungen von Palästinensern: »Kürzlich wurden an einem Tag ein zweijähriges Mädchen und ein fünfzehnjähriger Junge erschossen, ohne daß es zu einem Aufstand oder auch nur zu moralischer Entrüstung bei den Freunden Israels kam. Als aber in der gleichen Woche ein israelischer Soldat ermordet wurde, sind zur Vergeltung in einem Dorf 114 Häuser dem Erdboden gleichgemacht, 800 Menschen deportiert und die Brunnen der Bauern mit Dynamit gesprengt worden.«[19] Der Vorsitzende des Zentralrates der Juden in Deutschland, **Heinz Galinski**, meinte daraufhin, der Rednerin öffentlich die »Befremdung« des Zentralrates ausdrücken zu müssen »über einen solchen Mangel an Sensibilität«. Die Gerügte antwortete daraufhin: »Ich weiß nicht, wer es an Sensibilität fehlen läßt: diejenigen, die mit Maschinenpistolen einen Krieg gegen Steine werfende Kinder führen, oder derjenige, der darüber schreibt. Sensibilität tut sich schließlich nicht dadurch kund, daß Verbrechen gegen die Menschlichkeit mit Schweigen zugedeckt werden. Es ist nicht schwer, sich die fatale Situation vorzustellen, in der die Israelis sich befinden, aber solange sie sich ausschließlich auf Waffen verlassen und Verhandlungen ablehnen, die zu einer Garantie der Großmächte führen könnten, wird die Spirale der Gewalt immer weiter steigen.«

Darüber wird noch zu reden sein: Ob sich die Spirale der Gewalt stoppen und die leidige Palästinafrage lösen läßt, wenn man nicht auch hier bereit ist, in dieser besonderen geschichtlichen Situation um des Friedens und der Menschlichkeit willen auf einige Rechte und auf Machtausübung zu verzichten? Ob nicht auch hier um einer friedlichen Lösung willen eine **alternative Politik** gefordert ist? Ob sich nicht auch in Israel Politiker finden könnten vom Format eines Vaclav Havel, des neuen Staatspräsidenten der Tschechoslowakei, der ohne die Nazi-Verbrechen in seinem Land während des Krieges zu entschuldigen, sich doch zugleich für sein Land entschuldigte wegen der Vertreibung von drei Millionen Deutschen nach dem Krieg und der gerade so gegen den Geist der Rache, gegen Haß und Angst auf beiden Seiten höchst wirksam ankämpft?

Doch: Es ist nun an der Zeit, uns wieder ganz direkt der Binnenproblematik des Judentums selber zuwenden. Und nachdem wir zuerst die Paradigmen der Vergangenheit gesichtet und uns dann den Herausforderungen der Gegenwart gestellt haben, stellt sich jetzt die Frage: Wo steht das Judentum heute, an der Schwelle zum dritten Jahrtausend? Das ist die Leitfrage dieses Buches. Doch jetzt genauer: Wie läßt sich die gegenwärtige Identitätskrise der Moderne überwinden? Welchen religiösen Grundoptionen soll das Judentum folgen? Und kann in entscheidenden Fragen auch eine Besinnung auf den jüdischen Ursprung des Christentums nicht nur für Christen, sondern auch für Juden eine Hilfe sein? Dieses Kapitel soll uns den Weg über die Moderne hinaus in die Postmoderne hinein eröffnen, der die Zukunft gehört.

C. Die Überwindung der Moderne

Dies eine war schon um die Wende zum 20. Jahrhundert klar: Höchst verschieden waren die Reaktionen von Juden ausgefallen auf den Einbruch der Neuzeit in ihre Welt. Und schon aus diesem Grund gab es nie jenes einheitliche »Weltjudentum«, gar eine »Verschwörung des Weltjudentums«, wie viele Verblendete in ihrem Judenhaß und Judenwahn bis hin zu Adolf Hitler unterstellten. Nichts wäre falscher, als das Judentum damals wie heute als einen einheitlichen Block zu verstehen und die Pluralität zu übersehen: die Pluralität der Richtungen, Gruppierungen, Parteiungen, die sich oft erbittert widersprechen. Umfassender und sachgemäßer formuliert: Nicht zu übersehen ist die **Pluralität der konkurrierenden Paradigmen** auch innerhalb des heutigen Judentums. So stellten wir am Ende unseres ersten Hauptteils fest: Ähnlich, wie es sich für das Christentum und den Islam aufzeigen läßt, leben, mehr oder weniger transformiert, im heutigen Judentum traditionelle Paradigmen fort; ja in den Vereinigten Staaten waren, wie wir sahen, schon zu Beginn des 20. Jahrhunderts drei jüdische »Konfessionen« entstanden mit je eigener Gesetzespraxis, Organisation und eigenen Ausbildungsstätten, einzelne Synagogen, die alle ihren eigenen autonomen Weg gehen: »Orthodox« – »Conservative« – »Reformed«[1]. Wie haben sich diese Richtungen entwickelt, und wie sieht für sie die Zukunft aus?

I. Wege aus der Identitätskrise

In der Zeit nach dem Zweiten Weltkrieg und der Staatsgründung Israels waren für Juden in aller Welt und besonders in den Vereinigten Staaten mehrere Faktoren von bestimmendem Einfluß, welche die

Situation des Judentums vor allem in Amerika stabilisiert haben. Während heute im Staat Israel 3,3 Millionen Juden leben, leben in den Vereinigten Staaten 5,7 Millionen. Und nachdem wir von den verschiedenen Alijas (Einwanderungen) und der Gründung des Staates Israel berichtet haben, müssen wir jetzt unseren Blick besonders nach Amerika richten, wo sich nicht nur die bei weitem größte, sondern auch bei weitem aktivste Diaspora-Gemeinschaft der gesamten jüdischen Geschichte findet.

1. Krise und Erneuerung

Erstens: Zunehmender **sozialer Wohlstand und politischer Einfluß** schon während und erst recht nach dem Zweiten Weltkrieg hatten zur Folge, daß die Judenschaft Amerikas trotz aller abweichenden Einzelgruppierungen zu einer sozial viel homogeneren Gemeinschaft (»middle class«) als früher zusammenwuchs und der Unterschied zwischen deutschstämmigen und osteuropäischen Juden weithin belanglos wurde. Der Sozialismus war schon als Folge von Präsident Roosevelts »New Deal« zurückgegangen und in die Demokratische Partei aufgesogen worden, und die Katastrophe der Schoa trat für das amerikanische jüdische Bewußtsein nach dem Zweiten Weltkrieg zunächst in den Hintergrund.

Zweitens: Eine **religiöse Erneuerung in den 50er und 60er Jahren** war offensichtlich. Bei vielen Juden, die jetzt nicht mehr in einem Judenviertel, sondern – nach der Bevölkerungsbewegung in die Vorstädte – oft vereinzelt in christlicher Umgebung leben, ist sie nicht zuletzt zurückzuführen auf ein gesteigertes Bedürfnis nach religiös-sozialer Heimat und entsprechender Erziehung der Kinder. »Jewishness« tritt jetzt zurück zugunsten von »Judaism«, was heißt: Juden definieren sich in erster Linie über ihre Religion und nicht nur über eine säkulare Kultur und ein quasi-nationales Fühlen. Überall in den amerikanischen Städten kommt es jetzt zu Neubauten von Synagogen, zu einer sehr viel aktiveren Beteiligung am Gemeindeleben und zum systematischen Ausbau des religiösen Schulsystems mitsamt entsprechendem Religionsunterricht, ja zu einem gesteigerten Interesse an jüdischer Literatur und Theologie. Das Judentum war – neben Protestantismus und Katholizismus – zur dritten amerikanischen Reli-

gionsgemeinschaft (»religious community«) geworden: »Protestant-
Catholic-Jew« hieß das berühmte Buch Will Herbergs (*1906 in New
York)[2], dessen eigener Lebensweg von der »Young Communist League« über die Herausgeberschaft der Veröffentlichungen der Kommunistischen Partei in den 30er Jahren bin hin zum jüdischen
Schriftsteller und Theologen in den 40er und 50er Jahren symptomatisch ist[3].

Drittens: Der **Sechstage-Krieg Israels von 1967** hatte politisch und
psychologisch einschneidende Folgen. Blitzartig wurde klar, wie sehr
der Staat Israel am Rand des Abgrunds stand und die Möglichkeit
eines neuen Holocaust gegeben war. Ernüchterung trat ein unter bisher oft euphorischen Juden, und ein erneutes Gefühl des Alleingelas-
senwerdens (von seiten der amerikanischen Regierung und Öffentlichkeit wie auch von seiten der christlichen Kirchen und Verbände)
griff Raum. Konsequenz: Auch früher antizionistische Juden **identifizieren** sich jetzt **mit dem Staat Israel**. Es kommt zu einer in diesem
Ausmaß noch nie dagewesenen Sammlung von Geld; ja, der Sinn für
jüdische Identität wird vertieft und die Teilhabe am gemeinsamen jüdischen Schicksal intensiver. So ist das Judentum als Ganzes, wenngleich nicht unbedingt der Staat Israel (der damals den Moment des
Friedensschlusses verpaßt hat) gestärkt aus der Krise hervorgegangen.

Viertens: Zu Beginn der 90er Jahre hat das Judentum seinen Platz
in der amerikanischen Gesellschaft definitiv gefunden: »America is
ours; we belong to it« (»Amerika ist unser; wir gehören dazu«) ist der
vielzitierte Satz einer früher so oft mißachteten und verdrängten Minderheit, die heute wohlhabender und einflußreicher ist denn je zuvor;
sie hat Zugang auch zu Wirtschaftskreisen, die ihnen früher verschlossen waren. Mit größter Selbstverständlichkeit manifestiert und betont
das Judentum jetzt seine Verschiedenheit gerade auf dem kulturellen
Sektor: in Literatur, Theater, Film, Fernsehen, Kunst und Musik. Mit
größtem Nachdruck verfolgt es auf allen Ebenen – lokal, regional, national und international – seine politischen Ziele mit Hilfe zahlreicher
Organisationen und Publikationen, auch öffentliche Einflußnahme
und Lobbyismus nicht scheuend, etwa wenn es um vitale Interessen
des Staates Israel geht.

Eine optimistische jüdische Selbsteinschätzung dürfte also in den
letzten Jahrzehnten des zweiten Jahrtausends die Grundstimmung
sein, wie sie etwa Charles E. Silberman in seiner Erfolgsstory der ame-

rikanischen Juden »A Certain People«[4] zum Ausdruck bringt. Nicht zufällig dürfte auch die Neuauflage (1979) derjenigen Studie über den »American Jew« sein, die A. J. Feldman schon 1937 veröffentlicht hatte und die mit folgender Charakterisierung schließt: »**Der amerikanische Jude!** Er ist der Jude in Amerika, der, ungeachtet der geographischen Ursprünge seiner Vorväter, seinen Platz in der amerikanischen Gesellschaft einnimmt und ihn mit Würde, Gewicht und Selbstachtung besetzt hält, indem er ehrbar und nützlich als ein Jude und als ein Amerikaner lebt. Ein Mensch, leidenschaftlich patriotisch, glänzend auf Fortschritt aus, großzügig seinen Beitrag leistend, in nobler Weise aggressiv, kulturell kreativ, sozial gesinnt und progressiv: eine umfassende Persönlichkeit, aufgebaut aus den besten der kreativen Jahrhundertunternehmungen und der geistigen Tastversuche des **Welt**-Judentums, der seine Wurzeln eingeschlagen hat im kongenialen und gesegneten Boden Amerikas – das ist der **amerikanische Jude!**«[5] Freilich: Dieser Optimismus wird seit den 80er Jahren getrübt durch zwei Tatbestände, welche manche amerikanische Juden um Kontinuität und Identität des Judentums in Amerika fürchten lassen.

2. Ängste um Kontinuität und Identität

In zahlreichen jüdischen Publikationen und auf vielen Foren der 80er Jahre sind zwei Fragenkomplexe immer und immer wieder diskutiert worden, welche die Zukunft des so erfolgreichen amerikanischen Judentums verdüstern.

a) Die Angst um die **Kontinuität**: Gemeint ist hier nicht in erster Linie (auch wenn darüber ebenfalls Untersuchungen angestellt wurden), daß mit der wachsenden Integration der Juden in die amerikanische Gesellschaft auch der Anteil an deren Süchten selbstverständlich zugenommen hat: Alkohol, Drogen, Aids … Gemeint ist hier vielmehr die allgemeine soziale und demographische Entwicklung. Denn zu Befürchtungen Anlaß geben eine wachsende **Assimilation** vieler Juden an die nichtjüdische Umgebung, aber auch eine abgesunkene jüdische **Geburtenrate** und immer mehr Single-Haushaltungen, vor allem aber eine stark zunehmende Zahl von **Mischehen**, die auf ein Viertel bis ein Drittel geschätzt werden: im amerikanischen

Judentum »out-marriage« genannt, ob nun der nichtjüdische Partner
zum Judentum konvertiert (= »intermarriage«) oder nicht (= »mixed-
marriage«).

Ich brauche mich nicht in den innerjüdischen Streit um die Interpretation der demographischen Daten und die entsprechenden Zu-
kunftsprognosen einzumischen[6]. Daß aber der jüdische Anteil an der
Gesamtbevölkerung der USA 1937 noch 3,7 %, 1984/85 dagegen –
trotz Zuwanderung aus der Sowjetunion, Israel und Iran – nur noch
2,5 % beträgt, hat viele Juden alarmiert. Doch zur sozusagen äußeren,
demographischen Bedrohung des Judentums kommt eine innere, die
das Wesen des Judentums selbst betrifft:

b) Die Angst um die **Identität**: Seit den 80er Jahren verbindet sich
mit der materiellen Prosperität zunehmend eine auffällige religiöse Intoleranz der verschiedenen jüdischen Denominationen untereinander, die zu erheblichen Polarisierungen und Spannungen geführt hat.
Dabei gibt jede Denomination den anderen die Schuld. Und wer ist
der Schuldige?

– Das **orthodoxe** Judentum, in den USA genauso wie in Israel? Es
weigert sich ja in der Tat, die Legitimität der nicht-orthodoxen Synagogen anzuerkennen, was die Gültigkeit sämtlicher durch konservative oder reformerische Rabbiner vollzogenen Eheschließungen, Ehescheidungen und Konversionen in Frage stellt.

– Das **konservative** Judentum? Es hat ja in der Tat zum größten Ärgernis der Orthodoxen gegen alle jüdische Tradition 1983 die Ordination weiblicher Rabbiner eingeführt.

– Das **reformerische** Judentum? Es hat sogar (über die Ordination
von Frauen hinaus) eine jüdische Abstammung auch über den Vater
anerkannt: Auch Kinder nichtjüdischer Mütter, aber jüdischer Väter
sind demnach als Juden zu betrachten, was Orthodoxe und auch Konservative nach wie vor strikt ablehnen.

Und wer hat recht? Nach Auffassung aller Beteiligten geht es in diesen Fragen um nicht mehr und nicht weniger als um die Identität des
Judentums: Wer ist ein Jude? Welche Synagoge ist authentisch jüdisch? Zugleich wird befürchtet, daß diese Konflikte zu einer kaum
noch zu reparierenden **Spaltung** des Judentums führen könnten. Wie
ernst die Lage ist, zeigt die Tatsache, daß die Führer der verschiedenen
Denominationen 1986 zu einer Konferenz in Princeton zusammen-

gekommen waren unter dem Thema: »Will There Be One Jewish People by the Year 2 000?« – »Wird es noch das eine jüdische Volk im Jahre 2000 geben?« Ja, was wird die Zukunft sein?

Keine Frage: Diese jüdischen Streitigkeiten haben zahlreiche Auswirkungen auf das innerjüdische Zusammenleben, besonders auch im Staat Israel. Sie haben Auswirkungen auch auf das Verhältnis des Judentums zu den anderen Religionen und zum Christentum im besonderen. Sie tragen schließlich dazu bei, daß ein nicht unbeträchtlicher Teil der amerikanischen Judenschaft selbst auf religiöse Betätigung überhaupt verzichtet. Und auf diese Grundoption des Nichtglaubens oder zumindest Nichtpraktizierens müssen wir kurz zu sprechen kommen, bevor wir auf die verschiedenen religiösen Grundoptionen eingehen.

3. Judesein ohne Religion

Wie es im Christentum viele gibt, die sich keiner Kirche zugehörig fühlen (kirchenlose Christen), so gibt es auch im Judentum viele, die keiner Synagoge angehören (synagogenlose Juden). Die Gründe für diese »Non-affiliation« sind vielfältiger Art.

– Sie können erstens **säkularer**, genauer: egoistisch-finanzieller Art sein (Warum für die Belange der Synagoge finanzielle Opfer bringen? Wozu Kirchensteuer?).

– Sie können zweitens durchaus **religiöser** Natur sein: Weil man sich mit dem religiösen, politischen, finanziellen Gebahren der Synagogen (der Kirchen und ihren Repräsentanten) nicht identifizieren kann. Nicht-praktizierende Juden (Christen) sind also – auch in Religionsstatistiken! – keineswegs den Irreligiösen, Atheisten oder Agnostikern zuzurechnen.

– Sie können drittens auch wirklich **antireligiöser** Natur sein: Weil man nun einmal grundsätzlich gegen Religion ist (als »Opium«, »Repression«, »Ressentiment«, »Regression«) oder weil man sich mit der Katastrophe des Holocaust nicht abfinden kann, jedenfalls nicht religiös.

Es ist ja keine Frage, daß viele typisch moderne Juden schon aus biographischen Gründen der Religion total entfremdet wurden. Atheistisch, agnostisch oder kryptoagnostisch werden: das war in den

Augen solcher Juden schon im vergangenen Jahrhundert weit weniger schlimm als gottgläubig bleiben und – nach berühmten Vorbildern wie Felix Mendelssohn-Bartholdy, Heinrich Heine oder Benjamin Disraeli – Christ zu werden. So erklärt es sich, warum die Synagoge aller drei Richtungen (orthodox – konservativ – reformerisch) vor dem Zweiten Weltkrieg eine Minderheit unter den amerikanischen Juden bildete; nur etwa ein Viertel bis ein Drittel zählte sich zu ihr.

Nach dem Zweiten Weltkrieg änderte sich dies, wie angedeutet. Und doch war noch 1947 die Zahl der Synagogenbesucher proportional deutlich niedriger als die der protestantischen wie katholischen Kirchenbesucher. So gibt es denn auch heute noch viele (statistisch nicht genau erfaßbare) Juden, die ihr Judesein (»Jewishness«) bejahen, jüdische Religion (»Judaism«), den jüdischen Glauben aber ablehnen: Nachfolger jener **säkularen Juden**, die schon im vergangenen Jahrhundert (und wie viele gab es zwischen Marx und Freud!) eine **radikal assimilatorische** Richtung einschlugen. Wir haben davon berichtet: Diese Juden sind aus dem Getto äußerlich wie innerlich ausgezogen und haben sich der Moderne voll angepaßt. Aufgegeben wurde die Beobachtung des jüdischen Ritualgesetzes, das aus ihrer Perspektive völlig sinnlos erscheint, wie überhaupt alles äußerlich Unterscheidende. Sie repräsentieren das **moderne Paradigma ohne Religion**.

Und doch sind solche unreligiöse Juden noch keineswegs von vornherein »Nihilisten«, die an nichts glauben oder sich an nichts halten wollen. Viele von ihnen sind »**Humanisten**« oder »**Moralisten**« oder »**Sozialisten**«, die durchaus ethische Ziele verfolgen und ethische Maßstäbe anwenden und sich praktisch für irgendwelche humanitären, moralischen oder sozialen Unternehmungen – spezifisch jüdischer oder allgemein menschlicher Natur – nach Kräften engagieren. Und es ist keine Frage, daß es gerade im Judentum (und in Amerika besonders) eine hohe Zahl von Juden gibt, die in diesem Sinn human, moralisch oder sozial sein wollen, ohne jedoch religiös sein zu können.

Allerdings gibt es nun auch zahlreiche Juden, die human, moralisch und sozial sein wollen, gerade **weil** sie religiös sind. Ja, **weil** sie religiös sind, meinen sie begründen zu können, warum sie **unbedingt** human, moralisch und sozial sein sollen. Und im Hinblick auf eine solche jüdische Religiosität sei hier eine jüdische Theologie beispielhaft skizziert, die in Amerika, mehr als jede andere nach dem Zweiten Weltkrieg die theologische Anthropologie und Ethik auch Ungläubigen

gegenüber eindeutig ins Spiel gebracht hat. Sie ist verbunden mit dem
Namen Abraham Joshua Heschel.

4. Der religiöse Jude: Abraham Heschel

Abraham Joshua Heschel war gerade deshalb ungewöhnlich kreativ,
weil er – wie so viele andere jüdische Theologen, die wir noch kennen-
lernen werden – **Bewohner zweier Welten** war: 1907 in Warschau geboren[7], 1972 in New York gestorben. Als polnischer Jude trug er so
schon von seiner Herkunft her die lebendige Frömmigkeit des emotional gefärbten Chasidismus in sich. Zugleich aber war er einer der
zahlreichen jüdischen Theologen, die – nach einer traditionellen
Ausbildung in Talmud und Kabbala – an der Berliner Hochschule für
die Wissenschaft des Judentums eine solide wissenschaftliche Bildung
für ein ganzes Leben vermittelt bekamen. Die ersten Arbeiten, die
Heschel veröffentlichte, waren denn auch in deutscher Sprache geschrieben; seine Dissertation war eine phänomenologische Studie
über die Prophetie (1936)[8] und eine Biographie des großen mittelalterlichen Systematikers Maimonides (1935)[9]. Beides sollte für sein
eigenes Werk zukunftweisend werden. 1937 wurde er auf Veranlas-
sung Martin Bubers dessen Nachfolger am freien jüdischen Lehrhaus
in Frankfurt.

Und doch wäre aus diesem Theologen nie das geworden, was er
schließlich wurde, wäre er nicht schon ein Jahr später – zunächst von
den Nazis nach Warschau deportiert – über London nach Nordamerika emigriert. Ab 1940 lehrte Heschel am Hebrew Union College in
Cincinnati (Ohio), der führenden Ausbildungsstätte des Reformjudentums, ab 1945 bis zu seinem Tod am Jewish Theological Seminary in New York, dem »Hauptquartier« des Konservativen Judentums,
wo er das Fach jüdische Ethik und Mystik vertrat. Seine bedeutenden
Werke schrieb er, ein hervorragender Stilist, in Englisch, veröffentlichte aber auch in Hebräisch, Jiddisch und Polnisch. Und wenn er
auf der einen Seite intensiv an den klassischen Quellen des Judentums
arbeitete und weiterhin Talmud, Kabbala und Chasidismus studierte,
so betrieb er auf der anderen Seite wie kaum ein zweiter in Amerika
eine zeitgenössische Theologie, welche die klassischen Einsichten mit
den Fragen des modernen Menschen zu konfrontieren versuchte.

Abraham Heschel suchte sich seinen Weg zwischen den **Funda-mentalisten**, die behaupten, alle letzten Fragen seien gelöst, und den **Positivisten**, die behaupten, alle letzten Fragen seien sinnlos. Mit der westeuropäischen Geistigkeit genügend vertraut, sieht sich Heschel vor allem mit der Tatsache konfrontiert, daß in der Moderne viele Juden **von der Wirklichkeit des Religiösen weitgehend entfremdet** leben. Dieser Entfremdungsprozeß aber ist für Heschel nicht nur das Resultat intellektueller Schwierigkeiten des Menschen, ist auch nicht nur Schuld des religiösen Traditionalismus, so sehr Heschel gerade ihn kritisiert. Nein, er hat mit dem Scheitern des modernen Menschen überhaupt zu tun, diejenige Dimension der Wirklichkeit zu akzeptieren, welche nun einmal die Religion ausmacht und welche die menschliche Vernunft nur beschränkt zu begreifen imstande ist: jene Dimension zu erfassen, in der Begegnung zwischen Gott und Mensch stattfinden kann.

Angesichts dieser Situation hatte Heschel schon 1951 ein erstes systematisches Werk der »Philosophy of Religion«, wie er sie versteht, mit Konzentration auf Gottesproblematik (»The problem of God«) und Ethik (»The problem of living«) veröffentlicht, um deutlich zu machen: »Man is not alone« – **»der Mensch ist nicht allein«**; eine Religionsphilosophie, die in einer Beschreibung des wahrhaft frommen Menschen gipfelt[10].

Fünf Jahre später setzt Heschel nochmals neu ein mit seinem zentralen systematischen Werk, von dem her alle anderen, so zahlreichen Publikationen Heschels verstanden werden können: eine **»Philosophie des Judentums«**, mit dem Titel »God in Search of Man« – »Gott sucht den Menschen«[11]. Es geht also um

– eine **Philosophie**, weil sie nicht wie die Theologie (nach Heschels Verständnis) mit dem Deskriptiven und Normativen, mit Dogmen und Lösungen einsetzt, sondern mit Fragen und Problemen, mit der Selbsterklärung und Selbsterforschung der Religion, um so zu einer kritischen Neueinschätzung zu kommen: konzentriert weniger auf Glaubensinhalte und Glaubensartikel als auf Glaubensvollzug und Glaubensakt, der in seiner Tiefe und Unterschicht zu erforschen ist, was Heschel eine »Tiefentheologie« nennt;

– eine Philosophie des **Judentums**, in der das Judentum nicht das Objekt einer kritischen Betrachtung, sondern das Subjekt ist, die Quelle der Ideen: wie in der Philosophie die Einsichten Platons oder

Kants. Das Judentum also bei Heschel nicht nur ein Gefühl oder eine Erfahrung, sondern eine Realität, ein Drama in der Geschichte mit Ereignissen, Lehren und Verpflichtungen, die es zu verstehen gilt.

Typisch für Heschel ist der Satz, mit dem er die Situation des modernen Juden und dann auch des modernen Menschen überhaupt beschreibt: »Die Bibel ist eine Antwort auf die letztmögliche Frage: **Was fordert Gott von uns?** Diese Frage aber ist aus der Welt verschwunden. Man schildert Gott als eine höchst vage Größe hinter einem Schleier von Rätseln. Seine Stimme ist unserem Geist, unserem Herzen und unserer Seele fremd geworden. Wir haben gelernt, auf jedes ›Ich‹ zu hören, außer auf das ›Ich‹ Gottes. Der Mensch unserer Zeit kann stolz erklären: Nichts Animalisches ist mir fremd; aber alles Göttliche ist es. So steht es um die Bibel im heutigen Leben: Sie ist eine erhabene Antwort, aber wir wissen die Frage nicht mehr. Wenn wir die Frage nicht wiederentdecken, besteht keine Hoffnung, daß wir die Bibel verstehen.«[12] Wie aber soll der moderne Mensch Gott wieder finden?

Auch wenn dies durch den Stil des Denkens eher verdeckt wird, das mehr um einzelne Motive kreist, als von Argument zu Argument fortzuschreiten: Es wird doch klar, daß Abraham Heschel grundsätzlich **»drei Wege«** der Gottsuche, drei **»Ausgangspunkte für das Nachsinnen über Gott«** kennt, denen die drei Teile seines Werkes (»Gott« – »Offenbarung« – »Antwort«) entsprechen[13]:

– Der erste ist der Weg, »Gottes Gegenwart in der Welt, in den Dingen zu spüren«.

– Der zweite ist der Weg, »seine Gegenwart in der Bibel zu erkennen«.

– Der dritte ist der Weg, »seine Gegenwart im geheiligten Tun (= der Gebote) zu empfinden«.

Zum **ersten:** Da die schon mit dem menschlichen Dasein und dem Dasein der Welt gegebene religiöse Dimension in der europäischen Moderne verdrängt und verschüttet wurde, muß der Mensch von einer ihm im Grunde unnatürlichen Skepsis befreit werden. Er muß wieder ein »Gespür für das Geheimnis« bekommen. Ja, der Mensch muß wieder **radikales Staunen** lernen über das scheinbar Selbstverständliche: daß überhaupt etwas ist und nicht nichts; daß schon des Menschen eigenes Wesen ein Geheimnis enthält; daß selbst die entsakralisierte Natur noch Macht, Schönheit, Erhabenheit ausstrahlt und daß sie doch nicht das Letzte ist. Staunend könne der Mensch wieder lernen, wahrhaftig zu sich selber und offen für die Wirklichkeit Gottes zu sein: **Gotteserfahrung in der Welt** also. Nein, Heschel will mit seinen einkreisenden Gedankengängen nichts beweisen, er will nur aufweisen, was da ist. Er will aufdecken, was man eigentlich sehen könnte. Er will die Situation des Menschen ausleuchten, Schöpfung und Natur in all ihrer Schönheit und Vorläufigkeit interpretieren, um so die Wirklichkeit Gottes wieder neu erfahrbar zu machen.

Dieser erste Weg der Gotteserfahrung in der Welt, in den Dingen, eröffnet zum **zweiten** den Weg zur **Gotteserfahrung in der biblischen Offenbarung**, mit der der Mensch, der das Staunen neu gelernt hat, immer wieder konfrontiert wird. Gott ist für Heschel zwar die ständige »ontologische Prämisse«, die Basis unseres Seins, die Voraussetzung der Wirklichkeit überhaupt. Aber gerade wenn der Mensch staunend sich dieser Voraussetzung bewußt geworden ist, ist er auch fähig, die biblische Botschaft und ihre Herausforderung wieder neu zu verstehen. In der Natur erfahren wir zwar Gottes Gegenwart, doch eine »Stimme« vernehmen wir nicht. In der Bibel aber vernehmen wir Gott ganz konkret, hören wir sein Wort. Hier kommt es zur direkten Begegnung von Gott und Mensch, hier zur Antwort auf des Menschen Staunen.

Läßt der Mensch sich aber auf die biblische Offenbarung ein, dann kann ihm bewußt werden, daß er nicht nur – gewissermaßen als Eigenleistung – ständig nach Gott suchen muß, daß er es vielmehr hier mit einem **Gott** zu tun hat, der schon längst **auf der Suche nach dem Menschen** ist. »Gott sucht den Menschen«: Der entscheidende Perspektivenwechsel ist damit beschrieben, den dieser Theologe immer wieder neu Kapitel für Kapitel vollziehen will. Ein Perspektivenwechsel sozusagen von unten nach oben, von der Immanenz zur Transzendenz, vom Menschen zu Gott: »Es ist nicht recht von uns, auf Gott zu warten, als sei Er nie in die Geschichte eingetreten. Auf seiner Suche nach Gott muß der Mensch, der nicht mehr im Zeitalter vom Sinai lebt, lernen, daß Gottes Suche nach dem Menschen Wirklichkeit ist. Er darf nicht die Welt der Propheten vergessen und nicht Gottes Warten auf den Menschen.«[14]

»... nicht die Welt der Propheten vergessen«: Es sind in der Tat die

Propheten, an denen Heschel klarmacht, wie Offenbarung Gottes an den Menschen sich konkret vollzieht. Und wie bei keinem anderen jüdischen Theologen wird hier klar, wie sehr das Judentum eine prophetische Religion geblieben ist. Denn die Offenbarung als solche wird für Heschel in der Bibel ja nicht mit empirischen Begriffen umschrieben, sie wird mit beschwörenden und andeutenden Worten angekündigt. Gerade die Erfahrung des Propheten läßt sich nicht historisch oder psychologisch rekonstruieren. Sicher ist nur, daß der Prophet weniger auf der Ebene einer Begegnung von Ich und Du steht, sondern in einem Verhältnis der prophetischen »Sym-pathie« mit Gott. Damit ist keine Emotion oder Ekstase gemeint, sondern die völlige Offenheit und Antwortbereitschaft auf Gottes Wort selbst. Der Prophet begegnet nicht nur Gott, er erfährt auch etwas von ihm und über ihn. Er erfährt Gott nicht nur als ein Du, sondern als eine übermächtige und zugleich ermächtigende Wirklichkeit. Und er erfährt Gott nicht nur und schreibt nachher die Worte auf, sondern er hört, erinnert und vermittelt genau das Wort und die Forderung, die an ihn und durch ihn an die Menschen ergangen ist. Sympathie ist das Gegenteil von Projektion, ist völlige Offenheit und Rezeptivität für Gott.

Und darauf kommt in der Tat alles entscheidend an: weder auf psychologische oder historische Verifikation des Offenbarungsereignisses (die historisch-kritischen Fragen interessieren Heschel nicht) noch auch auf dogmatische Fixiertheit und sterile Buchstabengläubigkeit, welche sich auf den »objektiven Offenbarungscharakter der Bibel«[15] versteift. Offenbarung ist für Heschel kein Monolog, kein Diktat. Offenbarung geschieht im lebendigen Spannungsverhältnis von Gott und Mensch auf der Basis des Bundes: »Es ist falsch zu behaupten, alle Worte der Bibel hätten ihren Ursprung in Gott. Die blasphemischen Reden eines Pharao, die aufrührerischen Worte von Kora, die Ausflüchte Ephrons, die Reden der Soldaten im Lager der Midianiter entstammen aus menschlichem Geist. Was der Prophet zu Gott sagt, wenn Gott sich zu ihm wendet, wird als nicht minder heilig angesehen als das, was Gott zu dem Propheten sagt, wenn Er das Wort an ihn richtet. Die Bibel enthält also mehr als das Wort Gottes: Sie ist das Wort Gottes und das des Menschen, Bericht über Offenbarung und Antwort, das spannende Schauspiel des Bundes zwischen Gott und Mensch. Die Kanonisierung und Bewahrung der Bibel sind das Werk Israels.«[16]

Zum **dritten** Weg: Mit des Menschen »Antwort«, dem **Erfüllen der Gebote**, dem Tun der Werke des Gesetzes schließt sich der Kreis. Denn dies ist der Weg zu einem Gott, der ja keine philosophische Abstraktion noch eine psychologische Projektion ist, sondern eine lebendige dynamische Realität, die leidenschaftliches Interesse (»concern«) an seinen Geschöpfen zeigt. Heschel vertritt so ein Judentum, das wesentlich mehr ist als jene »Religion der Vernunft«, wie sie der Neukantianer Hermann Cohen propagiert, das sich aber auch nicht nur auf personale Gottesbeziehung des Ich zum großen Du reduziert, wie sie Martin Buber doch letztlich allzu individualistisch verstand. Heschels Judentum ist ein Judentum auch der gemeinsamen Praxis, auch der Gemeinschaft der Glaubenden. Diese Praxis kann sich im Kontext des Staates Israel vollziehen, zu dem sich Heschel verhältnismäßig zurückhaltend äußert. Sie kann aber ebenso im Kontext der jüdischen Diaspora realisiert werden, die sein besonderes soziales Engagement herausfordert. Denn nicht zufällig setzt sich Heschel später gerade als Jude auch für die Bürgerrechte der Schwarzen, gegen den Vietnam-Krieg und für die sowjetischen Juden ein.

Und all dies wollte er tun aus dem Geist des authentischen Judentums selber! Was aber ist dieser »**Geist des Judentums**«? Was macht einen Juden zum Juden? Am Schluß seines großen Entwurfs »Gott auf der Suche nach dem Menschen« greift Heschel diese Frage noch einmal ausdrücklich auf und beantwortet sie so ganz anders als derjenige, der – wie wir soeben noch hörten – den idealen progressiven »American Jew« (A. J. Feldman) beschrieben hatte. Nein, der »Geist des Judentums« ist für Heschel nicht der Geist der Einpassung in die säkulare amerikanische Gesellschaft, sondern ist vor allem der von den großen Propheten verkörperte **Geist des Protestes** gegen eine Verwechslung des wahren Gottes mit den vielen irdischen, falschen »Idolen« dieser Gesellschaft. Ein Protest, der freilich auch in Sachen Religion, in Sachen Gesetzesglauben vorzubringen ist: »Selbst die Gesetze der Tora sind keine absoluten Größen. Nichts wird vergöttert, weder Macht noch Weisheit, weder Helden noch Institutionen. Wenn man diesen Dingen und allem noch so Erhabenen und Edlen göttliche Qualitäten zuschreibt, dann entstellt man die Idee, die sie verkörpern, und den Begriff des Göttlichen, den wir ihnen beilegen.«[17] Das eben macht die **Identität des Juden als Jude** aus: »Jude sein heißt, den falschen Göttern abschwören; heißt, in jeder endlichen Situation für

Gottes unendlichen Einsatz empfindungsfähig sein; heißt, in Zeiten
Seiner Verborgenheit von Seiner Präsenz Zeugnis geben und sich daran erinnern, daß die Welt unerlöst ist. Wir leben, um Antwort auf
Seine Frage zu sein. Unser Weg ist entweder eine Pilgerfahrt, oder er
ist eine Flucht. Wir sind auserwählt, frei von der Verführung welt-
licher Triumphe zu bleiben; unabhängig zu sein von Hysterie und
trügerischem Ruhmesglanz; niemals dem äußeren Schein zu erliegen
selbst um den Preis, daß wir gänzlich unmodern erscheinen.«[18]

Alles in allem eine imponierende jüdische Theologie, die zugleich
zeitgemäß und schriftgemäß zu sein versucht! Doch das weitverzweigte Gespräch, das der »amerikanische Buber« auf so verständnisvolle
Weise mit den modernen und religiösen Menschen führt, löst auch
Rückfragen aus, und dies ebenfalls in dreifacher Richtung:

5. Rückfragen

Was den **ersten** Zugang zu Gott – über die Wirklichkeit der Welt –
betrifft, so setzt Heschels Theologie zu Recht bei der Situation des
modernen Menschen ein, bei moderner Wissenschaft, Anthropologie
und Philosophie. Aber: Verfällt dieser jüdische Theologe nicht doch
allzu rasch in ein konfrontatives Schema von Frage und Antwort?
Können Anthropologie und Theologie so einfach in eine Welt der
Fragen und eine Welt der Antworten aufgespalten werden: als ob es in
der »weltlichen« Anthropologie keine Antworten, und in der jüdischen Theologie keine selbstkritischen Fragen gäbe? Ja, Zweifel sind
angebracht, ob Heschel die neuzeitliche Anthropologie je denkerisch
ernst nahm und sie nicht doch nur zum Aufhänger für seine von vorneherein feststehende theologische Anthropologie funktionalisierte.
Ein Ringen um die Frage nach Recht und Wahrheitsmoment philosophischer Anthropologie findet ja nirgendwo statt, einer **Auseinandersetzung mit der neuzeitlichen Religionskritik** geht Heschel aus
dem Wege. Ein radikales Befragen der eigenen »ontologischen Prä-
missen« wird verdrängt. Sätze wie »Ohne Gott ist der Mensch sinnlos«[19] verraten eine Tendenz zur bedenklichen Generalisierung, vielleicht auch die theologische Unart, den skeptisch gewordenen Zeitgenossen theologisch ins Wort zu fallen, bevor dieser in seinem Selbstverständnis ausreden durfte[20].

Was den **zweiten** Zugang zu Gott – über die biblische Offenbarung – betrifft, so distanziert sich Heschel zu Recht kritisch von einem dogmatischen Fundamentalismus und einer sterilen Buchstabengläubigkeit: Aber: Kann man die **Fragen der historischen Bibelkritik** derart ungestraft ignorieren, als hätte es eine beinahe dreihundertjährige historisch-kritische Erforschung der Bibel (Spinoza, Reimarus, Lessing, Wellhausen) gar nicht gegeben? Bei allem Bemühen, die lebendige Wirklichkeit Gottes in seiner Offenbarung im engen Kontakt mit der Schrift und mit Gespür für existentielle Nöte und Hoffnungen der Menschen bewußt zu machen: rächt sich auf die Dauer nicht doch die fehlende historische Kritik, wenn Heschel die gesamte Tradition nicht nur der Tora, sondern auch der Halacha unkritisch akzeptiert? Sätze wie: »Die Inspirationen der Propheten und die Interpretationen der Weisen sind gleich wichtig ... Die Bibelgelehrten sind die Erben der Propheten«[21]: Überspielen sie nicht souverän, was innerjüdisch gerade das Problem ist – die Herrschaft der Tradition über die Schrift, gegen die man doch im Geist der Propheten auch noch einmal protestieren können muß? Wenn die Bibelgelehrten, die Rabbiner, zu Propheten geworden sind, wer darf dann noch prophetisch gegen solche »Propheten« protestieren? Heißt das nicht das prophetische Erbe ganz an die Rabbiner abgeben und damit dem prophetischen Erbe gerade das nehmen, was es immer ausgezeichnet hat: das Recht auf Widerstand im Namen des lebendigen Gottes gegen alle Traditionen, das Recht auf Protest gegen eine Verwechslung der Wirklichkeit Gottes mit den von Menschen fabrizierten Traditionen und Interpretationen, Systemen und Hierarchien?

Was den **dritten** Zugang – das Tun der Werke des Gesetzes – betrifft, so bemüht sich Heschel zu Recht, das Judentum von Vorurteilen, Verengungen und Verzerrungen im Sinne einer »Religion des Legalismus« zu befreien. Doch bei aller Anstrengung, die Polarität »von Gesetz und Innerlichkeit, von Liebe und Furcht, von Verstehen und Gehorchen, von Freude und Zucht«[22] herauszustellen: Rächt es sich nicht auch hier, daß Heschel die Frage nach einer theologisch verantworteten **Kritik der Gesetzespraxis** ausblendet? Bei allem Bewußtsein der Tatsache, daß »der moderne Jude ... den Weg eines statischen Gehorsams nicht als Zugang zum Geheimnis des göttlichen Willens akzeptieren«[23] kann, nimmt Heschel diesen der Gesetzespraxis entfremdeten modernen Juden wirklich ernst, wenn er letztlich doch alle

Gebote akzeptiert und ihnen einen geistlichen Sinn unterlegt? Sätze wie: »Man sollte nicht sagen, die Mizwot (Gebote) hätten einen Sinn; man sollte vielmehr sagen, daß sie zu Quellen führen, denen immer neuer Sinn entquillt«[24]: Lassen sie nicht darauf schließen, daß Heschel eine kritische Interpretation der Gesetze gar nicht will, sondern nur deren geistige Überhöhung? Können aber den modernen jüdischen Menschen sinnlos erscheinende Gesetze wirklich zu geistigen »Quellen« führen? Kann man die Vernunft des Menschen in diesen Fragen so ausschalten wollen? Hilft man dem modernen Juden mit seinen Fragen, mit seiner Kritik, wenn man ihm gerade hinsichtlich all der Gebote, an denen sich seine kritischen Fragen ja entzündeten, die Auskunft gibt: »Wir dürfen daher die Mizwot (Gebote) nicht nach dem rationalen Sinn bewerten, den wir vielleicht auf ihrem Grunde entdecken. Religion findet sich nicht innerhalb, sondern jenseits der Grenzen der bloßen Vernunft. Es ist nicht ihre Aufgabe, mit der Vernunft zu wetteifern oder als Quelle spekulativer Ideen zu dienen, sondern uns da zu helfen, wo Vernunft wenig helfen kann.«[25] Darf man, ohne sich von der Geistigkeit der Neuzeit zu verabschieden, Vernunft und Religion so gegeneinander ausspielen?

Fragen über Fragen. Und nach diesem Tour d'horizon, den uns Abraham Joshua Heschels großartiges systematisches Werk verschafft hat, sind wir nun schon tief in die Probleme der modernen jüdischen Philosophie, die wir ruhig Theologie nennen dürfen, eingedrungen. Wir können jetzt grundsätzlich fragen: Wie sehen die verschiedenen **religiösen** Grundoptionen für einen Juden heute aus – angesichts der Tatsache, daß es kein für alle Juden verpflichtendes Credo und auch keine universelle Lehrautorität gibt?

II. Religiöse Grundoptionen der Zukunft?

Der Streit um die Vergangenheit ist auch ein Streit um die Zukunft. Und da ist unverkennbar, daß man in allen drei jüdischen Denominationen zwar beansprucht, das ursprüngliche Judentum zu vertreten, daß man aber in allen dreien um Anpassungen (oberflächlicher, mässiger oder radikaler Natur) an die stets wechselnde Situation der Zeit nicht herumkam. Gerade in Amerika will man ja jüdisch und doch auch amerikanisch sein. Dabei kann hier von den kleinen jüdischen Gruppen am Rande (»Jewish Humanism«, »Jewish Science«, »Black Judaism«) nur indirekt die Rede sein. Wir konzentrieren uns auf die Frage: Wie entwickeln sich die drei großen Richtungen des Judentums, von denen wir am Ende des ersten Hauptteils bereits als geschichtlichen Phänomenen gesprochen haben? Das Problem, das uns hier nun weiterbeschäftigen muß, ist: Was sind die geistig-religiösen Optionen der Zukunft für Orthodoxie, Konservatives Judentum und Reformjudentum? So viel vorweg: Alle drei Gruppierungen, wie sie sich zuerst vor allem in Deutschland herausgebildet und dann in Amerika weiterentwickelt haben, befinden sich im Wandel. Eine erneute Konvergenz ist – trotz aller Polarisierungen und wandlungsunfähigen Einzelgruppen – für die Zukunft nicht auszuschließen.

1. Die klassische Orthodoxie (Samson R. Hirsch)

Erst 1795 war das Wort »Orthodoxie«, das im 19. Jahrhundert zur Abgrenzung vom Reformjudentum allgemein üblich wurde, in bezug auf das Judentum zum erstenmal gebraucht worden: ein Synonym für »Gesetzestreue«, »Toratreue«. Zur jüdischen Orthodoxie zählen bis heute alle jene Juden, die sich nach wie vor der »geschriebenen Tora« als dem inspirierten Wort Gottes und der »mündlichen Tora« als deren Interpretation verpflichtet fühlen, die ja die beiden Hauptquellen der Halacha, des jüdischen Gesetzes, darstellen, nach denen sich Orthodoxe im konkreten Alltag auszurichten haben[1].

Unsere historische Analyse der Makroparadigmen hat gezeigt, daß es sich hier um die Weitergabe des **rabbinisch-synagogalen Paradigmas** handelt, das gerade angesichts des Einbruchs der Moderne von der radikal traditionalistischen Orthodoxie entschieden vertreten und verteidigt wird. Ihr Profil ist nach allem, was wir hörten, klar: Als damals in Europa die äußeren Mauern fielen und das religiöse Engagement deutlich zurückging, verstärkten die streng toragläubig Gebliebenen die inneren Mauern rund um die jüdische Seele mit unzähligen interiorisierten Gesetzesbestimmungen und Gesetzesauslegungen für alle Tage des Jahres und für den Sabbat insbesondere. Volks- und Religionszugehörigkeit sind hier bis heute eins. Religion aber ist Tradition, und die Synagoge ist (ähnlich wie früher die römische Kirche) ein Bollwerk mit meist verschlossenen Türen und Fenstern, allerdings nie eine so exklusive Heilsinstitution, daß außerhalb von ihr (christlich formuliert) »kein Heil« wäre.

Und die Moderne extra muros? Sie wurde von den Orthodoxen zunächst grundsätzlich ignoriert, und das vielfältige Versagen des modernen Westens in Sachen Moral bestätigt sie darin. Ähnlich wie römische Katholiken vor dem Vatikanum II und einige auch noch danach, ähnlich wie auch viele Muslime in den verschiedensten Ländern dieser Erde perpetuieren diese Juden bis heute ungeachtet aller Reformation und Aufklärung mit nur rein äußerlichen Anpassungen (Verkehrs-, Kommunikations- und Zahlungsmittel) das **mittelalterliche Paradigma** von Religion – angereichert mit Elementen aus dem nachexilischen Theokratie-Paradigma und antimodernistisch geschärft. Ähnlich wie lange Zeit römische Katholiken empfehlen auch sie ihren Kindern, »sichere« Berufe zu wählen, um den Glauben nicht zu gefährden: Business, Jura, Medizin, aber keinesfalls Human- oder Sozialwissenschaften, und zuallerletzt Geschichte, jüdische Geschichte.

Soll also eine Erneuerung des Judentums gar nicht notwendig sein? Ja und Nein. Schon im 19. Jahrhundert war ein Mann wie **Samson Raphael Hirsch** (1803-1888), das bis heute anerkannte Oberhaupt der deutschen Neu-Orthodoxie, entgegen allen schismatischen Tendenzen mit Leidenschaft dafür eingetreten, daß eine **Erneuerung** des Judentums durchaus **notwendig** sei[2]. Eine Erneuerung allerdings nicht progressiv, wie von den Reformern gefordert, durch wissenschaftliche Kritik, Veränderung des Glaubens und Preisgabe vieler traditioneller Gesetze. Eine Erneuerung vielmehr **konservativ**: durch eine Besinnung auf die ewige, unveränderliche, unfehlbare biblisch-talmudische Offenbarung, die Gottes Wahrheit aus einem Guß ist. Deren Gesetze,

die so unveränderlich seien wie die der Natur, müßten zunächst in
ihrem Wortsinn erfaßt werden, ihre eigentliche religiöse Bedeutung
zeige sich dann – Impulse der Kabbala werden hier aufgenommen –
in ihrem jeweils zu erschließenden Symbolgehalt.

Und die Bibelkritik? Ihre Argumente wischt Hirsch vom Tisch:
Wenn der Satz »Und Gott sprach zu Mose und sagte«, mit dem nun
einmal alle Gesetze der Tora eingeleitet werden, wahr ist, dann ist
diese Tora ohne alles Wenn und Aber zu akzeptieren, dann ist sie zu
jeder Zeit und in jeder Situation in die Tat umzusetzen. Oder wie
viele Orthodoxe bis heute die Alternative zuspitzen: Entweder man
nimmt alles an, wie es geschrieben steht – oder gibt das Judesein am
besten überhaupt auf. Eine Haltung gegenüber Tora und Halacha
nicht unähnlich derjenigen der protestantischen Fundamentalisten
gegenüber dem unfehlbaren Bibelwort oder derjenigen der katholischen Traditionalisten gegenüber dem unfehlbaren Papstwort ...

Die orthodoxen Juden leben heute in relativ kleiner Zahl über Europa
verstreut, dann in manchen Städten Amerikas (wo die wirklich prakti-
zierenden Orthodoxen kaum mehr als 5 % der jüdischen Bevölkerung
ausmachen), vor allem aber in Israel, wo sie im ganzen Land allerdings
auch nur eine kleine Minorität darstellen. Doch wichtig: In **Jerusalem**
bilden sie mit 330 000 Mitgliedern rund ein Drittel der jüdischen Bevölkerung und verfügen bei Regierungsbildungen als Zünglein an der
Waage über erheblichen politischen Einfluß. Manche Orthodoxe freilich waren in ihrem Wunschdenken hinsichtlich einer idealen Staats-
und Regierungsform lange Zeit antizionistisch gegen einen säkularen
Staat Israel. Heute freilich gehört die große Mehrzahl auch der Ortho-
doxie-Anhänger zu den Zionisten aus religiöser Überzeugung. Dies ist
nur eines der Anzeichen dafür, daß auch im Rahmen der Orthodoxie
Veränderung und Erneuerung möglich sind.

Wie die anderen Denominationen ist auch die Orthodoxie heute
kein monolithischer Block. Eher ist sie so etwas wie ein Verbund von
unabhängigen Synagogen mit je eigener Interpretation der Halacha,
die allesamt auf ihre eigene Weise ihre Krisen zu überstehen versuchen. Denn im Verlauf des 20. Jahrhunderts hatte die osteuropäische Orthodoxie in den Vereinigten Staaten schon in der zweiten Generation die meisten ihrer Mitglieder verloren[3]. Ja, die ältere Orthodoxie der ersten Immigranten war schon am Anfang des 20. Jahrhun-

derts weithin verschwunden: Viele Kinder der Einwanderer waren durch Heirat oder Konversion Christen geworden, andere – insbesondere westeuropäischer Herkunft – wurden später vom konservativen Judentum absorbiert.

Hinzu kommt: Selbst viele Juden, die eine Verbindung mit der orthodoxen Synagoge bewahren und sie (insbesondere ihr mächtig entwickeltes Schulsystem) materiell großzügig unterstützen, praktizieren ihren Glauben kaum, verschaffen sich jedoch mit finanziellen Förderungen das nötige gute Gewissen. So ist ein schöner Teil der gewaltigen Mittel, die seit dem Sechstagekrieg selbst von nichtreligiösen Juden für israelische Belange gesammelt wurden, in den Kassen der Orthodoxie gelandet – sowohl in Amerika wie in Israel. Als Faustregel scheint selbst für manche säkulare Juden zu gelten: Wenn man schon Geld für Jüdisches gibt, dann sollen es die »richtigen« (= orthodoxen) Juden bekommen ... Gerade die in neuester Zeit aus Osteuropa eingewanderten verschiedenen Gruppen chasidischer Juden (etwa die Lubavitcher Chasidim) konnten so mit modernen Mitteln eine missionarische Tätigkeit entfalten, die einige Erfolge hatte, auch wenn sie in ihrer subjektiven Emotionalität das Mißfallen der anderen jüdischen Denominationen gefunden hat.

Von solch traditionell Orthodoxen zu unterscheiden sind indessen jene orthodoxen Juden, die vor der Moderne nicht nur keine Angst haben, sondern die eine Symbiose von Orthodoxie und Moderne wünschen. Säkulare Erziehung und zeitgenössische Kultur werden von ihnen durchaus bejaht. Diese – so nennen sie sich zum Teil selbst – aufgeklärten Orthodoxen streben eine genuine Synthese des Besten aus beiden Welten an, wie der erste Präsident der Yeshiva Universität, Bernard Revel, zu fordern pflegte, davon überzeugt, daß das Judentum auf diese Weise nur vertieft und bereichert werden könne. Und diese moderne, aufgeklärte Orthodoxie hat ihrerseits bereits eine bemerkenswerte moderne Tradition[4].

2. Aufgeklärte Orthodoxie: Joseph D. Soloveitchik

Die Orthodoxie lebt heute vor allem in Amerika weiter. Es ist erstaunlich: In den 70er und 80er Jahren hat sie, die lange Zeit zum Untergang bestimmt schien, nicht nur zahlenmäßig zugenommen, sondern ist auch in der amerikanischen Öffentlichkeit stärker in den Vordergrund getreten. Der Grund? Liegt er nur darin, daß nach dem Zweiten Weltkrieg eine erhebliche Zahl von Überlebenden des Holocaust immigriert ist, die nach ihren furchtbaren Erfahrungen ihre jüdische Lebensart unbedingt beibehalten wollten? Oder liegt er darin, daß auf die revolutionären 60er und 70er Jahre in den 80er Jahren beinahe auf der ganzen Welt so etwas wie ein konservativer »Backlash« erfolgte? Oder aber darin, daß viele Juden die permissive westliche Zivilisation als amoralisch und abstoßend empfanden und ihnen Gesetzesbeobachtung angesichts des ungeheuer beschleunigten sozialen Wandels (Wertewandels!) die notwendige Distanz, die moralische Standfestigkeit und weltanschauliche Sicherheit zu geben versprach?

Dies alles spielte zweifellos mit, aber zur Erklärung reicht es kaum aus. Nein, es gibt eben auch diese moderne, **aufgeklärte Orthodoxie**, die sich nicht sektiererisch abschließen will, sondern sich gegenüber einer anderen, neuen Zeit offen zeigt. Insofern solche Orthodoxie klassisches, halachisches Judentum (zum Beispiel rituelles Bad) mit amerikanischer Kultur (zum Beispiel Sport) verbindet, stellt sie auch für manche jüngere Juden in Amerika durchaus eine echte Lebensoption dar, ja, bietet sie einen neuen Lebensstil an.

So wird denn gerade von der orthodoxen Yeshiva-Universität in New York aus eine Literatur verbreitet, die keineswegs nur um esoterische Auslegungsprobleme der Halacha kreist, sondern auch nichtorthodoxe Juden in ihren Nöten und Hoffnungen des Alltags anspricht. Die unbestrittene Leitfigur für diese »enlightened (aufgeklärte) Orthodoxy« stellt Rabbi **Joseph D. Soloveitchik** (*1903) dar, Professor an der Yeshiva Universität aus einer berühmten Rabbinerdynastie, der die beiden Welten des Talmud und der modernen Philosophie schon in seiner Person zu vereinigen verstand (wie Heschel osteuropäische Herkunft und philosophisches Doktorat in Berlin[5]). Seine Theologie ist eine »Theologie der Halacha«; denn nicht die Erzählungen der Haggada, sondern in erster Linie die Gesetzesbestimmungen der Halacha bestimmen nun einmal primär jüdischen Lebensstil und jüdische Lebensmoral. Es geht um das Ideal des »halachischen Menschen«, dessen Weltsicht, Leben und kreative Fähigkeit.

Und dieses **Ideal des »halachischen Menschen«** (»Isch ha-halacha« = »Mann der Halacha«) stellt Rabbi Soloveitchik eloquent und doch konzentriert, mit zahlreichen Bezügen zum Alltag, zur modernen Philosophie und zur jüdischen Tradition heraus. Ähnlich einem Mathematiker, der von einer a priori gegebenen idealen Welt ausgeht, orientiere sich »der halachische Mensch angesichts der Welt mit Hilfe fixer Statuten und fester Prinzipien«. »Ein ganzes Corpus von Geboten und Gesetzen« führe ihn »längs des Pfades, der zur Existenz führt«[6]. Dabei gehe es dem Menschen der Halacha im Unterschied zum »homo religiosus« nicht in erster Linie um die Wirklichkeit der Transzendenz, sondern um die empirische Realität hier und jetzt. Das Ideal des halachischen Menschen sei es eben, »die Realität dem Joch der Halacha zu unterwerfen«[7]. Gewiß habe auch er »Angst vor dem Tod«[8], er strebe aber, wiewohl er an ein ewiges Leben glaube, »die Erlösung der Welt nicht durch eine höhere Welt, sondern durch die Welt selber an, durch die Anpassung der empirischen Welt an die idealen Muster der Halacha«[9]. Insofern dränge es ihn, »die Transzendenz hinunter in dieses Tal des Todesschattens zu bringen, das heißt in unsere Welt – und sie in das Land der Lebendigen zu verwandeln«[10].

Welche Funktion hat also für diesen jüdischen Religionsphilosophen die **Halacha**? Antwort: Sie ist »die Kristallisation der flüchtigen individuellen Erfahrungen in festgelegten Prinzipien und universalen Normen«: »Halacha ist das objektivierende Instrument unseres religiösen Bewußtseins«[11]. Deshalb denkt Soloveitchik gar nicht daran, die Halacha etwa historisch-genetisch zu interpretieren oder zu »konstruieren«; scharf polemisiert er gegen jede Art von »sociological and psychological genetics«[12]. Vielmehr will er sie phänomenologisch-existentialistisch »rekonstruieren«: »Wenn die Entsprechung (commensurability) traditioneller Glaubenswahrheiten mit moderner religiöser Erfahrung erforscht werden soll, so muß die Methode der zurückblickenden Erforschung (›retrospektive exploration‹) – die zurückschreitende Bewegung von den objektiven religiösen Symbolen zum subjektiven Fluß – angewendet werden.« Denn: »Wenn ein objektiver Kompaß fehlt, so ist der Zielhafen ungewiß«[13]. Und dieser objektive Kompaß ist für Soloveitchik nicht wie für die meisten jüdischen Philosophen die jüdische Philosophie des Mittelalters, deren zentrale Begriffe ja ohnehin aus der griechischen und arabischen Philosophie stammten, sondern die Halacha, die mit Hilfe der modernen Philosophie typologisch aus einem Gesamtzusammenhang heraus erhellt werden solle.

Und wie sieht dieser systematische Gesamtzusammenhang aus?
Soloveitchik, nicht zuletzt an Hegels Dialektik geschult, sieht den
Menschen zunächst als Individuum und sieht ihn (schon die biblische
Schöpfungsgeschichte erzählt ja davon) als ein durchaus widersprüch-
liches Wesen – ausgespannt zwischen unbegrenzten Möglichkeiten
und begrenzten Fähigkeiten, zwischen gleichzeitiger Bejahung und
Verneinung des Selbst, zwischen Freiheit und Notwendigkeit, Angst
und Hoffnung, Gottesfurcht und Gottesliebe. Einem christlichen
Sündenfallpessimismus will dieser orthodoxe Rabbi dabei aber keinen
Raum geben; vielmehr will er zu einer realistischen menschlichen
Selbsteinschätzung anleiten. Diese widersprüchliche menschliche Si-
tuation, in der auch die Entfremdungserfahrung Quelle der Kreativi-
tät sein kann, läßt sich vom Menschen bewältigen, wenn er geistig
Herr seiner selbst und der ihn bedrängenden Zeitströmungen wird.
Dies aber geschieht nicht (wie im Christentum) durch irgendeinen
göttlichen Erlösungsakt oder Erlöser, sondern durch die von Gott am
Sinai geschenkte Tora, die Ausdruck von Gottes Willen ist.

Anders gesagt: Durch ein Leben in Übereinstimmung mit der Halacha, die dem Menschen im konkreten Alltag ja auf allen Ebenen des
Lebens feste Führung gibt, vermag der Mensch die widersprüchlichen
Tendenzen seiner Existenz in das notwendige Gleichgewicht zu brin-
gen. An sich, meint Soloveitchik, sei die Halacha nicht heilig (so we-
nig wie der Berg Sinai Spuren des Herabstiegs Gottes zeige), sie werde
vielmehr heilig durch die Hingabe des Menschen an sie, so wie der
Berg Morija eben durch das Aufsteigen des opferbereiten Abraham zu
Gott geheiligt wurde. Durch die Beobachtung des Gesetzes werde der
Jude ein »Mensch der Halacha« und in die Bundesgemeinschaft mit
Gott hineingenommen. So könne er – allerdings in lebenslanger
Spannung zwischen Aktivität und Passivität, Einsatz und Zurücknah-
me, Verantwortung und Resignation – sein Ziel erreichen: die Nähe
zu Gott.

So gibt es für diesen modernen orthodoxen Theologen »nur eine
einzige Quelle, aus der die philosophische Weltanschauung des Judentums hervorgehen könnte: die objektive Ordnung – die Halacha«[14]. Und so endet denn Soloveitchiks zweiter Schlüsselessay über
den **halachischen Geist** (»halakhic mind«[15]) mit dem Satz: »Ge-
speist aus den Quellen der Halacha wartet eine neue Weltsicht auf
eine Ausformulierung.«

Man wird auch als Außenstehender verstehen können, daß viele orthodoxe Juden in dieser lebensnahen und suggestiv vorgetragenen Halacha-Theologie Soloveitchiks, der auch ein großer Redner ist, sich wiedererkennen können. Ja, selbst Nichtjuden können viele der hier entwickelten anthropologischen und ethischen Konzeptionen über den »halachischen Menschen« teilen. Und doch stellen sich auch hier Rückfragen, die insofern schwierig zu formulieren sind, als Soloveitchik seine Synthese aus Anthropologie und Theologie bisher noch nicht in Buchform veröffentlicht hat, Rückfragen aber, die von Juden und Christen gemeinsam gestellt werden können.

3. Rückfragen zu Offenbarung und Gesetz

Soloveitchik redet nicht so schlicht fundamentalistisch wie Hirsch vom Bibel- und Talmudwort als unfehlbarem Gotteswort. Aber auch seine Auffassung von der Halacha ist statisch. Deshalb die Frage: Ist die Halacha wirklich eine so »objektive Ordnung« wie der Satz des Pythagoras, der unabhängig von aller psychologisch-soziologischen Entwicklung gilt? Braucht sich der Theologe so wenig um die **Geschichte** seiner »Disziplin« zu kümmern wie der Mathematiker und Physiker um die der seinen? Wenn nach Soloveitchik die Hegelsche Auffassung, daß sich die ganze Philosophie in einem ständigen Werden befindet, zu einer Binsenweisheit (»truism«) geworden ist, ist es dann angesichts der langen komplexen Geschichte der Überlieferung, die wir skizziert haben, überzeugend, die historische Entwicklung der Halacha selber außer acht zu lassen zugunsten einer phänomenologisch-existentialistischen Betrachtungsweise, welche die orthodox-mittelalterliche Interpretation auf weite Strecken einfach bestätigt?
Mehr noch: Waren die von Soloveitchik kritisierten ersten großen mittelalterlichen Systematiker Gaon Saadja (10. Jh.) und Bachja (11. Jh.), die zwischen rationalen und traditionellen Geboten unterschieden, und Maimonides (12. Jh.), der sich um eine vernünftige Synthese bemühte, in ihrem Problembewußtsein und in ihrer Problemlösung nicht doch vielleicht weiter, auch wenn sie über die historische Entwicklung noch nicht nachdachten? Soll man, wie Soloveitchik im Gegensatz zu Saadja fordert, alle historischen Motive etwa für das Blasen des Schofarhornes (ein Relikt aus nomadischer Zeit zur Warnung

oder zum Festbeginn) ignorieren zugunsten einer symbolischen Erklärung (Ruf zur Buße und zur Umkehr)? Kann eine symbolisch-typologische Erklärung all die realen Schwierigkeiten der Halacha (etwa bezüglich des Sabbats, der Reinigungs- oder Speisevorschriften) aus dem Weg räumen, welche die Großzahl der Juden vom orthodoxen Weg der Halacha abhalten?

Mit symbolisch-typologischer Exegese gedachten auch die Kirchenväter und ihre Nachfolger im 20. Jahrhundert mit den realen Schwierigkeiten der Bibel fertigzuwerden. Aber kann es heute noch wirklich überzeugen, anstelle einer entschiedenen historisch-theologischen Kritik bestimmte Gebote oder Lehren gewissermaßen in eine höhere anthropologische Vernunft hinein aufzuheben, ähnlich wie manche katholischen Dogmatiker unverständliche traditionelle Dogmen durch anthropologische oder typologische Uminterpretation systemimmanent »verständlich« zu machen versuchen? Gibt es nicht auch in der Halacha Bestimmungen (etwa bezüglich der eingeschränkten Rechte der Frauen), deren Vernünftigkeit man heutzutage einfach nicht mehr einsehen kann und die heute kein Mensch vorschreiben würde, wenn sie nicht schon »Gottes Gebot« wären? Wird dann aber aus der Theonomie, die angeblich des Menschen Autonomie erfüllen soll, nicht eine Heteronomie, die des Menschen Vernunft vergewaltigt? Über solche und ähnliche Fragen sollte man heutzutage auch – was Rabbi Soloveitchik leider ablehnt – zwischen jüdischen und christlichen Theologen diskutieren dürfen.

Nun werden wir aber von Orthodoxen selber darauf aufmerksam gemacht: Auch innerhalb der Orthodoxie gibt es – je nach Quellenauswahl und Interpretationsmethode – ein **breites Spektrum theologischer Grundpositionen** in »Theorie« und »Praxis«, worüber zum Beispiel der orthodoxe Präsident der Bar Ilan Universität in Israel, Rabbi Emanuel Rackman, genauere Auskunft gibt[16]. Konkret geht es vor allem um zwei Komplexe:

Erstens, was **Offenbarung und Glaube** betrifft: **Alle** Orthodoxen erkennen in der **Tora** Gottes Offenbarung an die Menschen. **Aber:**
– Für die einen hat Gott diese Offenbarung dem Mose damals Wort für Wort diktiert, so daß sie auch heute Wort für Wort im Glauben anzunehmen ist – bis hin zum Alter der Welt, das Angaben der Bibel zufolge rund 5 000 Jahre beträgt.

– Für andere steht die Art und Weise der Offenbarung nicht eindeutig fest, bedarf in jedem Fall der Interpretation, so daß man das Alter der Erde, die Entstehung des Menschen und anderes mehr von den Naturwissenschaften eruieren lassen muß.

– Für die dritten, besonders Naturwissenschaftler, gilt: Festhalten an den traditionellen Glaubensauffassungen im persönlichen Leben, aber in Forschung und Lehre Orientierung an naturwissenschaftlichen Methoden und Ergebnissen; Widersprüche zwischen den beiden werden überspielt oder verdrängt.

Ähnliches gilt für die **weiteren Quellen** der Offenbarung:

– Für die einen sind auch die biblischen Bücher außerhalb des Pentateuchs Wort für Wort vom Heiligen Geist verfaßt; für die anderen sind in der Interpretation verschiedene Autorschaft, Entstehungszeit und literarische Gattung der einzelnen biblischen Schriften durchaus ernst zu nehmen.

– Für die einen gilt die Lehre von der Unverletzlichkeit nicht nur für die Tora, sondern für alle heiligen Schriften, alle Sätze der Mischna und des Talmud mitinbegriffen; für die anderen gelten, mit Berufung auf Mischna, Talmud und mittelalterlich-jüdische Philosophie, nur die Fünf Bücher Mose als unverletzlich.

Zweitens, was **Gesetz und Gesetzeserfüllung** betrifft: **Alle** Orthodoxen halten die gesetzlichen Teile der Tora, die ja die primäre Grundlage der Halacha sind, für den Ausdruck des Willens Gottes. **Aber:**

– Die einen halten diese Gesetze für ewig und absolut unveränderlich.

– Die anderen nehmen, gerade mit Hilfe der mündlichen Tora, auch nicht-ewige und veränderliche Gesetze an: Gesetze (etwa bezüglich der Blutrache oder der Königsernennung), die nicht absolute Gebote, sondern nur Empfehlungen sind.

Dabei geht es hier nicht um Fragen der Theologie allein, sondern auch um **Fragen der Politik**: Die Orthodoxie nährt nämlich ihr Selbstbewußtsein in Amerika nicht zuletzt durch den Tatbestand, daß sie im Staat Israel die einzige anerkannte Form von Judentum darstellt. Doch gerade hier setzen die Fragen der übrigen Juden ein: Ist es richtig, daß Rabbiner (neuerdings innerhalb der Reformbewegung und des konservativen Judentums sogar Rabbinerinnen) aller drei jüdischen Richtungen in Amerika ganz selbstverständlich Heiraten,

Ehescheidungen und Konversionen gültig vollziehen können, dies im
Staate Israel jedoch – aufgrund ihrer schon im Osmanischen Reich
gegebenen Vormachtstellung – nur den Orthodoxen erlaubt ist? Alle
offiziellen Bemühungen, persönlichen Beziehungen und auch finanziellen Unterstützungen von Seiten der amerikanischen Judenschaft
erreichten bisher nichts. Weder die konservativen noch die reformierten Rabbiner und Kongregationen haben es geschafft, daß sie in Israel
offiziell anerkannt sind. Zwar sind sie im Lande präsent, aber sie haben keinen den Orthodoxen vergleichbaren rechtlichen Status.

Die Folge: unerträgliche Polarisierungen, ja faktisch eine **Spaltung
im Judentum**, für welche die Orthodoxie als die intoleranteste und
aggressivste aller jüdischen Richtungen einen großen Teil der Verantwortung trägt. In der Praxis kommt es dabei zu ungewöhnlichen
Schwierigkeiten, von denen bereits berichtet wurde: Einzelne hyperorthodoxe Juden (darin hyperorthodoxen Christen oder Muslimen
durchaus ähnlich) sind von einem geradezu mittelalterlichen Glau-
bensfanatismus besessen und kämpfen mit Berufung auf die Tora weniger gegen Ungläubige und Heiden als gegen die von der Tradition
abgewichenen eigenen Glaubensgenossen. Strenge Separation von
den öffentlichen Sündern und Verweigerung jeglicher Zusammenarbeit seien geboten, so daß wie schon in der Antike unter Heiden jetzt
sogar unter Juden Ressentiments gegen solche Art von Judentum ge-
weckt werden. Ja, selbst Gewalttaten werden gerechtfertigt gegen solche, die nach orthodoxer Auffassung den Sabbat stören (etwa durch
Sport oder Autoverkehr) oder welche die guten Sitten verletzen (etwa
durch Reklame) ... Aber schon die Tatsache, daß unter Umständen
gegen die Hyperorthodoxen und ihre Institutionen Gegengewalt angewendet werden kann (wie in einem spektakulären Fall in Israel geschehen[17]), hat doch etwas zur Besinnung geführt. Nein, einen Bürgerkrieg, den können sich auch die Hyperorthodoxen nicht leisten.

Ob hier nicht mit der Zeit ein Weg der Toleranz gefunden werden
kann, gefunden werden muß? Auch im privaten Leben der allermeisten Orthodoxen wird ja längst nicht mehr alles das verabscheut, was
die Vorfahren noch als Sünde angesehen haben: weltliche Erziehung,
modernes Gesellschaftsleben, neuere Musik. Schon längst ist ja in
manchen orthodoxen Synagogen, jedenfalls Amerikas, die Abschir-
mung und Abkapselung nicht mehr so total wie früher. Und haben
aufgeklärte Orthodoxe nicht gezeigt, daß man mit Berufung auf die

Tora und ohne Verrat an der Halacha durchaus Toleranz üben, den anderen jüdischen Gruppierungen gegenüber Verständnis zeigen und jedenfalls im sozialen, aber doch auch im religiösen Bereich zusammenarbeiten kann – und dies nicht nur unter Individuen, sondern auch unter Organisationen? Sollte man sich nicht darin einigen können, daß jeglicher Zwang im Religiösen auch im Staate Israel aufhören muß? Sollte um der so zahlreichen betroffenen Menschen willen ein Dialog unter allen Juden nicht möglich sein? Sollten die schmerzlichen Probleme, die etwa das jüdische Familienrecht aufwirft, nicht gemeinsam gelöst und die Stellung insbesondere der Frau nicht verbessert werden können?

Auch orthodoxe Stimmen rufen hier zur Verständigung auf und versuchen einen Weg in die Zukunft zu weisen, nicht zuletzt dadurch, daß sie bei der Interpretation der Halacha die historischen, psychologischen, sozialen und philosophischen Aspekte ernst nehmen. Und wenngleich man das Reformjudentum nicht liebt, dürften informierte Orthodoxe doch zugeben, daß dieses in manchen Dingen den Weg in die Zukunft gewiesen hat. Daß für diesen Weg in die Zukunft die Gesetzesfrage ganz und gar zentral ist, ist plausibel und wird uns in ihren Konsequenzen weiter beschäftigen müssen. Wenden wir uns aber zunächst den Gegenpositionen zur Orthodoxie zu.

4. Rationalistisches Reformjudentum (Abraham Geiger)

Auch die Geschichte des Reformjudentums haben wir im ersten Hauptteil kurz skizziert: die Geschichte jener Juden, die das Judentum nicht als eine legalistisch-ritualistische, sondern als eine **prophetisch-ethische Religion** verstehen wollten und die, religiös und politisch universalistisch ausgerichtet, im 19. Jahrhundert so etwas wie eine grundlegende Erneuerung (analog der protestantischen im 16. Jahrhundert) betrieben hatten. Dieses Reformjudentum denkt in Theorie wie Praxis evolutiv, geschichtlich.

Gegenfigur zu Samson Raphael Hirsch ist dessen Studienkollege und zunächst Freund **Abraham Geiger** (1810-74)[18], der bedeutendste Vertreter des deutschen Reformjudentums und vielseitige Mitbegründer der Wissenschaft des Judentums. Geiger war der festen Überzeugung, daß nur durch Wissenschaft und historische Kritik eine religiöse Reform, eine Erneuerung der jüdischen Theologie und des Judentums überhaupt erreicht werden könne. Das wahre Wesen des Judentums hat sich ihm zufolge nun einmal in der Religion der Propheten herausgebildet, die bekanntlich nicht die Beobachtung eines Rituals einschärften, sondern den Glauben an den einen heiligen Gott. Dieser habe sich praktisch zu bewähren durch Gerechtigkeit, Barmherzigkeit und eine Menschenliebe, die von keinen (auch keinen nationalen) Schranken eingegrenzt werden dürfe.

Entscheidend für diese Richtung ist nicht mehr wie in früheren Zeiten das Volkstum, die Volkszugehörigkeit. Entscheidend sind jetzt – und dies im Unterschied zu den völlig Säkularisierten – die religiöse Bindung, das religiöse Bekenntnis und eine aufgeklärte religiöse Praxis (für manche Ritualvorschriften etwa liefert ja schon Maimonides medizinische oder hygienische Begründungen). Diese Reformbewegung versteht Judentum deshalb **nicht** mehr primär als eine von anderen abgesonderte Nation, als eine **Volksgemeinschaft, sondern** – in Loyalität zu den bisherigen Gastnationen – als eine in allen Nationen lebendige **Religionsgemeinschaft**: eine Gemeinschaft des **Glaubens**. Das unterscheidend Jüdische, wie es sich herausentwickelt hat, ist der ethische Monotheismus der prophetischen Tradition!

Von daher ist der Schritt nicht weit, daß man eine solche Religion ohne alle kulturell-nationalen Elemente als eine universale **Religion der Vernunft** beschreiben konnte – nicht zu verwechseln freilich mit einer Philosophie der Religion. Und was sollte daran auch widervernünftig sein – wenn es vor allem um Hingabe an die eine Gottesidee und die daraus folgende messianische Ethik geht? Beides Elemente, die zwar über reine Philosophie hinausgehen, aber doch nicht unvernünftig sind. Eine solche jüdische Vernunftreligion kann deshalb selbst ein Philosoph wie **Hermann Cohen** (1842-1918) mit Überzeugung vertreten, er, der Begründer der Marburger Schule des Neukantianismus, ein Kantorensohn, der sich nie, wie behauptet, vom Judentum abgewandt hatte, sich vielmehr gegen Ende seines Lebens ganz diesem so verstandenen Vernunftjudentum als Dozent widmete. Sein posthum veröffentlichtes Buch bildet denn auch sein Vermächtnis: »Die Religion der Vernunft aus den Quellen des Judentums« [19]. Wissenschaft und Ethos wurden hier wieder groß geschrieben, zusammen mit Erziehung und Bildung – alles ganz auf der Linie des klassischen Reformjudentums.

Während es also in der Orthodoxie im wesentlichen um die Bewahrung des mittelalterlichen Status quo ante geht, haben wir es im Reformjudentum mit einer erstaunlichen **religiös-kulturellen Reformation** zu tun, einer Reform des jüdischen Gesetzes, der jüdischen Erziehung, Sprache, Liturgie, Synagogenarchitektur, Lebensweise überhaupt. Und dies, wie wir sahen, nicht wie im Christentum als Voraussetzung, sondern als Folge der (nun einmal in Europa und Nordamerika bereits erfolgten) Aufklärung. In dem Bewußtsein, daß die Moderne trotz Säkularisierung bis in Kunst und Musik hinein von jüdisch-christlicher Tradition geprägt blieb, versuchen solche Juden eine eigene **lebendige Synthese zwischen Moderne und Judentum** anzustreben. Sie leben im Paradigma der Moderne, behalten aber als die »Substanz« des Judentums den Glauben an den einen Gott und das prophetische Ethos bei. Diesem Reformjudentum kommt das große Verdienst zu, daß in jüdischer Liturgie und Erziehung die **universalen** Dimensionen des Gottesbundes und der Menschheitsreligion mehr zum Ausdruck gebracht werden – allerdings, zunächst jedenfalls, ohne einen Bezug zum Heiligen Land.

Aber – diese Einwände drängen sich auf: Ob sich jüdische Religion einfach auf Hingabe an die Gottesidee und Ethos zurückführen läßt? Ob das Leben nicht tiefer ist als Logik, und bestimmte Tiefen der Menschenseele durch das Ritual nicht besser erreicht werden? Ob es nicht menschliche Grundbedürfnisse nach Erlebnissen, Emotionen, Gefühlen, Traditionen gibt? Auch reformorientierte Juden spürten hier durchaus Defizite. Und wie das orthodoxe Judentum, so hat sich auch dieses ursprünglich aufklärerisch-rationalistisch geprägte, antitraditionelle und antinationale Reformjudentum schon seit den 20er Jahren entschieden gewandelt. Besonders in den Vereinigten Staaten setzte eine post-moderne Entwicklung ein. Ohne Konflikte ging es dabei freilich nicht ab.

5. Tradition und Reform im Konflikt: Louis Jacobs

Ursachen des Wandels waren: zum einen die Abkehr der nunmehr weitgehend »amerikanisierten« Reformer vom modernen Rationalismus deutscher Provenienz im Kontext des Paradigmenwechsels nach dem Ersten Weltkrieg, der die deutsche Einwanderung stoppte; zum

anderen der in Europa wie in Amerika bedrohlich ansteigende Antisemitismus; zum dritten das jetzt in Amerika zahlenmäßig weit vorherr-
schende Ostjudentum[20]. Gerade die deutschsprachigen Juden Amerikas – Ärzte, Rechtsanwälte, Geschäftsleute – bekamen ja mit solchen
Juden als ihrer Klientel im Alltag ständig zu tun. Denn mit dem sozialen Aufstieg war für die junge Generation der Ostjuden meist auch die
Abkehr von der Orthodoxie hin zum konservativen oder reformerischen Judentum verbunden; schon um 1930 bestand die Hälfte der
Reformsynagogen aus ehemaligen »Orthodoxen«. Deren Probleme –
Zionismus, Jiddisch/Hebräisch, traditionelles jüdisches Erbe – galt es
ernst zu nehmen.

Die Machtergreifung der Nationalsozialisten 1933 mit ihren katastrophalen Konsequenzen für die europäischen Juden zeigte auch
unter amerikanischen Juden ihre Wirkung. Die optimistische Entwicklung der Reformbewegung wurde jäh gebremst. In zunehmender
Verinnerlichung sucht man jetzt eine Neubegründung der eigenen
Religiosität: 1937 verabschieden die Reformrabbiner Amerikas in Co-
lumbus/Ohio neue »Guiding Principles of Reform Judaism«. Zwar
wird auf der Linie der damaligen Erklärung von Pittsburgh (1885)
immer noch das Prinzip des Fortschritts in der Religion anerkannt:
»Offenbarung ist ein kontinuierlicher Prozeß, auf keine bestimmte
Gruppe oder Zeit beschränkt«. Im übrigen aber werden in dieser »Columbus-Platform« ganz neue Akzente gesetzt[21]:

1. Hinsichtlich der **Tora** wird zwar immer noch daran festgehalten,
daß »gewisse Gesetze ihre bindende Kraft nun einmal verloren hätten
– und zwar mit dem Verschwinden der Bedingungen, die sie hervor-
riefen«. Aber zugleich wird jetzt verkündet: »Als ein Schatz bleibender
spiritueller Ideale bleibt die Tora die lebendige Quelle des Lebens Israels.« Die Speisegebote und Gebote für priesterliche Reinheit und
Kleidung werden zwar nach wie vor als zeitbedingt angesehen, doch
ist man jetzt durchaus an einer positiven Formulierung der religiösen
Verpflichtung mit Hilfe von »Geboten« (Mizwot) interessiert.

2. Hinsichtlich Israels als **Volk** und **Land** wird zwar nach wie vor
daran festgehalten, daß Israel, zerstreut in alle Welt, wie es nun einmal
lebt, zusammengehalten wird durch das Band der gemeinsamen Geschichte und vor allem das Erbe des gemeinsamen Glaubens. Aber zugleich wird jetzt verkündet: »In der Rehabilitation Palästinas, diesem
durch Erinnerungen und Hoffnungen geheiligten Land, erblicken wir

die Verheißung eines erneuerten Lebens für viele unserer Brüder. Wir bejahen die Verpflichtung der ganzen Judenschaft, beim Aufbau Palästinas als einem jüdischen Heimatland mitzuhelfen – durch das Bemühen, es nicht nur zu einer Zuflucht für die Unterdrückten zu machen, sondern auch zu einem Zentrum für jüdische Kultur und geistliches Leben.«

Was den **Gottesdienst** betrifft, so wird bald darauf beschlossen, traditionelle Symbole, Bräuche und Musik (rein jüdischer Chor, Kantor) wieder einzuführen. So kommt es zur Einführung des Freitagabendgottesdienstes (mit Kerzenanzündzeremonie), der sich als sehr viel populärer erwies als der Samstagmorgengottesdienst. 1940 erscheint ein in diesem Sinn revidiertes Union Prayer Book (hier findet sich auch der Kiddusch wieder, das Gebet über den Becher Wein am Sabbat). Überhaupt werden **Hebräische Studien** nun auch vom Reformjudentum gefördert, und das Hebrew Union College (Cincinnati, später auch in New York), das im Reformjudentum für die Ausbildung von Rabbinern und Lehrern zuständig ist, eröffnet im Staat Israel eine Zweigniederlassung. In den Vereinigten Staaten gibt es heute etwa 1,3 Millionen Angehörige des Reformjudentums.

Doch wie an die Orthodoxie, so ergeben sich ebenso **Fragen an die reformierte Form jüdischer Religion**: Hat sie sich nicht in vielen Fällen (wie schon der Kulturprotestantismus von ehedem) als allzusehr angepaßt erwiesen an eine ganz bestimmte Ideologie der bürgerlichen Mittelklasse? Ist es für eine Religion tatsächlich das Allerwichtigste, immer in Übereinstimmung mit Naturwissenschaft, Psychotherapie und liberaler Politik zu leben? Ist der Kampf gegen den Antisemitismus schon identitätsstiftend genug? Kann er den jüdischen Glauben ersetzen? Ist der Einsatz für den Staat Israel mit dem Einsatz der Propheten für Gerechtigkeit zu vergleichen? Haben nicht gerade die Propheten das zeitgenössische Israel immer auch kritisiert? Und überhaupt: Ist eine liberale Religion nicht allzusehr eine Religion ohne Widerhaken, ohne Widerspruch, ohne Widerstand gegen den Zeitgeist? Kann dies die wahrhaft jüdische Religion sein? Und ist die wahrhaft jüdische Religion nicht die gesetzliche, die halachische Religion? Wie aber hält es das Reformjudentum gerade mit dieser gesetzlichen, halachischen Tradition?

Das Problem von Tradition und Reform ist wie manchem im Chri-

stentum und im Islam so auch manchem im Judentum zum Lebensschicksal geworden. Ein spektakulärer Fall, der auch in Amerika Aufsehen erregte, war der des bedeutenden halachischen Gelehrten (und
auch späteren Gastprofessors an der Harvard Divinity School) Rabbi
Louis Jacobs (*1920 in Manchester), der erfolgreich als Rabbiner in
London und als Tutor am dortigen jüdischen Kolleg wirkte, schließlich aber doch in seiner Karriere als Dozent und Rabbiner durch ein
zweimaliges Veto des Chief Rabbi of the United Hebrew Congregations of the British Commonwealth in London blockiert wurde[22].

Im **Judentum Englands** hatte sich nach dem Zweiten Weltkrieg
eine zunehmende Polarisierung abgezeichnet: zwischen dem orthodoxen Flügel ursprünglich spanischer und portugiesischer Kongregationen, der durch Flüchtlinge aus Zentraleuropa, Ungarn und Polen
verstärkt worden war, und dem liberalen Flügel, der durch Neugründung von Synagogen und des Leo Baeck College seine Kraft manifestierte. Gemeinsam hatte man noch 1956 mit »Pomp and Circumstances« das 300-Jahr-Jubiläum der Wiederzulassung der Juden in
Großbritannien gefeiert. Doch schon sechs Jahre später brach der
Streit aus, der sich in der Person des Rabbi Jacobs kristallisierte, als
dieser als Nachfolger des streng orthodoxen Isidore Epstein[23] zum
Principal des Jews' College gewählt werden sollte. Und was war die
Anklage? Er habe Teilen der Tora den göttlichen Ursprung abgesprochen und wolle die Auswahl, was göttlich und was nicht göttlich sei,
der menschlichen Vernunft überlassen. So heftig wurde der Streit,
daß die lokale Synagogenleitung, welche Rabbi Jacobs stützte und
auch ohne Lehrerlaubnis predigen ließ, von der zentralen Londoner
Synagogenleitung abgesetzt wurde. Daraufhin machten seine Anhänger Jacobs zum Direktor einer eigens gegründeten Society for the Study of Jewish Theology und gründeten nachher für ihn sogar eine eigene Synagoge (1964).

Nun konnten freilich auch Jacobs' heftigste Gegner nicht bestrei-
ten, daß dieser »Häretiker« ein rabbinisch bestens gebildeter, ein
scharfsinnig analysierender und dabei ein religiös höchst engagierter
Gelehrter war, der legale wie ethische, mystische wie philosophische
Stimmen zu hören und zu integrieren vermochte. An der **orthodoxen
Praxis** festhaltend, hatte er mehrere Studien zur Kabbala und zum
Chasidismus veröffentlicht, auch ein Buch über das jüdische Gebet
sowie Einführungen in die Feste Jom Kippur (das Versöhnungsfest)

und Rosch haschana (das jüdische Neujahrsfest), weiter Studien über talmudische Logik und Methodologie und schließlich Übersetzungen wichtiger Werke aus dem Hebräischen ins Englische. Was aber war es, das seine Gegner so unversöhnlich machte? Es war vor allem die Tatsache, daß dieser Rabbi die wichtigsten Ergebnisse der (auf dem Kontinent in den vergangenen zweihundert Jahren entwickelten) modernen **historisch-kritischen Methode** in Englands Judentum eingeführt hat, daß er die göttliche Inspiration des Pentateuchs bestritt und eine historische Entwicklung in der Komposition der biblischen Bücher wie des Talmud ernst zu nehmen versuchte, wie das auch ein so aufgeklärter Orthodoxer wie Rabbi Soloveitchik nun doch von voneherein ausschloß.

Worum aber ging es Rabbi Jacobs positiv? In seiner Analyse des klassischen Glaubensbekenntnisses des Moses Maimonides sagt er es bereits im ersten Satz des Vorworts: »Dieses Buch ist ein Versuch zu diskutieren, was ein moderner Jude glauben kann.«[24] Anders gesagt: Dieser Rabbi, der seine Position als die eines »Modernismus im traditionellen Judentum« bezeichnet[25], ohne daß er den jüdischen Glauben in billiger Weise »attraktiv« machen will, dieser Rabbi sieht sich auf seine Weise mit dem Tatbestand konfrontiert, daß auch viele intelligente Jüdinnen und Juden auf der Suche sind nach einer Vertiefung ihres Glaubens. Sie hätten begriffen, daß das Judentum mehr sei als ein unverbindlicher »way of Life«, eben eine authentische Religion. Wie aber als »intelligenter« Mensch an alle Artikel des klassischen jüdischen Glaubensbekenntnisses glauben, wenn heutige Fakten über das Universum (etwa Entwicklung und Alter der Welt und des Menschen) den Aussagen des alten Glaubensbekenntnisses widersprechen? Soll man vielleicht ein »sacrificium intellectus«, ein »Opfer des Verstandes« fordern, so wie man früher eben Vernunft-Offenbarungs-Konflikte zu lösen pflegte?

Wahrhaftig: hier ging es nicht um Nebensächlichkeiten. Denn nirgendwo, meint Jacobs, sei der Konflikt so ernsthaft wie beim achten Glaubensartikel im Glaubensbekenntnis des Maimonides: Die Tora ist göttlichen Ursprungs! Dieses Prinzip einfach aufzugeben, hieße das Judentum als Religion aufzugeben. An diesem Prinzip einfach festhalten, wie es der große mittelalterliche Weise aus Cordoba verlangt hatte, hieße, das Judentum ein für allemal auf Fundamentalismus und Obskurantismus festlegen. Was also tun? Es braucht eine neue Inter-

pretation, die Jacobs schon hier vorlegt und bald noch unabhängig
von den dreizehn Artikeln des Maimonides entwickeln wird.

Ein Jahrzehnt später nämlich hat Louis Jacobs den Mut, eine eigene
**systematische Darstellung der Hauptthemen der jüdischen Theolo-
gie** auf gesicherter historischer Grundlage zu veröffentlichen – »A Jewish Theology«[26] –, wie das vor ihm eigentlich nur der 1843 in Fürth
geboren und 1926 in New York gestorbene bedeutende jüdische Systematiker **Kaufmann Kohler** versucht hatte. Wie Jacobs so kam auch
Kohler von der Orthodoxie (der Neuorthodoxie S. R. Hirschs) her,
erhielt aber in Deutschland wegen seiner bibelkritischen Einstellung
kein Rabbineramt, so daß er nach USA auswanderte, Reformrabbiner
in Detroit und New York und schließlich 1903 Präsident des Hebrew
Union College in Cincinnati wurde, der zentralen Ausbildungsstätte
des Reformjudentums. In dieser Eigenschaft schrieb er den »Grundriß
einer systematischen Theologie des Judentums auf geschichtlicher
Grundlage«, der 1910 auf deutsch und 1918 auf englisch veröffentlicht[27] wurde. Nachdem nun Kohlers Werk in vielem überholt war
und viele jüdische Theologen zwar über viele Themen geschrieben,
aber keiner eine neue historisch-kritische systematische Gesamtdarstellung gewagt hatte, sollte Jacobs' Werk diese Funktion für den
»modernen Juden« erfüllen. Angefangen von der Gottes- und Schöpfungslehre über Themen der Anthropologie und Ethik bis hin zu Fragen des Gottesvolkes, des Staates Israel, der messianischen Hoffnung
und des Lebens nach dem Tod, werden alle theologischen Topoi auf
der Basis der historisch verstandenen biblischen, rabbinischen und
modernen Überlieferung im Zusammenhang behandelt.

Es versteht sich von selbst, daß auch in Jacobs' Systematischer Theologie der neuralgische Punkt beim Thema **Offenbarung**, bei Tora und
Halacha lag. Gegen das statische Offenbarungsverständnis einer Orthodoxie, welche ja die gesamte Tora (Pentateuch, die übrigen biblischen Schriften und die mündliche Tora der rabbinischen Weisen)
als Gottes wortwörtliche (und so auch wortwörtlich zu befolgende)
ewig gültige Offenbarung ansah, anerkennt Jacobs mit der gesamten
neueren biblischen Forschung: Auch die Tora – und auch schon der
Pentateuch – haben eine lange Geschichte durchgemacht. In dieser
Geschichte sei es freilich nicht um eine »progressive Offenbarung«
von Ideen oder Satzwahrheiten gegangen, wie dies auch noch die »Co-

lumbus-Platform« von 1937 angenommen zu haben scheint. Vielmehr habe es sich um eine Geschichte der **Gottesbegegnungen** gehandelt, von denen dann **Menschen** mit ihren eigenen Worten in den biblischen Schriften einen **Bericht** (»record«) gegeben hätten. So handelt etwa die Genesis-Erzählung als Ganze vom Bund, von Gott, der Israel findet, und von Israel, das Gott findet und ihn der Menschheit bringt. Und was von der Genesis-Erzählung gilt, gilt auch vom Rest der Bibel: »Es ist alles der Bericht von des Volkes gewaltigem Versuch – und der Gläubige erklärt es als einen erfolgreichen Versuch –, Gott zu begegnen. Die verschiedenen Aussagen sind also nicht selber Offenbarung, sondern sind das Nebenprodukt der Offenbarung.«[28] So braucht denn der heutige Gläubige die Bibelworte nicht mehr als direkte Worte des Propheten, gar Gottes selbst anzunehmen und kann doch in ihnen Gottes Wort und Willen entdecken: »Offenbarung kann so gesehen werden als die Erschließung Gottes selber.«[29]

Doch auch ein solches Verständnis der Offenbarung hat Folgen. Denn was bedeutet es für die Praxis, genauer für die **Gebote** (»Mizwot«), welche die Praxis leiten sollen? Eine solche Sicht der Offenbarung ermöglicht es Jacobs zufolge, zwischen den verschiedenen Geboten in der Bibel zu **unterscheiden**. Angesichts der Probleme der Gegenwart lassen sich auf dem heutigen Stand der Erkenntnis drei Kategorien von Geboten unterscheiden:
– **bedeutsame**: Speisevorschriften, der Sabbat, Jom Kippur und andere Feste, auch Gebetsmantel und -riemen;
– **bedeutungslose**: Verbot des Rasierens oder des Tragens von Stoffen, die aus Wolle und Flachs gewoben sind;
– **schädliche**: die Einschränkungen der Rechte der Frauen und insbesondere auch der Kinder, die aus ehebrecherischer oder inzestuöser Verbindung hervorgegangen sind und denen die Heirat verboten ist.

Am Fall des Rabbi Louis Jacobs dürfte deutlich geworden sein, wie sehr sich im Lauf der geschichtlichen Entwicklungen die historischen Fronten wieder verschoben: Er, der aus der Orthodoxie kommt und seine Auffassungen noch immer als durchaus orthodox (in seinem Sinn) bezeichnet, vertritt gerade so ein reformerisches Judentum – als ein, wie wir hörten, »Moderner im traditionellen Judentum«. Eine Anfrage stellt seine Position sowohl an die Orthodoxie wie an das Reformjudentum dar, eine Anfrage aber auch an das ihm ebenfalls nahestehende konservative Judentum, dem wir uns nun zuwenden.

6. Konservativismus als Mittelweg (Zacharias Frankel)

Gegenüber den Orthodoxen, die sich der Moderne völlig versagen, und den Reformern, die sich der Moderne allzu sehr anpassen, gab es seit Beginn des 20. Jahrhunderts auch in Amerika den **Mittelweg des konservativen Judentums**[30]. Wir berichteten auch davon im ersten Hauptteil. »Entwicklung« und »Fortschritt« wurden hier im Prinzip bejaht, ja eine geistige **Koexistenz mit der Moderne** wurde angestrebt, ohne daß man aber den Versuchungen der Moderne unterliegen wollte. Deshalb lag der Akzent faktisch auf der Bewahrung, auf der Geschichte, auf der Tradition.

Neben Hirsch zur Rechten und Geiger zur Linken muß so in der Tat noch ein dritter »Vorläufer« genannt werden, der deutsche rabbinische Gelehrte **Zacharias Frankel** (1801-1875)[31]. Berufen sich doch viele Konservative auch in Amerika auf das »positiv-historische Judentum« von Frankels Breslauer Schule. Dieser war damals der anerkannte Führer der Mittelpartei gewesen, der gegen den Immobilismus der Orthodoxie und die Auflösungstendenzen des Reformjudentums Tradition und historische Wissenschaft zu verbinden suchte. Und wie? In den Lehren des Judentums, so Frankels Antwort, seien doch selbst schon genügend Möglichkeiten des Fortschritts enthalten! Offenheit für die Moderne müsse doch möglich sein, ohne die Tradition zu verraten. Historisch-kritische Interpretation der Bibel sei doch in Maßen akzeptierbar, ohne die Schrift überhaupt durch »höhere Bibelkritik« zu eskamotieren. Das heißt: Kein Fundamentalismus, aber doch auch kein Vernachlässigen des Gesetzes, welches nun einmal die Form des jüdischen Geistes darstellt. Was immer da historisch etwa über den Sabbat oder die Speisevorschriften in ihrer Geschichte zu sagen sei: in der Praxis soll man sich einfach daran halten. Das Gesetz habe schließlich einen Sinn in sich selbst.

Doch auch dieser vermittelnde Konservativismus auf der Linie von Zacharias Frankel und vor allem dem uns ebenfalls bekannten **Solomon Schechter**, der objektive Wissenschaftlichkeit und tiefe Frömmigkeit, Tradition und Innovation exemplarisch zu verbinden wußte und der als die Quelle der jüdischen Autorität nicht etwa die Bibel, sondern die Erfahrung des gesamten Volkes Israel (des »Katholischen Israels« in Palästina wie in der Diaspora) ansah[32], hat sich unter dem Druck der Entwicklung stark gewandelt[33]. Das Zentrum des konservativen Judentums, das Jewish Theological Seminary of America in New York, kam jetzt unter die Führung vor allem osteuropäischer Juden (von 1940-1972 Louis Finkelstein Präsident und Kanzler). Die hier wirkenden Lehrer sind zwar theoretisch offen für den Fortschritt, praktisch aber halten sie sich meist an die Tradition.

Verständlicherweise führt diese konservative Haltung zu Spannungen zwischen den rabbinischen Gelehrten in Academia und den jüdischen Laien im realen Leben. Denn viele Laien, die im weltlichen Alltag ganz andere Sorgen haben als ihre Rabbiner, wollen, nein, können den hier gebotenen strengen Gesetzesinterpretationen nicht überall folgen. Kein Wunder, daß unter diesen Umständen Auseinandersetzungen zwischen der jüdischen Laienorganisation (United Synagogue of America, gegründet 1913) und der Rabbinervereinigung (Rabbinical Assembly, gegründet 1919) immer wieder aufbrachen. Aber das hatte auch positive Effekte: Hat doch gerade die konservative Bewegung als erste jüdische Denomination neben der Initiationszeremonie für Jungen (»bar mitzva«) eine für Mädchen (»bas mitzva«) eingeführt. Auch das Autofahren zur Synagoge am Sabbat hat man nach intensiver Diskussion gestattet – als man merkte, daß sonst in den Vorstädten kaum noch jemand zum Gottesdienst käme. Sollen aber, fragt sich mancher, Veränderungen immer erst dann eingeführt werden, wenn Mitgliederschwund und Einkommensverluste drohen?

So einfach ist offensichtlich auch der konservative Mittelweg nicht zu finden. Nun wären die Konservativen natürlich nicht die Konservativen, wenn es ihnen nicht um das **Bewahren der Vergangenheit** ginge. Und in der Tat:
– Die **Stärke** des jüdischen Konservativismus liegt darin: Durch intensive historische Forschung hat er den Juden aller Richtungen ganz neue Einsichten in ihre Geschichte verschafft. Dieses Bemühen um genaue Texte, semitische Philologie, jüdische Kulturgeschichte trug wesentlich dazu bei, um die Frage zu beantworten: Was sagen die Bibel, der Talmud, Saadja und Maimonides wirklich?
– Darin liegt freilich auch die **Schwäche** des jüdischen Konservativismus: Allzu sehr blieb er der Vergangenheit zugewandt. Die drängenden Fragen, was man denn heute, unter völlig veränderten gesellschaftlichen Bedingungen, zu glauben und zu tun habe, vernachlässigte er teilweise sträflich.

Kritische Rückfragen drängen sich also auch hier auf: Ist Judentum nicht mehr als Geschichte? Darf das Bemühen um die Vergangenheit auf Kosten der Gegenwart, auf Kosten der Zukunft gehen? Das Bemühen um die Tradition auf Kosten der Bibel? Das Bemühen um Geschichte und Gesetz auf Kosten der Theologie und der Religion? Was bleibt denn da noch von dem Glauben an den einen Gott, der die alten und neuen Götter stürzte? Was vom Protest der Propheten, die keine Traditionsargumente schrecken konnten?

So ist es denn so ganz überraschend nicht, daß gerade aus dem Konservativen Judentum eine neue Bewegung hervorging, der es nun ganz ausdrücklich um die Relevanz des Judentums für heute und morgen ging und die deshalb **statt** einer historisch orientierten **Restauration** eine zukunftsgerichtete **Rekonstruktion** des Judentums forderte.

7. Rekonstruktion des Judentums: Mordecai M. Kaplan

Innerhalb der konservativen Bewegung war es Rabbi **Mordecai M. Kaplan** (1881-1983), der, schon früh der Orthodoxie entfremdet, entschieden zum Wandel, zum Fortschritt, zur Gegenwart und zur Zukunft neigte[34]. Er, der 35 Jahre lang Leiter des konservativen Teachers Institute (unmittelbar neben dem konservativen Jewish Theological Seminary) war, wurde zum ersten bedeutenden, ganz in Amerika aufgewachsenen jüdischen Theologen. Seine Erfahrung war der von Rabbi Jacobs ähnlich: Viele Studenten aus orthodoxen Familien treten in das Seminary und das Teachers Institute ein, weil sie jüdisch bleiben, ja, sich intensiv um hebräische Sprache und Geschichte, Literatur, Kultur und nationale Hoffnung bemühen wollen. Aber, leider, mit dem Glauben an den biblischen Gott, den Gott Abrahams, Isaaks und Jakobs, können sie nicht mehr allzu viel anfangen.

Doch dies war für Kaplan nur eines der Symptome für die allgemeine **Krise des amerikanischen Judentums** in der modernen Zeit, eine Krise, der ihm zufolge weder mit dem Rationalismus des 18. noch mit dem Liberalismus des 19. Jahrhunderts beizukommen war: Verflüchtigung des Judeseins durch die nichtjüdische Umwelt, Vergleichgültigung des jüdischen Erbes, geistige Stagnation und psychische Frustration so vieler, die aus jüdischen Familien stammen und nicht wissen, wohin sie geistig gehören. Frage: Soll in einer solchen Identitätskrise etwa die rationalistische Betonung der universalen Züge des Glaubens und des Ethos (Ein-Gott-Glaube, Bruderschaft aller Menschen, Gerechtigkeit als großes ethisches Ideal) helfen können, wie dies im Reformjudentum geschieht? Oder aber die schlicht gläubige Bejahung des einzigartigen übernatürlichen Ursprungs der jüdischen Religion, wie in der Neoorthodoxie üblich? Nein, weder Rationalität noch Offenbarung können Kaplan zufolge helfen, wenn man das Entscheidende nicht bedenkt: daß **Judentum nicht nur eine Religion**, sondern mehr als eine Religion ist. Mehr als Religion?

Kaplan war von Solomon Schechter ans neue Teachers Institute berufen worden, nachdem dieser einen Vortrag des jungen Rabbi gehört hatte, der, mitten in seiner eigenen Orthodoxiekrise, die These vertrat, »daß die Zukunft des Judentums verlangt, daß alles jüdische Lehren und praktische Tun auf dem Grundsatz zu beruhen habe, daß die jüdische Religion für das jüdische Volk und nicht das jüdische Volk für die jüdische Religion da sei«[35]. Gerade diese These gefiel Solomon Schechter, ihm, dem Vertreter der Autorität des Volkes Israel.

So hatte Kaplan denn schon 1918, als er bemerkte, daß jüdische Liturgie und Predigt allein die Menschen kaum noch erreichen, das erste »Jewish Center« oder Nachbarschaftszentrum gegründet: eine Synagoge, die zugleich als Sozial-, Kultur-, Erholungs- und Sportzentrum dient. Und 1934 – mitten in der Wirtschaftskrise (Abwertung des Dollars um 59,06 %!), was ein erschreckendes Ansteigen des Antisemitismus auch in den USA zur Folge hatte – veröffentlicht Kaplan sein programmatisches Werk von fast 600 Seiten zur »**Rekonstruktion des amerikanisch-jüdischen Lebens**« unter dem Obertitel: »**Judentum als eine Zivilisation**«[36]. Seine Hauptthese: »Judentum als Andersheit ist so etwas weit Umfassenderes als jüdische Religion. Es umschließt die Verbindung von Geschichte, Literatur, Sprache, sozialer Organisation, Volkssanktionen, Verhaltensmaßstäben, sozialen und spirituellen Idealen, ästhetischen Werten, die in ihrer Gesamtheit eine Zivilisation bilden.«[37]

Das war das Entscheidende und als Lösung gut amerikanisch: Juden müssen Kaplan zufolge lernen, nicht nur ihr physiologisches, sondern auch ihr **soziales Erbe** zu akzeptieren: dieses Geflecht charakteristischer Bräuche, Ideen, Standards und Verhaltenscodes. Dies alles nämlich ist mit »Zivilisation« gemeint, ein Begriff, dem im Deutschen am ehesten das Wort »Kultur« entspricht: »eine Ansammlung von

Wissen, Fertigkeiten, Werkzeugen, Künsten, Literaturen, Gesetzen, Religionen und Philosophien, die zwischen Mensch und äußerer Natur stehen.«[38] Im Klartext: Das Judentum sollte in erster Linie soziokulturell evolutiv als religiöse Kultur verstanden werden, bei der Religion einen gewichtigen, aber nur einen Faktor unter vielen darstelle.

Von daher war es konsequent, daß Kaplan die organische Verbindung von **Volk** und **Land** betonte und entschieden zionistisch optierte. Von daher war es auch konsequent, daß für Kaplan im Extremfall sogar ein Atheist oder Agnostiker ein guter Jude sein kann, weil nun einmal nicht Religion allein über das Judesein entscheidet! Im Hinblick auf die »Rekonstruktion des Judentums« interessieren Kaplan mehr pragmatische Fragen der Nützlichkeit als Fragen der Metaphysik und Theologie: Kommt eine Anpassung aus der Wesensnatur des Judentums? Wird sie das jüdische Leben bereichern? Ist sie in sich interessant? Ein gut amerikanischer Pragmatismus – jüdisch gefärbt.

Und die **Religion**? Welche Rolle wird Religion künftig noch spielen? Die Antwort dieses Exponenten des linken Konservativismus: Religion ist eine zwar nicht zu unterschätzende, aber auch nicht zu überschätzende Größe. Denn sowenig wie man jüdische Zivilisation mit Religion identifizieren darf, kann man Zivilisation von Religion trennen. Kaplan wörtlich: »Von allen Zivilisationen kann sich das Judentum zuallerletzt leisten, Religion außer acht zu lassen … Nimm Religion weg, und das Judentum wird eine leere Hülse.«[39] Und doch: Nicht die Tora, das Gesetz, vielen modernen Juden nun einmal fremd geworden, soll darüber entscheiden, wie Juden zu leben haben, sondern auch hier: die religiöse Zivilisation. Darin stimmt Kaplan mit dem Konservativismus nun doch zutiefst überein: Grundlage des Judentums ist das jüdische Volk und seine Tradition. Und die jüdische Religion? Sie ist Ausdruck des Bewußtseins dieses Volkes. Je stärker also jüdisches Volksbewußtsein und Kultur, um so stärker auch die Solidarität, um so stärker schließlich die Religion.

Anders gesagt: Kaplan nimmt sich wie Jacobs die Freiheit, **nicht alle Glaubensaussagen und Gesetzespraktiken in die neue Zeit zu übernehmen**. Die Autoritäten der Vergangenheit haben zwar ein Mitspracherecht, aber kein Vetorecht. Denn an eine übernatürliche göttliche Offenbarung, eine göttliche Auserwählung des Volkes oder göttliche Autorität des Gesetzes glaubt Kaplan nicht. Die Bibel? Sie ist für ihn ein menschliches Buch[40]. Und doch hat Kaplan – von der Orthodoxie selbstverständlich als Liberaler und Naturalist verdammt – nie und nimmer einen Zweifel daran gelassen, daß er sich als Gottgläubiger versteht. Nur wolle er einen Weg zwischen übernatürlichem Traditionalismus und nur scheinbar begründeter Irreligiosität (Freud) gehen. Und deshalb wolle er Gott nicht anthropomorph verstehen, sondern – man erinnert sich an Spinoza – als die nichtmenschliche, immanenttranszendente, heilbringende Lebensmacht im Universum. Ganz und gar positiv motiviert, will Kaplan die traditionellen jüdischen Praktiken – soweit sie im modernen Leben überhaupt noch lebbar sind – durchaus beibehalten, nur die antiquierten Begründungen durch neue ersetzen. Der Jude muß doch den Sabbat und die Feste, die Speisegebote und Segensgebete mit gutem Gewissen vollziehen können …

Nicht Restauration also, sondern »**Rekonstruktion**« **des Judentums** im Lichte der gegenwärtigen Zeit und des gegenwärtigen Wissensstandes also ist Ziel dieser Theologie. Und konkret sieht dies so aus: Mit der großen jüdischen Tradition kann auch Kaplan zum Beispiel das Pascha-Fest feiern, auch wenn er diese Feier nicht mehr im Lichte des angeblichen Exodus aus Ägypten und des Einzugs ins Gelobte Land versteht, sondern im Lichte des Holocaust und des Aufbaus des Staates Israel. Ja, Kaplan kann mit Überzeugung jüdische Riten und Zeremonien als Bindemittel des jüdischen Volkes in aller Welt akzeptieren und praktizieren: Sabbat, Speisegesetze und Segensgebete. Alles freilich nicht als von Gott geoffenbarte Gebote, sondern als hilfreiche Volksbräuche (»folkways«), die helfen, bereichern und erfreuen können.

Ganz in diesem Sinne gründete Kaplan 1935 die Reconstructionist-Zeitschrift und die Reconstructionist-Bewegung, die für viele in den USA zu so etwas wie einer **vierten jüdischen Denomination** mit eigenem Rabbinical College und eigener Organisation geworden ist: zum Fortschritt des Judentums als einer religiösen Zivilisation, zum Aufbau des Landes Israel und zur Förderung von universaler Freiheit, Gerechtigkeit und des Friedens[41]. Im Vorwort einer Neuauflage seines Hauptwerkes nach fast einem Vierteljahrhundert im Jahr 1957 stellt Kaplan seine Grundintentionen noch einmal deutlich heraus: Weit davon entfernt, das Judentum nur für ein sozialpsychologisches und nicht nur für ein theologisches Problem zu erklären, weit davon entfernt auch, religiöse Indifferenz und rituelle Laxheit zu befördern (so die Vorwürfe seiner Gegner), geht es ihm um »folgende Anliegen: 1) das jüdische Volkstum bejahen; 2) die jüdische Religion wieder beleben; 3) ein Netzwerk organischer Gemeinschaften bilden; 4) den Staat Israel stärken; 5) die jüdische kulturelle Kreativität fördern, und 6) mit der allgemeinen Gemeinschaft in allen Unternehmungen für Freiheit, Gerechtigkeit und Frieden zusammenarbeiten. Möge Gott es geben, daß unser Volk den Ruf beachte.«[42]

Doch auch angesichts dieser imponierenden systematischen Rekonstruktion werden Juden und Christen **kritisch zurückfragen:** Daß ein einziges jüdisches Religionsmodell sich durchsetzen könnte, in welchem alle Juden sich demselben Gesetzeskodex und derselben Glaubensdoktrin unterwerfen würden, ist zweifellos illusionär. Aber hat deshalb der jüdische Glaube überhaupt keine »Substanz«, die allen Denominationen gemeinsam wäre? Soll schlechterdings all das zur Religion gehören, was eine kreative soziale Interaktion zwischen Juden befördert? Ist es dann aber völlig gleichgültig, was man als Jude glaubt? Reicht es aus zu wissen, daß Religion gut ist für den Menschen, für seine geistige Gesundheit und für den Zusammenhalt aller Juden? Aber woran man sich letztlich hält, ist das egal?

Oder theologisch gefragt: Kann man auf die Tora als den Ausdruck des Willens Gottes verzichten (dies ist etwa auch Louis Jacobs' Frage an Kaplans Rekonstruktion[43]), den Bund mit Gott auf menschliche Solidarität reduzieren? Kann man so einfach Gottes Gesetz durch die jüdische Gesellschaft, das »Volk«, und Gottes Gebote durch des Volkes Gebräuche ersetzen? Ist der gemeinsame Nenner, der in den verschiedenen geschichtlichen Stadien »die Kontinuität der jüdischen Religion« garantiert, nur schlicht »das kontinuierliche Leben des jüdischen Volkes«[44]? Gerät man so nicht in einen Argumentationszirkel, wenn die **Norm** des Judentums gerade das sein soll, was die **faktisch gängige** gesellschaftliche Praxis ist? Hat sich nicht gerade im Deutschland der 30er Jahre gezeigt, welch problematische Größe »das Volk« und »die Stimme des Volkes« sind? Klagen nicht auch manche Juden darüber, daß so viele im Judentum über die Prinzipien und Konstanten des Judentums kaum Bescheid wissen, manchmal sogar behaupten, es gäbe sie nicht, oder solche Fragen nach dem Wesen des Jüdischen seien »typisch christlich«? Bräuchte es nicht auch im Judentum einen Basiskonsens in »Essentials«? Und gerade wenn es kein all-

gemeines Credo und keine zentrale Autorität im Judentum gibt, stellt
sich dann nicht erst recht die Frage, was denn Zentrum des jüdischen
Glaubens sein könnte?

Nochmals: Der Streit um die Vergangenheit in dieser Gegenwart ist
ein Streit um die Zukunft. Herkunft und Wandel aller drei jüdischen
Denominationen wurden skizziert, auch das Judesein ohne Religion
ernst genommen. Die innere Problematik aller innerjüdischen Optionen wurde angedeutet. Und das Ergebnis im Blick auf die Zukunft?
Auch viele Juden werden zustimmen, wenn man sagt: Keine der sechs
beschriebenen Optionen – klassische und aufgeklärte Orthodoxie, ra-
tionalistisches und korrigiertes Reformjudentum, konservatives oder
rekonstruiertes Judentum – befriedigt ganz, keiner der verschiedenen
großen Theologen von Hirsch und Soloveitchik, über Geiger und
Jacobs, Frankel und Schechter bis hin zu Kaplan und Heschel kann
man als die jüdische Position der Zukunft bezeichnen. Man muß also
wählen – wenn ja, was? Hier stellt sich indessen eine noch sehr viel
grundlegendere Frage, eine Frage, die auf das Wesen zielt.

8. Hat das Judentum sein »Wesen« verloren?

Der Harvard-Pädagoge Professor **Nathan Glazer** hat gegen Ende seiner sehr informativen und konzisen Geschichte des amerikanischen
Judentums zur gegenwärtigen innerjüdischen Problematik folgende
grundsätzliche Feststellungen gemacht, die auch in vielen jüdisch-
christlichen Diskussionen mehr Beachtung verdienten: »Es gibt viel in
der jüdischen Religion, was nicht Gesetz und Gesetzesbeobachtung
ist. Ihr Wesen (›essence‹) jedoch, wie es sich über eine Periode von
2 000 Jahren entwickelt hat, war ein vollständiges Lebensmuster, bei
dem ein täglicher Vollzug von Gebeten und Gesetzesbeobachtungen,
unterstrichen durch sogar noch intensivere Beobachtung des Sabbats
und der Festtage, alle Juden daran erinnerte, daß sie ein heiliges Volk
waren. Dieses Lebensmuster war Judentum.«[45]

Und wie ist es heute? Heute würde – so Glazer – dieses Lebensmuster nur noch durch eine kleine Minorität aufrechterhalten: »Und
da es nur noch eine kleine Minorität praktiziert, hat es seinen Charakter geändert. Die Gesetzesbeobachtungen sind nicht länger die äußere
Lebensform des Juden schlechthin, sondern die ideologische Platt-

form nur einer der verschiedenen Strömungen im jüdischen Leben. Judentum, das die Religion des ganzen jüdischen Volkes war, wurde zur Orthodoxie, die ja die Position nur einiger Juden ist. Dies verursacht einen ernster zu nehmenden Bruch in der Kontinuität jüdischer Geschichte als die Ermordung von sechs Millionen Juden. Jüdische Geschichte kennt (und ist vorbereitet auf) Massaker. Jüdische Geschichte kennt aber nicht, und ist auch nicht darauf vorbereitet, ein Aufgeben des Gesetzes.«[46] »The abandonment of the Law«, »das Aufgeben des Gesetzes«: Ist damit in unseren Tagen in der Tat nicht die »essence«, das »Wesen« des Judentums aufgegeben?

Höchst pessimistisch fällt auch die allerneueste Zukunftsprognose von **Jeshajahu Leibowitz**, Chemieprofessor, rabbinischer Gelehrter und eine der bedeutendsten Geistesgrößen im gegenwärtigen Staate Israel, aus: Zwar ist für Leibowitz »das jüdische Volk … eine der stärksten und beständigsten Erscheinungen der gesamten Menschheitsgeschichte«[47]. Aber ihm zufolge hat »die moderne Orthodoxie … keine Antwort auf die aktuellen Probleme des Judentums und des jüdischen Volkes gefunden, ja sie hat eigentlich kein Verständnis für diese Probleme. – Wenn ich meine Worte zu diesem Thema zusammenfassen soll, dann muß ich sagen, daß die Zukunft des jüdischen Volkes mir wirklich nicht klar ist, nicht in Israel und nicht in der Diaspora. Möglicherweise gibt es für die innere Krise, die im 19. Jahrhundert begonnen hat, wirklich keine Lösung.«[48]
Immer wieder bin ich betroffen, wie es in Israel, dem Land der Propheten, so sehr viel mehr als im Islam, aber auch mehr als im Christentum, Menschen gibt, die unbekümmert um Verluste es wagen, ihrem Volk ins Gewissen zu reden. Für Leibowitz ist die Frage radikal die, »ob das jüdische Volk vom halachischen Standpunkt aus überhaupt noch existiert. ›Neturei-Karta‹-Leute (kleine Gruppe extrem antizionistischer ultraorthodoxer Juden, die den Staat Israel ablehnen) sagen, nur sie seien Juden. Wenn wir sagen, auch die ›Freien‹, also Menschen, die die Mitzwot (Gesetzesgebote) nicht halten, sind Juden, hat das sehr weitgehende Konsequenzen für die Halacha. Es kennzeichnet die Ohnmacht und Hilflosigkeit eines religiösen Judentums, das die Tatsache ignoriert, daß eben jenes jüdisches Volk – für das es Gesetze und Verordnungen festlegen will – nicht das jüdische Volk ist, von dem die Halacha spricht.«[49]

So sehr nun aber Nathan Glazers und Jeshajahu Leibowitz' Analysen
der faktischen Lage des Judentums richtig sein mögen, so sehr muß
doch hinsichtlich ihrer Grundproblematik eine andere Sicht erlaubt
sein. Ich frage: Ging wirklich das »Wesen« des Judentums verloren
(N. Glazer)? Befindet sich das jüdische Volk wirklich in einem nicht
zum Stillstand zu bringenden »Prozeß der inneren Zerrüttung, des Zusammenbruchs und der Auflösung« (J. Leibowitz)[50]? Gewiß, in zwei
Punkten würde ich den beiden hochangesehenen jüdischen Gelehrten
von vornherein zustimmen:
– Zweifellos wird die **strenge Gesetzesobservanz**, die bis in die Moderne hinein von Juden weitgehend eingehalten wurde, heute nur
noch von einer winzigen (wenngleich oft sehr sichtbaren und hörba-
ren) Minorität voll praktiziert; schon die moderne Orthodoxie kam
um bestimmte Anpassungen nicht herum.
– Zweifellos litt das **moderne Reformjudentum** bisweilen so sehr an
Profillosigkeit, daß Substanz und Konstanten des jüdischen Glaubens
zugunsten von humanitären, moralischen, sozialen und vor allem politischen Anliegen ignoriert, bagatellisiert, geleugnet erschienen.
  Und trotzdem – dies ist meine Frage: Ist das, was da in die Krise geraten ist, wirklich, wie Glazer meint, die eigentliche »essence«, das
»Wesen« der jüdischen Religion und des jüdischen Volkes, wie es sich
über eine Periode von 2 000 Jahren durchgehalten hat? Meine Antwort: Unbestritten wirkt sich im Judentum noch immer eine **doppelte Krise** aus, welche zwei epochale Konstellationen, aber nicht die
eigentliche Glaubenssubstanz des Judentums betrifft! Also:
• eine Krise des rabbinisch-synagogalen Paradigmas (P IV), der halachischen Torareligion, mit allen Folgen für die Zukunft dieses
  Judentums;
• eine Krise aber auch des Assimilationsparadigmas der Moderne
  (P V), mit allen Folgen für die Weiterexistenz des Judentums als
  Religion;
• dies alles aber betrifft nicht unmittelbar das unveränderliche »Wesen« der jüdischen Religion, sondern nur eine bestimmte historische Gestalt.

Unsere Paradigmenanalyse hat deutlich machen können: Das rabbinisch-synagogale Paradigma hat sich voll erst nach dem Untergang
des Zweiten Tempels entwickelt, während das moderne Emanzipa-

tionsparadigma sogar erst mit der Aufklärung aufkam, bevor es dann mit dem Ersten und Zweiten Weltkrieg zutiefst fragwürdig wurde. **Beide** Paradigmen, kein Zweifel, befinden sich gegenwärtig in der Krise. Doch um uns für die Zukunft Klarheit zu verschaffen, wollen wir – zum Abschluß dieses zweiten Hauptteils unter dem Titel »Herausforderungen der Gegenwart« und als Überleitung zum dritten Hauptteil – die beiden gegenwärtigen Extrempositionen in ein Gespräch miteinander bringen, was naturgemäß zu einem hitzigen Streitgespräch werden muß. Da gibt es (auf dem rechten der Flügel der Orthodoxie) den Fundamentalisten und dann (sozusagen links vom Reformjudentum) den Säkularisten.

9. Ein Streitgespräch

Ein ehrlich ausgetragener theologischer Streit ist besser als ein fauler Friede, besonders bei so offensichtlichen Gegensätzen. Die eine Extremposition ist sozusagen das Spiegelbild der anderen, und scharf profiliert gegeneinander gestellt, scheinen sie sich aufzuheben: Man kann sich das Streitgespräch zwischen Vertretern der beiden Positionen leicht vorstellen, auch wenn diese in Wirklichkeit kaum dialogisieren, sich vielmehr zumeist ignorieren, manchmal auch wie Gegner attackieren. Aber hören wir zu:

Der Fundamentalist: Ihr fortschrittlichen »Modernen« seid im Grunde gar keine echten Juden mehr! Vor lauter Anpassung an die moderne Welt habt ihr alle religiöse Substanz vertan. Ihr vertretet ein Judentum, das seine religiöse Mitte verloren hat: den jahrtausendealten Glauben an Gott und die Auserwählung des Volkes Israel.

Der Säkularist: Und ihr eingebildeten Frommen? Ihr seid im Grunde gar keine echten Menschen mehr! Vor lauter Fixierung auf euren Glauben und eure Gesetze habt ihr euch von der Welt und den Menschen völlig isoliert. Ihr vertretet ein Judentum, das wirklichkeitsblind und selbstgerecht geworden ist und damit die Sympathie der Menschen verloren hat.

Der Fundamentalist: Merkt ihr denn gar nicht, daß bei euch anstelle der einen wahren Religion eine moderne Ersatzreligion funktioniert? Statt an Gott glaubt ihr bestenfalls an Israel, was immer ihr darunter versteht! Und wenn ihr überhaupt eine gemeinsame Überzeugung habt, so die Fixierung auf den Holocaust, als ob man die lange Geschichte Gottes mit seinem Volk so verkürzen könnte. Zum Tempel würdet ihr natürlich nie gehen, selbst wenn er euch neu erbaut wäre; euch genügt doch die säkulare Gedächtnisstätte für den Holocaust, euch genügt Jad Waschem. Dort feiert ihr den Tag, der euch wichtiger ist als alles andere: nicht Jom Kippur, die Versöhnung mit Gott, sondern den Tag der Schoa, die Katastrophe der Menschen. Und einen Gottesdienst dafür braucht ihr wahrhaftig nicht!

Der Säkularist: So könnt ihr nur reden, weil ihr geistig nicht in unserer Zeit lebt, sondern im Mittelalter und um euch eine Ersatzwelt aufgebaut habt! Ihr glaubt nur scheinbar an Gott; im Grunde glaubt ihr an das Gesetz, das ihr zu eurem Gott gemacht habt. Und wenn euch etwas an gemeinsamer Überzeugung eint, so – unter Mißachtung allen geschichtlichen Fortschritts – euer eklatanter Legalismus. Deswegen betet ihr wippend an der Klagemauer, und gleichzeitig haltet ihr die Frauen fern. Und deshalb feiert ihr auch so inbrünstig Jom Kippur, an dem ihr angeblich Vergebung für eure zahlreichen Sünden erhaltet.

Der Fundamentalist: Ich sehe klar, was euer Grundübel ist. Ihr haltet wenig von der schriftlichen Tora, Gottes Wort, und die mündliche habt ihr längst aufgegeben. Eure Ursünde ist das. Und doch meint ihr schon deshalb ein guter Jude zu sein, weil ihr euch mit der jüdischen »Geschichte« und dem jüdischen Staat identifiziert. Merkt ihr denn nicht, wie sehr ihr die vieltausendjährige israelitisch-jüdische Geschichte auf die moderne Epoche verkürzt und sie zum Maßstab aller Dinge macht? Sklaven einer gottfernen Moderne seid ihr, statt dem Schöpfer des Himmels und der Erde und Herrn der Geschichte durch Befolgen der gottgegebenen Gebote selbst zu dienen.

Der Säkularist: Nein, das Grundübel ist gerade umgekehrt. Ihr habt die Bibel oft genug vernachlässigt, seid ganz und gar der Tradition verfallen und meint, ein guter Jude sei man schon dann, wenn man für jede Gelegenheit Mischna und Talmud zitieren könne. Dabei verkürzt ihr unsere Geschichte auf das Mittelalter, das für euch offensichtlich gar nicht mehr enden will. Gefangene eurer Vergangenheit seid ihr geblieben, statt euch auf die neuen Herausforderungen der Gegenwart und die Möglichkeiten der Zukunft einzulassen.

So also ließen sich – habe ich übertrieben? – die Extrempositionen ab-
stecken. Ob es in diesem Streit je eine Versöhnung geben wird? Vielleicht haben beide Seiten zu wenig realisiert, daß die Moderne, die
Anlaß war zum großen Streit, selbst tief in der Krise steckt und die
Welt in eine post-moderne Konstellation eingetreten ist, die auch
dem Judentum neue Entscheidungen abfordern, ja, ihm vielleicht einen Ausweg aus dem modernen Dilemma ermöglichen wird. Der
Heraufkunft der Postmoderne und ihren Konsequenzen für das Judentum müssen wir uns zuwenden, bevor wir fundamentale Einzel-
probleme des künftigen Judentums diskutieren können: Lebenskon-
flikte und die Zukunft des Gesetzes; Juden, Muslime und die Zukunft
des Staates Israel; und der Holocaust und die Zukunft des Redens von
Gott.

Dritter Hauptteil

MÖGLICHKEITEN DER ZUKUNFT

A. Judentum in der Postmoderne

Die moderne Welt, wie sie mitten im 17. Jahrhundert begonnen, im 19. Jahrhundert ihren Höhepunkt erreicht und dann im Ersten Weltkrieg eine tödliche Erschütterung erfahren hat, war eine **eurozentrische** Welt. Die Welten Asiens, der beiden Amerika und Afrikas waren in der Moderne dominiert durch die europäischen Nationalstaaten. Diese moderne Welt war auch eine mehr und mehr **säkularisierte** Welt. In den sich entwickelnden westlichen Industriegesellschaften wurde die Religion – nicht ohne eigene Schuld – zunehmend aus der Öffentlichkeit verbannt und in den Bereich des Privaten und Subjektiven geschoben. Auch in der menschlichen Psyche war Religiosität oft nicht weniger verdrängt als die Sexualität. Und im sozialen Bereich hatte Religion nicht selten – und manchmal aus verständlichen Gründen – unter Repression, gar Oppression zu leiden. Wir haben allüberall nur die Makrogeschichte betrachten können, die sich aber beliebig auffüllen und anreichern ließe. Sicher ist, daß die ganze Welt von europäischer Wissenschaft, Technologisierung, Industrialisierung und leider auch Militarisierung zugleich entwickelt, aber auch zunehmend bedroht worden ist. Für die Juden bedeutete diese europäische Moderne die Aufforderung zur Anpassung, zugleich dann das Scheitern dieser Anpassung zumindest in Europa und schließlich die grauenhafte Katastrophe des **Holocausts**. Der Holocaust, so sahen wir, bedeutet **Tiefpunkt und Endpunkt der Moderne**. Diese Periode erscheint nun auch für das Judentum endgültig überstanden. Aber was wird folgen? Was kommt in der Nach-Moderne, **Post-Moderne**? Was sind wesentliche Entwicklungstendenzen?

I. Die Heraufkunft der Postmoderne

Wenn auch das Judentum definitiv in die Phase der Postmoderne eingetreten sein soll, so ist zunächst die Frage zu beantworten: Was heißt eigentlich »Postmoderne« genau? In welchem Sinn wird das Wort hier verwandt? Ich kann mich hier nicht auf die weitverzweigte Postmoderne-Diskussion einlassen, die ich im »Projekt Weltethos« geführt habe[1] und im Band über das Christentum weiterzuführen gedenke. Für diesen, das Judentum betreffenden Zusammenhang genügt eine knappe Zusammenfassung, um uns dann den zukunftsorientierten Problemstellungen zuzuwenden.

1. Was meint Postmoderne?

Unser Zeitalter hat noch keinen Namen oder (wie ursprünglich »Barock« oder »Rokoko«) Übernamen. Wir brauchen aber einen zumindest **vorläufigen Namen**, um dieses unser Zeitalter, wie es sich seit dem Ersten und Zweiten Weltkrieg herausgebildet hat, zu charakterisieren. Daher wähle ich den Begriff »Nach-Moderne« oder »Post-Moderne«. Er ist für mich kein modisches Schlagwort zur Kennzeichnung einer geistigen Situation radikaler Pluralität, sondern ein »**Such-Begriff**« (heuristischer Begriff) zur Bestimmung dessen, was unsere Epoche von der Moderne unterscheidet. Diese Moderne, so sahen wir, hat um die Mitte des 17. Jahrhunderts begonnen, ist mit dem Ersten Weltkrieg in eine tiefe Krise geraten und hat mit dem Zweiten Weltkrieg und dem Holocaust ihr definitives Ende gefunden. »Postmoderne« also ist für mich ein Epochenbegriff, der die Erfahrungen mit der Krise der Moderne (daher Post-**Moderne**) und die Suche nach neuen Synthesen in Theorie und Praxis (daher **Post**-Moderne) bezeichnen soll. Denn in den verschiedensten Lebensbereichen hat die Krisenerfahrung die Suche nach Neuem längst ausgelöst oder ist Neues längst Wirklichkeit geworden. Wenn wir die großen Zusammenhänge zu sichten und zu gewichten versuchen:
– Geopolitisch gesehen haben wir es mit einer **posteurozentrischen** Konstellation zu tun: vorbei die Weltherrschaft von fünf rivalisierenden europäischen Nationalstaaten (England, Frankreich, Österreich, Preußen/Deutschland, Rußland). Heute sind wir mit einer **polyzen-**

trischen **Konstellation** verschiedener **Weltregionen** konfrontiert: führend Nordamerika, Sowjetrußland, Europäische Gemeinschaft, Japan, später wohl auch China und Indien.

– Außenpolitisch gesehen haben wir mit einer **postkolonialistischen** und **postimperialistischen** Weltgesellschaft zu rechnen. Konkret heißt dies (im Idealfall) international kooperierende, **wahrhaft vereinigte Nationen.**

– Wirtschaftspolitisch gesehen entwickelt sich eine **postkapitalistische, postsozialistische** Wirtschaft. Man kann sie mit einigem Recht eine **öko-soziale Marktwirtschaft** nennen.

– Sozialpolitisch gesehen bildet sich zunehmend eine **postindustrielle** Gesellschaft. Sie wird in den entwickelten Ländern zunehmend eine **Dienstleistungs-** und **Kommunikationsgesellschaft** sein.

– Gesellschaftspolitisch zeichnet sich im Verhältnis der Geschlechter ein **postpatriarchales System** ab. In Familie, Berufsleben und Öffentlichkeit entwickelt sich deutlich ein mehr **partnerschaftliches Verhältnis von Mann und Frau.**

– Kulturpolitisch gesehen gehen wir in Richtung auf eine **postideologische** Kultur. Es wird künftig eine mehr **plural-ganzheitlich ausgerichtete Kultur** sein.

– Religionspolitisch gesehen zeichnet sich eine **postkonfessionelle** und **interreligiöse** Welt ab. Das heißt: langsam und mühselig entwickelt sich eine **multikonfessionelle ökumenische Weltgemeinschaft.**

Mit dem Paradigmenwechsel von der Moderne zur Postmoderne ist aber auch ein grundlegender **Wertewandel** (nicht notwendigerweise Werteschwund) verbunden, der eine Stärkung der ethisch-religiösen Weltsicht verheißt:

– von einer ethikfreien zu einer ethisch verantwortlichen **Wissenschaft;**

– von einer den Menschen beherrschenden Technokratie zu einer der Menschlichkeit des Menschen dienenden **Technologie;**

– von einer **Industrie**, welche die Umwelt zerstört, zu einer Industrie, welche die wahren Interessen und Bedürfnisse des Menschen im Einklang mit der Natur fördert;

– von einer formalrechtlichen **Demokratie** zu einer gelebten Demokratie, in der Freiheit und Gerechtigkeit versöhnt sind.

Wenn aber die neue postmoderne Konstellation eine **multireligiöse Weltgesellschaft** bedeutet, dann dürfte mit dem Absterben der modernen Fortschrittsideologien Religion, auch die **jüdische Religion, wieder neu eine Chance** bekommen. War der Holocaust der Tiefpunkt und Endpunkt der Moderne, so ist die Entstehung des **Staates Israel** der **Ausgangspunkt und Ansatzpunkt** der Postmoderne. Wie jüdische Religion und Theologie der Postmoderne negativ von der Katastrophe, der Schoah, geprägt bleiben, so positiv von der Wiedergeburt eines jüdischen Staates. Diese Veränderung der weltpolitischen Gesamtkonstellation seit dem Ersten und Zweiten Weltkrieg ist aber nicht nur für den Staat Israel, der nach dem Holocaust neu entstanden ist, sondern auch für die Judenschaft in Amerika und die Judengemeinschaften in aller Welt von größter Bedeutung. Globalisierung und Pluralität schließen sich nicht aus. Trotz aller Hemmnisse und reaktionärer Bewegungen dürften wir uns langsam auf eine post-konfessionelle und inter-religiöse Menschheit zubewegen, als deren Ideal sich bei allen alten Antagonismen und neuen Spannungen langsam eine vielfältige ökumenische Weltgemeinschaft herausstellen könnte.

Für das Judentum wird eine solche multireligiöse Weltgesellschaft nicht ohne Vorteil sein. So wie ab dem 16. Jahrhundert das Judentum als Minderheit vom Aufkommen konkurrierender und sich gegenseitig ausbalancierender christlicher Kirchen profitierte, so könnte es auch als die kleinste der Weltreligionen von einer ökumenischen Verständigung der konkurrierenden Großreligionen in der einen Weltgesellschaft profitieren – wenn es zum Abbau des Fanatismus, des Exklusivismus und Triumphalismus zugunsten einer friedlichen Koexistenz verschiedener gleichberechtigter Religionen kommen sollte. Der Golfkrieg hat es gezeigt: Diese Weltgesellschaft wird es sich weniger denn je leisten können, Kämpfe um der Religionen willen – »im Namen Allahs« oder »mit der Hilfe Gottes« – zu führen oder politisch-sozial-ökonomische Konflikte religiös eskalieren zu lassen.

2. Zukunftschancen für Religion

Postmoderne bedeutet für die Religion: Heute braucht man, wenn man religiös sein will, nicht mehr – wie die meisten Kirchen in der Moderne – gegen Wissenschaft (Galilei!), Technologie, Industrie und

Demokratie (1789!) zu sein. Umgekehrt aber bedeutet Postmoderne
für die Religionskritik: Wer immer von Feuerbach und Marx bis
Nietzsche und Freud mit Hinweis auf die modernen Errungenschaften das Ende der Religion prophezeit hat, ist desavouiert worden.
Global gesehen gilt: **Religion lebt** – in welchen problematischen und
oft zu kritisierenden Formen auch immer! Religiöse Grundeinstellung
einerseits und wissenschaftliches Weltbild wie politisches Engagement andererseits schließen sich nicht mehr aus.

Was also bedeutet die postmoderne Konstellation für die Religion?
Im Bereich der Möglichkeit ist eine Revitalisierung verdrängter, eine
Renovation verlorengegangener und eine befreiende Transformation
traditionalistischer Religion:

– Religion nicht mehr wie im modernen Paradigma ignoriert, priva-
tisiert, verdrängt oder gar verfolgt.

– Religion aber auch nicht wie im mittelalterlichen Paradigma verabsolutiert und übersteigert, verobjektiviert und institutionalisiert.

– Im postmodernen Paradigma könnte Religion in aller Säkularität
vielmehr neu ernst genommen werden: als die tiefste Dimension des
menschlichen Daseins und der Gesellschaft, immer zusammengese-
hen mit der nicht weniger wichtigen ökonomischen, psychologischen,
rechtlichen, sozialen, politischen und ästhetischen Dimension.

Ja, es könnte geradezu ein Charakteristikum der Postmoderne werden, daß die Religion sich nicht mehr wie in der Moderne so oft zur
Unterdrückung des Menschen (»Ancien Régime«) mißbrauchen läßt,
sondern sich, wo sie sich nicht erneut reaktionär-fundamentalistisch
oder gar ethnozentrisch-militaristisch gebärdet, in einer neuen, humanen Weise für die **Befreiung des Menschen** einzusetzen vermag:

– befreiend psychologisch-psychotherapeutisch: im Hinblick auf die
Identität und psychische Reife des Individuums (»aufrechter Gang«);

– befreiend politisch-sozial: zur gewaltlosen Veränderung unmensch-
licher gesellschaftlicher Verhältnisse (von Südafrika bis Südamerika,
von Osteuropa bis zu den Philippinen).

Allerdings gibt es auch noch immer die alte repressive und regressi-
ve Form der Religion, für die sich der Name Fundamentalismus – ursprünglich allein für einen biblizistischen Protestantismus gebraucht
– in allen Religionen eingebürgert hat. Aber wie alle übrigen Religionen, so wird auch das Judentum daran gemessen werden, ob es zur

Vermenschlichung des Menschen, zur Beförderung von Freiheit, zur Beachtung der Menschenrechte und zur Heraufkunft der Demokratie beiträgt. Denn auch das Judentum ist hier wie das Christentum (und der Islam) immer wieder ganz konkret vor die Wahl gestellt:

- Religionen können autoritär, tyrannisch und reaktionär sein, und gerade das Christentum war es allzuoft. Aber auch das Judentum kann unter Umständen Angst, Intoleranz, Ungerechtigkeit, Frustration und soziale Abstinenz produzieren, kann Unmoral und gesellschaftliche Mißstände legitimieren und Kriege inspirieren.
- Religionen können sich aber auch befreiend, zukunftsorientiert und menschenfreundlich auswirken, und das haben Christentum wie Judentum getan: Sie können Lebensvertrauen, Weitherzigkeit, Toleranz, Solidarität, Kreativität und soziales Engagement verbreiten, können geistige Erneuerung, gesellschaftliche Reformen und den Weltfrieden fördern.

In dieser neuen polyzentrischen, transkulturellen und multireligiösen Weltkonstellation versteht es sich von selbst: Je mehr eine Religion in sich eins ist und sich nicht in Richtungskämpfen verausgabt, um so leichter und effizienter kann sie einen gemeinsamen Beitrag zu diesen Zielen leisten. Das Zweite Vatikanische Konzil und der Weltrat der Kirchen haben katholische, protestantische und orthodoxe Christen und Kirchen einander in den letzten Jahrzehnten trotz aller bleibender Schwierigkeiten und Differenzen erheblich näher gebracht. Wie aber steht es mit dem Judentum? Eine große jüdische Gestalt des Übergangs, auf dem Höhepunkt der Moderne geboren und in Jerusalem in einer völlig anderen Welt und Zeit gestorben, mag uns den Einstieg in die Problematik erläutern und erleichtern: Martin Buber.

3. Befreiende Transformation der Religion: Martin Buber

Martin Buber[2] gehört zu den Menschen, von denen man im Rückblick auf ihr gesamtes Lebenswerk glauben könnte, sie hätten gleichzeitig drei Leben gelebt; jede einzelne ihrer großen Lebensleistungen hätte ein Durchschnittsleben mehr als ausgefüllt.
– Wir haben erstens schon gehört, daß der 1878 in Wien geborene, der als Kind in Lemberg bei seinem Großvater Salomon Buber, einem

rabbinischen Gelehrten von Rang, aufgewachsen war, schon Anfang des Jahrhunderts sich unvergängliche Verdienste um das **chasidische Gedankengut** Osteuropas erworben hat, was für die Entwicklung seines »dialogischen Prinzips« durchaus nicht ohne Einfluß blieb.

– Wir haben zweitens bereits gehört, daß Buber, der an den Universitäten von Wien, Leipzig, Zürich und schließlich Berlin (bei Wilhelm Dilthey und Georg Simmel) studiert hatte und der seit 1925 Dozent und von 1930 bis 1933 Professor für Jüdische Religion und Ethik an der Universität Frankfurt war, sich mit Franz Rosenzweig seit den 20er Jahren zum erstenmal um eine dem hebräischen Sprachduktus kongeniale deutsche Bibelübersetzung[3] und bedeutsame biblische Studien – »Königtum Gottes« (1932), »Der Glaube der Propheten« (1940), »Moses« (1945)[4] – verdient gemacht hat. Die Hebräische Bibel war und blieb Bubers Kraftquelle und letzter Maßstab.

– Aber wir haben drittens zu erwähnen, daß Buber, der schon 1898 der zionistischen Bewegung beigetreten war und sich bereits auf dem dritten Zionistenkongreß (1899) für weniger Propaganda und mehr Erziehung in Palästina ausgesprochen hatte, immer stärker für einen **kulturellen Zionismus** eintrat und so in immer heftigere Opposition geriet zu einem nur politischen Zionismus. Rastlos war er publizistisch und volkspädagogisch tätig als Zeitschriftenredakteur (»Die Welt«, später »Der Jude«), Verlagsgründer (»Jüdischer Verlag«, Berlin), Inspirator der jüdischen Jugendbewegung (»Bar Kochba«) und Mitgründer eines jüdischen Nationalkomitees in Berlin bei Ausbruch des Ersten Weltkriegs für die Juden in Osteuropa. Aber als Zionist eigener Prägung setzte er sich auch schon früh für die Araber ein, ohne dabei freilich großen Nachhall zu finden.

Martin Buber ist ein weiterer Beleg dafür, welchen entscheidenden Epochenwandel der Erste Weltkrieg für die Denker seiner Zeit ausgelöst hat: »Dies aber ist die entscheidende Wandlung, die sich in der Zeit des Ersten Weltkriegs an einer Reihe von Geistern vollzog. Kundgegeben hat sie sich in sehr mannigfachem Sinn und Bereich, aber die fundamentale, aus der erschließenden Wandlung der menschlichen Situation stammende Gemeinsamkeit ist unverkennbar.«[5] Was ist mit dieser »entscheidenden Wandlung« gemeint?

Mitten im Krieg, 1916, hatte Buber seine berühmte philosophische Grundschrift »**Ich und Du**« skizziert, 1919 niedergeschrieben, 1923 veröffentlicht – zur selben Zeit also, da Karl Barth seinen »Römer-brief« entworfen, geschrieben und neu geschrieben hatte, jenen »Rö-merbrief«, der die protestantische Theologie revolutionieren sollte und der gleichbedeutend ist mit dem Beginn der Postmoderne für die deutsche protestantische Theologie. Interessanterweise aber hatte der ebenso wie Barth biblisch orientierte Buber nicht einfach bei der Bibel eingesetzt, sondern mit einer philosophischen Reflexion und sich da-bei ganz und gar auf die Anthropologie konzentriert. Und Buber kriti-sierte denn auch später die Theologie Barths, weil dieser in der theo-logischen Anthropologie seiner »Kirchlichen Dogmatik« zwar gewich-tige Erkenntnisse (etwa bezüglich der Beziehung zum Du) von un-kirchlich gläubigen Idealisten wie Jacobi, ungläubigen Sensualisten wie Feuerbach und einigen gläubigen Juden übernommen habe; an-dererseits aber nicht habe »zugeben« können, »daß solch eine Fassung der Menschlichkeit auf anderem Boden als dem christologischen … gewachsen sein könnte«[6].

Wer ist der Mensch, und wie kann er sich in dieser Welt zurecht-finden? Das ist Bubers Grundfrage, und bei der Beantwortung dieser Frage war sich Buber schon sehr früh darüber im klaren, daß die Epo-che der idealistischen Philosophie, die in ihrer Wirklichkeitskonstruk-tion vom menschlichen Subjekt ausgegangen war und die mit Descar-tes, Kant, Hegel und dem englischen Empirismus die europäische Moderne wesentlich geformt hatte, abgelaufen war. Nicht einfach im menschlichen Bewußtsein fällt die Stellungnahme zu dieser Welt, allerdings auch nicht, wie es die in dieser Zeit bald sich entwickelnde Existenzphilosophie meinte, nur im menschlichen Dasein vor dem Hintergrund einer allgemeinen Mitmenschlichkeit, eines anonymen »man« (Heidegger). Nein, der Mensch steht – und Buber nützt hier die Einsichten F. H. Jacobis, Ludwig Feuerbachs, Eugen Rosenstocks und Ferdinand Ebners[7] von vornherein nicht nur in einer Ich-Es-Re-lation, sondern in einer Ich-Du-Relation. Und der Ausgangspunkt der Philosophie ist nicht »in der Sphäre der Subjektivität«, sondern in der Sphäre »zwischen den Wesen« zu sehen: Dies genau war für Buber und manche andere Denker die »entscheidende Wandlung, die sich in der Zeit des Ersten Weltkriegs« vollzog[8].

Am Anfang also steht nicht das »Cogito«, das »Ich denke«, sondern die »Relatio«, die »Beziehung«, so könnte man den Ansatz von Bubers Philosophie bestimmen. Er will weder einfach beim Menschen noch einfach bei der Welt einsetzen, sondern bei diesem Zwischen: bei der **Beziehung zwischen Mensch und Welt.** Alles wirkliche Leben ist Buber zufolge **Begegnung.** Aber Begegnung kann – und darauf kommt es ihm an – grundlegend auf zwei Weisen geschehen: als Begegnung von Ich und Es und als Begegnung von Ich und Du.

Was meint diese Beziehung Ich-Es? Das Grundwort **Ich-Es** kennzeichnet für Buber den Bereich der »Erfahrung«, der Gegenstände, Objekte (ob Baum oder Mensch), ohne die der Mensch selbstverständlich nicht leben kann, die ihm aber letztlich doch fremd bleiben müssen. Die Moderne hatte dazu geführt, daß sich der Mensch diese Welt immer mehr erschloß und verfügbar gemacht hat, aber leider sehr oft auf Kosten seiner Beziehungskraft.

Dagegen steht die Beziehung Ich-Du. Und das Grundwort **Ich-Du** meint die »**Welt der Beziehungen**«[9], deren drei Sphären das Leben mit der Natur, das Leben mit den Menschen, das Leben mit den geistigen Wesenheiten sind. Entscheidend dabei: Erst durch die Beziehung zu einem Du wird der Mensch zu einem Ich. Die Ich-Du-Beziehung wird im Gegensatz zur Ich-Es-Beziehung charakterisiert durch Gegenseitigkeit, Offenheit, Direktheit, Gegenwärtigkeit. Und es leuchtet unmittelbar ein, daß von der Analyse dieser Grundstruktur her der Schritt von der Anthropologie zu einer Theologie nur noch ein geringer ist.

Und in der Tat: Seine Reflexion zum dialogischen Prinzip, geschrieben in einer ebenso hochabstrakten wie hochexpressiven Sprache, läßt Buber in einer theologischen Pointe gipfeln. Sein Buch lebt letztlich von der Überzeugung, daß jede Ich-Du-Beziehung auf ein ewiges Du verweist: »Die verlängerten Linien der Beziehungen schneiden sich im ewigen Du, ... das seinem Wesen nach nicht Es werden kann.«[10] Dieses ewige Du wird erkannt nicht durch theoretische Sätze oder metaphysische Spekulationen, sondern durch die persönliche Beziehung zu ihm, die der Mensch überall, in Personen, Tieren, Natur oder Kunstwerken finden kann.

Von daher wird begreiflich: In persönlichen Begegnungen mit dem ewigen Du ereignet sich Offenbarung für Buber nicht nur dort und damals, am Sinai, sondern hier und jetzt, und zwar immer dann, wann immer ich offen bin, sie zu empfangen. Auch die Bibel ist ja nicht ein totes Buch, sondern ein lebendiger Bericht von dialogischen Begegnungen zwischen den Menschen und Gott. Und selbst die Gesetze sind nicht direkte Offenbarung Gottes, sondern menschliche Antwort auf Gottes Offenbarung. Man erkennt: Dies ist keine nur modern assimilierte, sondern eine **befreiend transformierte Auffassung von jüdischer Religion**, die, wie wir später noch sehen werden, allerdings erhebliche und höchst umstrittene Konsequenzen für die religiöse Praxis hat.

Aber mit all dem kann nur angedeutet werden, warum Buber von vielen Juden enthusiastisch verehrt (von Studenten der Hebräischen Universität in Jerusalem bei seinem 85. Geburtstag, zwei Jahre vor seinem Tod, mit einem großen Fackelzug gefeiert) und auch von zahllosen Christen, Theologen wie Nichttheologen, als ein ungemein fruchtbarer und inspirierender Denker angesehen wird. Ich meine seine Position richtig zu bestimmen, wenn ich ihn für einen der geistigen Vorläufer, ja, für eine der **Gründergestalten** der um den Ersten Weltkrieg einsetzenden Weltepoche halte, die man – mangels eines präziseren Wortes – nun einmal **Postmoderne** nennt. Und in dieses Bild paßt, daß Buber anders als Heidegger, der aufgrund seines existenzphilosophischen Dezisionismus anfällig war für Nazismus und Führerprinzip, in Reflexion auf das Phänomen Napoleon schon den Typus jenes Führers, der »die Dimension des Du« nicht kennt, beschrieben hat: »der Herr des Zeitalters«, ein »dämonisches Du, dem keiner Du werden kann ... schicksalhaft ragend in Schicksalszeiten: dem alles zuglüht und der selbst in einem kalten Feuer steht; zu dem tausendfache, von dem keine Beziehung führt ...«[11].

Der umfassende Begriff freilich, den Buber ebenfalls schon am Vorabend des Ersten Weltkrieges entwickelt und im Schicksalsjahr 1933 – er war in diesem Jahr zum Direktor der Mittelstelle für jüdische Erwachsenenbildung und Direktor des Jüdischen Lehrhauses in Frankfurt ernannt worden – unmittelbar nach Hitlers »Machtergreifung« auch öffentlich dargelegt hatte, sollte sein Leitwort für die Zukunft bleiben: »**hebräischer Humanismus**«[12]. Schon auf dem 16. Zionistenkongreß 1939 in Zürich hatte er ausgeführt, was er nach drei Jahrzehnten Erfahrung in der nationaljüdischen Bewegung »im gegenwärtigen Erziehungssystem des jüdischen Palästina vermisse«, was er »ihm wünsche«: einen »hebräischen Humanismus im realsten Sinn«[13]. Die Aktivierung des Volkes und die Erneuerung der hebräischen Sprache genügen nicht. Es brauche gleichzeitig eine geistige Bewegung: die

»Erkenntnis und Forderung«, in Geschichte und Literatur »zwischen
echten und falschen Werten zu scheiden« und von der Tradition, der
großen Urkunde der Bibel her, »Ordnung und Gericht zu entneh-
men«[14]. Ein für rein nationalistische Zionisten provozierendes und
besser zu ignorierendes Programm ...

Für Buber jedoch ist eine rein formale »Renaissance« des Judenvolkes ein »aufgeblasenes Unding«; ein »hebräischer Mensch« sei eben etwas ganz anderes als ein »hebräisch sprechender Mensch«. Für Buber
ist es sicher, daß »von der **Wiedergeburt der normativen Urkräfte** die
Zukunft der auf dem alten Heimatboden neu beginnenden Gemeinschaft abhängt«[15]. Mit dieser Wiedergeburt ist nicht etwa das roman-
tische Programm einer mittelalterlichen Restauration gemeint, mit
der Rückkehr zur Bibel »nicht eine Wiederholung oder Fortsetzung
eines einst Gewesenen«, sondern »dessen Erneuerung in echt gegen-
wärtiger Erscheinung«[16]. Ein »hebräischer Mensch« sei also auch nicht
einfach ein »biblischer Mensch«, sei vielmehr ein »**bibelwürdiger
Mensch**«, der »tun und hören will, was der Mund des Unbedingten
ihm gebieten wird«[17]. Und insofern – und nicht etwa im Sinne eines
buchstäblichen Bibel- und Gesetzesglaubens – kann Buber auch von
einem »**biblischen Humanismus**«[18] reden. Dies also ist und bleibt Bubers so ganz und gar nicht mittelalterlich-orthodoxes, allerdings auch
nicht einfach liberal-modernes, sondern – kann man füglich sagen –
instaurativ-postmodernes Programm für ein nicht nur national, sondern geistig erneuertes Judentum. Ein im übrigen durchaus konkretes
Programm, wie ich an nur drei Punkten erläutern will:

1. Aufgrund seines persönlichen Paradigmenwechsels vom subjektiv-
monologischen zum dialogischen Prinzip strebte Buber schon früh
eine Position **jenseits von Individualismus und Kollektivismus** an.
Schon in den frühen 40er Jahren, da viele westliche Intellektuelle an
Faschismus und Nationalsozialismus oder aber an Marxismus-Leni-
nismus-Stalinismus glaubten, schrieb Buber, daß die Zeit des Individualismus trotz aller Wiederbelebungsversuche vorbei, der Kollektivismus hingegen »auf der Höhe seiner Entwicklung« sei. Und Bubers
Antwort: »Hier gibt es keinen anderen Ausweg als den Aufstand der
Person um der Befreiung der Beziehung willen. Ich sehe am Horizont,
mit der Langsamkeit aller Vorgänge der wahren Menschengeschichte,
eine große Unzufriedenheit aufsteigen, die allen bisherigen unähnlich

ist. Man wird sich nicht mehr bloß wie bisher gegen eine bestimmte
herrschende Tendenz um anderer Tendenzen willen empören, sondern gegen die falsche Realisierung eines großen Strebens, des Strebens nach Gemeinschaft, um der echten Realisierung willen.«[19] Spätes-
stens im Jahr 1989 ist das von Buber erwartete Ende des Kollektivismus allgemein zum Bewußtsein gekommen.

2. Anders als etwa Abraham Heschel hat sich Martin Buber mit der
modernen Religionskritik auseinandergesetzt und sich ausführlich
nicht nur mit Kant und Hegel, Heidegger und Scheler, sondern auch
mit Feuerbach, Marx und Nietzsche befaßt. Er kennt das Phänomen
der modernen »Gottesfinsternis«, aber auch die Möglichkeit der neu-
en Beziehung zu einem ewigen Du. Niemand hat so wie er den ungeheuren **Mißbrauch** – aber auch die **Unersetzlichkeit** – des jetzt im
Golfkrieg wieder (und nicht nur von einer Seite) geschändeten **Wortes Gott** zum Ausdruck gebracht:

»Ja, es ist das beladenste aller Menschenworte. Keines ist so besu-
delt, so zerfetzt worden. Gerade deshalb darf ich darauf nicht verzichten. Die Geschlechter der Menschen haben die Last ihres geängstigten
Lebens auf dieses Wort gewälzt und es zu Boden gedrückt; es liegt im
Staub und trägt ihrer aller Last. Die Geschlechter der Menschen mit
ihren Religionsparteiungen haben das Wort zerrissen; sie haben dafür
getötet und sind dafür gestorben; es trägt ihrer aller Fingerspur und
ihrer aller Blut. Wo fände ich ein Wort, das ihm gliche, um das Höchste zu bezeichnen! Nähme ich den reinsten, funkelndsten Begriff aus
der innersten Schatzkammer der Philosophen, ich könnte darin doch
nur ein unverbindliches Gedankenbild einfangen, nicht aber die Gegenwart dessen, den ich meine, dessen, den die Geschlechter der Menschen mit ihrem ungeheuren Leben und Sterben verehrt und erniedrigt haben … Wir müssen die achten, die es verpönen, weil sie sich
gegen das Unrecht und den Unfug auflehnen, die sich so gern auf die
Ermächtigung durch ›Gott‹ berufen; aber wir dürfen es nicht preisge-
ben. Wie gut läßt es sich verstehen, daß manche vorschlagen, eine
Zeit über von den ›letzten Dingen‹ zu schweigen, damit die mißbrauchten Worte erlöst werden! Aber **so** sind sie nicht zu erlösen. Wir
können das Wort ›Gott‹ nicht reinwaschen, und wir können es nicht
ganzmachen; aber wir können es, befleckt und zerfetzt wie es ist, vom
Boden erheben und aufrichten über einer Stunde großer Sorge.«[20]

Nein, es gibt auch in der Postmoderne **keine Alternative zum Wort**

Gott. Und für uns kann dies nur bedeuten: In Religion und Politik einfach wie bisher von Gott zu reden, ist mittelalterlich. Überhaupt nicht mehr von Gott zu reden, war typisch »modern«. Es käme heute für Theologen und Philosophen alles darauf an zu lernen, behutsam **neu** von Gott zu reden: befreiend transformierte Rede von Gott, welche die Impulse von Spinoza bis Buber aufnimmt.

3. Gegenüber Militanten in den eigenen Reihen hat sich Martin Buber schon früh für ein **friedliches Zusammenleben von Juden und Arabern** – damals sogar in der Hoffnung auf einen gemeinsamen Staat – eingesetzt. Vergebens, an einen gemeinsamen Staat denkt heute niemand mehr. Aber gerade deshalb muß daran erinnert werden, daß Buber schon 1921 dem Zionistenkongreß eine Resolution vorgeschlagen hat, das jüdische Volk möge seinen »Wunsch« proklamieren, »mit dem arabischen Volk in Frieden und Brüderlichkeit zu leben und das gemeinsame Heimatland zu einer Republik zu entwickeln, in welcher beide Völker die Möglichkeit der freien Entwicklung haben werden«[21]. Wir werden dem Gedanken nachzugehen haben, wie dies unter heutigen Bedingungen (Golfkrieg!) möglich werden kann.

Soll, kann man auch Buber gegenüber Rückfragen stellen? Der Einwurf von Bubers Kollegen an der Hebräischen Universität, Jeshajahu Leibowitz, der, wie er selber sagt, »mit scharfen Worten« Buber als »jüdischen Theologen für Nicht-Juden«[22] bezeichnet hat, muß von jüdischer Seite beantwortet werden; mir scheint dies selbst in bezug auf Bubers sehr persönliche Ich-Du-Philosophie ungerecht. Jedenfalls fragen sich heute auch manche Juden, ob man in Israel nicht gut daran getan hätte, in Fragen des menschlichen Zusammenlebens von Juden mit Juden und Juden mit Arabern mehr auf Denker wie Martin Buber (statt auf Generäle wie Ariel Scharon) zu hören. Auf die Frage des Staates Israel werden wir ausführlich zu sprechen kommen müssen. Und wenn Leibowitz Buber weiterhin vorwirft, dessen Ansichten stünden »in keinem Bezug zu dem historischen Judentum – das ein Judentum der Tora und der Mizwot ist«[23], dann werden wir später noch Gelegenheit haben, über Bubers Ansicht von Tora und Mizwot Genaueres zu hören, wenn wir uns der Frage nach dem Gesetz zuwenden werden. Aber, wie immer man zu seinen einzelnen Auffassungen stehen mag: Martin Buber, der Altmeister des deutschen Judentums, bleibt in aller Umstrittenheit eine große Gestalt, die für Juden und Christen Wichtiges auch in Zukunft zu sagen haben wird.

II. Das Judentum in der Postmoderne

Nicht in das Gewand des Sehers oder des Futorologen möchte ich schlüpfen, sondern die nüchterne Analyse fortsetzen, wenn ich nun nach den Möglichkeiten des Judentums in postmoderner Zeit frage. Und da gilt es zunächst zu konstatieren: Auch viele Juden klagen darüber: daß untereinander seit dem Eintritt in die europäische Moderne keine Übereinstimmung mehr besteht über das, was authentisches Judentum ist. Erschwerend kommt hinzu, daß das Judentum über kein repräsentatives universales Organ mehr verfügt, das über Streitfragen entscheiden könnte.

Hat das Judentum sein »Wesen« verloren? So radikal stellt sich die Frage am Ende der Moderne. Und meine Antwort vorausgenommen: Nein, wenn nicht alles täuscht, steht das Judentum im Begriff, sein »Wesen« in der Postmoderne neu zum Leuchten zu bringen. Doch werden dafür angesichts der epochalen Umwälzung die analysierten Grundoptionen – orthodox? konservativ? reformerisch? – neu zu bedenken sein, im Hinblick besonders auf Mensch, Staat und Gott selbst. Nach allem, was wir gesehen haben, dürfte es darauf ankommen, die historischen Fehler der Moderne zu vermeiden und einen Weg zu finden zwischen totaler Verweigerung und totaler Verschmelzung.

1. Zwischen totaler Verweigerung und totaler Verschmelzung

Eine solche Aufgabe stellt sich im Prinzip nicht nur für das Judentum, sondern auch für das Christentum und den Islam. Denn so wenig wie Christentum und Islam wird sich das Judentum in der Postmoderne jeglicher **sozialer Integration und kultureller Anpassung verweigern** können, wie dies die ihrem eigenen Mittelalter verhafteten Antimodernisten, Fundamentalisten oder Traditionalisten in allen drei Religionen immer wieder fordern.

Es war ja in der Moderne durchaus kein grundsätzlicher Fehler gewesen, daß Juden im 19./20. Jahrhundert zuerst in Deutschland, in Frankreich und England und dann in Amerika äußere und innere Werte der modernen Kultur übernahmen und sich in Kleidung, Sprache und Bildung an ihre Umgebung anpaßten, daß sie jüdische Sitten und religiöse Rituale den modernen ästhetischen Erfordernissen anglichen und sich in allen Bereichen der modernen Wissenschaft, Kunst, Literatur und Publizistik engagierten. Insofern darf die soziale Integration der Juden im vornazistischen Deutschland nicht als mißlungen oder gescheitert bezeichnet werden.

Ebenso war es kein grundsätzlicher Fehler, daß sich Juden vor allem in Deutschland und dann auch in Amerika in großer Zahl (zuallermeist in Großstädten lebend) an die modernen Lebensverhältnisse anpaßten und dies in mancher Hinsicht sogar früher getan haben als ihre nichtjüdischen Mitbürger[1]. Im Gegenteil: Es ist ein welthistorisches Paradox, daß schon am Ende des 19. Jahrhunderts jene vielen Zehntausende aus der polnischen Provinz Posen nach Breslau und Berlin eingewanderten Juden sich früher als alle anderen auf Beschränkung der ehelichen Fruchtbarkeit und geringere Kinderzahl einstellten, während noch am Ende des 20. Jahrhunderts ein katholischer Papst aus der polnischen Provinzstadt Krakau ohne alles Verständnis für moderne Lebensbedingungen meint, sich der weltweit notwendig gewordenen Geburtenbeschränkung und verantwortungsvollen Empfängnisverhütung entgegenstellen zu können. Und während Juden schon im vergangenen Jahrhundert eine bessere, womöglich akademische Erziehung auch für ihre Mädchen anstrebten, versucht derselbe Papst, in mittelalterlicher Weise den katholischen Frauen die öffentlich-rechtliche Gleichstellung in Kirche, Liturgie und Theologie immer noch zu verweigern ...

Da zeigt es sich: Befangenheit in einem früheren Paradigma kann eine Religion und ihre Repräsentanten unglaubwürdig machen. Religiöser Traditionalismus ist weder für das Judentum noch für das Christentum und den Islam eine weiterhelfende Parole. Sie läßt die veränderten Zeiten vergessen.

Doch auch die andere Extremposition darf nicht von Kritik verschont werden: So wenig wie Christentum und Islam wird sich das Judentum in der Postmoderne die **totale Angleichung und völlige Verschmelzung mit der säkularen Gesellschaft** leisten können, wie dies moderne Einheitsideologen, welche Freiheit, Einheit und Gleichheit durch Abschaffung oder Einebnung aller Besonderheiten erreichen wollten, von allen drei Religionen gefordert haben und oft noch fordern.

Aber war es nicht verhängnisvoll, daß wie so viele Christen auch
viele Juden im 19./20. Jahrhundert zuerst in Deutschland und dann
auch in Amerika allzu unbekümmert viele Merkmale der eigenen
Lebensart und viele Bindungen an die große religiöse Tradition aufgaben? So wurden auch weithin Familientradition und Familienethos
den »modernen Errungenschaften« geopfert. Sich gut bürgerlich dem
wirtschaftlichen und kulturellen Erfolg, dem Geld und der Macht
verschreiben, statt einer religiösen jetzt einer patriotischen, gar nationalistischen Weltanschauung verpflichtet? Ob Besitz, Bildung und
Nation – die drei unerläßlichen Merkmale der Bürgerlichkeit – Religion ersetzen können? Ob man sich so nicht der religiösen Substanz-
losigkeit auslieferte, so daß vielen Juden in Deutschland damals buchstäblich auch noch ihr »Letztes« genommen werden konnte, als ihnen
der Nazi-Staat die Nationalität (»das Deutschtum«) absprach? Und so
wichtig Holocaust und Staat Israel für das postmoderne Judentum
sind und bleiben werden: Aber ob die Fixierung auf den Holocaust
auch den Nachkommen der Nachkommen der Überlebenden eine jüdische Identität zu verschaffen vermag? Ob die Konzentration auf den
Staat Israel die Substanz des jüdischen Glaubens zu ersetzen vermag?

Da zeigt sich: Wie totale Germanisierung, so dürfte wohl auch totale
Amerikanisierung der Juden kaum der rechte Weg in die Zukunft
sein. Nein, nicht nur der religiöse Traditionalismus, auch der irreli-
giöse Modernismus, der nur auf wirtschaftlichen, kulturellen und nationalen Erfolg setzt, vermag kein zukunftsträchtiges Programm zu
liefern: weder für das Judentum noch für Christentum und Islam.
Solcher Modernismus läßt im Wandel der Zeiten, dies mußten wir
feststellen, das »Besondere«, die »Substanz«, das »Wesen« des Judentums (wie ja auch des Christentums und des Islam) vergessen.
    Und die schlimme Folge: Damit droht auch der notwendige religiö-
se Basiskonsens verlorenzugehen, der alle Juden früher zusammen-
hielt, der zwar nie von absolut allen, aber doch von der großen Mehrheit bejaht wurde. Zweifellos bietet die Halacha, wortwörtlich verstanden, einen solchen Basiskonsens nicht mehr. Aber, so stellt sich
jetzt die Frage, zeichnet sich angesichts neuer Herausforderungen
nicht vielleicht ein neuer Basiskonsens ab?

2. Ein neuer Basiskonsens?

Der amerikanische jüdische Gelehrte **Ben Halpern** ist der Auffassung, gewisse Gesetze, Rituale, linguistische und literarische Traditionen und auch die Mythen des Exodus, des Exils und der Erlösung seien nicht mehr universale Werte, welche alle Juden zusammenhielten. Und doch sei das Judentum nicht auseinandergefallen. Er schließt daraus: Grundlage des »Jewish Consensus« sei heutzutage weniger die **»Gemeinschaft des Glaubens«** (»community of faith«) als vielmehr die **»Gemeinschaft des Schicksals«** (»community of fate«): »Nur weil sie (die Juden) ständig involviert sind in die Konsequenzen des Tuns eines jeden anderen, muß sich jeder darum kümmern, was der andere will.«[2] Und so blieben die Juden zwar, was sie immer waren: ein besonderes Volk, das nicht wie alle anderen sei. Doch das Judentum funktioniere dabei nicht mehr als Gefäß einer göttlichen Vorsehung, sondern als Gefäß der verschiedenen und doch gemeinsamen jüdischen Erfahrungen. Doch, so frage ich mich, woher rührt für die Juden in so verschiedenen Regionen, Nationen und Situationen die »Gemeinschaft des Schicksals«?

Halperns amerikanischer Kollege **Jacob Neusner** widerspricht dessen Analyse nicht einfach, sieht aber doch eine tiefere Gemeinsamkeit der Juden darin, daß »die fundamentale mythische Struktur« des Judentums, »in wichtiger Hinsicht ungebrochen« ist[3]. Selbst sehr säkulare Juden würden die soziologischen Faktoren ihres Gruppenlebens nicht nur anerkennen. Sie würden sie sogar sehr wichtig nehmen, durchaus wert, beibehalten und ihren Kindern vermittelt zu werden: »Die große Mehrheit der Juden, der säkularen und der religiösen, fahren noch immer fort, auf diese innerweltlichen Ereignisse anhand der **Muster des klassischen jüdischen Mythos** zu reagieren.«[4] Dies zeige sich etwa in bezug auf Holocaust und Neugründung des Staates Israel, insofern sie als Erfüllung der prophetischen Verkündigung, als Tod und Wiedererweckung, als Rückkehr nach Zion verstanden würden, interpretiert also in den Symbolen von Schöpfung, Offenbarung und Erlösung.

»Muster des klassischen jüdischen Mythos«? Weil der vieldeutige Begriff »Mythos« (trotz oder wegen der so verschiedenen Definitionsversuche der Religionswissenschaft) immer wieder verstanden wurde als das Nicht-Wirkliche, Nicht-Wahre, möchte ich lieber eindeutiger

Judentum auf dem Weg in die Postmoderne?

Das jüdische Dilemma in der Moderne

Fundamentalistische Orthodoxie ◄———————————► **Radikaler Säkularismus**

religiös isoliertes Judentum: religiöse Substanz ohne Weltbezug.	**religiös entleeres** Judentum: Weltbezug ohne religiöse Substanz.
Mittelalterliche Ersatzwelt: Legalismus, fixiert auf die Tora als **Gesetz**.	Moderne Ersatzreligion: Israelismus, fixiert auf die Geschichte als **Holocaust**.
Symbolisches Heiligtum: die Klagemauer, heiligster Tag: Yom Kippur.	Symbolisches Heiligtum: Jad Waschem, heiligster Tag: der Tag der Schoa.
Jüdische Identität durch **Mischna und Talmud**: Verkürzung der israelitisch-jüdischen Geschichte auf das mittelalterliche Paradigma.	Jüdische Identität durch jüdische **Geschichte und Staat**: Verkürzung der israelitisch-jüdischen Geschichte auf das moderne Paradigma.
Folge: **mittelalterliches Getto**: Israel isoliert in der christlich geprägten Welt	Folge: **modernes Vakuum**: Israel diffundiert in der modernen Welt

▼

Postmodernes Judentum?

religiös emanzipiertes Judentum:
religiöse Substanz mit Weltbezug.

Die ursprüngliche jüdische Religion:
Jahwe der Gott Israels, und Israel sein Volk.
Ihr ständiger Bezugspunkt:
Befreiung aus Ägypten und **Sinai-Offenbarung**.

Jüdische Identität durch erneuerten
Glauben an den Einen Gott Israels und seine **Erwählung**:
ein unverkürztes jüdisch-prophetisches Geschichtsbewußtsein,
aber im postmodernen Paradigma.

Folge: **postmoderne Emanzipation**:
Kommunikation mit der heutigen Welt
der Nationen und Religionen

von – durchgehaltenen und auch immer wieder verschütteten –
Mustern oder Strukturen des **jüdischen Glaubens** reden. Dem könnte
Neusner vermutlich zustimmen. Denn, so wendet er selbst ein: »Das,
was eine Kontinuität des Mythos zu sein scheint – eine beständige An-
strengung, um Ereignisse im Licht der alten Archetypen von Leiden
und Buße, Unglück und Errettung zu interpretieren« –, könnte in
Wirklichkeit leicht »Sentimentalität« sein: »Wo endet mythisches
Sein, und wo beginnt die bürgerliche Nostalgie?«[5]

Unterscheidungen sind hier in der Tat notwendig; Verdeutlichung
des Bleibenden ist unabdingbar. Sicher ist eine »archaische Frömmigkeit« nicht »die einzige wahre Frömmigkeit«; sicher schließt »Modernität« die »Möglichkeit wahrer Religiosität« nicht aus; sicher gibt es
das »Selbstverständnis moderner Leute, die, der Kluft zwischen ihnen
selbst und der klassischen Formulierung ihrer alten religiösen Traditionen gewahr, nichtsdestotrotz der Authentizität und Realität ihrer
eigenen religiösen Erfahrung gewiß sind«: Nimmt man all dies ernst,
so kommt man Neusner zufolge für das Judentum um die Feststellung nicht herum: »Dann besteht Religiosität weiter!«[6] Nur, daß ich
diese jüdische Religiosität jenseits von totaler Verweigerung und totaler Verschmelzung – nach Holocaust und Neugründung des Staates
Israel – bereits als **postmoderne** Religiosität verstehen möchte. Eine
postmoderne Religiosität, die jedoch, so lange sie **jüdische** Religiosität
bleiben will, auf bestimmte »klassische« Konstanten des Glaubens
keinesfalls verzichten kann.

3. Die unaufgebbaren Konstanten des Judentums

Die eingehende Analyse schon im ersten Hauptteil unseres Buches hat
völlig deutlich gemacht: Weder das rabbinisch-synagogale noch das
moderne Assimilationsparadigma kann mit dem Wesen des Judentums einfach identifiziert werden. Zentrum der ursprünglichen jüdischen Religion, wie sie die Hebräische Bibel bezeugt, ist auch nach
aller historischen Kritik ganz unzweifelhaft und hält sich durch alle
Epochenumbrüche und Paradigmenwechsel hindurch: der **eine Gott**
und das eine **Volk Israel**. Um diese beiden Brennpunkte schwingt das
gesamte sozusagen elliptische Zeugnis der Hebräischen Bibel und
schließlich und endlich auch das der Mischna und des Talmud, des

mittelalterlichen Judentums. Die zentralen Strukturelemente und
Leitideen des israelitischen Glaubens sind von daher das von **Gott**
auserwählte **Volk**, was einschließt das von Gott verheißene **Land.**

Dieses Sonderverhältnis Israels zu seinem Gott, in allen Quellen
durchgängig bezeugt, wird später ausgedrückt durch das Wort »berit«,
»**Bund**«: der besondere Bund dieses Volkes, der, mit dem einen Gott
geschlossen, auf Gottes **Gebote,** die »mizwot«, verpflichtet. Der Bund
ist das Grundlegende, aus dem die Verpflichtung, die Gebote folgen.
Man beachte wohl: In diesem Verhältnis Israels zu seinem Gott gründet von Anfang an des jüdischen Volkes **Originalität**, gründet dann
seine **Kontinuität** in der langen Geschichte durch die Jahrtausende,
gründet schließlich des jüdischen Volkes **Identität** trotz aller Verschiedenheit der Nationen, Sprachen und Kulturen.

Die Frage nach dem »Wesen« des Judentums ist also unter den Bedingungen des Epochenwandels von der Moderne zur Postmoderne
neu gestellt. Sollte das **Ziel** nicht statt der totalen Assimilation und
Verschmelzung die **wahre Emanzipation** des Judentums sein? Eines
Judentums, das auch unter völlig veränderten weltpolitischen Bedingungen der Realität jenes Bundes Gottes mit diesem Volk eingedenk
bleibt, der die vieltausendjährige jüdische Geschichte durch alle Paradigmenwechsel hindurch selbst dort noch tief geprägt hat, wo er ignoriert oder geleugnet wurde? Damals, im modernen Assimilationsparadigma, ging unter den Juden das resignierte Wort um: »Wenn du vergißt, daß du ein Jude bist, werden dich die anderen daran erinnern.«
Im postmodernen Emanzipationsparadigma könnte es ersetzt werden
durch das bescheiden-selbstbewußte Wort: »Wenn du nicht vergißt,
daß du ein Jude bist, darfst du auch die anderen daran erinnern.«

Und was wäre der **Weg zu** diesem Ziel **postmoderner Emanzipation?** Was die modernen Optionen betrifft, so wäre für die Postmoderne ein Weg zu suchen zwischen einer rigoros traditionalistischen
Orthodoxie und einem allzu entwurzelten und entleerten liberalen
Judentum. Und viele innerjüdische Denominationen haben – wie wir
hörten – diesen Weg zu finden versucht, der ja auch nicht einfach der
»konservative« ist. In diesem Übergang treten nun, wenn nicht alles
täuscht, trotz und zum Teil wegen der heftigen Auseinandersetzungen
der verschiedenen innerjüdischen Gruppen jene **Konstanten** des
jüdischen Glaubens, die unter dem Druck des modernen Aufklä-
rungs- und Säkularisierungsprozesses verschüttet, verdrängt oder ver-

gessen waren, in allen drei genannten jüdischen Richtungen wieder deutlicher ins Licht:

• Wo man in der Moderne vor allem die Erfordernisse der neuen säkularen Zeit sah (»vox temporis«), erkennt man in der Postmoderne wieder neu die zentrale Bedeutung des biblischen **Gottesglaubens** (»vox Dei«).
• Wo man in der Moderne allzu einseitig nur den allgemein-menschlichen Sinn des jüdischen Gottesglaubens betonte (»Universalität«), anerkennt man in der Postmoderne wieder neu die Verwurzelung im jüdischen **Volk** (»Partikularität«).
• Wo man in der Moderne primär die menschheitsgeschichtliche Dimension des jüdischen Gottesglaubens hervorhob (»Diaspora«), sieht man in der Postmoderne wieder neu die Beziehung zum jüdischen **Land** (»Heimatland«).

Eine neue Identität, ein erneuertes Selbstbewußtsein, eine wahre Emanzipation des Judentums läßt sich nur erreichen, wenn diese unaufgebbaren Konstanten wieder neu ins allgemeine Bewußtsein gehoben werden – bei aller Beachtung der zahllosen Variablen. Selbstverständlich wäre es jedoch eine völlige Illusion, irgendeine Uniformität anstreben zu wollen.

4. Zukunft ohne Einheitsmodell

Die Moderne, die ursprünglich mit Berufung auf die universale Vernunft und die eine allgemeine Menschennatur ein Einheitskonzept von Freiheit, Gleichheit und Brüderlichkeit durchzusetzen versuchte, ist durch die Dialektik der Aufklärung in einen spätmodernen Beliebigkeitspluralismus hineingeraten, der mit dem Christentum und dem Islam auch das Judentum gefährdet. Diesem Beliebigkeitspluralismus, für den es keine allgemeingültige Wahrheit, kein universal verpflichtendes Ethos, keine überall zu respektierenden Menschenrechte gibt, sollte entschieden gewehrt werden: hier vor allem durch die Bewußtmachung von bleibenden religiösen Konstanten.

Aber deshalb soll beileibe nicht wieder eine Einheitsvorstellung durchgesetzt werden, weder eine moderne und noch weniger eine mittelalterliche. Die postmoderne Konstellation, so sahen wir, ist be-

stimmt von einem gesellschaftlichen **Pluralismus**, und dies religiös gesehen in zweifacher Hinsicht:
– ein Pluralismus ad extra: im Hinblick auf den nun einmal polyzentrischen, transkulturellen und multireligiösen postmodernen Welt-
horizont;
– ein Pluralismus ad intra: im Hinblick auf die nun einmal auch innerhalb des Judentums seit der Moderne gegebene Vielfalt der Richtungen, Schulen und Parteien.

a) Für das Judentum bedeutet der **Pluralismus ad extra**: Gottes Volk
und Land – dies sind zwar die bleibenden Konstanten jüdischen Wesens. Doch ist dieses **Zentrum des jüdischen Glaubens** neu zu bedenken vor dem (schon im ersten Hauptteil dieses Buches umschriebenen) keineswegs exklusiven, sondern **universalen Horizont** der Hebräischen Bibel:
– daß Gott der Schöpfer Himmels und der Erde und somit aller
Menschen, aller Rassen und Nationen ist;
– daß der erste Mensch nicht der erste Jude, sondern »Adam« gleich
»der Mensch« ist;
– daß der erste Bund nach der Sinflut mit Noach und so mit der ganzen Menschheit geschlossen wurde;
– daß auch der erste Bund mit den Patriarchen keineswegs schon
Konflikt mit anderen Völkern bedeutete und in Abraham alle Völker
der Erde gesegnet werden sollten;
– daß die Josephsgeschichte (die ausführlichste Erzählung des Buches
Genesis, Kap. 37-50) wie selbstverständlich voraussetzt, daß auch die
Ägypter den einen wahren Gott kennen;
– daß Israels Propheten (besonders Amos, Jona, Deutero-Jesaja) sich
auch um andere Völker kümmern;
– daß erst recht die jüdische Weisheitsliteratur (Sprüche Salomos,
Ijob, Kohelet) wie die altorientalische Weisheit überhaupt einen universalen Gottesbegriff voraussetzten: der Gott der Weisen ist der
Schöpfer der Welt und der Garant ihrer Ordnung und ist als solcher
allen Menschen aller Religionen zugänglich;
– daß auch Ijob, der Prototyp des Dulders, wie Adam und Noach
kein Israelit war.

b) Der **Pluralismus ad intra** bedeutet für das Judentum: Es gilt einen

Weg zu finden, der gekennzeichnet ist von einem Verständnis für all die verschiedenen Richtungen oder Parteien innerhalb des Judentums. Verständnis vor allem für die drei gegenwärtigen jüdischen Hauptrichtungen, wie es in Übereinstimmung sicher mit vielen Juden etwa Rabbi Dow Marmour (Toronto), auf Erfahrungen des britischen Judentums zurückgreifend, abzustecken versucht:

– Offenheit einerseits »für die Betonung der Tradition, wie sie die Orthodoxie an den Tag legt, aber ohne deren fundamentalistischen Standpunkt und legalistischen Extremismus«.

– Offenheit andererseits »für die Einflüsse der nichtjüdischen Welt, doch ohne das Abgleiten in eine Art von Unitarismus, wie er in manchen jüdisch-liberalen Zirkeln zum Ausdruck kommt«.

– Ein Weg der Mitte also, aber nicht der Mittelmäßigkeit: diese mittlere Position »ist leidenschaftlich für jüdische Erziehung engagiert, anerkennt jetzt voll die Kraft des Zionismus und des Staates Israel in diesen Bemühungen und weist es dennoch von sich, die Welt vom jüdischen Bewußtsein auszuschließen. Sie schenkt der Sehnsucht nach religiöser Erfahrung Aufmerksamkeit, ohne dem Extremismus der Chasidim zu verfallen.«[7]

Ein Weg der Mitte also in der Spannung zwischen Anpassung und Widerstand, Universalismus und Partikularismus, Diaspora und Heimatland. Dies also, so scheint es manchen Juden, müßte die Grundlage eines postmodernen Judentums sein. Als das Entscheidende und Zentrale des jüdischen Glaubens seit dreitausend Jahren – durch alle Epochen und Paradigmen hindurch – der Bund, Gottes Beziehung zu seinem Volk, das eine Beziehung zu einem bestimmten Land hat. Doch dieser Glaube nicht individualistisch oder nationalistisch verengt, sondern gelebt in der Gemeinschaft des jüdischen Volkes in Mitverantwortung für das Überleben und Wohlergehen der Menschheit insgesamt.

Auch ein **Judentum im postmodernen Paradigma** wird also verschiedene Strömungen, Konfessionen, Denominationen umfassen, die sich jedoch nicht gegenseitig ausschließend verhalten dürften, sondern konvergieren und kommunizieren könnten. Zusammenfassend:

• Ein postmodernes Judentum wäre weder ein säkularistisch-assimiliertes (P V) noch ein fundamentalistisch-reaktionäres (P IV), sondern ein religiös wahrhaft **emanzipiertes** Judentum (P VI).

- Es wäre also weder religiös entleert noch isoliert, vielmehr würde die bleibende religiöse »Substanz« des Judentums immer wieder neu zur sich verändernden Welt in Bezug gesetzt. Seine religiöse **Mitte** (»Wesen«) wäre dieselbe wie die der **ursprünglichen jüdischen Religion**: Jahwe der Gott Israels, und Israel sein Volk; grundlegender Bezugspunkt in der Geschichte bliebe die Befreiung aus Ägypten und die Sinai-Offenbarung der Tora; mit einem Wort: der Bund.

Aus diesen sehr grundsätzlichen Ausführungen – die manchen vielleicht zunächst allgemein und abstrakt erscheinen mögen – ergeben sich jetzt einige ebenso grundsätzliche **Fragen**. Sie bilden für uns die Überleitung zu einigen für das Judentum höchst konkreten und praktischen Problemkreisen, die den Hauptraum in diesem der Zukunft des Judentums gewidmeten dritten Hauptteil beanspruchen, die sich aber auch für das Christentum als relevant erweisen werden.

Fragen im Blick auf ein Judentum in der Postmoderne

Was könnte für die verschiedenen Denominationen des Judentums eine realistische postmoderne Zielvorstellung sein?

- Angesichts aller Säkularisierung des modernen Lebens: eine Verankerung im **jüdischen Volk** – aber ohne legalistische Verengung?

- Angesichts aller modernen Geschichtslosigkeit und Entwurzelung: eine Bindung an das **jüdische Land** – aber ohne nationalistische Aggressivität?

- Angesichts aller modernen Agnostizismen: auch im Judentum der Glaube an die lebendige **Wirklichkeit Gottes** – aber ohne traditionalistische Erstarrung?

Im Hinblick auf eine bessere Zukunft werden wir uns also **drei Problemkreisen** zuzuwenden haben:

1. Wie ist das möglich: Verankerung im jüdischen Volk – ohne Legalismus? Gehört das Halten der Gebote, **aller** Gebote, nicht zum Unverzichtbaren des Judeseins? Probleme des Toraverständnisses bre-

chen auf, konkret die Frage nach dem Verhältnis von Lebenskonflik-
ten und der **Zukunft des Gesetzesverständnisses.**

2. Wie ist das möglich: Bindung an das jüdische Land – doch ohne
Nationalismus? Muß man nicht mit aller Leidenschaft für dieses eine
Land kämpfen? Probleme der Landverheißung müssen diskutiert werden, konkret die Frage nach dem Verhältnis von Juden, Muslimen
und der **Zukunft des Staates Israel.**

3. Wie ist das möglich: Glaube an die lebendige Wirklichkeit Gottes – doch ohne jeden Traditionalismus? Ist nicht der Glaube Israels
ganz und gar vererbt, Tradition der Väter und Mütter? Probleme des
Gottesverständnisses müssen behandelt werden, konkret die Frage
nach dem **Holocaust und der Zukunft des Redens von Gott.**

B. Lebenskonflikte und die Zukunft des Gesetzes

Von der Problematik des Gesetzes war in diesem Buch immer wieder die Rede. Hier ist der Ort, sie in aller Grundsätzlichkeit zu reflektieren. Denn die auf das Judentum übertragene Gretchenfrage nach der Religion lautet nun einmal so: »Nun sag, wie hast du's mit dem **Gesetz**?« Nicht Tora (die »Weisung«) an sich, auch nicht der haggadische Teil der Tora und des Talmud (die Erzählungen) sind das Problem, sondern ihr **halachischer** Teil: die Gesetze, die viele Konflikte, bisweilen sogar für Nichtjuden, zur Folge haben. Diese Frage stellt sich, wie wir sahen[1], für die Orthodoxie anders als für das Reformjudentum oder auch das konservative Judentum, wo ja das Gesetz insbesondere für die Laien ein Problem darstellt und der Rabbiner doch kaum noch als Interpret und Richter in Anspruch genommen wird. Was also? Gibt es auch hier einen Ausweg aus dem Dilemma? Einen Weg in die Zukunft?

I. Ambivalenz des Gesetzes

Doch zunächst die grundlegende Frage: Ist das Gesetz nicht ganz und gar gut? **Christen** können sich zuallermeist schwer vorstellen, daß ein Jude mit dem Gesetz, mit der Halacha, das heißt mit dem peinlichen Einhalten all der Gebote in der Welt seines Alltags, glücklich sein könnte[2]. Bedeutet Gesetz nicht in jedem Fall Unfreiheit, Unterwerfung, Fremdbestimmung? Und Christus? Hat er nicht die Freiheit vom Gesetz gebracht, die Unabhängigkeit, das Evangelium? Doch so einfach ist das nicht! Und zwar zunächst vom Judentum selbst her nicht.

1. Das Gesetz als Befreiung: David Hartman

Christen müssen jedenfalls zur Kenntnis nehmen, daß orthodoxe oder
konservative **Juden** das Festhalten an den Geboten nicht als Bedrük-
kung, sondern als große menschliche Möglichkeit, als immer wieder
neu gegebene **Chance** erleben. Ein neuerer, sympathischer Vertreter
dieser Richtung ist der orthodoxe israelische Rabbi **David Hartman**,
Direktor des Schalom-Hartmann-Institutes for Advanced Jewish Studies in Jerusalem, der in der Tradition von Joseph Soloveitchik und
Jeshajahu Leibowitz steht und diese zugleich korrigiert. Sein Buch »A
Living Covenant. The Innovative Spirit in Traditional Judaism«[3], das
wir hier als Beispiel herausgreifen, ist ein engagiertes Plädoyer für ein
weltoffenes und dialogbereites Gottes- und Menschenbild, das Verständnis zeigt auch für Nichtglaubende und Nichtpraktizierende.

Nach rabbinischem, »halachischem« Verständnis akzeptiert die Gemeinde die Gebote Gottes, nicht weil sie gezwungen werden müßte,
sondern »weil sie Gott liebt und weil sie die Bedeutung des in den Geboten dargelegten Lebensweges dankbar annimmt«[4]. Der Gott vom
Sinai ist für die Rabbinen nicht mit einem autoritären Diktator ver-
gleichbar, sondern mit einem »Lehrer, der seine Schüler zu selbstän-
digem Denken und zur intellektuellen Verantwortung ermutigt für
die Art und Weise, wie die Tora verstanden und praktiziert werden
soll«[5]! Anders gesagt: Gott hat zwar die unumstößlichen Gebote erlassen, aber hat es zugleich der intellektuellen Freiheit des Menschen
überlassen, sie auszulegen und anzuwenden. Trotz aller Gebunden-
heit ist so ein großer Freiraum menschlicher Kreativität gegeben. Und
gerade rabbinisches Denken kann von daher des Menschen Autonomie und Initiative nicht genug betonen. Eine faszinierende Spannung
von Selbstbehauptung und Unterwerfung, Angst und Auflehnung,
Fremdheit und Vertrautheit kennzeichnet nun einmal das Verhältnis
von Gott und Mensch.

Der christliche Theologe wird einer solchen jüdischen Theologie
den Respekt nicht versagen, die so eindrucksvoll Tradition **und** Innovation, Kontinuität **und** Erneuerung, klare Maßstäbe in Denken und
Handeln **und** moderne Flexibilität in Umgang und Anwendung betont. Gründet sie doch in der Auffassung, die der Christ keinesfalls
bestreiten kann: daß der Bund Gottes mit dem Judenvolk weitergeht
und damit auch die Erfüllung der Gebote weiter ermöglicht. Die zen-

trale Bedeutung des neuen Israels besteht nach Hartman ja gerade in
der Wirklichkeit der »vollsten Aktualisierung der Welt der Gebote«[6]!
    Grundlegend ist auch für Rabbi Hartman der Bund. »Living Con-
venant«, »**lebendiger Bund**« – das ist für Hartman das Zentrum jüdischen Glaubens, von dem her auch die Welt der Mizwot und die Halacha eingeordnet werden müssen. Hier liegt auch der tiefste Grund
dafür, warum Hartman sich schließlich doch von Soloveitchiks in seiner Strenge großartigem Ideal des »halachischen Menschen« kritisch
absetzt. Plädierte Soloveitchik im Falle eines Konfliktes von göttlichem Gebot und menschlicher Vernunft für unbedingten Gehorsam
und eine Unterwerfung der Vernunft (»surrender of reason«), so Hartman – in Aufnahme der mittelalterlichen Tradition des Maimonides
– für einen **Ausgleich mit der Vernunft**. Leidenschaftliche Liebe für
Gott verlange gerade nicht die Unterwerfung der menschlichen Rationalität und das Opfer des ethischen Sinnes. Hartman wörtlich:
»Maimonides erklärt: Wenn eine philosophische Meinung mit der
wörtlichen Bedeutung der Bibel kollidiert, dann haben wir zu fragen,
ob die philosophische Behauptung wirklich bewiesen wurde. Wenn
nicht, dann sollten wir akzeptieren, was die Bibel wörtlich sagt. Aber
wenn es bewiesen wurde, dann sind wir verpflichtet, die Bibel symbo-
lisch zu reinterpretieren. Das heißt: Maimonides erlaubt, daß die Tora einige verbreitete philosophische Ansichten in Frage stellt, aber er
konnte sich nicht vorstellen, daß die Tora von uns verlangt, unsere
menschlichen Vernunftskräfte zu opfern. So ähnlich laß auch ich zu,
daß die Tora einige akzeptierte gängige Verhaltensmuster in Frage
stellt, aber ich kann mir nicht vorstellen, daß sie von uns verlangt, unsere Urteilsfähigkeit über das, was gut und fair ist, zu opfern. Der
Bund lädt eine Gemeinschaft dazu ein, zu handeln und Verantwortung zu übernehmen für den Zustand dieser Menschenwelt. Diese
Einladung zu voller Verantwortung in der Geschichte würde lächer-
lich, wenn die rationalen oder moralischen Kräfte der Gemeinschaft
gerade im Akt des vom Bund erforderten Engagements verneint würden.«[7] Keine Frage, daß dies eine menschenfreundliche, lebensbeja-
hende und weltoffene Bundes-Theologie sein will.
    Was also sollte daran nicht überzeugen, wenn man so deutlich für
Gottes- und Menschenliebe, für Freiheit, Kreativität, Lernbereit-
schaft, moralische Verpflichtungen, Gebet und Gemeinschaft eintritt?
Sollte nicht gerade der Christ hier zustimmen können, um mit den jü-

dischen Brüdern und Schwestern das Gemeinsame zu feiern? Was trennt denn diesbezüglich Juden von Christen? Ist es dagegen nicht ein überholter Standpunkt, mit Paulus oder Luther das Gesetz **gegen** das Evangelium zu stellen, wenn man doch offenbar gerade **durch das Gesetz** für Gott und die Menschen **frei** wird? Das Gesetz also – eine wahre Befreiung?

Und doch frage ich mich: Beseitigt eine solche Gesetzestheologie wirklich die Schwierigkeiten, die nicht nur Christen, sondern auch zahllose Juden mit dem Gesetz haben? Beantwortet solche Theologie in der Tradition der Rabbinen wirklich die drängendsten Fragen moderner Juden, welche in Israel, Amerika oder Europa inmitten der modernen Kultur leben und welche die jüdische Tradition mit bestem Willen nicht ohne wesentliche Abstriche übernehmen können? Wir müssen auch andere jüdische Stimmen hören.

2. Das Gesetz als Belastung: Schwierigkeiten des gelebten Lebens

Warum können viele moderne Juden eine solche Antwort wie die Hartmans nicht akzeptieren? Weil sie ihnen für ihren Alltag doch zu theoretisch, zu abstrakt, zu aufgesetzt theologisch erscheint. Denn im praktischen Leben von heute können sie diese »vollste Aktualisierung der Welt der Gebote« mit bestem Willen nicht als Befreiung empfinden. Sie empfinden sie als Belastung, ja, als **Widerspruch zur modernen Autonomie des Menschen.**

Die Probleme, die heute so viele Juden besonders in Jerusalem, aber auch in jedem anderen orthodoxen und konservativen Milieu so stark empfinden, sind, scheint mir, ganz und gar ernst zu nehmen. Und merkwürdig genug: Noch immer geht es heute um dieselben alten Fragen wie zur Zeit Jesu von Nazaret, auch wenn sie im modernen Kontext leicht verändert sind:

– Eine Last für viele stellen die **Reinheitsvorschriften** dar: Die Koscher-Diät-Vorschriften gelten ja in Israel für alle öffentlichen Institutionen, auch für die Armee, auch für die Gefängnisse.

– Eine Last für nicht wenige stellen auch die **Fastenvorschriften** dar: Ernte und Verzehr sind nämlich nach dem alten Gesetz für jedes siebte Jahr verboten; mit ungeheuren Schwierigkeiten ökonomischer

und finanzieller Art versucht man deshalb, dieses siebte Jahr einzu-
halten, ohne die eigene Ökonomie zu schädigen;
– Eine Last sind für vielleicht die allermeisten die Gebote rund um
den **Sabbat.** Die Heiligung des Sabbats, dessen strikte Beobachtung
jedermann auferlegt ist, ist ja faktisch noch immer so etwas wie das
Hauptgebot, das somit auch für viele Juden das Hauptproblem des
Gesetzes ausmacht. Denn der Sabbat, biblisch gesehen, ist nun einmal
Zeichen des Bundes zwischen Gott und Israel. Als einziges rituelles
Gebot steht er im Dekalog; seine Verletzung wird in der Bibel als Ka-
pitalverbrechen behandelt, als Verbrechen also, das die Todesstrafe
verdient! Folglich stellt sich die orthodoxe Interpretation auch schon
der geringsten Verletzung des Sabbatgebots entgegen: keine elektrischen Schalter bedienen, weil Feuermachen verboten, keinen Regen-
schirm öffnen, weil Zeltbauen untersagt ist …
    Die **Realität des gelebten Lebens** freilich sieht anders aus als das
geschriebene Gesetz. Und selbst im Staate Israel respektiert zwar die
große Mehrheit den Sabbat als arbeitsfreien Ruhetag, aber nur eine
kleine Minderheit praktiziert vollumfänglich die Halacha! Nicht zu
verschweigen sind deshalb die scheinbar trivialen Fragen, die in Israel
von Juden selbst an die traditionell Orthodoxen gerichtet werden:
– »Warum darf ich am Sabbat nicht Auto fahren, auch nicht zur Synagoge? Warum gilt es als verbotene Arbeit, wenn ich am religiösen
Ruhetag das Licht anknipse, den Gasherd anzünde oder die Tür meines Kühlschranks öffne?«
– »Warum darf ich nicht essen, wann und was ich will, ohne daß radikale Rigoristen mir auf den Teller schauen? Warum soll ich ein religiöses Diktat von der Wiege bis zum Grab hinnehmen, das den Weg
ins Mittelalter weist?«
– »Warum darf ich Frauen nicht als gleichberechtigt ansehen, soll ich
wie die jüdischen Männer den Schöpfer alltäglich loben, ›daß du mich
nicht als Frau geschaffen hast‹?«

Man muß auch als Christ, um die Dringlichkeit der Problematik zu
verstehen, ohne alle Selbstgerechtigkeit (denn es gab und gibt im legalistischen römischen Katholizismus ganz ähnliche Probleme!) solche
jüdische Stimmen zu Wort kommen lassen. So nämlich hat, stellvertretend für viele jüdische Zeitgenossen, der Publizist **Henri Zoller** die
Kritik formuliert[8], er, der schon 1948 aus Berlin nach Jerusalem um-

gezogen war und paradoxerweise erst im jüdischen Staat, unter dem Druck jener religiösen Zwänge, in einen Gewissenskonflikt mit seinem Judentum geriet.

Diese Schwierigkeiten finden sich aber auch in entsprechenden **wissenschaftlichen Werken** breit dargelegt, etwa die Probleme des Reisens am Sabbat und die des Elektrizitätsgebrauchs. Verständnisvoller für die heutigen Schwierigkeiten als manche orthodoxe Rabbiner zeigen sich hier die Konservativen[9]. Ob aber heutige Juden zufrieden sein werden, wenn diese ihnen am Sabbat zwar das Einschalten des Lichtes, das Telefonieren, den Gebrauch des Kühlschranks, des Radios und der Television gestatten, nicht aber das Kochen und Backen, nicht das elektrische Rasieren, nicht den Gebrauch der Waschmaschine und des elektrischen Bügeleisens[10]?

Keine Frage: Die Kritik am wachsenden religiös-politischen Druck in Richtung einer **Rückkehr ins mittelalterliche jüdische Paradigma** ist heute unter Israelis weitverbreitet. Nochmals Zoller: »Denn die Religiosität wird maßgebend von einer immer aggressiveren Orthodoxie bestimmt. Religiöser Zwang bedroht individuelle Bürgerrechte. Hingegen wollen wir aufgeschlossenen Juden – nach unserem langen Marsch vom Getto zum Golfplatz – nicht in eine reaktionäre Gesellschaft zurück, in der ›die Rabbinatsbehörden dieselben Vorrechte beanspruchen, die die katholische Kirche im Mittelalter besaß.‹« Und wenn Zoller in Reaktion auf Assimilierung und Antisemitismus trotzdem an »ein neues Judentum, an eine Erneuerung des Judentums aus innerster Seele« (Max Brod), glaubt, so möchte er gerade deshalb auch an die Gewissensfreiheit glauben, die jeden Bürger seinen Glauben so praktizieren läßt, wie er es für richtig hält: »Hingegen fällt es mir schwer zu akzeptieren, daß Erlasse aus biblischen Zeiten das Leben Israels im Jahre 1986 bestimmen sollen, als ob zuallererst die Synagogen geschaffen worden seien und dann die Welt ringsum.«[11]

»Zurück in eine reaktionäre Gesellschaft, in der die Rabbinatsbehörden dieselben Vorrechte beanspruchen, die die katholische Kirche im Mittelalter besaß?« Hier wird deutlich, daß es sich bei der Problematik von Gesetz und Gesetzlichkeit nicht nur um eine innerjüdische, sondern durchaus auch um eine christliche, näherhin eine römisch-katholische Problematik handelt.

3. Gefangene der eigenen Unfehlbarkeitsdoktrin?

Machen wir uns nichts vor: Jede Religion, ob jüdisch, christlich oder islamisch, die sich zur Realisierung der Beziehung Gott-Mensch in erster Linie an Gesetzen orientiert, stürzt ihre Gläubigen in ähnliche Probleme. Ob es sich nämlich bei diesen Gesetzen vor allem um **Lehrgesetze** oder »**Dogmen**« (bezüglich Gott, Christus, Kirche, Maria, Papst, ...) handelt wie im römischen Katholizismus oder um **Ritualgesetze** oder »**Mizwot**« (bezüglich Sabbat, Speise- und Reinheitsgebot) wie im rabbinischen Judentum, immer wieder sehen sich neue Generationen mit der Frage konfrontiert: Was tun in allen Konflikten des Lebens mit früheren Gesetzen, Dogmen oder Geboten, welche vom Großteil der eigenen Gläubigen als nicht mehr zeitgemäß angesehen werden?

Für eine **positivistische Gesetzesinterpretation**, die jedes Gesetz wörtlich oder buchstäblich nimmt – werde sie nun im Vatikan oder im Jerusalemer Oberrabbinat (von Teheran zu schweigen) vertreten –, ist die Antwort verhältnismäßig einfach: »Das Gesetz kommt von Gott, und kein Mensch darf es ändern!« Wie ein Gesetz entstand, wie es sich veränderte, welchen Sinn es heute noch hat, wie man diesen Sinn vielleicht besser bewahren könnte: dies alles sind irrelevante Fragen. Wie dem römischen Dogmenpositivismus der »Denzinger« (jene höchst problematische, weil einseitige Auswahl konziliarer und päpstlicher Lehräußerungen als Ausdruck »der« katholischen Tradition[12]) als Anfang und Ende jeglicher Theologie gilt, so ist für den rabbinischen Gebotspositivismus die bestehende Halacha der Anfang und das Ende von Recht und Gerechtigkeit. Was hier nicht erfaßt ist, gilt als »unkatholisch« oder als »unjüdisch« (auch »unislamisch«). Sowohl vom völlig anders gelagerten Ursprung einer Lehre oder eines Gebotes wie von deren komplexer Geschichte wie schließlich von der gegenwärtig bestimmenden Situation und von der heraufzuführenden besseren Zukunft wird abgesehen. »Friß, Vogel, oder stirb«, und wer das vorgesetzte Futter nicht mag, wird verhungern müssen ... Als ob es in der heutigen säkularen Situation, anders eben als im jüdischen oder katholischen (oder auch islamischen) Mittelalter, nicht eine Menge anderer »Futterplätze« gäbe.

Doch Einspruch: Haben die großen **Halachisten**, jene nachtalmudischen Gesetzeslehrer des Judentums – ihre Großzügigkeit und

Menschlichkeit werden gerühmt – nicht allen Scharfsinn darauf gewandt, um die nachbiblische Halacha in ihrer Vielfalt und Flexibilität vor Versteinerung zu bewahren und immer wieder neu praktikabel zu machen? Und ähnlich: Haben die großen **Scholastiker**, jene nachpatristischen Dogmatiker des Christentums – ihre Verarbeitung der griechischen und arabischen Philosophie sowie ihre systematische Kraft werden noch heute bewundert – nicht gewaltige Werke geschaffen, um die nachbiblischen Dogmen und Lehren für eine wiederum veränderte Zeit verständlich und glaubhaft zu machen?

Gewiß, man wird einen Moses Maimonides ebenso wenig tadeln wie einen Thomas von Aquin, weil sie, auf dem Höhepunkt der Entfaltung des mittelalterlichen Paradigmas, die historisch-kritische Methode noch nicht gekannt und angewendet haben. Für die Halachisten wie für die Scholastiker war die **Unfehlbarkeit der Heiligen Schrift**, deren Irrtumslosigkeit oder Inerranz, selbstverständliche Voraussetzung (was auch noch für die protestantischen Reformatoren gilt). Unfehlbarkeit der Schrift in ihrer rabbinischen oder scholastischen Interpretation aber bedeutete auch die grundsätzliche Unfehlbarkeit der talmudischen Rabbinerschaft oder der Konzilsbischöfe und Päpste. Sie beanspruchen, die einzigen und definitiven Schiedsrichter zu sein in Sachen des Glaubens und der Sitten.

Doch gerade dieser faktische oder explizite Anspruch auf Unfehlbarkeit, diese Unveränderlichkeit (Irreformabilität) der Glaubensgesetze, bereitet uns heute, ob Juden oder Christen (auch Muslimen), so große Schwierigkeiten[13]. Hier sind wir Kinder der Aufklärung! Denn es war die Aufklärung, die aus der Krise des christlich-mittelalterlichen wie des reformatorischen Paradigmas hervorgegangen war, welche die **entscheidende kritische Frage** stellte, die Frage nach der **Geschichtlichkeit** aller Wirklichkeit: War es wirklich immer so? Wie sind denn die riesigen Dogmengebäude der Scholastiker und die Gesetzesgebäude der Halachisten entstanden, und wie haben sie sich entwickelt? Und noch grundsätzlicher: Wie hat sich schon die Heilige Schrift selbst, auf die sie sich berufen, entwickelt: die schriftliche Offenbarung (die Tora, das Neue Testament) und dann ja gleichgeordnet die mündliche Ordnung (der Talmud, die kirchliche Tradition)?

Man kann die Augen nicht mehr davor verschließen: Die moderne Forschung hat schließlich und endlich doch die meisten jüdischen

Gesetzeslehrer wie christlichen Dogmatiker überzeugen können, daß auch die Schrift, der Pentateuch ebenso wie die Evangelien, eine **Geschichte** haben. Das heißt: Auch sie, aus verschiedenen Quellen zusammengewachsen, wurden von **Menschen redigiert** und eben **nicht von Gott direkt mitgeteilt**, ja womöglich gar wörtlich diktiert. Im Klartext: Die Tora wie die Evangelien sind also qualifiziert **Menschenwort**, die freilich in menschlicher Weise von **Gottes Offenbarung Zeugnis** ablegen wollen, und sind so **indirekt Gottes Wort**. Ihnen aber darf ebensowenig Unfehlbarkeit zugeschrieben werden wie der ihr folgenden rabbinischen oder kirchlichen Tradition, all den einzelnen Dogmen und Mizwot. Unfehlbar ist Gott allein, der nicht irren, trügen oder betrogen werden kann. Erfreulicherweise leugnen heute selbst relativ traditionelle jüdische und christliche Gelehrte nicht mehr, daß der Pentateuch zumindest teilweise ein nachmosaisches Buch ist und daß darin – wie immer man dies im einzelnen erklärt – verschiedene Quellen (gerade auch bezüglich des gesetzlichen Materials) verwendet worden sind. Damit ist aber jener Auffassung der Boden entzogen, derzufolge alle Gesetze und Anordnungen ewig bindend wären und überhaupt nicht geändert werden dürften. Was nun?

4. Auswege: uminterpretieren oder schlicht ignorieren

Was also tun mit den all den umstrittenen Dogmen oder Geboten? Der Ausweg war für nicht wenige jüdische Halachisten ebenso wie für christliche Scholastiker die **Uminterpretation**. In der Tat: Bis in die allerneueste Zeit hinein haben es Halachisten und Scholastiker aller Couleur trefflich verstanden, aus Gründen formaler Orthodoxie Dogmen oder Mizwot in ihrem buchstäblichen Wortlaut beizubehalten, deren Inhalt jedoch so lange zu interpretieren, bis schließlich das Gewünschte herauskam. Diese hohe formale Dialektik der Juristen und Theologen verdient Bewunderung, jegliche Vergewaltigung des Textes aber fordert Widerspruch heraus.

Denn: Die Beibehaltung der alten Formel bei gleichzeitiger Distanzierung von ihrem Inhalt entleert sie ihres ursprünglichen Sinnes und verkehrt sie in ihr Gegenteil[14]. Das erweckt den Eindruck intellektueller Unredlichkeit. Beispiele: Seit dem Konzil von Florenz 1442 gibt es im römischen Katholizismus die »unfehlbare« Lehrformel: »Außerhalb der Kirche kein Heil«: eine klare Ausgrenzung und Verwerfung derjenigen, die sich – ob als Juden, Heiden, Häretiker oder Schismatiker – vor ihrem Tod nicht zur römisch-katholischen Kirche bekennen[15]. Seit dem Zweiten Vatikanischen Konzil aber hält dieselbe Kirche für wahr, daß Andersgläubige und sogar Nichtgläubige guten Gewissens mit Gottes Gnade das ewige Heil erlangen können[16]. Ein klarer Widerspruch zwischen Florenz und Vatikanum II, wie man sieht, der das offizielle Lehramt der katholischen Kirche aber bis heute nicht veranlaßt hat, die alte Formel aufzugeben.

Ähnlich das Gesetzesgebot im rabbinischen Judentum: Es ist zwar verboten, am Sabbat etwas von einem umschlossenen privaten Bezirk in einen öffentlichen Bezirk hinauszutragen oder in einem öffentlichen Bezirk mehr als vier Ellen (etwa zwei Meter) weit zu tragen[17]. Zugleich aber hilft man sich durch ein Sabbat-Eruw (= »Verbindung«, »Vermischung«,)[18], erklärt mehrere Häuser, mehrere Dörfer oder gar eine ganze Stadt durch eine juristische Konstruktion zum umschlossenen Bezirk und kann dann munter seinen Geschäften nachgehen (ähnlich die »Verbindung« zweier Tage, um für den Sabbat kochen und das Licht anzünden zu dürfen) …

Aber nicht immer braucht es solche Uminterpretationen: Da gibt es nun im jüdischen wie im christlichen Bereich eklatante Fälle, wo das Gesetz theoretisch zwar noch aufrechterhalten, in der Praxis aber schlicht unbeachtet bleibt. Der Ausweg besteht in der stillschweigenden **Ignorierung.** Das trifft erstaunlicherweise in beiden Bereichen auf die prekäre Frage der **Empfängnisverhütung** zu. Sie ist im orthodoxen Judentum ebenso wie im römischen Katholizismus offiziell untersagt, während sie im Reformjudentum ebenso wie im anglikanischen und protestantischen Christentum als moralisch erlaubt gilt. Freilich: Wie im römischen Katholizismus, so lehnt auch im orthodoxen Judentum die weit überwiegende Mehrheit der Gläubigen die offizielle Lehre in der privaten Praxis ab. In Nordamerika haben nicht nur die orthodoxen jüdischen Familien, sondern auch die orthodoxen Rabbiner auffällig wenig Kinder – und dies wohl nicht nur deshalb, weil sie »enthaltsamer« als andere leben! Und daß sich im Katholizismus die Enzyklika Pauls VI. »Humanae Vitae« (1968) nicht durchsetzen konnte, ist ebenfalls kein Geheimnis (über 90 % der nordamerikanischen Katholiken unter 30 lehnen heute die offizielle Lehre ab).

Nun spielen sich die Konflikte um Empfängnisverhütung und Familienplanung allerdings im allerpersönlichsten Bereich der Menschen ab, wo selbst die Disziplinargewalt des Jerusalemer Oberrabbinats und der römischen Päpste nicht hinreichen. Aber es gibt andere, juristisch greifbarere Fälle: in beiden Bereichen etwa die Probleme der Eheschließung und der Ehescheidung. Das orthodoxe Judentum erkennt bis heute eine zivilrechtliche Regelung in Sachen Ehe nicht an, und auch der orthodoxe Katholizismus hat hier jahrhundertelang Lösungen blockiert. So mußte etwa in Italien der Papst (Paul VI.) erst durch eine Volksabstimmung gezwungen werden, eine staatliche Ehescheidungsgesetzgebung zu akzeptieren. Im Staate Israel aber, wo eine Zivilehe nach wie vor nicht erlaubt ist, steht das Judentum noch vor einem ganz anderen Problem, das kaum lösbar erscheint.

5. Ein auswegloser Konflikt? Der Fall eines Mamser

Der einzige Fall, wo im jüdischen Gesetz (gegen einen Ausspruch des Propheten Ezechiel) die Kinder für die Sünden der Eltern büßen müssen, ist der heute mehr denn je diskutierte Fall eines **Mamser** (Plural: Mamserim), etymologisch abzuleiten von »Schandflecken«, jetzt meist mit »Bastard« (Luther: »Hurensohn«) übersetzt[19]. Was ist ein Mamser? Nicht etwa jedes illegitime Kind, wohl aber alle im Inzest oder Ehebruch gezeugten jüdischen Kinder. In der Bibel werden sie nur zweimal erwähnt[20]. Im katholischen Kirchenrecht werden sie heute nicht mehr diskriminiert. Im rabbinischen Recht aber sind sie von vornherein bestraft, und zwar dadurch, daß ihnen und ihren Nachkommen (!) die Ehefähigkeit auf Lebenszeit abgesprochen wird – angeblich um die Reinheit der Familie und der Ehe zu sichern. Nach Deut 23,2 nämlich darf ein Mamser und selbst das zehnte Geschlecht nach ihm (also faktisch ohne zeitliche Beschränkung) nicht in die Gemeinde des Ewigen kommen, das heißt eine Ehe mit einem Juden oder einer Jüdin eingehen! Nur mit einem anderen Mamser (oder einer weiblichen Proselytin) ist die Ehe erlaubt, und auch die Kinder eines Mamser sind und bleiben Mamserim und dürfen nur untereinander heiraten. Bis? Bis der Messias kommt und die Mamserim von ihrer Unreinheit befreit …

Keine Frage: Hier büßen in erschreckender Weise die Kinder für die Sünden ihrer Eltern, und dies bis auf den heutigen Tag: Wie an manch anderen Orten, so werden (Zeitungsmeldungen zufolge) auch im Jerusalemer Oberrabbinat Register mit Hunderten von Mamserim geführt, denen ja allesamt eine Ehe mit Juden verboten ist. Und da es im Staat Israel keine Zivilehe gibt, so ist es für die Mamserim äußerst schwierig, überhaupt eine legale Ehe einzugehen. Manche in Israel sehen freilich die Gefahr, daß es wegen der Ehegesetzgebung zu einem Schisma und wegen der ständigen Weiterverbreitung des »Schandfleckens« zu einer eigenen Kaste von nicht heiratsfähigen »Unehrbaren« kommt. Dies ist wohl auch der Grund, weswegen in den USA auch orthodoxe Rabbiner im Fall des Verdachts darauf verzichten, allzu genaue Nachforschungen anzustellen, und manchmal lieber zu einem Ortswechsel raten.

Man kann verstehen, daß viele Juden ein solches Gesetz als ungerecht, ja geradezu als unmoralisch ansehen und dringend nach einer Gesetzesänderung verlangen. Früher empfohlene und praktizierte Auswege (Mischehe mit einem Nichtjuden) gelten nach der Katastrophe des Holocaust zunehmend als problematisch, kann doch das Judentum sich heute weniger denn je Verluste von Menschen leisten[21]. Zur Veränderung des Gesetzes wird nicht selten eine berühmte Stelle der Mischna in Anschlag gebracht: Zum Psalmwort »Es ist Zeit, für den Herrn zu handeln, denn sie haben Dein Gesetz verletzt« die »Interpretation« von Rabbi Nathan: »Verletze das Gesetz, weil (›mischum‹) es Zeit ist, für den Herrn zu handeln.«[22] Aber, werfen andere ein, soll **Gottes** Gebot etwa diskriminierend und unethisch sein? Was für eine Ungeheuerlichkeit!

Verschiedenste Versuche der Interpretation sind im Laufe der Jahrhunderte von Halachisten vorgeschlagen worden. Und neuestens sind auch die zeitgenössischen Lösungsversuche der orthodoxen Rabbiner noch einmal untersucht worden, von dem uns bereits bekannten Londoner Rabbi Louis Jacobs in seinem Buch »Ein Baum des Lebens«, in welchem er die »Verschiedenheit, Flexibilität und Kreativität im jüdischen Gesetz« mit viel Gelehrsamkeit untersucht und dem Problem des Mamser einen eigenen Appendix widmet[23]. Doch: Der Konflikt zwischen Gesetz und Ethik erscheint aussichtslos – wenn es nicht zu einer Änderung kommt: »Wo die Halacha, wie sie zur Zeit praktiziert wird, zu einer Art von Ungerechtigkeit führt, welche vernünftige Per-

sonen als schädlich für das Judentum selbst ansehen, da ist ein frei-
mütiges Eingeständnis erfordert, daß hier Änderungen im Gesetz notwendig sind«, fordert Jacobs[24]. Oder ist dies etwa nur ein rein privates
Problem?

Keineswegs. Ein im Staat Israel auch öffentlich noch in den 80er
Jahren leidenschaftlich diskutierter Fall stellt der der Familie **Langer**
dar. Es ging um zwei Kinder aus einer israelischen Ehe, bei der die
Mutter der Kinder deshalb zum zweitenmal geheiratet hatte, weil ihr
erster Ehemann für tot galt; er war angeblich durch die Nazis umgebracht worden. Diese Annahme aber erwies sich als falsch, denn der
erste Mann kehrte zurück. Da die erste Ehe also nicht legal aufgelöst
und die zweite deshalb als ungültig und ehebrecherisch anzusehen
war, galten die Kinder, Bruder und Schwester, aus der zweiten Ehe
der Frau über Nacht als Mamserim: eheunfähig also bis ins zehnte
Glied. Als diese sich beim Rabbinat zur Eheschließung anmeldeten,
wurden sie denn auch prompt zurückgewiesen. In der öffentlichen
Aufregung um diese Entscheidung forderten jedoch auch orthodoxe
Juden das Rabbinat auf, von der Interpretationsvollmacht Gebrauch
zu machen, um einen juristischen Ausweg zu finden. Der Aschkenasi
Oberrabbiner Schlomo Goren annullierte schließlich die erste Ehe
aus irgendwelchen technischen Gründen, erklärte die zweite für gültig
und traute die Langer-Kinder persönlich.

Und doch: Der scharfe Protest extremer Traditionalisten in Israel
und Amerika dagegen wurde aufrechterhalten. Sogar dem Oberrabbiner selber wurde die Autorität bestritten, weil er, offensichtlich auf
Einspruch der Ungläubigen und Nichtpraktizierenden, eine der
strengsten und eindeutigsten Bestimmungen der Halacha einem fau-
len Kompromiß geopfert habe. Denn nicht der gute Wille der Mutter
habe hier zu entscheiden, auch nicht die Bürgerrechte der Kinder,
sondern – dies müßte eigentlich für jeden gläubigen Juden klar sein –
ganz allein das eindeutige Gottesgesetz! Die ganz und gar fundamentale Frage taucht hier auf, der sich Juden wie Christen (und Muslime)
stellen sollten: Was will Gottes Gesetz eigentlich? Für wen ist Gottes
Gesetz, sind Gottes Gebote da: für Gott oder für die Menschen?

II. Um Gottes willen?

613 Gebote – davon 365 Verbote – zählt man in der Tora seit talmudischer Zeit. Noch 1987 hat einer der bekanntesten israelischen Gelehrten die traditionelle rabbinische Auffassung bestätigt.

1. Für wen sind die Gebote da? Jeshajahu Leibowitz

Der Professor der Biochemie an der Universität von Jerusalem **Jeshajahu Leibowitz**, der, in Riga geboren, schon 1924 ein Doktorat an der Berliner Universität und zehn Jahr später ein medizinisches Doktorat an der Universität Basel erworben hatte und der seit 1934 in Jerusalem auch noch nach seiner Emeritierung 1970 neben wissenschaftlichen Publikationen immer wieder durch religiöse und aktuell-politische Veröffentlichungen hervorgetreten ist[1], hat es erneut in aller wünschenswerten Deutlichkeit klargemacht: Die **Gebote sind nicht um des Menschen, sondern um Gottes willen da**! Die Gebote (Mizwot) – für den Juden der »Way of life« – sind keineswegs Mittel zum Zweck, sondern Zweck in sich selbst: »In der Tat, die meisten Gebote haben keinen Sinn, außer wenn wir sie auf diese Weise betrachten: als ein Ausdruck des selbstlosen göttlichen Dienstes. Die meisten Gebote haben keinen instrumentellen oder utilitaristischen Wert und können nicht aufgefaßt werden, als ob sie einer Person helfen würden, ihre irdischen oder spirituellen Bedürfnisse zu erfüllen.«[2]

Ja, Leibowitz geht so weit zu sagen: »Wenn Gebote Dienst für Gott und nicht Dienst für den Menschen sind, so haben sie nicht auf die Bedürfnisse des Menschen hin verstanden oder ausgerichtet zu sein. Jeder Grund für die Gebote, der auf menschlichen Bedürfnissen basiert – mögen sie intellektuell, ethisch, sozial oder national sein –, entleert die Gebote aller religiösen Bedeutung.«[3] Wer also die Gebote so gebraucht, der »dient nicht Gott, sondern benützt die Tora Gottes für das menschliche Wohlergehen und als Mittel, menschliche Bedürfnisse zu befriedigen«[4].

Und der **Sabbat**? Ist er nicht gerade um der Ruhe des **Menschen** willen da? Antwort: Um die Ruhe des Menschen kümmere sich der Gewerkschaftssekretär; mit Gottes Gebot hat dies nichts zu tun: »Die

göttliche Gegenwart kam nicht auf den Berg Sinai herab, um diese
Funktion zu erfüllen.«[5] Ja, der Sabbat wäre nach Leibowitz völlig
sinnlos, wenn er eine soziale oder nationale Bedeutung hätte: »Wenn
der Sabbat nicht die Bedeutung der Heiligkeit hat – und Heiligkeit ist
ein Begriff, der völlig frei ist von humanistischer und anthropozentri-
scher Bedeutung – dann hat er überhaupt keine Bedeutung.«[6]

Natürlich weiß auch Leibowitz, daß die meisten Juden einem solch
rigorosen Verständnis der Gebote nicht folgen. Und sie werden sich
auch kaum überzeugen lassen von dem Argument, daß es »keine Freiheit gibt von den Ketten der Natur außer durch die Annahme des
Jochs der Tora und der Gebote, ein Joch, das nicht durch die Natur
auferlegt ist«[7]. Dies aber ist für Leibowitz nun umgekehrt Anlaß – so
etwa in einem langen Gespräch mit Michael Shashar –, davon zu reden, daß die jüdische Religion sich heute in einer »Krise« befinde, die
»vielleicht ihre letzte Krise« sei. Diese Krise habe »hundert Jahre vor
der Gründung des Staates Israel begonnen«[8]. Gemeint ist damit konkret: Das Judentum sei heute mit dem »großen meta-halachischen
Problem« konfrontiert, das dadurch entstanden sei, daß sich ein
Großteil des jüdischen Volkes nicht mehr als »Volk der Tora« betrachte[9]. Das Judentum lebt also größtenteils in einer post-halachi-
schen Situation.
    Leibowitz' Analyse der innerjüdischen Situation ist dabei unerbitt-
lich und scharf: »Halacha, so wie wir sie kennen, akzeptiert keine Realität eines jüdischen Volkes, das nicht das Volk der Tora ist. Aber genau das ist die Wirklichkeit unseres Volkes seit Beginn des 19. Jahrhunderts. Deshalb ist es nicht möglich, irgendein allgemeines, den
Staat betreffendes Problem im Lichte der Halacha zu besprechen
oder, und das brauche ich wohl nicht zu betonen, zu entscheiden.
Kein politisches Problem, kein Problem des Wirtschaftssystems und
kein Problem von Krieg und Frieden kann aufgrund der Halacha diskutiert oder entschieden werden, denn der Ausgangspunkt der Halacha ist das jüdische Volk als das Volk der Tora, über dessen staatliche
und soziale Verhaltensformen die Halacha Anleitungen gibt. Demge-
genüber stellt ein jüdisches Volk, das nicht Volk der Tora ist, in der
halachischen Gedankenwelt die Quadratur des Kreises dar. Die Frage,
wie der Staat Israel in Übereinstimmung mit einer Tora, deren Autorität er nicht anerkennt, zum Beispiel in der Frage der besetzten Ge-

biete handeln soll, ist unverständlich und unsinnig. Womit kann man diese Situation vergleichen? – Mit einem nicht-koscheren Schlachter, der zum Rabbi kommt, um ihn über ein koscheres Messer zum Schweineschlachten zu befragen.«[10]

Und in der Tat – niemand wird ernsthaft bestreiten können, daß dies weitgehend die Situation des heutigen Judentums ist: Viele Juden führen entweder ein völlig säkulares Leben, oder begnügen sich mit einem Kompromiß zwischen Assimilation und ethnischer Affirmation oder aber bemühen sich auf andere Weise positiv um jüdische Identität, indem sie etwa aus dem vielbändigen »Jewish Catalog« einige zu beobachtende jüdische Gesetze und Sitten, das für sie Passende, frei auswählen. Ist doch offenkundig, daß die strenge Auffassung der Gebote mit dem modernen Verständnis von Freiheit in Konflikt steht, so schwierig solch »autonome« Entscheidungen auch zu treffen sind und personale Verantwortung zu tragen ist!

Aber gibt es hier im Sinne von Leibowitz ein Alles oder Nichts? Muß man entweder eine Rückkehr des jüdischen Volkes unter das »Joch der Tora und der Halacha« fordern, oder diesem jüdischen Volk eine pessimistische Zukunftsprognose stellen? Muß man so Judentum schlechthin mit Tora und Halacha identifizieren? Gibt es biblisch und theologisch keinen Mittelweg, wo Gesetz und Freiheit aus genuin jüdischem Erbe heraus vereinbar wäre? Gerade dies ist das Problem, das nicht nur viele Israelis, sondern auch viele amerikanische Juden mit sich herumtragen.

2. Testfall – die Stellung der Frau: Judith Plaskow

Entscheidender Testfall für die Frage eines künftigen Gesetzesverständnisses ist für ungezählte Jüdinnen und Juden heute die Stellung und Rolle der Frau, wie sie in der Halacha geregelt sind. Das fängt damit an, daß eine Ehefrau etwa eine Scheidung ihrer Ehe selber nicht verlangen kann. Das kann allein der Mann. Dieses Gesetz kann unter Umständen unzumutbare Folgen haben. So bleibt eine verheiratete Frau auch dann an ihren Mann gebunden, wenn dieser verschollen ist oder sie verlassen hat. Eine solche Frau heißt hebräisch »Aguna«. Und Frauengruppen und Anwälte schätzen die Zahl dieser »Agunot« in Israel auf 8000 bis 10 000 Frauen.

Auch im öffentlichen Leben Israels sind Frauen hoffnungslos unter-
repräsentiert. Gegenwärtig sind nur sieben der 120 Knessetmitglieder
Frauen, und keine einzige Frau hat ein Minister- oder Vizeminister-
amt inne, obwohl Frauen Wehrdienst abzuleisten haben. Klagen von
Frauen sind zahlreich, nicht zuletzt über die sie benachteiligende Behandlung vor ausschließlich männlichen rabbinischen Gerichten, wo
die orthodoxen Rabbiner Frauen in Not bisweilen zehn oder zwanzig
Jahre warten lassen, bis sie vom Ehemann die Zustimmung zur Scheidung erzwingen. Zweitausend Jahre alte Scheidungsgesetze herrschen
noch immer, die sich für Frauen heute faktisch wie Ketten auswirken[11]. Patriarchat also statt gleicher Würde und Rechte.

Ganz falsch indes wäre es, das »Problem Frau« als ein ausschließlich
jüdisches Problem anzusehen; haben doch alle Weltreligionen mit der
Gleichberechtigung der Frau erhebliche Probleme. Im Christentum
ist es neben den östlich-orthodoxen Kirchen, die immerhin verheiratete Priester (wenn auch nicht Bischöfe) akzeptieren, erneut die römisch-katholische Kirche, die gegen die ursprüngliche Verfaßtheit der
christlichen Gemeinden die Frau in einem inferioren Status hält, wie
sich dies im Verbot der Meßdienerinnen und der Ordination zum
Diakon- und Priesteramt, aber auch der negativen Einstellung zu
Empfängnisverhütung und Ehescheidung zeigt.

Gewiß: In letzter Zeit sind auch in der katholischen Kirche auf Ge-
meindeebene trotz aller offiziellen Blockagen in der Frage der Emanzipation der Frau Fortschritte erzielt worden. Aber dies trifft auch für
das Judentum zu: Anders als vor hundert Jahren erhält nun die Frau
auch in orthodoxen jüdischen Familien eine vollwertige Erziehung
und Ausbildung. Trotzdem fehlt noch vieles zur vollen Gleichberechtigung. Obwohl es schon auf der ersten Seite der Bibel[12] heißt, daß der
Mensch nach Gottes Ebenbild geschaffen wurde, und zwar als Mann
und Frau, dankt der orthodoxe jüdische Mann in seiner Morgenan-
dacht Tag für Tag Gott dafür, daß er nicht als Frau geschaffen wurde.
Eine Stelle, die sich durch keine Apologetik uminterpretieren läßt
und die denn auch in konservativen und reformierten jüdischen Gebetbüchern ausgelassen oder zumindest geändert wurde. Wie im
Christentum, so war auch im Judentum eine zunehmende Einschrän-
kung der aktiven Mitwirkung der Frau beim öffentlichen Gottesdienst zu beobachten. Eine Frau durfte jetzt nicht mehr aus der Tora
vorlesen, und Frauen zählen auch nicht zum erforderlichen Quorum

(»Minjan«) für die Durchführung eines öffentlichen Gottesdienstes, wozu nach orthodoxem Verständnis mindestens zehn Männer notwendig sind. Strikt wird in orthodoxen Synagogen bis heute auf die räumliche Trennung und Männern und Frauen geachtet …

Die Folge waren nicht nur spontane einzelne Protestaktionen jüdischer Frauen vor der »Klagemauer«. Wichtiger und auf die Dauer fruchtbarer ist, daß jüdische Theologinnen selbst begonnen haben, das patriarchale Erbe des Judentums kritisch aufzuarbeiten und eine eigene **jüdisch-feministische Theologie** zu entwerfen. Hauptvertreterin ist die amerikanische Professorin am Manhattan-College in New York, Judith Plaskow, die in ihrem neuesten programmatischen Buch »Standing Again at Sinai« eine Vision des Judentums aus »Feministischer Perspektive« entworfen hat, die sicher für manche konservativere Juden ein Ärgernis bilden dürfte, aber keinesfalls ignoriert werden darf[13]. In Aufnahme christlich-feministischer Hermeneutik[14] durchschaut Judith Plaskow den ganz und gar **patriarchalen Charakter jüdischer Theologie und Geschichte:** »Die zentralen jüdischen Kategorien von Tora, Israel und Gott sind alle aus männlichen Perspektiven heraus gebildet worden. Die Tora ist Offenbarung, wie Männer sie wahrnahmen, die Geschichte Israels wird von ihrem Standpunkt aus erzählt, das Gesetz ihren Bedürfnissen gemäß entfaltet. Israel ist das männliche Kollektiv, die Kinder eines Jakob, der eine Tochter hatte, aber dessen Söhne zu den zwölf Stämmen wurden«.[15]

Die Alternative? Das Projekt jüdisch-feministischer Theologie muß mit einer »Erinnerung« beginnen, denn die jüdische Existenz wurzelte nun einmal im »jüdischen Gedächtnis«: »Sowohl der patriarchale Charakter des Judentums als auch die Mittel für die Umwandlung der Tradition gründen in der jüdischen Vergangenheit. Feministinnen können nicht hoffen, die Marginalisierung der Frauen im Judentum zu verstehen, ohne zu verstehen, woher wir gekommen sind.«[16] Das aber sollten Jüdinnen begreifen lernen: Auch sie waren bei dem Bundesschluß Gottes mit seinem Volk am Berge Sinai präsent! Jüdinnen dürfen sich diese zentrale Grunderfahrung des Judentums nicht nehmen lassen, wie dies schon in der Exoduserzählung passiert zu sein scheint. Denn dort heißt es: »Haltet euch für den dritten Tag bereit! Naht keiner Frau!«[17] Das klingt so (und wurde so verstanden), als habe Mose sich an die Gemeinschaft des Volkes als einer reinen Ge-

meinschaft von Männern gewandt! Waren Frauen damit ausgerechnet im wichtigsten Moment der jüdischen Geschichte unsichtbar[18]? Ja
– so die Frage radikaler jüdischer Feministinnen – haben dann Frau-
en »überhaupt einen Bund gehabt? Sind Frauen Juden?« Judith Plaskow sieht hier eine »Ungerechtigkeit der Tora selbst«: »Natürlich
waren wir am Sinai – wie kommt es dann, daß der Text implizieren
könnte, wir seien nicht dort gewesen?«[19]

Von diesem Selbstbewußtsein her ist es begreiflich, daß Plaskow
Konsequenzen auch für einen Umgang mit der Halacha fordert:
»Die Annahme, daß die Halacha in all ihren Details heilig ist, weil sie
dem Mose durch Gott am Sinai gegeben wurde, wird durch eine feministische ›**Hermeneutik des Verdachts**‹ herausgefordert, welche das
Gesetz als menschliche Schöpfung betrachtet und es kritisch im Licht
der sozialen Ordnung prüft, die es voraussetzt und schafft. Die Halacha mag eine Antwort auf tiefe religiöse Erfahrungen darstellen, aber
das Religionsgesetz selbst ist nicht göttlich; es wurde durch Männer in
einer patriarchalen Kultur formuliert. Die Halacha ist durch und
durch androzentrisch. Sie hat eine patriarchale Ordnung vor Augen
und unterstützt diese. Jene, die das Gesetz begünstigt, mögen es als
gottgegeben sehen, aber die Außenseiterin, die andere, weiß es anders
… Jede Halacha, die Teil eines feministischen Judentums ist, müßte
sehr verschieden aussehen von der Halacha, wie sie gewesen ist. Sie
wäre verschieden nicht nur in ihren Einzelheiten, sondern in ihren
Grundlagen.«[20]

Darauf also zielt diese jüdische feministische Theologie: auf eine
neue Gemeinschaft, die es nicht nötig hat, Frauen aus dem öffentlichen Gottesdienst oder dem Torastudium auszuschließen und sie zu
reduzieren auf einen Platz in einer patriarchal beherrschten Familie:
»Das zentrale Problem einer feministischen Neudefinition von Israel
ist der Ort des Verschiedenseins in der Gemeinschaft. Das Judentum
kann viele Frauen als Rabbinerinnen, Lehrerinnen und Gemeindevor-
steherinnen verkraften; es kann gewisse Gesetze ignorieren oder ändern und rundherum Anpassungen machen; es kann mit den sich er-
gebenden Widersprüchen und Spannungen leben, ohne sein Selbstverständnis grundsätzlich zu ändern. Aber wenn wir Frauen mit unserer eigenen Geschichte, Spiritualität, unseren Einstellungen und Erfahrungen Gleichheit in einer Gemeinschaft fordern, die bereit ist,
sich durch unser Verschiedensein verändern zu lassen, wenn wir ver-

langen, daß unsere Erinnerungen Teil des jüdischen Gedächtnisses werden und unsere Gegenwärtigkeit die Gegenwart verändert, dann stellen wir eine Forderung, die radikal und transformierend ist. Dann beginnen wir mit dem schwierigen Versuch, eine jüdische Gemeinschaft zu schaffen, in welcher Verschiedenheit weder hierarchisiert noch toleriert, sondern wirklich geehrt wird. Dann beginnen wir, für die einzig echte Gleichheit zu kämpfen.«[21]

Das Problem von Gesetz und Freiheit ist hier noch einmal in radikaler Form angesprochen. Doch hofft Judith Plaskow, die im Gegensatz zu anderen Feministinnen die Tora nicht verwirft, sondern mit ihr arbeiten möchte, auf eine Zusammenarbeit »mit dem liberalen Juden«[22]. Gibt es also aus dem jüdischen Erbe heraus Möglichkeiten der Versöhnung von Gesetz und Freiheit? Wir wollen neben Leibowitz und Plaskow eine dritte Stimme hören.

3. Gesetz und Freiheit vereinbar? Eugene B. Borowitz

Der New Yorker Rabbi **Eugene B. Borowitz**, seit 1962 Professor für Erziehung und jüdisches religiöses Denken am Hebrew Union College – Jewish Institute of Religions in New York, ist einer der führenden Sprecher des amerikanischen Reformjudentums, der sich aber durch Verständnis auch für die orthodoxe und die konservative Position auszeichnet. Klarer als andere hat er in historischer und systematischer Hinsicht die Optionen für den heutigen Juden analysiert und bewertet: »Wahlmöglichkeiten im modernen jüdischen Denken«[23]. Dieser »Partisan Guide« ist von erfreulicher Objektivität und Fairneß, spricht sich am Ende allerdings deutlich und zugleich selbstkritisch für Freiheit und Autonomie des Menschen angesichts des Gesetzes aus. Denn Borowitz weiß: Die »Crux des liberalen jüdischen Denkens« ist die »persönliche Autonomie«, die nun einmal »das Basisaxiom der Modernität« darstellt[24]. Wie aber versucht Borowitz jetzt seinerseits, zwischen der Selbstbestimmung des Menschen und dem jüdischen Gesetz zu vermitteln?

Borowitz will ebensowenig wie Plaskow zurück zu jenem Liberalismus des 19. Jahrhunderts, der unkritisch auf menschliche Autonomie und Wissenschaft gesetzt hatte. Im selben großen Werk über zentrale jüdische Begriffe, in welchem Leibowitz über »Gebote« geschrieben hat, behandelt Borowitz den Begriff »Freiheit«[25]. Hier legt er dar: Die menschliche Autonomie kann nicht wie bei Kant und Hermann Cohen einfach von der menschlichen Vernunft, die das Selbst angeblich lenkt, abgeleitet werden. Angesichts der drohenden Gefahr des modernen Individualismus muß die Autonomie vielmehr von der persönlichen Beziehung zu Gott und so vom Bund Gottes mit seinem Volk her verstanden werden: Von daher ist der Jude ein Selbst, welches ein »persönliches Recht hat zu bestimmen, was Gott jetzt verlangt vom Volk Israel und von jedem seiner Glieder«[26].

So ist es denn nicht erstaunlich, daß Eugene Borowitz seine Position ausdrücklich als **postmodern** bezeichnet, insofern er den Fortschrittsoptimismus der Moderne nicht teilt, insofern er der Wissenschaft und der Technologie ein nur beschränktes Vertrauen entgegenbringt und insofern er die eigene jüdische Tradition durchaus nicht aufgeben, allerdings entscheidend verändern will. Auch er kommt auf die genannten Fälle zu sprechen, wo das jüdische Gesetz mit zeitgenössischer Ethik in Konflikt steht. Und er zitiert dabei einen besonders signifikanten Fall, der im Staat Israel leidenschaftlich diskutiert wird und wieder einmal mehr mit dem **Sabbatgebot** zu tun hat: Einem Juden, der einem anläßlich eines Verkehrsunfalls schwer verletzten Nichtjuden helfen wollte, wurde im Hause eines orthodoxen Juden der Gebrauch des Telefons zur Anforderung eines Krankenwagens verweigert. Warum? Weil Sabbat war! Zwar darf das Sabbatgebot, wenn es um Leben und Tod geht, gebrochen werden – aber unter einer Bedingung: daß es sich um einen Juden und nicht um einen Heiden handelt.

Anders gesagt: Auch Borowitz geht wie Leibowitz und Plaskow davon aus: »Die überwiegende Mehrheit moderner Juden versteht sich selbst als wesentlich selbst-gesetzgebend (und dies trotz Parteietikett oder institutioneller Zugehörigkeit).« Auch nach seiner Überzeugung haben wir es heute mit einem »noch nie dagewesenen vollumfänglichen Verlassen des ›halachischen‹ Systems« zu tun, das »wahrscheinlich kaum rückgängig zu machen« ist[27]. Aber anders als Leibowitz und ähnlich wie Plaskow fügt Borowitz sofort hinzu: »Die grundlegende Beziehung, in der der Jude steht, ist der Bund.«[28]

Das dürfte denn in der Tat die Lösungsperspektive der Gesetzesproblematik auch für andere jüdische Theologen und Theologinnen sein:

– Eine vormoderne Bejahung des Toragehorsams ohne Bejahung einer persönlichen Autonomie (wie in der Orthodoxie) dürfte kaum geeignet sein, die schwere innerjüdische Identitätskrise zu überwinden. Ein Zurück zur blinden Unterwerfung unter das Gesetz gibt es nicht mehr. Blinder Gehorsam gegenüber einem religiösen oder staatlichen Gesetz hat im Lauf der Geschichte zu viel Unheil angerichtet, als daß man je die Entscheidung und unter Umständen auch den Widerstand des Gewissens ausschalten dürfte. Gleichzeitig aber gilt:
– Eine moderne Bejahung menschlicher Autonomie ohne Bejahung des jüdischen Erbes dürfte ebenfalls kein Beitrag zur Lösung der Identitätskrise sein: Denn die menschliche Autonomie muß letzten Endes unbegründet bleiben, wenn sie nicht im Glauben an einen Gott verankert ist, der den Menschen nach seinem Bild geschaffen und mit ihm einen Bund geschlossen hat. Deshalb gilt:
– Persönliche Autonomie und Selbstverpflichtung des Menschen auf den Bund Gottes mit seinem Volk müssen zusammengedacht werden. Aus der großen jüdischen Bundestradition kann zwar kein modern-subjektivistisches, wohl aber ein postmodern-personales Verständnis der menschlichen Freiheit abgeleitet werden.

Doch was heißt dies dann für die konkrete Entscheidung? Daß man je nach Situation entscheiden muß? »Oft wird dieser personalistische Zugang zur jüdischen Pflicht zur Anerkennung des bleibenden Wertes der klassischen jüdischen Lehre und so zum schlichten Gehorsam führen«, meint Borowitz. »Aber er mag auch eine Modifikation oder ein Aufgeben der alten Praxis verlangen oder die Schaffung einer neuen Form, die der fortgesetzten Realität der alten Beziehung angemessen ist.«[29] Anders gesagt: Nicht die möglichst buchstäbliche Gesetzesbeobachtung kann länger Ausweis und Maßstab des Judeseins sein, sondern die lebendige, von der Situation mit-bestimmte Antwort auf Gottes Willen. Heutige Verpflichtung auf den Bund Gottes mit seinem Volk kann nicht eine simple Wiederholung des klassischen jüdischen Glaubens sein.

Persönliche Entscheidung und unter Umständen persönlicher Dissens – dies ist denn auch der zentrale Punkt, den Borowitz selbst gegen Louis Jacobs, mit dem er sonst voll übereinstimmt, einwendet: »Die postmoderne Bejahung des Bundes« – nach der modernen Emanzipation – »muß deshalb das Recht des Dissenses aus Gewissensgründen (conscientious dissent) einschließen gegenüber dem, was

jüdische Tradition früher einmal verlangte oder streng urgierte.«[30]
Hier sind wir nun aber am entscheidenden Wendepunkt für ein mög-
liches Gesetzesverständnis der Zukunft und müssen noch einmal in
Erinnerung rufen, was wir im Kapitel über das postmoderne Paradigma bereits angedeutet haben.

4. Grundlegend bleibt der Bund

In der Tat: Vieles wird für das innerjüdische Gespräch, aber auch für
das Gespräch zwischen Juden und Christen davon abhängen, ob über
jenen Satz Konsens hergestellt werden kann: »**Die grundlegende Beziehung, in der der Jude steht, ist der Bund!**«
   Die historische Analyse jedenfalls liefert eine entschiedene Verifikation dieses Satzes. Denn wir sahen es bereits in unserem historischen Teil: Schon mit der Volkwerdung war der **Bund** – die Grund-
realität der Gottesbeziehung, nicht das Wort »berit« – von Bedeutung; bei der Staatenbildung spielte er eine Rolle im Königtum Davids und Salomos; von zentraler Bedeutung war er in den geteilten
Monarchien; den Schock der Eroberung der beiden Reiche und des
Exils überstand er; für die Restauration und den Wiederaufbau wurde
er zum prägenden Grundwort, und selbst nach der römischen Eroberung Jerusalems und der Zerstörung des Zweiten Tempels blieb er
das, was für die über die Welt zerstreuten Juden das Zentrum des religiösen Bewußtseins ausmachte: die in allem Elend der Zerstreuung
bleibende Verbindung mit Gott, dem Herrn selber, die Erwählung
und die daraus sich ergebende Verpflichtung des Volkes auf die Tora.
Fazit: Ob es um das Stämme-Paradigma der vorstaatlichen Zeit (P I)
oder das Reichs-Paradigma der monarchischen Zeit (P II) ging, ob die
Konstellation die der nachexilisch-jüdischen Theokratie (P III) oder
die der rabbinisch-synagogalen Orthodoxie des jüdischen Mittelalters
(P IV) war, das Zentrum des jüdischen Glaubens blieb dasselbe: »Jahwe ist der Gott Israels, und Israel ist sein Volk!«[31]
   Angesichts des modernen Paradigmas (P V), welches außerhalb des
offiziellen Judentums **und** Christentums entstanden war und welches
eine Welt der Wissenschaft und Technologie, der Industrie und Demokratie heraufführte, schien es zunehmend schwieriger, die »Substanz« des Christlichen ebenso wie die des Jüdischen zu bewahren.

Doch haben nicht zuletzt der Holocaust (Tiefpunkt der gottlosen Moderne) und dann die Neugründung des Staates Israel (für das Judentum Beginn einer neuen Epoche) zur Besinnung auf den Bund Gottes mit seinem Volk geführt. Und man fragt sich nun: Wie wird sich jetzt im Paradigma der **Postmoderne** (P VI) dieses »Wesen« des Judentums ausformen?

Die Antwort läßt sich nun gerade aufgrund der geschilderten über 3 000jährigen Entwicklung und der fünf epochalen Paradigmenwechsel im Judentum in aller Klarheit geben: Dem Bund gegenüber ist das **»halachische System« nicht primär, sondern sekundär.** Entscheidende identitätsbildende Kraft kommt durch alle Jahrhunderte nicht der Halacha, sondern dem Bund zu. Was umgekehrt heißt: Wenn heute das halachische System wie nie zuvor von vielen Juden »vollumfänglich verlassen« wird und diese Entwicklung zu einer meta- oder posthalachischen Situation hin kaum rückgängig zu machen ist, dann geht hier nicht notwendigerweise schon etwas wesentlich Jüdisches verloren, bestenfalls eine bestimmte geschichtliche Gestalt.

Denn auch dies ergab unsere historische Analyse: Es handelt sich beim halachischen System um etwas, was sich in dieser Form erst in der nachexilischen Zeit (P III) durchgesetzt und dann in der rabbinisch-synagogalen Epoche (P IV) voll entwickelt hat, als die Synagoge nämlich an die Stelle des Tempels und die Schrift an die Stelle des Altars getreten war, als die Tradition von Mischna und Talmud die gleiche Würde erhielt wie die Tora selbst – was nun alles in der Moderne (P V) deutlich in die Krise geraten ist. Auch Hyperorthodoxe sollten die Brisanz dieser Fragen, die leicht gegen den jüdischen Glauben überhaupt ausschlagen können, nicht unterschätzen. Ob es sich nicht empfiehlt, über solch brisante Fragen in einer Zeit, die ja nicht nur posthalachisch, sondern auch postmodern ist, innerjüdisch wieder neu zu reden – ohne Polemik, Verdächtigungen oder Ausgrenzungen?

5. Welches Gesetzesverständnis in Zukunft? Eine Frage für Juden und Christen

Innerjüdische Zeugen für eine konstruktive theologische Lösung der Gesetzesproblematik gibt es nicht nur in unseren Tagen. Schon in den

zwanziger Jahren dieses Jahrhunderts stimmten die beiden bedeutendsten jüdischen Denker der Zwischenkriegszeit, eben **Martin Buber**
und der Religionsphilosoph, Pädagoge und Bibelübersetzer **Franz Rosenzweig** (1886-1929)[32] gegen alle bestenfalls kulturell orientierten,
politisch liberalen und modern-säkularen Zionisten darin überein:
Grundlage jüdischer Existenz ist der **Bund** des Volkes mit Gott. Im
Mittelpunkt habe die lebendige, persönliche Beziehung zu Gott zu
stehen. Also nicht nur, wie für die jüdischen Liberalen vor dem Ersten
Weltkrieg, die allgemein menschliche Idee eines »ethischen Monotheismus«, aber auch nicht, wie für die mittelalterlich Orthodoxen,
primär die Halacha, das jüdische Religionsgesetz. Nein, das **Gesetz** sei
nur eine **Folge** des Bundes; es sei nicht Ziel, sondern **Mittel**. Nicht
Gott selber – so hörten wir es bereits von Buber – habe alle diese einzelnen Regeln geschaffen, sondern Menschen, die vom Glauben an
Gott ergriffen waren und die Freiheit des Menschen dürfe nicht ver-
sklavt werden.

Doch **Rosenzweig**, der eine Zeit lang wie manche seiner Freunde
und Verwandten sogar an Konversion zum Christentum dachte, sich
aber nach einem langen Jom Kippur-Gottesdienst 1913 definitiv fürs
Judesein entschied, in Frankfurt 1919 das »Freie Jüdische Lehrhaus«
mitbegründete und 1921 sein Hauptwerk »Der Stern der Erlösung«
veröffentlichte[33], sah die Beobachtung des traditionellen jüdischen
Gesetzes über alles Ethos hinaus als verbindlich an. Die Treue zum
Gesetz als der geheiligten Lebensform des einen Volkes Israel war ihm
wichtig. Mit dem wichtigen Zugeständnis freilich an den modernen
Menschen und seine Autonomie: soweit der Mensch dazu fähig sei!
Keine Scheidung, wohl aber eine Unterscheidung von Juden und
Nichtjuden wollte er[34].

Anders **Buber**[35]. Er dachte nicht daran, das Gesetz von damals für
den jüdischen Menschen von heute generell zur Pflicht zu machen.
Für ihn ist Gottes Offenbarung nicht Gesetzgebung. Kein von Menschen gemachtes Gesetz solle zwischen dem Ich des Menschen und
dem ewigen Du Gottes stehen; das ewige Du allein befiehlt oder verbietet. Diese oder jene Vorschriften des Gesetzes mögen eingeschlossen sein, im Prinzip aber soll nicht das traditionelle Gesetz, sondern
der Wille Gottes die oberste mich ganz persönlich verpflichtende
Norm sein. Insofern gilt das Gesetz für Juden nicht, wie Rosenzweig
wollte, universal, sondern personal.

Bubers frühere Vorträge, in den »Reden über das Judentum« gesammelt herausgegeben, waren im Verein Bar Kochba in Prag gehalten worden. Einer der Zuhörer: Franz Kafka, der in seinem Roman »Der Prozeß« von einem Kaplan der Hauptperson Kafkas eine rätselhafte Parabel unter dem Titel »Vor dem Gesetz« erzählen läßt. Doch wie immer diese innerjüdische Debatte weitergeführt wird, auch der Christ dürfte hier zur Stellungnahme herausgefordert sein. Nicht, um die jüdischen Gesprächspartner gegeneinander auszuspielen, auch nicht um als Besserwisser eine »Lösung aller Probleme« aufzudrängen, sondern weil der Christ von den Ursprüngen seines Glaubens zutiefst von der Problematik des Gesetzes betroffen ist. Waren doch die ersten Christen Juden, die sich noch an das mosaische Gesetz gebunden fühlten. War doch der Jude Jesus von Nazaret keineswegs gekommen, um das Gesetz aufzulösen und abzuschaffen. Hat doch gerade er den Willen Gottes zu Grund und Norm der Gesetzerfüllung gemacht.

Es dürfte deshalb der jüdisch-christlichen Verständigung helfen, wenn man die beiden durch Buber und Rosenzweig repräsentierten innerjüdischen Grundpositionen mit den ursprünglichen christlichen Optionen vergleicht. Dann drängt sich nämlich eine doppelte erstaunliche Parallele auf:

– **Rosenzweigs** positive Einstellung zum jüdischen Gesetz scheint weithin der Einstellung derjenigen **Juden** zu entsprechen, die damals Jesus nachfolgten, die jedoch im Prinzip, wenngleich mit sehr spezifischer Konzentration und eventuell auch Kritik (besonders die hellenistischen Juden), weiterhin nach dem jüdischen Gesetz leben wollten und den Sabbat sowie die anderen Gebote beobachteten.

– **Bubers** ablehnendes Verhältnis zum jüdischen Gesetz aber scheint der Einstellung der **Heiden**, die Jesus nachfolgten, sehr nahe zu kommen, die eine Beobachtung des traditionellen Gesetzes über die ethischen Gebote hinaus ablehnten und sich primär an das halten wollten, was Gott von ihnen getan haben will, an Gottes Willen.

Wichtig ist bei all dem: Juden wie Heiden, die Jesus nachfolgten, konnten sich damals **beide** für ihre Auffassung in je verschiedener Situation auf Jesus von Nazaret und dessen Einstellung zum Gesetz berufen. »Er war unter dem Gesetz«, so konnten Juden-Christen sagen. Doch der Judenchrist Paulus hatte in seinem Brief nach Galatien zugunsten der Heiden-Christen hinzugefügt: »um die unter dem Gesetz zu erlösen«[36]. Bevor wir diesen Gedanken weiterverfolgen, dürfte

es angebracht sein, das möglicherweise Gemeinsame zwischen Juden
und Christen festzuhalten. Denn sollte nicht auch zwischen ihnen,
die sich doch beide, wenn auch in verschieder Weise, auf den Bund
Gottes mit Noach und mit Abraham und dessen Nachkommen berufen, ein Basiskonsens möglich sein bezüglich Ethos und Gesetz?

Fragen an Juden und Christen

Juden und Christen stimmen überein: Dem Menschen als dem einzigartigen, nach Gottes Bild geschaffenen Bundespartner Gottes
sind keine anarchische Autonomie und kein individualistischer Libertinismus gestattet: **Gottes ethische Gebote,** der Dekalog
mit all seinen Implikationen, **verpflichten auch den Mensch
von heute.** Doch Frage:

† Kann nicht auch der Christ anerkennen, daß der jüdische
Mensch über ein allgemeines menschliches Ethos hinaus in
der Gemeinschaft seines Volkes verwurzelt sein will: in der **jüdischen Tradition**, die vielleicht auch wieder einmal zu einem in
Grundzügen gemeinsamen jüdischen Lebensstil führen wird? Ein
gemeinsamer jüdischer »Way of Life« an Fest- und Werktagen – in
bestimmten Formen, Riten und Bräuchen in Familie, Gottesdienst
und allgemeiner Lebensführung?

Dem Menschen als Bundespartner Gottes sind aber gerade deshalb auch keine fromme Servilität und kein blinder Gesetzesgehorsam zuzumuten: **Gottes ethische Gebote** sind **nicht einfach identisch mit dem halachischen System**, wie es sich
im Verlauf einer langen Geschichte herausgebildet und dann wieder in vielem überlebt hat. Deshalb Frage:

Kann nicht auch der jüdische Mensch nur insoweit auf ein
gesetzliches System verpflichtet werden, als er sich Gesetze
in persönlicher Verantwortung zu eigen machen kann? Müßte nicht
jeder Jude Verständnis dafür haben, daß andere die aus der Tora
fließende Verpflichtung anders verstehen und daß der Christ bei
allem Respekt vor dem besonderen Weg des jüdischen Volkes
immer wieder auf den **universalen Horizont** auch schon der
Hebräischen Bibel aufmerksam machen wird?

Gerade weil ich in dieser Sache als leidgewohnter Christ die innerjüdischen traditionellen Probleme mit dem Gesetz gut verstehen kann,
frage ich mich angesichts all der Streitigkeiten: Was hätte wohl jener
andere Jude vor 2000 Jahren zu all dem gesagt, der Meister aus Nazaret? Wenn heute im Judentum ein »conscientious dissent« möglich
sein soll, könnte es da nicht helfen, sich in dieser Frage auf den »großen Dissenter« von damals zu besinnen, dessen ursprüngliche Stimme
im Judentum vielleicht doch – in Judentum und Christentum – noch
allzuwenig gehört wird?

III. Um des Menschen willen

1. Was ist die oberste Norm?

Wir haben in unserem langen Abschnitt über die Frage »Wie Jesus heute zu sehen ist«[1] alles Nötige zur Einstellung Jesu zum Pharisäismus, insbesondere zum Gesetz gesagt. Es sei hier nur grundsätzlich in Erinnerung gerufen: Jener große Dissenter aus Nazaret war damals gerade nicht angetreten, um das Gesetz Gottes grundsätzlich zu verwerfen, sondern es zu »erfüllen«. Insofern beriefen sich **Juden**, die ihm damals nachfolgten und doch weiterhin zum mindesten im Prinzip am jüdischen Gesetz festhalten wollten, durchaus zu Recht auf ihren Meister. Als Jude unter Juden hatte Jesus selber durchaus gesetzestreu gelebt; er war kein Antinomist. Und doch: Daß vom Zeremonialgesetz kein Jota oder Häkchen vergehen werde, ehe Himmel und Erde vergehen, dieses konservative Mattäus-Wort[2] ist nach Auffassung der meisten heutigen Exegeten gerade kein authentisches Jesuswort, sondern eine Bildung des am Gesetz festhaltenden Judenchristentums – gegen die dem Zeremonialgesetz gegenüber kritische jüdisch-hellenistische oder eben die das Zeremonialgesetz ablehnende heidenchristliche Gemeinde. Bemerkenswert schon der mattäische Nachsatz, der als Auslegungsprinzip der Bergpredigt genauso ernst zu nehmen ist: daß der Jünger Jesu »Gerechtigkeit weit größer als die der Schriftgelehrten und Pharisäer«[3] zu sein habe[4]. Schon dies macht noch einmal deutlich: Jesus war gewiß kein Antinomist, aber ein gesetzesfrommer Pharisäer war er offenbar erst recht nicht. Was wollte er?

Auch dies sei in Erinnerung gerufen: Eine einzige große Konzentration vor allem in der Praxis wollte Jesus vollziehen: Höchste Norm sollte die **Liebe** sein, und genau dies ist es, was in der Apostelgeschichte von der Urgemeinde selbst – in freilich idealisiert-verklärender Form – berichtet wird. Jesus selber hatte ja jenen Gesetzeslehrer ausdrücklich gelobt, der ihn nach dem höchsten Gebot gefragt hatte und der »verständig« mit Gottes- und Nächstenliebe, »die weit mehr sind als alle Brandopfer und alle Opfer«, geantwortet hatte. Jesu Reaktion: »Du bist nicht fern vom Reich Gottes.«[5]

Es läßt sich nicht übersehen, daß Jesus sogar in der Spiegelung des judenchristlichen Mattäusevangeliums sein ureigenes Profil behalten

hat, und in den sogenannten sechs Antithesen oder »Superthesen« –
zum Schutz von Ehe und Familie, für Wahrhaftigkeit, Gewaltlosigkeit und Feindesliebe – sich sehr entschieden gegen bestimmte, für
damals bezeugte Gesetzesauslegungen wendet: was Ehebruch und
Wiedervergebung betrifft im rabbinischen, was den Feindeshaß betrifft im qumranischen Judentum. Im Hinblick auf das kommende
Reich wird eine grundlegende Veränderung des Menschen erwartet,
die nicht nur das kontrollierbare Äußere, sondern das **unkontrollier-
bare Innere**, des Menschen **Herz** umfaßt:
– statt Zürnen und Morden Versöhnung,
– statt Ehebrechen Selbstüberwindung,
– statt Ehescheidung Treue,
– statt Rache und Vergeltung Gewaltverzicht,
– statt Feindeshaß Feindesliebe[6].
   Nein, der Meister aus Nazaret hatte grundsätzlich weder etwas gegen das Gesetz noch gegen Gesetzeslehrer. Und doch hatte sich hier
jener kleine Unterschied gezeigt, der zunächst unwichtig erscheinen
mochte, der aber, in einer entscheidend anderen Situation, das Gesetz
zu sprengen in der Lage war: zu sprengen, um etwas »Größeres« zu
zeigen, die andere, die »bessere Gerechtigkeit«! Der Rabbi von Nazaret hat das Halten der Gebote nicht verworfen. Aber indem er sie alle
in großer Kühnheit unter das Hauptgebot der Liebe zu Gott und den
Menschen stellte[7], hat er die Einzelgebote doch anders als in der Tora
entscheidend relativiert: **relativiert zugunsten des Menschen.**

Und gerade darauf konnten sich die **Heiden** berufen, die später Jesus
nachfolgten und die, in einer völlig anderen, hellenistischen Welt außerhalb Palästinas lebend, nun radikale Konsequenzen ziehen sollten
– wie es Paulus getan hatte mit dem Blick auf den von Gesetzes wegen
Gekreuzigten. Denn auch dies war ja eine Tatsache: Jesus hatte seine
Anhänger weder auf die alte rabbinische Gesetzesordnung verpflichtet, noch hatte er ihnen eine neue eigene Halacha gegeben, die alle
Lebensbereiche bis ins kleinste Detail regelt. Er hatte stattdessen mit
einfachen, befreienden Appellen und Parabeln und zugleich provozierend mit heilenden Taten den Einzelnen zum Gehorsam gegenüber Gott und zur Liebe des Nächsten aufgerufen. Zu einem Gehorsam gegen Gottes Willen, der gewiß das ganze Leben umfassen sollte,
der jedoch ganz auf das Wohl des Menschen, des Nächsten, zielte.

Nirgendwo wird dies deutlicher als bei dem Gebot, das, wie wir sahen, das zentrale der jüdischen Frömmigkeit geworden war: das
Sabbatgebot. Auch nach jüdischem Verständnis kann bei akuter Lebensgefahr dem Menschen selbst am Sabbat geholfen werden; dies hat
zumindest Rabbi Schimeon ben Menasja 180 nach Christus mit dem
möglicherweise älteren Satz begründet: »Euch ist der Sabbat übergeben worden, und nicht ihr seid dem Sabbat übergeben worden.«[8]
Doch Jesus ist grundsätzlicher. Keine buchstabengerechte Befolgung
der Sabbat-Tora fordert er, sondern eine umfassende Liebe zum
Nächsten, hinter der auch das hochheilige Sabbatgebot zurückzutreten hat: Denn nicht nur bei Lebensgefahr oder im Fall des Angriffs,
Überfalls oder Kriegs, nicht nur wenn es um Juden geht, sondern
überall und **immer** ist der **Sabbat um des Menschen willen** und nicht
der Mensch um des Sabbat willen da[9]. Es wird also dem – durchaus
gültig bleibenden – Sabbatgebot bewußt »eine neue Richtung« gegeben: »Der Mensch darf nicht dem Sabbat ausgeliefert und zu dessen
Sklave gemacht werden« (J. Gnilka)[10]. Ein Unterlassen des Guten
wird deshalb gleichgesetzt mit dem Tun des Bösen[11]. Oder wie es Jesus selber dann bei Mattäus ganz ausdrücklich sagt: »Darum ist es erlaubt, am Sabbat Gutes zu tun!«[12]

Der Sabbat, ja, auch alle die weniger wichtigen **Gebote** sind **um des
Menschen willen da.** Die Liebe umfaßt sie alle, und diese soll geschehen ohne viel große Worte (Jesus selber hatte das Wort Liebe
kaum gebraucht), sondern ganz praktisch – gegenüber dem Nächst-
besten, der mich gerade braucht, auch wenn er ein nichtjüdischer
Samaritaner (oder Araber) sein sollte[13]. Und was bedeutet dies mit all
seinen Implikationen für heute? Was – so könnte man ja hypothetisch
fragen –, was würde wohl der Rabbi von damals einem orthodoxen
Rabbi von heute sagen?

2. Der Rabbi von damals und der Rabbi von heute

Der Rabbi von damals würde einen Rabbi von heute vermutlich fragen: Du sprichst gut vom lebendigen Bund als der Grundlage des Gesetzes. Doch welche Bedeutung gibst du letztlich dem Gesetz, ja, der
Gesetzlichkeit? Sind Tora und Halacha, das geschriebene und das
mündliche Gesetz, beide gleichermaßen geoffenbart? Sind deshalb

beide unveränderlich, infallibel und irreformabel, unfehlbar und un-
verbesserlich? Ist also alles in Schrift und Tradition bis zum letzten
Wort von den Menschen zu erfüllen – unter Berufung auf Gott und
die Sinai-Offenbarung? Sind diese Gebote wirklich direkt von Gott
diktiertes oder sind sie von den Menschen bezeugtes und formuliertes
Gottesrecht? Und all die liturgischen, ethischen, diätischen Vorschriften sind doch wohl nicht von gleicher Dignität? Man unterscheidet
doch auch unter Rabbinern zwischen Hauptgeboten und Nebenge-
boten. Gibt es also nicht doch eine Skala von Werten, eine »Hierarchie der Wahrheiten«, eine Konzentration auf das Wesentliche, eine
Mitte des Gesetzes? Es ist ja doch nicht alles gleichwertig Wille Gottes? War es ursprünglich **so** in Gottes Plan mit den Menschen? So ungefähr würde der Rabbi von damals zum Rabbi von heute reden.

Und der Rabbi von heute würde dem Rabbi von damals vermutlich
antworten: Zumindest diejenigen unter uns, die nicht hyperorthodox
sind, relativieren heute vielfach die einzelnen Gebote: etwa das Sabbatgebot, um einen Menschen zu retten; oder das Fasten an Jom Kippur, wenn die Gesundheit des Menschen gefährdet ist. Stellt der Talmud doch ausdrücklich fest, daß gewisse Verbote der Tora ignoriert
werden dürfen – im Interesse der »Würde der Geschöpfe«. In unserer
Gesetzesüberlieferung soll ja jegliches Einzelgebot nur ein Weg sein,
um den Bund zu bestätigen, Gottes Namen heilig zu halten und für
Gott Zeugnis abzulegen. Und es gibt nun einmal Situationen im Leben, wo allein das Verständnis der Liebe Gottes in uns und unsere
Verpflichtung gegenüber den anderen über die Erfüllung des Einzel-
gebotes entscheiden können.

Ich könnte mir denken, daß der Rabbi von damals dem Rabbi von
heute ebenfalls antwortet: »Du bist nicht fern vom Reich Gottes.«[14]
Doch zugleich wird er ihn ermutigen weiterzugehen. Denn was heißt
da Liebe? Meint sie nicht die Fähigkeit, das **Gesetz Gottes**, das doch
um der Menschen da ist, um der Menschen willen auch zu **relativieren** und zu **transzendieren**? Meint sie nicht jene ansteckende Freiheit,
die schon der Rabbi damals über die herrschenden gesetzlichen Gesetzesauslegungen hinaus verkündigt und praktiziert hat? Meint sie
nicht eine Grundhaltung, die für jedes religiöse System oder jeden religiösen Apparat gefährlich sein muß, so wie der Nazarener allen jenen
zuletzt ein Störenfried war, die Gott mit dem Gesetz unter dem Arm
durchsetzen und verwalten wollten?

Nein, auch der Rabbi von heute sollte es nicht übersehen: Der Nazarener wollte damals nicht einfach neuen Wein in alte Schläuche gie-
ßen. Hätte er das getan, hätte er kaum Anstoß erregt. Hätte er, an sich
durchaus in prophetischer Tradition, nur – wie die Propheten unter
Anerkennung der Autorität Moses – zurückgerufen zur wahren Beobachtung des Gesetzes, hätte er nur wie auch die Rabbinen seiner Zeit
gefordert, aufrichtigen Gottesdienst zu üben, die Freude am Gebot zu
pflegen, den einzelnen Kasus zu analysieren und in der gegebenen
Situation dem einen Gebot zugunsten des anderen den Vorzug zu geben: wäre es dann zu jenem Konflikt gekommen?

Kaum. Denn der Nazarener hatte die Liebe, die schon die Tora
selbst gegenüber den »Fremden«[15] fordert, bis in die äußersten Konsequenzen verwirklicht: bis hin zum Vergeben ohne Grenzen, zum Dienen unbekümmert um Rangordnung, zum Verzichten auf Rechte,
Macht und Gewalt ohne Gegenleistung. In dieser Gesinnung, welche
die Zehn Gebote in Liebe zum »Nächsten« im positiven Sinn »aufhebt«, hat er sich auch praktisch zum Ärger des jüdischen Establishments, wo notwendig, über die herrschende Lehre, die Lehre der
Herrschenden, die Tradition, die mündliche Überlieferung der Väter,
die »Halacha«, hinweggesetzt.

So fragte man sich denn damals und fragt sich heute: Ist dieser
Rabbi nicht eigentlich zu liberal, zu human? Macht er so nicht den
Menschen zum Maßstab der Gebote Gottes, wenn er verkündet, der
Sabbat sei um des Menschen willen und nicht der Mensch um des
Sabbats willen da? Und forciert er in seinem ganzen Verhalten nicht
eine Menschenliebe, Nächstenliebe und Feindesliebe, welche die natürlichen Gesetze zwischen Fremden und Nichtfremden, Juden und
Samaritern / Arabern nicht mehr wahrhaben will? Relativiert er so
schließlich nicht die Bedeutung von Volk und Abstammung, ja, von
Gesetz und Moral? Besonders wenn er sich so oft provozierend gegen
die Gesetzestreuen auf die Seite der Gesetzesbrecher stellt und ihnen
im einzelnen sogar statt Bestrafung Vergebung zugesagt haben soll? Ist
es also ein Zufall, daß sich der Konflikt mit den Hütern des Gesetzes
und des Tempels tödlich zuspitzte, daß gerade dieser eine Jude und
nicht irgendein anderer Rabbiner dieses Geschick erlebt und Geschichte gemacht hat: daß er nicht nur eine Schule gesammelt, sondern ein Evangelium verkündigt, eine Gemeinde gesammelt, ja,
durch seine Verkündigung, sein Verhalten und sein Geschick eine

welthistorische Bewegung ausgelöst und so den Lauf der Welt und die Stellung des Judentums grundlegend verändert hat?

Eine **Grundfrage** religiösen Selbstverständnisses ist damit gestellt, die heute **an alle Vertreter einer religiösen Gesetzlichkeit** gerichtet werden muß – die Gretchenfrage wahrhaftig nicht nur für die jüdischen Orthodoxen, sondern auch für islamische Fundamentalisten und erst recht für traditionalistische römische Katholiken und protestantische Pietisten, welche beanspruchen, vom jüdischen Gesetz befreit zu sein, nur um ein neues, kirchliches aufzurichten. In Konfrontation mit dem hingerichteten Juden Jesus von Nazaret heißt die entscheidende Frage: Kommt Gottes Wille in der exakten Beobachtung des Gesetzes – es sei dies Halacha, Kirchenrecht oder Scharia – zum Ausdruck oder **in dem jedem Gesetz übergeordneten Tun des Willens Gottes, das auf die Liebe zielt?** Am Fall des Juden Paulus erfährt diese Problematik noch einmal ihre Zuspitzung. Gerade in bezug auf Paulus, so hörten wir, scheinen sich Christentum und Judentum schon früh radikal auseinandergelebt zu haben. Ob nicht auch hier und gerade hier eine kritisch-selbstkritische Neubesinnung nottut?

3. Paulus gegen das Gesetz?

Daß es sich auch bei der paulinischen Gesetzesproblematik nicht nur um ein jüdisches Problem von damals, sondern auch um ein jüdisches Problem von heute handelt, springt jedem ins Auge, der einmal mit jüdischer Orthodoxie konfrontiert war. Wie weit man bei Paulus selber, der sich ja als »untadelig in der Gerechtigkeit nach dem Gesetz«[16] bezeichnet hat, persönliche Konflikte mit dem Gesetz annehmen darf, ist in der Paulus-Forschung wie so manches umstritten. Aber zweifellos spiegeln seine Briefe Strukturen pharisäischer Gesetzesobservanz wider, die auch für heutige Juden von erhellender Bedeutung sind. Das wird von manchen jüdischen Interpreten besser verstanden als von manchen christlichen Exegeten.

Die besondere Affinität zur Gestalt des Paulus, meint etwa **Schalom Ben-Chorin**, sei ihm »aus seinem Leiden am Gesetz« erwachsen: Nur der könne Paulus richtig verstehen, der den Versuch gemacht habe, »sein Leben unter das Gesetz Israels zu stellen, die Bräuche und Vorschriften der rabbinischen Tradition einzuhalten und zu praktizieren«. Und Ben-Chorin fügt hinzu: »Ich habe versucht, das Gesetz in seiner orthodoxen Interpretation auf mich zu nehmen, ohne darin das Genügen zu finden, jenen Frieden, den Paulus die Rechtfertigung vor Gott nennt.«[17] Gemeint sind hier Erfahrungen von Gesetzeseifer und Gesetzesverfehlung: »Wir kennen heute in Jerusalem diesen Typus des fanatischen Jeschiva-Schülers aus der Diaspora, wenn er freilich auch nicht mehr aus Tarsus kommt, sondern aus New York oder London. Bei Demonstrationen gegen friedliche Autofahrer am Sabbat finden sich sehr häufig unter den Eiferern für das Gesetz, die Steine auf Fahrzeuge und Chauffeure schleudern, solche Auslands-Talmudstudenten. Sie würden vermutlich in New York oder London nicht in dieser Weise auf die formelle Sabbat-Entweihung reagieren, aber sie wollen sich in Jerusalem als hundertfünfzigprozentige Tora-Juden legitimieren. Genau so müssen wir uns den jungen Saul aus Tarsus vorstellen, der von sich betont, daß er viele in seinem Wandel im Judentum übertroffen habe, daß er für das Gesetz geeifert und sich an der Steinigung des Ketzers (wie ähnlich das doch alles ist, wie aktuell!) gefreut habe. – Nun muß man aber verstehen, was es heißt, die eiserne Zucht des Gesetzes, der Halacha, der Mizwot, Tag um Tag zu erleben, ohne daraus eine wirkliche Gottesnähe zu erfahren, ohne dadurch das lastende Gefühl der Verfehlung, der Avera, der Sünde loszuwerden ... Führt die Vielfalt der Gebote und der Vorschriften den Menschen nicht in Verstrickung?«[18]

Die Frage drängt sich nach all dem erst recht auf: Hat Paulus das jüdische Gesetz nicht zu Recht definitiv abgeschafft, sein Ende eingeläutet? Jahrhundertelang war dies in der christlichen Exegese eine abgemachte Sache. Und liest man Paulus insbesonders durch die Brille der deutschen und hier ganz besonders der von Luther inspirierten und von Bultmann in seiner »Theologie des Neuen Testaments« beeindruckend systematisierten Exegese, dann erhärtet sich die Überzeugung:
– Mit Tod und Auferweckung Jesu Christi ist für Paulus das jüdische Gesetz ein für allemal erledigt: Statt des Gesetzes herrscht nun das Evangelium.
– Für Christen ist das jüdische Gesetz bedeutungslos, entscheidend nur der Glaube an Jesus Christus: Statt des Gesetzes gilt nun der Glaube.
– Zusammen mit dem jüdischen Gesetz ist schließlich auch das Ju-

dentum eine überholte Größe: An die Stelle des alten Gottesvolkes tritt nun das neue Gottesvolk, die Kirche.

Beispiel? Ein kundiger Exponent dieser lutherischen Exegese, die an »Pauli theologiae proprium« besonders interessiert ist und die wie schon Luther den ausgeglicheneren Römerbrief (des Paulus Vorstellungsschreiben an die römische Gemeinde)[19] vom polemisch-antinomistischen Galaterbrief (provoziert durch judaisierende Missionskonkurrenten in Galatien)[20] her interpretiert, ist heute noch der protestantische Paulus-Spezialist **Hans Hübner**, für den Israel die Tora »pervertiert« hat[21]. Folgt man ihm, so hat Paulus im Galaterbrief völlig unzweideutig klargemacht:
– daß »der an Christus Glaubende **nicht** ›unter dem Gesetz‹ stehen **darf**«;
– daß »für den Christen die Existenz unter dem Gesetz und folglich die Existenz als Jude per definitionem ausgeschlossen ist!«;
– daß »Christ-Sein in grundsätzlicher Weise als Nicht-Jude-Sein-Dürfen definiert wird«.[22]

Man fragt sich, ob solche Äußerungen nicht den Verdacht nähren, die Paulus-Exegese des Luthertums sei offen oder verdeckt antijüdisch? Ob da projüdische Aussagen des Paulus nicht unterschlagen, uminterpretiert oder eskamotiert werden? Und man fragt sich mit dem Blick auf die Judenchristen: Soll denn für Paulus wirklich die Möglichkeit eines Judenchristentums, welche das jüdische Gesetz samt Beschneidung, koscherem Essen und Sabbatgebot einhält, keine religiöse Option mehr gewesen sein? Selbst Hans Hübner muß im gleichen Atemzug zugeben, daß Paulus im Galaterbrief »vom Judenchristen eine Negation seines Jude-Seins nicht verlangt« habe, tut das aber als »eine gewisse Unausgeglichenheit« bei Paulus ab. Aber können wir uns mit solcher Exegese zufrieden geben, die Paulus an solchen Stellen meint tadeln zu dürfen, welche nicht in das total antagonistische lutherische Schema »Gesetz und Evangelium« hineinpassen? Wir kommen nicht darum herum, diese Kontroverse um die Geltung des Gesetzes, die heute wie keine andere sowohl jüdische und christliche Paulus-Exegeten, aber auch die christlichen unter sich polarisiert, zu untersuchen und das Ergebnis, unbekümmert um neuerdings künstlich aufgebaute nationale Frontstellungen, so klar wie bei der höchst konfusen Forschungslage möglich, darzulegen[23].

4. Ist das Gesetz abgetan?

Zunächst die **Vorfrage**: Was genau sind die **Schwierigkeiten**, die Eindeutigkeit und Klarheit in dieser Frage erschweren? Es sind die folgenden:

1. Paulus, eine durch und durch **prophetische Gestalt**, war zwar (wie auch die meisten seiner Kritiker zugeben) ein im Ganzen durchaus kohärenter, aber wie die Propheten Israels kein systematischer Theologe, der uns ein geschlossenes und widerspruchsloses Glaubenssystem zurückgelassen hätte. Er entwickelte nicht als weltfremder Gelehrter eine abstrakte theologische Problematik von Gesetz und Glaube, sondern reflektierte, mitten in seiner rastlosen Tätigkeit als Missionar (und als Zeltweber seinen Lebensunterhalt selber verdienend), die Folgen seiner Konversion vom Pharisäismus zum Christusglauben und alle die Implikationen dieses Glaubens für die judenchristlichen und besonders die heidenchristlichen Gemeinden.

2. Des Paulus theologische Schriften sind **Briefe**, ja zuallermeist situationsbedingte Gelegenheitsschreiben: Sie weisen (so sagen besonders deutsche Exegeten) eine Entwicklung vom Galaterbrief zum Römerbrief auf, oder aber (so vor allem angelsächsische Exegeten) sie versuchen vom konstanten christologischen Zentrum aus in verschiedenen Anläufen auf verschiedene Situationen und Fragestellungen Antwort zu geben, die unter sich nicht ohne Spannung und vielleicht auch einzelne Widersprüche sind[24]. In beiden Fällen ist möglich, daß Paulus sich im zusammenfassenden Römerbrief selber korrigiert hat.

3. Paulus benutzt in seiner griechisch geschriebenen Korrespondenz nicht das hebräische Wort »Tora« (auch nicht als hebräisches Fremdwort), sondern das griechische Wort »**Nomos/Gesetz**«, das seit der griechischen Übersetzung der Hebräischen Bibel (Septuaginta) für das eine Wort »Tora« gebraucht wird. Das aber hat den Nachteil, daß man bei Paulus nie wissen kann, ob er bei einer bestimmten Passage seiner Korrespondenz »Nomos« im weiteren oder engeren Sinn gebraucht: im **weiteren** Sinn als Tora/Lehre/Weisung (= das Corpus der Fünf Bücher Mose) oder im **engeren** Sinn als Halacha/Gesetz (»Halacha« verstanden als das schon in der Tora grundgelegte und jetzt zunehmend das ganze Leben durchdringende, wenn auch damals noch nicht kodifizierte Religionsgesetz der Rabbinen).

Gewiß: Trotz der immensen Interpretationsschwierigkeiten bezüglich des paulinischen Gesetzesverständnisses gibt es durchaus auch **Übereinstimmungen** unter den Paulus-Exegeten. Die meisten Exegeten dürften zustimmen, wenn man sagt:
– Die grundlegende Wende im Leben des pharisäischen Juden Paulus geschah nicht beim Torastudium, sondern durch eine ihm persönlich widerfahrene Vision des erhöhten Christus, den Paulus seither als Messias Israels und der Welt proklamiert[25].
– In seiner Verkündigung von Juden abgelehnt, sieht es Paulus als seine ureigenste Aufgabe an, die Botschaft vom Gott Israels, wie er sich definitiv in Jesus zeigte, auch **den Heiden zu verkünden**[26].
– Von den **Heiden** verlangt Paulus den Glauben an die Christusbotschaft, erspart ihnen aber die **Unterwerfung unter das jüdische Religionsgesetz**. Denn entscheidend für das Heil ist künftig dieser Glaube, nicht die Gesetzeswerke; darin haben die Juden keinen Vorzug.
– Diese Offenheit des Apostels gegenüber »Outsiders« – auch dies ein Zeichen der Sachkontinuität trotz oft fraglicher Überlieferungskontinuität – lag **auf der Linie Jesu**, des Paulus ungeheure Entbehrungen und Verfolgungsleiden, sein Eheverzicht und sein demütiger Dienst freilich noch sehr viel mehr[27]. Daß er die Nachfolge Christi radikal ernstnahm, läßt sich nicht bestreiten.

Was aber ist dann die unter Exegeten vor allem **umstrittene Frage**? Es ist die Frage danach, was »Gesetz« bei Paulus jeweils meint. Doch dies voraus: Es wäre vermessen, hier all die Probleme im Zusammenhang mit dem Gesetz zu behandeln, die eine außerordentlich komplexe und widersprüchliche Forschungsliteratur hervorgebracht haben – all die Fragen von der Christologie und Soteriologie bis zur Anthropologie und Ekklesiologie miteingeschlossen. Ich muß mich hier ausschließlich auf die Bedeutung des Gesetzes konzentrieren – gerade auch mit Blick auf das Gespräch zwischen Juden und Christen heute. Und dabei ist schon für Paulus selber zu beachten, daß sein Gesetzesverständnis nicht von einer objektiv-theoretischen Lehre (etwa von Schuld und Sühne, Gesetz und Evangelium, Werke und Glauben oder Sünde und Gnade) ausgeht, und auch nicht notwendigerweise von einer autobiographisch-psychologisierenden Reflexion über eine ganz persönliche Gewissensnot bei der Gesetzeserfüllung, vielmehr von seiner Christuserfahrung und Berufung zum Heidenapostel.

Die umstrittene Frage ist somit: Darf man bei Paulus von einer **Weitergeltung des jüdischen Gesetzes** sprechen? Gilt das Gesetz noch, oder ist es abgetan? Konkret:

– Haben die gesetzeseifrigen Juden Paulus zufolge das Gesetz wirklich pervertiert?

– Darf das jüdische Gesetz von Juden, die Christus nachfolgen, wirklich nicht mehr befolgt werden? Ist also das Judenchristentum neben dem Heidenchristentum keine legitime Möglichkeit mehr?

– Ist also das Judentum nicht nur deshalb im Unrecht, weil es Jesus als den Messias ablehnt, sondern auch, weil und insofern es sich nach wie vor an das Gesetz hält?

5. Die Tora gilt weiter

Liest man die zahlreichen paulinischen Texte zum Gesetz möglichst ohne traditionelle Schemata, christliche (»Gesetz und Evangelium«) oder jüdische (»Abschaffung des Gesetzes«), so ist ein **Erstes** nicht bestreitbar. Für Paulus ist selbstverständliche Voraussetzung: Sofern »Gesetz« die **Tora** meint, ist und bleibt das Gesetz **Gottes Gesetz**, das heißt Ausdruck des Willens Gottes. Ausdrücklich betont Paulus: »Das Gesetz ist heilig und das Gebot heilig und gerecht und gut.«[28] Das Gesetz soll den Menschen »zum Leben führen«[29]: Es ist »die Verkörperung der Erkenntnis und der Wahrheit«[30], es ist »geistlich«[31]. Die »Gesetzgebung« gehört zu Israels Vorzügen[32]. »Gesetz« meint hier für Paulus eindeutig die Tora im Sinne der Fünf Bücher Mose, welcher der Mensch als Forderung Gottes Gehorsam zu leisten hat[33].

Ein **Zweites**, oft übersehen: Unter der Forderung Gottes stehen, obwohl sie kein geschriebenes Gesetz haben, auch die **Heiden**. Denn die sittlichen Forderungen der Tora, besonders den Dekalog, können auch die Heiden vernehmen[34]. Ihnen ist das vom Gesetz geforderte Werk ja ins Herz geschrieben und wird vom Gewissen bezeugt[35]. So werden Heiden wie Juden von dem einen Gott, der nicht parteiisch ist[36], nach ihren Werken gerichtet[37]. Denn – Versagen auch der Glaubenden ist ja jederzeit möglich, es gibt keine billige Gnade – »nicht die Hörer des Gesetzes sind vor Gott gerecht, sondern die Täter des Gesetzes werden (im Endgericht!) gerecht gesprochen werden«[38].

Daraus ergibt sich ein **Drittes**: Gottes heiliges Gesetz, die mosaische

Tora, ist Paulus zufolge auch nach dem Christus-Ereignis keineswegs abgeschafft, sondern bleibt relevant: als »Tora des Glaubens«[39]. Ja, sie wird nach Paulus ausdrücklichem Wort, gerade **nicht** »**beseitigt**« (»das sei ferne!«), sondern durch den Glauben »aufrecht gehalten«, »**aufgerichtet**«[40]. Oder sollte etwa der Jude Paulus, der leidenschaftlich eintritt für Gottes Volk, gegen Gottes heiliges Gesetz sein können? Nein, nirgendwo unterscheidet Paulus grundsätzlich zwischen dem mosaischen Gesetz, der Tora, und einem Gesetz, das Christen jetzt neu aufzustellen und zu erfüllen hätten. Nirgendwo fordert er Juden auf, die Tora nicht mehr zu beachten. Sein Judsesein, auf das er stolz war, hat Paulus nie aufgegeben. Und Juden- wie Heidenchristen ermahnt er, »die Gebote Gottes zu halten«[41].

Allerdings ist ein **Viertes** zu bedenken: Für Paulus zeigt die Tora seit dem Tode Jesu unübersehbar ein **Doppelgesicht**, ja eine **Doppelfunktion**: Die Tora selbst verändert sich zwar nicht, sie wirkt sich jedoch verschieden aus, je nachdem, wie sich der Mensch zu ihr stellt[42]:

– Negativ: Die Tora vermag die Begierde des Menschen zur sündhaften Übertretung zu reizen: »Ich hätte die Sünde nie kennengelernt außer durch das Gesetz; denn ich hätte von der Begierde nichts gewußt, wenn das Gesetz nicht sagte: ›Du sollst nicht begehren!‹«[43] So überführt es den Menschen als Sünder[44], es verwickelt ihn in die Sünde und führt so zur Sündenerkenntnis[45]. Insofern führt das Gesetz zu Gericht und Tod und ist **Schuldspruch** und mundverschließender **Gegner** des schuldig gewordenen und verlorenen Menschen.

– Positiv: Zugleich zeigt die Tora dem Menschen, daß er der Rechtfertigung durch Gott selbst bedarf – und zwar gerade nicht durch die Werke des Gesetzes (also nicht durch Erfüllung der zahllosen moralischen und rituellen Gebote, an denen der Mensch immer wieder scheitert), sondern durch den auf Gott vertrauenden Glauben allein. Abraham, der so großen Glauben hatte, daß er seine heidnische Heimat und sogar seinen Sohn zu opfern bereit war, tat alles ohne die Vorschriften eines Gesetzes; er ist Vorbild des Glaubens und der Gerechtigkeit vor Gott, die aus dem Glauben kommt[46]. So hat das Gesetz auch für Christen eine Funktion – als Zeuge gewissermaßen für Christus, der jeden, der an ihn glaubt, zu jener wahren Gerechtigkeit vor Gott bringt, die Paulus zufolge ja auch schon »vom Gesetz und den Propheten bezeugt wird«[47]. Insofern führt das Gesetz zum »Leben« und ist **Zeugnis** und **Verbündeter** des glaubenden Menschen.

Von daher ist es zu verstehen, daß für Paulus – und dies ist ein **Fünftes** – **Jesus Christus** die Tora nicht ersetzt, sondern erschließt: Er ist nicht – wie das Wort »télos«[48] oft übersetzt wurde – das »Ende« der Tora als Heilsweg, sondern primär ihr »**Ziel**« und ihre »**Erfüllung**«. Gewiß Christus hat am Kreuz den Fluch auf sich genommen, aber er hat gerade so das Urteil des Gesetzes zur Erfüllung gebracht[49]. Paulus kann deshalb sogar – in einem durchaus wahren und nicht nur spielerisch-übertragenen Sinn[50] – von einem »Gesetz des Glaubens«[51] und einem »Gesetz des Geistes des Lebens«[52] reden. Das heißt: Durch den neuen Glauben an Christus und durch den Geist Christi wird die mosaische Tora zu einer Tora des Glaubens und des Geistes. Auch der Christ, der aus dem Glauben lebt, kann und soll wie der Jude »die Gebote halten«[53]! »Leben aus dem Glauben« meint also »Erfüllen des Gesetzes« in der Kraft des Geistes Christi.

Von daher versteht sich ebenfalls, daß Paulus – und dies ist ein **Sechstes** – nicht gegen das Gesetz an sich, die mosaische Tora, polemisiert, wohl aber gegen die **Werke** des Gesetzes, gegen eine **Gerechtigkeit** aus dem Gesetz. Seine Parole ist nicht: Rechtfertigung durch den Glauben »ohne Gesetz« (als sei der Glaube eine willkürlich-beliebige und praktisch folgenlose Angelegenheit), sondern »ohne Werke des Gesetzes«. Nicht Glaube und Gesetz sind bei Paulus entgegengesetzt, sondern Glaube und Werke. Es bleibt dabei: Rechtfertigung vor Gott erlangt der Mensch nicht durch das, was er tut. Gott selber rechtfertigt den Menschen und vom Menschen ist einzig und allein Glauben, unbedingtes Vertrauen, erwartet. Denn für Juden wie Heiden gilt: »Aufgrund von Werken des Gesetzes wird kein Fleisch vor Gott gerechtfertigt werden!«[54] Wollte man das Gesetz zur eigenen Rechtfertigung vor Gott bemühen, so wäre dies ein »Dienst des Todes«, ein »Dienst der Verurteilung«[55]; denn: »der Buchstabe tötet«[56].

Und so, aufgrund des Glaubens an Jesus Christus, kann man nun auch – und dies ist ein **Siebtes** – verstehen, was es heißt: »Zur **Freiheit** hat uns Christus befreit.«[57] Es ist nicht einfach die Freiheit von der Tora und ihren ethischen Forderungen, sondern von den Werken des Gesetzes. Das also ist mit der Freiheit gemeint, zu der »ihr berufen seid«[58], die wir »in Christus Jesus haben«[59]. Insofern sind nun die an Christus Glaubenden »nicht mehr unter dem Gesetz, sondern unter der Gnade«[60].

Aber: Was ist mit den »Werken des Gesetzes« gemeint? Und was be-

deutet diese Freiheit, die Paulus mit Pathos verkündet, in der Praxis?
Wie sollen sich die neuen Christengemeinden jüdischer und heidnischer Herkunft verhalten?

6. Freiheit von der Halacha

Es ist deutlich geworden: Will man zu einer vertretbaren und einigermaßen kohärenten Interpretation des paulinischen Gesetzesverständnisses gelangen, so wird man von der Christuserfahrung des Paulus
und seiner Berufung zum Heidenapostel auszugehen haben. Denn
während die Rabbinen die Tora entscheidend von der **Halacha** (dem
gesetzlichen Teil der Tora und der Tradition) her interpretieren, so
interpretiert Paulus sie jetzt von der von ihm empfangenen **Christusoffenbarung** her[61]. Diese Christusoffenbarung ist für den Juden Paulus jetzt das neue **Sachkriterium** zur Neubestimmung der Funktion
der Tora: sowohl im Blick auf die Heiden, als auch im Blick auf die
Juden. So grundlegend für den Glauben Israels schon immer die Exo-
duserfahrung war, so grundlegend ist jetzt für Paulus – wenngleich für
seine jüdischen Gegner schwierig mitzuvollziehen – die neue Aufer-
weckungs- und (damit verbunden) Geisterfahrung und von dorther
der **Christusglaube**, der freilich mehr ist als nur die Treue zum Bund,
der vielmehr eine radikale Neuorientierung und Hingabe bedeutet.

Was ergibt sich daraus für die Frage nach der Tora? Nach allem, was
wir gehört haben, kann die Antwort nur lauten: Wenn Paulus, der im
Griechischen – wie wir hörten – nur ein einziges Wort (»nómos«) für
zwei hebräische Schlüsselworte Tora (Lehre) und Halacha (Gesetz)
zur Verfügung hatte, für uns zweideutig von der Freiheit vom »Gesetz« spricht, dann will er **keineswegs prinzipiell gegen die Tora** reden, die ja nach Abrahams Beispiel die Rechtfertigung durch den
Glauben lehrt und deren ethische Gebote ihm zufolge selbst für die
Heiden gelten. Wohl aber spricht er faktisch – ohne diese spätere Terminologie schon zu gebrauchen – **gegen die Halacha**, insofern diese
nicht allgemein ethische Forderungen erhebt, sondern das Tun der
»Gesetzeswerke« fordert, nämlich – so ergibt sich aus dem Kontext –
jener **Werke des jüdischen Ritualgesetzes** (Beschneidung, Reinheits-
und Speise- sowie Sabbat- und Feiertagsgebote), welche den Heiden
nicht auferlegt werden dürfen[62].

Das heißt: Nicht die Tora im allgemeinen Sinn als Gottes Lehre
oder Weisung also hat ihre grundlegende Bedeutung verloren, wohl
aber die Tora im engeren Sinn, die Halacha, freilich nicht im ethischen, wohl aber im rituellen Sinn. Diese Ritual-Halacha wird von
Paulus für die Heidenchristen negiert und für Judenchristen grundlegend relativiert: Denn sie ist jetzt zu verstehen nach dem Geist, der lebendig macht, und nicht nach dem Buchstaben, der tötet[63].

Und was also bedeutet dies nun für die Lebenspraxis der Christen?
Dies bedeutet für Heidenchristen und für Judenchristen etwas Verschiedenes:
– Den Christen **heidnischer Herkunft** werden (was Paulus weder ter-
minologisch unterschieden noch theoretisch entwickelt hat) **nur die
ethischen Gebote der Tora**, an denen Paulus selbstverständlich fest-
hält, auferlegt, nicht aber die in der Halacha so breit für das ganze Leben des Juden entfalteten kultisch-rituellen Gebote, **nicht die jüdische Lebensweise**;
– Christen **jüdischer Herkunft** können sich an die Halacha halten,
müssen es aber nicht unbedingt; denn ausschlaggebend für das Heil
sind nicht mehr solche »Werke des Gesetzes«, sondern der Glaube an
Jesus Christus; die »Werke des Gesetzes« selber sind nicht nach dem
Buchstaben, sondern nach dem Geist zu verstehen: **ein Leben im
Geist**[64].
Was heißt das für die einzelnen **Ritualgebote der Halacha** konkret?
Dies sind die paulinischen Antworten, sofern aus den Briefen be-
kannt, die er nicht systematisch, sondern auf bestimmte Situationen
und Fragen eingehend gibt:
– Die **Beschneidung**: Für Judenchristen bleibt sie sinnvoll, nur daß
sie nicht mehr zur Bedingung des Heils gemacht wird; schon für
Abraham war der vertrauende Glaube und nicht die Beschneidung
grundlegend[65]. Für diejenigen Christen aber, die einstmals Heiden
waren, ist die leibliche Beschneidung unnötig; sie wird durch den
Glauben als »geistliche« Beschneidung ersetzt[66].
– Die jüdischen **Feiertage**, der Sabbat besonders: Sie können von den
Judenchristen weiterhin gefeiert werden. Aber für die Heidenchristen
ist der jüdische Festkalender nicht verpflichtend[67].
– Die Einhaltung der **Speisegebote**: Sie ist wahlfrei: Christen jüdischer Herkunft werden sie in ihrer eigenen Umgebung weiterhin ein-

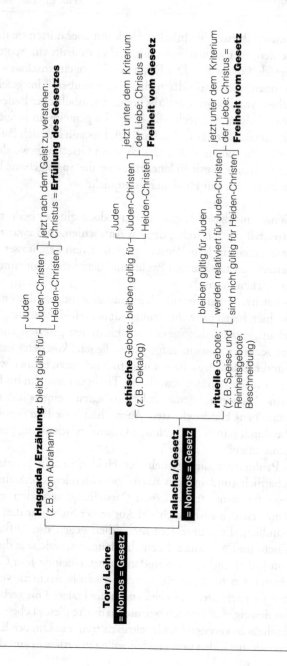

Die zweifache Bedeutung von »Gesetz« bei Paulus

Tora/Lehre
= Nomos = Gesetz

Haggada/Erzählung: bleibt gültig für Juden — Juden-Christen / Heiden-Christen — jetzt nach dem Geist zu verstehen: Christus = **Erfüllung des Gesetzes**
(z.B. von Abraham)

Halacha/Gesetz
= Nomos = Gesetz

ethische Gebote: bleiben gültig für Juden — Juden-Christen / Heiden-Christen — jetzt unter dem Kriterium der Liebe: Christus = **Freiheit vom Gesetz**
(z.B. Dekalog)

rituelle Gebote: bleiben gültig für Juden — werden relativiert für Juden-Christen — jetzt unter dem Kriterium der Liebe: Christus = **Freiheit vom Gesetz** / sind nicht gültig für Heiden-Christen
(z.B. Speise- und Reinheitsgebote, Beschneidung)

halten. Christen heidnischer Herkunft aber dürfen sie nicht auferlegt werden. Auf keinen Fall darf es aber deshalb zur Spaltung der Gemeinde kommen[68]. Die Frage der Tischgemeinschaft – ob man zusammen essen darf oder nicht – ist, wie überall im gesellschaftlichen Leben, von höchster praktischer und symbolischer Bedeutung, für einen Christen erst recht die Frage des gemeinsam gefeierten Erinnerungsmahles an Jesus (Eucharistie). Deshalb hält sich Paulus, der »den Juden ein Jude und den Griechen ein Grieche« geworden ist[69], beim Zusammensein mit Judenchristen an die Speisegebote, beim Zusammensein aber mit Heidenchristen nicht.

Genau um diesen letzten Punkt jedoch ging es beim berühmtesten **Streitfall der Urkirche**, dem in **Antiochien**, und zwar zwischen dem (wie auf einem Jerusalemer Apostelkonvent beschlossen) für die Heidenmission zuständigen Paulus und dem für die Judenmission verantwortlichen Petrus[70]:
– **Petrus**, an sich für die Heidenmission aufgeschlossen, hatte in Antiochien zuerst ganz wie Paulus mit den Heidenchristen Tischgemeinschaft gepflegt, diese aber nach Eintreffen gesetzestreuer Jakobusanhänger aus Jerusalem aufgegeben, die jetzt koscheres Essen forderten. Für die Judenchristen, wenn sie Judenchristen bleiben wollten, schien dies zunächst konsequent: Keine Tischgemeinschaft und folglich auch keine Abendmahlsgemeinschaft zwischen »reinen« Judenchristen und »unreinen« Heidenchristen. Aber – hatten sie Jesu Gesetzeskritik und die durch seinen Tod erfolgte Gesetzesrelativierung genügend ernstgenommen?
– **Paulus**, der die Freiheit der Heidenchristen gerade hier leidenschaftlich (und in dem davon berichtenden Galaterbrief mit einer wohl ungewollt tendenziösen Darstellung) verteidigt, er »widerstand dem Petrus ins Angesicht«[71]! Aus seiner Sicht war dies ebenfalls verständlich: Er mußte leidenschaftlich gegen die Aufkündigung der Tisch- und Abendmahlsgemeinschaft sein, welche ja die Versöhnung von Juden und Heiden in der einen Gemeinde Jesu Christi, für ihn zentral, zerstört hätte. Auch wenn er sein Judesein nie verleugnete und den Judenchristen das Leben nach der Halacha nie verbot, sondern es für den eigenen Bereich bejahte, so durfte dieses Leben nach Judenart doch nicht von den Heidenchristen trennen. Um der Einheit der Gemeinde aus Juden und Heiden willen erwartete er von den Judenchri-

sten eine Absage zwar nicht an die mosaische Tora, nein, wohl aber für diesen Fall (nicht generell!) an die – solche Tischgemeinschaft durch ihre Ritualvorschriften verbietende – Halacha, die nicht nach dem Buchstaben, sondern nach dem Geist zu interpretieren ist. Denn dazu hatte die von Christus gebrachte Freiheit nun einmal befreit[72]. Der Glaube an Christus muß auch für die Judenchristen grundlegend sein.

Es läßt sich bei all dem nicht übersehen, daß die gesetzeskritische Einstellung des **Paulus die gesetzeskritische Einstellung Jesu reflektiert**, der sich ja ebenfalls in bestimmten Fällen für das »Gebot Gottes« und gegen die Anwendung der Halacha, die »Tradition der Menschen« oder »die Tradition der Väter«[73] ausgesprochen und der statt der kultisch-rituellen Reinheit (Händewaschen) die ethisch bestimmte Reinheit des Herzens gefordert hatte[74]. Ob aber mit dieser Entscheidung des Paulus, wie vielfach behauptet, die Würfel für das Geschick der Judenchristen in der werdenden Diasporakirche wirklich schon gefallen waren und so das vorzeitige Auseinanderbrechen in eine juden- und heidenchristliche Kirche vorprogrammiert war? Ein unvermeidbarer Konflikt mit tragischem Ausgang? Im Geiste Jesu wäre eine Verständigung ja nun doch möglich, ja notwendig gewesen.

Aber wenn so von Paulus und von heidenchristlicher Seite mit gutem Grund Freiheit vom Gesetz, das heißt von der Halacha, gefordert wurde, so fragten und fragen manche Juden und Judenchristen gerade umgekehrt: Führt solche paulinische Freiheit nicht zu Willkür, zu Hedonismus und Libertinismus?

7. Liebe als Erfüllung des Gesetzes

Paulus sah die Gefahr, aber sagte es klar: Die **Freiheit vom Gesetz**, im Sinne von **Freiheit von der rituellen Halacha**, bedeutet keine wilde, subjektive Willkür. Die Freiheit vom Gesetz darf »nicht zu einem Anlaß für das Fleisch werden«[75]. Denn auch für die vom Gesetz befreiten Heidenchristen behalten zwar nicht die kultisch-rituellen Gebote der Halacha, wohl aber – allerdings in entscheidend neuer Grundhaltung – die sittlichen Forderungen der Tora ihre Gültigkeit. Es geht in jedem Fall darum,»zu prüfen, was der Wille Gottes ist: das Gute und Wohlgefällige und Vollkommene«[76].

Wer an Jesus Christus glaubt, darf und soll den Willen Gottes in der profanen Welt erfüllen. Er braucht die Güter der Welt nicht allesamt aufzugeben. Er darf nur sich selber nicht an sie weggeben. Sich weggeben, sich hingeben kann der Glaubende nur an Gott. Er braucht also die Welt keineswegs zu verlassen, er darf ihr nur nicht verfallen. Nicht äußere räumliche, sondern innere personale Distanz zu den Dingen dieser Welt ist gefordert.

Für den vom Gesetz Befreiten gilt Paulus zufolge das große Wort: »Alles ist mir erlaubt.«[77] Doch zugleich: »Aber ich darf mich von nichts beherrschen lassen.«[78] In der Welt ist »nichts an und für sich unrein«[79]. Aber ich kann meine Freiheit an irgend etwas in der Welt verlieren und mich von ihm, als einem Götzen, beherrschen lassen. Dann gilt zwar noch immer: »Alles ist mir erlaubt.« Aber das andere auch: »Nicht alles ist heilsam.«[80]

Und schließlich ist gleichzeitig zu beachten: Das, was mir sowohl erlaubt wie heilsam ist, kann trotzdem zum Schaden des Mitmenschen sein. Was dann? Auch dann gilt noch immer: »Alles ist erlaubt.« Doch zugleich gilt: »Aber nicht alles baut auf!« Deshalb: »Niemand suche das Seine, sondern das des Anderen!«[81] Von daher kann die Freiheit des Menschen in der Nachfolge Christi auch immer wieder Freiheit zum Verzicht werden, zum Verzicht auf Herrschaft vor allem: »Obwohl ich allen gegenüber frei bin, habe ich mich allen zum Knecht gemacht.«[82] Hier wird die Freiheit des Glaubenden nicht verleugnet, hier wird sie im Gegenteil maximal beansprucht.

In der Praxis bedeutet dies: Wahre Freiheit ist nie rücksichtslos: »Sehet zu, daß diese eure Freiheit für die Schwachen nicht zu einem Anstoß werde.«[83] Einer soll dem Anderen dienen[84], ohne freilich die eigene Freiheit aufzugeben: »Werdet nicht Sklaven von Menschen.«[85] In letzter Instanz ist der Glaubende nie an Meinungen und Urteile, Traditionen und Wertmaßstäbe der Anderen gebunden: »Denn warum sollte meine Freiheit von einem fremden Gewissen gerichtet werden?«[86] Mein eigenes Gewissen, das um Gut und Böse Bescheid weiß, bindet mich[87].

Eine paradoxe Verbindung von Unabhängigkeit und Verpflichtung, Macht und Verzicht, Selbständigkeit und Dienst, Herrsein und Knechtsein: Diese Freiheit des Christen mag dem Nichtchristen ein Rätsel sein. Für den Christen aber ist dieses Rätsel gelöst durch das, was der **Kern dieser Freiheit** ist: **die Liebe**, welche die erste Frucht des Geistes ist. In der Liebe, in der der Glaube wirksam wird[88], in der die Unterschiede von Beschnittensein und Unbeschnittensein aufgehoben sind, wird der Herr zum Knecht und der Knecht zum Herrn, wird Unabhängigkeit zur Verpflichtung und Verpflichtung zur Unabhängigkeit[89]. Man fragt sich: Ob in solchem Geist die Frage der Tischgemeinschaft nicht hätte gelöst und das Auseinanderbrechen von juden- und heidenchristlicher Kirche nicht hätte verhindert werden können?

Offensein für die Anderen, Dasein für die Anderen, selbstlose Liebe ist für Paulus die höchste Realisierung der Freiheit: »Ihr seid doch zur Freiheit berufen, Brüder. Nur lasset die Freiheit nicht zu einem Anlaß für das Fleisch werden, sondern dienet einander durch die Liebe! Denn das ganze Gesetz wird in dem **einen** Wort erfüllt: ›Liebe deinen Nächsten wie dich selbst!‹«[90] Was immer Gott selbst durch das Gesetz fordert, zielt auf die Liebe. Die **Liebe** ist im menschlichen Miteinander die **Erfüllung der Tora**: »Bleibt niemandem etwas schuldig, außer daß ihr einander liebt. Denn wer den Anderen liebt, hat das Gesetz erfüllt. Denn das Gebot: ›Du sollst nicht ehebrechen, nicht töten, nicht stehlen, nicht begehren‹, und jedes andere derartige Gebot ist in diesem Wort zusammengefaßt: ›Du sollst deinen Nächsten lieben wie dich selbst!‹ Die Liebe tut dem Nächsten nichts Böses; demnach ist die Liebe die Erfüllung des Gesetzes.«[91] Das »Gesetz Christi« ist also nichts anderes als die Freiheit der Liebe: »Traget einer des anderen Last, und so werdet ihr das Gesetz Christi erfüllen.«[92] Wer an Gott und gerade so an den Nächsten gebunden ist, ist befreit zur wahren Freiheit.

IV. Die Zukunft des Gottesvolkes

Doch es geht hier nicht nur um den Einzelnen, es geht um das Volk. Und diese Frage blieb noch offen: Wie steht es denn nun Paulus zufolge mit Israel, seinem Volk? Wir haben uns ihr in intellektueller Strenge und Redlichkeit ohne falsche Harmonisierung zu stellen, indem wir uns dem Locus classicus für das Verhältnis des jungen Christentums zum Volk Israel zuwenden: Kapitel 9-11 des Römerbriefs – kein Anhängsel, sondern integraler Teil paulinischer Theologie.

1. Die bleibende Verheißung

Niemand im ganzen Neuen Testament hat sich so intensiv und konstruktiv mit dem Schicksal des Volkes Gottes auseinandergesetzt wie der zu Jesus als dem Christus sich bekennende Jude Paulus, und weder das Gesetz-Evangelium-Modell noch das allegorisch-typologische Modell noch das Verheißung-Erfüllung-Modell vermag den Reichtum seiner Gedanken einzufangen.

Dies ist die Frage: Hat Israel seine Sonderstellung als Gottesvolk nach Tod und Auferstehung Jesu verloren? Keineswegs, sagt Paulus in seinem Brief an die römische Gemeinde, der faktisch zu seinem Testament wurde: Gott gibt seine Treue trotz Israels »Untreue« nicht auf[1]. Christen – gerade in diesen Kapiteln von Paulus vor dem »Prahlen« auf Kosten der Juden gewarnt – hätten dies nie vergessen dürfen: Die Erwählung des Gottesvolkes Israel ist bleibend, unaufhebbar, unwiderruflich. Gott hat seine Verheißungen nicht geändert, wenngleich ihre Gültigkeit nach Christus in einem verschiedenen Licht gesehen werden muß. Die Juden sind und **bleiben Gottes auserwähltes Volk, ja seine Lieblinge**[2]. Denn, so Paulus, den Juden – seinen »Brüdern« aus gemeinsamer Abstammung[3] – gehören nach wie vor:
– die »Sohnschaft«: die schon in Ägypten erfolgte Einsetzung des Volkes Israel zu Gottes »erstgeborenem Sohn«;
– die »Herrlichkeit«: die Glorie der Gegenwart Gottes (»Schechina«) bei seinem Volk;
– die »Bundesschließungen«: der immer wieder bedrohte und erneuerte Bund Gottes mit seinem Volk;

– die »Gesetzgebung«: die von Gott seinem Volke gegebenen guten Lebensordnungen als Zeichen seines Bundes;
– der »Gottesdienst«: der wahre Gottesdienst des priesterlichen Volkes;
– die »Verheißungen«: die bleibenden Zusagen von Gottes Gnade und Heil;
– die »Väter«: die Väter der Vorzeit in der Gemeinschaft des einen wahren Glaubens;
– der »Messias«: Jesus der Christus, geboren aus israelischem Fleisch und Blut, der in erster Linie nicht den Heiden, sondern dem Volke Israel gehört[4].

Hätte man dies in der Christenheit je vergessen dürfen? Dies alles bleibt den Juden erhalten, auch wenn sie Jesus als Messias abgelehnt haben, eine Ablehnung, die Paulus mit »großer Trauer« und »unablässigem Schmerz« erfüllt[5]. Nein, er, Paulus war es nicht, der das Christentum vom Judentum losgelöst hat (das waren andere nach seinem Tod und der Zerstörung des Zweiten Tempels). Paulus, der Jude, der sein Pharisäertum aufgab, **gibt als Christ sein Judentum keineswegs auf**. Was immer man über ihn sagt: Er, ständig angegriffen, mißverstanden, diffamiert, fühlt sich nicht als Gesetzesübertreter, Apostat, Irrlehrer. Er, der christliche Jude und Apostel, erfüllt sein Judentum nur – und meint dabei die Tora hinter sich zu haben – mit neuem, freierem, umfassenderem Geist: im Lichte nämlich des auch schon in der Vorzeit immer wieder neu, unerwartet neu handelnden Gottes.

Dieser Gott, der jetzt in Jesus von Nazaret in entscheidend neuer Weise an seinem Volk gehandelt hat, wie ihm in seiner prophetischen Christuserfahrung bestätigt wurde und wie ihn Paulus deshalb in seiner Botschaft verkündet: dieser Gott Jesu Christi ist kein anderer als der Gott Abrahams, Isaaks und Jakobs. Und dieses einen Gottes alte wie neue Botschaft ist zunächst an Israel ergangen. Die Gemeinschaft der Christen ist in das in Abraham erwählte Volk Israel nur eingefügt. Der eine und ungeteilte Plan für Israel dauert auch im Neuen Testament fort. Es gibt **nicht** auf einmal **zwei widersprüchliche Pläne Gottes** – die Tora für die Juden und das Evangelium für die Christen. Denn die Tora, so erkannte es Paulus von der Christusoffenbarung her, verweist auf Christus, und Christus erfüllt die Tora.

Aus diesem Grund aber kann es für die christlichen Kirchen auch nie

darum gehen, »**Judenmission**« zu treiben. Auch Paulus fordert nicht
dazu auf. Warum nicht? Weil die Sache des Evangeliums, die Sache
Gottes, den Juden nicht als etwas ihnen Fremdes von außen zugetragen werden muß. Oder haben die Juden bisher etwa wie die Heiden
völlig falsch geglaubt? Haben sie nicht schon vor der Kirche an den
einen wahren Gott geglaubt? Haben sie nicht schon vor der Kirche –
und nicht erst durch die Kirche – die Botschaft von dem einen und
wahren Gott vernommen? Wahrhaftig, die Juden waren und sind die
Erstangesprochenen; die junge Kirche kommt aus dem Judentum.

Aber haben die Juden in ihrer Mehrzahl das Evangelium von Jesus,
dem Christus, nicht abgelehnt? Dies läßt sich Paulus zufolge ebenfalls
nicht verschweigen: Der Großteil der Juden hat **das Evangelium abgelehnt**. Paulus spricht in diesem Brief nicht zu Juden, sondern zu
einer Gemeinde von Christen. Und Paulus scheut sich nicht, bei diesem Ernst der Lage (ganz im Stile der Propheten) von »Verblendung«,
»Verhärtung«, »Verstockung«, »Betäubung«, ja »Verwerfung« Israels
zu reden. Man muß dies von seinem nie verwundenen Schmerz um
sein Volk her verstehen! Es bleibt aber dabei, daß durch das Versagen
des Volkes »Gottes Wort nicht hinfällig geworden« ist[6].

Dies freilich ist für Paulus kein Alibi, das Evangelium nicht auch
Juden gegenüber immer wieder zu bezeugen und zu verkünden, so
daß auch für heute gilt: Gerade die Theologie des Juden Paulus, der
wie kein anderer darum gerungen hat, Christus auch seinen jüdischen
Brüdern und Schwestern nahezubringen, kann kein Anlaß sein, die
befreiende Botschaft von Jesus als dem Messias Israels und der Welt
abzuschwächen oder gar zu vernachlässigen. Und **Zeugnisablegung**
der einzelnen Christen für Christus auch Juden gegenüber ist etwas
anderes als organisierte und systematisierte Judenmission der mächtigen christlichen Kirchen.

Allerdings wird man diese Zeugnisablegung heutzutage auch dem
Judentum zubilligen müssen. Zurecht hat sich die britische jüdische
Publizistin Emma Klein jüngst verschiedentlich gegen das »Mißverständnis« gewehrt, das »gemeinhin von Juden wie Christen aufrechterhalten werde, das Judentum sei keine missionarische Religion«. Natürlich hänge alles davon ab, was man unter »Mission« verstehe. Und
Mission sei nicht im primitiven Sinn zu verstehen, etwa in Form von
Traktateverteilen, lästigen Hausbesuchen oder demagogischen Fern-
sehpredigten. Wohl aber könne Mission richtig verstanden als Ver-

kündigung einer Botschaft und Vision vollzogen werden, welche Menschen sich in aller Freiheit zu eigen machen können. Das sei schon in der Antike geschehen, als das Judentum durch seinen Monotheismus, sein Ethos, sein Ritual und seinen Gemeinschaftssinn für ungezählte attraktiv gewesen sei und man noch bis weit in die christliche Ära hinein Konvertiten zum Judentum gekannt habe. Das sei auch im frühen Mittelalter so gewesen und könne auch heute wieder sein[7]. Dem wird man auch als christlicher Theologe nicht widersprechen können. Man kann als Christ nicht Zeugnisablegung fordern und von anderen verlangen, sie mögen »Pluralisten« sein.

Denn – so haben wir gehört: Gerade der Apostel Paulus ist alles andere als ein moderner Pluralist, dem alles gleich, dem alles recht gewesen ist. Er redet von einem »**neuen Bund**«, der durch Tod und Auferweckung Jesu Christi gestiftet worden sei[8], ein Ausdruck, der keine christliche Erfindung ist, sondern auf die Prophetentradition der Hebräischen Bibel zurückverweist. Der Prophet Jeremia sprach bereits davon, daß Gott »mit dem Haus Israel und dem Hause Juda einen neuen Bund schließen werde«, der nicht wie der Bund sei, den er »mit den Vätern geschlossen habe«, als er sie bei der Hand genommen habe, um sie aus Ägypten herauszuführen[9]. Diese Rede von einem durch Christus ermöglichten »neuen Bund« ist ernst zu nehmen und ist doch für Paulus kein Grund, den alten Bund einfach für nichtig oder überholt zu erklären, wie eine spätere fatale christliche Substitutionstheorie meinte annehmen zu dürfen. Die Rede vom neuen Bund ist für Paulus zwar Grundlage seiner Verkündigung, aber keine Rechtfertigung für christliche Heilsarroganz[10]. Denn Paulus ist ja gleichzeitig der Meinung, daß die alten »Bundesordnungen« nach wie vor bestehen. Es gibt nur einen Gott und nur einen Heilsplan.

Und doch ist Paulus – genauso wie wir heute – mit der Tatsache konfrontiert, daß der Großteil des Volkes Israel Jesus als den Messias abgelehnt hat. Dadurch hat eine Scheidung innerhalb Israels selber eingesetzt, da nur ein »heiliger Rest«[11], die Judenchristen, die Anerkennung Jesu als des Messias Israels vollzogen hat. Paulus macht sich das so klar: »Nicht alle, die aus Israel sind, sind Israel.«[12] Was im Klartext heißt: Gottes Verheißungen an Abraham und die Väter, die dem Gesetz des Mose vorausgehen, alle die Vorzüge Israels, sind keineswegs schon als selbstverständlicher Heilsbesitz eines jeden Israeliten zu

betrachten, auf den er in Sicherheit pochen könnte. Es muß – wie im
Grunde schon durch die ganze Vorzeit hindurch, aber jetzt in neuer,
höchster Dringlichkeit – unterschieden werden: zwischen einem Israel des Fleisches und einem Israel der Verheißung, zwischen einem
erwählten und einem nicht erwählten Israel[13]. Wie soll man dies verstehen können? Hier wird für Paulus die Ebene der rein menschlichen
Entscheidungen überschritten. Hier wirken Gottes souveräne Freiheit
und unbegründete Gnade[14], für den Menschen unerforschlich, ja
skandalös, wie schon bei der Bevorzugung Isaaks vor Ismael, Jakobs
vor Esau.

Denn was tut Gott angesichts der Verstockung seines erwählten
Volkes in seiner souveränen Freiheit und unbegründeten Gnade? Antwort: Gott nimmt sich die Freiheit, aus einem nichterwählten Volk,
den Heiden, ein erwähltes Volk zu machen[15]. Nein, es geht Paulus
nicht rein negativ um die Verwerfung Israels, sondern ganz und gar
positiv um die Erwählung der Heiden: Die Verstockung Israels wird
aufgewogen durch die Erwählung der Heiden! Doch er bleibt dabei:
Gott hat zwar – abgesehen von einem »Rest« – Israel verhärtet, be-
täubt, verfinstert, aber endgültig verdammt oder definitiv verworfen
hat er es nicht: Aus seinem Heilsplan hat er es nicht entfernt. Er hat –
denn das Gericht seiner Gerechtigkeit ist das Gericht seiner Gnade –
noch immer etwas mit ihm vor!

Angesichts dieser für beide Seiten prekären Situation ist nun eines
völlig unbegründet: Überheblichkeit!
– Unbegründet ist jegliche **jüdische oder judenchristliche Überheblichkeit**: Nicht einfach die Abstammung und nicht irgendwelche Gesetzeswerke sind ausschlaggebend, auch die Beschneidung nicht; der
Glaube an Jesus Christus ermöglicht Zulassung und Zugehörigkeit
zum Gottesvolk.
– Unbegründet ist aber auch jegliche **heidenchristliche Überheblichkeit**: Der Heide hat nicht die gottgeschenkten Vorzüge des Juden,
seine einzige Legitimation, Teil des Gottesvolkes zu sein, ist der Glaube an Jesus Christus. Die Heidenchristen haben also nicht den geringsten Anlaß, sich gegenüber Israel überheblich oder gar feindlich zu
zeigen. Alles christliche Prahlen, alle Verachtung, aller Spott, aller
Hochmut, alle Rache gegenüber den Juden (und vielleicht auch gegenüber den Judenchristen!), kurz: aller Antijudaismus ist eine per-
verse Selbsttäuschung!

Paulus braucht ein Bild: Der Baum, Israel, ist ja gerade nicht aus-
gehauen, auch wenn bestimmte Zweige ausgebrochen sind und nur
wenige verbliebene Zweige das gläubig gewordene Israel vertreten. In
diesen Baum sind die Heidenchristen »eingepfropft«, so daß sie nun
aus derselben Wurzel wie das Volk Israel leben. Hier liegt der Grund,
warum Paulus an die Adresse der völlig unverdient ins Gottesvolk gekommenen Heidenchristen formulieren kann: »Wenn aber einige von
den Zweigen herausgebrochen sind, du aber, obwohl du vom wilden
Ölbaum stammst, unter sie eingepfropft bist und mit teilhast an der
fettspendenden Wurzel des Ölbaumes, so rühme dich nicht gegen die
Zweige. Wenn du dich aber gegen sie rühmst, so laß dir gesagt sein:
nicht du trägst die Wurzel, sondern die Wurzel trägt dich!«[16]
Eine letzte Frage bleibt: Wie soll es Paulus zufolge weitergehen? Genauer gefragt: Wie steht es mit der Rettung Israels, wie steht es mit
dem Heil aller?

2. Was geschieht mit Israel?

Nachdem Paulus das Heil durch den Glauben an Jesus Christus so
sehr betont, könnte man erwarten, daß er sich klar dafür ausspricht,
daß die Nichtglaubenden nicht gerettet werden. Aber gerade dies tut
Paulus, dessen Verkündigung bei den Heiden so großen und bei den
Juden so geringen Erfolg hatte, nicht. Vom Schicksal des einzelnen
Christen oder Juden ist in diesen drei Kapiteln des Römerbriefes ohnehin nicht die Rede; so hat man des Paulus Ausführungen im Streit
der Reformatoren um die »Vorherbestimmung« (»Prädestination«)
des einzelnen Menschen mißverstanden. Es geht um das Volk.
Aber auch vom Ausschluß des Volkes Israel vom Heil ist in diesem
Kapitel nicht die Rede. Im Gegenteil: Paulus, prophetisch redend,
weiß in dieser Frage um ein endzeitliches »Geheimnis«: daß nämlich
am Ende auch **ganz Israel gerettet**« werde[17]. Paulus ist also davon
überzeugt, daß die Verstockung Israels befristet ist, seine Verblendung
vorübergehend, sein Straucheln nicht endgültig – bis »die Vollzahl der
Heiden« für Christus gewonnen ist. So wie aus der teilweisen Verstockung Israels durch Gottes freie Gnade die Rettung der »Vollzahl
der Heiden« folgte, so wird aus dieser wiederum durch Gottes selbe
Gnade die Rettung von »ganz Israel« folgen, von Israel als Ganzem[18].

Was aber wird konkret mit »ganz Israel« geschehen? Was heißt konkret: »Dann wird ganz Israel gerettet werden«? Wie sich das genau abspielen soll, darüber schweigt Paulus. Heißt das, daß die Juden sich erst zu Christus und zur christlichen Kirche (welcher eigentlich?) bekehren müßten, bevor sie das Heil erlangen? Geht es also um eine Bekehrungsvorleistung der Juden, um eine Art »Massenbekehrung« vor Erscheinen Christi, forciert etwa durch christliche »Massenmission«? Keineswegs. Heutige Exegese geht quer über die Konfessionsgrenzen davon aus, daß der hier entscheidende Satz des Paulus strikt eschatologisch und christologisch zu interpretieren ist[19]. Er lautet vollständig: »Dann wird ganz Israel gerettet werden, wie es in der Schrift heißt: Der Retter wird aus Zion kommen, er wird alle Gottlosigkeit von Jakob entfernen, und das ist der Bund, den ich ihnen gewähre, wenn ich ihre Sünden wegnehme.«[20] Was ist damit gesagt?

Dies ist des Paulus Erwartung: Wenn die »Vollzahl der Heiden« erreicht ist, wenn also alle Heiden sich zu Christus bekannt haben werden, dann kommt es zu einer Neuschöpfung Gottes am noch ungläubigen Rest Israels – und zwar durch den vom Zion her wiederkehrenden Christus. Paulus spricht also vor dem Horizont seiner endzeitlichen Naherwartung und angesichts eigener Anstrengungen, so viele Menschen wie möglich für Christus zu gewinnen. Er spricht aber **nicht** von einer **Bekehrungsvorleistung der Juden**, sondern von einer **Tat Gottes durch Christus an den Juden**. Auch aus diesem Grunde ist eine Mission der Kirche gegenüber den Juden überflüssig. Die Frage der »Bekehrung« Israels zum wahren Glauben muß also die Kirche nicht in eigener Regie in Angriff nehmen, sie kann dies getrost der Gnade Gottes überlassen und dem Christus, der am Ende der Zeit als »Retter vom Zion« erscheinen wird[21].

Denn von einem ist Paulus zutiefst überzeugt, und hier stimmt er mit den Rabbinen überein: daß Gottes Wege unerforschlich sind! Ja, er ist sogar der Meinung – und dieser Satz wird die Christenheit später sehr beschäftigen –, daß schließlich alle, Christen und Juden, gerettet werden: »Gott hat alle in den Ungehorsam eingeschlossen, um sich aller zu erbarmen.«[22] Und so schließt Paulus denn seine Ausführungen über Juden und Christen mit einem Lobpreis der Weisheit Gottes, mit Worten aus der Hebräischen Bibel: »O Tiefe des Reichtums, der Weisheit und der Erkenntnis Gottes! Wie unergründlich sind seine Entscheidungen, wie unerforschlich seine Wege! Denn wer hat die

Gedanken des Herrn erkannt? Oder wer ist sein Ratgeber gewesen?«[23] Des Paulus letzter Satz aber in dieser Sache ist ein Bekenntnis zum einen und einzigen Gott, das er nie verraten wollte, sondern immer wieder bekräftigt hat: »Denn aus ihm und durch ihn und auf ihn hin ist die ganze Schöpfung. Ihm sei Ehre in Ewigkeit! Amen.«[24]

3. Konsequenzen für das Verhältnis von Israel und Kirche

Aber nun sind schon fast 2000 Jahre vergangen. Und die von Paulus und vielen seiner jüdischen Zeitgenossen erwartete Wiederkunft Christi ist nicht eingetroffen. Eine lange, für das Verhältnis von Juden und Christen manchmal grauenhafte Geschichte ist gefolgt, wie wir hörten, eine Geschichte, die oft genug Verrat war an den großen Aussagen über Israel, wie Paulus sie in Kapitel 9-11 des Römerbriefs niedergelegt hatte. Wie oft hat sich die Heidenkirche, als sie die große Zahl für sich hatte, auf Kosten der Juden »gerühmt«, mit ihren Auszeichnungen geprahlt, als ob sie Israel ersetzt und überflüssig gemacht habe; dies alles hat der Jude Paulus, der sein Judentum auf keinen Fall aufgeben wollte, nicht gewollt.

Erst in unseren Tagen zeichnet sich eine Wende ab. Eine neue Zeit des Zusammenlebens von Israel und Kirche hat begonnen – nach dem Holocaust und der Gründung des Staates Israel, nach dem Vatikanum II, den Erklärungen des Weltrates der Kirchen und vieler anderer Kirchengemeinschaften. Zweierlei dürfte sich aus all dem Gesagten als Konsequenz aufdrängen:

1. Für die christliche Kirche als dem neuen Gottesvolk ist es **unmöglich** geworden, in irgendeiner Form **gegen das alte Gottesvolk zu reden oder zu handeln.** Auch von Paulus her gilt: Ein sicheres Zeichen dafür, daß man gegen den einen wahren Gott ist, besteht darin, gegen sein auserwähltes Volk zu sein. Der Gott Jesu Christi und der Kirche ist nun einmal kein anderer als der Gott Israels. Das Volk Israel aber ist und bleibt Zeuge für die Wirklichkeit des lebendigen Gottes, und es ist dies in den vergangenen fast 2000 Jahren oft mehr als die Christenheit gewesen, in einzigartiger Weise gerade im Holocaust, wo so viele Juden die »Hoffnung wider alle Hoffnung«[25] auf den Gott, der die Toten lebendig macht, bewahrt haben. Ob also die paulinischen Kategorien – Glaube und Werke, Geist und Buchstabe,

Geist und Fleisch – nach all diesen geschichtlichen Erfahrungen noch so unbekümmert auf Christentum und Judentum verteilt werden können?

2. Für die Kirche als das neue Gottesvolk hat sich als **notwendig** erwiesen, in jeder Weise mit dem alten Gottesvolk **in verstehenden Dialog einzutreten.** Auch von Paulus her ist dieser Dialog nicht abgeschlossen, sondern offen: Wir heute brauchen nicht einfach bei Paulus stehenzubleiben, der ja die Entwicklung der 2 000 Jahre nicht voraussehen konnte. Die gemeinsame Basis von Israel und Kirche ist unterdessen erfreulicherweise erneut sichtbar geworden: Der eine und selbe Gott ist es, der beide führt. Wie Israel, so will die christliche Kirche wanderndes Gottesvolk sein: immer wieder neu im Auszug aus der Knechtschaft begriffen, immer wieder neu auf dem Weg durch die Wüsten dieser Zeit, immer wieder neu sich vorbereitend auf den Einzug ins messianische Reich, das Ziel, das immer wieder vertagt wird.

Eines nur ist der Kirche Jesu Christi auf dieser gemeinsamen Wanderschaft erlaubt: statt nur passiv bequem zu »tolerieren« oder gar zu »missionieren«, darf sie wohl »zur Eifersucht reizen«[26]. Sie darf Paulus zufolge Israel eifersüchtig machen auf das ihr widerfahrene »Heil«[27], um Israel zur Nacheiferung zu reizen. Aber wie – nach 2 000 Jahren vorwiegend Unheil für die Juden durch eine Kirche, die sich exklusiv im Besitz des Heiles wähnte? Die Antwort kann in aller christlichen Demut und Bescheidenheit nur lauten: Die Kirche müßte **in ihrer ganzen Existenz** das Wahrzeichen des erlangten Heiles sein! Und ist sie dies? Sie müßte in ihrer ganzen Existenz Zeugnis ablegen von der **messianischen** Erfüllung! Aber tut sie dies? Sie müßte in ihrer ganzen Existenz mit Israel wetteifernd darum ringen, in der oft gottfremden Welt zu zeugen vom **offenbaren** Gott, vom **erfüllten** Wort, von der **geoffenbarten** Gerechtigkeit, von der **ergriffenen** Gnade, von der **hereingebrochenen** Gottesherrschaft. Aber ist die realexistierende Kirche wirklich ein Ruf, der frohen Botschaft zu glauben und umzudenken, sich mit ihr und so mit ihrem Messias zu vereinen? Hier – nicht in der theoretischen Debatte, sondern im **existentiellen** Dialog, nicht im unverbindlichen Wortstreit, sondern im engagierten Wettstreit – fällt die Entscheidung zwischen Kirche und Israel! Kurz, die Kirche müßte durch ihr ganzes gelebtes Leben zeugen von der **Wirklichkeit der Erlösung.**

Erfreulicherweise finden sich heute im Raum der Kirche Zeichen einer neuen Einstellung zum Volk Israel. In »Pastoralen Handreichungen« hat die **französische Bischofskonferenz 1973** programmatische Sätze zur »Haltung der Christen gegenüber dem Judentum« formuliert. Sie verdienen Beachtung, da sie alles von Rom, Genf und den deutschen Bischöfen Gesagte an Klarheit übertreffen. In Aufnahme der Paulinischen Theologie, insbesondere des Römerbriefes, führen die französischen Bischöfe aus: »Israel und die Kirche sind nicht zwei Institutionen, die einander ergänzen. Das permanente Gegenüber Israels und der Kirche ist das Zeichen für den noch unvollendeten Plan Gottes. Das jüdische und das christliche Volk befinden sich so in einem Zustand gegenseitigen Sich-in-Frage-Stellens oder, wie es der Apostel Paulus sagt, gegenseitiger ›Eifersucht‹ im Hinblick auf die Einheit (Röm 11,13; vgl. Deut 32,21). Die Worte Jesu selbst und die Lehre des Paulus legen Zeugnis ab für die Funktion des jüdischen Volkes bei der Erfüllung der schließlich herzustellenden Einheit des Menschengeschlechtes als Einheit Israels und der Nation. So kann denn auch die Suche nach Einheit, die das Judentum heute unternimmt, nicht ohne Zusammenhang mit dem göttlichen Heilsvorhaben sein. Auch kann sie ohne Zusammenhang sein mit den Bestrebungen der Christen zur Herstellung ihrer eigenen Einheit, obwohl zu diesen beiden Vorhaben sehr verschiedene Wege führen. Wenn auch Juden und Christen ihre Berufung auf verschiedenen Wegen erfüllen, so zeigt uns doch die Geschichte, daß sich ihre Wege stets kreuzen. Sind nicht die messianischen Zeiten Gegenstand ihres gemeinsamen Anliegens? So muß man denn wünschen, daß sie sich endlich auf den Weg der gegenseitigen Anerkennung und des gegenseitigen Verstehens begeben, daß sie ihre alte Feindschaft von sich weisen und sich dem Vater zuwenden mit einem Elan der Hoffnung, der eine Verheißung für die ganze Welt sein wird.«[28]

In der Tat, das eine muß sich die Kirche stets vor Augen halten: Befolgt sie solche Worte nicht, darf sie sich über **Rückfragen von jüdischer Seite** nicht wundern. Hören wir nochmals Schalom Ben-Chorin: »So müssen wir also von der Bibel her fragen, ob sich die Botschaft des Alten Testamentes nicht allein im Neuen Testament als Erfüllung gibt, sondern ob sie sich in der Geschichte – in der von uns und unseren Vorfahren erlebten und erlittenen Geschichte – erfüllt

hat. Und da, meine christlichen Leser, müssen wir verneinend das
Haupt schütteln: Nein, da ist kein Reich und kein Friede und keine
Erlösung, und es steht noch in der Ferne oder Nähe der Zukunft (das
kann nach jüdischem **und** christlichem Glauben keiner fixieren),
wann die ›Malchuth Schaddaj‹, das Reich Gottes, anbrechen wird.«[29]

Nun sind freilich auch die Christen der Überzeugung, daß die **endgültige, offenbare Erlösung der Welt, das Reich Gottes, noch aus-
steht**. Auch die Kirche behauptet mit Israel ein »Noch nicht« und betet mit Israel um das in der Zukunft erwartete Kommen des Reiches.
Nur daß dieses »Noch nicht« für die Kirche ein entscheidendes »Doch
schon« voraussetzt. Gerade weil die Kirche – anders als Israel, aber
auch und zuerst für Israel – an die bereits geschehene verborgene Erlösung der Welt in Jesus dem Christus glaubt, hofft sie – mit Israel
und so schließlich auch für Israel – auf die offenbare und endgültige
Erlösung der Welt.

Und was soll in der Zwischenzeit geschehen? Aus einer solchen
Grundhaltung des gemeinsamen Wartens heraus, so scheint mir, ließe
sich nun auch leichter darüber reden, wie wir es heute mit dem Trennenden halten wollen und sollen. Etwa mit dem Sabbat, beziehungsweise dem Sonntag, den wir hier exemplarisch als Testfall einer praktischen und theoretischen Annäherung wählen wollen. Von dieser
hochaktuellen Frage her soll hier – zur Illustration und weiterer Klärung der Gesetzesproblematik – zum Abschluß dieses Kapitels über
den Weg des Menschen und das Gesetz kurz die Rede sein.

4. Wie heute mit Sabbat und Sonntag umgehen?

So lautet das biblische Sabbatgebot: »Sechs Tage sollst du arbeiten
und all dein Werk tun; aber der siebente Tag ist ein Ruhetag, dem
Herrn, deinem Gott, geweiht.«[30] Der siebte Tag, dem Schöpfer-Gott
geweiht, soll eine Atempause für Mensch und Tier sein, für die Armen
und Schwachen ganz besonders. In Jerusalem wird heute der Sabbat –
und dies noch sehr viel strenger als etwa in Tel Aviv – eingehalten:
Busse und andere öffentliche Verkehrsmittel dürfen nicht fahren, Ca-
fés und Restaurants sind geschlossen, Kino- und Theatervorstellungen
finden nicht statt …

Kann man nicht verstehen, daß eine zuerst lange im hektisch-modernen Deutschland lebende Jüdin wie **Lea Fleischmann,** nach freilich längerer Eingewöhnung, in Jerusalem nun das »Lob des Schabbat« singt? »Der Tag der Besinnung, der Tag des Herrn, der Tag der Familie«! Ja, wie wäre es, wenn ein solcher Tag überall auf der Erde eingehalten würde: »Man stelle sich nur vor, an einem Tag in der Woche würden keine Autos fahren, keine Flugzeuge fliegen, keine Telephone schellen, keine Fernsehapparate leuchten, keine Maschinen dröhnen. An einem Tag der Woche würde die Luft nicht verpestet und die Flüsse weniger verschmutzt, Stille würde herrschen, und die Seele könnte sich ausruhen. An einem Tag in der Woche würden wir weniger Energie verbrauchen und die Natur schonen«.[31] Ein schöner Traum, wird man sagen, gewiß, aber ein durchaus bedenkenswerter, genauer zu analysieren.

Der allergrößte Teil auch der nichtorthodoxen Juden heute ist nicht gegen, sondern für den Sabbat, eine der ältesten Institutionen jüdischen Lebens, die auch an den Auszug aus Ägypten erinnern soll. Doch wie im Christentum gegenwärtig um die Erhaltung des Sonntags, so wird auch im Judentum um die Gestaltung des Sabbats heftig gerungen. Auch hier verschmelzen ja ökonomische, politische wie religiöse Interessen zu einem explosiven Gemisch, das in jeder Gesellschaft gefährlich werden kann.

Was den christlichen **Sonntag** betrifft[32], so hat er zweifellos einen **anderen Ursprung als der jüdische Sabbat:** Als »der erste Tag der Woche« in den Ostergeschichten[33] oder »der Tag des Herrn (Jesus)«[34] war er schon früh der regelmäßige Versammlungstag der Gemeinde zum »Brechen des Brotes«[35]. Dieser »Herrentag« (mit dem »Herrenmahl«) – im Lateinischen »dies dominica« und in den romanischen Sprachen »domenica«, »domingo«, »dimanche« – ist in den ersten Jahrhunderten sicher nicht als Ruhetag oder »christlicher Sabbat« verstanden und gefeiert worden. »Sonntag« oder »sunday« (lateinisch »dies solis«) stammt aus heidnisch-römischer Tradition, in der sich seit dem 1. Jahrhundert vor Christus die siebentägige Woche und die Namen der sieben Planeten für die sieben Wochentage durchgesetzt hatte. Erst Kaiser Konstantin hat 321 anstelle des angeblich Unglück bringenden und deshalb von vielen untätig verbrachten Saturntages (Samstages, Saturday) den Tag der (von vielen verehrten) Sonne zum Tag ohne Gerichtsverhandlungen erklärt. Erst spätere Kaiser haben (um auch Sklaven den Gottesdienstbesuch zu ermöglichen) die »Sklavenarbeiten« (»opera servilia«) untersagt, und erst die germanischen Könige haben alle schweren Arbeiten (als »opera servilia«) überhaupt verboten. Der arbeitsfreie »Tag des Herrn« ist christlicherseits also eine relativ späte Erscheinung.

Indem nun aber im Verlauf des 1. Jahrtausends der Sonntag mit Arbeitseinschränkungen verbunden wurde, steht der christliche **Sonntag faktisch doch in der Nachfolge des jüdischen Sabbats**, dieses uralten wöchentlichen Feiertags, der zusammen mit Beschneidung und Speisevorschriften das Bild des »Juden« schon in der antiken Welt bleibend geprägt hat. Dies aber heißt: Daß sich auch in der christlichen Welt ein allwöchentlicher Ruhe- und Feiertag durchgesetzt hat (mit Verbreitung des Christentums dann überall in der Welt), ist dem Volk Israel zu verdanken und seiner Feier des »siebten Tages der Woche«, des »Sabbats«, des gottgeweihten Ruhetages – eine nicht genug zu lobende Wohltat für die Menschheit. Das deutsche Wort »Samstag« erinnert noch an diesen »Sabbattag«.

Dabei haben Christen jüdischer Herkunft noch lange Zeit beide Tage zugleich gefeiert. Denn eine im 4. Jahrhundert kompilierte rechtlich-liturgische christliche Kirchenordnung gebietet, Sabbat und Sonntag als Ruhetag zu feiern: den Sabbat als Tag der Schöpfung (»creationis«), den Herrentag als Tag der Auferstehung (»resurrectionis«)[36]. In den Kirchen des Ostens wurde der Samstag seit dem 4. Jahrhundert als Schöpfungstag generell mit einem Gottesdienst gefeiert und der Westen wegen seines Fastens an diesem Tag kritisiert; Sabbat und Sonntag seien Geschwister, kann man von Kirchenvätern hören[37]. Im christlichen (ursprünglich judenchristlichen?) Äthiopien hat der Sabbat bis heute neben dem Sonntag einen Platz. Aus all dem folgt: Gegen eine Woche mit fünf Arbeits- und zwei Ruhetagen wäre theologisch im Zeitalter einer jüdisch-christlichen Ökumene nichts einzuwenden.

Wiewohl nicht wie Monat und Jahr astronomisch begründet, wurde die **Woche** zur ebenso beständigen wie humanen Zeit-Ordnung unserer Kulturgeschichte. Daran haben auch politische Revolutionen nichts ändern können. Denn ob die Woche nun mit dem jüdischen Ruhetag (Samstag) oder dem christlichen (Sonntag) oder dem muslimischen (Freitag) strukturiert wurde – gegen einen religiös begründeten Tag der Arbeitsruhe ist weder die Französische Revolution mit ihrer »Dekade« (Zehn-Tage-Rhythmus) noch die Russische Revolution mit ihrer ebenso unzweckmäßigen gleitenden Fünf-Tage-Woche angekommen. Während der industriellen Revolution war der arbeitsfreie Sonntag gerade von der Arbeiterbewegung und ihren Gewerkschaften mühselig genug gegen die totale Verzweckung im Industriezeitalter erkämpft worden: der **wöchentliche Ruhetag** als **Maß eines humanen Lebensrhythmus,** heute bisweilen sogar im Namen eines »Biorhythmus« verteidigt.

Aber die veränderten ökonomischen Bedingungen des »postindustriellen« Zeitalters bedeuten nun eine noch sehr viel ernsthaftere **Bedrohung sowohl des Sabbats wie des Sonntags.** Wie sollen sich Juden und Christen dazu verhalten?

a) Wir leben in einer Zeit, da der heilige Ruhetag der Juden wie der der Christen unter massivem Angriff des ökonomisch-technologischen Zweckdenkens steht. Ein religiöser Ruhetag bedeutet erst recht angesichts leistungsfähiger und doch nicht voll ausgelasteter teurer Maschinen, neuer kontinuierlicher Produktionsmethoden und eines steigenden weltweiten Konkurrenzdruckes Verlust an Profit und Wettbewerbsfähigkeit. Zeit ist Geld, muß berechnet und bewirtschaftet werden: dies ist das ökonomische Zeitverständnis. Wäre es nicht konsequent, den Sabbat oder den Sonntag den angeblichen technischen Zwängen und wirtschaftlichen Notwendigkeiten zu opfern? Wäre es nicht konsequent, den Sabbat oder den Sonntag sukzessive in einen beliebigen Arbeitstag (mit gleitender Freizeit für alle) zu verwandeln? Antwort: Den gläubigen Juden, die jedem Angriff auf den Sabbat energisch widerstehen, muß man als Christ grundsätzlich zustimmen. Wir sollten den **gemeinsamen Ruhetag,** sei es Sabbat oder Sonntag, **bewahren.**

»Rentabel« im Sinn der Rendite war der Sabbat/Sonntag natürlich noch nie; rentabler wäre gewesen, Knechte und Mägde rundum je einen Tag ruhen zu lassen. Aber wohltuend für die Menschheit war dieser gemeinsame Feiertag in vielfacher Hinsicht. Und was die modernen technischen Zwänge und wirtschaftlichen Notwendigkeiten betrifft, so ergeben sie sich immer aufgrund unserer ureigenen Wertungen und Entscheidungen. Im übrigen machen wir eine paradoxe Beobachtung: Je mehr Zeit wir haben, gewonnen durch zeitsparende Technologien, um so weniger Zeit haben wir. Denn um so kostbarer wird die Zeit, und um so mehr wollen wir sie ausnützen. Deshalb trotz unermeßlichen Zeitgewinns in allen Bereichen doch eine wachsende Zeitnot, ein weithin beklagter Termindruck und als Folge Nervosität, Streß, Erschöpfung. Ob diese Zeitausnützung »rund um die Uhr« wirklich rentabel ist?

Es ist der Mensch mit seinen seelischen Bedürfnissen nun einmal mehr als ein geschundenes Stück Vieh, erst recht mehr als ein Rädchen im Produktionsprozeß; vor Gott findet er seine Selbstachtung und Menschenwürde, wie dies der katholische Exeget Josef Blank – noch kurz vor seinem allzufrühen Tod – ausgeführt hat: »Man muß dieses humane und psychologische Zeitverständnis beachten, wenn man die Bedeutung des Ruhetages recht verstehen will. Dieses kann man nicht beliebig durch einen ›Freizeittag für Hobbys‹ ersetzen. Der Preis dafür dürfte ungefähr so aussehen: Nachdem das ökologische Gleichgewicht bereits aus den Fugen geraten ist, würde auf diese Weise das humane Gleichgewicht unserer Gesellschaft aufs tiefste erschüttert, mit unabsehbaren Folgen! Was ginge denn dabei verloren? Die Antwort ist ziemlich einfach: Verloren ginge unsere gemeinsame Zeit. Die gemeinsame Zeit unserer Gesellschaft; die gemeinsame Zeit in der Familie; und wenn man weiterdenkt, merkt man, daß alle kulturellen und sogar die sportlichen Veranstaltungskalender auf dieser Voraussetzung einer gemeinsamen Zeit beruhen.«[38] In der Tat: Ohne synchrone Zeiten noch mehr zersplitterte Familien, zerbrochene Gemeinschaften, anonymisierte Gesellschaft.

b) Wir leben in einer Epoche veränderter Anforderungen, verkürzter Arbeitszeit und verlängerter Freizeit. Empfiehlt es sich da, den Sabbat (oder den Sonntag) in sozusagen jüdisch-orthodoxer, römisch-mittelalterlicher oder auch in puritanisch-protestantischer Gesetzlichkeit als ein unerschütterliches Tabu, als rigoroses Gesetz, als kulturelles oder religiöses Denkmal zu behandeln? Wie der gemeinsame Ruhetag, wenn er schon beibehalten werden soll, nicht einfach nur ein »freier Tag« oder ein fauler Tag sein soll, so andererseits doch auch nicht ein total regulierter Tag. Den heutigen Juden, die sich bezüglich des Sabbats gegen eine weit ausgesponnene rabbinische Kasuistik, für vernünftige menschenfreundliche Lösungen einsetzen, kann man als Christ, der sich an Jesu Wort und freiheitlicher Praxis zu orientieren versucht, kaum widersprechen. Christen und Juden sollten den Tag der Freiheit von Arbeitszwängen nicht wieder vergesetzlichen. Sie sollten **den gemeinsamen Ruhetag**, ob Sabbat oder Sonntag, **nicht zur Belastung werden lassen**.

Denn wenn es gilt, daß der Mensch nicht für die Maschinen, Computeranlagen und die Produktion da ist, so gilt doch, wie wir hörten, gleichzeitig: Der Mensch ist auch nicht für den Sabbat da, sondern umgekehrt der Sabbat (und natürlich auch der Sonntag) für den Menschen. Die ursprüngliche sozial-humanitäre Bedeutung wird so wieder ins Zentrum gerückt: der Ruhetag nicht als Last und Zwang, sondern als Hilfe und Freude.

c) Gibt es in diesem Dilemma zwischen rigoristischer mittelalterlicher Orthodoxie und allzu beflissener moderner Adaptation überhaupt eine Lösung? Wenn ja, so dürfte sie darin liegen, das Entscheidende des Sabbats (für die religiöse Identität des Judentums wichtig) wie des Sonntags (für die religiöse Identität des Christentums nicht unwichtig) zu bewahren: **Abstand vom Alltag**, um physisch und geistig aufatmen zu können. Einerseits gilt es, der völligen Beliebigkeit und zeitlichen Orientierungslosigkeit zu wehren und diesen religiös begründeten Ruhetag zu schützen, der älter ist als alle Staaten und ihre Gesetzgebung, und ihn so auch in der neuen Weltepoche beizubehalten. Andererseits aber gilt es, die neuen sozialen Bedingungen nicht zu übersehen, die wohl doch eine Neubelebung der Feiertagskultur und eine Neugestaltung des Ruhetages wie seines Gottesdienstes, der im Judentum wie im Christentum in einer Krise steckt, erfordern. Nicht um sich dem modernen Trend zu unterwerfen, auch nicht um mehr Leute in die Synagoge (oder in die Kirche) zu locken. Sondern um des Wohles der Menschen (und insbesondere der Familien und aller übrigen Gemeinschaften) willen, die einen **gemeinsamen** Ruhe- und Festtag brauchen, im weltlichen wie im religiösen Bereich. Auf den Abstand vom Alltag also kommt es an, ob dabei nun mehr (wie in jüdischer Tradition) die Arbeitsruhe oder (wie in katholischer Tradition) der Gemeindegottesdienst oder (wie in protestantischer Tradition) die Beschäftigung mit dem Worte Gottes im Vordergrund steht. Arbeitsruhe, Gottesdienst und Gotteswort bilden im Idealfall eine Einheit.

Schaut man auf das Wesentliche des religiös orientierten Ruhe- und Besinnungstages, so läßt sich die Verlagerung des Sabbatgottesdien-

stes auf den Freitagabend ebenso vertreten wie die des Sonntagsgottes-
dienstes auf den Samstagabend (die Feier der Vigil = Nachtwache ist
schon im frühen Mittelalter auf den Vorabend des Festes gerückt
worden); umgekehrt haben auch manche jüdischen Reformgemein-
den zumindest zeitweise die Sabbatfeier auf den Sonntag verschoben.
Wichtiger als das genaue Datum scheint mir im Zeitalter der »Fünfta-
gewoche«: Eine weniger langweilige, lebendigere und spontanere Sab-
batliturgie ist in postmoderner Zeit, wo Freizeitindustrie, Medien und
Sport eine außerordentlich starke »Konkurrenz« des Gottesdienstes
geworden sind, genauso notwendig wie eine interessantere menschen-
freundlichere Sonntagsliturgie[39].

Wie immer: Die Menschheit als Perpetuum mobile der Produktion –
das ganze Jahr hindurch rund um die Uhr vierundzwanzig Stunden
dreihundertfünfundsechzig Tage lang und so fort –, dies kann nicht
das Ideal der Zukunft sein. Nur irgendwann ein freier Tag reicht
nicht aus für ein sinnvolles Leben mit Lebensqualität. Nicht die Arbeit ist der Sinn des Lebens. Aber auch nicht die Freizeit, die neben
Freizeitstreß auch Freizeitfrust zur Folge haben kann. Menschen
brauchen dringend Kristallisationspunkte des gemeinschaftlichen Lebens, brauchen kollektive Unterbrechungen der modernen Hektik,
brauchen ein gemeinsames Aussteigen aus den Sachzwängen, brauchen Oasen der Ruhe, besinnliches Einhalten und geistiges Durchat-
men: gesetzlich geschützte »Tage der Arbeitsruhe und der seelischen
Erhebung« (Art. 140 des Grundgesetzes der Bundesrepublik Deutschland). Menschen brauchen einen Tag der Freiheit für Gott, der die
letzte Tiefe, der letzte Sinn des menschlichen Lebens ist.

C. Juden, Muslime und die Zukunft des Staates Israel

I. Das große Ideal

»Ja, wir haben die Kraft, einen Staat, und zwar einen Musterstaat zu bilden. Wir haben alle menschlichen und sachlichen Mittel, die dazu nötig sind«, so hatte 1896 der Gründervater des Judenstaates Theodor Herzl in seiner Programmschrift geschrieben[1]. Und in der Tat: Entscheidendes wird für die Zukunft des Staates Israel davon abhängen, ob die für die Staatsgründung so wichtige humane Intention angesichts der notorischen Schwierigkeiten aufrechterhalten, ja vielleicht sogar wieder besser realisiert wird.

1. Der Juden Staat – Signal für einen Paradigmenwechsel

Bei aller Zwiespältigkeit der jüngeren jüdischen Geschichte, niemand kann es gegen Ende des 20. Jahrhunderts übersehen: Nach der furchtbaren Katastrophe des Holocausts ist das **Wiedererstehen des Staates Israel das wichtigste Ereignis** der jüdischen Geschichte **seit der Zerstörung Jerusalems und des Zweiten Tempels durch die Römer** im Jahre 70 nach Christi Geburt. Fast 1900 Jahre hat es gedauert, bis es wieder einen jüdischen Staat in Palästina geben konnte. Wir haben die Geschichte der Entstehung dieses neuen Staates in aller Knappheit erzählt. Was hat sie zu bedeuten? Wie ist dieses Ereignis im Kontext unserer Analyse der religiösen Situation der Zeit zu interpretieren?

Das Wiedererstehen des Staates der Juden ist das unübersehbare Signal für einen epochalen Paradigmenwechsel im Judentum, bei dem sich noch einmal alles verändert. Auch für das Judentum hat – nach der modernen Assimilation und dem modernen Antisemitismus mit dem absoluten Tiefpunkt des Holocausts – **die Postmoderne begonnen**! Selbstverständlich werden für gläubige Juden auch jetzt gewisse Konstanten gewahrt bleiben: Noch immer geht es ja um dasselbe **Volk** aus der Erinnerung desselben **Bundes** in Bindung an dasselbe **Land**[2].

Gerade aus der lebensbedrohenden Krise des Holocausts aber kommt es jetzt zum Übergang, zum Wechsel in eine völlig **neue Gesamtkonstellation** der Überzeugungen, Werte, Einstellungen. Ein neues Makroparadigma:

- Das Zentrum des jüdischen Lebens wird aus Europa ins »verheißene Land« des Anfangs zurückverlegt.
- Das Volk Israel erhält wieder die Möglichkeit zu staatlicher Selbstorganisation und politischer Selbstbestimmung.
- Das gesamte Judentum auch der Diaspora erfährt eine neue geistige Ausrichtung.

Eine neue geistige Ausrichtung? Ja, auch für Christen ist unübersehbar: Die Auferstehung dieses totgeglaubten Volkes in Form eines eigenen Staates hat jene (bis zum Zweiten Vatikanum herrschende) **antijüdisch-christliche Theologie und Ideologie endgültig erschüttert**, die in den Juden auf ewig Verfluchte und zur Zerstreuung Verdammte sah (Ahasver – der »ewige Jude«). Nein, das jüdische Volk ist nicht vernichtet, die biblischen Landverheißungen sind offensichtlich nicht aufgehoben worden! Im Gegenteil: Der Staat Israel hat, das müssen auch Nicht-Zionisten zugeben, dem im Holocaust zum endgültigen Untergang verdammten Volk seine Wehrlosigkeit, Hilflosigkeit, Verzweiflung genommen. Er hat ihm seine Würde, seine Selbstachtung, seine Widerstandskraft, seine Verteidigungsbereitschaft, seine Ebenbürtigkeit zurückgegeben. Die alten häßlichen Stereotypen und beleidigenden Unterstellungen von der angeblichen Arbeitsscheu, Feigheit und Geldgier der Juden sind durch den neuen, gerade in den Bereichen Landwirtschaft und Siedlungspolitik (Kibbuz- und Moschab-Bewegung), Sport und Selbstverteidigung besonders erfolgreichen Staat Israel eklatant widerlegt. Mit dem Wort »Jude« verbindet sich hier nicht mehr das Ideal des über der Tora sinnierenden Rabbi, sondern das des makkabäischen Kämpfers und modernen Pioniers. Keine Frage: Eine neue Weltzeit ist angebrochen für das Volk der Juden.

Aber noch mehr: Kann die Wiedergeburt Israels von glaubenden Juden nicht mit Grund auch als eine Spur der Transzendenz in dieser

Weltzeit, konkret als ein **Zeichen der Treue und Gnade Gottes** verstanden werden? Wie schwer war es doch lange Zeit für Juden, an einen lebendigen und gerechten Gott zu glauben. Wie schwer war es doch lange Zeit für jüdische Eltern, die eigenen Kinder zu lehren, daß Judesein ein Segen sei und nicht ein Fluch. Und wie sehr viel leichter ist es jetzt, angesichts der imponierenden Leistungen des Staates Israel etwa auch auf dem Bildungs- und Gesundheitssektor, die positiven Seiten des Judeseins herauszustellen. Ist also nicht der durch die Geschichte so bitter angefochtene Glaube an Gott und seine Verheißungen für Volk und Land durch die Geschichte selbst höchst glorreich bestätigt worden? So viele Juden, gläubige Juden vor allem! Und – die Christen: Wie halten sie es mit dem Staat Israel?

2. Israel – eine religiöse oder politische Größe?

Zunächst ist einschränkend zu bemerken: Für den Staat Israel sind in erster Linie – sowohl was die Identifikation wie die Kritik angeht – Juden zuständig. Christen sollten sich, ihrer nicht gerade ruhmreichen Einstellung zum Judentum eingedenk, zum Staat Israel mit grundsätzlicher Sympathie äußern, zumal angesichts des Holocausts. Doch – es stellt sich im Kontext des jüdisch-christlichen Dialogs unausweichlich die Frage: Wie sollen sich Christen als Christen zu diesem Staat und seiner Politik verhalten? Zu diesem Israel, das ein Staat von wenig mehr als 4,5 Millionen Einwohnern ist (gegenüber 100 Millionen Arabern ringsum); das mit dem ständigen Gefühl der Bedrohtheit, zwar nicht mehr durch den kirchlichen Antijudaismus, wohl aber jetzt durch die arabische Welt (lange Zeit unterstützt vom Sowjetblock) leben mußte; zu einem Israel, das seit seiner Gründung einen Zankapfel unter den Supermächten bildet und das auch nach vier Kriegen in seiner Existenz noch immer ungesichert lebt, was der Golfkrieg (1991) noch einmal aller Welt vor Augen führte? Ist dieses Israel wirklich ein Staat wie jeder andere, dessen »Existenz« nicht »religiös«, sondern nur nach den »allgemeinen Grundsätzen internationalen Rechts« zu beurteilen ist, wie auch noch das vatikanische Dokument über jüdisch-christliche Beziehungen von 1985[3] voraussetzt, so daß für Christen der Staat Israel (und seine diplomatische Anerkennung) eine rein politische Frage wäre?

Nicht zu Unrecht wird der Staat Israel im jüdisch-christlichen Gespräch von jüdischer Seite oft zum Schibbolet, zum Erkennungszeichen und Losungswort, gemacht dafür, ob man es mit der jüdisch-christlichen Verständigung ernst meint. Doch ist gerade hier genau zu differenzieren.

Zunächst ist unbestreitbar: Der heutige Staat Israel ist verfassungsrechtlich keine religiöse, sondern eine **politische Größe**! Der Staat Israel selber will ja kein sakrales, theokratisches, gar endzeitliches Reich sein, sondern eine moderne, weltliche, säkulare, tolerante Gesellschaft, die verfassungsmäßig und rechtsstaatlich in der Form einer parlamentarischen Mehrparteien-Demokratie organisiert ist – die einzige im Nahen Osten, wie in Israel immer wieder betont wird. Das **Existenzrecht des Staates Israel** – gründend letztlich in der unbestreitbaren, mehr als 3 000jährigen Beziehung des jüdischen Volkes zu diesem Land selbst in Zeiten der Verbannung – muß anerkannt werden. Gerade als – wenn man von den besetzten Gebieten absieht – freiheitlich-demokratischer Staat verdient Israel auch **volle diplomatische Anerkennung**: Anerkennung vor allem durch den Vatikan, der so oft Diktaturen anerkannt und hofiert hat. Unzweideutige Anerkennung auch durch die Palästinensische Befreiungsbewegung (PLO), die einzige Kraft, die für die große Mehrheit der Palästinenser spricht, die aber ohne eindeutige unmißverständliche Anerkennung Israels jeden Frieden im Nahen Osten und jede positive politische Lösung für das eigene Volk von vornherein unmöglich macht.

Zugleich ist ein Zweites zu beachten: Israel ist faktisch **nicht einfach der Staat der Juden**. Denn erstens gibt es auch **nichtjüdische israelische Staatsbürger**: Gegenüber einer oft verfälschten Statistik[4] ist anzunehmen, daß bereits vor dem Ersten Weltkrieg in Palästina neben damals 85 000 Juden rund 600 000 Araber wohnten[5]. Als es zur Gründung des Staates Israel kam, lebten also von allem Anfang an auch zahlreiche Bürger anderer Volkszugehörigkeit (Araber) und anderer Religionszugehörigkeit (Muslime, Drusen, Christen, auch einzelne Judenchristen) in diesem Staat. 1989 betrug – von den besetzten Gebieten abgesehen – der Anteil der Muslime 14 % und der der Christen 2 % an der Gesamtbevölkerung.

Umgekehrt ist es ebenfalls Tatsache: **Nicht alle Juden** sind **Staatsbürger Israels**. Das Judentum ist bekanntlich größer und umfassender

als der jüdische Staat und mit diesem keineswegs immer verbunden.
Und bei aller Bejahung einer gesicherten Existenz des Staates Israel,
bei allem Verständnis für die jüdische Leidensgeschichte, die hinter
der Staatsgründung steht, und bei aller Anerkennung auch der einzigartigen Bedeutung des Staates Israel für das zeitgenössische Judentum:
Judentum und Zionismus dürfen nicht einfach identifiziert werden.
Der Staat Israel ist, genau genommen, nicht der Staat des Judentums
als Religion, sondern der Staat der Juden als des Judenvolkes. Die
Mehrzahl der Juden will denn auch nach wie vor nicht im Staate Israel
leben. Es gab schon immer und wird auch immer wieder nichtzioni-
stische Juden geben. Mit anderen Worten: Das Ethnisch-Nationale
und das Ethisch-Religiöse können zweifellos nicht völlig getrennt,
aber das eine darf auch nicht auf das andere reduziert werden. Staat
Israel und Judentum sind also keineswegs identisch, haben allerdings
eine unlösbare Beziehung zueinander.

Deshalb muß die Antwort auf die Frage lauten: Der heutige Staat
Israel ist eine **politische Größe**, hat jedoch von seiner ganzen Tradition her auch eine **religiöse Dimension**! Oder wie es – anders als das
vatikanische Dokument von 1985 – schon zehn Jahre früher der Rat
der Evangelischen Kirche in Deutschland formuliert hat: Der Staat Israel, eine »politische Größe«, »stellt sich … zugleich in den Rahmen
der Geschichte des erwählten Volkes«[6]. Man bedenke:
– Schon sein Name »Israel« (anders als etwa »Palästina«) verrät seinen
Ursprung beim auserwählten Stammvater Jakob, Israel genannt.
– Die Gründungsurkunde stellt den neuen Staat damit ausdrücklich
in die biblische Tradition des Judentums.
– Gerade deshalb betrachtet es dieser Staat auch als seine Aufgabe, die
Existenz dieses Volkes im Land seiner Väter zu gewährleisten und zu
sichern.
– Er steht also in der Geschichtskontinuität des auserwählten Volkes:
Zwar nicht der Staat, aber das »Land« ist Inhalt der Verheißungen der
Hebräischen Bibel, und der politische Zionismus wäre undenkbar
ohne das Festhalten vieler Gläubiger an der Verheißung dieses
Landes.
– Israels offizielle Sprache ist (modernisiert) die der Bibel; Israels Ge-
schichtsschreibung und Archäologie (in Israel beinahe ein Volkssport)
folgen ihren Spuren.

– Gesetzlicher Feiertag ist der Sabbat, gesetzliche Ruhetage sind die jüdischen Feste, wie Purim, Pessach, Schawuot und Simchat Tora.

– Die jüdischen Speisevorschriften müssen in Armee, staatlichen und öffentlichen Institutionen eingehalten werden (faktisch aber auch in den meisten Restaurants und touristischen Einrichtungen).

– Die Daten des alten hebräischen Kalenders – vom Schöpfungsjahr an gerechnet – erscheinen auf allen amtlichen Dokumenten (dem Jahr 1991 entspricht das Jahr 5751/52).

Die historische und die religiöse Perspektive sind allerdings zu unterscheiden, und längst nicht alle, welche die erste bejahen, anerkennen auch die zweite. Eine unübersehbare **historische Tatsache** ist es gewiß, daß das Judentum als Volk weiterlebt; dies gilt unbestreitbar für Glaubende und Nichtglaubende. Doch ist es eine keinesfalls allgemein geteilte, wenngleich offensichtlich unausrottbare **Glaubensüberzeugung**, daß die besondere Geschichte Gottes mit diesem Volk weiter anhält. Auch aus der Perspektive von glaubenden Christen gilt, wie wir sahen: Der **Bund** Gottes mit seinem Volk ist offenkundig nicht annulliert, sondern hat sich durchgehalten! Gottes **Volk** lebt wieder im **Lande** der ursprünglichen Verheißung! Für Juden und Christen ist der wiedererstandene Staat der Juden demnach ein Realsymbol dafür, daß **Gott** lebt und wirkt. Denn wie für den glaubenden Juden, so kann es auch für den glaubenden Christen keine rein profane Weltgeschichte geben. Wie denn auch? Ist es doch der verborgene Gott selbst, der für die Glaubenden die Geschichte der ganzen Welt und ganz besonders auch die Geschichte Israels von innen durchwaltet und geleitet.

Der wiedererstandene Staat der Juden – ein Realsymbol für Gottes Wirken: Gilt das auch noch für den Staat Israel ein halbes Jahrhundert nach der Staatsgründung? Hier fangen die Zukunftssorgen an.

3. Religiöser Pluralismus oder Staatsreligion im Judenstaat?

Seit der Staatsgründung, ja seit dem Beginn der zionistischen Immigration bildet die **Religion ein Zentralproblem.**

Zentralproblem ist sie **erstens** im Verhältnis Israels zu Muslimen und Christen. Und insofern ist die soziale und religionsgerechte Gestaltung des Staates eine zwischen Juden und Nichtjuden umstrittene

Frage, die des verständigen ökumenischen Dialogs bedarf. Dabei ist anzuerkennen, daß der Staat Israel an allen heiligen Stätten der verschiedenen Religionen den freien Zugang und das Recht auf Gottesdienst garantiert und jede Verletzung oder Entweihung mit schweren Strafen ahndet (Gesetz über den Schutz der heiligen Stätten von 1967). Aber es stellt sich die drängende Frage nach der bürgerlichen Gleichberechtigung der muslimischen und christlichen Einwohner des Judenstaates.

Zentralproblem ist Religion **zweitens** für die Juden selbst, im Verhältnis gerade der Israelis untereinander: Orthodoxe (und chasidische) Juden waren schon im 19. Jahrhundert nach Palästina eingewandert, also schon vor dem Beginn der neuen zionistischen Immigration im beginnenden 20. Jahrhundert, die in überwältigender Mehrheit sozialistische, säkularistische und teilweise sogar ausgesprochen antireligiöse Juden nach Palästina brachte. Religionspolitisch gesehen besaß so die (weithin chasidische) Orthodoxie von Anfang an faktisch ein religionsgesetzliches Monopol, was bei der im türkischen Reich gegebenen inneren Autonomie ethnischer Gruppen sich in die verschiedensten Rechtsbereiche hinein auswirkte. Darauf mußte der Zionismus, wollte er die Orthodoxen für sich gewinnen, Rücksicht nehmen. Schon früh gab es überdies eine religiös-zionistische Bewegung (»Misrachi«), die das zionistische Siedlungswerk mit prophetisch-messianischen Hoffnungen verband und die sich nach dem Ersten Weltkrieg durch einen eigenen Arbeiterflügel und eine eigene Kibbutz-Bewegung zunehmend Einfluß verschaffte. Die dann in den 20er und 30er Jahren zuwandernden Mittelklasse-Juden waren ohnehin persönlich meist orthodox und konnten sich ein neues Israel ohne die traditionellen jüdischen Werte und Praktiken gar nicht vorstellen. Ihr anerkanntes Oberhaupt hatten die religiösen Juden im aschkenasischen Oberrabiner; solange dies bis zu seinem Tode 1935 Abraham Isaak Kook war, der sich gegenüber den Nichtreligiösen durch eine sehr tolerante Sicht auszeichnete, hielten sich die innerjüdischen Streitigkeiten in Grenzen.

Neben dem modernen Trend zum religiösen Pluralismus, der das reformerische und das konservative Judentum als echte Alternativen zur Orthodoxie einerseits und zum Säkularismus andererseits ansieht, gibt es so auch einen starken Gegentrend hin zur Orthodoxie, die, wiewohl zahlenmäßig gering, religiös wie politisch über eine Schlüsselstellung verfügt. Unverblümt bemühen sich die orthodoxen Juden darum, ihre institutionelle Machtbasis mit allen Mitteln auszubauen, nicht nur um eine totale Säkularisierung der neuen jüdischen Gemeinschaft zu verhindern, sondern auch um missionarisch den säkularisierten Juden die religiöse Praxis nahe zu bringen. Dies führt zu ständigen Konflikten, besonders seit sich mit der Staatsgründung ein parlamentarisches System etablierte.

Ob man sich hier nicht an die Worte des visionären Staatsgründers erinnern sollte? Theodor Herzl hat in seiner Programmschrift gefragt: »Werden wir also am Ende eine Theokratie haben?« und diese Frage klar mit »Nein!« beantwortet. »Der Glaube hält uns zusammen, die Wissenschaft macht uns frei. Wir werden daher theokratische Velleitäten unserer Geistlichen gar nicht aufkommen lassen. Wir werden sie in ihren Tempeln festzuhalten wissen, wie wir unser Berufsheer in den Kasernen festhalten werden. Heer und Klerus sollen so hoch geehrt werden, wie es ihre schönen Funktionen erfordern und verdienen. In den Staat, der sie auszeichnet, haben sie nichts dreinzureden, denn sie werden äußere und innere Schwierigkeiten heraufbeschwören.«[7] Theodor Herzl sollte Recht bekommen – auch in dieser Frage.

Denn wieviel neben dem ebenfalls immer einflußreicheren Heer gerade der Klerus im neuen Staat Israel zu sagen hat, zeigte sich bei der Frage der Halacha des jüdischen **Religionsgesetzes**. Wir haben darüber ausführlich gesprochen. Wer immer das Thema »Gesetz« berührt, berührt eine religiös wie politisch gleichermaßen brisante Problematik. An ihr, so sahen wir, scheiden, ja bekämpfen sich die verschiedenen Richtungen im Judentum. Und auf Israel bezogen heißt das: Für oder gegen das »Gesetz« werden heutzutage in Israel eigentliche »**Kulturkämpfe**« ausgetragen, bei denen es über verbale Aggressivität und Politmanöver hinaus auch zu Gewalttätigkeiten kommt[8].

Der orthodoxe Rabbiner David Hartman hat diese innerjüdischen Spannungen in Israel eindrucksvoll beschrieben: »Juden sind von überall her nach Hause gekommen ... Zu Hause jedoch, wohin wir zurückgekehrt sind, entdecken wir, daß wir eigentlich gespalten sind. Wir mögen uns sogar fragen: Sind wir wirklich eine Familie gewesen? Der Slogan ›wir sind eins‹ klingt in dem Moment fraglich, wo ein Jude einen Juden trifft und sich jeder von uns fragt, ob wir uns wirklich verstehen können. Die ernsteste Frage in Israel ist die, ob die chronischen Streitigkeiten zu einem Bürgerkrieg führen könnten. Die Polarisierung zwischen religiösen und säkularen Juden schreitet fort. In den Zeitungen sind die größten Probleme oft nicht Sicherheit, sondern ob die Straßenbahn am Sabbat in Haifa fahren oder ob ein Petah Tikvah Kino am Freitag einen Film zeigen wird. Der Oberrabbiner der Stadt, eingesperrt im Gefängnis, weil er eine gewaltsame illegale Demonstration gegen die Öffnung eines Kinos angeführt hat, beansprucht, über dem Gesetz des Staates zu stehen, weil er im Namen Gottes redet. 400 Polizisten können den Sabbat nicht mit ihren Kindern verbringen, weil sie damit beschäftigt sind, Juden davon abzuhalten, gegeneinander zu kämpfen. Ärger, Zynismus und intensive Polarisierung werden wegen religiöser Streitfragen erzeugt zwischen Brüdern, die nach Hause gekommen sind, nachdem sie so lange für die Rückkehr aus dem Exil gebetet haben.«[9]

Warum aber diese ständige Eskalation, welche die israelische Gesellschaft unter ständige Spannungen setzt? Der Grund liegt darin, daß die religiöse Ultraorthodoxie in Israel mit ständig steigendem Nachdruck die völlige Unterwerfung des öffentlichen wie privaten Lebens unter die Normen der Halacha fordert; und sie hat darin nicht geringe Erfolge aufzuweisen. Solche Orthodoxie kennt in ihrem Totalitätsanspruch nun einmal keine Trennung von privat und öffentlich, Individuum und Gesellschaft; das **ganze Leben** des Menschen steht ja unter Gottes Willen, wie sie ihn verstehen.

Man darf dabei nicht vergessen, daß es schon bei der Gründung des an sich säkular-pluralistisch orientierten Staates Israel – aufgrund jener schon vor und während der zionistischen Einwanderung begründeten Vormachtstellung der Orthodoxie – im religiösen Bereich zu folgenreichen **politischen Zugeständnissen an die orthodox-religiösen Parteien** durch den ersten (sozialistischen!) Ministerpräsidenten David Ben-Gurion gekommen war. Die Zusicherungen vom 19. Juni 1947 betrafen Sabbat- und Speisegesetze, aber auch Eheschließung und Ehescheidung, die nur von Rabbinern, und zwar nur von orthodoxen, vorgenommen werden können – unter Aufsicht des seit der Mandatszeit bestehenden, aus Rabbinern und Parteipolitikern zusammengesetzten Oberrabbinats; die gewählten Oberrabbiner sind so – zum Ärger vieler – die höchsten religiösen Richter Israels. Denn in Israel ist die richterliche Gewalt geteilt, und für das Personenstands-

recht (also auch für Ehe- und Scheidungsfälle) sind nicht die staatlichen, sondern die religiösen Gerichtshöfe zuständig. Sogar der oberste Staatsgerichtshof kann einen konkreten Fall einem religiösen Gericht zur Behandlung zuweisen, nicht aber selbst entscheiden.

Die orthodoxen Parteien waren 1947/48 noch keineswegs mächtig,
und auch nach über 40 Jahren bringen sie noch immer nicht mehr als
15 % der Wählerstimmen auf. Und doch reicht dies, um angesichts
der Gewichteverteilung im israelischen Parlament zwischen der sozialistischen Arbeiterpartei und dem konservativen Likud-Block das
Zünglein an der Waage zu spielen! Dem Einfluß dieser orthodoxen
Gruppen also ist es zuzuschreiben, daß es im Staat Israel von Anfang
an – wie früher auch in den autoritär-katholischen Staaten (Italien,
Spanien, Portugal, Irland, Lateinamerika) aufgrund der katholischen
Staatsreligion – **weder eine Zivilehe noch eine Zivilscheidung** gibt,
und zwar aufgrund der dem israelischen Staat aufgezwungenen jüdischen Religionsgesetze. Aber auch in einer ganzen Reihe anderer Fälle
wurde bereits bei der Staatsgründung aus **Bestimmungen der Halacha faktisch staatliches Recht** – ähnlich wie dies in manchen islamischen Ländern mit der Scharia der Fall ist. Religiöser Pluralismus oder
eine einzige Staatsreligion – das sind hier die Alternativen. Grundlegend für den Staat Israel ist dabei die Frage:

4. Wer ist überhaupt ein Jude?

Zur Debatte steht dabei nicht etwa nur die theoretische Definition
der jüdischen Identität, die, wie wir sahen, die ethnische wie die religiöse Komponente berücksichtigen müßte. Zur Debatte steht für die
Zukunft die ganz praktische **Frage nach der israelischen Staatsbür-
gerschaft**, die nach dem schon gleich nach der Staatsgründung beschlossenen »Gesetz der Rückkehr« automatisch **allen Juden** zu gewähren ist. Konkret bricht der Streit bei der Frage aus: Wie steht es
um die nicht zum orthodoxen Judentum, sondern zum konservativen
oder zum Reformjudentum Konvertierten? Sind solche Konvertiten
wirklich und rechtmäßig Juden? Noch 1987 hat der damalige ultra-
orthodoxe Innenminister die Frage entschieden verneint und streng
eine Konversion nach den Vorschriften der Halacha gefordert. Und
als Israels Oberster Gerichtshof sich dagegen wandte, zog der Minister

es vor zurückzutreten, statt seine religiöse Überzeugung preiszugeben und der gerichtlichen Anordnung Folge zu leisten.

Seit der national-konservativen Likud-Regierung unter Menachem Begin (1977) hat die **religiöse Orthodoxie** – sowohl die Partei wie das ebenfalls orthodoxe Oberrabbinat – ihre Pressionen auf die Gesetzgebung des Landes erheblich verstärkt und einschneidende Beschränkungen durchgesetzt: für die Hotels, die öffentlichen Verkehrsmittel, die Luftfahrtgesellschaft El Al, viele Sportveranstaltungen. Diese Verbote und Gebote betreffen vor allem die Speisegewohnheiten und die Einhaltung des Sabbats. Der allergrößte Teil der Israelis will, wie wir hörten, gegen alle modernen Sachzwänge an diesem seit Urzeiten heiligen Ruhetag durchaus festhalten – aber nicht unbedingt in der Weise der Orthodoxen, welche die Verrichtung von 39 Arbeiten am Sabbat, darunter das Gehen von mehr als zweitausend Schritten, für Tabu erklären. Viele Juden rezitieren ja auch das Schema Israel und befolgen bestimmte jüdische Bräuche, nicht weil sie vom göttlichen Gebot überzeugt wären, sondern weil sie ihr jüdisches Anderssein und Eigensein zum Ausdruck bringen wollen. Doch der Einfluß der Orthodoxie wächst, und nach dem Machtverlust der Vereinigten Arbeiterpartei fand es selbst der sozialistische Labour-Führer (ehemaliger Premierminister und Außenminister) Schimon Peres wichtig, Privatunterricht in der Lehre von Tora und Talmud zu nehmen ...

Welchem Judentum also wird dann die Zukunft gehören? Vielleicht den Orthodoxen, den Nationalisten, gar den Militaristen? **Literaten** warnen, neuerdings. Es fehlt gewiß nicht an Literatur aller Art, die das Leben der Juden im Staat Israel positiv, ja oft romantisch schildert und preist. Während die israelische Literatur seit dem Unabhängigkeitskrieg bis in die späten 50er Jahre in Prosa wie Lyrik stark ideologisch und sozial ausgerichtet ist, konzentriert sie sich seit den 60er Jahren mehr auf die Identität und die Welt des Individuums. Seit den 80er Jahren aber gibt es eine andere alarmierende literarische Gattung: gesellschaftskritische Bühnenstücke von Israelis, die nicht als destruktive Kritik, sondern als Mahnung vor falschen Wegen verstanden sein wollen. Man fürchtet einen fundamentalistisch-militaristischen Staat! So die orthodoxiekritische musikalische Satire vom »Letzten säkularen Juden« aus dem Jahre 1987, die das Israel der Zukunft als jüdische Theokratie auf der Bühne verspottet und deshalb prompt Schwierigkeiten mit den Zensurbehörden bekam. Ähnlich die

Mahnung vor falschem Patriotismus in einem Stück wie »Der Patriot«
1986, wo sich ein Israeli um Auswanderung nach USA bemüht. Oder
die Mahnung vor Militarismus in »Ephraim kehrt zurück zur Armee«
1985, wo die Auswirkungen der Besetzung des Westjordanlandes auf
die jungen Soldaten Israels geschildert werden. Schließlich »Die Palä-
stinenserin« (1985) und »Das Jerusalem-Syndrom« (1987), welche
schon vor der Intifada in aller Schärfe den israelisch-palästinensischen
Konflikt thematisieren – beides Stücke des meistgespielten israelischen Autors Joschua Sobol.

Die Frage ist auch hier unausweichlich: Wird dem Eskapismus aus der
Moderne in das orthodoxe Mittelalter die Zukunft gehören – im Judentum, im Christentum? Viele Juden (und Christen) zweifeln und
leiden an der »Tragedy of Zionism«, wie sie etwa der kanadische Jude
Bernard Avishai[10] beschrieben hat, der lange in Israel lebte und immer
wieder dorthin zurückkehrt. Wir sind schon genügend auf die innerjüdischen Kontroversen um die Halacha, das Religionsgesetz, eingegangen, um feststellen zu dürfen, daß bezüglich der Grundkonstanten
»Israel als Gottes Volk und Land« ein Basiskonsens möglich ist, daß
jedoch gegenüber diesen Grundkonstanten, die für das Judesein
grundlegend sind, die Frage nach der Praktizierung der später entstandenen Halacha doch wohl zweitrangig sein dürfte[11].
    So läßt sich fragen: Was wird wohl die positive Lösung sein, wenn
aller Voraussicht nach schließlich weder die völlige Säkularisierung
noch eine erneute Sakralisierung durchschlagen wird? Vielleicht doch
eine konsequentere Trennung von Synagoge und Staat? Wird es
möglicherweise einmal einen religiös neutralen Staat geben als Garan-
ten der religiösen Freiheit (auch der arabischen, muslimischen oder
christlichen Bürger) und damit des religiösen Friedens? Doch wer
weiß das schon bei den gegenwärtigen Spannungen und den tiefen
Ressentiments der (jetzt rund zwei Drittel der Bevölkerung ausma-
chenden) sephardischen und orientalischen Juden gegen das weithin
aschkenasische (aus Europa stammende) israelische Establishment.
Spannungen, die jederzeit zu einer Zerreißprobe führen können?
    Gerade unter den aktuellen Voraussetzungen erhält die alte Streit-
frage neues Gewicht: Wer also ist überhaupt ein Jude? Zunächst ist
grundsätzlich festzuhalten: Wer Bürger oder Bürgerin des Staates Israel ist, das kann der Staat Israel bestimmen, aber wer Jude oder Jüdin

ist – das sagen auch Juden –, das kann er nicht. Auch Nicht-Juden (Muslime, Christen) können Bürger und Bürgerinnen Israels sein; und umgekehrt können auch Nicht-Bürger und Nicht-Bürgerinnen Israels Juden sein. Also nicht von einer aktuellen Gesetzgebung her, sondern **von der großen, allerdings neu reflektierten jüdischen Tradition** her ist zu bestimmen, wer ein Jude ist. Dabei ist allerdings erneut eine doppelte Perspektive zu unterscheiden:

• Im **völkischen** Sinne (Zugehörigkeit zum jüdischen Volke) ist Jude jedes Kind einer jüdischen Mutter oder – wie das Reformjudentum heutzutage zu Recht hinzufügt – eines jüdischen Vaters: In diesem Sinne ist also Jude, wer durch seine Abstammung – ob gläubig oder ungläubig, ob in einer Synagoge oder synagogenlos, ob gerne oder wider Willen – der jüdischen Schicksalsgemeinschaft angehört.

• Im **religiösen** Sinne (Zugehörigkeit zur jüdischen Religion) ist Jude jeder Mensch, der den Glauben an den einen Gott Abrahams, Isaaks und Jakobs, an die Auserwähltheit des Volkes und die Verheißung des Landes teilt: In diesem Sinne ist Jude, wer durch seinen Glauben – ob in Verbindung mit einer Synagoge oder nicht, ob orthodox, konservativ oder reformerisch, ob von Geburt an oder durch Konversion – der jüdischen Glaubensgemeinschaft angehört.

Unsere Analyse des ersten Teils hat ergeben: Das Entscheidende und Zentrale des jüdischen Glaubens ist seit dreitausend Jahren – durch alle Paradigmenwechsel und Epochen hindurch – der Bund, Gottes Beziehung zu seinem Volk, das eine Beziehung zu einem bestimmten Land hat. Es macht die **moderne Krise** des Judentums aus, daß Judesein im völkischen Sinn und im religiösen Sinn nicht mehr von vorneherein übereinstimmen: Früher war der Jude durch Herkunft auch Jude durch den Glauben. Und es macht die **postmoderne Möglichkeit** des Judentums aus, daß Judesein im völkischen Sinn und Judesein im religiösen Sinn sich wieder neu finden durch eine zukunftsorientierte Neubesinnung auf die jüdische Tradition, auf Gottes Bund und seine ethischen Gebote, die ja nicht einfach identisch sind mit dem halachischen System, wie es sich erst voll im jüdischen Mittelalter herausgebildet und in der Moderne weithin überlebt hat.

Aber nach dieser Umschreibung des Judeseins stellt sich eine weitere schicksalhafte Frage: die Frage nach den Grenzen nicht des Volkes, sondern denen des Landes.

II. Der tragische Konflikt

Wir sind hier erneut an einem außerordentlich sensiblen Punkt unserer Darlegungen angelangt. Und wie viele römische Katholiken in jedem Buch über die Kirche sofort nach der Passage über den Papst fahnden, um dann die Lektüre einzustellen oder fortzusetzen, so suchen viele Juden in einem Buch über das Judentum zuerst nach dem Kapitel über den Staat Israel und dessen **Grenzen**. Ist der Autor »für uns« oder »gegen uns«? Da kann man noch so positiv über die katholische Kirche oder über das Judentum schreiben: wenn er an diesem einen Punkt eine andere Meinung vertritt als der Leser, so wird er nicht selten abgestempelt oder gar abgeschrieben.

Und doch meine ich nun auch an diesem Punkt zur intellektuellen Redlichkeit, zur allseitigen Fairneß und zur größtmöglichen Gerechtigkeit verpflichtet zu sein. Schon die Geschichte der Entstehung des Staates Israel, die ich im zweiten Hauptteil ausführlich beschrieben habe, zwingt mich dazu. Und nachdem ich immer wieder ausführlich über christliches Versagen gegenüber den Juden im Laufe der langen Kirchengeschichte bis hin zum Holocaust berichtet habe, so versuche ich nun ebenso offen und ehrlich über israelisches Versagen gegenüber den Arabern oder Palästinensern zu berichten – nicht um alles Versagen zu nivellieren oder Unvergleichbares miteinander zu vergleichen, nicht um christliches Versagen gegenüber Juden mit Hinweis auf jüdisches Versagen gegenüber Arabern zu verharmlosen, sondern vom leidenschaftlichen Wunsch beseelt, daß es so zu dem auch von der Mehrheit der Israelis gewünschten israelisch-palästinensischen Frieden und zu einer jüdisch-christlich-islamischen Verständigung kommen möge. Nach dem Golfkrieg ist sie dringender denn je. Und nach dem Golfkrieg – so hat eine Studie des Zentrums für Strategische Studien der Tel-Aviv-Universität jüngst ergeben – befürworten nun auch 58 % der Israelis (vor einem Jahr noch 50 %, vor 5 Jahren nur 46 %) die Rückgabe der besetzten Gebiete[1]. Befragt man also das Volk direkt, dann ergibt sich ein anderes Bild als das von der gegenwärtigen Regierung verbreitete. Hier möchte ich ansetzen und mich dem Wunsch dieser großen Mehrheit von Israelis anschließen[2].

1. Zweier Völker Streit um ein Land – und keine Einsicht?

Dies bleibt anerkannt: »Volk« und »Land« gehören für Juden und besonders für Israelis grundsätzlich zusammen. Doch seit der jüdischen Neubesiedlung dieses Landes und erst recht seit der Gründung eines jüdischen Staates wurde überdeutlich: Hier stehen sich jetzt **zwei Völker** gegenüber – das jüdische und das arabisch-palästinensische –, welche beide das vor dreitausend oder in den letzten tausend Jahren tief eingewurzelte **Bewußtsein** haben, daß **ihnen** und ihnen allein **dieses Land rechtmäßig gehört.** Die Juden beziehen sich dabei vor allem auf das davidisch-salomonische Reich nach dem Jahr 1000 vor Christus, die Palästinenser auf die Eroberung des Landes durch die Araber 636 nach Christus. Insofern ist die Frage berechtigt, die der britische Historiker James Parkes als Titel seiner »Geschichte der Völker Palästinas« gewählt hat: »Whose Land?« – »Wessen Land?«[3].

Politische Möglichkeiten, einen Kampf dieser beiden Völker auf Leben und Tod zu vermeiden, hatte es gegeben[4]: Schon 1947/48 hatten es beide Parteien in der Hand, ihren je eigenen Staat zu gründen: einen jüdischen und einen arabischen – verpflichtet zu gegenseitiger Anerkennung und politisch-wirtschaftlicher Kooperation. Es waren damals – und sie kamen dabei Ben-Gurion ungewollt entgegen! – vor allem **die Araber, die sich einer Staatsgründung verweigerten,** inspiriert von der trügerischen Hoffnung, den vermeintlich schwachen Judenstaat schon bald nach dessen Gründung wieder zu zerstören. Ein ungewolltes Nebenergebnis des Krieges war dann die aus Ängsten und bitteren Kämpfen geborene Massenflucht (und auch Vertreibung) von vielen Hunderttausenden von Palästinensern aus ihren angestammten Wohngebieten[5]. Kann man indessen nach den neuesten historischen Forschungen noch undifferenziert sagen: Für die ersten zwei Jahrzehnte des Konflikts tragen die Araber die Hauptverantwortung? Ist es nur ihre Schuld, daß es in diesem Zeitraum statt zum Frieden dreimal zum Kriege kam? Es hatte jedenfalls seine Gründe, daß 1964 die Palästinensische Befreiungsorganisation (PLO = Palestine Liberation Organization) gegründet wurde, die seit 1969 unter der Führung der Befreiungsbewegung Al Fatah des Jasir Arafat steht.

Das eine ist sicher: **Nach dem Sechs-Tage-Krieg** 1967 hat sich das Szenario entscheidend verändert. Und niemand in Israel hat so früh und so entschieden auf die sich hier anbahnende gefährliche Entwicklung aufmerksam gemacht wie jener berühmte jüdische Gelehrte, der schon vierzig Jahre zuvor als überzeugter Zionist in Israel ansässig wurde, weil er die Herrschaft der Gojim über das jüdische Volk satt hatte, der im Unabhängigkeitskrieg mitkämpfte und sich bis in die allerneueste Zeit hinein immer wieder kritisch zu Wort meldete, weil er ein anderes, ein friedliebendes und allseits geachtetes Israel ersehnt: der uns bereits gut bekannte Naturwissenschaftler und Erforscher des Judentums, **Jeshajahu Leibowitz**, Professor an der Hebräischen Universität Jerusalem. Er stellt nüchtern fest: »Der Sechs-Tage-Krieg war eine historische Katastrophe des Staates Israel.«[6] Warum? Weil seither eindeutig **Israel die Hauptverantwortung** dafür trägt, daß es im Nahen Osten **keinen Frieden** gibt: »Tatsächlich sind wir es doch, die nicht zu Verhandlung und Teilung bereit sind! Israel wollte in der Vergangenheit keinen Frieden und will auch heute keinen Frieden, sondern ist allein an der Aufrechterhaltung der Herrschaft über die besetzten Gebiete interessiert … Unsere Hartnäckigkeit aber führte dann letztendlich zum Jom-Kippur-Krieg.«[7]

Die erneut friedlose Entwicklung des Staates Israel in seiner zweiten Phase läßt eher düster in die Zukunft blicken[8]. Im Jahr 1974 wurde die PLO von den arabischen Mächten als alleinige legitime Vertreterin des palästinensischen Volkes anerkannt; sie wird nicht nur Vollmitglied der Arabischen Liga, sondern erhält auch Beobachterstatus bei den Vereinten Nationen; seit sie 1982 aus dem Libanon vertrieben wurde, ist ihr Sitz in Tunis. Die Besetzung palästinensischer Gebiete aber hat auch nach der Auffassung vieler regimekritischer Israelis zunehmend **verheerende Auswirkungen** auf Israels Politik, Wirtschaft, Armee und internationale Reputation, die nicht wenige Israelis (auch eben eingewanderte Sowjetjuden) wieder zur Auswanderung veranlaßt haben und die von Jeshajahu Leibowitz mit geradezu prophetischer Schonungslosigkeit angeprangert werden: Was war, folgen wir ihm, der Preis für die andauernde Besetzung der arabischen Gebiete? – Aufrichtung und Erhaltung einer **Gewaltherrschaft über das palästinensische Volk:** In den ersten beiden Jahrzehnten des Staates Israel konnte man »hoffen, daß der Staat die Arena werden wird, in der die entscheidenden jüdischen Kämpfe ausgetragen werden können; aber seit 1967 ist entschieden, daß Israel ein Mittel der Gewaltherrschaft darstellt«[9].

– **Leugnung der Existenzberechtigung** des palästinensischen Volkes: Angesichts der vor allem von Golda Meir (Außenministerin 1956-65, Ministerpräsidentin 1969-74)[10] vor der Knesset verkündeten Parole »Es gibt kein palästinensisches Volk!« drängt sich als Rückfrage auf: »Gibt es nicht genug Historiker, Soziologen und andere Intellektuelle – in aller Welt und selbst in Israel –, die die Existenz eines jüdischen Volkes bestreiten! Auf jeden Fall wissen wir recht gut, was der Slogan ›Es gibt kein palästinensisches Volk‹ bedeutet – das ist Völkermord! Nicht im Sinne einer physischen Vernichtung des palästinensischen Volkes, sondern im Sinne der Vernichtung einer nationalen und/oder politischen Einheit.«[11]

– **Herrschaft des israelischen Geheimdienstes:** Schon 1967 konnte man es voraussehen: »Der Geheimdienst, der Shin-Bet (der israelische Sicherheitsdienst) und die Geheimpolizei werden zu den zentralen Institutionen des Staates Israel werden. Wenn man das System jüdischer Gewaltherrschaft über ein anderes Volk erhalten will, dann bleibt keine andere Wahl, als den Shin-Bet zu dem Zentrum der politischen Realität zu machen.«[12]

– **Mißbrauch der Armee:** »Ein Achtzehnjähriger, der heute zur Armee eingezogen wird, wird nicht zur Verteidigung des Staates Israel eingezogen – sondern er wird in die arabischen Städte und Dörfer geschickt, um dort die Bevölkerung einzuschüchtern. Die empfindsamen unter den jungen Leuten spüren das sehr wohl.«[13]

– **Verlust des internationalen Ansehens:** »Die Welt bringt heute dem Staat Israel keinerlei Achtung und Wertschätzung mehr entgegen, von aufrichtiger Sympathie erst gar nicht zu sprechen, so wie es in den ersten Jahren nach der Staatsgründung in weiten Kreisen üblich war.«[14]

– **Verlust der inneren Glaubwürdigkeit:** »Noch viel entscheidender ist, daß der Staat Israel den meisten Juden selbst immer fremder wird – und gerade nicht den schlechtesten unter ihnen –, weil der Staat in seinem heutigen Zustand wirklich keinen Lorbeerkranz für das jüdische Volk darstellt ... Der Staat Israel verliert mehr und mehr seine Bedeutung für die existentiellen Probleme des jüdischen Volkes und des Judentums.«[15]

Stimmen wie die von Leibowitz – ein Bewunderer von Maimonides und großer Israeli selbst für diejenigen, die seine Ansichten nicht teilen – zeigen, daß gerade auch innerisraelisch die Lage oft als uner-

Palästina unter wechselnder Oberhoheit

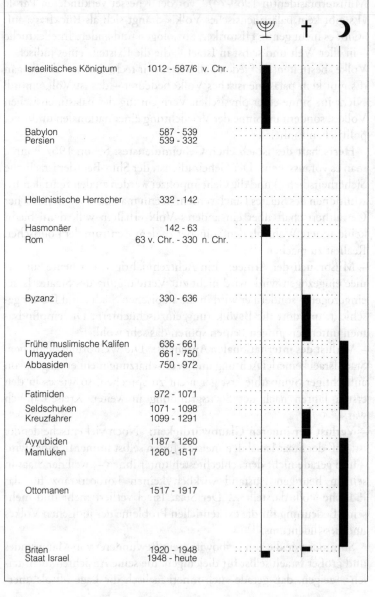

	☿	†	☾
Israelitisches Königtum	1012 - 587/6 v. Chr.		
Babylon	587 - 539		
Persien	539 - 332		
Hellenistische Herrscher	332 - 142		
Hasmonäer	142 - 63		
Rom	63 v. Chr. - 330 n. Chr.		
Byzanz	330 - 636		
Frühe muslimische Kalifen	636 - 661		
Umayyaden	661 - 750		
Abbasiden	750 - 972		
Fatimiden	972 - 1071		
Seldschuken	1071 - 1098		
Kreuzfahrer	1099 - 1291		
Ayyubiden	1187 - 1260		
Mamluken	1260 - 1517		
Ottomanen	1517 - 1917		
Briten	1920 - 1948		
Staat Israel	1948 - heute		

träglich empfunden wird. Der vielgepriesene wirtschaftliche Aufschwung in den besetzten Gebieten (Bruttosozialprodukt, Elektrifi-
zierung, Außenhandel, Lebensstandard) kann darüber nicht hinwegtäuschen. Auch viele Israelis beklagen den Verlust der ursprünglichen
zionistischen Ideale zugunsten eines ungezügelten Neokapitalismus
und einer stark rüstungsorientierten Wirtschaft, welche die Palästinenser vor allem als billige Arbeitskräfte für Bauwirtschaft, Landwirtschaft und Dienstleistungsgewerbe braucht. Ich gestehe offen, daß
sich mit dieser verhängnisvollen Entwicklung des Staates Israel auch
meine eigene politische Stellung zur offiziellen Politik des Staates Israel gewandelt hat – bei aller bleibenden Sympathie: von einer beinahe uneingeschränkten Bejahung der jeweiligen israelischen Regierungspolitik zu einer kritischen Einstellung, welche die unbedingte
Anerkennung des Existenzrechts Israels verbindet mit dem Ernstnehmen der Nationwerdung der Palästinenser und ihres nationalen
Selbstbestimmungsrechts. Wie aber findet sich denn die israelische
Bevölkerung mit dieser sich zunehmend zuspitzenden Situation ab?

2. Durchhalten – sich zurückziehen – verdrängen?

Die israelische Gesellschaft ist in der entscheidenden Frage des Verhältnisses zu den Palästinensern zutiefst polarisiert. Über die Hälfte
der Israelis, so hörten wir, wäre heute bereit, die besetzten Gebiete
wieder aufzugeben. Aber den Ergebnissen der letzten Knessetwahlen
zufolge sah rund die Hälfte der israelischen Bevölkerung, repräsentiert
durch Likud und religiöse Parteien, in den Gewalttätigkeiten der Besatzungspolitik offensichtlich nichts Verwerfliches. Militärische oder
religiöse Gründe lassen sie bei den »**drei Nein**« bleiben: »Nein zu den
Gesprächen mit der PLO, Nein zum Rückzug auf die Grenzen von
1967, Nein zum Palästinenserstaat«. »**Durchhalten, aussitzen, tak-
tieren**« – das ist bis in die allerneuesten Verhandlungen mit dem amerikanischen Außenminister James Baker die Grundeinstellung, welche die ständige Obstruktion (»die Araber sind an allem schuld!«) mit
dem Anschein freundlicher Kooperation (»wir schließen keine Möglichkeit aus!«) zu verbinden sucht: Man wird ja sehen, wer den längeren Atem hat.
   Kleine Parteien oder Bewegungen auf dem linken politischen Spek-

trum sind in dieser Frage eindeutig und öffentlich für den Frieden
(»Peace now«, »Mapam«, »Ratz«), der ohne Rückzug aus den besetzten Gebieten nicht zu haben ist. Ihre Parole: »**Land für Frieden!**« Eine
Forderung, die nach dem Golfkrieg erfreulicherweise auch vom amerikanischen Präsidenten George Bush – wie schon vorher von UdSSR
und EG – aufgenommen wurde.

Warum aber, so fragt man sich, ist eine mittlere, 30-40 % starke
Gruppe, vor allem aus dem sozialdemokratischen Parteienspektrum,
zwar über die gegenwärtige Situation besorgt und deprimiert, warum
unternimmt sie aber nichts Entscheidendes, um sie zu ändern? »**Nicht
genauer hinschauen**«, das ist die Einstellung der Unentschiedenen in
der Mitte, die zuallermeist kaum lebendige Verbindungen mit Palästinensern pflegen. Nach den Untersuchungen von Stanley Cohen,
Professor für Kriminologie an der Hebräischen Universität[16], rekru-
tieren sich diese Passiven vor allem aus der liberalen Nachkommen-
schaft europäischer Juden und vertreten durchaus einen »vernünftigen, anständigen Zionismus mit Gewissen«. Wiewohl ihnen die grausamen Fakten der israelischen Besatzungspolitik gegenüber den Palästinensern keinesfalls unbekannt sein können, würden sie die Realität,
wie sie ist, nicht akzeptieren. Warum nicht? Weil manche Informationen schlicht »ausgeblendet« würden. Bedrohliche Informationen fielen »in die schwarzen Löcher des Bewußtseins« oder würden so
umgeformt, daß sie austauschbar würden. So komme es zu Selbsttäu-
schungen und »lebensnotwendigen Lügen«, ohne die die Welt der
eigenen Ideale zusammenbrechen würde. Professor Cohen zufolge hat
dies auch mit der jüngeren Geschichte des Judentums zu tun: Vielen
Israelis fiele es schwer, sich als Aggressoren statt als Opfer zu sehen,
weil man ja von der Überzeugung lebe, daß der jüdische Staat aufgrund des Holocausts auf jeden Fall moralisch im Recht sei. Un-
rechtstaten aus dem eigenen Land, begangen von der eigenen Armee,
forme man deshalb automatisch um: Die Armee sei halt unerträglich
provoziert worden, oder es handle sich um Einzelfälle, beispielsweise
sephardischer, aus arabischen Gebieten eingewanderter Juden … Der
Bericht Cohens läßt auf ein hohes Maß an Verdrängung der wahren
Probleme bei vielen Israelis schließen.

Das Problem im Hintergrund: Darf der Holocaust zur Rechtfertigung
einer mehr als problematischen Politik benutzt werden? Unbequeme,

aber sehr ernst zu nehmende jüdische Stimmen warnen hier: Das **Holocaust-Trauma der Überlebenden** dürfe **nicht** zum **Holocaust-Syndrom der Nachgeborenen** werden, die jetzt alles Böse auf die Araber im allgemeinen und auf die Palästinenser im besonderen projizierten. Nur zwei Stimmen, die zwei wichtige Aspekte der Instrumentalisierung des Holocaust hervorheben:

– Der amerikanische jüdische Theologe **Marc H. Ellis** hat darauf aufmerksam gemacht, daß das heutige militärisch starke Nach-Holocaust-Judentum in Israel sich nicht mit dem schwachen europäischen Vor-Holocaust-Judentum vergleichen sollte, daß aber der Staat Israel eines Tages bei grundlegend veränderter weltpolitischer Situation einen Holocaust zu fürchten hätte, wenn es die gegenwärtige Politik weiterführe. Furchtbar wäre das Ende des Staates Israel, aber es wäre, was immer jüdische Holocaust-Theologen darüber sagen, nicht das Ende des jüdischen Volkes[17]. Tatsächlich lebt die Mehrheit der Juden nach wie vor außerhalb von Israel, und zwar in bemerkenswert vielen Ländern absolut gleichberechtigt, ungefährdet und respektiert: eine Minderheit wie viele andere auch, manchmal angefeindet, aber doch zugleich in befriedigendem Ausmaß geschützt durch eine hochentwickelte politische Kultur der Rücksichtnahme auf Minderheiten[18].

– Professor **Michael Wolffsohn** hat als israelischer Politikwissenschaftler und Zeitgeschichtler deutlich gemacht, wie die in der israelischen Gegenwart wirksame Vergangenheit unter verschiedenen Vorzeichen sowohl für Juden als auch für Araber gilt. Für die Juden beziehe sich das Holocaust-Syndrom dabei keineswegs nur auf Deutschland. Zwar symbolisiere Deutschland den Holocaust, der aber sei wiederum »ein allgemeines Kennzeichen für die in der Gegenwart Israels wirksame Vergangenheit«. Der sei sozusagen der »Wahrnehmungsfilter«, durch den und mit dem die Betroffenen ihre Umwelt sähen. Dabei fungiere das Holocaust-Syndrom bei jeder Gelegenheit auch »als politisches Argument«: »So wird beispielsweise die PLO oft mit den Nationalsozialisten gleichgesetzt, auch Nasser, der 1956 und 1967 angeblich oder tatsächlich einen neuen Holocaust wollte. Die in der Gegenwart wirksame Vergangenheit wird zusätzlich durch die Gegenwart verstärkt.«[19]

Und die **Palästinenser?** Rund 850 000 Palästinenser waren durch den Krieg von 1948 aus ihren angestammten Gebieten geflohen, vertrieben und an ihrer Rückkehr gehindert worden. Ihnen erscheint der Staat Israel als ein auf Landraub aufgebauter »Kreuzfahrerstaat«. Auch bei ihnen, den von Israelis Verachteten, Vertriebenen, Verfolgten, kann, wie Wolffsohn mahnend anmerkt, das Holocaust-Trauma – nun allerdings gegen die Israelis gerichtet – auftreten: »Für die in und um Palästina lebenden **Araber** sind die Ereignisse der Jahre 1947/48 sicherlich auch eine Art Holocaust-Trauma, dessen Fernwirkungen politisch bedeutsam wurden. Das Massaker von Beirut (16./17. Sept. 1982) dürfte es werden. In der politischen Psychologie der palästinensischen Araber haben Dir Jassin und die Massenflucht (andere sagen: Vertreibung) arabischer Palästinenser im Jahre 1948/49 sowie 1967 und 1982 sicherlich den gleichen Stellenwert wie Auschwitz für die jüdischen Israelis.« Selbstverständlich muß man hier historisch differenzieren, und Wolffsohn tut dies. Aber es geht ihm »nicht um die Vergleichbarkeit der tatsächlichen Dimensionen, den Unterschied zwischen wehrlosen KZ-Insassen und Zivilisten, die zumindest teilweise bewaffnet waren«. Es geht ihm nicht »um die ›objektiv historische Wahrheit‹ (gibt es die?), sondern um die kollektiv-subjektiv empfundene Wahrheit der Geschichte«[20]. Und sollten gerade Vertriebene die Vertriebenen nicht verstehen können, die heute überall die Überbleibsel ihres ehemaligen Besitzes zu betrauern haben?

Daß auch die Palästinenser und besonders ihr Führer Arafat (unglaublich zäh im Überstehen aller Krisen, aber zugleich wenig verläßlich in seinen Versprechungen und Allianzen) ihren nicht geringen Anteil an der friedlosen Situation im Nahen Osten haben, läßt sich nicht übersehen. Doch sind die Palästinenser permanent in der Defensive, besonders angesichts des strategisch angelegten Siedlungsaktivismus in den besetzten Gebieten. Dessen langfristige Auswirkungen sind wohl zu bedenken und werden von Michael Wolffsohn wie folgt umschrieben: »Die Bemühungen, das Westjordanland zu ›judaisieren‹, müssen paradoxerweise zur ›Entjudaisierung‹ des jüdischen Staates führen, dessen jüdische Substanz verwässern oder gar auflösen. Ungewollt schaffen die Super-Falken das Traumziel der Super-Tauben: den **bi-nationalen**, das heißt den jüdisch-arabischen, Staat – anstelle des rein jüdisch bestimmten Gemeinwesens. Nur **eine Alternative** wäre denkbar: Die **Abschaffung der Demokratie**.«[21] Dies führt zum entscheidenden Punkt:

3. Demokratische Gesellschaft oder nationaler Sicherheitsstaat?

Angesichts dieser schwierigen Situation ehrt es die israelische Nation im Lande der Propheten, daß dennoch viele ihrer Bürger und Bürgerinnen Mut zur konstruktiven Kritik aufbringen. Von einem moralischen jüdischen »Musterstaat« ist kaum noch die Rede. Kritische Israelis bemerken manchmal nicht ohne Ironie, der Staat Israel sei eine westliche Demokratie mit mehrheitlich agnostischer Bevölkerung, teilweise theokratischer Gesetzgebung und totalitärer Besatzungspolitik.

Historisch genauer wird man aufgrund der Analysen unseres ersten und zweiten Hauptteils sagen müssen: Die Lage im Staat Israel ist deshalb so widersprüchlich und konfliktträchtig, weil in ihm eben verschiedene Paradigmen koexistieren, **Momente verschiedener epochaler Paradigmen:**

- Durch nationale Gebietsansprüche, biblisch begründete Grenzen und Jerusalem als Hauptstadt ist das davidische Reichsparadigma (P II) präsent.
- Durch eine eigenständige religiöse Gerichtsbarkeit ist das nachexilische Theokratieparadigma (P III) lebendig.
- Durch den bestimmenden Einfluß des Oberrabbinats auf das Privat- und Familienrecht lebt das mittelalterlich-rabbinische Paradigma (P IV) fort.
- Durch modernen Parlamentarismus, moderne Verwaltung, Armee, Polizei, Wissenschaft und Gewerkschaft prägt sich das Paradigma der Moderne (P V) aus.

Doch die große Frage ist: Welche Momente aber werden schließlich den Ausschlag geben? Zugespitzt nochmals die Frage nach der Zukunft des Staates Israel:

– Kommt es am Ende zu einer Unterwerfung des privaten wie öffentlichen Lebens unter das Religionsgesetz: ein fundamentalistischer Staat und die Halacha als universal geltende Norm?

– Oder kommt es zu einer völligen Säkularisierung von Staat und Gesellschaft: ein pluralistischer Staat und eine liberale und soziale Demokratie westlicher Prägung als Muster?

– Oder kommt es mit der Zeit gar zu einer politisch-militärischen

Diktatur angesichts der starken arabischen Opposition im Lande
selbst (ein Vorspiel dafür der »Ausnahmezustand« mit wochenlangem
Ausgehverbot für 1,7 Millionen Menschen in den besetzten Gebieten
während und auch nach dem Golfkrieg 1991): ein demokratisch nur
verbrämtes militaristisch-faschistoides – vielleicht auch fundamentali-
stisches – System mit Apartheid zwischen Juden und Arabern?

Bedenklich ist, daß die Tendenz zu Demokratie und Toleranz Meinungsumfragen zufolge höher erscheint unter nichtreligiösen Bürgern
als unter religiösen Traditionalisten. Die **undemokratischen Entwicklungen** in Israel sind in der Tat so zahlreich, daß sie heute aus
Sorge um den Judenstaat nicht länger verheimlicht werden dürfen.
Trotz der verschleiernden israelischen Sprachregelung (nur die anderen sind »Mörder«!) und der offiziellen Schönfärberei (alles ist schließlich nur »Abwehr des Terrorismus«) veröffentlichen gerade in Amerika immer mehr Zeitungen (auch die ansonsten pro-israelische »New
York Times«) kritische Artikel über die Lage in Israel; in Israel freilich
wurde allerneuestens auch noch die bisher freimütig liberale »Jerusalem Post« von konservativen Kreisen aufgekauft, was den Auszug
eines Großteils der Redaktion und das Einschwenken auch dieses
Blattes auf den offiziellen Kurs der jetzigen konservativ-religiösen Regierung zur Folge hatte. Einige Fakten:
– Seit 1985 verlassen mehr Juden ihren Staat, als dort einziehen (nur
die forcierte sowjetische Masseneinwanderung veränderte jetzt die
Zahlen).
– Selbst diejenigen Araber, die seit der Staatsgründung formell gleich-
berechtigte Bürger Israels sind (immerhin über 700 000), sehen sich
durch die Politik ihrer Regierung immer mehr an den Rand gedrängt
und isoliert; sie identifizieren sich neuerdings mit den revoltierenden
Palästinensern.
– Über die beiden Großparteien, die Vereinigte Arbeiterpartei und
den Likud-Block (eine bürgerlich-liberale Partei zwischen Rechts-
partei und Arbeiterpartei fehlt), und damit über das Schicksal des
Staates Israel entscheiden faktisch drei kleine reaktionäre Gruppierungen der religiösen Orthodoxie. Eine von ihnen (»Agudat Israel« = »Is-
rael-Union«) wird sogar ferngesteuert vom Lubawitscher Rabbi in
New York, der noch nie in Israel war, zu dem aber viele, selbst keineswegs orthodoxe israelische Politiker wallfahren. Alle diese Gruppie-

rungen lassen sich ihr Mitmachen durch Regierungsämter, mehr Geld für Tora-Schulen und halachische Zugeständnisse bezahlen.

– Rechtsradikale israelische Politiker finden schon länger gerade unter Jugendlichen, welchen die israelische Militärherrschaft über ganz Palästina bereits selbstverständlich erscheint, eine wachsende Anhängerschaft, und viele sind Umfragen zufolge bereit, die Demokratie der ideologisch-politischen Einheit des Landes zu opfern. Beispiel: der aggressiv zionistische New Yorker Rabbi und Gründer der Jewish Defense League, Meïr Kahane, der seit 1971 in Israel lebte, seit 1984 sogar Knesset-Abgeordneter war und schließlich das Land Israel verlassen mußte. Er wurde von vielen Israelis wegen seiner rassistischen Ideen und seiner Vorschläge, alle Araber aus Israel zu deportieren, als »jüdischer Nazi« verabscheut; Kahanes gewaltsamer Tod im November 1990 in New York indessen ist ein Warnsignal dafür, daß, wer Gewalt sät, auch Gewalt erntet[22].

– Einer der Verfechter der Deportationsideologie wurde während des Golfkriegs zum Entsetzen auch vieler Israelis ostentativ mit einem Ministerposten belohnt.

Die verheerenden, auch moralischen Konsequenzen der Okkupationspolitik werden für viele Israelis jedenfalls immer deutlicher. Und wer so offen das Schweigen Pius' XII. und der deutschen Bischöfe in der Judenfrage angeprangert hat, der darf auch nicht – wenngleich dies sehr viel bequemer wäre – schweigen über die Praxis von Israelis in der Palästinenserfrage.

4. Gefahr für Menschenrechte und Frieden

Immer mehr israelische Araber und auch »Juden des Gewissens« (so nennen sie sich in Israel[23]) fordern umfangreiche Untersuchungen über rassische Diskriminierungen und generelle **Menschenrechtsmißachtungen**, über grausame Praktiken des Militärregimes und der Schießtrupps extremistischer Siedler, die im Gegensatz zu den übrigen Israelis keinen Waffenschein brauchen, aber auch über Zensur und vor allem über die gefürchtete geheime Staatspolizei (Schin Bet). Deren Foltermethoden gehen nach glaubwürdigen Berichten bis zur Einführung elektrischer Drähte in die Geschlechtsteile[24]. Schon der bloße Verdacht des Militärkommandanten genügt nämlich, um Pa-

lästinenser zu internieren. Da fragt man sich: Heiligt der nationale
Zweck vielleicht die terroristischen Mittel? Wird Terrorismus, wenn
aus Staatsraison geübt, zum Heroismus?

Die Lage in den besetzten Gebieten ist bedrückend: so viele jüdi-
sche Ärzte, die Palästinenser nicht heilen; Juristen, die nicht helfen;
Richter, die nicht Recht sprechen; Verteidigungskräfte, die morden
und foltern; einstmals Verfolgte, die zu Verfolgern geworden sind ...
Ja, es handelt sich hier wirklich um eine israelisch-palästinensische
Tragödie, die wohl niemand eindrücklicher geschildert hat als der mit
verschiedenen Preisen ausgezeichnete israelische Schriftsteller und
Radioredakteur **David Grossmann**. Er hat Flüchtlingslager, arabische
Siedlungen, israelische Gerichtsverhandlungen und Fabriken mit den
zu Niedriglöhnen arbeitenden Palästinensern besucht, israelische
Militärs interviewt und alles in einem hebräisch geschriebenen Doku-
mentationsbericht festgehalten, der in Israel zum Bestseller wurde[25].
Verbrechen gegen die Menschlichkeit, die aufgrund der Praxis der
israelischen Militärgerichte zuallermeist unbestraft bleiben und von
denen in den israelischen Medien nur in verharmlosender Beamten-
sprache berichtet wird. Und dies alles geschieht – was die Freunde
Israels besonders deprimiert – in einem Staat, der im Gefolge von Nationalismus und Rassismus des Naziregimes errichtet wurde. Ein neu-
artiger Antisemitismus von Semiten gegen Semiten (Palästinenser) ...
Als ob das Völkerrecht nicht auch für das Volk der Palästinenser gelte.

Den negativen innenpolitischen Entwicklungen entspricht eine unübersehbare **militärische Aggressivität** nach außen. Für seine zwei
Präventivkriege hat Israel noch Sympathien gefunden, und auch als
der irakische Despot Saddam Hussein während des Golfkriegs (1991)
Raketen auf Israel abfeuerte, waren die Sympathien für den Juden-
Staat überall auf der Welt ungebrochen. Israels Regierung war damals
gut beraten, nicht selbst (und sei es auch nur aus politisch-taktischen
Gründen) militärisch einzugreifen, sondern die Reaktion vor allem
den (schließlich erfolgreichen) alliierten Truppen zu überlassen.

Das alles aber kann nicht über die zahlreichen **überproportionier-
ten militärischen Vergeltungsschläge**, etwa die ständigen Luftangriffe
auf palästinensische und südlibanesische Dörfer, hinwegtäuschen, die
sogar unmittelbar nach dem Schweigen der Waffen im Golf wieder
aufgenommen wurden; statt »Aug um Aug, Zahn um Zahn« wie (ein-

schränkend!) die Hebräische Bibel sagt, zielt man nicht selten auf beide Augen und alle Zähne. Und auch der Golfkrieg kann die unselige israelische Invasion und Besetzung des **Libanon** 1982/83 nicht ungeschehen machen, die Hunderten das Leben kostete; bis heute hält Israel auch libanesisches Gebiet unter Kontrolle. Hier hat der Staat Israel zum erstenmal in seiner Geschichte ganz unzweideutig einen **Angriffskrieg** geführt! Die Massaker mehrerer hundert Palästinenser in den Flüchtlingslagern von Sabra und Chatila durch »christliche Milizen« im Schatten der israelischen Armee wurden erst aufgrund amerikanischer Intervention beendet. Israel hat sich mit all dem selbst militärisch, politisch, wirtschaftlich und moralisch am meisten geschadet, hat aber auch zugleich den Untergang der Christenherrschaft im Libanon statt (wie beabsichtigt) verhindert, beschleunigt. Der Sieger: Syrien!

In Israel selbst aber hatten anläßlich der Libanoninvasion zum erstenmal Zehntausende der **Peace-Now-Bewegung** öffentlich gegen den Krieg protestiert. Selbst der frühere Chef des israelischen militärischen Abwehrdienstes warnte die Begin-Regierung vor dem »Bar-Kochba-Syndrom« (die Verklärung der Katastrophe zu einem heroischen Akt)[26] und setzt sich kritisch mit »Israels schicksalsträchtigen Entscheidungen« besonders seit der Regierungsübernahme durch den Likud-Block auseinander[27]. Und der Dekan der juristischen Fakultät der Tel-Aviv-Universität, Amnon Rubinstein, meinte dasselbe, wenn er die im Sechs-Tage-Krieg aufgekommene fatalistische Israeli-Apokalyptik kritisiert, die Israel als Nachfolger der »stets verfolgten Juden« statt als starken und verantwortlichen modernen Staat sieht, der eine realistische Politik zu betreiben hat[28].

Nein, keine »Psychologie der Extremsituation« kann die Aggression rechtfertigen. Und wie soll man verstehen, daß dann gerade der größte Kriegstreiber und Hauptverantwortliche für die Libanoninvasion, **Ariel Sharon**, anschließend zum Wohnungsbauminister (!) Israels gemacht wurde? Ein Mann, der selber – obwohl die israelische Regierung 1967 das moslemische Viertel der Altstadt anerkannt hat – völlig skrupellos, von einer kompaniestarken Leibwache beschützt, mitten im arabischen Alt-Jerusalem eine Drittwohnung nahm, dann die (im Geheimen von der Regierung finanzierte) Inbesitznahme des christlich-orthodoxen St.-John-Hospice mitten im Jerusalemer Christenviertel mitinszenierte als Vorspiel für weitere ähnliche Aktionen und der jetzt die israelischen Siedlungen in arabischen Gebieten als Fortsetzung des Krieges mit anderen Mitteln wo immer möglich massiv vorantreibt? Kein Wunder, daß offizielle Stellen in Washington nichts mit ihm zu tun haben wollen.

Israel und die Vereinigten Staaten, besonders ihre Armeen und Geheimdienste, haben bisher engstens zusammengearbeitet. Doch auch amerikanische Juden und Israelis kritisieren heute Israels **skrupellose »Geschäfte«**: die Spionage des eigenen Landes in den Vereinigten Staaten (Israels Schutzmacht!); zugleich die Verwicklung Israels in die Iran-Contra-Affäre (nach Präsident Reagans Memoiren von Israel gar eingefädelt); der neue riesige Bestechungsskandal in der israelischen Luftwaffe auf Kosten der amerikanischen Steuerzahler; schließlich die engen wirtschaftlichen und militärischen Verbindungen des Staates Israel (und zahlreicher ehemaliger israelischer Offiziere aller Grade) mit Diktatoren und Militärjuntas von Südafrika bis Chile und El Salvador, mit den Somozas, Duvaliers, Pinochets, Marcos', Mobutus – und dies gerade bezüglich Polizeiausbildung, Polizeiausrüstung und Atomwaffenentwicklung (so berichtet mit zahllosen Daten Benjamin Beit-Hallahmi, jüdischer Professor an der Universität Haifa[29]).

Auch in der amerikanischen Regierung hat man zu fragen begonnen: Ist Israel unter solchen Umständen noch ein strategischer **Aktivposten für die Vereinigten Staaten**? Das muß man trotz oder gerade wegen des Golfkriegs auf mittlere Sicht skeptisch sehen. Auch wenn die Unterstützung Israels im Kongreß (wegen des starken Einflusses der amerikanischen jüdischen Organisationen) und im Pentagon (wegen der intensiven militärischen Zusammenarbeit) noch immer stark ist, so hat gerade der Golfkrieg gezeigt, wie gefährlich sich Israels Politik gegenüber den Palästinensern weltpolitisch auswirken kann. Mit Leichtigkeit konnte der irakische Despot die ungelöste Palästinenserfrage zum Alibi für seine Angriffe auf Israel machen und allüberall arabische Massen begeistern! Nein, in dieser noch immer oppressiven und nach außen aggressiven Gestalt dürfte der Staat Israel für die USA (nach der Liquidation des West-Ost-Konflikts ohnehin) ein problematischer »Strategic Asset« geworden sein, während nicht nur Saudiarabien und sein Öl, sondern auch Ägypten und die übrigen arabischen Verbündeten strategisch viel wichtiger geworden sind als früher und jetzt auf amerikanische Loyalität und Gegenleistungen setzen.

5. Das Araberdilemma: Israel entweder unjüdisch oder undemokratisch

Abba Eban, Israels Außenminister von 1966-1974, hat recht, wenn er klarsichtig für Gespräche mit der Palästinensischen Befreiungsorganisation mit folgenden Argumenten wirbt: »Es gibt keine Gefahren in einem israelisch-palästinensischen Übereinkommen, die verglichen werden könnten mit den vulkanischen Gewißheiten eines Status quo, der unsere Friedensvision verdunkelt, unsere Ökonomie schwächt, unseren Tourismus schädigt, unser Image verunstaltet, unsere internationalen Freundschaften untergräbt, unsere Nation spaltet, unsere jüdische Diaspora quält und unsere teuersten jüdischen und demokratischen Werte untergräbt.«[30]

Doch es gibt noch ein anderes Argument, das auch vielen amerikanischen Juden Sorgen macht: Immer mehr ist in der Zwischenzeit die palästinensische »demographische Bombe« in Israel selbst zu einer Testfrage der Nation geworden. Was wird, längerfristig betrachtet, die Zukunft sein? Ein **jüdischer Nationalstaat** oder ein **jüdisch-arabischer Zwei-Nationen-Staat**? Keine Frage: Der Staat Israel hat sich selber durch seine Besatzungspolitik nach dem Krieg von 1967 in eine schwierige Lage manövriert, verschärft durch die schleichende, aber seit der Likud-Regierung von Ministerpräsident Menachem Begin – der frühere Terroristenführer war durch die 1967 notwendig gewordene Regierung der nationalen Einheit überhaupt erst politisch salonfähig geworden – so energisch vorangetriebene Besiedlung Jerusalems, von »Judäa und Samaria« (statt Westjordanien benutzt man jetzt diese biblischen Begriffe, wiewohl, wie wir sahen, Samaria durch die Jahrhunderte Antipode von Judäa war) sowie des Gaza-Streifens (zusammen 1,7 Millionen Palästinenser!). Denn nachdem die offizielle Regierungspolitik die Palästinenser früher als politisches Subjekt auf israelischem Staatsgebiet schlicht zu leugnen pflegte, kann man heute weder im Inland noch im Ausland die Augen davor verschließen, daß die arabische Minorität innerhalb der gegenwärtigen faktischen Staatsgrenzen (inklusive besetzten Gebieten) beinahe 40 % ausmacht. Gerade durch die zeitweilige Schließung der Grenzen (»grüne Linie«) vor, während und nach dem Golfkrieg haben die israelischen Militärbehörden weltweit sichtbar gemacht, daß die besetzten Gebiete »Judäa und Samaria« doch nicht zum Staat Israel gehören.

Gewiß: Das Kräfteverhältnis zwischen Juden und Arabern in Israel läßt sich mit dem von Weißen und Schwarzen etwa in Südafrika nicht vergleichen (mindestens dann nicht, wenn man von den rund 100 Millionen Arabern rings um Israel absieht). Aber das Dilemma eines solchermaßen expandierten »Groß-Israel« ist doch analog: Wegen der mehr als doppelt so hohen Geburtenrate des arabischen Bevölkerungsanteils werden nach offiziellen Prognosen im Jahr 2000 den rund 4,5 Millionen Juden mehr als 2 Millionen Araber gegenüberstehen. Seit 1985 gibt es in »Groß-Israel« zum erstenmal mehr arabische Kinder unter 4 Jahren (370 000) als jüdische (365 000). Schon jetzt gibt es klare jüdische Mehrheiten nur in den Großstädten und in den »Wehrdörfern«, und nach allen (hoch oder niedrig ansetzenden) Prognosen werden wegen der mehr als doppelt so hohen Geburtenrate die Araber schon bald beinahe die Hälfte der Bevölkerung ausmachen: im Jahr 2000 42-46%[31]. Eine ähnliche Entwicklung vollzog sich ja auch im Libanon.

Die von Israel mit allen Mitteln forcierte und von den Arabern vehement kritisierte Immigration von **Juden aus der Sowjetunion** – 1989: 13000; 1990: 210 000 – gerade nach Israel (viele, kaum religiös, viele vielleicht auch nicht wirklich jüdisch, möchten lieber in die USA ausreisen) ist zutiefst ambivalent: Einerseits verschärft sie die Lage besonders im arabischen Ost-Jerusalem, wo sich bisher 10 % der bis Mai 1990 angekommenen Einwanderer niederließen. Andererseits erhöht sie in Israel sowohl die Arbeitslosenquote (1991: 11 %, Gefahr des Anstiegs auf 18 %) wie die ungeheure Staatsschuldenlast, welche das wirtschaftspolitische Hauptproblem darstellt (bereits 1989: 30,6 Milliarden Dollar); allein der Bau von 30 000 neuen Wohnungen wird bis 1992 auf rund 1,2 Milliarden Dollar geschätzt[32]. Nicht Bauern, wohl aber mehr als 6 000 Ärzte – in der Sowjetunion gewiß sehr vermißt – haben sich innerhalb eines Jahres in Israel niedergelassen, das nach der Schweiz das Land mit der größten Ärztedichte der Welt ist (12 000 auf 4,5 Millionen). Allerneuestens freilich will nahezu die Hälfte der ausreisewilligen sowjetischen Juden wegen der schlechten Verhältnisse in Israel lieber doch in der Sowjetunion bleiben oder in ein anderes Land (selbst Deutschland!) einwandern. Einem Bericht der Bank of Israel vom Mai 1991 zufolge wollen, wenn sich die Arbeitsmarktlage nicht ändert, bis zu 200 000 eben eingereiste Sowjetjuden Israel in den nächsten Jahren wieder verlassen.

Wie also wird unter diesen Umständen Israels Zukunft aussehen? Der jüdische Staat steht in seiner praktischen Politik vor der **Alternative:**
– Entweder verhält er sich konsequent **demokratisch**, läuft dann aber Gefahr, **unjüdisch** zu werden. Denn verfassungsmäßig müßte ja die riesige arabische Minderheit dieselben Rechte bekommen, wie sie den Staatsbürgern jüdischer Abstammung zustehen, was einen binationalen, jüdisch-arabischen Staat zur Folge hätte. Was aber früher zusammen mit linkssozialistischen Gruppen und mit Juda Magnes, dem langjährigen Präsidenten der Hebräischen Universität, vor allem, wie wir hörten, Martin Buber vertreten hatte, wird heute von den allermeisten Israelis ausgeschlossen: ein Zionismus, der sich selbst aufhöbe!?
– Oder der Staat Israel bleibt **jüdisch**, läuft dann aber Gefahr, **undemokratisch** zu werden. Denn bei unveränderter Politik wird das Land immer größeren inneren Spannungen ausgesetzt: weitere Radikalisierung der arabischen Minorität bei gleichzeitiger Radikalisierung kleiner jüdischer Gruppen, der Siedler und möglicherweise auch der Armee, die ersteren mordend aus Verzweiflung, die letzteren aus Rache. Schon jetzt wird in den besetzten Gebieten nur noch mit Ausnahmerecht und Ausnahmezuständen regiert. Eine Demokratie also, die in Diktatur umschlüge!?

Die zweite Möglichkeit erscheint für die nächste Zukunft nach dem erschreckenden Erstarken rechtskonservativer Kräfte in Israel und Amerika und der weitverbreiteten Flucht in die Vergangenheit (nicht zuletzt in die »patriotische Archäologie«) leider die wahrscheinlichere. Könnte aber für Groß-Israel die Tragödie Groß-Libanons, die schon in den 20er Jahren eine zu große muslimische Bevölkerung unter die Herrschaft der christlichen Elite brachte (nachdem doch der christliche Libanon seit der muslimischen Eroberung im 17. Jahrhundert unter muslimischer Herrschaft leidlich überlebt hatte), nicht eine ernste Warnung sein?

6. Die Intifada und der Palästinenserstaat

Was viele ernsthafte Israelis beunruhigt: Alle israelischen Unterdrückungsmaßnahmen haben die Entschlossenheit des palästinensischen Volkes, sich mit der Besetzung seines Landes auf keinen Fall abzufinden, nur gestärkt. Ja, angesichts des lähmenden Immobilismus, des endlosen Verzögerns und des Aussitzens des offiziellen Israel kam es (ähnlich wie in Osteuropa) bereits zu einem entscheidenden Wendepunkt, den die PLO weder ausgelöst noch auch nur vorhergesehen hat: zum **aktiven Widerstand des palästinensischen Volkes selbst**, welches seine frühere Passivität aufgegeben und seine Sache in eigene Hände genommen hat. Eine junge Generation von Palästinensern (viele aus dem neuen Mittelstand) hat anstelle der konzilianten begüterten Notablen der West-Bank die Führung übernommen. Dies irritiert die israelische Gesellschaft aufs höchste und polarisiert sie erst recht, so daß die einen – dem israelischen Philosophen Avischai Margalit zufolge – am liebsten rufen würden: »Zum Teufel mit den Arabern«, die anderen aber (mehr schweigend als redend): »Zum Teufel mit den besetzten Gebieten.«[33]

Schon seit dem 9. Dezember 1987 befindet sich die palästinensische Bevölkerung in den besetzten Gebieten im Aufstand gegen die schon so viele Jahre anhaltende israelische Repression: »**Intifada**« (wörtlich: »Abschütteln«, »Volkserhebung«)[34] – für viele in Israel ein dunkles Menetekel. In der Tat handelt es sich hier um eine jener Befreiungs- und Emanzipationsbewegungen, die, wie die Juden und der Staat Israel selbst bewiesen haben, ihr Ziel zuallermeist erreichen. Doch welch eine Umkehr der Rollen: Heute sind die Palästinenser in der Rolle des steinschleudernden **David**, Israel aber in der des zwar gepanzerten, aber hilflosen **Goliat**. Nicht mit Waffengewalt und organisierten Massen, sondern mit Steinen (und manchmal Benzinflaschen) und heroischen Aktionen kleiner Gruppen meist Jugendlicher und Kinder provozieren die Palästinenser die gut organisierte, bis an die Zähne bewaffnete und oft brutal zupackende israelische Besatzungsarmee, ohne daß diese (an die offene Feldschlacht gewöhnt) solche Aktionen wirksam unterbinden könnten.

Man hat sich in der Welt zu Recht empört über Saddam Husseins Skud-Raketen auf israelische Städte (glücklicherweise mit wenigen Opfern und Häuserzerstörungen). Doch die Palästinenser – in einer Mischung aus Verzweiflung, Kalkül und Blindheit auf Saddam Husseins Seite – sahen und sehen das anders. Sie verweisen auf die in Israels besetzten Gebieten zum Alltag gewordenen **Unterdrückungsmaßnahmen**: von den langen Polizeistunden, Ausgeh- und Demonstrationsverboten über die Verweigerung von Wasser und Elektrizität und die Schließung der Schulen bis zur Zerstörung von Hunderten von Wohnhäusern, zu Massenfestnahmen, Deportationen führender Palästinenser und Konzentrationslagern ... Während des Golfkriegs haben die Palästinenser unter einer Ausgangssperre mit unmenschlichen Bedingungen wie in einem riesigen Gefängnis gelebt. Dies alles versucht man zwar durch systematische Abschottung der besetzten Gebiete von den Medien der Weltöffentlichkeit gegenüber zu verschleiern, ist aber doch genügend bekannt geworden[35]. Die Parallelen zur früheren Apartheidspolitik Südafrikas springen ins Auge.

Eine **weitere Radikalisierung** und auf beiden Seiten eine Eskalation von Haß, Wut und Feindschaft droht früher oder später: eine Steigerung der Intifada, die leicht vom Steinewerfen über das Messerstechen zum Bombenlegen übergehen kann. Frühere jüdische »Terroristen«, an die Macht gekommen, sind kaum berechtigt, Verhandlungen mit palästinensischen »Terroristen« abzulehnen, die sich, einen Palästinenserstaat anvisierend, in Strategie und Taktik an das jüdische Vorbild halten. Nicht wenige fürchten neuerdings ernsthaft um das Schicksal Jerusalems, wo sich auch viele Juden über die ständig wachsenden und sich im arabischen Ost-Israel ansiedelnden ultraorthodoxen Gemeinschaften empören, die mit 330 000 Mitgliedern schon jetzt ein Drittel der jüdischen Bevölkerung Jerusalems ausmachen. Viele rechnen jedenfalls mit der Möglichkeit eines wachsenden arabischen Terrorismus und israelischem Gegenterrorismus sowie mit verschärften jüdisch-christlich-muslimischen Spannungen in der »heiligen Stadt« selbst. Auch diesbezüglich nur einige **Tendenzanzeigen:**
– In vielen Ländern, selbst in den Vereinigten Staaten, werden zunehmend Stimmen laut gegen die religiös begründete De-facto-Annektierung der besetzten arabischen Gebiete, ihrer Infrastruktur (Kontrolle von Elektrizität, Wasser und Straßen, von Märkten und Arbeitsverwaltung) und ihres Grundeigentums. Schon jetzt wurden über 50 % des Bodens der besetzten Gebiete für angeblich öffentliche, militärische oder kultivatorische Zwecke einfach konfisziert.
– Immer mehr Stimmen verlangen unter diesen Umständen (im Rahmen selbstverständlich berechtigter israelischer Sicherheitsinteressen und gewisser Grenzkorrekturen besonders im Golan) nicht nur Verwaltungsautonomie, sondern politische Selbstbestimmung, ja, die palästinensische Souveränität über die besetzten Gebiete. »Judäa und

Samaria« sind nun einmal keine israelitischen Staaten oder römische Provinzen mehr, sondern die Heimat der dort lebenden Palästinenser.

Seit dem Ende 1987 begonnenen Aufstand der rund 1,7 Millionen Palästinenser in den besetzten Gebieten (140 000 in Ost-Jerusalem) wurden bis Herbst 1990 mehr als 1 000 Palästinenser von israelischen Soldaten und den oft noch sehr viel brutaleren jüdischen Siedlern getötet – weit über 100 Tote unter sechzehn Jahren, weit über 300 Tote zwischen sechzehn und fünfundzwanzig Jahren. Und auf israelischer Seite? Circa 50 Todesopfer[36]. Ein drastischer Beleg für den unverhältnismäßigen Einsatz tödlicher Schußwaffen von Seiten der Besatzungstruppen. Die Zahl der palästinensischen Verwundeten aber, die aus Angst oft gar keine Krankenhäuser aufsuchen, geht in die Zehntausende; schon lange wird nicht mehr nur, wie offiziell behauptet, aus Notwehr geschossen.

Wie explosiv unterdessen die Situation geworden ist, zeigten weniger die fatalen Sympathiekundgebungen der frustrierten und von Arafat wieder einmal irregeführten Palästinenser für den »Befreier« Saddam Hussein während des Golfkrieges. Dies zeigte vor allem das **Massaker** auf dem **Jerusalemer Tempelberg** vom 8. Oktober 1990: In Reaktion auf eine angekündigte Prozession einer kleinen radikalen jüdischen Gruppe (»Temple Mount Faithful«, »Die Getreuen des Tempelbergs«) zur Grundsteinlegung eines Dritten Tempels anstelle der Al-Akscha-Moschee kam es zum Steinewerfen von jungen Palästinensern auf (aus ungeklärten Gründen eingreifende) israelische Soldaten auf der West-Ballustrade des Tempelplatzes und (nur indirekt) auf betende Juden unten an der Klagemauer. Auf jüdischer Seite waren kein einziges Todesopfer und auch keine Verletzten zu beklagen. Von der israelischen Polizei aber wurde das Steinewerfen mit einem gnadenlosen Massaker – rund 20 getötete Palästinenser und rund 150 Verletzte – vergolten[37].

Rache und Vergeltung als **Ersatz für eine konstruktive Außenpolitik?** Ob sich so je ein Frieden in Nahost erreichen läßt? Schon 1955 hatte der damalige Außenminister Mosche Scharret in sein Tagebuch geschrieben: »In den dreißiger Jahren zügelten wir die Impulse der Rache und erzogen die Öffentlichkeit dazu, in der Rache eine absolut negative Triebkraft zu sehen. Heute hingegen befürworten wir aus pragmatischen Erwägungen das Prinzip der Vergeltung ... Wir haben die geistigen und moralischen Zügel, die wir diesem Instinkt angelegt hatten, gelöst und es so weit gebracht, daß ... die Rache als moralische Tugend gilt.«[38] Noch keine israelische Regierung verhielt sich bisher so kompromißlos und rüde in Fragen des Friedensprozesses, der Siedlungspolitik und des Vorgehens gegen den Palästinenseraufstand wie die rechtskonservativ-orthodoxreligiöse Koalitionsregierung von **Jizchak Schamir** (geb. 1914 in Polen). Im Regierungsprogramm ist von ihm »das ewige Recht des jüdischen Volkes auf das ganze Land Israel« inklusive der besetzten Gebiete proklamiert und eine Ausweitung der jüdischen Siedlungen angekündigt worden. Doch dies alles hat auch unter den Freunden Israels eher kontraproduktiv gewirkt und in Israel selbst die Ratlosigkeit und teilweise auch das Schuldbewußtsein eher verstärkt als vermindert. Nochmals: Ob sich mit Haß, Rachsucht und Vergeltung je Frieden für Israel und den Nahen Osten erreichen läßt? Nicht umsonst habe ich im zweiten Hauptteil in anderem Zusammenhang auf die Möglichkeit des Vergebens, Versöhnens und Teilens – notwendig auch zwischen den Völkern – aufmerksam gemacht.

Die überraschend erfolgte Intifada des palästinensischen Volkes selbst hat sowohl Jordanien wie die PLO zur **Änderung der Gesamtstrategie** gezwungen:
– Am 31. Juli 1988 verkündet der jordanische König Hussein II. die juristisch-administrative Abtrennung der West-Bank von Jordanien.
– Am 15. November 1988 proklamiert der palästinensische Nationalrat in Algier einen unabhängigen Staat Palästina (State of Palestine), der die besetzten Gebiete Westjordanland, Gaza-Streifen, aber auch Alt-Jerusalem als Hauptstadt umfassen soll (Grundlage dafür die UN-Resolution 181 von 1947); zugleich setzt die Mehrheit der PLO gegen radikale Gruppen auch die Annahme der UN-Resolutionen 242 und 338 durch, die das Existenzrecht des Staates Israel anerkennen.
– Alles in allem also: ein **Palästinenserstaat nicht anstelle, sondern neben dem Judenstaat!**

Für die israelische Sicherheitsangst, bedingt durch die jüdische Geschichte und den Holocaust, wird jedermann Verständnis aufbringen. Doch geht es hier mehr um israelische Offensive als um Defensive. Das größte Hindernis für den Frieden in Nahost bilden die **israelischen Siedlungen** in den besetzten Gebieten. Seit 1977 ist es diese aggressive Siedlungspolitik der Likud-Regierung, welche die Palästinenser zutiefst aufgewühlt, aber auch die öffentliche Meinung in Israel und in der Welt gespalten hat. Denn hier geht es nicht mehr primär um landwirtschaftliche Pionierarbeit (auch in die Neustädte in der Wüste Negev gehen nur wenige etwa der eingewanderten Sowjetjuden!), sondern zuallermeist um die militärstrategisch geplante Errichtung stadtähnlicher Siedlungen bürgerlicher Pendler: »**Wehrdörfer**«, illegale, von Stacheldraht und Scheinwerfern abgeschirmte Wohnungs- und Festungsbauten und strategisch angelegte Straßen, welche die arabischen Städte und Dörfer voneinander abschneiden und umzingeln sollen. Und dies immer mehr bis heute: Obwohl die israelische Regierung den Sowjets, welche die Emigration sowjetischer Juden ermöglichten, und den Amerikanern, welche mit jährlich 400 Millionen Dollar die »settlements« für Sowjetjuden finanzieren sollen, versprochen hatte, keine Siedlungen in den besetzten Gebieten und Ostjerusalem vorzunehmen, gingen die Ansiedlungen im Geheimen, mit Tricks und unter Angabe falscher Zahlen weiter. Ja, noch im April 1991 wurden sie zum Protest gegen die Friedensbemühungen des amerikanischen Außenministers James Baker, von der Regierung geduldet, mit Wohnmobilen und Fertighäusern als neuer Wunderwaffe, in provozierender Weise fortgeführt. Über 3000 Hektar lebensnotwendigen Landes hat man auf der Westbank in den zwei Monaten nach dem Golfkrieg arabischen Dörfern durch offizielle Konfiskation weggenommen, rund 4000 Hektar durch das Militär im Hinblick auf Konfiskation requiriert. Ex-General und Wohnbauminister Scharon plant jetzt neuesten Berichten zufolge sogar »das größte Ansiedler-Bauprogramm, das je in den besetzten Gebieten lanciert wurde«, um so in den nächsten beiden Jahren mit 14000 neuen Wohneinheiten die jüdische Bevölkerung in den besetzten Gebieten von 90000 um mehr als 50 % in die Höhe zu treiben und auf diese Weise per viam facti die Frage, wem das Land gehört, zu entscheiden[39].

Was werden die **Vereinigten Staaten** tun? Die USA finanzieren von den 5,5 Milliarden Dollar des jährlichen israelischen Militärbudgets ja heute schon beinahe 4 Milliarden! Auch nach Auffassung kritischer Israelis heißt das: Allein eine unzweideutige, konsequente und zur Not von Taten begleitete Politik der USA, im Frühjahr 1991 von Präsident Bush auch für die Lösung des Palästinaproblems zumindest angekündigt, dürfte die israelische Regierung (die gegenwärtige oder eine künftige) antreiben, die überfälligen politischen Entscheidungen für die allzulange hingenommene unerträgliche Situation zu fällen.

Ob eine engagiertere Friedenspolitik George Bush den Sieg bei den Präsidentschaftswahlen 1992 kosten würde? Kaum, denn erfreulicherweise ist die jüdische Diaspora heute auch in Amerika wieder selbständiger geworden, so daß man von einer »**Re-emanzipation der jüdischen Diaspora**« spricht. Die wahren Freunde Israels in den USA und anderswo sollten deshalb nicht aus Opportunismus, Feigheit oder Bequemlichkeit der fortschreitenden Tragödie nur deprimiert und hilflos zuschauen. Bei vielen von ihnen ist ja der Sinn dafür gewachsen, daß wie damals die Juden gegenüber der britischen Mandatsmacht, so heute auch die Araber gegenüber der israelischen Militärmacht ein Selbstbestimmungsrecht haben. Oder hat das palästinensische Volk selber kein Recht auf eine »Heimstätte« in Palästina? – Religiös gesehen stellt sich hier eine noch sehr viel grundsätzlichere Frage:

7. Glaube an die Nation statt Glaube an Gott?

Immer mehr wird auch von informierten Juden erkannt, welche ungeheuerlichen »undenkbaren« Möglichkeiten nach dem Holocaust aufkommen könnten: daß die Juden, in die Defensive gedrängt – und wohl schon jetzt im Besitz der Atombombe – bei einem neuen Völkermord nicht Opfer, sondern Täter sein könnten. Schon längst vor der Golfkrise haben sich selbstkritische Israelis darüber Gedanken gemacht: Der in Amerika geborene, in Israel lebende klinische Psychologe **Israel W. Charny** (Tel-Aviv-Universität) hat den Mut besessen, diese Problematik in zwei Büchern auszusprechen: »Wie können wir das Unausdenkbare begehen?« und »Auf ein Verstehen und Verhindern eines Völkermordes hin«[40].

Noch ganz anders aber als im Fall des Irak und Kuweits stellt sich hier jedenfalls eine nicht nur politische, sondern auch ernste religiöse Frage, die Freunde Israels mit größter Besorgtheit stellen: Was bleibt unter den gegebenen Umständen ein halbes Jahrhundert nach der Staatsgründung noch übrig vom »Musterstaat« Herzls, was von Ben-Gurions Ideal eines Israel als dem »Licht unter den Nationen«? Oder wenn man auch nur die ganz normalen Maßstäbe eines demokratischen Staates ansetzt: Israel – statt einer Insel des Friedens in Zukunft eine Festung des Nationalismus und der Unterdrückung?

Doch nicht nur um die Glaubwürdigkeit der israelischen Demokratie geht es hier, sondern auch um die **Glaubwürdigkeit des jüdischen Glaubens.** Denn so fragt man sich: Darf der **Glaube an den einen Gott** Abrahams, Isaaks und Jakobs, der im Dekalog auch Leben und Eigentum des Nachbarn zu respektieren fordert, darf er – und dies für religiöse und nichtreligiöse Juden – durch den (aus Europa bezogenen) **Glauben an die Nation** ersetzt werden? Nur 25-30 % der Juden bezeichnen sich als »religiös«, wobei viele »Nicht-Religiöse« mit »Religion« vermutlich die von ihnen abgelehnte religiöse Orthodoxie meinen. Trotzdem stellt sich die Frage: Soll anstelle des über dreitausendjährigen jüdischen Monotheismus, der keine Götter neben dem einen Gott duldete, der Israelismus treten, der statt des Gottes Israels jetzt Israel als Volk und Land zum Kultgegenstand erhebt? Wird der Götze des Nationalismus, der den Völkern Europas so viel Unheil gebracht hat, dem Volk Israels das Heil bringen?

Die Freunde des Staates Israel jedenfalls, die nicht nur dessen Fortexistenz, sondern dessen Wohl sehnlichst wünschen, fragen sich, wie es mit diesem Staat weitergehen soll. Der jüdische Theologe **Marc H. Ellis** sieht es als »eine wesentliche Aufgabe jüdischer Theologie« an, »den Staat Israel zu de-absolutisieren« und fordert »eine theologische Bekehrung des jüdischen Volkes zu denen, die wir oft als seine Feinde sehen«; der einzige Weg, um auf Dauer eine militärische Niederlage auszuschließen, sei »Frieden zu schließen, wenn man mächtig ist«[41].

Für den Ernst der Lage sei nochmals ein beschwörendes Wort von **Jeshajahu Leibowitz** zitiert: »Wenn wir den Weg, auf dem wir uns befinden, fortsetzen – dann wird das zum Untergang des Staates Israel führen, und zwar in einem Zeitraum von einigen Jahren, dazu braucht es noch nicht einmal Generationen. Im Inneren wird Israel ein Staat mit Konzentrationslagern für Menschen wie mich werden, sobald Vertreter der rechts-nationalen Parteien, wie Kahana, Raful, Druckmann und Scharon, an die Macht kommen werden. Nach außen wird Israel sich in einen Krieg auf Leben und Tod mit der gesamten arabischen Welt von Marokko bis Kuwait verstricken. Das ist die Perspektive für die nahe Zukunft.«[42] Und was die amerikanische Unterstützung betrifft: »Solange der Staat Israel in abgrundtiefer Torheit verharrt und der Meinung ist, die amerikanische Unterstützung werde bis in alle Ewigkeit fortbestehen, ist er natürlich nicht am Frieden interessiert. Deshalb wird Israel wie Süd-Vietnam enden, das auch auf eine amerikanische Hilfe für ewig vertraute.«[43]

Mit Leibowitz hoffen gerade Christen, die sich den Juden besonders verpflichtet fühlen, daß dies eine **Schreckensvision** bleibt und sich die gegenwärtige Krise überwinden läßt. Auch unter den großen Massen der Palästinenser – genau wie denen der Israelis – besteht doch nach wie vor eine große **Sehnsucht nach gerechten Lösungen** und so nach Frieden. Ob angesichts dieser zunächst hoffnungslos erscheinenden Situation wirklich alles so bleiben muß? Ob sich nach allen negativen Erfahrungen, nicht zuletzt im Zusammenhang des Golfkriegs, mit der Zeit nicht doch mit dem Glauben an den einen wahren Gott wieder die Vernunft durchsetzen wird und so in einer inneren Entspannung der gegenwärtig fehlende nationale Konsens wieder finden läßt auf folgender Basis:

• Militär ja, aber kein Militarismus, der die Armee verherrlicht,
• Nation ja, aber kein Nationalismus, der zum Religionsersatz wird,
• Staat ja, aber keine Staatsvergötzung, die dem Staat Hunderte von Menschenleben opfert?!

Was ich hier über den tragischen Konflikt zwischen zwei Völkern um das eine Land schreiben mußte, erweist sich hoffentlich bald als gegenstandslos. Nach dem Golfkrieg wären auch die meisten arabischen Völker an einer friedvollen Neuordnung im Nahen Osten interessiert. Aber gibt es für all diese Probleme eine realistische Lösung, gar eine realistische Friedensvision?

III. Auf dem Weg zum Frieden

Ja, wann endlich wird der endlose Streit um das Heilige Land beigelegt, wann wird der Krieg beendet, die Tragödie vorbei sein? Nach der erneut dramatisch zugespitzten Weltsituation des Golfkriegs ist das jüdische Staatswesen offensichtlich in Gefahr, aufgrund seiner geschichtlich verspäteten Gründung auf die Vergangenheit fixiert zu bleiben, statt sich der Zukunft zu öffnen: zu verharren
– sei es in einem **mittelalterlichen** Paradigma der Orthodoxen, welches theokratische Elemente einbezieht (in keinem entsprechenden Staat des Westens außer im Vatikan gibt es für das Leben der Einwohner so viele religiös begründete Einschränkungen wie in Jerusalem);
– sei es in einem überholten **modernen** Paradigma der Säkularisten, das oft von Nationalismus, ja Rassismus bestimmt ist und die israelische Gesellschaft in religiöse und unreligiöse Juden zu spalten droht.

Der Staat Israel gleicht darin erstaunlicherweise gewissen islamischen Ländern, die ebenfalls die Herausforderungen der **Postmoderne** zu verdrängen drohen: einer Postmoderne, die trotz aller alten und neu aufgebrochenen politischen, ethnischen und religiösen Gegensätze weniger national als international ausgerichtet sein wird; die nicht mehr den aggressiven Antagonismus, sondern den Frieden zwischen den Nationen fördert; und die nicht mehr den Fanatismus, sondern die friedliche Koexistenz, ja die Proexistenz der verschiedenen Religionen anstrebt. Was ist hier zu tun? Statt nationaler Mythologien und Illusionen sind **um des Überlebens willen Realismus und Pragmatismus** gefordert. Eine politisch-theologische Sichtung der Zukunftsperspektiven möchte dazu verhelfen.

1. Extrempositionen ohne Chance

Sicher ist eines: Keine Seite kann der anderen einfach die Bedingungen diktieren. Verhandlungen zwischen den Verantwortlichen sind also unumgänglich; ein Alles-oder-Nichts-Standpunkt hat bisher zu nichts als Blut und Tränen geführt. Freilich, Hardliner gibt es auf beiden Seiten: einerseits aggressiv-terroristische Israelis, etwa die religiös-nationalistische »Gusch Emunim« = »Block der Gläubigen« meist europäisch-amerikanischer Herkunft, welche die führende Kraft des israelischen Expansionismus darstellen und rund ein Viertel aller Siedlungen in den besetzten Gebieten errichtet haben, und alle, die schon vor dem Tod des rassistischen Rabbi Kahane »Tod den Arabern« gerufen und »Araber raus« propagiert haben; andererseits fanatisch-terroristische Palästinenser, besonders der geheime fundamentalistische Kampfbund »Hamas«, der aufgrund der verzweifelten Lage der Palästinenser immer mehr Zulauf hat. Beide Seiten sollten sich die Protestanten in Nordirland, die christliche Falange im Libanon, die Basken in Spanien, die Sikhs in Indien und die Tamilen in Sri Lanka vor Augen halten, um zu ermessen, daß aus politischer und religiöser Intransigenz auf beiden Seiten nur endloses Leid folgen kann.

Die **Extrempositionen** der Scharfmacher (»Falken«) auf beiden Seiten, **ohne Aussicht auf Erfolg**, sind deutlich geworden:

– Viele **Israelis** sind Anhänger eines **Groß-Israel**: Sie möchten, mit geopolitischer oder religiöser Begründung, mit Hilfe der Armee, Sonderpolizei und befestigter jüdischer Wehrsiedlungen die politische Kontrolle über die besetzten Gebiete für immer (und zur Not gar durch »Bevölkerungstransfer«, Landesverweisungen, Deportationen und Umsiedlungen) aufrechterhalten. Dabei sollte nicht nur die wachsende arabische Bevölkerungszahl, sondern auch das durch die Intifada gewachsene arabische Selbstbewußtsein deutlich gemacht haben, daß sich die Palästinenser und die arabischen Staaten nach dem Golfkrieg weniger denn je mit der Besetzung abfinden werden. Wollen sich diese Israelis nach einem faktisch 40jährigen Krieg einem weiteren 40jährigen oder längeren Krieg aussetzen?

– Manche **Araber** sind Anhänger eines **Groß-Palästina**: Sie möchten mit politischer Begründung und mit Hilfe von Terrorakten einen Großstaat erzwingen, den Staat Israel zerstören und alle Juden möglichst »ins Meer« treiben. Für manche Palästinenser gilt noch immer die »Charta« von 1968, welche eine »Eliminierung des Zionismus in Palästina« anzielt, die Teilung Palästinas von 1947 und die Gründung des Staates Israel für »völlig illegal« erklärt und die »Balfour-Deklaration« und alles, was auf sie zurückgeht, für »null und nichtig« hält. Die Juden seien nach dieser Charta kein Volk mit eigener Nation, sondern »Bürger der Staaten, zu denen sie gehören«. Aber sollten die Palästinenser (Arafat inklusive) aus ihrem falschen Engagement und ihrer eklatanten Niederlage im Golfkrieg nichts gelernt haben?

Zu Beginn der 90er Jahre dürfte klar geworden sein: Beide kompromißlose Positionen sind verhängnisvolle Illusionen, die sich gegenseitig blockieren und immer wieder zu unvorstellbarem Blutvergießen
geführt haben. Zukunft haben beide nicht. Ihnen gegenüber muß sich
jetzt bei den Vernünftigen auf beiden Seiten unbedingt eine **realistische Sicht** durchsetzen, um zu einer politischen (statt militärischen)
Lösung zu gelangen. Die Neuorientierung der PLO, jene bereits
1988/89 erfolgte Anerkennung der Existenz Israels und der Annahme
der Zwei-Staaten-Regelung, ist gewiß (Gespräche in Jerusalem während der Golfkrise haben mich davon überzeugt) die Grundüberzeu-
gung der Palästinenser-Führer zumindest im Lande selber geblieben.
Doch jetzt nach dem Golfkrieg, in welchem die seit Jahrzehnten frustrierten, aber wieder einmal irregeleiteten Palästinenser sich für einen
blutbefleckten Diktator begeisterten, nur weil er der einzige arabische
Führer war, der sich den Amerikanern (und damit den Israelis) entge-
genzustellen wagte, drängt sich eine grundsätzliche Klärung ihrer Position auf. Allzusehr haben sie durch ihren Enthusiasmus für Saddam
Hussein die friedensunwilligen Israelis bestätigt und bestärkt. Allzusehr haben sie die friedenswilligen desavouiert und enttäuscht. Eine
Neubestimmung der palästinensischen Position – und unter Umständen auch personelle Konsequenzen für falsche Entscheidungen –
drängen sich auf: Gelten die früheren Beschlüsse der PLO noch, oder
will man das Lebensrecht Israels endlich definitiv anerkennen?

Mehr oder weniger geheime Gespräche zwischen israelischen Spit-
zenpolitikern und PLO-Emissären haben schon verschiedentlich
stattgefunden. Daß eine Basisverständigung nicht unmöglich ist, zeigten noch unmittelbar vor der Golfkrise in exemplarischer Weise **Faisal Husseini**, Sohn des palästinensischen Oberkommandierenden Abdul Kader Husseini im Krieg von 1948 und heute der palästinensische Hauptführer auf der West-Bank, sowie **Yael Dayan**, Sohn des
berühmten Generals und Verteidigungsministers Mosche Dayan und
heute Mitglied des Zentralkomitees von Israels Arbeiterpartei. Sie
stellen fest: »Während wir nicht übereinstimmen in einer Reihe von
Problemen, so sind wir doch vereinigt durch unser letztes Ziel: ein
ausgehandeltes Übereinkommen, das gründet auf dem Prinzip ›Land
im Austausch gegen Frieden‹ – ein Übereinkommen, welches die
Selbstbestimmung und die Sicherheit für Israel und für Palästina zur
Folge haben wird. Frieden erfordert schmerzliche Kompromisse von

beiden Seiten.«[1] In der Tat: Es darf durch einen Friedensschluß keinen Verlierer, nur Sieger geben!

Die entscheidende Frage ist jedoch: **Wie** sollen solche Kompromisse realisiert werden? Schon der UNO-Teilungsplan von 1947 sah einen jüdischen und einen palästinensischen Staat vor und forderte 1967 einen Gewaltverzicht beider Seiten (Resolution 242) und 1973 auch die Anerkennung Israels (Resolution 338). Seit 1989/1990 – verstärkt durch den Golfkrieg – tritt die UNO-Vollversammlung, treten aber auch die USA, die UdSSR, die EG und viele arabische Staaten für eine internationale oder regionale Friedenskonferenz ein, der sich vor allem die rechtskonservativ-religiösorthodoxe israelische Regierung verweigert, weil sie die Palästinensische Befreiungsbewegung nicht als Verhandlungspartner akzeptieren und die besetzten Territorien unbedingt behalten möchte.

Unterstützt wird die reaktionäre Likud-Regierung in den **Vereinigten Staaten** von der mächtigen Pro-Israel-Lobby (besonders AIPAC = American Israel Public Affairs Committee)[2], die alle Kritik an Israel möglichst zu unterdrücken versucht und die bis hinein in die Kongreßwahlen unkritisch Zustimmende auch finanziell zu belohnen und kritisch Anfragende unter Druck zu setzen vermag. Daß die AIPAC sich durch ihre völlig einseitige, alle palästinensischen Anliegen ignorierende Politik bereits wichtigen gewerkschaftlichen, schwarzen, feministischen und auch christlichen Gruppierungen entfremdet hat, nehmen diese Lobbyisten offensichtlich nicht wahr, auch nicht die Gefahr eines neuen Antisemitismus angesichts eines überstarken, lähmenden jüdischen Einflusses auf die US-Außenpolitik.

Doch: Führende amerikanische Zionisten wie Nahum Goldmann, Arthur Hertzberg und andere kritisierten und kritisieren deshalb öffentlich die AIPAC und machen sich damit zu Sprechern möglicherweise der Mehrheit der amerikanischen Juden, die ja ohnehin nur zur Hälfte in jüdischen Verbänden organisiert sind. Auch der European Jewish Congress nimmt seit dem September 1989 gegenüber dem Staat Israel eine differenzierte Haltung ein, die man mit dem Stichwort »kritische Solidarität« umschreiben kann. Und selbst große jüdische Organisationen der Vereinigten Staaten – so der American Jewish Congress und die Union of American Hebrew Congregations (Organisation von 800 Gemeinden der 1,3 Millionen Reformjuden der USA) – fordern neuerdings eine Friedenskonferenz. Schon 1985 war in einem Rapport dieser Organisation »eine Tendenz zur Selbst-Gettoisierung des jüdischen Lebens« in Amerika beklagt worden: »Verbunden mit diesem Trend ist die Tendenz, ›One-issue‹-Organisationen und -Mentalitäten zu entwickeln. Und verbunden mit diesem Trend ist die Tendenz, die Art von ›jüdischer Diskussion‹ von Problemen, die sich auf Israel oder Amerika beziehen, zu beschränken oder zumindest nicht zu dem Prozeß ihrer Ausweitung beizutragen, die notwendig ist im Hinblick auf die Komplexitäten dieser neuen Ära.«[3]

Und in **Israel** selbst? Hier ist, wie wir sahen, die Gesellschaft zutiefst gespalten, und von den großen politischen Kräften hat sich nur die sozialistische Arbeiterpartei (IAP) zumindest prinzipiell für eine Friedenskonferenz ausgesprochen, um den Preis eines Bruches mit dem Likud freilich und auch nicht mit der nötigen Geradlinigkeit und Konsequenz. Immer noch übt man sich in Israel gerne in der »Rhetorik der Schwäche«, die sich der Welt konstant als »Underdog« und »Opfer« präsentiert. Das kann aber informierte und unvoreingenommene Zeitgenossen kaum überzeugen. Denn dieses kleine Land verfügt über die bestausgerüstete und besttrainierte Riesenarmee von 540 000 Soldaten: mit rund 3 800 Panzern, 682 Flugzeugen und Tausenden von Geschützen und Raketen. Dagegen verfügt die PLO gerade über 8 000 Mann, auf verschiedene Orte verteilt, keinerlei Panzer und Flugzeuge, ein paar Geschütze und keine Raketen, nur eine Vielzahl von Handgranaten, Granatwerfern, Flaschen und Steinen[4]. Wer ist hier schwach, Underdog, Opfer?

2. Land für Frieden?

Nach dem Golfkrieg zeigt sich eine – seit der Gründung des Staates Israel so noch nie gegebene – Chance, Israelis und Araber an einem Tisch zu versammeln. Der aggressive, revolutionäre Panarabismus erscheint diskreditiert. Die Obstruktion der Sowjetunion gegen eine Verständigung mit Israel ist der konstruktiven Zusammenarbeit mit den USA gewichen. Die Vereinigten Staaten ihrerseits haben es weithin in der Hand, auch in dem von ihnen effektiv gegen Raketenangriffe geschützten Israel die Wende zu einer Friedenspolitik zu erzwingen, wenn denn die (in der Weltpolitik seltene) Dankbarkeit den

Staat Israel (aber auch Staaten wie Saudiarabien und Syrien) nicht zu einem Entgegenkommen veranlassen sollte. Einhellig wird zur Zeit in der internationalen Völkergemeinschaft die Forderung erhoben: Jetzt endlich eine **neue Friedensordnung** auch im Nahen Osten durch **effektive Friedensverhandlungen**!

Und in der Tat: Wie Europa so braucht auch der Nahe Osten kein Pulverfaß der Weltspannungen zu bleiben. Wie zwischen den »Erbfeinden« Frankreich und Deutschland, so ist auch zwischen den »Erbfeinden« Staat Israel und den arabischen Staaten ein Friede möglich. Aber wie zwischen Franzosen und Deutschen, so sind zwischen Israelis und Palästinensern vernünftige Gespräche, konkrete Verträge und exakte Vereinbarungen notwendig. Konkret heißt dies: Nach von den USA eingeleiteten vorbereitenden Dialogen unter den verschiedenen Beteiligten muß eine (oder mehr als eine) **regionale oder internationale Friedenskonferenz** unter der Schirmherrschaft entweder der UNO oder der USA/UdSSR/EG einberufen werden, an der neben den Palästinensern möglichst alle direkten oder indirekten Nachbarn Israels, Ägypten, Saudi-Arabien, Jordanien, Syrien und der Libanon, beteiligt sein müßten.

Der **Golfkrieg**, dies müßten Israelis und Palästinenser einsehen, hat nun einmal **das strategische und politische Denken im Nahen Osten verändert**:
– die (früher feindlichen) Beziehungen der USA zu bestimmten arabischen Staaten;
– die (früher einseitige) Liaison der USA mit dem Staat Israel;
– die (jetzt einheitliche) Politik des UN-Sicherheitsrates gegen die Besetzung Kuwaits und auch gegen die Besetzung palästinensischer Gebiete;
– die Extremisten unter den Palästinensern und Jordaniern erscheinen geschwächt;
– die Rigiden in Israel stehen unter Druck der USA, der EG und der UNO, mit Gebietskonzessionen den Frieden zu ermöglichen.

Was wir 1991 im Nahen Osten brauchen, ist das, was wir 1946 in Europa brauchten: Versöhnung zwischen den früheren Feinden und gegenseitige wirtschaftliche, ökologische, politische Verflechtung, so daß jede Seite ein Eigeninteresse an der Aufrechterhaltung von Frieden und Stabilität hat. Das heißt nun trotz aller Schwierigkeiten: Die Schicksalsstunde für den jüdischen Staat ist nähergerückt und damit die Schicksalsstunde für eine Regierung, die zwar schon immer direkte Verhandlungen mit den arabischen Staaten gefordert und doch geschickt effektive Friedensverhandlungen (gerade mit der hier primär zuständigen PLO) zu verhindern wußte. Aber es wird sich zeigen: Durchzustehen ist diese Schicksalsstunde nicht durch obstinate Obstruktion oder einseitige Forderungen an die Adresse der USA und der UNO, erst recht nicht – falls es zu keiner Friedensregelung kommt – durch einen neuen aussichtslosen Waffengang, sondern nur durch eine konstruktive, zukunftsorientierte Verhandlungsstrategie.

Wie auch immer: Es müßte unter heilsamem Druck der Großmächte und der Weltöffentlichkeit in gemeinsamem Ringen – ähnlich wie im Camp David-Abkommen zwischen Israel und Ägypten unter einem Jimmy Carter II. – eine **politische Lösung** erarbeitet werden. Sie müßte – aufgrund der Beschlüsse des UNO-Sicherheitsrates Nr. 242 von 1967 und Nr. 465 von 1980 (mit einer Sonderregelung für Jerusalem, auf die ich noch besonders eingehen möchte) – zweifellos eine **Rückgabe der besetzten Gebiete an ihre rechtmäßigen Besitzer** einschließen (vor allem West-Bank und Gazastreifen, heute noch 23 % statt der 42,9 % Palästinas, die 1947 von der UNO den Palästinensern zugesprochen worden waren).

»Land für Frieden!« also, wie es nun auch der gegenwärtige amerikanische Präsident George Bush fordert? Diese Standardformel ist außerhalb Israels weithin akzeptiert, aber sie ist – hier muß man den Israelis Verständnis entgegenbringen – zu einfach. Denn zum Frieden im realen und vollen Sinn gehört nicht nur ein Friedensvertrag, sondern sehr viel mehr. Wenn »Land für Frieden« realistisch verstanden wird, so muß dies wie folgt konkretisiert werden:
– Land für volle **diplomatische Beziehungen** mit den arabischen Staaten und Normalisierung auf der wirtschaftlich-politischen und geistig-kulturellen Ebene;
– Land für **Sicherheit**: durch Rüstungskontrolle, Sicherheitsgarantien und Möglichkeiten der konkreten Durchsetzung und Verifikation;
– Land für **Geld**: Israel braucht dringend finanzielle Unstützung zur Unterbringung der Sowjetjuden und zum Ausgleich des ungeheuren Staatsdefizits;
– Land für **durchlässige Grenzen**: freier und sicherer Zugang für Israelis zu »Judäa und Samaria«, und umgekehrt freier Zugang von Pa-

lästinensern zu ihrer alten Heimat vor 1948 oder 1967; hier wären wie in Deutschland Ausgleichszahlungen an die Araber möglich.

Aber zugleich müßte die Lösung **den Hauptbeteiligten zumutbar** sein. Wer zu der jeweiligen Verhandlungsdelegation gehört (besonders auf palästinensischer Seite), müssen die Verhandlungspartner selber bestimmen können, damit diese auch wirklich repräsentiert sind. Nicht ein Diktat à la Versailles kann dem Nahen Osten den Frieden bringen, sondern eine Lösung à la Brüssel, die, wie gesagt, nur Sieger und keine Verlierer kennen darf. Nach dem bereits Ausgeführten schließt dies ein:

- volle diplomatische Anerkennung des Staates **Israel** durch alle Nachbarstaaten und zugleich Garantie gesicherter (und etwa auf dem Golan sinnvoll revidierter) Grenzen durch die Großmächte (ähnlich wie auf dem Sinai) oder die UNO;
- Berücksichtigung der berechtigten Gebietsrückforderungen **Syriens** (auf dem Golan) und der berechtigten Interessen des Königreichs **Jordanien,** das aufgrund des arabisch-israelischen Konflikts schon seit langem schwere demographische, ökonomische und finanzielle Lasten zu tragen hatte;
- Realisierung des Rechtes des **palästinensischen Volkes** auf ungeschmälerte Ausübung seiner bürgerlichen Rechte, seiner politischen Selbstbestimmung und seiner (am Anfang, etwa bezüglich Armee, beschränkten) staatlichen Selbständigkeit (Beispiel: Österreich nach dem Zweiten Weltkrieg unter dem Viermächtestatus). Also – vielleicht nach einem Übergangsstadium unter internationalem Protektorat (UNO) oder mit gemeinsamer israelisch-arabischer Verwaltung – Gründung eines **souveränen palästinensischen Staates.**

Aber ist ein souveräner palästinensischer Staat überhaupt lebensfähig? Die Frage ist berechtigt. Doch die Souveränität eines Staates Palästina schließt, auch nach Auffassung der Palästinenser, eine wissenschaftlich-technisch-wirtschaftliche **Kooperation**, vielleicht gar **Assoziation** mit Israel einerseits und Jordanien andererseits nicht aus, sondern ein[5]. Eine Wirtschaftsunion war ja schon für den UN-Teilungsplan von 1947 Voraussetzung.

Als **Beispiel** für eine Assoziation von Israel, Jordanien, Palästina wären heute vor allem die **Benelux-Staaten** zu nennen, in denen sich die

drei in vielfacher Weise verschiedenen Staaten Belgien, Niederlande
und Luxemburg zu einer **Zoll- und Wirtschaftsunion** (Staatsvertrag
1960 für die Dauer von 50 Jahren) vereint haben, die neben nahezu
vollständiger Liberalisierung des Waren-, Kapital- und Arbeitsver-
kehrs eine Harmonisierung der Außenhandels- und Landwirtschafts-
politik und eine Koordinierung der Währungs-, Struktur- und Kon-
junkturpolitik vorsieht (politische Organe: ein Ministerausschuß, ein
konsultativer parlamentarischer Rat, ein Wirtschafts- und Sozialrat
und ein Sozialgerichtshof). Man stelle sich vor:

– Wieviel könnte ein solcher **Palästinenser-Staat** gewinnen, wenn er
durch israelische Wissenschaft, Technologie und Wirtschaft unterstützt würde?

– Wieviel könnte aber auch **der Staat Israel** gewinnen, wenn er (statt
der ungeheuren Rüstungsinvestitionen) in den maroden Staatshaus-
halt und in seine krisenhafte Wirtschaft investieren und dabei auch in
großem Stil exportieren könnte?

– Wieviel könnte erst recht das an Bodenschätzen ebenfalls arme und
durch das Flüchtlingsproblem wie die Golfkrise gebeutelte **Jordanien**
gewinnen, wenn es mit dem palästinensischen und dem israelischen
Staat zugleich zusammenarbeiten könnte?

– Und warum sollten unter Voraussetzung einer Assoziierung die jüdischen **Siedlungen** in den palästinensischen Gebieten nicht bleiben
können wie umgekehrt die palästinensischen in den israelischen?

Es wäre eine Tragödie von historischem Ausmaß, wenn die gegenwärtigen Chancen für den Frieden vom Staat Israel nicht genützt würden. Wie oft haben doch schon im alten Israel Propheten wie Jesaija
und Jeremia vor einer falschen Politik der Stärke gewarnt! Nein, nur
eine konstruktive Lösung des Palästinenserproblems läßt das realisieren, worauf sich der Staat Israel selber in seiner prophetischen **Unabhängigkeitserklärung von 1948 verpflichtet** hat: »Der Staat Israel
wird der jüdischen Einwanderung und der Sammlung der Juden im
Exil offenstehen. Er wird sich der Entwicklung des Landes zum Woh-
le aller seiner Bewohner widmen. Er wird auf Freiheit, Gerechtigkeit
und Frieden im Sinne der Visionen der Propheten Israels gestützt
sein. Er wird allen seinen Bürgern ohne Unterschied der Religion, der
Rasse oder des Geschlechts soziale und politische Gleichberechtigung
verbürgen. Er wird Glaubens- und Gewissensfreiheit, Freiheit der
Sprache, Erziehung und Kultur gewährleisten, die Heiligen Stätten

unter seinen Schutz nehmen und den Grundsätzen der Charta der Vereinten Nationen treu bleiben.«

Doch – nicht nur von Seiten religiöser Miniparteien wird hier eingeworfen, sondern faktisch auch von der gegenwärtigen israelischen Regierung vertreten: Hat Israel nicht einen durch göttliche Offenbarung verbürgten Anspruch auf das ganze »biblische Israel«?

3. Biblische Argumente für staatliche Grenzen?

Wie auf »natürliche« Grenzen, so kann man sich auch auf »übernatürlich« gesetzte Grenzen berufen. Wie mit der Geographie, so läßt sich auch mit der Theologie Politik machen. Die Frage aber ist die: Darf man unter Berufung auf die Bibel bestimmte **politische Grenzen** hier und heute festsetzen und ganz bestimmte **territoriale Forderungen** stellen? Fragen wie diese stellen sich ja nicht nur für die Araber, sondern auch für viele Juden. Ist es erlaubt, bestimmte Texte der Hebräischen Bibel heranzuziehen und sie wortwörtlich in einer völlig veränderten Situation anzuwenden: für »von Gott verheißene«, von Gott ein für allemal garantierte Grenzen?

Immer wieder werden ja solche **Bibeltexte** herangezogen. Aus dem Buche Genesis etwa: »An jenem Tage schloß der Herr mit Abram einen Bund und sprach: Deinem Geschlechte gebe ich dieses Land, vom Bach Ägyptens bis an den großen Strom, den Euphrat-Strom.«[6] Oder aus dem Buche Deuteronomium, wo Mose dem Volke Israel eine Weisung des Herrn darlegt: »Ziehet nach dem Gebirge der Amoriter und zu allen ihren Nachbarn in der Araba, auf dem Gebirge, in der Niederung, im Südland und am Gestade des Meeres, in das Land der Kanaaniter und zum Libanon, bis an den großen Strom, den Euphrat-Strom. Seht, ich übergebe euch das Land; gehet hinein und nehmet das Land in Besitz, von dem ich euren Vätern Abraham, Isaak und Jakob geschworen habe, daß ich es ihnen und ihren Nachkommen geben wolle.«[7] Und später heißt es im gleichen Buch sogar: »Jeder Ort, darauf eure Fußsohle treten wird, soll euer sein; von der Wüste bis zum Libanon und von dem großen Strom, dem Euphrat-Strom, bis an das westliche Meer soll euer Gebiet reichen.«[8] Muß man lange erklären, daß solche Texte, unmittelbar in die aktuelle Situation hineingestellt, von erheblicher politischer Sprengkraft sind?

Die Frage nach der **Normativität** drängt sich auf: Was soll gelten? Die geschichtlichen Realitäten oder die alten Bibeltexte? Die historisch gewordenen oder die biblisch verheißenen Grenzen? Kann die politische Geographie (z. B. die Jordan-Grenze) von einer politischen Theologie überspielt werden, so daß man – wie in den Psalmen – Israels künftigem Messias-König sogar ein Reich von Meer zu Meer, vom Euphrat bis an die Enden der Erde zuzuschreiben haben wird[9]?

Ein Blick auf unsere Paradigmenanalyse kann auch hier klärend wirken: Auch das jüdische Volk, so sahen wir, erfuhr ja in seiner Geschichte revolutionäre Paradigmenwechsel. Es existierte **mit Staat oder ohne Staat**, lebte **mit diesen Grenzen oder jenen Grenzen**, und es könnte durchaus wieder – hypothetisch gesprochen – mit oder ohne Staat, mit diesen oder jenen Grenzen existieren. Die Rückfrage an einen politisch aufgeladenen religiösen Fundamentalismus muß also lauten: Warum gerade solche »Stellen« der Bibel heranziehen und nicht andere? Verbietet es die geschichtliche Entwicklung nicht geradezu, irgendeinen Bibelsatz anachronistisch-unvermittelt auf die Gegenwart anzuwenden und gar zum Maßstab einer bestimmten (Militär-)Politik zu machen? Als ob ein unabhängiger moderner jüdischer **Staat** und nicht vielmehr eine sichere **Heimstatt** für das erwählte Volk Gegenstand der biblischen Verheißung wäre! Als ob die Grenzen dieser Heimstatt nicht auch in der Bibel zum Teil sehr viel enger gezogen würden[10]! Als ob man heute ein Groß-Israel mit dem Jordan in der Mitte bilden könnte – »vom Strom Ägyptens bis zum Euphrat«! Als ob die Grenzen Israels durch alle die Jahrtausende hindurch je eindeutig gewesen wären! Als ob das von muslimischen (und christlichen) Arabern bewohnte Westjordanland einfach historisch jüdischer Boden geblieben wäre! Als ob die heutigen arabisch-muslimischen Einwohner, die hier seit rund 1 200 Jahren angesiedelt sind, kein legitimes Heimatrecht besäßen und sogar deportiert werden dürften! Als ob nicht zwei Drittel der jüdischen Einwohner Israels (als sephardische Juden) selbst aus arabischen Ländern stammten! Kurz, was ist in Sachen Grenzen, fragt man sich, **Gottes Offenbarung** und was **nationale Ideologie**?

Zwischen den Ansprüchen eines Saddam Hussein auf das – schon drei Jahrhunderte zuvor von arabischen Beduinen besiedelte – autonome Kuwait und den Ansprüchen Israels auf das (in einem Verteidigungskrieg gegen Jordanien eroberte!) Westjordanland bestehen zweifellos gewichtige Unterschiede. Aber: Wie kann man die Ansprüche eines mesopotamischen Despoten, der sich gleichzeitig auf Nebukadnezzars babylonisches Imperium, die Kalifen von Bagdad und auf den Koran beruft, als größenwahnsinnig zurückweisen, wenn man sich gleichzeitig zur Rechtfertigung eines »Groß-Israel« vom Mittelmeer bis zum Jordan (und bei Gelegenheit auch noch über den Jordan hinaus) auf das »biblische Israel«, faktisch also auf das davidisch-salomonische Reich beruft? Ist es nicht ein gefährliches Spiel, wenn man für die eigenen Gebietsforderungen die Ungeister des »**Irredentismus**« beschwört, der »unerlösten Gebiete«, der »terre irredente«, wie dies die italienischen Nationalisten im Ersten und Zweiten Weltkrieg taten? »Unerlöst«, geknechtet, mißhandelt und verraten: so fühlen sich ja heutzutage vor allem die Araber Palästinas (aber auch die Kurden im Norden Iraks!), denen man von jüdischer Seite gar den Namen »Palästinenser« und den Volkscharakter abstreiten will, nur weil sie nie eine Nation und einen Staat bilden konnten und sollten. Wo ist der zweite Teil der Balfour-Erklärung geblieben, auf deren ersten Teil man sich für die Neubesiedlung Palästinas ständig berufen hat?

Wahrhaftig, es ist ein Unterschied, ob die früheren israelischen Regierungen der Arbeiterpartei die arabischen Gebiete als Puffer gegen Anschläge und als Pfand für kommende Friedensverhandlungen besetzt hielten oder ob jetzt die Likud-Regierungen diese Gebiete als das von biblischen Zeiten her heilige Land und ewige jüdische Eigentum beanspruchen, von dem kein Quadratmeter aufgegeben werden dürfe. Zu Recht macht der bekannte jüdische Gelehrte **Jakob J. Petuchowski**, Professor am Hebrew Union College in Cincinnati/Ohio, der politisierenden Orthodoxie den Vorwurf eines höchst **selektiven Schriftgebrauchs**: »Wenn nun von pro-israelischen Apologeten auf die Wichtigkeit des ›Landes‹ in der biblischen Religion hingewiesen wird, dann wäre zunächst einmal zu fragen, ob diese Apologeten denn wirklich das Judentum in seine biblische Phase zurückversetzen wollen, d. h., ob sie auch die Wiedereinführung der Tieropfer ersehnen, die offizielle Duldung der Sklaverei, die Todesstrafe für gewisse Übertretungen der Ritualgesetze und die Verfassung eines theokratischen Staates. Oder ist es nur die Betonung einer völlig aus ihrem Zusammenhang gerissenen Rolle des ›Landes‹ für die biblische Religion – als ob, in ihrer jüdischen Weiterentwicklung, diese Religion nicht verschiedene Entwicklungsstadien durchgemacht hätte, die schließlich zu einer Unabhängigkeit der jüdischen Religion von dem ›Land‹ führten?«[11] Diese Fragen zielen auf die in diesem Buch überall herausgearbeitete ganz und gar wesentliche Unterscheidung zwischen bleibender Glaubenssubstanz und wechselndem Paradigma. An die völlig säkularisierten Juden, die ihren jüdischen Glauben durch einen religiös substanzlosen nationalistischen »Israelismus« (ähnlich dem »Japanismus«) ersetzt haben, spitzt sich die Frage noch zu: Kann ein Volk, das sich nicht mehr an die Bibel hält, noch einen Anspruch auf das »biblische Land« begründen?

Eine andere Frage stellt sich für Christen: Sollen die palästinensischen Araber jetzt vielleicht **für das Unrecht der Christen bezahlen**, das Unrecht, welches früher (vor allem deutsche) »Christen« den Juden zugefügt haben? Nicht zuletzt deshalb haben Christen – und viele Araber in Israel und in den besetzten Gebieten sind Christen – Grund, nicht einseitig Stellung zu beziehen, sondern ihre Kontakte nach beiden Seiten zu nützen, um Vorurteile, Haß und Fanatismus abzubauen: für eine religiöse Verständigung, eine gegenseitige Vertrauensbasis, eine dauernde politische Lösung – in einem wahrhaft postmodernen Paradigma. Was versprach doch Theodor Herzl? »Jeder ist in seinem Bekenntnis oder in seinem Unglauben so frei und unbeschränkt wie in seiner Nationalität. Und fügt es sich, daß auch Andersgläubige, Andersnationale unter uns wohnen, so werden wir ihnen einen ehrenvollen Schutz und die Rechtsgleichheit gewähren.«[12]

Aber nun, was die Christen betrifft: Welches soll künftig deren Einstellung zum Staat Israel sein? Unter der im zweiten Hauptteil dargelegten Auffassung, daß der Staat Israel eine politische Größe mit religiöser Dimension ist, legen sich folgende Prospektiven nahe:

4. Für Christen: kritische Solidarität

Wie sollen sich Christen und christliche Kirchen in der praktischen Politik zum Staat Israel künftig verhalten? Zu einem Israel, das ja nicht mehr der schwache und rundum belagerte Staat von einst ist, sondern die stärkste Militärmacht des Nahen Ostens, mit Atomwaffen in der Hinterhand. Für die Zukunft sollte gelten:

a) **Kein diplomatisch-distanziertes Ignorieren** des Staates Israel: Dieser Staat bleibt eine geopolitische Wirklichkeit, wie immer man politisch und theologisch über ihn denkt! Das Judentum ist eben nicht nur eine Religion, sondern auch ein Volk. Und welches Unrecht (gegenüber Arabern) auch immer mit der Gründung des Staates Israel (wie mit der Gründung so vieler Staaten) verbunden war: Die Geschichte, die Gerechtigkeit, das Mitleid und die Menschlichkeit sind es, die gebieterisch eine **diplomatische Anerkennung** des Staates Israel verlangen – auch von den Arabern, auch vom Vatikan: selbstverständlich nicht nur eine »implizite«, sondern, wie auch sonst üblich, eine offizielle – als Basis für eine friedliche Zusammenarbeit. Daß die römische Kurie aufgrund ihrer jahrhundertealten antijüdischen Geschichte und ihres völligen Versagens angesichts des Holocausts eine besondere Bringschuld hat, habe ich verschiedentlich betont.

Aber darüber hinaus müßten alle **christlichen Kirchen** – neben der römisch-katholischen vor allem die griechisch-orthodoxe, die armenische und die deutsch-protestantische – deutlicher als bisher sagen, daß sie **keine theologisch begründeten souveränen Landrechte in Palästina** geltend machen werden. Selbstverständlich sollen die Heiligen Stätten im Besitz derer bleiben, denen sie oft seit Jahrhunderten gehören; und es ehrt den Staat Israel, daß er den Schutz der Heiligen Stätten nicht nur gesetzlich garantiert, sondern faktisch auch effektiv ausübt. Doch gerade deshalb kann gesagt werden: Private und öffentliche Eigentumsrechte von Christen oder christlichen Kirchen auf bestimmte Plätze dürfen nicht theologisch zu quasistaatlichen Hoheitsrechten überhöht werden, als ob Jesus es gewollt hätte, daß seine Nachfolger zu Miterben des biblischen Landes würden. Im Gegensatz zum Judentum, das, wie ich im ersten Hauptteil aufgezeigt habe, wesentlich an das »verheißene Land« gebunden ist und bleibt, ist das Christentum von seinem Wesen her an die Person Jesu Christi, aber nicht an ein bestimmtes Land gebunden. Dies gilt auch für die heilige Stadt Jerusalem, wie wir noch sehen werden. Doch die Problematik des Verhältnisses von Christen zum Staat Israel hat noch eine andere Seite:

b) **Keine unkritische Identifikation** mit der Politik des Staates Israel: Wie groß seine Bedeutung für das Judentum auch immer ist: Kein noch so großes Schuldgefühl nach dem Holocaust darf je zu einer völ-

ligen Identifikation mit der jeweilig aktuellen – manchmal mehr als
fragwürdigen – israelischen Staatspolitik (oft auch schlicht Parteipoli-
tik) führen. Ich habe schon darauf verwiesen: Wie es keine unschuldige, »gerechte« Religion gibt, so gibt es erst recht keine unschuldige,
»gerechte« Nation! Und allzusehr klaffen gerade in Israel das ursprüngliche Herzlsche Ideal vom »Musterstaat« und die nachträgliche
Realisierung, klaffen Ideologie und Wirklichkeit auseinander! Das ist
bei zahlreichen Staaten der Welt nicht anders, fällt aber im Falle Israels wegen des hohen Anspruchs besonders ins Auge. Trotz aller grundsätzlichen Sympathie für Israel gilt: Wer die Politik einer israelischen
Regierung kritisiert, er sei Christ, Muslim oder Jude, der ist nicht von
vorneherein »ein Feind Israels«! Er kann – im Gegensatz zu den op-
portunistischen Nach-dem-Mund-Rednern – ein **aufrichtiger Freund**
Israels sein. Der Verfasser dieses Buches jedenfalls ist und bleibt es!
Aber »israelischer als die Israelis« braucht weder ein amerikanischer
Jude noch ein europäischer Christ zu sein. Gibt es doch, wie wir sahen, erfreulich viele mutige Israelis (so außerhalb der Peace-Now-Bewegung exemplarisch der hochangesehene frühere israelische Außenminister Abba Eban) und führende amerikanische Juden (in der
Nachfolge von Nahum Goldmann, bis 1968 Präsident der Zionistischen Weltorganisation, jetzt etwa Arthur Hertzberg und der American Jewish Congress), welche die Politik der gegenwärtigen Regierung
Israels gegenüber den Arabern offen kritisieren. Dies geschieht doch
aus Sorge um das Wohlergehen des Staates Israel.

c) Gefordert ist vielmehr eine **kritische Solidarität der Christen** mit
dem Staat Israel: Im Nahostkonflikt, wo sowohl bezüglich des Palästinenserproblems wie bezüglich Jerusalems, der heiligen Stadt der Juden, Christen und Muslime, offensichtlich Recht gegen Recht steht,
sollten sich gerade Christen nicht von vorneherein auf die eine oder
andere Seite schlagen[13]. Haben doch beide Völker auf palästinisch-
jüdischem Boden, Juden und Palästinenser, maßlos gelitten. Haben
doch beide Fehler gemacht, Gewalttaten begangen, dem Terrorismus
Raum gegeben. Aber zugleich gibt es in beiden Völkern ein weites
Spektrum von Meinungen, wie aus dem gegenwärtigen politischen
Patt herauszukommen ist, gibt es auch guten Willen und eine Frie-
densliebe, die sich nach so vielen Kriegen und angesichts all der Zerstörungen des Golfkriegs nach nichts mehr sehnt als danach, ohne

Existenzbedrohung leben zu können. Christen sollen sich deshalb in Zukunft noch mehr als standhafte Brückenbauer für den **Ausgleich zwischen berechtigten Ansprüchen der Juden und der palästinensischen Araber** einsetzen, der weder den einen noch den anderen alle Kosten des Konflikts auferlegt[14].

So wird es denn gerade für Christen in Zukunft unmöglich sein, den Staat Israel religiös zu ignorieren, wie dies in konservativen katholischen Kreisen nach wie vor geschieht. Als ob es keine bleibenden Verheißungen Gottes an sein Volk mehr gäbe! Noch wird man im Staat Israel aus apokalyptischer Schwärmerei geradezu ein Zeichen der Endzeit sehen. Als ob in diesem Staat gar die prophetischen Weissagungen wörtlich (bis hin zu Waldanpflanzung, Bewässerungsanlagen, Pilger- und Touristenzahlen) in Erfüllung gegangen seien! Religiös und politisch konservative protestantische Fundamentalisten pflegen dies ja zu propagieren, Fundamentalisten, die zugleich hintersinnig auf eine Bekehrung der Juden hoffen, die sie noch vor dem bevorstehenden apokalyptischen Ende der Erde mit der Wiederkehr Christi erwarten. Schöne Freunde Israels sind das! ...

Und doch: Selbst wenn man es auch unter gläubigen Juden ablehnt, im säkularen jüdischen Staat so etwas wie ein »messianisches Zeichen« und »den Anfang unserer Erlösung« zu sehen, wird man nicht darum herum kommen, eine realistische Friedensvision zu entwerfen. Das ist überlebenswichtig, will man nicht vor lauter Problemen der Gegenwart die Ziele der Zukunft verdrängen.

Gerade auch aus der großen religiösen Tradition des Judentums heraus gibt es die Möglichkeit, einen Weg der Versöhnung all der Gegensätze zu zeigen. Und ein orthodoxer Rabbiner wie **David Hartman** hat diesen Weg unter Berufung auf die Bibel, den Talmud und Maimonides konkret beschrieben als **Liebe des Fremden:** »Die Erfahrung der Verschiedenheit in Israel, die Anwesenheit des anderen mit gleicher Würde, sei er Christ, Muslim oder Palästinenser, bringt dem jüdischen geistigen Bewußtsein das wichtige empirische Faktum zurück, daß keine Person oder Gemeinschaft alle spirituellen Möglichkeiten ausschöpft. Die Bibel betont zwei wichtige Begriffe von Liebe, einer bezogen auf die Liebe zum Nachbarn und die andere bezogen auf die Liebe für den Fremden. In nachbarlicher Liebe begegnen wir jemandem, mit dem wir gemeinsame Werte, familiäre und gemeinschaftliche Solidarität teilen. Der Nachbar, der wie man selbst ist, drückt eine Liebe aus, die das eigene Selbst erweitert und die eigene gemeinschaftliche Solidarität expandiert. In der Liebe zum Fremden begegnen wir dem anderen, dem verschiedenen, demjenigen, der nicht ausschließlich durch unsere eigenen Kategorien definiert werden kann. In diesem Kontext erinnert uns die Bibel häufig an unsere eigene geschichtliche Erfahrung des Leidens unter totalitären Systemen, unter denen wir keine Würde hatten, weil wir nicht in den Werterahmen des jeweiligen Herrschers paßten. Unser Teil war ein mißbrauchtes Leben, in dem die Unterschiede nicht respektiert, sondern zur Quelle von Furcht und Intoleranz wurden. Es ist diese Erfahrung Ägyptens, sagt die Bibel, die uns lehren muß, wie wir mit solchen, die anders sind, mitfühlen und nicht wie wir uns durch andere bedroht fühlen. ›Und du sollst den Fremden lieben, weil ihr selber Fremde im Lande Ägyptens wart.‹«[15] Viel würde es bedeuten, wenn solche Gedanken Grundlage einer Verständigung von Israelis und Palästinensern werden würden ...

IV. Eine realutopische Vision des Friedens

»Suche Frieden und jage ihm nach!«, heißt es in den Psalmen[1]. Und die Schreckensvision, die auch in jüdischen Kreisen entfaltet wird, muß endlich abgelöst werden durch eine **Vision von Frieden**. Seit Intifada und Golfkrieg ist es noch deutlicher geworden: So viele frustrierte israelische Soldaten und so viele geschundene palästinensische Befreiungskämpfer, ja, so viele unbeteiligt-beteiligte Juden und Araber sehnen sich in dieser schrecklichen Situation nach Frieden. Nicht mehr »Helden« braucht dieses Land, sondern gute Unternehmer, Techniker, Facharbeiter aller Art, um wirtschaftlich in der durch die Auflösung der Militärblöcke veränderten Welt zu bestehen. Nicht noch mehr Rüstungsindustrie und Waffen, sondern eine hochentwickelte Friedenswirtschaft! Und wer soll denn den Israelis Frieden und Sicherheit für eine wirtschaftliche Entwicklung garantieren können, wenn nicht – nachdem die hochqualifizierte israelische Armee mit der Intifada nicht fertig wird – die Palästinenser?

1. Was aus Israel werden könnte

Die »**Schweiz des Nahen Ostens**«: so wurde der Libanon früher genannt. Und es ist eine Tragödie, daß dieses Land durch das Verschulden der Christen, dann der Palästinenser, dann Israels und schließlich der anderen muslimischen Gruppen zumindest vorläufig diese Rolle verspielte durch den längsten Bürgerkrieg im Nahen Osten mit 150 000 Toten. Kulturelle Pluralität und wirtschaftliche Prosperität versanken in Zerstörung und Anarchie. Ob nicht der Staat Israel – sollte es zu einem wirklichen Frieden kommen – eine ähnlich vermittelnde (nicht beherrschende) Rolle wie früher der Libanon spielen könnte? Was heute so völlig unmöglich, illusionär und utopisch scheint, könnte in wenigen Jahren Wirklichkeit werden.

Das Selbstbewußtsein und Selbstwertgefühl der Israelis hat in all den Jahrzehnten entschieden zugenommen. Im Rahmen einer Konföderation mit einem neuen Palästinenserstaat und Jordanien könnte der Staat Israel aus einem waffenstarrenden Heerlager und einem hochgerüsteten Kriegervolk zu einem friedlichen **Brückenstaat** und einem **Friedensvolk** werden – ähnlich wie eben (bei all ihren Schwächen) die Schweizer Eidgenossenschaft, die früher auch auf militärische Expansion und »sichere Grenzen« aus war, Söldner in alle Richtungen schickte, aber schließlich durch Siege und Niederlagen hindurch zu einer Insel des Friedens wurde. Eine Insel des Friedens – sogar mitten im Europa zweier Weltkriege! Eine Insel, auf der verschiedene Kulturen und Völker freilich durch manche Krisen hindurch lernen mußten, friedlich und zum Vorteil aller zusammenzuleben.

Man stelle sich nur einen Moment lang vor: Was würde es für den ganzen Nahen Osten, was gerade für Ägypten, Syrien, Jordanien, den Irak und Saudi-Arabien, all die angrenzenden Staaten bedeuten, wenn ein so entwickeltes Land wie Israel auf **friedliche Kooperation** setzen würde? Ein Land, das einen hohen Bildungsstand seiner Bewohner (ein »Volk des Buches«) aufweist und ein hochdifferenziertes Unterrichtswesen (mit sieben Universitäten) besitzt. Ein Land, das über ein ausgebautes Gesundheitssystem (zahlreiche Kliniken, höchste Ärztezahl und beste medizinische Forschung im Nahen Osten) verfügt und einen Sozialdienst auf hohem Niveau unterhält. Ein Land vor allem mit ungewöhnlicher wirtschaftlicher Leistungs- und technologischer Innovationsfähigkeit. Was also würde es bedeuten, wenn ein solches Land sich zu einer Kooperation mit den Nachbarn, zu einem Verhältnis des Gebens und Nehmens entschließen könnte? Wieviel könnte Israel leisten, wenn es seine militärischen Energien in eine friedliche Tätigkeit umlenken würde, ganz so, wie dies Deutschland gelang, nachdem man sich in blutigen Kriegen gegen Frankreich, aber auch gegen die Oststaaten und die Sowjetunion total erschöpft hatte?

Israel wäre auf eine solch vermittelnde Tätigkeit durchaus vorbereitet. Es ist ja schon heute kein homogenes westliches Land mehr, sondern ein Land, in dem verschiedene große Bevölkerungsgruppen zusammenleben, Gruppen, die innerhalb des einen Staates ihre sprachliche, historische und kulturelle Identität behalten haben. Ein **multikulturelles Land**, das in Erziehung, Kultur und Lebensstil verschiedene jüdische Gemeinschaften umfaßt, die herausgewachsen sind aus den Lebensgewohnheiten der verschiedenen Länder (nicht zuletzt der arabischen!), in denen das Judenvolk durch die Jahrhunderte der Zerstreuung angesiedelt und angepaßt lebte. Ein Staat, der Einheit, aber keine Nivellierung anstrebt: bestehend aus aschkenasischen, sephardischen und orientalischen Juden, eingesessen oder neu zugewandert.

Eine Gesellschaft, die es jetzt schon versteht, Menschen unterschiedlicher Herkunft und kultureller Tradition zu vereinen, kulturelle Elemente des Westens, Ostens und Südens zu integrieren. Eine Region, die schon jetzt zwei Schulsysteme und Radioprogramme umfaßt, das jüdische (Unterrichtssprache: hebräisch) und das arabisch-drusische (Unterrichtssprache: arabisch), und deren Schulsystem schon jetzt drei verschiedene Formen des Religionsunterrichts ermöglicht: für Juden, Christen und Muslime.

Ja, was würde es bedeuten, wenn dieser Staat, friedlich geworden wie die Schweizerische Eidgenossenschaft vor vierhundert Jahren, zu einem vermittelnden Brückenland im Nahen Osten würde – und dies nicht zuletzt aufgrund seines großen **universalistischen ethischen und religiösen Erbes**, an dem Christentum und Islam Anteil haben. Alle Menschen könnten davon profitieren. Ist das unrealistisch? Im Staatswappen Israels befindet sich die Menora, die auch dieses Buch ziert, der siebenarmige Leuchter als Symbol jüdischer Identität und Geschichte, doch umrankt von zwei Olivenzweigen: Sie sollen die Friedenssehnsucht des jüdischen Volkes zum Ausdruck bringen. Und in einer Zeit, wo die **europäischen** Staaten, wo Deutschland und Frankreich, Deutschland und Polen, aber auch die USA und die UdSSR Frieden und Zusammenarbeit gesucht und gefunden haben, sollte es da nicht möglich sein, auch im **nahöstlichen** Krisengebiet eine friedliche Zukunft für Israelis und Palästinenser, ja, überhaupt für Juden und Araber heraufzuführen? Nach so vielen Jahrzehnten des Unfriedens und Haders im eigenen Lager drängt die Zeit!

Doch eine allerschwierigste Frage stellt sich hier: Wie soll denn eine Lösung gefunden werden für die Stadt Jerusalem, die beiden Seiten, ja, die Juden, Muslimen und Christen heilig ist und die selbst säkularen Juden alles andere als gleichgültig ist[2]?

2. Und Jerusalem?

Keine Lösung der Palästinafrage ohne Lösung der Jerusalemfrage: ohne eine realistische Lösung für »Jeruschalajim«, die Stadt, welche nach einer Volksetymologie das Wort »Schalom«, »Frieden«, in ihrem Namen birgt und die doch immer wieder eine Stadt des Unfriedens und des Krieges war.

Jerusalem, auf den Hügeln Judäas (etwa 800 m über dem Meer, nur 35 km vom Jordan entfernt), ist eine moderne Großstadt mit 400 000 Einwohnern und zugleich eine der ältesten ununterbrochen bewohnten Städte der Erde. Ja, Jerusalem ist eine Weltstadt, doch keine Industriestadt: Es ist eine Stadt mit 2 500 Gebetshäusern, Synagogen, Kirchen und Moscheen (die allesamt keine Steuern bezahlen) und eine Stadt mit 1 000 historischen Monumenten (die sehr viel Geld kosten). Dies alles erklärt, warum die kulturell so reiche Stadt Jerusalem finanziell eine arme Stadt ist, erklärt aber noch nicht, warum die arabische Bevölkerung im Vergleich zu dem neuen jüdischen Viertel gegenüber der »Klagemauer«, dem monumentalen Regierungs- und Museumsviertel und den die alte Stadt einkreisenden israelischen Trabantenstädten so eklatant benachteiligt wird. Immerhin: Es habe die arabische Bevölkerung unter israelischer Verwaltung, so gibt man von israelischer Seite zu bedenken, von 70 000 auf 150 000 zugenommen. Doch: Dies sei nicht etwa auf eine phantastische Geburtenrate oder Einwanderung zurückzuführen, antwortet man bitter von arabischer Seite, sondern auf die illegale Eingliederung von mehr als 20 % des Gesamtgebiets der West-Bank in das Jerusalemer Stadtgebiet, das ja bekanntlich insgesamt vom Staate Israel als integraler Teil Israels (nicht als besetztes Gebiet) betrachtet wird.

Und trotz allem: Nicht primär im sozialen, sondern im religionspolitischen Bereich liegen die eigentlichen Probleme Jerusalems. Wem gehört die Stadt? Eine historisch schwer zu beantwortende Frage: Denn bis in die Architektur hinein – die neuesten Ausgrabungen bezeugen dies – spiegelt sich in Jerusalem weniger die Geschichte des jüdischen Volkes wider als die Geschichte der **verschiedenen Oberhoheiten** durch die Jahrhunderte: die kanaanäische, die jüdische, die neubabylonische, die persische, die seleukidisch-hellenistische, die jüdisch-makkabäische, die römische, die christlich-byzantinische, die islamisch-kalifische, die mittelalterlich-christliche, die türkisch-islamische, die britische und erst jetzt wieder die jüdische Herrschaft. Ausgrabungen der Israel Exploration Society am Südhang des Tempelbergs etwa legten viele Besiedlungsschichten frei: von der Zeit König Salomos im 10. Jahrhundert vor Christus über christliche Relikte der byzantinischen Zeit bis zum Kalifenpalast im 8. Jahrhundert nach Christus; im Gebiet der Davidsstadt fanden sich sogar vor-davidische, kanaanäisch-jebusitische Überreste …

Jerusalem

Die heilige Stadt dreier Weltreligionen.
Ort der Begegnung Abrahams mit Melchisedek
und der Bindung seines Sohnes.
Die Stadt Davids (seit ca. 1000 v. Chr.)
und des Tempels Salomos.

Jeruschalajim – die Stadt Israels.	Hierosolyma – die Stadt der Christen.	Al-Quds – die Stadt der Muslime.
Tempelberg: Ort der gnädigen Gegenwart Gottes.	Golgota und Auferstehungskirche: Ort des Leidens, Sterbens und der Auferweckung Jesu Christi.	Heiliger Felsen: Ort der Entrückung des Propheten Muhammad in den Himmel (632: »Miradsch«).
Seit 70/135: Ort der Trauer und Klage über die Zerstörung des Tempels und der Stadt.	Seit 30: Heimat der Urgemeinde.	Seit 638 islamischer Besitz: Errichtung von Felsendom 691 und Akscha-Moschee – nach Mekka und Medina drittwichtigste Pilgerstätte.
11./12. Jh.: Judenverfolgungen infolge der Kreuzzüge.	Kreuzzüge: 1099 Massaker an Juden, orientalischen Christen und Muslimen.	Christenverfolgungen: 1099 Einreißen der Auferstehungskirche.
19. Jh.: Verstärkte jüdische Rückwanderung. Einsetzung eines jüdischen Oberrabbinats.	19. Jh.: Errichtung anglikanischer und preußischprotestantischer Kirchen (1841) und eines lateinischen Patriarchats (1847).	19. Jh.: Entwicklung der Stadt aufgrund türkischer Reformen und Erstarken Ägyptens.
1917 Balfour-Erklärung: »nationales Heim in Palästina« zugesagt.	1920 britisches Mandatsgebiet.	1918 Zusammenbruch des Osmanischen Reiches und Ende muslimischer politischer Oberhoheit.
1948 Gründung des Staates Israel: Teilung der Stadt.1967 israelische Eroberung der Altstadt und des Ostens der Stadt.	1964 Treffen Papst Pauls VI. und des Ökumenischen Patriarchen von Konstantinopel Athenagoras.	Nach 1948: Fünf jüdischarabische Kriege: Teilung und Verlust der Stadt.
Stadt der Verheißung: Ziel jüdischer Sehnsucht: Ende aller Zerstreuung und Ort messianischer Vollendung.	Stadt der Verheißung: das »irdische Jerusalem« Vorbild des »himmlischen Jerusalem«. Ort der Wiederkunft Christi.	Stadt der Verheißung: Ort des Endgerichts und der Öffnung des Tores zum Paradies.

»Leider gehorcht der blutige Zwist um das Heilige Land nicht den Geboten politischer Ratio«, bemerkt der kenntnisreiche Publizist Peter Scholl-Latour, »sondern ist von der Kraft uralter Mythen überlagert«.[3] In der Tat: Das welthistorische Schicksal der Stadt Jerusalem ist es nun einmal, daß sie gleichzeitig **allen drei abrahamischen Religionen heilig** ist. Und allen dreien wegen Abraham! »Es gibt eine echte ›Religionsgeographie‹, bei der Jerusalem mehr Brennpunkt als Mittelpunkt ist …«, sagt Jacques Madaule, Professor an der Sorbonne, und fügt hinzu: »Die Stadt ist eine Art gemeinsamer Horizont für die drei auf Abraham zurückgehenden Religionen.«[4] Hinzu kommen aber noch »heilige« Bindungen an Jerusalem, die für alle Religionen spezifisch sind. Für die Juden grundlegend ist **David**, der König, der diese Stadt zum Zentrum eines Großreiches machte. Für die Christen ist es **Jesus**, der Nazarener, dessen Tod und Auferweckung man hier gedenkt. Für Muslime ist es der Prophet **Muhammad**, dessen Entrückung in den Himmel – wichtig besonders für die mystische Literatur des Islam – man hier geschehen glaubt. Die weithin sichtbaren architektonischen Zeichen Jerusalems – vom Felsendom bis zur noch stehenden großen Stadtmauer der Altstadt – sind schließlich muslimischer und nicht jüdischer oder christlicher Herkunft.

Daß die heilige Stadt allen drei Religionen »heilig« bleiben soll – das dürfte zwischen den verschiedenen Religionen unstrittig sein. »Die Heilige«, »al-Quds« wird Jerusalem gerade von den Muslimen genannt. Aber die entscheidende Frage ist: **Welcher der drei Religionen also soll die heilige Stadt gehören?** Denn nachdem jede der drei Religionen sie mehr oder weniger lange Zeit besessen hat und nachdem jede Religion die besondere Bedeutung dieser Stadt gerade für sich demonstrieren kann, findet es im Grunde jede der drei Religionen mehr oder weniger selbstverständlich oder zumindest angemessen, daß die heilige Stadt ihr und gerade ihr gehöre.

Heute steht Jerusalem **faktisch unter jüdischer Oberhoheit:** unter der Oberhoheit des Staates Israel, der Westjerusalem im Unabhängigkeitskrieg 1948 eroberte und damals 30 000 - 60 000 arabische Einwohner vertrieb (Zerstörung allerdings auch des alten jüdischen Viertels im arabischen Teil), der dann 1967 im Sechs-Tage-Krieg auch Ostjerusalem einnahm und kurzerhand annektierte. 1980 wurde Jerusalem unter der Likud-Regierung durch ein »Grundgesetz« der Knesset einseitig zu Israels »unteilbarer Hauptstadt« erklärt.

Aber wie ist die **Rechtslage?** Es kann wohl auch in Israel niemand übersehen, daß völkerrechtlich gesehen **Israel keine souveränen Rechte über Jerusalem** besitzt. Folgerichtig haben sich denn auch alle ausländischen Botschaften geweigert, von Tel Aviv nach Jerusalem umzuziehen. Der Staat Israel, dessen Legitimität vor der Völkergemeinschaft auf dem Teilungsbeschluß der UNO von 1947 (mit Jerusalem als internationaler Zone) beruht, wurde nach dem Sechs-Tage-Krieg 1967 durch die Resolution 242 des Weltsicherheitsrates zum Rückzug seiner Truppen aus den besetzten Gebieten aufgefordert – im Austausch gegen arabische Zusicherungen von Anerkennung und Respekt eines gesicherten Israels. Noch in der Resolution 465 des Sicherheitsrates vom 1. März 1980 wurde mit Zustimmung der USA erklärt: »Alle Maßnahmen, die von Israel ergriffen wurden, um den physischen Charakter, die demographische Zusammensetzung, die institutionelle Struktur oder den Status« der seit 1967 besetzten Gebiete, »einschließlich Jerusalem oder irgendein Teil davon, zu verändern, haben keine rechtliche Gültigkeit«.

Israels Regierung und Knesset meinten zwar, sich um die UNO-Beschlüsse und die Weltmeinung so wenig kümmern zu müssen wie später auch Saddam Hussein. Man beschloß jene erwähnte »Basic Law«, die ganz Jerusalem feierlich als Hauptstadt Israels proklamierte. Doch dieser selbststatuierten »Legalität« fehlt die völkerrechtliche (von allen Betroffenen und der Weltgemeinschaft mitgetragene) »Legitimität«. Selbst die USA verweigerten diesem Beschluß die Zustimmung und beließen ihre Botschaft in Tel Aviv. Ja, Präsident Bush bestätigte 1990 – und bewirkte damit einen öffentlichen Zornesausbruch des Ministerpräsidenten Schamir – die Position der USA bezüglich der Illegalität der De-facto-Annektierung Ostjerusalems, indem er ausdrücklich eine Beteiligung von ostjerusalemischen Arabern bei der internationalen Friedenskonferenz forderte. Als eine weitere Nahost-Resolution der UNO Israel wegen der Deportation von Palästinensern verurteilte, erklärte Schamir in einer Arroganz gegenüber der Weltgemeinschaft, die auch viele Juden peinlich berührte, diese UN-Resolution würde ähnlich den früheren Resolutionen gegen Israel in den Archiven verstauben. Jetzt nach dem Golfkrieg wird sich zeigen, wie weit die Vereinigten Staaten von Amerika mit den Vereinten Nationen im Rücken bereit sind, auf ihren Schützling in Nahost den nötigen Druck auszuüben, damit endlich eine Lösung gefunden wird.

Während sich in bezug auf das jüdisch bleibende Westjerusalem
auch die Palästinenser keinen Illusionen hingeben, bleibt der Status
des arabischen Ostjerusalems nach wie vor im Zentrum der Auseinandersetzungen. Das von Israel »**vereinigte**« **Jerusalem** ist in der heutigen Alltagsrealität eine **Illusion**. Im Gegenteil: Nachdem Jerusalem
lange Zeit eine ruhige Insel im Sturm war, so ist die Jerusalemer Altstadt seit der Intifada vom frühen Nachmittag an eine weithin ausge-
storbene Stadt mit geschlossenen Läden. Eine Stadt mehr geteilt denn
je seit 1967: Die Juden (und die Amerikaner) wagen sich nicht mehr
ins arabische und die Araber nicht mehr ins jüdische Jerusalem. Eine
lähmende Angst vor der je anderen Gruppe hat seit dem Tempel-
bergmassaker und einigen palästinensischen wie israelischen Rache-
morden Einzug gehalten, und Gewalttätigkeiten sind so sehr üblich
geworden, daß kaum ein israelischer Taxichauffeur in den arabischen
Teil Jerusalems oder gar der Umgebung zu fahren wagt. Nicht nur
Steine könnten fliegen, auch ein Attentat oder gar Blutbad könnte
jederzeit wieder Wirklichkeit werden.

Die Standpunkte stehen hart und unversöhnt gegeneinander: Für
die israelische Regierung ist Jerusalem kein Teil der besetzten Territorien, sondern die souveräne Hauptstadt Israels. Aber auch die **Palästinenser beanspruchen Jerusalem** – so viele Jahrhunderte eine arabische Stadt – **als ihre Hauptstadt**. Und sie können sich gar nicht vorstellen, daß etwa Nablus oder Hebron, Ramallah oder Jericho Palästinas Hauptstadt sein könnte. Wie also soll eine so schwierige Frage
entschieden werden?

3. Zwei Flaggen über der »Stadt des Friedens«?

Es gibt nicht wenige Israelis, die in Jersalem für Verständigung arbeiten. Und das tat und tut für Jerusalem vor allem **Teddy Kollek** (geb.
1915 in Wien und von Jugend auf Zionist), der von Anwar el-Sadat
einmal als »der beste Bürgermeister der Welt« bezeichnet worden war.
Niemand hat sich mehr bemüht als er, der seit 1965 immer wieder
neu gewählte »Mayor« Jerusalems, gegen alle Angst, allen Haß und
alle Gewalt Frieden, Harmonie, Kultur und Schönheit in diese Stadt
zu bringen. Aber durch die neuesten blutigen Entwicklungen scheint
auch er in seiner unermüdlichen Tätigkeit zu scheitern, in dieser Stadt

wenn auch nicht gerade Freundschaft, so doch gegenseitige Achtung zwischen Juden und Arabern zu ermöglichen. Das gegenseitige Mißtrauen ist das größte Hindernis für eine Verständigung. Aber, so konnte ich mich persönlich vergewissern, Teddy Kollek will nicht aufgeben, und auch er fordert Friedensgespräche, um Gewalt und Blutvergießen zu beenden: »Damit ... das Ziel der Koexistenz wieder erreichbar wird, müssen wir für die Araber ein Licht am Ende des Tunnels anzünden. Wir müssen ihnen zeigen, daß wir ernsthaft verhandeln wollen, daß es nicht unser Bestreben ist, mehr als einreinhalb Millionen Araber zu beherrschen.«[5]

Teddy Kollek weiß besser als andere, daß Jerusalem nicht nur ein Stück Land, sondern ein **religiöses Symbol** ist. Auch die Palästinenser – wie die Juden früher – suchen ja eine politische Identität, beanspruchen Selbstachtung, wollen ihre eigene Flagge. Aber müssen religiöse und nationale Symbole unbedingt exklusiv sein? Warum soll in einer neuen Zeit eine friedliche Koexistenz nicht möglich sein können? Die Christen, für welche die Kreuzfahrerzeit glücklicherweise vorbei ist, könnten hier mit gutem Beispiel vorangehen. Das Kreuz auf vielen Türmen und Gebäuden zeigt, welche wichtigen Plätze und Gebäude, meist seit Jahrhunderten in christlichem Besitz sind. Und doch besteht ein wesentlicher Unterschied zwischen dem Besitzanspruch von Christen und denen von Juden und Muslimen. Warum?

– Die **Juden** beanspruchen Jerusalem als Hauptstadt aufgrund biblischer Verheißungen und des früheren vielhundertjährigen Besitzes.

– Die **Muslime** beanspruchen Jerusalem ebenfalls aufgrund religiöser Bindungen und des späteren vielhundertjährigen Besitzes.

– Die **Christen** aber können und sollen religiös gerade keine Souveränitätsansprüche in Jerusalem, der Wirkstätte Jesu, begründen – auch nicht über den Weg der Internationalisierung[6].

Ich weise erneut darauf hin: Die Christen sind mit dem Heiligen Land **personal** verbunden, über die Person Jesu Christi, und nicht **territorial** über das Land Palästina. Die dritte Verheißung der **Bergpredigt**, daß die »Sanftmütigen« oder »Gewaltlosen« das »Land erben« oder »besitzen« werden[7], bezieht sich ja gerade nicht auf ein irdisches Territorium, sondern auf ein himmlisches Reich. Und dieses Reich soll gerade nicht den Mächtigen, die ihre Macht durchsetzen wollen, gegeben werden, sondern den »Gewaltlosen« (hebräisch »anawim«), die ihre Ohnmacht vor Gott bekennen. Jene dritte Verheißung der

Bergpredigt ist in unserem zeitgeschichtlichen Kontext zusammenzusehen mit der siebten, der zufolge die »Friedensstifter … Söhne (und Töchter) Gottes genannt werden«[8]. Daraus folgt: Christen sollen sich aufgrund ihrer eigenen Botschaft als **Friedenstifter** betätigen, die auf Souveränitätsansprüche in Jerusalem von sich aus freiwillig, unzweideutig und öffentlich verzichten und statt dessen mithelfen, die unvereinbar scheinenden, religiös begründeten Territorialansprüche von Juden und Muslimen miteinander auszugleichen in einer fairen Lösung, die beiden Seiten zumutbar ist.

Da eine solch faire Lösung um des Friedens willen unbedingt gefunden werden muß, lohnt es sich, scheint mir, einige recht kühn erscheinende Überlegungen anzustellen. Und da stellt sich die Frage – ein **erstes Element** einer politisch-religiösen Gesamtlösung für Jerusalem: Warum eigentlich sollen nicht **zwei Flaggen über Jerusalem** wehen können, die israelische mit dem Davidsstern und die palästinensische mit oder ohne Halbmond? Warum soll diese symbolträchtige Stadt – nachdem beide Seiten so unnachgiebig auf sie Anspruch erheben und andererseits ihre erneute Teilung ökonomisch, politisch und sozial zugegebenermaßen für beide Seiten ein Unsinn wäre – nicht die **Hauptstadt für den Staat Israel und den Staat Palästina** sein können? Eine »unteilbare« Hauptstadt, die verbindet und nicht spaltet[9].

Auch realistisch denkende **Palästinenser** sind heute bereit zu vernünftigen Verhandlungen mit diesem Ziel. Führende Palästinenser haben dies wie folgt dargelegt: »Eine palästinensische und israelische Vision für das Jerusalem der Zukunft kann möglich gemacht werden, wenn und wann das offizielle Israel realisiert, daß die Ausübung palästinensischer Souveränität über die arabische Stadt der Ausübung israelischer Souveränität über die israelische Stadt nicht widerspricht.

Es besteht heute die Notwendigkeit, den Boden zu bereiten für die Erforschung praktischer Optionen für die Zukunft der Stadt. Niemand kann sich ein Zuwarten leisten, da es eine spürbare Dringlichkeit für eine offene und sachliche Diskussion gibt, um eine gerechte und bessere Zukunft zu gestalten. Auch sollte man sich mit der Natur der Stadtverwaltung und der zwei Gemeindeeinrichtungen der beiden aneinandergrenzenden Hauptstädte beschäftigen.

Es besteht ebenso die Notwendigkeit, die Frage Jerusalems als einer offenen Stadt anzusprechen: ohne Mauern, welche die verschiedenen

Viertel voneinander trennen, und dennoch nicht ›vereinigt‹ unter israelischer Autorität und Kontrolle.

Die zentrale und strategische Lage der Stadt erfordert die zusätzliche Notwendigkeit, die geographischen, demographischen und ökonomischen Implikationen zukünftiger Arrangements für die palästinensische und israelische Gesellschaft zu diskutieren.

Freier Zugang zu der Stadt ist eine andere Notwendigkeit, die zusammen mit dem heiligen Recht auf Gottesdienst und Pilgerfahrt bedacht werden muß. Alle Anstrengungen sollten unternommen werden, die Erhaltung der ästhetischen und historischen Natur der Stadt
zu sichern – zur Zufriedenheit der drei religiösen Gemeinschaften.

Was die Hauptfrage der Souveränität betrifft, so gilt es, verschiedene Positionen und Szenarien zu bedenken: etwa ›zwei unabhängige
Souveränitäten‹, ›geteilte Souveränität‹, oder ›kollektive Souveränität‹,
die unter sehr verschiedenen Flaggen operieren könnte, seien sie palä-
stinisch, israelisch, UN, Rotes Kreuz oder andere.«[10]

Gibt es vielleicht ein historisches Beispiel für ein solches Arrangement? Ja, denn auch **über Rom**, ebenfalls eine höchst symbolträchtige
Stadt, wehen **zwei Flaggen**: die italienische und die vatikanische. Rom
ist Hauptstadt Italiens und – als »extraterritoriale« Residenz der
Päpste – Hauptstadt des Vatikanstaates, eines souveränen Völker-
rechtssubjekts (»Stato e Città del Vaticano«), bei dem ebenfalls ein
diplomatisches Corps akkreditiert ist, welches von dem beim Quirinal
akkreditierten verschieden ist. Auch in Rom hatte gerade die religiöse
(vatikanische) Seite durch Jahrzehnte hindurch sich der politischen
Verständigung verschlossen: »Non possumus«, »Wir können nicht«,
sagten die Päpste – bis sie einsahen, daß sie sich mit der Verweige-
rungsstrategie selber isolierten, blockierten und boykottierten. Warum sollen also nicht auch in Jerusalem **zwei politische Oberhoheiten
und doch nur eine Stadtverwaltung** sein können?

Ein **zweites Element** für den zukünftigen Status von Jerusalem könnte die Differenzierung liefern, daß Hauptstadt und Regierungssitz
keineswegs zusammenfallen müssen. Sehr oft ist um der Einheit des
Landes willen nicht die wirtschaftlich und politisch stärkste Stadt zur
Hauptstadt gemacht worden: nicht Zürich, sondern Bern; nicht Amsterdam, sondern Den Haag; nicht Sydney, sondern Canberra; nicht
Rio, sondern Brasilia; nicht New York, sondern Washington. In den

USA war Washington als Hauptstadt gewählt worden, weil es auf der Grenze zwischen Nordstaaten und Südstaaten lag. Zur wirklichen Hauptstadt zweier politisch wie kulturell höchst verschiedener Teile wurde Washington freilich erst (dies zur Warnung!) nach entsetzlichem Bürgerkrieg. Als District of Columbia ist sie keinem der Staaten, sondern direkt dem Kongreß unterstellt. Und warum sollten Hauptstadt und Regierungssitz unbedingt ineinsfallen? Im Zusammenhang mit der Wiedervereinigung Deutschlands hat man gerade diese Frage diskutiert. Schließlich wurde ja auch das Frankreich des Ancien Régime von Versailles aus gelenkt.

Warum also sollte, wenn Jerusalem die Hauptstadt für beide Staaten würde, der Regierungssitz für Israel nicht in Tel Aviv sein können und der für die Araber in Ramallah, einer von den Kalifen neugegründeten Stadt, die lange Zeit Hauptstadt der muslimischen Palästinenser war. Oder falls sich die israelische Regierung, wie zu erwarten ist, keinesfalls aus Jerusalems westlicher Neustadt zurückziehen will: Warum könnte die (allein) symbolträchtige Jerusalemer Altstadt nicht die für Israel **und** Palästina (neutralisierte) **Hauptstadt** sein? Das heißt: Das **israelische Regierungszentrum** bliebe im jüdischen Neu-Jerusalem, das **palästinische Regierungszentrum** könnte im arabischen Neu-Jerusalem entstehen – beide Regierungszentren also nicht auf dem gemeinsamen neutralen Gebiet, sondern auf je eigenem Staatsgebiet. Konkrete Bedingungen ließen sich aushandeln. Wo ein ethischer Wille ist – nämlich Frieden zu schaffen –, da ist in der Regel auch ein politischer Weg!

Wie aber soll im Zentrum Israels die Frage des alten **Tempelplatzes**, des »**Haram esch Scherif**« (»edler, heiliger Platz«, wo kein Kampf sein soll), in eine Friedenslösung einbezogen werden? Denn wie auch in zahlreichen anderen Fällen: Ohne ein Ernstnehmen der religiösen Dimension wird gerade hier eine politische Lösung völlig unmöglich sein. Und eine religiöse wie politische Lösung auf Dauer erfordert nicht nur Reden und Verträge, sondern erfordert auch Taten und Symbole, welche die Menschen über alle reine Vernunft hinaus auch in ihren Emotionen und Passionen ansprechen. Eine konstruktive Anregung in diese Richtung – **drittes Element** einer politisch-religiösen Gesamtlösung für Jerusalem – soll hier gewagt werden: im Hinblick auf den Tempel oder vielleicht ein anderes Heiligtum.

4. Wiederaufbau des Tempels?

Nicht nur Millionen von Juden, sondern auch Hunderte von Millionen Muslime und Christen haben eine starke, **auch emotionale Bindung an Jerusalem**, weil diese Stadt für die Herkunft ihres Glaubens eine besondere Bedeutung hat. Gibt es ja nicht umsonst in der Jerusalemer Altstadt seit Jahrhunderten ein jüdisches, ein muslimisches und ein christliches (ein armenisches wie griechisches) Viertel.

Für **Christen** freilich ist der Tempelberg von zweitrangiger Bedeutung: Hier fand zwar die Konfrontation Jesu mit dem Tempelestablishment statt (und die Tempelzinne war nach den Evangelien Platz der Versuchung Jesu zur Macht!). Die eigentlich »heiligen« Stätten des Christentums jedoch befinden sich außerhalb des Tempelbezirks: die runde Grabeskirche (lateinisch »Sepulcrum«) oder Auferstehungskirche (griechisch: »Anástasis«) mit der kleinen Grabkapelle im Zentrum und unmittelbar daneben – und schon in die Konstantinische Basilika miteinbezogen – die ebenfalls kleine Golgota-Kapelle, nach der Überlieferung über dem Fels der Kreuzigung Jesu erbaut.

Für den Großteil der **Juden** hat die nach 70 übriggebliebene Westmauer des Tempels, eine von Herodes erbaute gewaltige Stützmauer, bekannt als die »Klagemauer«, größere Bedeutung als der eigentliche Tempelplatz. Sowohl religiöse wie nichtreligiöse Juden können sich hier zu persönlich-privaten oder auch zu öffentlich-nationalen Ritualen versammeln. An eine Wiederherstellung des Tempels – mit all den Schlachtopfern von Tieren groß und klein – denken die allermeisten nicht. Nach der Eroberung Ostjerusalems im Sechs-Tage-Krieg war denn auch General Mosche Dayan gut beraten, das Aufziehen der israelischen Flagge und die Aufrichtung irgendwelcher israelischer Hoheitszeichen auf dem Tempelberg zu verbieten und die Schlüssel an die muslimischen Autoritäten zurückzugeben. Und es ehrt die dreihundert Rabbis der verschiedensten Richtungen, von den orthodoxesten bis zu den liberalsten, die damals in einem Brief erklärt haben, daß sie nicht zum Tempelberg emporzusteigen gedächten.

Doch wie es in allen Religionen und Nationen Fanatiker gibt, so gibt es auch unter Juden ausgesprochene **Tempelberg-Aktivisten**, die es auf eine Rekonstruktion des zerstörten Tempels und eine Wiederaufnahme des Tempeldienstes durch eine entsprechende Priesterschar abgesehen haben. Sie lernen wieder neu die alten biblischen Gesetze für den Tempel, bauen Modelle und veranstalten Ausstellungen. Ja, eine zahlenmäßig unbedeutende, aber besonders radikale Gruppe, jene uns bereits bekannten nationalreligiösen »Getreuen des Tempelberges« unter der Leitung des Jerusalemers Gerschom Salomon, möchten den Tempelberg durchaus wieder betreten, um hier nach einer Reinigung den Grundstein für den Dritten Tempel zu legen. Dies ist ihnen aber bisher durch Israels obersten Gerichtshof verboten worden. Eine andere Gruppe für die Errichtung des Tempels veröffentlicht bereits eine Zeitschrift, die eine Luftansicht von Jerusalem mit dem wiederaufgebauten Tempel auf der Umschlagseite trägt. Ja, es gibt fanatische Israelis, die sogar planten, den muslimischen Felsendom auf dem Tempelplatz in die Luft zu sprengen. Kann man das für die Zukunft ausschließen, wenn es nicht endlich zu einer friedlichen Lösung kommt? Nur mit Schaudern denkt man an die Folgen ...

Natürlich stellt sich die Frage: Gehört der **Tempel nicht wesentlich zum Judentum**? Soll, ja muß der Tempel für Juden nicht wieder aufgebaut werden? Die Antwort kann nach den eingehenden Paradigmenanalysen unseres ersten Hauptteils kurz zusammengefaßt werden: Tempel und Priesterschaft – diese beiden gehören wesentlich zusammen – spielen im Landnahme-Paradigma (P I) keine Rolle. Im Reichsparadigma (P II) dann, wo König David noch ohne Tempel auskommt und erst König Salomo ihn – gegen den Willen Jahwes, wie viele meinen – baut, spielt der Tempel eine nur untergeordnete Rolle. Das heißt: Israel ist nach den Darstellungen der Hebräischen Bibel ein Volk geworden, bevor es ein Land besaß; und es hat das Land besessen, längst bevor es in Jerusalem einen Tempel erbaute. Jahrhundertelang konnte Jahwe auch ohne Tempel oder ohne Konzentration auf den Tempel angemessen verehrt werden. Eine beherrschende Rolle spielte der Tempel eigentlich nur in den wenigen Jahrhunderten nach dem Babylonischen Exil, im jüdischen Theokratie-Paradigma (P III): Es war jener Zweite Tempel, der im jüdisch-römischen Krieg im Jahre 70 in Flammen aufging. Nachher wurde, wie wir sahen, der Tempel abgelöst durch die Synagogen, die Priesterschaft durch die Rabbinen, die Hierokratie durch die Kathedokratie (P IV).

Aus all dem folgt: Israel hat den größeren Teil seiner Geschichte ohne einen Tempel gelebt. Der Tempel gehört – anders als Volk und Land – nicht zum Wesen des Judentums, sondern nur zu einer be-

stimmten historischen Konstellation. Diese Feststellung gibt den Weg
frei zu einer weiteren Überlegung.

5. Der Felsendom – Einheitszeichen abrahamischer Ökumene?

Für die **Muslime** ist der »Haram esch Scherif« nach Mekka und Medina der drittheiligste Platz in der Welt, den sie hüten wie ihren Aug-
apfel. Denn nach einer (allerdings relativ späten, nichtkoranischen!)
Tradition ist der Prophet Muhammad von hier aus in den Himmel
aufgestiegen, so daß man noch heute seine Fußspuren feststellen
könne. Und so haben die Muslime den Tempelberg denn auch zu »ihrem« Heiligtum ausgestaltet: in der Mitte des Platzes der »Dom« über
dem riesigen, ungleichmäßig geformten nackten Felsen, der sich seit
eh und je hier erhebt, und dann am Rand des Tempelplatzes eine
Moschee, die beinahe die Form einer Basilika hat und den Namen »al-
Akscha«, »die Ferne«, trägt. Die Ferne? Im Koran wird das »ferne«, das
heißt, am Horizont Arabiens gelegene Jerusalem merkwürdigerweise
nicht erwähnt, nicht mit eigenem und nicht mit fremdem Namen.
Doch nach allgemeiner muslimischer Koran-Exegese bezieht sich der
Anfang der Sure 17 »Die nächtliche Reise« auf Jerusalem: »Gepriesen
sei der, der mit seinem Diener (d. h. Muhammad) bei der Nacht von
der heiligen Kultstätte (in Mekka) nach der **fernen Kultstätte**, deren
Umgebung wir gesegnet haben, reiste, um ihn etwas von unserem
Zeichen sehen zu lassen!«[11] Und mit dieser »fernen Kultstätte« hat
man Jerusalem identifiziert.

   Was also: Kann angesichts einer so komplexen Lage, die von Desin-
teresse über religiöse Verehrung bis zu aggressiver Eroberungslust
reicht, von diesem heiligen Ort, diesem Felsendom überhaupt etwas
»Heiliges«, etwas Heilendes und Versöhnendes ausgehen – für die
Muslime nicht nur, sondern auch für Juden und Christen? Vielleicht
kann uns da die Anregung eines Muslimen weiterhelfen, **Anwar el-Sa-
dats**, dem Israel den Frieden mit Ägypten verdankt. Anwar el-Sadat,
der um dieses Friedens willen sich zur Überraschung auch der Christen zu einer Reise nach Jerusalem entschloß, hatte dafür später mit
seiner Ermordung zu bezahlen. Er wußte, was er sagte, als er den Vorschlag machte: Die drei abrahamischen Religionen brauchen ein reli-

giöses Symbol, ein gemeinsames Heiligtum – als großes Zeichen dafür, daß sie alle drei den einen Gott Abrahams anbeten, als großes Zeichen dafür also, daß sie etwas Grundlegendes gemeinsam haben, was alle Trennungen und alle Feindschaft überwinden könnte. Frieden, gegründet im gemeinsamen Glauben und symbolisiert in einer gemeinsamen heiligen Stätte – das war seine große Idee. Und diese heilige Stätte sollte Sadat zufolge auf dem Sinai errichtet werden.

Doch besteht denn heute die geringste Aussicht, daß ein solches Heiligtum überhaupt realisiert, geschweige denn in absehbarer Zeit gebaut werden könnte? Aber nachdenken über diesen Vorschlag legt sich doch nahe, gerade wenn es einem zutiefst um den Frieden zwischen den Religionen geht, der die Voraussetzung für den Frieden unter den Nationen bildet. Deshalb wage ich hier eine Anregung vorzutragen, die manchen heute vielleicht noch reichlich verwegen vorkommen mag, die aber im Hinblick auf eine künftige Gesamtlösung des Jerusalem-Problems – dies ist das **dritte** Element – vielleicht doch ein Nachdenken verdient. Denn wer, ob als Jude, Christ oder Muslim, nach Jerusalem kommt, wird ja mit der unausweichlichen Tatsache konfrontiert, daß es ein **Heiligtum für den einen Gott Abrahams bereits gibt**. Ja, es ist gerade dieses einzigartige Heiligtum auf dem alten Tempelplatz in Jerusalem, der »Felsendom« (arabisch »Kubbet es Sachra«), der oft fälschlich als Omar-Moschee bezeichnet wird, obwohl er gerade keine Moschee ist und Omar, der nicht selber Jerusalem erobert hatte, erst nachträglich zugeschrieben wurde. Der Felsendom ist ein architektonisches Meisterwerk, erbaut, wie man sagt, am Ort des ursprünglichen Allerheiligsten, im Jahr 72 nach der Hedschra, 691-692 unserer Zeitrechnung, unter dem Omajjaden Abd al-Malik; immer wieder wurde er erneuert, zuletzt 1956-64 unter der Leitung ägyptischer und jordanischer Architekten. Der Felsendom gilt als älteste, schönste und vollkommenste Leistung islamischer Architektur und erstaunlicherweise nirgendwo nachgeahmt in der islamischen Welt. Ein einzigartiges Monument in vielfacher Hinsicht.[12]

Wichtig ist dabei zu wissen: Im Felsendom mit seiner von weither sichtbaren vergoldeten Kuppel finden keine Gottesdienste statt. Denn in diesem Rundbau wäre ja auch die für Muslime übliche strenge Gebetsordnung gar nicht durchführbar, befindet sich doch mitten im Dom – wir deuteten das an – der riesige nackte Fels des Berges Moria, auf welchem Abraham der Überlieferung zufolge gnädig davor bewahrt worden sein soll, seinen Sohn Isaak zu opfern. Hier soll nach muslimischen Überlieferungen auch der erste Mensch erschaffen worden sein, ja, soll auch das Weltgericht erfolgen. Für die **Muslime** ist dies also ein eminenter Platz, des einen Gottes Abrahams zu gedenken. Er ist ein Ort des stillen Gebets – nicht mehr; denn der Islam kennt bekanntlich weder Tempel noch Opfer, weder Priester noch Sakramente. Durch die Gottesverehrung der Muslime ist dieser durch die Römer entheiligte und die byzantinischen Christen vernachlässigte heilige Platz neu geheiligt worden. Aber – könnten Muslime, Christen und Juden **hier** überhaupt gemeinsam beten? Können sie überhaupt **gemeinsam beten**?

6. Gemeinsam beten?

Die Frage eines gemeinsamen Gebetes von Juden, Christen und Muslimen sei zuerst allgemein und prinzipiell betrachtet: Es macht bekanntlich wenig Schwierigkeiten, wenn **Christen und Juden** gemeinsam Psalmen oder andere Gebete aus der Hebräischen Bibel oder aus der jüdischen Tradition beten wollen. Wer als Christ schon an einem jüdischen Gottesdienst teilgenommen hat, weiß, daß man die allermeisten Gebete durchaus mitbeten kann, auch wenn man beispielsweise den Begriff »Tora« für sich – wie manche Juden auch – mehr im Sinne eines »geistigen Gesetzes« versteht. Umgekehrt dürfte es auch vielen Juden keine unüberwindlichen Schwierigkeiten bereiten, in einem christlichen Gottesdienst etwa das Vaterunser mitzubeten, da dieses ja in seinen wesentlichen Bestandteilen auf die Hebräische Bibel zurückgeht.

Ähnlich dürfte es wohl für Christen und Juden keine theologischen Schwierigkeiten bieten, **gemeinsam mit Muslimen** einige der schönen Gebete aus dem Koran zu sprechen. Hält doch der Koran daran fest, daß es derselbe Gott ist, der zu Abraham, den Propheten, Jesus und Muhammad gesprochen hat. Und wer als Christ schon einmal das beeindruckende gemeinsame Gebet der Muslime mitgebetet hat, weiß, daß für ihn selbst eine Prostration vor dem einen Gott Abrahams durchaus sinnvoll sein kann, auch wenn er sich allein vor Gott verbeugt und sich nicht in gleicher Weise zum Propheten Muhammad bekennt. Umgekehrt dürfte mit der Zeit gerade im Diaspora-Islam, dessen Bedeutung für die kommende abrahamische Ökumene wächst, die Bereitschaft zunehmen, unter Umständen auch jüdische oder christliche Gebete zum einen allbarmherzigen Gott mitzubeten. Das alles heißt: Innerhalb der drei prophetischen Religionen dürfte es im Prinzip möglich sein, zu dem einen und selben Gott auch durch ein gemeinsames Gebet zu sprechen.

Aber wie steht es nun mit Jerusalem? Setzen wir einen Augenblick voraus, es käme in Nahost zu einem Frieden unter den Religionen und Nationen: Könnte der **Felsendom ein Ort des Gebetes auch für Christen** sein? Jahrhundertelang haben die Christen den Tempelplatz eher gemieden, doch in der Kreuzfahrerzeit machten sie aus dem Felsendom eine christliche Kirche (»Templum Domini«), die dem Templerorden anvertraut war. In neuerer Zeit haben auch immer wieder Christen in großen Scharen diesen Dom besucht, und kein Muslim sollte sie daran hindern, in diesem Raum in aller Stille zu dem einen Gott Abrahams zu beten, wenn sie es tun wollen. Auch die Koraninschriften im Inneren dieses Domes, Mahnung, den Glauben an die Einzigkeit Gottes nicht aufzugeben, bräuchten dafür kein Hindernis darzustellen; die Himmelfahrt Muhammads wird auffälligerweise nirgendwo erwähnt. Der achteckige Unterbau mit den byzantinischen Säulen, auf dem die elegante und leichte goldene Kuppel, innen ausgekleidet mit einem wunderbaren Mosaik aus byzantinischen und persischen Motiven, ruht, erinnert Christen ohnehin stark an römisch-byzantinische Bauten wie das Lateranbaptisterium, das Baptisterium San Vitale in Ravenna, die Geburtskirche in Betlehem und die ursprüngliche Grabeskirche in Jerusalem, zu der der Felsendom als muslimisches Gegenstück konzipiert worden sein dürfte. Die Thematik aber des Paradieses, des Gerichts und der Auferstehung, mit dem Felsen schon aus jüdischer Zeit verbunden und besonders auf dem Mosaik durch fruchttragende Bäume und Juwelen symbolisiert: diese Thematik ist Juden, Christen und Muslimen gemeinsam[13]. Christen und Juden also müßten sich in diesem »Dom« nicht als Fremde fühlen. Ich selber habe dort noch, während der Golfkrise (kurz nach dem Tempelberg-Massaker) gebetet.

Aber die **Juden?** Viele Orthodoxe betreten den Tempelberg nicht, und zwar aus der Angst, die nicht mehr sicher lokalisierbare Stelle des

Allerheiligsten zu betreten, in das allein der Hohepriester am Versöhnungstag eintreten durfte. Doch wer sich als Jude nicht durch die Halacha gehindert sieht, könnte – in einer neuen Situation des Friedens! – ebenfalls auf den Tempelberg kommen und diesen Felsendom zum Ort des Gebetes machen. Warum nicht? Haben Juden an diesem Ort nicht Jahrhunderte gebetet zu dem Gott Abrahams, Isaaks und Jakobs? Und könnte dieser Ort, wenn am Ort des Allerheiligsten des Ersten und Zweiten Tempels doch kein eigener Dritter Tempel gebaut werden sollte, nicht durch jüdisches Gebet neu geheiligt werden? Sollten sich Juden also heute daran hindern lassen, hier zu beten, nur weil die Architektur nicht die ihre ist und das Gebäude nicht von Juden errichtet wurde? Aber haben nicht auch die Synagogen stets wechselnde Architekturen gehabt und wechselnde Stifter? Ist es von daher also völlig absurd zu glauben, daß nach einer religiös-politischen Regelung des Verhältnisses von Israelis und Palästinensern, Juden und Arabern an dieser heiligen Stätte Muslime, Christen und Juden zu dem einen Gott Abrahams, dem Gott der Lebendigen und nicht der Toten, beten könnten – in Stille oder in Zukunft vielleicht bei bestimmten Gelegenheiten auch gemeinsam?

Was in Assisi zwischen den Vertretern verschiedenster Weltreligionen möglich war, müßte doch auch in Jerusalem unter geistig so verwandten Juden, Christen und Muslimen möglich sein: das gemeinsame Gebet. Und zwar denke ich durchaus an ein Gebet nicht nur wie in Assisi nebeneinander, sondern miteinander, etwa wie folgt:

Verborgener, ewiger, unermeßlicher, erbarmungsreicher Gott,
außer dem es keinen anderen Gott gibt.
Groß bist Du und allen Lobes würdig.
Deine Kraft und Gnade erhält das All!

Du Gott der Treue ohne Falsch, gerecht und wahrhaftig,
hast den Abraham, Deinen Dir ergebenen Diener,
zum Vater vieler Völker erwählt
und hast gesprochen durch die Propheten.
Dein Name sei geheiligt und gepriesen in aller Welt,
und Dein Wille geschehe, wo immer Menschen leben.

Lebendiger und gütiger Gott, erhöre unser Gebet:
Groß geworden ist unsere Schuld.

Vergib uns Kinder Abrahams unsere Kriege,
unsere Feindschaften, unsere Missetaten gegeneinander.
Erlöse uns aus aller Not und schenke uns den Frieden.

Segne Du, Lenker unseres Geschicks,
die Leiter und Führer der Staaten,
daß sie nicht gieren nach Macht und Ehre,
sondern handeln in Verantwortung für das Wohlergehen
und den Frieden der Menschen.
Führe Du unsere Religionsgemeinschaften und ihre Vorsteher,
damit sie die Botschaft vom Frieden nicht nur verkünden,
sondern auch selber leben.
Uns allen aber, und auch denen, die nicht zu uns gehören,
schenke Deine Gnade, Barmherzigkeit und alles Gute
und führe uns Du, Gott der Lebendigen,
auf dem rechten Weg in Deine ewige Herrlichkeit.

Auf diese Weise würde der Felsendom – gegenwärtig ein Zeitzeichen tragischer religiöser Spannungen – zu einem Einheitszeichen der abrahamischen Ökumene, zu einem **Dom der Versöhnung** für die drei auf Abraham zurückgehenden Religionen, die in Jerusalem schon in den ersten vier Jahrhunderten muslimischer Herrschaft als Religionen relativ friedlich und gleichrangig zusammen gelebt hatten (die Juden damals wieder zugelassen, die christlichen Kirchen unangetastet, zahlreiche Wallfahrten von Christen und vor allem Juden). Wie im Mittelalter Jerusalem als Mittelpunkt der Erde angesehen und manche Weltkarten jerusalemzentriert waren, so würde diese Gebetsstätte mit ihrer strahlend goldenen Kuppel für die ganze Welt ein zentrales Symbol dafür, daß die drei Religionen, die sich in Entscheidendem gewiß unterscheiden, sich doch im Glauben und im Gebet zu dem einen Gott versammeln können – alles zum Zeichen der Verständigung, die dann auch praktische Zusammenarbeit zur Folge haben soll[14]. Doch halt: Viele Menschen können ein solches Gebet schon deshalb nicht sprechen, weil für sie – nach der abgründigen Erfahrung des Holocaust – das **Reden von Gott** überhaupt fragwürdig geworden ist. Theologie hat diese Schreckenserfahrung als Anfrage an Gott unbedingt ernstzunehmen. Deshalb unsere Frage: Gibt es nach Auschwitz noch eine Zukunft des Redens von Gott?

D. Der Holocaust und die Zukunft des Redens von Gott

Auch im Judentum selbst ist die theologische Diskussion über den Holocaust mit einer **merkwürdigen Phasenverschiebung** – erst zwei Jahrzehnte später, aber dafür um so heftiger – in Gang gekommen[1]. Man hat in Amerika viel über die Gründe gerätselt.

I. Der Holocaust in jüdischer Theologie

Und was sind die Gründe für diese verzögerte Holocaust-Diskussion?
– War es über alle Betroffenheit hinaus doch auch ein **Schuldkomplex der amerikanischen Juden**, die samt ihren großen Organisationen zum Schicksal ihrer europäischen Brüder und Schwestern nach 1940 weithin geschwiegen hatten und untätig geblieben waren?
– War es der decouvrierende **Eichmann-Prozeß** oder das aufrüttelnde literarische Werk **Eli Wiesels**, besonders sein Buch »Night«, über den (er hat diesen problematischen religiösen Terminus für die Judenvernichtung eingeführt) »Holo-caust« (»Ganz-Opfer«)?
– War es die **Bürgerrechtsbewegung** und die Betonung der »Ethnicity« der Schwarzen, dann auch der Indios, Polen und schließlich der Juden, die, als religiöse Minderheit nach dem Zweiten Weltkrieg unerwartet vermögend und kulturell einflußreich geworden, ein neues, beinahe euphorisches Selbstbewußtsein entwickelt hatten?
– Oder war es die darauf folgende Ernüchterung in der Krise des **Sechs-Tage-Krieges** 1967 angesichts der anhaltenden Passivität der amerikanischen Regierung und des Schweigens christlicher Organisationen? Oder war es als Reaktion auf diese Ernüchterung ein jetzt vehementes Eintreten für den früher keineswegs allgemein akzeptierten, aber jetzt tödlich bedrohten Staat Israel?

– Oder war es schließlich die im selben Jahrzehnt hochgeschwappte Welle der **Gott-ist-tot-Theologie** (der Tod Gottes in der modernen Gesellschaft als kulturelles Faktum), die, besonders durch Rabbi Richard Rubensteins »After Auschwitz«[2], die latente Irreligiosität auch vieler Juden ins Bewußtsein rief und den Glauben an einen Gott, der die Welt regiert, im fahlen Licht eines drohenden Atheismus leer erscheinen ließ?

1. Holocaust-Fixierung?

Wer wollte leugnen, daß alles dies zusammen zur Konzentration auf die Holocaust-Erfahrung in den späten sechziger Jahren beigetragen hat? Offenkundig wurde – und wir brauchen dies hier nicht lange auszuführen[3]: Jene **uralten Theodizee-Antworten**, die eine Rechtfertigung des gerechten und guten Gottes angesichts des Übels dieser Welt versuchten, **brachen** angesichts **dieses** Leidens vollends **zusammen**: All das Reden von der Zulassung des Übels durch Gott um der menschlichen Freiheit willen; von der Strafe für die Sünden des Judenvolkes und der Belohnung in oder nach diesem Leben; vom Leiden aus Liebe und zum Heil anderer; von der Erlösung durch den Messias und das Kommen des Reiches Gottes ... all diese gut gemeinten Thesen schienen zur Erklärung der Ungeheuerlichkeit des Holocaust-Geschehens zu versagen[4].

Man frage sich ehrlich: Sollte Gott wirklich in solch grauenhafter Weise in der Geschichte gehandelt haben, mit Adolf Hitler und dessen SS-Schergen als seinen dienstbaren Werkzeugen? Sollte ein guter und gerechter Gott all dies auch nur zugelassen haben, ohne einzugreifen? Undenkbar! Freilich: Eine derart naive Idee von einem direkt eingreifenden All-Mächtigen, der den Holocaust als Strafe für die Nichtbeachtung des jüdischen Gesetzes verhängte, wurde weder von den aufgeklärten jüdischen noch von den christlichen Theologen je vertreten! Und trotzdem: Die Fragen bleiben.

Jüdische (und christliche) Theologen treibt aber seither die eine Frage um: Hat die **Holocaust-Erfahrung** auch für das künftige Reden von Gott »zentral« zu sein oder nicht[5]?

Für viele **jüdische Theologen**, wenn sie überhaupt sich theologisch auf die Frage einlassen, ist der Holocaust nicht weniger, aber auch nicht mehr als ein weiteres Beispiel für die in der Bibel von Anfang bis Ende bezeugte monströse **Bosheit der Menschen.** Das, was im Holocaust geschah, ist nur eine der vielen geschichtlichen Katastrophen, die jüdischem Denken vertraut sind. So lehnt es auch ein Theologe wie **Jacob Neusner** ab, aus dem Holocaust besondere Konsequenzen zu ziehen. Ausdrücklich fragt Neusner: »Welche Konsequenzen sind also aus dem Holocaust zu ziehen? Ich behaupte, daß es keine zu ziehen gibt, keine für die jüdische Theologie, keine für das Leben der Juden miteinander, die es nicht schon vor 1933 gab. Jüdische Theologen erweisen den Gläubigen keinen guten Dienst, wenn sie behaupten, ›Auschwitz‹ bezeichne eine Wende ... In Wirklichkeit hat die jüdische Frömmigkeit stets gewußt, auf Katastrophen zu reagieren«[6]. Und Neusner verweist auf den orthodoxen jüdischen Theologen **Michael Wyschogrod**, der im Blick auf den Holocaust sagte: »Der Gott Israels ist ein erlösender Gott; das ist die einzige Botschaft, die wir zu verkünden berechtigt sind, wie sehr dies in den Augen des Unglaubens falsch sein mag. Sollte der Holocaust aufhören, für den Glaubens Israels eine Randerscheinung zu sein und in das Allerheiligste eindringen und zur dominanten Stimme werden, die Israel hört, dann könnte es nur eine dämonische Stimme sein, die es hören würde. Aus dem Holocaust kann kein Heil gewonnen werden, kein schwankendes Judentum kann durch ihn wiederaufleben, keine neue Begründung für das Fortbestehen des jüdischen Volkes kann in ihm gefunden werden. Wenn es nach dem Holocaust Hoffnung gibt, so deshalb, weil für die Gläubigen die Stimme der Propheten lauter spricht als Hitler und weil die göttliche Verheißung über die Krematorien hinwegweht und die Stimme von Auschwitz zum Schweigen bringt«[7].

Dem kann der christliche Theologe nur zustimmen. Nach allem, was ich in diesem Buch dargelegt habe, ist **gegen jegliche Holocaust-Fixierung** zu unterstreichen:
– Wesen und Identität des Judentums ist nicht von einer historischen Situation, sondern von der jüdischen Religion her zu bestimmen.
– Die lange und leidvolle jüdische Geschichte darf nicht auf den Holocaust, seine Voraussetzungen und Folgen verkürzt werden; die neueste Geschichte des jüdischen Volkes darf nicht von dessen früherer Geschichte abgeschnitten werden.

– Der Holocaust darf nicht zur säkularen Ersatz-Religion, die Holocaustologie nicht zu einer Ersatz-Theologie, der Schoa-Tag nicht zur
Ersatz-Liturgie, und die Gedenkstätte Jad Waschem in Jerusalem
nicht zu einem weltlichen Ersatz-Tempel gemacht werden[8].

Doch wenn man so deutlich gegen den Holocaust als Ersatzreligion
und gegen eine säkulare Funktionalisierung des Holocausts Stellung
genommen hat, stellt sich doch auch die umgekehrte Frage: Wird eine
theologische Nivellierung des Holocausts auf das Niveau üblicher Katastrophen jüdischer Geschichte diesem Ereignis wirklich gerecht?
Ebnet nicht gerade eine solche Auffassung den Holocaust historisch
wie theologisch allzusehr ein?

2. Der Holocaust – ein neuer Sinai?

Für andere jüdische Denker wie etwa **Emil Fackenheim** ist der Holocaust ein **qualitativ einzigartiges Geschehen**, in dessen Licht das heutige Judentum seinen Gott, die Menschheit und sich selbst neu zu
sehen habe. Der Glaube an Gott wird dabei (anders als bei Richard
Rubenstein) nicht zugunsten eines »heiligen Nichts« (»The Holy No-
thingness«) aufgegeben, sondern in neuer Form bejaht[9].

Schon früh hatte Fackenheim seine jüdischen Brüder und Schwestern beschworen, am Glauben an Gott festzuhalten, um so Hitler
und seinen Schergen nicht noch nachträglich zum Siege zu verhelfen,
dem von den Nazis gewollten Sieg von Nihilismus und Zynismus
über die Würde des jüdischen Menschen. An die Adresse des säkularen und religiösen Juden formulierte er leidenschaftlich: »Juden ist es
verboten, Hitler posthume Siege zu verschaffen. Es ist ihnen geboten,
als Juden zu überleben, es sei denn, das jüdische Volk löst sich auf. Es
ist ihnen geboten, der Opfer von Auschwitz zu gedenken, es sei denn,
ihr Gedächtnis überhaupt verschwindet. Es ist ihnen verboten, am
Menschen und seiner Welt zu verzweifeln und einen Ausweg bei Zynismus oder Weltflucht zu suchen, es sei denn, sie tragen dazu bei,
diese Welt den Kräften von Auschwitz zu überlassen. Endlich ist es
ihnen verboten, am Gott Israels zu verzweifeln, es sei denn, das Judentum hört auf zu existieren. Ein säkularer Jude kann sich nicht zum
Glauben bringen durch einen schieren Akt des Willens, noch kann es
ihm geboten werden, dies zu tun. … Und ein religiöser Jude, der sei-

nem Gott die Treue bewahrt hat, kann in eine neue, möglicherweise revolutionäre Beziehung mit ihm hineingezwungen werden. Eine Möglichkeit jedoch ist ganz und gar undenkbar. Ein Jude kann nicht auf Hitlers Versuch, das Judentum zu zerstören, dadurch antworten, daß er selbst bei dieser Zerstörung mithilft. In frühen Zeiten war die undenkbare jüdische Sünde Idolatrie. Heute besteht sie darin, auf Hitler zu reagieren, indem man seine Arbeit tut.«[10]

Anders gesagt: Fackenheim weigert sich, Theologie weithin durch Holocaustologie zu ersetzen, wie dies bei einigen jüdischen (und auch einigen christlichen) Theologen der Fall ist. Er hat die Gefahr erkannt, daß grundsätzlich oder faktisch nicht mehr Gott selbst, sondern der Holocaust zum Zentrum der Theologie, ja, der Religion gemacht wird. In der Tat: Eine Fixierung auf den Holocaust (der jegliche Politik rechtfertigt) und damit auf Deutschland (auch für alle die Juden, die in Amerika, Israel und anderswo keineswegs »Überlebende des Holocausts« sind) führt zu einer Entleerung des Judentums – oft zugunsten eines Israelismus, der eine Pseudoreligion wird. Deshalb stellt denn auch Fackenheim in seiner neuesten, umfassenden Darstellung des jüdischen Glaubens unter dem Titel »What is Judaism?« ganz entschieden Gott und seinen Bund mit dem jüdischen Volk in den Mittelpunkt seiner Theologie[11].

Ausführlich haben wir es historisch belegt: Weder die moralische Einebnung und historische Relativierung noch die mystifizierende Überhöhung und unhistorische Verabsolutierung werden dieser wahrhaft singulären Katastrophe gerecht. Sie bedeutet das Ende zwar nicht des Judentums, aber eines ganzen jüdischen Paradigmas, das der Assimilation. Der Holocaust ist und bleibt für das Judentum ein **Kontinuitätsbruch epochalen Ausmaßes!** Er bleibt ein alle bisherige Leidensgeschichte weit überschreitendes Ereignis eines unsäglichen, theoretisch nicht »verstehbaren« Leidens des Volkes der Juden. Er hat für unsere Weltepoche eine fundamentale, für die Zukunft allerdings keine exklusive Bedeutung. Wahrhaftig: Man tut den Massenmördern zuviel Ehre an, wenn man »Auschwitz« quasi zu einem neuen Offenbarungsgeschehen stilisiert, wenn man es erhebt zu einem »**neuen jüdischen Sinai**« (Richard Rubenstein). Als ob hier nicht weniger Gottes Satzung als vielmehr des Menschen Zersetzung »offenbart« wurde! Nein, keine Offenbarung von Werten und Maßstäben, sondern deren völlige Pervertierung und Verdunkelung. Eine Gegenthese scheint deshalb am Platz:

3. Der Holocaust als Anti-Sinai der Moderne

Auschwitz ist kein Offenbarungsort, sondern der moderne Anti-Sinai schlechthin. Kein Neubeginn, sondern radikal das Ende jener vergangenen Epoche, die ihn hervorbrachte: der europäischen Moderne. Auf die vielfältigen Faktoren, die zum Nationalsozialismus führten, habe ich mehrfach hingewiesen; eine monokausale Erklärung kommt ebensowenig in Frage wie eine geschichtsmetaphysische Konstruktion. Doch es war kein Theologe, sondern ein Historiker, jener amerikanische Jude deutscher Herkunft **Fritz Stern**, der 1985 vor dem deutschen Bundestag sprach und der in seinem Buch über das »Drama der deutschen Geschichte«[12] aufwies: Die schleichende und letztlich totale Säkularisierung, diese stillschweigende Anerkennung des »Todes Gottes« (Friedrich Nietzsche) im 19. Jahrhundert, die im 20. Jahrhundert kulminierende »Entzauberung der Welt« (Max Weber) und der **säkulare Glaube an die Nation** haben sowohl für moderne Juden wie für moderne Deutsche fatale Folgen gezeigt:

– **Juden** entfremdete dieser säkularistische Ersatzglaube ihrer eigenen traditionellen Identität: Er ließ sie, als Hitler sie auch noch des Deutschtums, also ihrer Nationalität beraubte, moralisch hilflos und wehrlos zurück.

– **Deutschen** hinterließ die stille Säkularisierung schon früh ein Gefühl der Leere und Langeweile, das durch die Identifikation des Göttlichen mit der Nation (Volk, Staat) und der bestehenden Ordnung (Universität, Kunst) nicht überwunden werden konnte und das besonders nach der Entwertung dieser Glaubenssurrogate 1918 nach mehr verlangte: Nur allzuleicht glaubten jetzt viele an Hitlers mystifizierend verschleiernde Reden von Wundern, Vorsehung, Mythos, Geheimnis, Autorität, glaubten sozusagen an ein neues Pfingsten mit der Ausgießung des Heiligen Geistes im Jahre des Heils 1933. Ein »tausendjähriges Reich« – uralte Chiffre eines utopisch-chiliastischen Millenarismus[13] – stand ja bevor ... Die wenigen, die widerstanden, hatten andere, moralische und religiöse Maßstäbe.

Gerade Thomas Mann – der Repräsentant deutschen Geistes in einer Zeit deutschen Ungeistes – hatte gegen alle verharmlosenden Interpretationen dieses Geschehens selbst unter deutschen Emigranten in Amerika betont: daß es sich 1933 um eine enthusiastische, funkensprühende Revolution, um eine deutsche Volksbewegung mit einer ungeheuren seelischen Investierung von Glauben und Begeisterung gehandelt habe, eine Revolution freilich einzigartiger Art, ohne Idee, gegen die Idee, gegen alles Höhere, Bessere, Anständige, gegen Freiheit, Wahrheit, Recht, kurz, eine »Revolution des Nihilismus ... im Gemisch mit sinistren Gläubigkeiten an das Inhumane, das Vorvernünftige und Chthonische, an Erde, Volk, Blut, Vergangenheit und Tod.«[14] Eine solche geistesgeschichtliche Betrachtung soll niemand ent-schuldigen, im Gegenteil: Hier war der **Umschlag einer idealistischen Moderne in ihr nihilistisches Gegenteil** jedermann ad oculos demonstriert.

Gerade moderne Menschen können es nicht übersehen: In Auschwitz, auch im Gulag und in all den zahllosen Lagern und Zwangsgettos dieser Welt ist die Prophezeiung des »tollen Menschen« **Friedrich Nietzsches**[15] in Erfüllung gegangen: Wer den obersten Wert leugnet und somit Gott für tot erklärt, wer die Erde losketet von ihrer Sonne und das Meer austrinken will, der ist auf dem Wege zu jener Leere der westlichen Zivilisation, jenem **Nihilismus,** der mit dem obersten Wert auch alle anderen Werte entwertet[16]. Im Nazismus Hitlers schließlich, der – vor seinem feigen Selbstmord sein Volk verfluchend – es mit in den Untergang zu reißen suchte, hat dieser europäische Nihilismus seinen dramatischen Durchbruch erlebt und seine leere Fratze gezeigt, und zwar in einem Maße, wie es in seiner typischen Mischung aus Banalität und Bosheit wohl selbst Nietzsche nicht vorausgeahnt hatte[17].

Vorausgeahnt aber hatte diese heraufkommende bedrückende und erdrückende Welt ein Prager Jude namens **Franz Kafka**, der den braunen Terror zwar selber nicht mehr erleben mußte, dessen Lieblingsschwester Ottla aber dem KZ nicht entkam. Er hat in seinem Werk eine Welt entstehen lassen, die nicht umsonst in allen Sprachen sprichwörtlich geworden ist: »**die kafkaeske Welt**«. Beschrieben ist hier die labyrinthisch-moderne Welt in ihrer Spätphase, die Welt unseres Jahrhunderts mit ihren anonymen Mächten und unüberwindlichen Strukturen, mit ihren monströsen Weltkriegen und Ausbeutungspraktiken, eine Welt, die mit KZs und Gulags schließlich auch noch die Kafkaschen Schreckensvisionen zu übertreffen vermochte.

Machen wir uns nichts vor: Mit all dem ist das so grandios begonnene **Paradigma der Moderne an sein Ende** gekommen! Toto caelo verschieden von der Ablösung aller früheren Paradigmen: überschattet in seiner Krise nämlich nicht nur, wie alle Übergangszeiten, von Nervosität, Unsicherheit und Angst der Menschen, sondern von einer bisher noch nie dagewesenen Gottesferne, ja, »**Gottesfinsternis**«. Martin Buber, Kafkas jüdischer Gesprächspartner, hat dies, wir hörten es, zum Schlüsselbegriff der Zeit zwischen den Weltkriegen gemacht: »Verfinsterung des Himmelslichts, Gottesfinsternis« sei »der Charakter der Weltstunde, in der wir leben«[18].

In der Tat: **Gebrochen** ist ein für allemal der Glaube der Moderne an Ersatzgötter wie Vernunft, Fortschritt, Kultur, Nation, Rasse, Klasse und – Humanität. Gott – eine Projektion des Menschen? Mit dem behaupteten »Tod Gottes« (ursprünglich ein Ruf der Freiheit) hat sich Ludwig Feuerbachs Projektionstheorie gegen sich selbst gekehrt: Was der Mensch da projizierte, war nichts anderes als sein eigener Tod, der »Tod des Menschen«. Gebrochen war in den Abgründen des Holocausts der **moderne Glaube des Menschen an die Größe des Menschen**, der auch unter europäischen und amerikanischen Juden weit verbreitet war: »Wir glaubten an die Gutheit von Menschen und vertrauten, daß Erziehung und Kultur sie richtig leiten würden, während die Psychotherapie ihre Risse heilte«, schrieb **Eugene Borowitz**: »Für das Kommen des Messias rechneten wir mit der Politik, unterstützt von Sozialwissenschaft. Wir folgten den Geboten der Selbstverwirklichung und schauten voraus auf die Vervollkommnung der Menschheit. Sitzend in unseren Häusern, wandernd auf dem Weg, beim Zubettgehen und beim Aufstehen sprachen wir vom menschlichen Fortschritt und setzten unseren Glauben auf neue Projekte. Für uns saß die Menschheit auf Gottes altem Thron.«[19]

Mit anderen Worten: »**Dialektik der Moderne**« herrscht allüberall – eine Dialektik, die von den agnostischen deutschen Juden Theodor W. Adorno und Max Horkheimer in den dreißiger und vierziger Jahren scharfsichtig analysiert, von den frühen christlichen Kritikern des liberalen Kulturprotestantismus und Bürgertums indessen, von Barth, Brunner, Gogarten, Bultmann und Tillich, von Jaspers und Wittgenstein, aber auch von Thomas Mann, Hermann Hesse und vielen Schriftstellern und Künstlern schon deutlich nach dem Ersten Weltkrieg wahrgenommen worden war. Deshalb nochmals: In welcher Situation stehen wir heute – ein halbes Jahrhundert **nach** Auschwitz?

4. Die Konsequenzen: Überwindung des Nihilismus

Selbstverständlich soll hier nicht die Moderne überhaupt mit all ihren vielen positiven Errungenschaften in Philosophie, Naturwissenschaft, Technologie, Industrie und Demokratie diffamiert werden; welcher vernünftige Mensch wollte schon aus der Moderne zurück ins Mittelalter oder auch nur in die Reformationszeit? Doch eines hat der Holocaust bewiesen: Wo immer jene Moderne, die so wirkungsvoll und hoffnungsvoll begonnen hatte, sich in totaler Säkularisierung von allen ethisch-religiösen Bindungen losmachte, konnte sie umschlagen in Barbarei, ob nun mit der Französischen Revolution (»La terreur«) oder mit der Russischen Revolution (»Gulag«) oder eben mit der nationalsozialistischen »Machtergreifung« (»KZ«). Ohne Religion ist Zivilisation oft nur dünner Firnis, was nicht heißt, daß die Verbrechen, die im Namen der Religion geschehen sind (Kreuzzüge, Hexenverbrennung, Inquisition, frühere Judenverfolgungen) deshalb verharmlost oder gar bestritten werden dürften. Und in diesem Sinn kann man den Holocaust mit dem New Yorker Rabbi Irving Greenberg ein »Orientiering Event«, ein »**Orientierungsereignis**« vor allem für die moderne Kultur (und dann auch für die jüdische wie christliche Religion)[20] nennen.

Zugespitzt gesagt: **Humanität ohne Divinität kann zur Bestialität werden.** Der Nazismus war bei aller rückwärtsgerichteten romantisch-mythologischen Ideologie äußerlich doch eine sich modern gebende, technikbegeisterte Bewegung – mit hochmoderner Organisation, Bürokratie, Propaganda und vor allem Rüstung und Armee. Gerade der Nazismus hat es vor Augen geführt:
• Ohne ethische Bindung kann die moderne Wissenschaft umschlagen in die Lüge der Propaganda.
• Ohne ethische Bindung kann die moderne Demokratie enden in Massenbeherrschung durch Verführung und Terror eines einzelnen »Führers« und dessen Partei.

- Ohne ethische Bindung kann die Technologie im technisch perfekten Morden von Millionen enden.
- Ohne ethische Bindung kann die Industrie in der nahezu lücken-
losen industriellen Massenvernichtung eines ganzen Volkes ab-
rutschen.

Der Holocaust ist also eine Mahnung an **alle** modernen Nationen!
Warum? Weil die hier von den »Ingenieuren« Himmler und Heydrich investierte Rationalität, Technizität und Industrialisierung, die
ganze komplizierte Organisation des industriellen Massenmordes also
– wiewohl zweifellos eine deutsche Erfindung und Pervertierung
deutscher Gründlichkeit – doch ganz und gar auf der Linie einer säkularistischen, gottlos gewordenen **europäischen Moderne** überhaupt
lag. Der Weg von Robespierres Guillotine über Lenins Massener-
schießungen bis zu Hitlers Gasöfen – die technische Vervollkommnung des Mordens war nicht ohne Konsequenz. Hatten die europäischen Großnationen damals nicht **allesamt** den Gott Nation (Rasse,
Klasse) angebetet, dem man unter Umständen alles opferte: Freiheit,
Recht, Kunst, Religion – und Millionen von Menschenleben? Und
sind sie nicht allesamt von diesem Gott »belohnt« worden: mit Militarismus, Imperialismus und Rassismus, und bis ins Individuelle hinein
mit moralischer Indifferenz, Apathie und jenem Mangel an elemen-
tarer Menschlichkeit, wie sie gegenüber den Naziopfern auch unter
deutschen Frauen (erst neuerdings wird dieser Aspekt von Feministinnen diskutiert) in einem so außerordentlichen Maß verbreitet waren?

In der Tat: Nach zwei Weltkriegen, nach Gulag, Holocaust und
Atombombe ist ein Paradigmenwechsel, ein Wechsel der Gesamtkonstellation überfällig, ja, erfreulicherweise bereits weit fortgeschritten.
Eine Modernisierung der Moderne reicht nicht aus; es bedarf der
transzendierenden »Aufhebung« der Moderne in die Postmoderne
hinein. Rabbi **Irving Greenberg** hat recht: »Der kulturelle Wandel,
den es braucht, ist ein komplexer, differenzierter Prozeß ... Die Grenzen der Vernunft – allenthalben festgestellt von der Psychoanalyse bis
zur Wissenssoziologie – müssen umschrieben werden. Dieser Prozeß
kann die Tyrannei moderner Kategorien brechen und eine neue dialektische Beziehung erlauben zu den Ansprüchen von Vernunft und
Wissenschaft. Es handelt sich nicht einfach darum, zurück zur Tradition zu gehen. Es handelt sich eher um eine Bewegung auf Postmo-

dernität hin.«[21] Und dazu gehört nun in erster Linie, scheint mir –
und zwar für Juden wie Christen – ein durch die Erfahrungen der
Moderne geläutertes, postmodernes Gottesverständnis.

Denn wir haben hier ein beinahe paradoxes Phänomen zu konstatieren: In den Abgründen unsäglichen Schreckens ist bei vielen **auch
der Panzer der Religionslosigkeit** gebrochen. Das Nachdenken über
Auschwitz hat auch viele säkulare Juden ihre verdeckte, verdrängte
Religiosität eingestehen und die Unhaltbarkeit ihrer negativen Einstellung bekennen lassen. Auch ein Symptom der Postmoderne: Bei
allen Zweifeln und Hemmnissen haben nicht wenige Juden begonnen, sich durch Textstudien, Liturgie, Mystik oder soziale Tätigkeiten
an das Geheimnis des in dieser Welt verborgenen Gottes heranzuta-
sten: »Indem wir unsere jüdische Identität in unserer Tiefe wieder-
fanden, fanden wir uns selbst in einem neuen Verhältnis zu dem, was
unsere Tradition Gott nannte. Das beinahe unglaubliche dialektische
Ergebnis unseres Aufmerksamwerdens auf den Holocaust war, daß
eine greifbare Minderheit in der jüdischen Gemeinschaft sich nun
doch engagiert hat, um die Dimensionen ihrer persönlichen Beziehung zu Gott zu ergründen … Wenn sie auch nur einen bruchstückhaften Glauben haben, so ist in diesem leeren Zeitalter schon ein par-
tieller Glaube viel, was man da gewonnen hat« (E. Borowitz[22]). Diese
»Beziehung zu Gott«, diesen »Glauben« wollen wir hier noch ein wenig stärker beleuchten.

II. Das Gottesverständnis nach Auschwitz

Der Holocaust, dieses Geschehen von einmaliger menschlicher Brutalität, läßt die Frage nach Gott in einer bisher noch nie erreichten Tiefe aufbrechen. Um auch hier angesichts unendlich vieler Fragen nicht ins Uferlose zu geraten, will ich die bisherige Linie des Buches fortsetzen und mich vor allem mit jüdischen Gesprächspartnern auseinandersetzen[1]. Ich will deshalb in die Problematik einsteigen durch die Auseinandersetzung mit einem Stück »spekulativer Theologie«[2], das **Hans Jonas**, der jüdische Religionsphilosoph von der New School for Social Research in New York, in großem Freimut vorgelegt hat. 1984 hielt Jonas einen angesichts seiner persönlichen Situation (vertrieben von den Nazis aus Deutschland; Tod der Mutter in Auschwitz) ergreifenden Vortrag an der Universität Tübingen über den »Gottesbegriff nach Auschwitz«. Und wenn ich im folgenden daran einige kritische Überlegungen anschließe, dann nicht in der Haltung des Besserwissens, sondern in Solidarität mit der Schwierigkeit, ja letzten Unlösbarkeit dieser Frage.

1. Gott ohnmächtig angesichts des Leids?

Kann man nach Auschwitz noch von Gott als dem allmächtigen, gütigen und verstehbaren »Herrn der Geschichte« sprechen? Nein, gerade diese uralte konventionelle Gottesvorstellung mit ihren traditionellen Prädikaten und Nomenklaturen ist für Jonas nach Auschwitz zu denken unmöglich geworden. Nach Auschwitz ist nun endgültig klar geworden[3], daß man Allmacht, Güte und Verstehbarkeit Gottes nicht versöhnen kann. Entweder ist Gott allmächtig und absolut gütig – dann aber ist unverstehbar, warum er etwas so Grauenhaftes wie Auschwitz nicht verhinderte. Oder Gott ist allmächtig und verstehbar, dann ist Auschwitz die Widerlegung seiner Güte. Oder Gott ist gütig und verstehbar, dann aber ist Auschwitz der Beweis seiner Ohnmacht. Alle drei Attribute zusammen – Allmacht, absolute Güte, Verstehbarkeit – sind für Jonas nach Auschwitz nicht mehr gleichzeitig zu haben. Die Alternative?
– Gegen die biblische Vorstellung von der göttlichen Majestät stellt

Jonas den **leidenden Gott:** »daß das Verhältnis Gottes zur Welt **vom Augenblick der Schöpfung an,** und gewiß von der Schöpfung des Menschen an, ein Leiden seitens Gottes beinhaltet«[4].

– Gegen den Gott, der in seinem vollständigen Sein identisch bleibt durch die Ewigkeit, stellt er den **werdenden Gott,** nicht »eine indifferente und tote Ewigkeit ..., sondern eine, die wächst mit der sich anhäufenden Ernte der Zeit«[5].

– Gegen einen fernen, abgehobenen, in-sich-beschlossenen Gott stellt er den sich **sorgenden Gott,** der »verwickelt ist in das, worum er sich sorgt«: »ein gefährdeter Gott, ein Gott mit eigenem Risiko« ist[6].

– Gegen die Allmacht stellt er die **Ohnmacht Gottes,** einen Gott, der in Auschwitz und anderswo schwieg und nicht eingriff, »nicht weil er nicht wollte, sondern weil er nicht konnte«[7]. Anders gesagt: An Gottes Gutsein und seiner Verstehbarkeit hält Jonas fest – auch nach Auschwitz. Geopfert werden muß die Allmacht Gottes.

All diese Gedanken sind nicht einfach die Erfindung von Hans Jonas. Im Gegenteil: Jonas stellt sich damit bewußt in eine Tradition, die, wie wir im ersten Hauptteil hörten, der große jüdische Gelehrte Gershom Scholem im 20. Jahrhundert wieder neu zum Leuchten gebracht hat: die **Tradition der jüdischen Mystik, der Kabbala**[8]. Und in der Tat gibt es in der Kabbala bei Isaak Luria im 16. Jahrhundert – jenem uns bereits bekannten »Löwen« (»Ari«), der dann freilich durch den Pseudomessias Sabbataj Zwi desavouiert wurde[9] – die kosmogonische Spekulation darüber, wie Schöpfung überhaupt entstehen konnte. Lurias Antwort: da Gott »alles« ist, nur durch einen freiwilligen »Rückzug«, eine Selbstzurücknahme, Selbstbeschränkung Gottes. Kabbalistisch ist dies die Lehre vom »Zimzum«, und ähnliche Gedanken finden sich ausgedrückt in chasidischen Vorstellungen vom »Selbstverzicht«, der »Entselbstung« und der »Herablassung« Gottes.

»**Zimzum**«: Dieser Begriff ist älter als die Kabbala. Er bedeutet ursprünglich »Konzentration« oder »Kontraktion« von Gottes heiliger Gegenwart auf das Allerheiligste des Tempels oder des Berges Sinai! Von Luria aber wird dieser Begriff nicht nur ins Kosmogonische erweitert, sondern inhaltlich umgekehrt interpretiert: als eine **Selbstbeschränkung Gottes schon am Anfang der Zeit** – um eben so der Welt eine autonome Existenz, Raum und Zeit überhaupt erst zu ermöglichen. »Die Existenz des Weltalls« – so Scholem – sei »durch einen Pro-

zeß des Einschrumpfens in Gott möglich gemacht«[10] worden. Gott
habe »in seinem Wesen einen Bezirk freigegeben, aus dem er sich zurückzog, eine Art mystischen Urraum, in den er in der Schöpfung und
Offenbarung hinaustreten konnte«[11]. Schöpfung wird hier also nicht
mehr verstanden als Akt göttlicher Selbstentfaltung, sondern göttlicher Selbstbeschränkung! Ein Gott, der sich selbst durch die Existenz
der Schöpfung ein Stück weit verneint und der, »nachdem er sich
ganz in die werdende Welt hineingab ... nichts mehr zu geben« hat,
so auch Hans Jonas[12]. Es sei jetzt am Menschen, ihm zu geben.

Die Rede von Jonas über den »Gottesbegriff nach Auschwitz« war von
großem Ernst geprägt, mit »Furcht und Zittern« vorgetragen – jenseits von platter religionskritischer Negation wie von orthodox-voll-
mundiger Affirmation Gottes. Und doch eine ganz befriedigende
Antwort – für Juden, für Christen? Dies muß klar gesehen werden: In
dieser Frage geht es nicht mehr um eine interreligiöse Kontroverse
zwischen Juden und Christen, da einerseits viele Juden in dieser Frage
anders denken als die Kabbalisten und andererseits auch einzelne
christliche Theologen versuchen, unter anderem mit Hilfe dieser kabbalistischen »Geheimlehre« hinter die Geheimnisse Gottes zu kommen und das **Wie** der Schöpfung und das **Warum** des menschlichen
Leidens zu entschlüsseln[13].
    Doch abbgrundtief ist die Frage des Leids, vor allem die des nicht
selbstverschuldeten, des unverschuldeten Leids: des privat-individuel-
len Leids etwa unschuldiger Kinder, wie es Dostojewski und Camus
gequält hat, und erst recht des welthistorischen Leids, der sinnlosen
Naturkatastrophen, der großen Erdbeben mit Zehntausenden von
Toten wie der unmenschlichen Menschheitstragödien, des Holocausts vor allem. Ich versuchte mir in dieser Frage schon lange meinen
eigenen Weg zu suchen[14], fand es aber angesichts aller Erfahrungen
besser, im Blick auf das ungeheure Leid und das unvorstellbare Böse,
statt mich an die kosmogonischen Spekulationen gnostischer Herkunft (Basilides; Buch des großen Logos!) à la Luria oder Jakob Böh-
me lieber letztlich an die große klassische Tradition zu halten[15]. Und
dies schon, was die Schöpfung betrifft:

2. Schöpfung der Welt – Selbstbeschränkung Gottes?

Sollen wir als Voraussetzung der Schöpfung wirklich eine solche
Selbstbeschränkung oder **Selbstverschränkung des unendlichen Gottes** aus sich selbst und in sich selbst annehmen? Dies erscheint mir
nun doch, auch wenn die Selbstbeschränkung als Ausdruck von Gottes Allmacht erklärt wird, eine höchst anthropomorphe (»grobe«,
»handfeste«, so auch Scholem[16]) Vorstellung zu sein. Daß sich Gott in
Menschenart zusammenziehen, kontrahieren müßte, um einem anderen neben sich Dasein und Wesen zu gewähren, Raum einzuräumen,
Zeit zu geben[17], scheint mir Gott seiner Unendlichkeit, Ewigkeit und
Vollkommenheit zu berauben. Schon Moses Maimonides polemisierte gegen die Vorstellung, Gott habe so etwas wie einen geheimnisvollen, strahlhaften Körper. Ob da jüdische Kabbalisten und christliche
Theologen nicht zu sehr ins Anthropomorphe geraten, wenn sie mittels der Vorstellung eines Zimzum-Gottes nicht nur wissen möchten,
daß Gott schafft, sondern **wie** er es schafft? Besteht nicht die Gefahr,
daß Gott zu einem »Deus minor« wird, zu einem »Schrumpfgott« gar?

Heutige jüdische Theologie hält denn auch mit gutem Recht Distanz zur Kabbala und lehnt die Vorstellung eines angesichts des
Übels beschränkten Gottes strikt ab. So drückt etwa der vielleicht
kenntnisreichste jüdische Systematiker der Gegenwart, ein hervorragender Kenner auch der Kabbala, **Louis Jacobs**[18] unüberhörbar seine
Skepsis gegenüber der Kabbala aus: »Außer man glaubt, wie die Kabbalisten es taten, daß diese Lehre eine direkte göttliche Offenbarung
bezüglich des Geheimnisses von Gottes Sein sei, muß man die Kabbala als ein gigantisches spekulatives Projekt ansehen, mit dessen Hilfe
Juden über Ideen – neuplatonische und gnostische – meditierten, die
ihnen aus der Vergangenheit überkommen waren.«[19] Insbesondere
zur Lehre des »Zimzum« im Rahmen von Lurias unerhört komplizierter Schöpfungslehre, wo sich zehn göttliche Potenzen (Eigenschaften,
Kräfte, Manifestationen) von der Unermeßlichkeit Gottes her in die
Schöpfung hinein ergießen, wovon die christlichen Zimzum-Vertreter freilich nichts wissen wollen, hält Louis Jacobs Distanz: »Die Lurianischen Ideen werden nur von sehr wenigen modernen Juden als
offenbarte Wahrheit akzeptiert.«[20] Nein, konstant und mit äußerster
Schärfe hält dieser jüdische Theologe an der Einheit Gottes fest und
lehnt jegliche trinitarische Interpretation der jüdischen Tradition

scharf ab[21]. Das gilt insbesondere für die Idee einer Beschränktheit Gottes angesichts des Übels in der Welt: »Es fordert den Verdacht heraus, daß ein solch beschränkter Gott keine Wirklichkeit besitzt, sondern die Erfindung einer scharfen menschlichen Einbildungskraft ist. Aus diesen Gründen und trotz ihrer brillanten Advokaten vermochte die esoterisch-mystische Lehre vom endlichen Gott nur wenige Anhänger zu gewinnen. Die schlichten Alternativen für den Menschen sind entweder der Glaube an Gott, wie er traditionell aufgefaßt wird, das ist an einen Gott, der allmächtig ist, oder eben ganz und gar Atheismus.«[22]

Noch schärfer lehnt der führende Theologe der amerikanischen Orthodoxie, **Joseph D. Soloveitchik**, die neuere kabbalistische Interpretation des Zimzum ab, da dieses »in der Halacha Fragen der Kosmogonie überhaupt nicht berühre«: »Der (kabbalistische) Mystiker betrachtet die Existenz der Welt als eine Art ›Affront‹ – Gott bewahre – gegen Gottes Ehre; der Kosmos, wie er nun einmal sei, schränke die Unendlichkeit des Schöpfers ein.«[23] Dagegen Soloveitchik: »Die Schöpfung der Welt fügt der Idee der Gottheit keinerlei ›Makel‹ (›blemish‹) zu, sie schränkt die Unendlichkeit nicht ein; im Gegenteil, es ist der Wille Gottes, daß seine Schechina, seine Göttliche Gegenwart, sich zusammenzieht und sich selbst begrenzt im Bereich der empirischen Wirklichkeit.[24]« Das heißt: Auch für traditionelle jüdische Theologie gilt, wie ich es für die christliche immer wieder dargelegt habe: Gott ist zu verstehen als das Unendliche in allem Endlichen, die Transzendenz im Konkreten, das Göttliche in der empirischen Wirklichkeit der Welt[25].

Angesichts dieses Befundes läßt man sich auch als christlicher Theologe doch besser nicht auf spekulative jüdische oder christliche Experimente ein, sondern hält sich an das klassische Bekenntnis zum »**Deus semper maior**«, der als das Maximum auch das Minimum ist und der so Minimum und Maximum überschreitet, wie es Nikolaus von Kues in seinem Früh- und Hauptwerk »De docta ignorantia« (»von der belehrten Unwissenheit«) dargelegt hat: »Vom Standpunkt der negativen Theologie findet sich in Gott nichts als Unendlichkeit.«[26]

Schöpfung »**aus dem Nichts**« meint deshalb auch in der klassischen christlichen Tradition kein quasi schwarzes Nichts vor oder neben Gott, keinen verselbständigten Leerraum, den Gott freigeben müßte, um überhaupt schöpferisch tätig werden zu können. Schöpfung »aus dem Nichts« ist nüchterner Ausdruck dafür, daß sich die Welt insgesamt – samt Raum und Zeit, wie schon Augustin betont – der ersten Ursache, Gott allein, und keiner anderen Ursache verdankt. Das Endliche aber kann, anders als anthropomorph denkende jüdische oder christliche Theologen es annehmen, das Unendliche von vorneherein nicht begrenzen. Ja, selbst ein in Raum und Zeit unendliches Universum – nach Einstein halten es die meisten Naturwissenschaftler für endlich – könnte den unendlichen Gott in allen Dingen nicht beschränken. Warum nicht? Weil Gott ganz anders ist: unendlich reiner Geist, den nichts beschränkt. Und weil die Dinge, die Menschen, die Welt, eben gerade **nicht neben** oder **unter** Gott existieren, sondern von vornherein **in** Gott, dem Unendlichen. Nicht **neben**, sondern **in** seinem göttlichen Sein und Wesen gewährt der Schöpfer Dasein und Wesen, räumt er Raum ein, gibt er Zeit.

Gott muß sich also nicht zusammenziehen und gleichsam den Atem anhalten, um die Schöpfung auszuhauchen. Gott zieht sich bei der »Schöpfung« nicht zurück, er gibt sich vielmehr selbst. Denn er wirkt in der Welt nun einmal nicht in der Weise des Endlichen und Relativen. Er wirkt als das **Unendliche im Endlichen** und als das Absolute **im** Relativen: nicht »der Seiende« neben oder über dem Seienden, sondern das dynamische **Sein-Selbst** (Thomas von Aquin), an dem alles Seiende teilhat. Die Welt kann so verstanden werden als »participatio« (Platon), besser: als »explicatio Dei« (Nikolaus von Kues): als **Entfaltung** jenes **Gottes,** der selber das Viele ohne Vielheit und der der Gegensatz in der Identität ist – ohne daß die Welt sich an Gott verlöre oder umgekehrt Gott sich in die Welt auflöste. Nein, kein Pantheismus, aber ein Pan-en-theismus durchaus. Wirkt doch der Unendliche nicht von oben oder außen in die Welt hinein. Wirkt er doch als die dynamisch wirklichste Wirklichkeit von innen im Entwicklungsprozeß der Welt, den er zugleich ermöglicht, durchwaltet und vollendet. So nämlich ist Gott nach Nikolaus von Kues Spätwerk (Das »Nichtandere«) zu verstehen: als »Mitte der Mitte, Ziel des Zieles, Bezeichnung der Bezeichnung, Sein des Seins und Nichtsein des Nichtseins«[27]. Mit anderen Worten: Gott wirkt nicht **über** der Weltgeschichte, sondern **in** der Weltgeschichte, **in** und **mit** den Menschen und Dingen – als deren Ursprung, Urhalt und Urziel. Der allesumgreifende, allesdurchwaltende unendliche **Sinn-Grund** der Welt und der Weltgeschichte: die zugleich immanente und transzendente allerseste-allerletzte Wirklichkeit, die freilich nur in jenem vernünftigen Vertrauen angenommen werden kann, das wir Glauben nennen.

Selbstverständlich macht dieses Bekenntnis zum unbegreiflichen Gott, zum »Deus **semper** maior« eine »Theodizee«, eine »Rechtfertigung Gottes«, seine Verteidigung angesichts des eingeklagten unendlichen Elends dieser Welt, der unheimlich finsteren Dimensionen der Weltgeschichte und ganz besonders des Holocausts nicht gerade leichter. Und daß wir Menschen das Recht haben, zu fragen und anzufragen, ja, aufzubegehren und anzuklagen, das haben wir nicht zuletzt vom biblischen Ijob gelernt. Angesichts so vieler Mißverständnisse und Zweideutigkeiten jedoch in der gegenwärtigen Diskussion um Gott und das Leid zwischen/unter Juden und Christen möchte ich zuerst deutlich einige grundlegende Konvergenzen in dieser Frage feststellen, bevor ich zu den Differenzen Stellung beziehe[28].

3. Kein mitleidloser, auch kein bemitleidenswerter, sondern ein mit-leidender Gott

In der Tat: **Konvergenzen** zwischen Christen und Juden im postmodernen **Gottesverständnis** nach Auschwitz, Hiroschima und Archipel Gulag sind nicht nachdrücklich genug zu betonen.

* Juden und Christen stimmen weithin überein in der **negativen Abgrenzung**: in der gemeinsamen jüdisch-christlichen Kritik an einem weltlosen, teilnahmslosen, ungeschichtlichen, apathischen, grausamen, **mitleidlosen** Gott.
* Juden und Christen stimmen aber auch weithin überein in der **positiven Bejahung**: im gemeinsamen jüdisch-christlichen Glauben an einen verborgen anwesenden, an der Geschichte wahrhaft teilnehmenden, einen barmherzigen, ja, einen **mit-leidenden Gott**.

Diese Auffassung durchzieht schon die Hebräische Bibel und ist auch selbstverständliche Grundlage des Neuen Testaments[29]. Und wie wäre gerade nach Auschwitz ein Gottesverständnis nachvollziehbar, das Gott aus dem Geschehen dieser Welt heraushielte, ihn unbetroffen, sozusagen in reiner Beobachterstellung ließe?

Doch Vorsicht: Zugleich darf das **alttestamentliche Bilderverbot** in bezug auf Gott selbst nicht einfach preisgegeben werden! Der Christ wird gerade von der großen jüdischen Tradition der Bildlosigkeit Gottes (von der griechischen Philosophie ganz zu schweigen) zur Vorsicht gemahnt. Inwiefern? Weil gerade sie ihn warnt, die Transzendenz Gottes angesichts wechselnder menschlicher Erfahrungen herabzusetzen, zu verbilligen, zugunsten allzu großer Menschenähnlichkeit zu ermäßigen.

Nein, um der Göttlichkeit Gottes willen kein **Transzendenznachlaß**: Gewiß ist **Kritik** angebracht an einem undialektischen Verständnis der **Allmacht Gottes,** der da als »ab-soluter« Machthaber »los-gelöst«, unberührt von allem alles dirigiert, alles macht oder machen könnte.

Aber: Kritik ist ebenso entschieden angezeigt bei einer begrifflich herbeigezauberten, die Sinnlosigkeit des Leids erklärenden Dialektik von Macht und Ohnmacht Gottes, von Stärke und Schwäche, gar bei einer simplen Ablösung von Gottes Macht durch Ohnmacht, von Gottes Weisheit durch Torheit, ja, von Gottes Heiligkeit durch Gottes Schuld. Hier erkenne ich nicht mehr den Gott der Bibel.

Gewiß ist **Einspruch** gestattet **gegen** einen **theokratischen,** alles kontrollierenden **Schöpfergott,** einen autoritären Hochgott, gar einen Despoten.

Aber: Kritik ist nicht weniger am Platz gegenüber einem kraft- und wehrlosen, ohnmächtigen Gott, der jegliche Vorsehung und Fügung im Weltgeschehen preisgegeben hat. Auch dies ist unbestreitbar nicht mehr der biblische Gott.

Gewiß sind **Zweifel** erlaubt **an** der Vorstellung eines **apathischen Gottes** von platonischer Unbeweglichkeit und Unbetroffenheit.

Aber: Ebenso entschieden sind Zweifel zu äußern an einem ganz und gar anthropomorphen, törichten, menschlich leidenden, gar sterbenden Gott, einem Gott, der nichts mehr zu geben vermag, ja, mit dem der Mensch nun beinahe seinerseits Mitleid, Erbarmen haben müßte! Dies wäre nicht mehr ein mit-leidender, sondern ein **bemitleidenswerter** Gott. Auch dieser Gott ist nicht der Gott der Bibel.

Es ist meine Überzeugung: Mit solch gewagten Gottesphantasmagorien läßt sich das Urrätsel des menschlichen Leids nicht auflösen, läßt sich auch eine monströse Wirklichkeit wie Auschwitz nicht »bewältigen«. Zu Recht machen Muslime, um Gottes Transzendenz noch mehr besorgt als manche Christen und Juden, zu einem solchen

»heruntergekommenen«, »erbärmlichen« Gottesbild ihre ironisch-kritischen Kommentare. Die von christlichen Theologen für das Gottesbild oft überstrapazierte Christologie ist dabei besonders kritikanfällig, und undifferenziertes Denken bedarf der Differenzierung. Deshalb die Frage:

4. Ein gekreuzigter Gott?

Christliche Theologen haben nach dem Zweiten Weltkrieg unter Berufung auf ein Wort von Dietrich Bonhoeffer nicht selten die Leidensproblematik durch die Annahme eines »leidenden Gottes« bewältigen wollen. Gott sei »ohnmächtig und schwach in der Welt«, und gerade so und nur so sei er bei uns und helfe uns; nur der »leidende Gott« könne helfen[30]. Einzelne Theologen haben im Blick auf den Holocaust gar daraus gefolgert, daß das »unaussprechliche Leiden der sechs Millionen auch die Stimme des leidenden Gottes« sei[31]. Wieder andere Theologen haben gemeint, die Leidensproblematik hochspekulativ von einer sich dialektisch zwischen Gott **und** Gott, gar Gott **gegen** Gott, abspielenden innertrinitarischen Leidensgeschichte her denkerisch bewältigen zu können.

Doch von der großen jüdisch-christlichen Tradition belehrt und im Bewußtsein des problematischen Denkmodells Hegels ist Zurückhaltung am Platz gegenüber solchen, mehr von Hegel als von der Bibel inspirierten Spekulationen über einen »leidenden Gott«, »gekreuzigten Gott«[32], gar einen »Tod Gottes«[33]. Sie waren für Juden und Muslime schon immer kaum, sind heute aber auch für viele Christen nur schwer nachvollziehbar. Als ob sich das immense und besonderes das unschuldige, sinnlose Leid dieses Menschenlebens, dieser Menschheitsgeschichte und schließlich auch des Holocausts durch christologische Spekulationen und begriffliche Manipulationen am Gottesbegriff wirklich in einen »höheren Zusammenhang« einordnen und so bewältigen ließe! Jüdische Theologie jedenfalls versucht ohne solche christologische Reflexionsoperationen auf die Herausforderung des Holocausts theologisch zu antworten. Und auch für christliche Theologen darf es – bei aller gerade im Christus Jesus aufscheinenden »Menschlichkeit«, genauer Menschenfreundlichkeit (»Philanthropia«[34]) Gottes – keinesfalls zu einer Herabnivellierung der Transzendenz, zu einem Ausverkauf der Göttlichkeit Gottes kommen, auch nicht angesichts noch so unbegreiflichen Leidens und Schmerzes!

Ein Blick in die Schrift vermag solch spekulative Kühnheiten zu ernüchtern. Nach dem **Alten Testament** schreien die Menschen immer wieder zu Gott und im Vertrauen darauf, daß Gott ihr Rufen und Flehen hört, aber ihr Schreien, Leiden und Sterben wird nicht einfach zum Schreien, Leiden und Sterben Gottes. Gewiß schreibt die Hebräische Bibel in anthropomorpher Rede Gott bisweilen die ganze Bandbreite menschlicher Gefühle und Verhaltensweisen zu: Zorn, Klage und Schmerz über das Verhalten seines Volkes, und auch immer wieder Geduld und Anhalten seines Zornes. Aber nirgendwo wird der Unterschied zwischen Gott und Mensch aufgehoben und Leid und Schmerz des Menschen einfachhin zum Leid und Schmerz Gottes erklärt und verklärt. Nirgendwo wird Gottes Göttlichkeit zur Ungöttlichkeit, seine Treue zur Untreue, seine Verläßlichkeit zur Unverläßlichkeit, sein göttliches Erbarmen zur menschlichen Erbärmlichkeit. Für das Alte Testament gilt: Wenn der Mensch scheitert, scheitert Gott nicht; wenn der Mensch stirbt, stirbt Gott nicht mit. Denn »Gott bin ich und nicht ein Mensch, heilig in deiner Mitte«, heißt es gerade in Hos 11,9 gegen alle Vermenschlichung Gottes, obwohl gerade da anthropomorpher als sonst von Gottes »Mitleiden« mit seinem Volk die Rede ist.

Auch nach dem **Neuen Testament** schreit Jesus, der Sohn Gottes, zu Gott, seinem Vater, weil er sich von Gott in der Tiefe seines Leidens verlassen glaubt. Aber nirgendwo schreit Gott zu Gott, nirgendwo ist Gott selber schwach, ohnmächtig, leidend, gekreuzigt oder gar gestorben. Wenn man der Menschen Leiden so sehr mit Gott identifiziert, daß es auch Gottes Leiden ist, wenn der Schrei der Menschen zum Schrei Gottes wird, wird dann nicht auch des Menschen Sünde (die Verbrechen der SS-Schergen) zur Sünde Gottes selbst?

Nein – als christlicher, biblisch denkender Theologe kommt man um die ernüchternde Feststellung nicht herum: Die Botschaft, das **Wort vom Kreuz** ist Paulus zufolge nur für die Nichtglaubenden Schwäche und Torheit, für die Glaubenden aber ist es Gottes **Kraft**, Gottes **Weisheit**[35]. Ein Paradox, aber kein Widerspruch, und für das jüdisch-christliche Gespräch wichtig: Im Kreuz Jesu Christi – so das gesamte Neue Testament ganz auf der Linie der Hebräischen Bibel gegen alle gnostisch-kabbalistischen Spekulationen – ist **nicht** einfach **Gott** schlechthin gekreuzigt worden: **der** Gott, **ho** theós, Deus pater omnipotens (und natürlich erst recht nicht Gottes heiliger Geist). Wie hätte sonst der Gekreuzigte in Gottverlassenheit zu Gott schreien können: »Mein Gott, mein Gott«[36]? Nein, nach dem Neuen Testament erfolgt hier kein »spekulativer Karfreitag«[37], erfolgt hier kein »Salto Mortale« Gottes selber, hängt da am Kreuz – trotz der versucherischen Stimme in Elie Wiesels berühmter Auschwitz-Erzählung vom kleinen Jungen am Galgen[38] – gerade nicht »Gott«, wohl aber Gottes »Gesalbter«, sein »Christus«, der »Menschensohn«.

Mit anderen Worten: Das Kreuz ist nicht das Symbol des »leidenden«, »schreienden«, gar »das Symbol des Todesnot leidenden Gottes«, sondern das Symbol des Todesnot leidenden **Menschen**. Am Kreuz ist nicht Gott selbst (ho theós), der Vater, gestorben, sondern Gottes »**Messias**« und »**Christus**«, Gottes »**Ebenbild**«, »**Wort**« und »**Sohn**«. Ein unbiblischer »Patripassianismus«, die Auffassung, Gott der Vater selber habe gelitten, wurde kirchlicherseits schon früh zu Recht verurteilt! Und wenn jüdische Theologie zu Recht gegen ein sadistisch-grausames Gottesbild protestiert, nach welchem ein blutgieriger Gott nach dem Opfer seines Sohnes verlangte, so christliche Theologie hoffentlich mit nicht weniger Nachdruck gegen ein masochistisch-dulderisches Gottesverständnis, nach welchem ein schwacher Gott sich durch Leid und Tod zur Auferstehung durchzuquälen hätte, wenn er nicht überhaupt auf ewig leiden soll.

Ja, ich frage mich angesichts jeglicher Gottesspekulation à la baisse: Ändert es wirklich etwas an der Leidenssituation des Menschen, wenn auch Gott unmittelbar in sie hineingezogen wird? Wie ich es einmal von Karl Rahner hörte: Geht es dem Menschen besser, wenn es auch Gott schlecht geht[39]? Ist das nicht ein unbiblischer Anthropomorphismus? Gerade vom Neuen Testament her muß doch in aller Grundsätzlichkeit gesagt werden: In der Torheit und Ohnmacht des Kreuzes Christi ist nicht ein ohnmächtiger, törichter, schwacher, gekreuzigter Gott »sichtbar« geworden. Und wäre Gott wirklich selbst am Kreuz gestorben, würde die Frage unbeantwortbar, wer denn diesen toten Gott zu neuem Leben erweckt haben soll! Nur in Hegels von logischer Notwendigkeit diktierter Systemdialektik wird ja der tote Gott aus sich selber durch dialektischen Umschwung wieder lebendig – eine rein spekulative Lösung. Vom Neuen Testament aber? Von diesem Buch her ist jeder Gedanke an eine Selbsterlösung Gottes abwegig!

Machen wir uns auch als Theologen nichts vor: Das Kreuz für sich betrachtet ist ein klares Fiasko, in das nichts hineinzugeheimnissen ist. Eine beispiellose Menschen- **und** Gottverlassenheit des Gottgesandten. Insofern müßte man dem Philosophen Hans Blumenberg zustimmen, wenn er aus dem Klageruf Jesu über seine Gottverlassenheit das »Scheitern Gottes« an seinem Werk, dessen »Selbstaufhebung« herauslesen will. Konzentriert man sich auf den Kreuzestod Jesu allein, wird man in der Tat Blumenberg kaum widersprechen können. Aber die von ihm zur Interpretation herangezogene Mattäus-Passion Johann Sebastian Bachs endet wie die Evangelien selber mit der Gewißheit von Auferweckung und Erlösung sowie dem »Friedensschluß« des Menschen mit Gott[40]. Nur im Licht der Auferweckung Jesu zum Leben wird im nachhinein in Gottes offenkundiger Abwesenheit seine verborgene Anwesenheit glaubend angenommen. Was nicht spekulativ im Sinn einer Selbstauferstehung Gottes zu verstehen ist. Denn, wiederum nach dem ganzen Neuen Testament: Es wird nicht etwa von Gott, sondern nur von Jesus, dem **Sohn**, die Auferweckung zum neuen Leben verkündigt. Wer aber ist das Subjekt der Auferweckung? Selbstverständlich Gott selbst (ho theós), der ein Gott der Lebendigen und nicht der Toten ist: der »**Vater**«. »Zwar wurde er« – dies sagt Paulus klar nicht von Gott, sondern von »Christus«, dem Sohn Gottes – »in seiner Schwachheit gekreuzigt, aber er lebt aus Gottes (= des Vaters) Macht«[41].

Ja, nur so, durch die Aufnahme dieses Sohnes in Gottes ewiges Leben, erweist sich Gott für die Glaubenden als der diesem einzigartigen Sohn (und damit allen seinen Söhnen und Töchtern) sogar in äußerstem Leid, in Verlassenheit und Sterben solidarisch Nahe: als der auch mit unserem Schmerz verbundene und an unserem Leid (verschuldetem oder unverschuldetem) teilhabende, als der von unserem Elend und all der Ungerechtigkeit mitbetroffene, verborgen **mit-leidende** und doch gerade so zuguterletzt unendlich **gütige** und **mächtige** Gott.

Dies ist das äußerste, was ich von der Schrift her zur Frage Gott und das Leid sagen kann, sagen darf. Ob von dieser Glaubensüberzeugung her auch ein Reden über Gott nach Auschwitz möglich ist? Stellt sich denn hier die Theodizee-Frage, die Frage nach der Rechtfertigung, Verteidigung Gottes, nicht in noch ganz anderer Radikalität?

5. Antwort auf die Theodizee-Frage

Wenn man sich seit Jahrzehnten mit all den Versuchen der Theodizee – in der Neuzeit von Gottfried Wilhelm Leibniz bis Hans Jonas – immer wieder beschäftigt hat, darf man es sicher so direkt sagen: Eine **theoretische Antwort** auf das **Theodizee-Problem**, scheint mir, **gibt es nicht!** Von einer gläubigen Grundhaltung her ist nur das eine zu sagen:

- **Wenn** Gott existiert, dann war Gott auch in Auschwitz! Gläubige verschiedener Religionen und Konfessionen haben selbst in dieser Todesfabrik daran festgehalten: Trotz allem – Gott lebt.
- Zugleich aber hat auch der Gläubige zuzugestehen: Unbeantwortbar ist die Frage: **Wie** konnte Gott in Auschwitz sein, ohne Auschwitz zu verhindern?

Aller frommen Apologetik zum Trotz ist nüchtern einzugestehen: Wer als Theologe hier hinter das Geheimnis, das Geheimnis Gottes selbst, kommen möchte, findet dort bestenfalls sein eigenes Theologumenon, sein eigenes Theologenfündlein. Weder die Hebräische Bibel noch das Neue Testament erklären uns, **wie** der gute, gerechte und mächtige Gott – alle diese Attribute kann man schließlich und endlich doch nicht aufgeben, wenn es noch um **Gott** gehen soll! –, wie er in dieser seiner Welt solch unermeßliches Leid im Kleinen (aber was ist hier »klein«?) und im Großen (ja, Übergroßen) hat geschehen lassen können, wie er »ansehen« konnte, daß Auschwitz möglich gemacht wurde, und »zusehen« konnte, wie das Gas ausströmte und die Verbrennungsöfen brannten.

Oder soll ich mich einfach mit der klassischen theologischen Formel über all das Leid des Holocausts hinwegtrösten: Gott »will« das Leid nicht; er will es aber auch nicht nicht, er läßt es vielmehr nur geschehen: »permittit«, »läßt es zu«. Doch löst das alle Rätsel auf? Nein, das löste gestern so wenig, wie es heute etwas löst. Aber Gegenfrage: Sollen dann ausgerechnet wir dieses Urproblem des Menschen aus der Welt schaffen können? Aufgrund welcher neuen Erkenntnisse, aufgrund welcher eigenen Erfahrungen? Es braucht ja nicht unbedingt den Holocaust. Manchmal genügt schon ein beruflicher Mißerfolg, eine Krankheit, der Verlust, der Verrat oder der Tod eines einzigen Menschen, um uns in Verzweiflung zu stürzen. So erging es auch dem amerikanischen Rabbi Harold S. Kushner. Weil er durch eine tragische Krankheit ein Kind verlor, schrieb er ein Buch, das dann zum Bestseller wurde, mit dem Titel: »When Bad Things Happen to Good People« (»Wenn böse Dinge guten Leuten passieren«)[42]. Sein Lösungsvorschlag: die Vorstellung von Gottes **Allmacht** ist abzuschaffen. Andere empfinden nicht weniger Anfechtungen bei dem Gedanken »When Good Things Happen to Bad People« (»Wenn gute Dinge bösen Menschen passieren«) und möchten gerne Gottes **Güte** und **Gerechtigkeit** leugnen. Beides aber ist kein Ausweg aus dem Dilemma. Denn ein aller Allmacht beraubter Gott hört auf, Gott zu sein, und die Vorstellung, daß Gott statt gütig und gerecht grausam und willkürlich wäre, ist erst recht unerträglich.

Wir müssen uns wohl oder übel damit abfinden: Weder solch vorschnelle Negationen noch solch hochspekulative Affirmationen lösen das Problem. Welche Vermessenheit des Menschengeistes, ob er nun im Kleid der theologischen Skepsis, der philosophischen Metaphysik, der idealistischen Geschichtsphilosophie oder der trinitarischen Spekulation daherkommt! Vielleicht lernt man es von daher, die Gegenargumente eines Epikur, Bayle, Feuerbach oder Nietzsche gegen solche Theodizee weniger als Blasphemie Gottes zu verstehen denn als Spott über der Menschen und besonders der Theologen Anmaßung. Besser schiene mir an diesem äußersten Punkt, bei dieser schwierigsten Frage, eine **Theologie des Schweigens**. »Würde ich Ihn kennen, so wäre ich Er«, ist ein altes jüdisches Wort. Und manche jüdische Theologen, die angesichts allen Leids auf eine letzte Rechtfertigung Gottes lieber verzichten, zitieren nur das lapidare Schriftwort, welches auf den Bericht vom Tod der beiden durch Gottes Feuer getöteten Söhne Aarons folgt: »Und Aaron schwieg.«[43]

Keiner der großen Geister der Menschheit – weder Augustin noch Thomas noch Calvin, weder Leibniz noch Hegel – haben das Urproblem gelöst. »Über das Versagen aller philosophischen Versuche einer Theodizee«: Immanuel Kant schreibt dies 1791, als man in Paris an eine Absetzung Gottes dachte und dessen Ersetzung durch die Göttin Vernunft betrieb. Aber umgekehrt gefragt: Ist der **Atheismus** denn die Lösung? Ein Atheismus, der in Auschwitz sein Faustpfand sähe? Auschwitz – der Fels des Atheismus schlechthin? Oder vielleicht doch eher: Auschwitz – Folge und Ende des Atheismus? Erklärt denn Gottlosigkeit die Welt besser? Ihre grandeur und ihre misère? Erklärt Unglaube die Welt, wie sie nun einmal ist? Vermag Unglaube in unschuldigem, unbegreiflichem, sinnlosem Leid zu trösten? Als ob an solchem Leid nicht auch alle **ungläubige** Ratio ihre Grenze hätte! Nein, der Antitheologe ist hier nicht besser dran als der Theologe.

Gerade der jüdische Schriftsteller **Elie Wiesel**, dessen autobiographisches Auschwitz-Buch wir bereits genannt haben, hat durch sein ganzes umfangreiches Dramen- und Prosa-Werk hindurch gezeigt, daß man mit »Auschwitz« weder durch eine Spekulationstheologie noch mit einer Antitheologie adäquat umgehen kann. Auf die Frage, ob wir nach Auschwitz »über Gott« reden könnten, sagte er zugespitzt: »Ich glaube nicht, daß wir **über** Gott reden können, wir können nur – wie es Kafka sagte – wir können nur **zu** Gott reden. Es hängt davon ab, wer redet. Was ich versuche, ist, **zu** Gott zu sprechen. Selbst wenn ich **gegen** ihn spreche, spreche ich **zu** ihm. Und selbst wenn ich einen Zorn auf Gott habe, versuche ich, ihm meinen Zorn zu zeigen. Aber genau darin liegt ein Bekenntnis zu Gott, nicht eine Negation Gottes.« Ob es dann nach Auschwitz überhaupt noch eine Theologie geben könne? Wiesel antwortete: »Ich persönlich glaube es nicht. Es kann keine Theologie nach Auschwitz und schon gar nicht **über** Auschwitz geben. Denn wir sind verloren, was immer wir tun; was immer wir sagen, ist unangemessen. Man kann das Ereignis niemals **mit** Gott begreifen; man kann das Ereignis nicht **ohne** Gott begreifen. Theologie, der Logos von Gott? Wer bin ich, um Gott zu erklären? Einige Leute versuchen es. Ich glaube, daß sie scheitern. Und dennoch … Es ist ihr Recht, es zu versuchen. Nach Auschwitz ist alles ein Versuch.«[44] Was also bleibt, wenn es doch das Recht auf einen theologischen Versuch gibt?

6. Sinnloses Leid nicht theoretisch verstehen, sondern vertrauend bestehen

Wir kommen um das ernüchternde Eingeständnis nicht herum: Wenn weder eine theologische noch eine antitheologische »Theorie« das Leid erklärt, dann ist eine andere Grundhaltung gefordert. Es ist meine über Jahrzehnte gewachsene Einsicht, zu der ich bisher keine überzeugende Alternative gefunden habe: Leid, übergroßes, unschuldiges, **sinnloses Leid** – individuelles wie kollektives – **läßt sich nicht theoretisch verstehen**, sondern **nur praktisch bestehen**. Für Christen und Juden gibt es auf das Theodizee-Problem nur eine **praktische Antwort**. Welche? Juden wie Christen mögen in dieser Frage auf verschiedene und doch zusammenhängende Traditionen verweisen:

Im äußersten Leid haben **Juden**, aber auch Christen die Gestalt des **Ijob** vor Augen, die zweierlei erkennen läßt: Gott ist und bleibt für den Menschen letztlich unbegreiflich, und doch ist dem Menschen die Möglichkeit geschenkt, diesem unbegreiflichen Gott statt Resignation oder Verzweiflung ein unerschütterliches, **unbedingtes Vertrauen** entgegenzubringen. Von Ijob her können Menschen darauf vertrauen, daß Gott auch des Menschen **Protest** gegen das Leid respektiert und sich schließlich doch als sein Schöpfer manifestiert, der ihn vom Leiden erlöst.

Für **Christen** – und warum nicht auch für Juden? – scheint im äußersten Leid über die (letztlich doch fiktive Gestalt des Ijob hinaus) die wahrhaft historische Gestalt des leidenden und sterbenden »Gottesknechtes«[45], des **Schmerzensmannes aus Nazaret**, auf. Sein Ausgeliefertsein, Ausgepeitschtsein, Verhöhntsein, sein langsames Dahinsterben am Kreuz hat die dreifache furchtbare Erfahrung der Opfer des Holocaust (Susan Shapiro[46]) vorausgenommen: nämlich jene alles durchdringende Erfahrung, daß man von allen Menschen verlassen, daß man sogar des Menschseins beraubt, ja, daß man auch von Gott selbst verlassen werden kann.

Der Historiker Martin Gilbert berichtet in seiner Monographie »The Holocaust« die Geschichte des 16jährigen Jungen Zwi Michalowski: »Am 27. September 1941 sollte der Junge mit über 3 000 anderen litauischen Juden umgebracht werden. Er stürzt in die Grube, unmittelbar bevor die Salve die anderen trifft. In der Nacht darauf kriecht er aus dem Massengrab und flieht ins nächste Dorf. Ein Bauer, der ihm öffnete, sieht den Nackten, mit Blut Beschmierten und sagt: ›Jude, geh zurück ins Grab, wo du hingehörst!‹ – Verzweifelt beschwört Zwi Michalowski schließlich eine ältere Witwe: ›Ich bin dein Herr, Jesus, Christus. Ich bin vom Kreuz gestiegen. Sieh mich an – das Blut, der Schmerz, das Leiden der Unschuldigen! Laß mich ein!‹ Die Witwe, erinnert sich Zwi, warf sich ihm zu Füßen und versteckte ihn drei Tage. Dann machte sich der junge Mann auf in den Wald. Dort überlebte er den Krieg als Partisan.«[47]

Hatte Jesu Tod einen Sinn? Man soll dieses Sterben in Gottes- und Menschenverlassenheit nicht durch allerlei menschenförmige Theorie spekulativ überspielen und überhöhen wollen. Warum nicht? Weil allein im nachhinein, von der geglaubten Auferweckung Jesu zu neuem Leben durch und mit Gott, ein »**Sinn**« **in dieses sinnlose, gottverlassene Sterben** hineinkommt. Nur aufgrund dieses Glaubens ist der zu Gottes ewigem Leben erweckte Gekreuzigte die Einladung, auch bei sinnlosem Leiden hoffend, vertrauend, auf einen Sinn selbst im sinnlosen, gottverlassenen Sterben **zu vertrauen** und für sich selber in diesem Leben ein **Durchstehen** und **Durchhalten** bis zum Ende einzuüben. Also nicht die Erwartung eines Happy Ends auf Erden wie in der Rahmengeschichte des Ijob, dem am Ende sogar die drei Töchter zurückgegeben werden. Sondern ganz radikal das Angebot, selbst im (zur Not bis zum bitteren Ende durchgestandenen) sinnlosen Leiden einen Sinn zu bejahen: einen verborgenen Sinn, den der Mensch nicht von sich aus ent-decken, wohl aber im Licht dieses einen von Gott und Menschen Verlassenen und doch Gerechtfertigten geschenkt erhalten kann. Leiden und Hoffnung gehören für die Schrift unlösbar zusammen[48]! Hoffnung auf einen Gott, der sich trotz allem nicht als launisch-apathischer Willkürgott, sondern als Gott der rettenden Liebe erweisen und durchsetzen wird.

Ohne daß also das Leiden verniedlicht, uminterpretiert oder glorifiziert oder auch einfach stoisch, apathisch, gefühllos hingenommen wird, läßt sich vom leidenden Gottesknecht Jesus her erkennen und in oft beinahe verzweifelter Hoffnung in Protest und Gebet bekennen,

– daß Gott auch dann noch, wenn das Leiden scheinbar sinnlos ist, verborgen anwesend bleibt;
– daß Gott uns zwar nicht **vor** allem Leid, wohl aber **in** allem Leid bewahrt;
– daß wir so, wo immer möglich, Solidarität im Leiden beweisen und es mitzutragen versuchen sollten;
– ja, daß wir das Leid so nicht nur ertragen, sondern, wo immer möglich, bekämpfen, bekämpfen weniger im Einzelnen als in den leidverursachenden Strukturen und Verhältnissen.

Ob dies eine lebbare Antwort ist, die das Leid nicht vergessen, aber verarbeiten hilft, muß jeder, muß jede für sich selbst entscheiden. Betroffen gemacht und ermutigt hat mich die Tatsache, daß selbst in Auschwitz ungezählte **Juden** und auch einige **Christen** an den trotz aller Schrecknisse dennoch verborgen anwesenden, an den nicht nur mitleidenden, sondern sich auch erbarmenden Gott geglaubt haben. Sie haben vertraut, und sie haben – was oft übersehen wird – auch **gebetet selbst noch in der Hölle von Auschwitz!** Unterdessen sind viele erschütternde Zeugnisse gesammelt worden, die beweisen, daß in den KZs nicht nur in aller Heimlichkeit aus dem Talmud rezitiert und Festtage begangen wurden, sondern daß selbst angesichts des Todes im Vertrauen auf Gott gebetet wurde[49]. So berichtet Rabbi **Zvi Hirsch Meisels**, wie er am Rosch Haschana, dem jüdischen Neujahrstag unter Lebensgefahr 1400 zum Tode verurteilten Jungen auf deren Bitten heimlich ein letztes Mal den Schofar (»Widderhorn«) blies und, als er ihren Block verließ, ein Junge rief: »Der Rebbe hat unseren Geist gestärkt, indem er uns sagte, daß ›selbst wenn ein scharfes Schwert an der Gurgel eines Menschen liegt, er nicht an der Barmherzigkeit Gottes verzweifeln solle‹. Ich sage Euch, wir können hoffen, daß die Dinge besser werden, aber wir müssen darauf vorbereitet sein, daß sie schlechter werden. Um Gottes willen, laßt uns nicht vergessen, im letzten Moment das Schema Israel mit Hingabe auszurufen.«[50] So haben denn ungezählte Juden (und einige Christen) in den KZs darauf vertraut, daß es einen Sinn hat, das eigene Leid hinzunehmen, den verborgenen Gott anzurufen und anderen Menschen, soweit noch möglich, beizustehen. Und weil Menschen sogar **in** Auschwitz gebetet haben, ist das Gebet **nach** Auschwitz zwar nicht leichter geworden, aber sinnlos, nein, sinnlos kann es jedenfalls deshalb nicht sein.

7. Ein dritter Weg

Und haben nun die Menschen in Auschwitz – ob Juden oder Christen – in ihren Gebeten zu einem schwachen, törichten, gefangenen, ohnmächtigen, toten Gott gefleht? Unvorstellbar! Wenn überhaupt, dann dürften sie zu einem lebendigen, teilnehmenden, wenngleich abwesenden, verborgenen Gott gerufen haben, auf dessen Macht und Güte sie vertrauten – durch alle Gewalt und Bosheit der Menschen hindurch: zur Sonne, die von dunklen Wolken völlig verdeckt ist. Wie es ein Jude auf die Mauern des Warschauer Gettos geschrieben hatte:

»Ich glaube an die Sonne, auch wenn sie nicht scheint.
Ich glaube an die Liebe, auch wenn ich sie nicht spüre.
Ich glaube an Gott, auch wenn ich ihn nicht sehe.«

Nein, nicht der ohnmächtige Gott, sondern der mit-leidende Gott der Liebe, Stärke, Güte und Barmherzigkeit machte die Opfer stark, dem Grauen zu widerstehen. Den barmherzigen Gott in Todeslagern bekennen heißt also nicht, Gott selber **als** Gefangenen, **als** Opfer, **als** Toten bezeugen. Sondern das heißt, Gott selber als einen lebendigen Gott **für** die Gefangenen, **für** die Opfer, **für** die Toten bekennen. Einen Gott jedenfalls, der eindeutig auf der Seite der Opfer, nicht auf der Seite der Henker steht. Unser gemeinsamer jüdischer und christlicher Glaube gilt einem Gott, dem die Zukunft gehören wird, der in Gerechtigkeit den Rechtlosen Recht verschafft und so an den Ohnmächtigen seine Macht beweisen wird, einen Gott der Lebendigen und nicht der Toten!

In summa: Die konkrete Frage des »Nicht-Eingreifens« und des »Nicht-verhindert-Habens« durch Gott habe ich mit dieser Antwort theoretisch nicht gelöst, weil ich sie nicht lösen kann. Aber ich habe versucht, sie zu relativieren. Ein **mittlerer Weg** – scheint mir – ist uns, Christen und Juden, angesichts der ungeheuren Negativität theologisch angeboten: Auf der einen Seite die Gott**losigkeit** jener, die in Auschwitz ihr stärkstes Argument gegen Gott zu finden meinen und die doch nichts erklären. Auf der anderen die Gott**gläubigkeit** jener, die Auschwitz trinitätstheologisch spekulativ verarbeiten, in eine innergöttliche Leidensdialektik hinein aufheben und so die letzte Ursache des Leidens ebenfalls nicht erklären. Dieser mittlere, bescheidene Weg ist **der Weg des unerschütterlichen, nicht irrationalen, sondern durchaus vernünftigen Gottvertrauens – trotz allem:** des Glaubens an einen Gott, der das Licht bleibt trotz und in abgrundtiefer Dunkelheit. Weil es Auschwitz gibt, sagt der Gottlose, ist mir der Gedanke an Gott unerträglich. Und der Gottgläubige, ob Jude oder Christ, darf antworten: Nur weil es Gott gibt, ist mir der Gedanke an Auschwitz überhaupt erträglich.

So sieht es aus der Perspektive jüdischer Theologie auch der orthodoxe amerikanische Theologe **Michael Wyschogrod**: »Der jüdische Glaube ist deshalb von Anbeginn an Glaube, daß Gott tun kann, was menschlich unbegreiflich ist. In unserer Zeit schließt das den Glauben ein, daß trotz Auschwitz Gott Seine Verheißung erfüllen wird, Israel und die Welt zu erlösen. Kann ich verstehen, wie das möglich ist? Nein. Und erst recht kann ich nicht verstehen, wie Gott es jemals wieder an denen gutmachen kann, die im Holocaust umkamen. Aber mit Abraham glaube ich, daß er es tun wird. Ist dieser Glaube anstößig? Macht er es sich mit dem Leiden der Ermordeten zu leicht? In gewisser Hinsicht ja, ganz bestimmt aber aus menschlicher Sicht. Aber Gott kann und wird es tun. Er ist nicht an das gebunden, was menschenmöglich ist. Er hat versprochen, uns zu erlösen, und Er wird es tun.«[51]

Darüber scheint mir, müßte man in Zukunft mehr reden zwischen Juden und Christen. Ist es doch genau das, was der Apostel Paulus meint mit jenen hymnisch klingenden, aber von eigener Leidenserfahrung tief gezeichneten Sätzen, die er heute auch über Auschwitz, Hiroschima und Archipel Gulag schreiben könnte: »Ist Gott für uns, wer ist dann gegen uns? ... Denn ich bin gewiß: Weder Tod noch Leben, weder Engel noch Mächte, weder Gegenwärtiges noch Zukünftiges, weder Gewalten der Höhe oder Tiefe noch irgendeine andere Kreatur können uns scheiden von der Liebe Gottes, die in Christus Jesus ist, unserem Herrn.«[52]

Doch erst am Ende wird offenbar, was der agnostische jüdische Philosoph Max Horkheimer so sehr von »dem ganz Anderen« erhofft hatte: »daß der Mörder nicht über das unschuldige Opfer triumphieren möge«[53]. Und auch unsere jüdischen Brüder und Schwestern werden einstimmen können in das, was da im Anschluß an die Propheten auf den letzten Seiten des Neuen Testaments über das Eschaton als Zeugnis der Hoffnung geschrieben steht: »Und er, Gott, wird bei ihnen sein. Er wird alle Tränen von ihren Augen abwischen: Der Tod wird nicht mehr sein, keine Trauer, keine Klage, keine Mühsal. Denn was früher war, ist vergangen.«[54]

Keine neue Weltordnung ohne ein neues Weltethos

Ein aktueller Epilog

Wir leben in aufregenden Zeiten. Innerhalb weniger rasanter Jahre hat sich mit ungeheuren Turbulenzen das weltgeschichtliche Szenario verändert: der Zusammenbruch des Sowjetsystems, die Wiedervereinigung Deutschlands, die Demokratisierung der früheren Ostblock-Staaten, der Golfkrieg ... Trotz der gewaltigen wirtschaftlichen Schwierigkeiten des früheren »Warschauer Paktes« und auch Ostdeutschlands aufs Ganze gesehen vielleicht doch eine Wendung zum Besseren; trotz längst nicht ausgestandener verheerender Folgen des Golfkriegs für die gesamte Umwelt und ganze Völker (Kurden) aufs Ganze gesehen vielleicht doch noch Aussichten für einen Frieden nicht nur am Golf, sondern auch in Palästina. Israels gefährlichster Gegner ist – ohne Israels Eingreifen – besiegt worden.

Wie schwierig politische Entwicklungen zu diagnostizieren und zu prognostizieren sind, zeigen all diese Entwicklungen ebenso. Testfrage: Was haben Sie von einer militärischen Intervention gedacht – vor, dann während und schließlich nach dem Golfkrieg? In manchen Detailbewertungen irren alle, auch die Regierungen, auch die Generäle, auch die Geheimdienste. Nicht allein die UdSSR hat ja Milliarden für Informationen verpulvert, die sie besser unvoreingenommen der aufmerksamen Lektüre der seriösen Presse entnommen hätte. Und der CIA mit heute 20 000 Angestellten hat drei Jahrzehnte lang, weil befangen in den eigenen Vorurteilen, einen amerikanischen Präsidenten nach dem anderen falsch orientiert über Umfang und Wachstum der sowjetischen Wirtschaft (auch über die Stärke der irakischen Armee). Abrüstung wäre nach dem Ende des kalten Krieges auch bei den vielfach nutzlosen und unkontrollierten Geheimdienstarmeen dringend. Dringend allerdings noch mehr bei absurden Projekten wie SDI, dem – neben technologischen Grundvoraussetzungen – die Finanzierung (in sieben Jahren 20,9 Milliarden Dollar; neue Forderung: 120 Milliarden) und der entsprechende Feind (»das Reich des Bösen«) ebenso fehlen wie den trotz aller Proteste weitergehenden französischen Atombombenexperimenten auf dem Muroroa-Atoll und neuen deutschen Waffenkaufsplänen. Sind dagegen schließlich und endlich humanitäre Einsätze amerikanischer Truppen (z. B. 8 000 US-Soldaten für die Kurden und 12 000 für Bangladesh) oder die deutsche Aufbauhilfe für die osteuropäischen Länder (85 Milliarden Mark für Sowjetunion und Nachbarländer – nebst 20 Milliarden zur Lastenteilung im Golfkonflikt) nicht hoffnungsvolle Zeichen eines neuen Denkens, welches auch auf die immensen Probleme Nord-Süd ausgedehnt zu werden verdient?

Ohne hier allzu sehr in politische Detailbeurteilungen einzutreten, meine ich, daß die drei Postulate »Weltethos, Religionsfriede, Religionsdialog«, welche ich im »Projekt Weltethos« (1990) entwickelt habe und welche die ganz unschwärmerischen Grundüberzeugungen auch dieses Buches sind, in ihrer Dringlichkeit noch offenkundiger geworden sind. Dazu – im Geist nicht einer moralisierenden theologischen Besserwisserei, sondern einer nüchternen Analyse der politischen Situation nach dem Golfkrieg – einige kurze Anmerkungen, die für Judentum, Christentum und Islam langfristig wichtig sind. Zum Judentum selbst habe ich nun freilich auf vielen hundert Seiten das, was mir nötig scheint, gesagt. Hier soll von der aktuellen politischen Problematik, die alle drei Religionen betrifft, die Rede sein.

Die dritte Chance für eine postmoderne Weltordnung

Die moderne Welt, die zweifellos ungeheure Erfolge der Wissenschaft und Technologie, der Industrialisierung und Demokratisierung aufzuweisen hat, war, das sieht man im Rückblick klarer, schon im Ersten Weltkrieg radikal in eine Krise geraten. In einem Vierzehn-Punkte-Programm hatte der damalige amerikanische Präsident Woodrow Wilson, Friedensnobelpreisträger des Jahres 1919, niedergelegt, was die neue Weltordnung **nach 1918** hätte sein sollen. Aber die Chance wurde verpaßt. »Versailles« wurde Symbolwort dafür, daß das alte Hegemoniestreben und Revanchedenken der europäischen Mächte weiterging. Der von Wilson angeregte und 1920 gegründete »Völkerbund« (»League of Nations«) erwies sich leider als eine Totgeburt. Europa und die Welt haben teuer dafür bezahlt: mit Faschismus und Nationalsozialismus, mit Kommunismus und japanischem Militarismus, und in deren Gefolge mit dem Zweiten Weltkrieg, mit dem Holocaust, mit Archipel Gulag und Hiroschima. Statt einer Weltordnung ein noch nie dagewesenes Weltchaos!

Nach 1945 bestand erneut die Chance zu einer solch neuen Weltordnung und die jetzt gegründeten »Vereinten Nationen« (»United Nations«) sollten dazu verhelfen. Doch auch dieser neue Versuch war zwiespältig. Das alte Europa, von den Vereinigten Staaten unter Präsident Truman wirtschaftlich großzügig unterstützt, hatte sich zwar zu einer noch sehr vorläufigen, aber doch funktionierenden Europäischen Gemeinschaft zusammengefunden. Es war aber vor allem die stalinistische Sowjetunion, welche in Osteuropa und anderswo eine bessere Ordnung verhinderte und sich durch Totalitarismus nach innen und Hegemonismus nach außen selber das Grab schaufelte. Statt einer Weltordnung eine Weltteilung! Zu einem entfesselten Kapitalismus mit negativen Auswirkungen vor allem in Lateinamerika und Afrika kam jetzt ein Sozialismus, der von der Elbe bis Wladiwostock zu einer beispiellosen Versklavung der Menschen und der Ausbeutung der Natur führte – bis es nicht mehr weiterging.

Jetzt – nach dem Zusammenbruch des marxistischen Sozialismus 1989 und der Auflösung der Blöcke – ist die **dritte Chance einer** **»post-modernen« Weltordnung** gegeben. Politisch gesehen hat sie ein demokratisches Staatswesen zur Voraussetzung, ökonomisch gesehen eine sowohl sozial wie ökologisch ausgerichtete Marktwirtschaft, wie sie zum mindesten im Prinzip in Washington, in Brüssel und jetzt auch in Moskau bejaht wird, wenngleich noch längst nicht verwirklicht ist. Doch wird eine solche Weltordnung nicht entstehen ohne ein neues Verhältnis zwischen den Völkern, wie sich dies in der Europäischen Gemeinschaft abzeichnet, die so von Osteuropa bis Schwarzafrika, Südamerika und dem pazifischen Raum ein attraktives Beispiel geworden ist.

Natürlich ist es unmöglich, alle die zahllosen Weltprobleme – bei denen so oft auch die jeweiligen Religionen mit im Spiel sind – gleichzeitig einer Lösung entgegenzuführen; man denke an all die regionalen **Krisenherde** im Balkan (Serbien, Slowenien, Kroatien), in Zentralamerika (Guatemala, El Savador), in Südamerika (Kolumbien, Peru), in Zentral- und Südasien (Afghanistan, Kaschmir, Pandschab, Tibet, Sri Lanka), im Fernen Osten (Burma, Philippinen, Kambodscha) und in den meisten Ländern Afrikas (besonders Liberia und Sudan). Gewiß: In einigen Ländern – etwa in Südafrika, Angola, Äthiopien, Haiti, El Salvador und Nepal – bemüht man sich heute entschiedener als anderswo um Demokratie, inneren Frieden und soziale Reformen. Das ist wichtig. Aber zu einer neuen Weltordnung gehört, daß einige notorische Krisenherde endlich entschärft werden, welche über die einzelnen Nation hinaus auf die ganze Welt Auswirkungen haben. Zuoberst auf der Tagesordnung der internationalen Staatengemeinschaft steht denn auch nach dem Golfkrieg die **Palästinafrage**, die seit mehr als vier Jahrzehnten die internationalen Beziehungen vergiftet hat, und die von Anfang an auch mit der Golffrage verknüpft war.

Land für Frieden!

Wie die Teilung Deutschlands, die zu einer verhängnisvollen Teilung Europas geführt hatte, überwunden wurde, so muß jetzt auch die Palästinafrage gelöst werden, um im Nahen Osten (= »Middle East«) eine Friedensordnung heraufzuführen. Das ist ein zentrales Anliegen auch dieses Buches. Denn:
– Was würde es für das **Judentum** allüberall an Befreiung und Freude bedeuten, wenn Israel, der Staat der Juden, endlich allgemein anerkannt, in Sicherheit und Frieden leben und sich statt auf militärische Verteidigungsaufgaben auf zivile Aufbauarbeit in der ganzen Region ausrichten könnte!
– Was würde es auch für die **arabische Welt** an Befreiung und neuen Zukunftschancen bedeuten, wenn sich nach der Gründung eines Palästinenserstaates die arabischen Staaten endlich ohne hochemotionale, aber realitätsferne politische Rhetorik ganz auf soziale Reformen und den Aufbau wirtschaftlich und politisch starker Demokratien (statt starker Armeen) konzentrieren könnten.
– Und was würde es schließlich für die ganze **Weltgemeinschaft** bedeuten, wenn sie sich statt ständig auf den Nahen Osten auf andere wichtige Krisenherde, besonders in den südlichen Ländern, konzentrieren könnte.

Alles in allem eine ungeheure Chance für den Staat Israel. Mit UNO, UdSSR und EG bejaht jetzt auch die Regierung der USA als Lösung für die Palästinafrage das Prinzip: »**Land für Frieden!**« Aber die gegenwärtige Regierung Israels unter Schamir lehnt dies unnachgiebig unter allen möglichen Vorwänden und juristischen Spitzfindigkeiten nach wie vor ab. Ja, sie versucht systematisch, die UNO als Teilnehmerin an Friedensgesprächen auszuschließen und die Beschlüsse des Sicherheitsrates als für alle Staaten verpflichtende Maßstäbe zu entlegitimieren. Daß indessen weder die geopolitischen noch die biblischen Begründungen für die unverfrorene neue »Landnahme« überzeugen, habe ich dargelegt. Einige Israelis meinen freilich, Jordanien (an sich ja auch zum davidischen Reich gehörend) sei ja doch der »Palästinenserstaat« und befürworten erneut die Auswanderung bzw. Exilierung der verbliebenen 1,7 Millionen Palästinenser nach Jordanien. Doch eine solche Lösung im Stile totalitärer Systeme würde weder die Mehrheit des israelischen Volkes noch die USA, die EG oder die UdSSR dulden. Besonnene geistliche Führer des Judentums, wie der vormalige Oberrabiner Großbritanniens, Lord Jakobovits, erheben jetzt ihre Stimme und warnen, daß Israel »nicht für immer eineinhalb Millionen Araber beherrschen« könne. In mehr als dreißig Jahren würden diese »in der Mehrheit« sein. Die Palästinenser hätten »Bestrebungen, die nicht für immer verneint« werden könnten! (The Tablet vom 15. Juni 1991). Als einzige Alternative also bleibt: Rückzug aus den besetzten Gebieten oder Führung eines weiteren Krieges, der früher oder später kommen wird. Stehen doch jene arabischen Staaten, denen man bisher keine Rückgabe der Gebiete wie den Ägyptern angeboten hat, noch immer im Kriegszustand mit Israel und rüsten jetzt wieder.

Ob es aber ohne politischen Druck von außen zu einer solchen Lösung kommen wird? Niemandem würde dies mehr helfen als den Israelis selber, wie die Mehrheit im Lande heute durchaus einsieht. Doch nachdem Präsident Bush die günstige Stunde für eine Nahostreise unmittelbar nach dem Golfkrieg versäumt hat, ist Amerikas Unentschlossenheit bisher von Hitzköpfen auf der einen und Betonköpfen auf der anderen Seite nur ausgenützt worden. Nachdem die allzu zaghaft mit Samthandschuhen geführte Geheimdiplomatie Außenminister Bakers (trotz Unterstützung durch den sowjetischen Außenminister) nach vier Nahostreisen sich in Verfahrensfragen hoffnungslos verheddert und sich angesichts provokativer israelischer Neusiedlungen in den besetzten Gebieten (offizielle Zahl: 105 000 Siedler in der Westbank, 4 500 im Gazastreifen, 10 % mehr als zu Beginn des Jahres 1991) blamiert hat, wird jetzt wohl auch in Washington eine **andere Strategie** erwogen. 58 % der Amerikaner (gegenüber 30 %) lehnen es derzeit ab, Israels Stärke und Sicherheit weiterhin »top priority« zu geben, wenn Israel die amerikanischen Vorschläge zur Lösung des arabisch-israelischen Konflikts verwirft (»Time« vom 3. Juni 1991). Wie soll man da weiterkommen, wenn man nur freundliche persönliche Briefe schickt und Israels Regierung gar im Geheimen ein De-facto-Veto gegenüber den Palästinensern zugesteht?

Ohne eine dramatische Aktion der Supermacht aber, welche die amerikanisch-israelischen Beziehungen zwar vorübergehend belasten, aber der friedenswilligen Mehrheit in Israel Auftrieb geben wird, ist keine Lösung denkbar. Notwendig auch nach der Auffassung mancher amerikanischer Beobachter der Szene wäre:
– Einberufung einer **Friedenskonferenz** durch die beiden Supermächte (EG und UNO mit Beobachterstatus), die an Israel und die beteiligten arabischen Nationen geht.
– **Klare Vorgabe** der Absichten und Ziele sowie auch – ohne weitere Verhandlungen – der Regeln und Prozeduren (bezüglich Timing, Gesamtkonferenz und Teilkonferenzen).
– **Konsequenzen bei Nichterscheinen**: Entzug der militärischen, finanziellen und wirtschaftlichen Unterstützung durch die Supermächte (und EG).
– Wie Präsident Truman nach 1945 und Präsident Carter 1979 (durch Reisen nach Kairo und Jerusalem und die Einladung zur Camp-David-Konferenz) sich ganz persönlich engagiert haben, so wird auch der jetzige **amerikanische Präsident Bush** nicht darum herumkommen, sein Amt und das ganze Prestige der Vereinigten Staaten, denen Israel so viel verdankt, in die Waagschale zu werfen.
– Zugleich muß die **öffentliche Meinung** der betreffenden Staaten in positiver Weise aktiviert werden, damit die immensen Vorteile einer friedlichen Lösung, aber auch die dafür leider notwendigen Konzessionen klar erkannt werden. Statt exklusiver Geheimdiplomatie Appell ans Volk.
In **Israel** könnte dies eine neue Mehrheit und eine Neubildung der

Regierung zur Folge haben. Jedenfalls gibt es hier viele Menschen, welche die enormen Vorteile durchaus erkennen, die bei einer solchen Friedenskonferenz, wie von Präsident Bush und Außenminister Baker vorgeschlagen, herausspringen würden. So schreibt der frühere israelische Außenminister und USA-Botschafter Abba Eban: »Die Vorteile würden einschließen: Verhandlungen mit den arabischen Staaten, Dialog mit den Mehrheitsvertretern der Palästinenser, enge Kooperation mit den Vereinigten Staaten in einem Friedensprozeß, ein neuer Status in der Europäischen Gemeinschaft und diplomatische Beziehungen mit der Sowjetunion. Das Gesamtergebnis würde ein wirtschaftlicher Aufschwung sein, der Israel helfen würde, die Probleme zu lösen, die durch die providentielle Ankunft von Einwanderern aus der Sowjetunion und Äthiopien entstanden sind« (International Herald Tribune vom 14. Juni 1991). Gegen die symbolische Präsenz von UN-Beobachtern hat Eban im Gegensatz zu Schamir keine Einwände.

Bleibt zu hoffen, daß in den USA weder drohende Wahltermine noch die mächtige Israel-Lobby noch die gigantische Rüstungsindustrie die Friedensbemühungen zu sabotieren vermögen, ohne deren Gelingen es früher oder später zu einer erneuten, die ganze Welt gefährdenden Nahostkrise kommt. Oder soll die Welt warten, bis neben Israel auch einer der 17 arabischen Staaten zwischen Marokko und Pakistan, die Israel als seine Feinde ansieht, die Atombombe besitzt? Was würden dann besetzte Gebiete und Sicherheitszonen helfen? Die gegenwärtigen Neuaufrüstungen auf allen Seiten lassen Böses ahnen.

Was man aus dem Golfkrieg lernen kann

Einige Lehren wird man aus dem Golfkrieg für eine neue Weltordnung im Nahen Osten ziehen dürfen:

1. Einem Massenmörder und größenwahnsinnigen Diktator kann nicht die entscheidende Macht über eine für die ganze Welt lebenswichtige Region gestattet werden. Stalin (in Finnland) und Hitler (in ganz Europa) haben demonstriert, daß **Frieden um jeden Preis nicht verantwortbar** ist. Einem Mann des blutigen Terrors im Inneren und eines zehnjährigen Krieges gegen sein Nachbarland Iran mit rund einer Million Toten mußte Widerstand geleistet werden. Wer mit

Geiselnahme, Giftgas umd Ölpest kämpft, wer einem anderen Staat, Israel, die totale Vernichtung mit »nichtkonventionellen« Waffen androht, ist kein Verhandlungspartner. Ihm müssen die Grenzen gesetzt werden.

2. Ein **Krieg** war aber **nicht von vornherein unvermeidbar**: a) Die amerikanische Diplomatie (samt CIA) hatte im Vorfeld der Krise eklatant versagt; die Botschafterin der USA im Irak hatte Saddam Hussein in ihrer Unterredung unmittelbar vor dem Einfall in Kuwait nicht ein amerikanisches Einschreiten angedroht, vielmehr die ganze Angelegenheit als eine innerarabische Sache hingestellt; b) Eine frühere Lösung der Palästinafrage wäre überfällig gewesen; stattdessen hat man eine Verbindung zwischen der Golf- und der Palästinakrise bestritten, die bekanntlich der Hauptgrund ist für den Zwist zwischen Arabern und Israel/Amerika; c) Die Wirkung von Wirtschaftssanktionen hätte man länger abwarten und sie mit der Rücktrittsforderung des irakischen Staatschefs verbinden können; stattdessen wurde ein ganzes Volk furchtbar bestraft und der Diktator samt seiner Clique selber an der Macht gelassen.

3. Ein absoluter Pazifismus freilich, für den der Frieden ein allerhöchstes Gut ist, dem alles geopfert werden müsse, ist unverantwortlich: **Legitimes Selbstverteidigungsrecht** gemäß Art. 51 der UN-Charta wird auch von der Bergpredigt nicht aufgehoben; die Forderung nach Gewaltverzicht darf nicht wortwörtlich-fundamentalistisch angewandt werden. Pazifismus genügt nicht zur Bewahrung des Friedens. Nicht ein fauler Frieden, sondern Frieden als Werk der Gerechtigkeit ist gefordert, was unter Umständen heißt: die Angegriffenen verteidigen und die Angreifer entwaffnen. Nicht eine um die Folgen unbekümmerte »Gesinnungsethik«, sondern eine alle Konsequenzen möglichst einbeziehende **Gesinnungs- und Verantwortungsethik** ist hier am Platz. Manchen »Friedenskämpfern« muß man sagen: Nur moralische Gesinnung ohne Vernunft kann katastrophale Auswirkungen haben!

4. Umgekehrt gilt natürlich auch: Nur **effiziente Politik ohne Moral führt tendenziell zum Verbrechen**! Hier hat gerade der Golfkrieg gezeigt: Der Verweis auf Saddam Hussein beantwortet die Frage keineswegs, wer an diesem Krieg schuld war. Nein, die **Gewissenserforschung** muß gerade nach dem Krieg weitere Kreise ziehen. Hier gibt es nicht einfach Schwarz und Weiß, Schurken und Unschuldige, Gu-

te und Böse, Gott und Satan. Die Dämonisierung des Gegners dient oft der eigenen Entlastung. Denn den Irak umworben und aufgerüstet mit Geld, Technik und Beratern haben alle – blockübergreifend: China, die Sowjetunion und dann vor allem der Westen. Unter wohlwollender Duldung und Mithilfe der Vereinigten Staaten besonders Frankreich, England, Italien und – durch das verantwortungslose Dulden des Treibens verbrecherischer Firmen – leider auch Deutschland. Bis zu 80 % waren die fünf permanenten Mitglieder des Sicherheitsrates die Waffenlieferanten der Region.

5. **Kriege**, gerade im 20. Jahrhundert, sind **weder »heilig« noch »gerecht« noch »sauber«**: Die Zeit der »Kriege Jahwes« und der »Kreuzzüge« ist glücklicherweise schon lange vorbei, die des kriegerischen »Dschihad« (was ja nicht »heiliger Krieg«, sondern primär moralische »Anstrengung« für die Sache Gottes meint) sollte ebenfalls endgültig der Vergangenheit angehören. Jene Gralshüter des Islam, die sich vom 15.-17. Februar 1991 in Lahore/Pakistan trafen und sich hinter Saddam Hussein und seinen »Dschihad« gegen die »Ungläubigen« und »Heuchler« (= die südlichen Golfanrainer) stellten, leisten der Sache Gottes so wenig einen Dienst wie der amerikanische Präsident, der für Krieg und Siegesfeier in Kreuzfahrermanier den Namen Gottes auf die Lippen nahm, Tränen für die eigenen »Boys« vergoß, Kurden und Schiiten zum Aufstand aufforderte und sie gleich anschließend (zugunsten Saddam Husseins) kaltblütig im Stich ließ. Gerade der neueste, hochtechnologisch geführte und gewonnene Krieg hatte, statt der Beseitigung des Hauptverbrechers, unabsehbare Opfer an Menschenleben zur Folge, Zerstörungen der ganzen Infrastruktur eines Landes, millionenfache Flüchtlingsströme und ökologische Schäden großen Stiles – alles Folgen, die selbst manche Befürworter des Krieges nachträglich fragen lassen, ob sich der Krieg angesichts der ganzen militärischen, finanziellen, ökologischen, sozialen und moralischen Folgen wirklich gelohnt habe. Pompöse Militärparaden der Sieger über einen zweitrangigen Gegner hätten einen weniger schalen Beigeschmack, wenn von der »neuen Weltordnung« in Nahost wenigstens ein Silberstreifen sichtbar wäre.

6. **Kriege lösen** auch die **inneren Probleme der Staaten nicht**: Wer nach außen stark auftritt, kann im Inneren schwach sein. Und gerade die exzessive technologische Hochrüstung kann ein wesentlicher Grund sein, warum auch eine Supermacht mit der Zeit an den Rand

des wirtschaftlichen Zusammenbruchs gerät (UdSSR) oder mit einem
ungeheuren Staatsdefizit und astronomischen Auslandsschulden
nicht mehr fertig wird (USA). Der jetzt in den USA gefeierte Krieg
mußte bekanntlich von Saudi-Arabien, Deutschland und Japan finanziert werden. Der dringend nötige Ausbau der maroden Infrastruktur
(Straßen, Brücken) und die Entwicklung der stagnierenden Industrie
wird auch in den USA vernachlässigt, und das verrottete öffentliche
Schulsystem auf Primar- und Sekundarstufe hat mangelnde Elemen-
tarbildung zur Folge. Doch »smarte Bomben« ersetzen nicht die Inve-
stitionstätigkeit, »Patriot«-Raketen sind keine guten Waffen gegen die
japanische Automobil- und Computerindustrie, »intelligente Waf-
fensysteme« kreieren keine intelligente Gesellschaft. Siegeseuphorie
(ich habe sie in Kalifornien miterlebt) löst keine Friedensprobleme:
378 amerikanische Tote im Golfkrieg, dafür aber (allein im Jahr
1990) rund 23 000 Ermordete in den USA selbst. Nein, ein gewon-
nener Golfkrieg kann das organisierte und nichtorganisierte Verbrechen, kann die steigende Massenarmut, kann das seit 20 Jahren stag-
nierende Familieneinkommen von 80 % der Bevölkerung, das wachsende Analphabetentum, die mangelnde Gesundheitsfürsorge (37
Millionen Amerikaner ohne Krankenversicherung), die schwarzen
Gettos und die Drogenseuche nicht vergessen machen. Das Programm für eine neue Ordnung in der Außenpolitik ersetzt nicht eine
innenpolitische Agenda und entschlossene Taten für eine neue Ordnung zu Hause. Hier – in der Innenpolitik – verläuft die härtere Front
unserer Zeit. Wenn in den USA nach wie vor zwei Drittel des rund
70 Milliarden Dollar starken Forschungs- und Entwicklungsetats an
das Militär geht (in Japan nur 5 %), muß man sich nicht wundern,
daß dem Abstieg in der Automobil- und Stahlindustrie auch der in
neueren Industriebereichen folgt. Militärische Superpower (USA) allein ist mit industrieller Superpower (Japan, EG) auf die Dauer auch
kaum konkurrenzfähig. Die übergroße Zahl der Amerikaner aber
wünscht, daß jetzt nach den Siegesfeiern die wirtschaftlichen und sozialen Probleme Amerikas mit ähnlicher Energie und vergleichbaren
Mitteln angegangen werden. Dabei wird manches zu bedenken sein:

Postulat 1: Kein Überleben der Welt ohne Weltethos

Zieht man auf diese Weise Lehren aus dem Golfkrieg, so wird man daran festhalten dürfen: Eine neue, **bessere Weltordnung ist** – unter bestimmten Bedingungen – **möglich**: nicht nur in Europa, sondern auch im Nahen Osten und in manch anderen Krisenzonen der Welt. Mit einer besseren Weltordnung ist nicht eine Vorahnung paradiesischer Zustände, ist nicht ein Idealzustand ohne wirtschaftliche Rivalitäten, soziale Spannungen und ethnische wie nationale Konflikte gemeint; eine heile Welt gab es nie und wird es in dieser Weltzeit nie geben. Mit einer besseren Weltordnung ist ein Zustand relativer wirtschaftlicher Stabilität und ein gesicherter Frieden gemeint, wie ihn die europäischen Staaten nach Jahrhunderten ökonomisch-politischer Rivalität und kriegerischer Konflikte erreicht haben. Aber wie wird sie heraufgeführt? **Auf welcher Grundlage?**

Eine neue, bessere Weltordnung wird **nicht** heraufgeführt auf der Basis
– von diplomatischen Offensiven allein, welche oft allzu sehr nur auf die Regierungen und nicht auf die Völker ausgerichtet sind und welche Frieden und Stabilität der Region nur zu oft nicht zu garantieren vermögen;
– einfach von humanitären Hilfen (Lebensmittel, Medikamente), die politische Aktionen (gegen Vertreibungen oder Kriege) nicht zu ersetzen vermögen;
– primär von militärischen Interventionen, die meist mehr negative als positive Folgen zeitigen;
– allein des »Völkerrechts«, solange dieses auf einer uneingeschränkten Souveränität der Staaten beruht und mehr die Rechte der Staaten als die Rechte der Völker und der Menschen (Menschenrechte) im Auge hat.

Gerade der Golfkrieg hat gezeigt, daß das **Völkerrecht** in seiner bisherigen minimalen Form nicht ausreicht, sondern der ethischen Motivation, Abstützung und Ergänzung bedarf: Wenn ein Gewaltherrscher ein ganzes Volk zu ermorden oder zu vertreiben versucht (Kurden), dann kann man sich nicht einfach auf die UN-Charta, auf die sakrosankten Prinzipien der staatlichen Souveränität, der territorialen Integrität und des Verbots der Einmischung in innere Angelegenheiten berufen. Vielmehr ist dann das Völkerrecht der UN nach ethischen Gesichtspunkten so zu verändern, daß die Menschenrechtserklärung nicht nur »Empfehlungen« an die Nationen bleiben, sondern universal verbindliches Recht wird, so daß im Fall eklatanter Verbrechen gegen die Menschlichkeit (Völkermord) das Prinzip der Nichteinmischung in die inneren Angelegenheiten eines Staates aufgehoben ist zugunsten einer juristisch abgesicherten und angemessenen Intervention der Staatengemeinschaft. Mit vollem Recht jedenfalls hat das moralische Gewissen der Weltöffentlichkeit, alarmiert durch die hautnahe Medienberichterstattung, eine Änderung der unterkühlt-pragmatischen Politik des amerikanischen Präsidenten erzwungen. Dies zeigt gegen alle Zyniker: ein Wachrütteln des Weltgewissens, ein Appell an die Moral, eine Berufung auf Menschenwürde und Menschenrechte kann auch heute noch etwas verändern! Protest also ist sinnvoll, Protest, wo immer die Moral einer »Staatsraison« oder einer »Realpolitik« geopfert wird. Die Moral muß auch die dringend notwendige Weiterentwicklung des Völkerrechts gegen alles internationale oder auch nationale Faustrecht motivieren.

Eine neue Weltordnung also wird letztlich nur **heraufgeführt auf der Basis von**
– mehr gemeinsamen Visionen, Idealen, Werten, Zielen und Maßstäben;
– einer verstärkten globalen Verantwortung der Völker und ihrer Lenker;
– eines neuen verbindlichen und verbindenden, Kulturen und Religionen umgreifenden Ethos für die gesamte Menschheit, auch die Staaten und ihre Machthaber. Das ist gemeint mit der ersten These von »Projekt Weltethos«: **Keine neue Weltordnung ohne ein neues Weltethos!**

Kein Gesetz, nur das Ethos kommt an gegen »Double standards« (zweierlei Maß) und »Double talk« (Doppelzüngigkeit) in der Weltpolitik. Eine Weltpolitik ohne Weltethos endet im Weltchaos. Das **neue Weltethos** aber ist **unteilbar!** Das heißt konkret:
– Man kann nicht die Vergewaltigung Kuwaits zu einer moralischen Herausforderung erklären und die Not der Kurden und Schiiten unter rein machtpolitischen Aspekten behandeln; man kann nicht die Kuwaitis als Opfer betrachten und die Palästinenser ignorieren; man

kann nicht für Freiheit und Demokratie in Kuwait kämpfen und nachher wieder die Restauration eines mittelalterlich-feudalistischen Emir-Regimes und Rachejustiz dulden.

– Man kann nicht ein ganzes Volk mit der Zerstörung seiner technologischen Infrastruktur bestrafen und den Henker von Bagdad – aus Angst vor allem vor den Schiiten im Südirak – als »Ordnungsfaktor« für die ganze Region benützen wollen, statt ihn wie die Nazi-Größen zur Rechenschaft zu ziehen und den Kurden im Norden und den Schiiten im Süden den Status einer autonomen Provinz in einem bundesstaatlichen Irak zu sichern.

– Man kann nicht für eine neue Friedensordnung plädieren und gleichzeitig den amerikanischen Kongreß um die Bereitstellung eines Milliardenkredits bitten, damit ärmere Länder in Amerika wieder Waffen (angeblich für Sicherheit und Abschreckung) kaufen.

– Man kann nicht Abrüstungspläne (von ABC-Waffen) für den Nahen Osten vorlegen und gleichzeitig Saudis wie Israelis (konventionelle) Waffen in Milliardenhöhe liefern (Israel und die Staaten des Nahen Ostens verschleudern rund 25 % ihres Bruttosozialprodukts für Waffen).

– Man kann nicht dem jüdischen Volk eine Heimstätte, Lebensrecht und staatliche Existenz garantieren und dies dem palästinensischen Volk verweigern.

– Man kann nicht die UNO-Beschlüsse zum Golf eilfertig mit 550 000 amerikanischen Soldaten durchsetzen, UNO-Beschlüsse zur Palästinafrage aber ständig »in der Luft« hängen und sich von den Ausreden einer offensichtlich friedensunwilligen Regierung hinhalten lassen.

– Man kann nicht 250 000 sowjetische und 14 000 äthiopische Juden befreien und dafür die Palästinenser noch mehr unterdrücken und um ihr Land bringen.

Man täusche sich nicht: Eine Politik, die von der Ethik absieht, ist, zumindest langfristig betrachtet, keine gute Politik. Eine unmoralische »Realpolitik« ist keine realistische Politik. Und wenn auch die Weltgeschichte nicht immer, wie Hegel annahm, das Weltgericht ist, so bezahlen doch die Völker dieser Welt oft noch nach Jahrzehnten oder Jahrhunderten teuer für die Sünden, die sie – sei es in der Zeit des Kolonialismus und Imperialismus, sei es des Nationalsozialismus oder des Kommunismus – begangen haben.

Postulat 2: Kein Weltfrieden ohne Religionsfrieden

Nach dem Golfkrieg haben sich für den Frieden in Nahost neue Chancen eröffnet:

1. Der Krieg am Golf war kein **Krieg der Religionen**. Er war kein Krieg zwischen Christentum und Islam; auf beiden Seiten hatten sich Christen und Muslime engagiert. Es gibt auch keine Erbfeindschaft zwischen Juden und Muslimen, die bis ins 20. Jahrhundert relativ friedlich zusammengelebt haben. Nein, die berechtigte Empörung über Saddam Hussein darf keinesfalls zu einer Pauschalverurteilung des Islam als einer aggressiven, kriegerischen und menschenverachtenden Religion führen.

2. Aber zweifellos spielte in diesem Konflikt zwischen den Völkern **auch die religiöse Dimension** mit hinein: Religion kann verstärkend, kann aber auch besänftigend wirken. Religion kann Kriege schüren und verlängern, kann aber auch Kriege verhindern und abkürzen. Und wenngleich der letzte Krieg kein Religionskrieg war, so doch ein – auf beiden Seiten – von den Religionen legitimierter, zum Teil inspirierter und aufgeladener Krieg.

3. Es ist in diesem Krieg wieder offenkundig geworden, wie leicht Religion selbst von Unreligiösen **mißbraucht** werden kann. Ein Kriegsverbrecher wie Saddam Hussein verstand es in raffinierter Weise, sich bei den islamischen Massen populär zu machen: durch Aufgreifen der Israelfrage; durch den aktiven Widerstand gegen Amerika und den Westen; durch die Forderung nach »Befreiung« der islamischen heiligen Stätten (Mekka, Medina und Jerusalem!) von den Saudis bzw. den Juden und nach sozialem Ausgleich zwischen den reichen und armen arabischen Staaten. Alles Forderungen mit sozialen und religiösen Untertönen, die von einem Mann vorgetragen wurden, der – aller Propaganda zum Trotz – wie man weiß, keine religiösen Überzeugungen hat.

4. Aber friedliche Revolutionen in Polen, der Ex-DDR, der Tschechoslowakei, in Südafrika und den Philippinen haben gezeigt, daß Religion sich **friedensstiftend** auswirken kann. Die Frage drängt sich von daher auf: Ist es eine Illusion zu glauben, der Golfkrieg hätte verhindert werden können, wenn man die Palästinafrage, die seit Jahrzehnten das Verhältnis der westlichen zur arabischen Welt vergiftet, endlich ernstgenommen hätte? Wenn das ökumenische Gespräch

zwischen Christen, Juden und Muslimen zur Bewahrung des Weltfriedens, aber auch zur Lösung der Palästinafrage weiter vorangetrieben worden wäre? Was würde es bedeuten für Hunderte von Millionen Menschen, wenn die Vertreter der großen Religionen aufhörten,
Kriege zu schüren und stattdessen auf breiter Basis anfingen, Versöhnung und Frieden zwischen den Völkern zu befördern?

5. Doch für eine neue Weltordnung und den Weltfrieden braucht
es zugleich eine **große Koalition der Glaubenden und Nicht-Glau-
benden:**

– Also **keine rückwärtsgewandte** »Neu-Evangelisierung« Europas
oder der Welt, welche faktisch – etwa in Osteuropa – auf eine mittelalterliche »Rekatholisierung« (mit Konzentration auf Sexualmoral,
Ehegesetzgebung und Restauration der Kirchenmacht) hinausläuft.

– Allerdings auch **keine weitere** »Säkularisierung« wie in Westeuropa
in Richtung auf einen gottlosen Säkularismus, der den Menschen faktisch jeglichen Sinnhorizont im Leben, jegliche moralische Maßstäbe
und jegliche geistige Heimat raubt.

6. Vielmehr braucht es eine **geistige Erneuerung** Europas und der
Welt. Zu ihr können die Religionen einen besonderen Beitrag leisten,
wenn sie aus je ihrer eigenen Tradition heraus trotz aller dogmatischer
Differenzen ein **gemeinsames Ethos der Humanität** mitzutragen
beginnen. Dieses Ethos braucht nicht »erfunden« zu werden, sondern
ist tief in den religiösen Traditionen bereits verwurzelt: in den Zehn
Geboten der Hebräischen Bibel sowie in Schlüsseltexten des Neuen
Testaments und des Korans – mit Parallelen auch in den großen
Offenbarungsschriften der anderen Religionen (indischen und chinesischen Ursprungs). Nein, nicht in erster Linie strengere Gesetze und
raschere Bestrafung der Verbrecher brauchen wir, wiewohl auch dies
bisweilen (etwa gegen illegale Waffenexporteure) notwendig ist. Wir
brauchen mehr Besinnung auf gewonnene sittliche Werke und Ideale.
Denn: Quid leges sine moribus? Was nützen alle Gesetze ohne Sitten?
Was nützte selbst ein supranationales Rechtssystem, wenn der moralische Wille der Menschen nicht vorhanden ist, sich daran zu halten?
Was hilft eine Diplomatie, die an keinen Werten außer an nationalem
Eigennutz orientiert ist? Wahrhaftigkeit, Fairneß und Großzügigkeit
kann man nun einmal nicht gesetzlich vorschreiben. Nein, was wir
brauchen ist unvoreingenommene Selbstbesinnung, ist mehr ethische
Selbstbindung all derer, die in Wirtschaft und Wissenschaft, in Ver-

waltung, Politik und Diplomatie Verantwortung tragen. Nicht nur um nur technologisch-organisatorische, sondern zutiefst um ethische Fragen geht es!

7. Zur Zeit werden die Karten neu gemischt. Und es ist, wie es zu erwarten war, schwieriger, den Frieden als den Krieg zu gewinnen. Gewaltige aggressive Emotionen sind emporgeschwemmt worden – fast wie zu Zeiten des Zweiten Weltkriegs. Aber die allseitige Ernüchterung erfolgt bereits – auch bei den Siegern. Nur 13 % der Amerikaner glauben heute noch, daß der Krieg gegen den Irak ganz erfolgreich war, 32 % nur weithin, 46 % nur teilweise, 7 % überhaupt nicht (»Time« vom 3. Juni 1991). Die Menschheit wie der einzelne Mensch scheint nur durch Erfahrungen zu lernen, die meist bitter sind. Ob wir jetzt nicht allesamt reif sind, wie nach dem Zweiten Weltkrieg, eine neue Friedensordnung wie in Europa so nun auch in Nahost zu erreichen? Und insgesamt gegen den sinnlosen Rüstungswettlauf und friedensgefährdenden Waffenhandel eine gewaltfreie Weltkultur? Friede, das haben wir erfahren, ist machbar. Die Religionen und ihre Repräsentanten, die bisher so passiv waren, sollten hier aktiv werden, und den Politikern ihre Aufgabe erleichtern.

Postulat 3: Kein Religionsfrieden ohne Religionsdialog

Nachdem in diesem Buch über das Judentum ausführlich vom neuralgischen Punkt – dem Staat Israel und der Palästinenserfrage – die Rede war, so sei kurz – und als Vorausschau auf Themen der nächsten beiden Bände unseres Forschungsprojekts – auf neuralgische Punkte im Christentum und im Islam hingewiesen.

a. Re-Evangelisierung = Re-Katholisierung?

Voraussetzung für jeden Dialog zwischen den Religionen ist die **Selbstkritik** der betreffenden Religion, auch des **Christentums**. Nur so ist Glaubwürdigkeit zu erlangen. Diese Selbstkritik ist auf Seiten gerade des offiziellen römischen Katholizismus zur Zeit kaum vorhanden. Man klagt heutzutage in der Christenheit viel über den fanatischen islamischen (und zum Teil auch jüdischen) Fundamentalismus und bedenkt zu wenig, daß das Wort »Fundamentalismus« von jenem

Protestantismus herkommt, der Sicherheit für sich und gegen andere darin sucht, daß er sich am Buchstaben der Bibel festklammert. Eine Variante des Fundamentalismus aber gibt es auch im Katholizismus, insofern die derzeitige Kirchenleitung den katholischen Glauben mit den gerade letzten kirchlichen Traditionen identifizieren und mit einer »Re-Evangelisierung« = »Re-Katholisierung« die Katholiken wieder in ein mittelalterliches Paradigma von Kirche und Gesellschaft zurückzwingen will – unter Vernachlässigung und Ausgrenzung (»Marginalisierung) der Protestanten, Orthodoxen und Juden.

Schon in »Projekt Weltethos« hatte ich warnend auf die Gefahren einer antimodernen (auch gegenreformatorischen und antiorthodoxen) **»Rekatholisierung« in Polen** aufmerksam gemacht, in einem Land, das schon bisher das uneingestandene päpstliche Orientierungsmodell einer »Re-Evangelisierung« auch für andere Länder war. Denn in der Zwischenzeit ist die dortige katholische Kirche – Meinungsumfragen zufolge – die mächtigste (nicht die beliebteste) Institution geworden, mächtiger als Regierung, Präsident, Parlament, Armee und Solidarnosz. 74 % der Polen sind jetzt der Meinung, die politische Rolle der Kirche sei zu groß. Doch mit dieser Macht – besonders über die Abgeordneten, die um ihre Wiederwahl fürchten – hat die Kirche begonnen, den mittelalterlichen Status quo ante höchst energisch zu restaurieren, so daß Klagen nicht nur von orthodoxen und protestantischen Christen und Juden, sondern auch von aufgeschlossenen Katholiken (wie etwa dem früheren Ministerpräsidenten Tadeusz Mazowiecki) zu hören sind:
– Unter Umgehung des Parlaments wurde der Religionsunterricht in polnischen Schulen eingeführt, der von einem darauf pädagogisch in keiner Weise vorbereiteten Klerus erteilt werden soll.
– Wiewohl 59 % der Polen eine zumindest beschränkte Legalisierung des Schwangerschaftsabbruchs bejahen, soll eines der rigorosesten Abtreibungsgesetze der Welt (mit zwei Jahren Gefängnis für abtreibende Frauen und Ärzte) eingeführt werden selbst bei Vergewaltigung, genetischen Schäden des Embryo, Krankheit (Ausnahme nur bei Lebensgefahr) der Mutter.
– Abgeschafft sind die Staatssubventionen für empfängnisverhütende Pillen (trotz horrender Abtreibungszahlen pro Jahr), so daß viele Frauen die dreimal so teure Pille nicht mehr werden kaufen können.

– Man erwartet auch neue Gesetze gegen Ehescheidung, Pornographie und anderes mehr.

– Für den obersten Militärkaplan wurde Generalsrang, für die kirchliche Hierarchie generell Präsenz bei wichtigen öffentlichen Zeremonien eingeführt.

– Von vielen Bischöfen wird die Streichung des Verfassungsartikels über die Trennung von Staat und Kirche gefordert.

– Vielfach wird Psychoterror gegen Dissenters auf der lokalen Ebene (etwa die eine Volksabstimmung über das Abtreibungsgesetz fordern) ausgeübt, und der Einfluß der Kirche auf Wahlen und Politiker wächst ständig ....

»Kirche, Kirche über alles«? So konnte man an die Wand geschrieben lesen. Geschrieben von wem? Von solchen, die einen klerikalen Staat befürchten, der nach den Diktaten des polnischen Messias-Papstes regiert wird. Aber weil die Kirche seit der demokratischen Wende allzu rasch aus einem politisch machtlosen Hort der Freiheit zu einer autoritären Festung der Macht geworden ist, hat ihre Glaubwürdigkeit entsprechend rapide abgenommen (von 83 % 1990 auf 58 % im April 1991). Eine allgemeine Polarisierung der polnischen Gesellschaft droht. Befördert wurde dieser Prozeß durch die Papstreise im Juni 1991, wo Karol Wojtyla im Stile eines fäusteballenden Kreuzzugspapstes durch seine Heimat reiste und dem Parlament (zum Ärger aller Demokraten) das Recht zu einer liberalen Abtreibungsgesetzgebung bestritt, die Abtreibung von Embryonen (zur Empörung der Juden) mit dem Holocaust verglich und schließlich – nachdem er im Golfkrieg praktisch einen totalen Pazifismus bejaht hatte – mit Zehntausenden von Soldaten das nationalpolitische Heldentum pries und jetzt das »legitime Recht auf Verteidigung« bejahte. Den Aufbau einer echten parlamentarischen Demokratie erwähnte der Papst dagegen mit keinem Wort.

Was den Papst wohl besonders erregt hat, war eine gesamtpolnische Meinungsumfrage am Vorabend seines Besuches, von der er zweifellos Kenntnis hatte, die aber in den polnischen Medien praktisch verschwiegen und auch in der westlichen Presse zu wenig bekannt wurde. Sie zeigt überdeutlich, welch neue Fronten sich im nach-kommunistischen Polen gebildet haben. Auf die Frage, ob die katholische Kirche das Recht habe, vom Volk die Unterwerfung unter ihre Lehre zu verlangen, antworteten 81 % aller Polen »entschieden nein« oder »wahrscheinlich nein« im Blick auf empfängnisverhütende Mittel. 71 % antworteten ähnlich in Sachen Abtreibung, 61 % in Sachen vor- oder außerehelichen Beziehungen, 63 % in Sachen Ehescheidung. Und in Sachen Abtreibung antworteten sogar 62 % der Polen, die auf dem Lande leben, mit »wahrscheinlich nein« oder »entschieden nein«. Und diese Zahl stieg auf 81 % in Städten mit mehr als 500 000 Einwohnern, Städten wie Lodz, Warschau und sogar Krakau. Solche Zahlen zeigen: Die kirchliche Hierarchie in Polen hat in den umstrittenen Fragen keineswegs die Mehrheit der Bevölkerung hinter sich. Gewiß, sie soll nicht einfach dem »Zeitgeist« nachgeben und Permissivität stillschweigend dulden. Aber sie wäre gut beraten, ihre rigorose und undifferenzierte Lehre gerade in Sachen Sexualmoral zu überdenken. Andernfalls droht sie ihre Glaubwürdigkeit zu verspielen, die sie dringend bei der wirklichen geistigen Erneuerung dieses Landes braucht. Wer sich in diesen Fragen von den Menschen entfremdet, kann von ihnen Gefolgschaft in anderen lebenswichtigen Fragen kaum erwarten.

Nun hat der Papst in seiner neuesten Sozialenzyklika »Centesimus Annus« (Mai 1991) versucht, auch **die ganze Welt** über die gegenwärtige soziale Misere aufzuklären. Zugleich betreibt er das Geschäft der Inquisition, um die Sprecher der lateinamerikanischen Befreiungstheologie mundtot zu machen. Er nimmt den Untergang der marxistischen Systeme des Ostens mit Genugtuung zur Kenntnis und kritisiert zu Recht die Exzesse des Kapitalismus sowie alle Formen der Ausgrenzung und Ausbeutung besonders in der Dritten Welt. Aber wohlfeile Kritik am »materialistischen und konsumeristischen« Westen, die nichts kostet, und konjunkturell bedingter Terrainrückgewinn in Osteuropa ist noch keine wirkliche geistige Erneuerung.

Und was die Dritte Welt betrifft: Das kirchliche Lehramt macht sich am Massenelend, dem Hunger und dem Sterben von Millionen und Abermillionen von Kindern in aller Welt mitschuldig, wenn es die weltweite Kampagne **gegen Empfängnisverhütung** (und neuerdings auch gegen Kondome zur Aids-Bekämpfung) weiter fortsetzt. Wie viele seiner Vorgänger seit den Tagen Luthers, Galileis und Darwins will auch dieser Papst – geblendet von der Unfehlbarkeitsdoktrin in Fragen des Glaubens und der Moral – nicht einsehen, daß er hier

in einem Irrtum befangen ist. Er wird so zu einem der Hauptverant-
wortlichen für die unkontrollierte Bevölkerungsexplosion und damit
auch das Kinderelend in Lateinamerika, Afrika und anderen Ländern
des Südens. Zur Selbstkritik unfähig, will er nicht begreifen, daß es
ein Widerspruch in sich ist, gegen Abtreibung und gleichzeitig gegen
Empfängnisverhütung anzukämpfen, wo doch gerade diese am effek-
tivsten die in der Tat zu hohen Abtreibungszahlen senken könnte.
Polen hat die höchste Abtreibungszahl Europas – 600 000 pro Jahr –,
weil Abtreibung mangels Verhütungsmitteln aller Art, von Papst und
Hierarchie allesamt abgelehnt, zur Hauptmethode der Geburtenkontrolle geworden ist.

Doch der Papst will nicht verstehen, daß es wenig hilft, jetzt Menschenrechte (Gedanken-, Rede-, Lehr- und Religionsfreiheit), die sein
von ihm gefeierter demokratiefeindlicher Vorgänger Leo XIII. vor
100 Jahren noch allesamt verurteilt hatte, einzuklagen, wenn für Millionen von Menschen gerade der Dritten Welt ein würdiges Menschenleben von vornherein nicht möglich ist. Und ein solches ist deshalb nicht möglich, weil die Zahl der Menschen gerade in der vorin-
dustriellen, armen Dritten Welt, die bereits zwei Drittel der Menschheit ausmacht, derartig rasant zunimmt, daß die notwendigen
menschlichen Investitionen auf keinen Fall mehr nachkommen können. Um Christi Geburt lebten auf unserer Erde rund 200 Millionen
Menschen, zur Zeit der Entdeckung Amerikas 500 Millionen, in der
Mitte des 18. Jahrhunderts 700 Millionen; mit der industriellen Revolution erreichte die Zahl schon um 1830 die Milliardengrenze, verdoppelte sich 1925 auf zwei Milliarden und verdoppelte sich schon
wieder 1975 auf vier Milliarden. 1991 leben nach Angaben des im
Mai 1991 veröffentlichten demographischen Jahresreports der UNO
5,4 Milliarden auf dieser Erde. Am Ende unseres Jahrzehnts werden
es bereits 6,4 Milliarden und im Jahr 2025 schon 8,5 Milliarden
Menschen sein. Seit der unglückseligen Enzyklika Pauls VI. »Humanae Vitae« (1968) gegen die Empfängnisverhütung ist die Bevölkerungszahl von 3,5 Milliarden auf 5,4 Milliarden angestiegen. Johannes Paul II. hat daraus nichts gelernt. Er verschweigt dieses Funda-
mentalproblem der Menschheit einfach in seiner Enzyklika »Centesimus Annus«.

Wenn schon jetzt für zahllose Menschen die Grundnahrungsmittel,
Wasser und Energie, aber auch Wohnungen, Arbeitsplätze und Ge-

sundheitseinrichtungen fehlen und die Umwelt durch die ungeheuer anwachsenden Großstädte und Slums immer mehr zerstört wird, dann dürfen zwar keine Zwangsmaßnahmen zur Geburtenkontrolle befürwortet werden. Aber mit allen legitimen politischen Mitteln und flankierenden sozialen Maßnahmen (Stellung der Frau!) muß eine Familienplanung angestrebt werden, die von niemandem effektiver unterstützt werden kann als von den Religionen. Denn sie erreichten gerade in den sogenannten Dritte-Welt-Ländern die Köpfe und Herzen der Menschen oft mehr als große politische Kampagnen. Ohne die Unterstützung durch religiöse Autoritäten werden die Menschen dieser Länder ihr durch die Religionen jahrhundertelang gefestigtes moralisches Verhalten nicht ändern.

b. Re-Islamisierung?

Doch nicht nur von Judentum und Christentum muß **Selbstkritik** gefordert werden, sondern auch vom **Islam**. Merkwürdigerweise steht der an seinem Mittelalter orientierte traditionalistische Islam vor vielfach ähnlichen Fragen wie der an seinem Mittelalter orientierte römische Katholizismus. Die **Geburtenregelung** ist nur ein Beispiel: Im traditionalistischen Pakistan zum Beispiel ist die Bevölkerung von 90 Millionen auf 140-150 Millionen angewachsen, was ungeheure politische, soziale, ökonomische und ökologische Folgen hat. Bangladesch, im Mai 1991 von einer verheerenden Sturmflut heimgesucht, ist geradezu ein Schulbeispiel dafür, in welche Katastrophen ein Land treiben kann, dessen Geburtenzahl sich in 25 Jahren verdoppelte: totale Überbevölkerung, grenzenlose Armut, katastrophaler Platzmangel, deshalb keine oder zu steile Deiche, Senkung des Landes gegenüber dem Meeresspiegel, kein Schutz gegen Überflutung, fast 200 000 Tote ...

Doch auch abgesehen von der Bevölkerungsexplosion haben viele islamische Staaten gewaltige Probleme: Wurde nicht gerade unter den arabischen Staaten ein der Gerechtigkeitsforderung des Koran widersprechendes, unerträgliches **soziales Gefälle zwischen Reich und Arm** aufrechterhalten: zwischen den superreichen ölproduzierenden Ländern (Saudi-Arabien, Kuwait, Emirate) und armen Ländern wie Ägypten und Jordanien? War das nicht die nachträgliche windige Rechtfertigung für den ölreichen, wohlhabenden Irak, seinen kleineren, aber superreichen Nachbarn zu überfallen, nachdem Saddam Husseins Schulden durch Hochrüstung und einen sinnlosen Krieg gegen den Iran übergroß geworden waren? Hätte eine ethisch motivierte soziale Politik unter den arabischen Staaten soziale Gegensätze nicht schon längst abbauen können, so daß viele Spannungen von vornherein hätten verhindert werden können? Hat Rückständigkeit, Armut, Elend und Mangel an Demokratie vielleicht – in islamischen wie in katholischen Ländern – auch etwas mit der Religion zu tun? Doch fordert der Koran (wie die Bibel) nicht nachhaltig die soziale Gerechtigkeit im individuellen wie im sozialen Bereich?

Angesichts der zum Teil verheerenden Resultate der westlichen Säkularisierung, kann man allerdings verstehen, warum viele Muslime, welche eine **Modernisierung** ihres Landes durchaus bejahen, doch eine **Säkularisierung**, die sie mit Religionsfeindschaft und Gottlosigkeit identifizieren, strikt ablehnen, ja, sie geradezu als den Hauptfeind des Islam und der Menscheit insgesamt ansehen. Doch die entscheidende Frage ist: Kann man denn die Moderne – moderne Wissenschaft, Technologie und Industrie – haben, ohne ein gesichertes Maß an geistiger Freiheit, an Gedanken-, Rede-, Religions-, Presse- und Koalitionsfreiheit zuzugestehen? Noch lange werden die islamischen Staaten – so ganz anders als die von einer konfuzianischen Ethik geprägten Staaten Ost- und Südostasiens – hinter der modernen Entwicklung hinterdreinhinken, wenn sie diese »bürgerlichen Freiheiten« nicht gewähren, wenn sie nicht Toleranz, Achtung der Menschenwürde und der Menschenrechte realisieren und Demokratien aufbauen, die den Namen verdienen.

Ist also Demokratisierung (Einführung zumindest einer konstitutionellen Monarchie etwa im »befreiten« und erneut autoritär regierten Kuwait) und bessere Verwirklichung der Menschenrechte in vielen islamischen Staaten nach diesem Krieg nicht dringender denn je? Werden sie den Anschluß an die rasante postmoderne Entwicklung ohne unabhängiges Denken und freien gesellschaftlichen Umgang je finden können? Es ist ein erfreuliches Zeichen des Wandels, daß jetzt nach dem Golfkrieg selbst in Saudi-Arabien mehrere hundert Universitätsprofessoren und Theologen eine Petition an König Fahd gerichtet haben, in der sie den besseren Schutz der Menschenrechte, ein Ende der Korruption, gerechte Verteilung des Reichtums im Lande und eine breitere demokratische Repräsentation (mit Hilfe eines völlig unabhängigen Rates von integren und kompetenten Fachleuten) einfordern.

Es stellen sich deshalb an die antimoderne (statt postmoderne) »Re-Islamisierung« ganz ähnliche Fragen wie an die ebenfalls antimoderne (statt postmoderne) »Re-Evangelisierung«:
– Nach innen: Der Re-Islamisierungsprozeß soll überall in der islamischen Welt wieder die »islamische Ordnung« (»Nizam ul-Islam«) und die islamische Gemeinschaft (die »Umma«) erneuern. Soll das heißen, daß ähnlich wie das Kirchenrecht in Polen, so nun auch das islamische Sakralrecht (Scharia) wieder allen islamischen Staaten aufoktroyiert werden soll? Soll das heißen, daß ähnlich dem klerikalen katholischen Staat ein autoritärer, islamischer Staat (»Dar ul-Islam«) errichtet werden soll, der bestenfalls beschränkte Religionsfreiheit und Menschenrechte gewährt und der anderen Religionen nur einen inferioren Status zugesteht?
– Nach außen: Der Re-Islamisierungsprozeß soll auch über die islamische Welt hinaus vorstoßen und hat als »islamische Mission« (»Da'wah« = Einladung, Aufforderung) ausgesprochen expansiven Charakter. Soll das heißen, daß ähnlich wie in der früheren christlich-kolonialistischen Mission davon ausgegangen wird, daß man sich im Besitz der einzig richtigen Wahrheit glaubt – unter Ausschluß aller anderen? Richtet man da nicht wieder neu Trennwände auf, wenn sich eine Religion faktisch als die alleinseligmachende Religion ansieht und sich mit Geld und politischer Macht auch durchsetzen will – ein Unternehmen, das ohnehin zum Scheitern verurteilt ist?

c. Grundlagenforschung

In den beiden folgenden Bänden der Trilogie über Christentum und Islam hoffe ich, alle diese Fragen ebenfalls in drei großen Gedankengängen aufzuarbeiten: Analysiert werden sollen die noch heute nachwirkenden Paradigmen der christlichen und islamischen **Vergangenheit**, dann die Herausforderungen der **Gegenwart** an Christentum und Islam, schließlich sollen Möglichkeiten der **Zukunft** erörtert werden – alles dies in engem Problemzusammenhang aller drei abrahamischen Religionen. Die Grundfrage verschärft sich somit für die drei prophetischen Religionen: Wie müßte eine internationale Politik aussehen, die von Verantwortung für die Zukunft getragen ist? Und: Welche spezielle Verantwortung haben die Vertreter der Religionen zur Bewältigung dieser Probleme?

Voraussetzung für jeden Dialog zwischen den Religionen ist nun einmal auch die religionswissenschaftliche und theologische **Grundlagenforschung.** Gerade der Golfkrieg hat wieder jene Literatur populär gemacht, welche den Islam – diese alte große Religion, welche die Grundlage der arabischen Kultur ist – von vornherein verketzert, ihn als Religion der Gewalt abstempelt und Christen Angst macht, als ob es um die Bekehrung aller Menschen zum Islam »durch Feuer und Schwert« ginge. Muslime werden auf diese Weise noch mehr in den Fundamentalismus hineingetrieben. Aufgabe nicht zuletzt der theologischen Fakultäten in den westlichen Ländern wäre es, in Zusammenarbeit mit der Religionswissenschaft dafür zu sorgen, daß jeder junge Theologe und jede junge Theologin mit Grundauffassungen der anderen großen Religionen vertraut gemacht wird, so daß die Divergenzen, aber auch die Konvergenzen zum allgemeinen Bildungsgut werden. Nur so kann man angesichts der internationalen, multikulturellen und multireligiösen Weltlage in Kirche oder Gesellschaft tätig sein. Kein Religionsunterricht ist heute noch verantwortbar, der nicht auch dem Gespräch und der Information über andere Religionen breiten Raum gibt. Keine christliche Gemeinde ist heute noch glaubwürdig, die nicht Gastfreundschaft auch den nichtchristlichen Gläubigen (in Deutschland vor allem Juden und Muslimen) gegenüber praktiziert.

d. Beitrag der Religionen zur Veränderung der Weltlage

So wären die Religionen fähig, besser ihre ureigenen Aufgaben wahrzunehmen und zugleich einen grundlegenden Beitrag zur Veränderung der Weltlage zu liefern:
– Zur **Förderung des Weltfriedens**: Warum nicht endlich eine Pause im Geschäft der Rüstung? Warum weitere gigantische Aufrüstung in den hochverschuldeten USA? Warum nach dem Sieg über Irak weitere Waffenverkäufe in Milliardenhöhe an Saudi-Arabien und die Golfstaaten? Warum noch mehr Gratiswaffen (Flugzeuge, Raketen) nach Israel, der jetzt stärksten Militärmacht im Nahen Osten? Warum

den Nahen Osten nicht zu einer Zone machen, die nicht nur frei ist von atomaren, biologischen und chemischen Waffen, sondern deren erneute Aufrüstung eingefroren wird? Voraussetzung wäre allerdings die Lösung der Palästina-Frage. Die Vertreter der Religionen können nicht die strategischen und sicherheitspolitischen Probleme aus der Welt schaffen, aber sie könnten, sprächen sie nur mit einer Stimme, den Geist der Verständigung, des Vertrauens, des Friedens – Voraussetzung aller Rüstungskontrollpolitik – finden helfen.

– Zur **Bekämpfung der Armut**: Die Vertreter der Religionen könnten und sollten entschieden dafür eintreten, daß die Nöte des Volkes ernster genommen werden als der Wille der Regierenden, wofür seit dem Ende der Ost-West-Konfrontation und dem Abbau der beidseitigen Militärhilfen in Afrika (vgl. Angola, Äthiopien) oder Indochina (Kambodscha) sehr viel bessere Aussichten bestehen. Weiter sollten die Religionsführer die Pläne der Weltbank und des Internationalen Währungsfonds von innen her unterstützen, daß bei Kreditvergaben die Militärausgaben der betreffenden Länder in die Überlegungen einbezogen werden. Entwicklungsländer, die mehr für Militär als für Gesundheit und Erziehung ausgeben, sollen in Zukunft leer ausgehen. In Schwarzafrika und Südasien, wo die Not am größten und der Schrei nach Hilfe begreiflicherweise am lautesten ist, geben nach Angaben der Vereinten Nationen einige Regierungen 2-3 mal so viel für Waffen wie für Erziehung und Gesundheit aus. Die öffentlichen Ausgaben wären zu überprüfen, die Gelder wirksamer gegen die Armut einzusetzen. Schon ein simples Einfrieren der Militärausgaben in der Dritten Welt (statt der jährlichen Steigerung um 7,5 %) würden nach dem UN-Development-Program 15 Milliarden Dollar Investitionen für dringendste menschliche Bedürfnisse und Entwicklung freigeben; die Dritte Welt hat eine um zwei- bis dreimal höhere Wachstumsrate der Militärausgaben als der Westen (von 24 Milliarden 1960 auf 173 Milliarden Dollar 1987). Durch die Elimination kostspieliger und ineffizienter Regierungsprogramme, Bekämpfung der Korruption und der Kapitalflucht könnten demnach weitere 35 Milliarden freigemacht werden.

– Zur **Überwindung der ethnischen Spannungen**: Tief in der Geschichte der Völker verwurzelt, brechen sie beim Fortschreiten der Demokratisierung und bei Erlangung von mehr Freiheit naturgemäß neu auf. Sie können nicht immer durch neue Staatsgründungen oder

Grenzziehungen überwunden werden, wohl aber durch die Gewäh-
rung von politisch-wirtschaftlich-kultureller Autonomie in bezug auf
Sprache, Schule, Medien und vor allem sichere Lebensgrundlagen.
Wer wäre besser geeignet, gegen ethnische Vorurteile und Ressentiments anzugehen und für die gegenseitige Verständigung zu arbeiten
als gerade die Religionen abrahamischen Ursprungs, die an den einen
Gott glauben, vor dem allem **alle** Menschen gleich sind?
– Zur **Religionsfreiheit im eigenen Territorium**: Notwendig ist, daß
die Religion der Mehrheit auch besorgt ist um die Freiheit der anderen Religionen. Eine Religion, welche die Freiheit der anderen nicht
achtet, verdient selber keine Achtung. Gegen Ideologien und Ideolo-
gen des Hasses und der Feindschaft haben die Religionen und ihre
Repräsentanten Stellung zu nehmen. Wo immer Macht über Recht
und Vernunft gesetzt wird, haben die Religionen Einspruch zu erheben. Nein, keine Mission ist heute mehr im kolonialistisch-imperia-
listischen Stile zu betreiben, wohl aber freies Zeugnis abzulegen vom
eigenen Glauben, sei er jüdisch, christlich oder islamisch.

Voraussetzungen für Frieden im Nahen Osten

Es wird keinen Frieden im Nahen Osten geben, weder eine Lösung
der Golffrage noch eine Lösung der Palästinafrage, wenn die abrahamische Ökumene nicht weltpolitisch wirksam gemacht werden kann.
Wie soll man sonst in allen Lagern den frommen Fanatikern wehren?
Positiv ausgedrückt:
- Aufgrund der **Hebräischen Bibel** und des **Neuen Testaments** sollten sich **Juden und Christen** gemeinsam einsetzen für die Würde
  der arabischen und islamischen Völker, die nicht die letzten Kolo-
  nien auf dieser Erde sein wollen.
- Aufgrund von **Koran** und **Neuem Testament** sollten sich **Muslime
  und Christen** gemeinsam engagieren für das Lebensrecht des jüdischen Volkes, das mehr als alle anderen Völker in den letzten zweitausend Jahren gelitten hat und beinahe ausgerottet worden wäre.
- Aufgrund von **Hebräischer Bibel** und **Koran** sollten sich **Juden und
  Muslime** gemeinsam einsetzen für die bedrohte Freiheit der Christengemeinden in manchen Ländern des Nahen und Mittleren
  Ostens.

• Ein gemeinsames Engagement also aller drei Religionen für Frieden, Gerechtigkeit und Freiheit, für Menschwürde, für Menschenrechte und die Erhaltung der Schöpfung, in Zusammenarbeit selbstverständlich mit den Völkern auch aus der **indischen, chinesischen** oder **japanischen** Tradition.

Gerade die Religionen sollten sich dabei auf ihr eigenes Programm besinnen, in dem das Wort »**Frieden**« – in der Hebräischen Bibel »**schalom**«, im Koran »**salam**« und im Neuen Testament »**eirene**« – eine so große Rolle spielt:
– »Suche Frieden und jage ihm nach!«, hörten wir aus den Psalmen (Ps 34,15). »Und sie werden ihre Schwerter zu Pflugscharen schmieden«, ist die Friedensvision des Propheten Jesaja: »Kein Volk wird wider das andere das Schwert erheben, und sie werden den Krieg nicht mehr lernen« (Jes 2,4).
– »Selig, die Frieden stiften; denn sie werden Söhne Gottes genannt werden«, heißt es in der Bergpredigt (Mt 5,9). Und der Apostel Paulus: »Vergeltet niemandem Böses mit Bösem!« (Röm 12,17)
– Und der Koran, bei aller Aufforderung, gegen die ungläubigen Feinde zu rüsten, fordert: »Und wenn sie (die Feinde) sich dem Frieden zuneigen, dann neige auch du dich ihm zu und vertrau auf Gott.« (Sure 8,61). Und: »Wenn sie (die Ungläubigen) sich von euch fernhalten und nicht gegen euch kämpfen und euch Frieden anbieten, dann erlaubt euch Gott nicht, gegen sie vorzugehen« (Sure 4,90).

Dies ist mein Desiderat für die Zukunft: Keine Synagoge, Kirche oder Moschee sollte es mehr geben, die nicht für die religiöse Verständigung einen Beitrag leistet. In allen Synagogen, Kirchen und Moscheen sollte für den Frieden nicht nur gebetet, sondern aktiv geworben und gearbeitet werden. Dafür brauchen wir alle zusammen eine Vision, brauchen wir Phantasie, Mut und unermüdlichen tatkräftigen Einsatz.

Abkürzungen/Lexika

LEXIKA

Bibellexikon, hrsg. v. H. Haag, Zürich 1968.
Contemporary Jewish Religious Thought. Original Essays on Critical Concepts, Movements, and Beliefs, hrsg. v. A. A. Cohen – P. Mendes-Flohr, New York 1987.
Dictionnaire des Religions, hrsg. v. P. Poupard, Paris ²1985.
Die Religion in Geschichte und Gegenwart. Handwörterbuch für Theologie und Religionswissenschaft, hrsg. v. K. Galling, Bd. I-VI, Tübingen ³1957ff.
Encyclopaedia Judaica, hrsg. v. C. Roth – G. Wigoder, Bd. I-XVII, Jerusalem ohne Jahresangabe.
Enzyklopaedie des Islam. Geographisches, ethnographisches und biographisches Wörterbuch der muhammedanischen Völker, hrsg. v. M. T. Houtsma u. a., Bd. I-V, Leiden 1913-1938.
Jüdisches Lexikon. Ein enzyklopädisches Handbuch des jüdischen Wissens in vier Bänden, begründet v. G. Herlitz – B. Kirschner, Bd. I-IV/2, Frankfurt ²1987.
Lexikon der jüdisch-christlichen Begegnung, hrsg. v. J. J. Petuchowski – C. Thoma, Freiburg 1989.
Lexikon der Religionen, hrsg. v. H. Waldenfels, Freiburg 1987.
Lexikon für Theologie und Kirche, hrsg. v. J. Höfer – K. Rahner, Bd. I-X, Freiburg 1957ff.
Reallexikon für Antike und Christentum. Sachwörterbuch zur Auseinandersetzung des Christentums mit der Antiken Welt, hrsg. v. T. Klausner, Bd. I-XIV, Stuttgart 1950ff.
The Encyclopaedia of Islam. New Edition, hrsg. v. H. A. R. Gibb u. a., Bd. I-VI, Leiden 1960-1990
The Encyclopedia of Religion, hrsg. v. M. Eliade, Bd. I-XVI, New York 1987.
Theologische Realenzyklopädie, hrsg. v. G. Krause – G. Müller, Bd. I-XVII, Berlin 1977ff.
Theologisches Wörterbuch zum Neuen Testament, hrsg. v. G. Kittel, Bd. I-X/2, Stuttgart 1933ff.
Wörterbuch des Christentums, hrsg. v. V. Drehsen, H. Häring, K.-J. Kuschel, H. Siemers, Gütersloh 1988.

Abkürzungen

Bibelkommentare

AB	The Anchor Bible, New York.
ATD	Das Alte Testament Deutsch, Göttingen.
BK	Biblischer Kommentar Altes Testament, Neukirchen.
CNEB	Cambridge Bible Commentary on the New English Bible, Cambridge.
EKK	Evangelisch-Katholischer Kommentar zum Neuen Testament, Neukirchen.
HbAT	Handbuch zum Alten Testament, Tübingen.
HbNT	Handbuch zum Neuen Testament, Tübingen.
HThK	Herders Theologischer Kommentar zum Neuen Testament, Freiburg.
IB	The Interpreter's Bible, New York, Nashville.
KAT	Kommentar zum Alten Testament, Leipzig, Gütersloh.
KEK	Kritisch-Exegetischer Kommentar über das Neue Testament, Göttingen.
NBC	Nelson's Bible Commentary, Edinburgh.
NCB	New Clarendon Bible, Oxford.
NCeB	The New Century Bible, London.
NTD	Das Neue Testament Deutsch, Göttingen.
ÖTK	Ökumenischer Taschenbuchkommentar zum Neuen Testament, Gütersloh.
OTL	Old Testament Library, London.
ThHK	Theologischer Handkommentar zum Neuen Testament, Berlin.
WBC	World Biblical Commentary, Waco/Texas.

Werke des Autors

CR	Christentum und Chinesische Religion (mit J. Ching), München 1988.
CS	Christ Sein, München 1974.
EG	Existiert Gott? Antwort auf die Gottesfrage der Neuzeit, München 1978.
EL	Ewiges Leben?, München ²1982.
Ki	Die Kirche, Freiburg 1967; München 1977.
PW	Projekt Weltethos, München 1990.
ThA	Theologie im Aufbruch. Eine ökumenische Grundlegung, München 1987.
WR	Christentum und Weltreligionen. Hinführung zum Dialog mit Islam, Hinduismus und Buddhismus (mit J. van Ess, H. von Stietencron, H. Bechert), München 1984.

Anmerkungen

ERSTER HAUPTTEIL:
DIE NOCH GEGENWÄRTIGE VERGANGENHEIT

A. Ursprung

A I. Abraham – der Stammvater dreier Weltreligionen

1   Nach ersten Ausgrabungen von C. Warren (1868), E. Stellin / C. Wat-
    zinger (1907-1909) und J. Garstang (1930-1936) wurden die Untersu-
    chungen 1952-1956 von einer englisch-amerikanischen Expedition unter
    K. M. Kenyon fortgeführt. Sie ist auch Herausgeberin des Forschungsbe-
    richts: Excavations at Jericho, Bd. I-II, London 1960/65.
2   Vgl. **D. Diringer**, Writing, New York 1962. **J. Friedrich**, Geschichte der
    Schrift. Unter besonderer Berücksichtigung ihrer geistigen Entwicklung,
    Heidelberg 1966. **M. Cohen**, La grande invention de l'Ecriture et son in-
    vention, Bd. I-III, Paris 1958. **I. J. Gelb**, A Study of Writing. The Foun-
    dations of Grammatology, Chicago 1952, dt.: Von der Keilschrift zum
    Alphabet, Stuttgart 1958. **C. H. Gordon**, Forgotten Scripts, New York
    [2]1982.
3   Das Industal tritt erst mit Alexander d. Gr. im nur griechisch erhaltenen
    Makkabäerbuch (1 Mak 1,4), China überhaupt nicht in das Blickfeld der
    Hebräischen Bibel.
4   Erst spät (1 Mak 1,10) wird Rom in der Bibel zum ersten Mal erwähnt.
5   Vgl. Ex 1.
6   Vgl. Gen 1-11.
7   Vgl. Gen 12-50.
8   Zur **Geschichte Israels** vgl. neben den älteren Gesamtdarstellungen von
    **J. Wellhausen, A. Schlatter, E. Schürer, R. Kittel, T. H. Robinson –
    W. O. E. Oesterley**, unter den neueren: **W. F. Albright**, From the Stone
    Age to Christianity. Monotheism and the Historical Process, Baltimore
    1940, [2]1946; dt.: Von der Steinzeit zum Christentum. Monotheismus
    und geschichtliches Werden, Bern 1949; **ders.**, The Biblical Period from

Abraham to Ezra, New York 1963. **M. Noth**, Geschichte Israels, Göttingen 1950, ⁶1966. **M. A. Beek**, Geschiedenis van Israel van Abraham tot Bar-Kochba, Zeist 1957; dt.: Geschichte Israels von Abraham bis Bar Kochba, Stuttgart 1961. **J. Bright**, A History of Israel, Philadelphia 1959; dt.: Geschichte Israels, Düsseldorf 1961. **M. Metzger**, Grundriß der Geschichte Israels, Neukirchen 1963, ⁶1983. **B. Netanyahu** u. a. (Hrsg.), The World History of the Jewish People. First Series: Ancient Time, Bd. I-VIII, Tel-Aviv/London 1964-1977. **E. L. Ehrlich**, Geschichte Israels von den Anfängen bis zur Zerstörung des Tempels (70 n. Chr.), Berlin ²1970. **R. de Vaux**, Histoire ancienne d'Israël, Bd. I-II, Paris 1971-1973. **A. H. J. Gunneweg**, Geschichte Israels bis Bar Kochba, Stuttgart 1972. ⁴1982. **S. Herrmann**, Geschichte Israels in alttestamentlicher Zeit, München 1973. **H. H. Ben-Sasson** (Hrsg.), History of the Jewish People, Cambridge 1976. **G. Fohrer**, Geschichte Israels. Von den Anfängen bis zur Gegenwart, Heidelberg ³1982. **J. H. Hayes – J. M. Miller** (Hrsg.), Israelite and Judaean History, Philadelphia 1977. **H. Donner**, Geschichte des Volkes Israel und seiner Nachbarn in Grundzügen, Bd. I-II, Göttingen 1984. **M. Grant**, A History of Ancient Israel, London 1984. **M. Claus**, Geschichte Israels. Von der Frühzeit bis zur Zerstörung Jerusalems (587 v. Chr.), München 1986. **J. H. Hayes – J. M. Miller**, A History of Ancient Israel and Judah, Philadelphia 1986. – Eine Überprüfung der berühmten Abhandlung von **Max Weber**, Das antike Judentum (Gesammelte Aufsätze zur Religionssoziologie, Bd. III, Tübingen 1920) anhand neuerer Forschungsergebnisse unternimmt **I. M. Zeitlin**, Ancient Judaism. Biblical Criticism from Max Weber to the present, Cambridge 1984.

Auf der **Geschichte des (nachexilischen) Judentums** liegt der Akzent bei **H. Graetz**, Geschichte der Juden von den ältesten Zeiten bis zur Gegenwart, Bd. I-XI, Leipzig 1853-1875, ⁵1902-1909. **S. Dubnow**, Weltgeschichte des jüdischen Volkes, Bd. I-X, Berlin 1925-1929. **S. W. Baron**, A Social and Religious History of the Jews, Bd. I-III, New York 1937, ²1952-1969; dt.: Geschichte des jüdischen Volkes, Bd. I-III, München 1978-1980. **J. Maier**, Geschichte der jüdischen Religion. Von der Zeit Alexander des Großen bis zur Aufklärung mit einem Ausblick auf das 19./ 20. Jahrhundert, Berlin 1972; ders., Das Judentum. Von der biblischen Zeit bis zur Moderne, München ²1973. **A. Bein**, Die Judenfrage. Biographie eines Weltproblems, Bd. I-II, Stuttgart 1980. **P. Sigal**, The Emergence of Contemporary Judaism, Bd. I-III, Pittsburgh 1977-1984; ders., Judentum, Stuttgart 1986. **P. Johnson**, A History of the Jews, New York 1987.

Zur Geschichte der **jüdischen Literatur** vgl. **M. Waxman**, A History of Jewish Literature, Neuauflage Bd. I-V, New York 1960 (beginnt mit dem Abschluß des biblischen Kanons 400 v. Chr. und endet 1960 n. Chr.). **I. Zinberg**, A History of Jewish Literature, Bd. I-XII, Cleveland – New

York 1972-1978 (beginnt mit der spanisch-arabischen Periode und endet mit der Haskala auf ihrem Höhepunkt).

9   Gen. 17,1-5. 7-8. 11. Übersetzt und am umfassendsten kommentiert bei **C. Westermann**, Bd. I/2, 1981 (BK).

10 Vgl. Gen. 17,15-21.

11 Zu **Abraham** (bzw. Ibrahim) vgl. die Artikel in: Bibellexikon (**A. van den Born**). Dictionnaire des Religions (**H. Cazelles, E. Cothenet, K. Hruby, G. Harpigny**). Die Religion in Geschichte und Gegenwart (**A. Weiser**). Encyclopedia Judaica (**I. M. Ta-Shma, D. Kadosh, S. D. Goitein, J. Dan, H. Rosenau**). Encyclopaedia of Islam (**R. Paret**). Jüdisches Lexikon (**A. Spanier, A. Kristianpoller, A. Sandler**). Lexikon der jüdisch-christlichen Begegnung (**J. J. Petuchowski, C. Thoma**). Lexikon der Religionen (**F.-L. Hossfeld / B. Schumacher, G. Riße**). Lexikon für Theologie und Kirche (**V. Hamp, J. Schmid**). Lexikon religiöser Grundbegriffe (**P. Navè Levinson, G. Evers, S. Balic**). Reallexikon für Antike und Christentum (**T. Klauser**). The Encyclopedia of Religion (**J. van Seters**). Theologische Realenzyklopädie (**R. Martin-Achard, K. Berger, R. P. Schmitz, J. Hjärpe**). Theologisches Wörterbuch zum Neuen Testament (**J. Jeremias**). Wörterbuch des Christentums (**J. Ebach**). – Vgl. ferner **H. Donner**, aaO Bd. I, S. 72-84.

Für den Dialog über Abraham wichtige Einzelveröffentlichungen: **W. Groß**, Glaubensgehorsam als Wagnis der Freiheit. Wir sind Abraham, Mainz 1980. **R. Martin-Achard**, Actualité d'Abraham, Neuchâtel 1969. **Y. Moubarac**, Abraham dans le Coran. L'histoire d'Abraham dans le Coran et la naissance de l'Islam, Paris 1958. **W. Zuidema** (Hrsg.), Isaak wird wieder geopfert. Die »Bindung Isaaks« als Symbol des Leidens Israels. Versuche einer Deutung, Neukirchen 1987.

In diesem Zusammenhang ist besonders hilfreich die Studie von **F. E. Peters**, Children of Abraham. Judaism – Christianity – Islam, Princeton 1982. Der Verfasser führt bei sieben Themen einen aufschlußreichen und informativen Strukturvergleich der drei abrahamischen Religionen vor: das Schriftverständnis, das Verständnis der jeweiligen »Achsenzeit« (Erfahrung des Exils im Judentum, Erscheinen Jesu im Christentum, Auftreten Muhammads im Islam), die Gemeinschaft und die Hierarchie, das Gesetz, das Verhältnis von Schrift und Tradition, die Liturgie, Asketismus und Mystik, sowie Theologie. Auf viele dieser Themen sind wir in diesem Buch eingegangen. Wir werden auf andere zurückzukommen haben, wenn wir uns im Verlauf dieser hier vorzulegenden Trilogie über Judentum, Christentum und Islam den Fragen des Trialogs explizit zuwenden werden.

12 Zum **Buche Genesis** vgl. neben den klassischen Werken von **H. Gunkel, J. Skinner** und **O. Procksch** an neueren Kommentaren: **B. Jacob**, Berlin 1934. **W. Zimmerli**, 1943 (ZBK; nur Gen 1-11). **H. Junker**, Würzburg 1949. **J. Chaine**, Paris 1951. **G. von Rad**, 1953 (ATD). **R. de Vaux**, Paris

1956. G. Aalders, Kampen 1933-1936. F. Michaeli, Neuchâtel 1960.
U. Cassuto, Bd. I-II, Jerusalem 1961. J. de Fraine, Roermond 1963.
J. Morgenstern, New York 1965. A. van Selms, Bd. I-II, Nijkerk 1967,
³1979. W. G. Plaut, in: The Torah, New York 1974. E. A. Speiser, 1981
(AB). C. Westermann, 1981 (BK). – Einen guten Überblick über die Forschungsgeschichte der Genesis-Exegese bietet C. Westermann, Genesis 1-
11, Darmstadt ³1985; ders., Genesis 12-50, Darmstadt ²1987.

13 Der Sagencharakter vieler biblischer Erzählungen wurde zuerst von
H. Gunkel und H. Gressmann, später dann umfassend von A. Alt,
M. Noth und vielen anderen deutschen Alttestamentlern erarbeitet – mit
historisch oft negativen Ergebnissen, wogegen manche Amerikaner insbesondere aus dem Kreis um W. F. Albright eine stärkere Berücksichtigung
der Ergebnisse der Archäologie forderten. Zusammenfassende Werke:
W. F. Albright, The Archaeology of Palestine, Harmondsworth/England
1949, Gloucester/Mass. 1971; dt.: Archäologie in Palästina, Einsiedeln
1962. A. Parrot, Bibel und Archäologie, Bd. I-V, Zürich 1955-1961.
G. E. Wright, Biblical Archaeology, Philadelphia 1957; dt.: Biblische Archäologie, Göttingen 1958. J. B. Pritchard, Archaeology and the Old
Testament, Princeton 1958; dt.: Die Archäologie und das Alte Testament, Wiesbaden 1961. K. M. Kenyon, Archaeology in the Holy Land,
London ⁴1979; dt.: Archäologie im Heiligen Land, Neukirchen ²1973
(hier guter Überblick und Kontext von Kenyons Ausgrabungen in Jericho). V. Fritz, Einführung in die biblische Archäologie, Darmstadt 1985.

14 Vgl. dazu neuerdings G. W. Coats, Genesis, with an Introduction to Narrative Literature, Grand Rapids 1983; ders. (Hrsg.), Saga, Legend, Tale,
Novella, Fable: Narrative Forms in Old Testament Literature, Sheffield
1985.

15 Vgl. H. Haag, Das Land der Bibel. Gestalt – Geschichte – Erforschung ,
Stuttgart 1989, S. 50-63.

16 Vgl. Gen 11.

17 Zur Herkunft aus Ur: Gen 11,28. 31; 15,7; aus Haran: Gen 11,31; 24,4.
10; 27,43.

18 Gen 12,6-9.

19 Gen 23,4.

20 Vgl. Gen 23,19f.

21 Gen 14,13.

22 Zu den »Hebräern«/»Apiru« vgl. in Bestätigung der Auffassung von G. E.
Mendenhall M. Weippert, Die Landnahme der israelitischen Stämme,
Göttingen 1967, S. 66-102. Anders O. Loretz, Habiru – Hebräer. Eine
sozio-linguistische Studie über die Herkunft des Gentiliziums c ibrî vom
Appellativum habiru, Berlin 1984.

23 Zur Genealogie vgl. C. Westermann, Genesis, Bd. I/1, S. 8-24.

24 Vgl. Gen 25,1.6.

25 Vgl. Gen 21,2f.

26 Vgl. Gen 16,15.
27 Vgl. Gen 25,12-18; dazu **E. A. Knauf**, Ismael. Untersuchungen zur Geschichte Palästinas und Nordarabiens im 1. Jahrtausend vor Christus, Wiesbaden 1985:»›Ismael‹ war eine protobeduinische Konföderation, die ganz Nordarabien von der Nefud bis zu den Rändern des fruchtbaren Halbmonds umfaßte« (S. 113). Vgl. auch **H. Donner**, aaO Bd. I, S. 58.
28 Vgl. Gen 25,1-4.
29 Vgl. **R. de Vaux**, Histoire ancienne d'Israël, Bd. I, Paris 1971, S. 261-269. 424-431.
30 Vgl. **C. Westermann**, aaO Bd. I/1, S. 319 f.: Exkurs zur Beschneidung.
31 Vgl. Lev 12,3.
32 Vgl. Gen 15,6.
33 Vgl. Gen 22,1-12.
34 Vgl. **H. Küng**, PW Kap. C III.
35 Vgl. Gen 26,24.
36 Vgl. Jes 41,8.
37 Vgl. Sir 44,19-23.
38 Textausgaben: **P. Riessler**, Altjüdisches Schrifttum außerhalb der Bibel, Freiburg 1928, ⁵1984. **J. H. Charlesworth** (Hrsg.), The Old Testament Pseudepigrapha, Vol. I, Apocalyptic Literature and Testaments, New York 1983, S. 681-705, übersetzt und eingeleitet von R. Rubinkiewicz.
39 Textausgaben: **P. Riessler**, aaO. **J. H. Charlesworth**, aaO S. 871-902, übersetzt und eingeleitet von E. P. Sanders.
40 Vgl. Gen 12,12f.
41 Vgl. Gen 21,14.
42 Vgl. Gen 25,6.
43 Sir 44,19.
44 Vgl. Gen 26,5.
45 Vgl. Talmudtraktat Yoma: b Yom 28b.
46 So im legendären Midraschwerk zum Buche Genesis Bereschit Rabba 14,6. Hier das Gleichnis von Abraham als dem tragenden Hauptbalken: »Gleich einem Menschen, der einen Speisesaal bauen will. Er besitzt einen kräftigen großen Balken. Wo fügt er diesen Balken ein? Etwa nicht längs der Mitte des Speisesaales? Er soll ja die vorderen und die hinteren Balken tragen. So: Weshalb hat der Heilige, gelobt sei er, den Abraham mitten zwischen den Generationen geschaffen? Damit er die früheren und die späteren Generationen trage.«
47 Jes 41,8; Jer 33,26.
48 Ps 47,10.
49 Gen 12,1-3.
50 Vgl. Mk 12,26; Lk 19,9.
51 Vgl. Lk 16,19-31.
52 Vgl. Jak 2,23.
53 Vgl. Mt 3,7-10; Lk 3,7-9.

54 Vgl. Mt 3,9.
55 Vgl. Mt 8,11f.
56 Vgl. Röm 4,9-12; 9,6-8; Gal 3,6-29.
57 Vgl. Röm 2,29.
58 Vgl. Röm 4,1-25.
59 Vgl. Gal 4,21-30.
60 Vgl. Sure 2,125; 3,97; 22,26-31. Daß Abraham so weit nach Süden gereist wäre, dafür gibt es allerdings keine historischen Beweise: vgl. **W. Montgomery Watt – A. T. Welch**, Der Islam. Bd. I, Mohammed und die Frühzeit – Islamisches Recht – Religiöses Leben, Stuttgart 1980, S. 122-124. Es waren vor allem die Werke von **A. Geiger**, Was hat Mohammed aus dem Judenthume aufgenommen, Leipzig ²1902, und von **C. Snouck Hurgronje**, Het Mekkaansche Feest, Leiden 1880, die eine große Debatte über die Entwicklung Mohammads bezüglich seiner Einstellung zu Abraham und Ismael zur Folge hatten. Vgl. dazu **R. Paret**, aaO Bd. III, S. 980f.
61 Vgl. Sure 4,125.
62 Vgl. Sure 3,67.
63 Vgl. Sure 6,74-81; 21,55-67.
64 Vgl. Sure 2,124; 37,102-106.
65 Mit dieser berechtigten Frage schließt **P. Antes** seinen genau referierenden Artikel über »Abraham im Judentum, Christentum und Islam«, in: ders. u. a., Christen und Juden. Ein notwendiger Dialog, Hannover 1988, S. 11-15, Zit. S. 15.
66 Von Jesus Christus als Nachkomme Abrahams wird besonders deutlich gesprochen in Mt 1,1-17, aber auch in Lk 3,23-34.
67 Vgl. Apg 3,13.
68 Vgl. Gal 5,6.
69 Vgl. Jo 8,39.
70 Vgl. Jak 1,22-25.
71 Vgl. **H. Strack – P. Billerbeck**, Kommentar zum Neuen Testament aus Talmud und Midrasch, Bd. III, München 1926, S. 186-201. Hier sind viele Stellen gesammelt.
72 Vgl. **J. J. Petuchowski**, aaO Sp. 4.
73 **D. Flusser**, Christianity, in: A. A. Cohen – P. Mendes-Flohr (Hrsg.), Contemporary Jewish Religious Thought. Original Essays on Critical Concepts, Movements, and Beliefs, Jerusalem 1972, Neuausgabe New York 1988. Dieses theologische Nachschlagewerk wird im folgenden wie alle Lexika abgekürzt zitiert.
74 **K. Rudolph**, Juden – Christen – Muslime. Zum Verhältnis der drei monotheistischen Religionen in religionswissenschaftlicher Sicht, in: Judaica 44 (1988), S. 214-232. Zit. S. 223.
75 Zum »Trialog« zwischen Juden, Christen und Muslimen vgl. **I. Maybaum**, Happiness outside the State: Judaism, Christianity, Islam – Three

Ways to God, Stocksfield 1980. **F. E. Peters**, Children of Abraham: Judaism/Christianity/Islam, Princeton 1982. **M. Stöhr** (Hrsg.), Abrahams Kinder: Juden – Christen – Moslems, Frankfurt 1983. **W. Strolz**, Heilswege der Weltreligionen, Bd. I: Christliche Begegnung mit Judentum und Islam, Freiburg 1984. **J. Falaturi** u.a. (Hrsg.), Drei Wege zu dem einen Gott. Glaubenserfahrung in den monotheistischen Religionen, Freiburg 1976.

76 **Vaticanum II**, Erklärung über das Verhältnis der Kirche zu den nichtchristlichen Religionen »Nostra aetate« Art. 4.

77 AaO Art. 3.

A II. Probleme des Anfangs

1 Vgl. **M. Noth**, Die Welt des Alten Testaments. Einführung in die Grenzgebiete der alttestamentlichen Wissenschaft, Berlin [3]1957.

2 Zur Verflochtenheit Israels mit der religionsgeschichtlichen Umwelt vgl. **J. B. Pritchard**, Ancient Near Eastern Texts relating to the Old Testament, 1950; [3]1969. **W. Beyerlin** (Hrsg.), Religionsgeschichtliches Textbuch zum Alten Testament, Göttingen 1975.

3 Vgl. Ex 5-15.

4 Vgl. Ex 7-11.

5 Vgl. Ex 12.

6 Text bei **J. B. Pritchard**, aaO S. 378; Text und Abbildung bei **G. E. Wright**, Biblical Archeology. Philadelphia 1957, S. 71. Nach **G. W. Ahlström**, Who Were the Israelites?, Winona Lake 1986, wäre »Israel« auf der Stele nur ein Territorialname für die zentrale Gebirgsregion Palästina (aus dem erst später ein Volksname, später ein religiös-liturgischer Name und schließlich ein ideologisch verengter Begriff wurde). **E. Otto** macht darauf aufmerksam, daß »Israel« gerade auf der Stele »mit dem Determinativ ›Volk‹ verbunden« sei, in: Theologische Revue 85 (1989), S. 8.

7 Vgl. Ex 2,1-10.

8 Text bei **W. Beyerlin**, aaO S. 123f.

9 Zu Thomas Mann vgl. meinen Beitrag in **W. Jens – H. Küng**, Anwälte der Menschlichkeit. Thomas Mann – Hermann Hesse – Heinrich Böll, München 1989. – Zu Sigmund Freud vgl. **H. Küng**, Freud und die Zukunft der Religion, München 1987.

10 Vgl. **H. J. Kraus**, Geschichte der historisch-kritischen Erforschung des Alten Testaments von der Reformation bis zur Gegenwart, Neukirchen 1956.

11 Selbst **O. Eißfeldts** monumentale (über 1100 Seiten zählende) »Einleitung in das AT« (Tübingen [2]1956) kann davon nur bedingt einen Eindruck geben. Wie komplex und buchstäblich unüberschaubar die Bibel-

wissenschaft in unseren Tagen geworden ist, zeigen **V. Fritz, J. W. Rogerson, B. J. Diebner, O.** Merk im Artikel »Bibelwissenschaft«, in: Theologische Realenzyklopädie, Berlin / New York 1980, Bd. VI, S. 316-409. Ebenso für die Hebräische Bibel: **N. K. Gottwald,** The Hebrew Bible. A Socio-literary Introduction, Philadelphia 1985.

12 Nachdem man im **Pentateuch** schon früh den unterschiedlichen Gebrauch der beiden hebräischen Worte für Gott – »Jahwe« und »El«, im Plural »Elohim« – beobachtet hatte, entdeckte man erst zur Zeit der französischen Aufklärung, daß die Jahwe-Stücke einerseits und die Elohim-Stücke andererseits je ein zusammenhängendes Ganzes bilden.

Als erster hat der aus dem Protestantismus zum Katholizismus übergetretene bedeutende französische Arzt **J.Astruc,** Leibarzt Ludwigs XV., den Gebrauch der Gottesnamen Jahwe und Elohim systematisch untersucht und so die kritische Pentateuch-Forschung begründet (1753). **G. Eichhorn** arbeitete später Merkmale und Inhalte der beiden Quellen genauer heraus (1799). Nach weiteren langen Auseinandersetzungen gelang es dann im 19. Jahrhundert **H. Hupfeld,** vier anonyme Quellenschriften im Pentateuch zu unterscheiden (1853): J (Jahwist) und E (Elohist), dazu P (Priesterschrift, besonders für kultische und priesterliche Anordnungen) und D (Deuteronomium). **J. Wellhausen** hat der Urkunden-Theorie in seinem Werk »Die Composition des Hexateuch und der historischen Bücher des alten Testamentes«, Berlin 1865; [4]1963, die klassische Form gegeben. Die Datierung des Buches Deuteronomium durch **W. M. L. de Wette** (schon 1805) auf die Periode des Königs Josia (2 Kön 22) im 7. Jahrhundert v. Chr. bildete die Grundlage für die Datierung der offensichtlich älteren Quellen J und E (P wurde seit Julius Wellhausen zumeist auf das Babylonische Exil im 6. Jahrhundert v. Chr. datiert). Dabei ist es bis heute geblieben, wenn auch die Quellenkritik später vielfach modifiziert und durch die Traditionskritik ergänzt wurde. Besonders **H. Gunkel** in seinen Kommentaren zur Genesis und zu anderen biblischen Büchern sowie **H. Gressmann** in seinem Werk »Mose und seine Zeit. Ein Kommentar zu den Mose-Sagen«, Göttingen 1913, konzentrierten sich auf die Überlieferungen, die schon vor der schriftlichen Fixierung bestanden haben müssen, und versuchten, deren »Sitz im Leben« in den gesellschaftlichen Verhältnissen Israels zu bestimmen.

13 **W. Keller,** Und die Bibel hat doch recht. Forscher beweisen die historische Wahrheit, Düsseldorf 1955.

14 **N. K. Gottwald,** aaO S. 608.

15 Ex 20,2-4; vgl. Deut 5,6-8.

16 **Y. Kaufmann,** The Religion of Israel. From Its Beginnings to the Babylonian Exile (aus dem Hebräischen übersetzte und gekürzte Ausgabe von M. Greenberg), Chicago 1960, S. 60.

17 AaO S. 121.

18 Einige Standardwerke zur **historisch-kritischen Erforschung des Alten**

Testaments: **A. Alt**, Kleine Schriften zur Geschichte des Volkes Israel, Bd. I-II, München 1953 (darin bes. wichtig: Die Landnahme der Israeliten in Palästina, 1925; Der Gott der Väter, 1929; Die Staatenbildung der Israeliten in Palästina, 1930; Die Ursprünge des israelitischen Rechts, 1934). **M. Noth**, Die Welt des Alten Testaments. Einführung in die Grenzgebiete der alttestamentlichen Wissenschaft, Berlin ³1957; **ders.**, Überlieferungsgeschichte des Pentateuch, Stuttgart 1948; **ders.**, Gesammelte Studien zum Alten Testament Bd. I-II, München 1957-1969 (hier vor allem die Abhandlung über die Gesetze im Pentateuch (1940), Bd. I, S. 11-141). **G. von Rad**: neben Schriften zum Deuteronomium, zum chronistischen Werk, zum Hexateuch und seinem Genesis-Kommentar vor allem seine »Theologie des Alten Testaments«, Bd. I-II, München 1957-1960. **O. Eißfeldt**: neben seiner Einleitung in das AT und seiner Hexateuchsynopse (1922) vor allem »Die ältesten Traditionen Israels. Ein kritischer Bericht über C. A. Simpson's ›The Early Traditions of Israel‹«, Berlin 1950, und knapp-synthetisch »Die Genesis der Genesis«, Tübingen 1958.

19 Umfassenderen Überblick über die gegenwärtigen bibelwissenschaftlichen Methodologien mit reichen Literaturhinweisen bietet **N. K. Gottwald**, aaO S. 6-34. 612-665.

20 Vgl. **M. Smith**, Palestinian Parties and Politics That Shaped the Old Testament, New York 1971, bes. S. 15-56.

21 **O. Keel** (Hrsg.), Monotheismus im alten Israel und seiner Umwelt, Fribourg 1980 (vom Hrsg.: Gedanken zur Beschäftigung mit dem Monotheismus, S. 11-30; Zit. S. 21).

22 Vgl. **B. Lang** (Hrsg.), Der einzige Gott. Die Geburt des biblischen Monotheismus, München 1981, bes. S. 47-83 (hier M. Smiths diesbezügliches Kap. 2 in deutscher Übersetzung, S. 9-46); vgl. ebenfalls **A. de Pury**, Exclusivism and Integration in the Faith of Ancient Israel. Is Monotheism Compatible with a »Convival« Religion?, als Manuskript gedruckt für das »Abrahamische Symposium« vom 12.-15. Februar 1987 in Cordoba, organisiert von »The Cultures Dialogue Institute« (Genf).

23 Jes 2,8. 18; 10,10; 19,3.

24 Jer 2,11; 5,7.

25 Jer 2,5; 10,8; 14,22.

26 Jes 45,21.

27 Nach Deut 6,4.

28 Vgl. **H. Haag**, Abschied vom Teufel, Zürich 1969; **ders.**, Teufelsglaube. Mit Beiträgen von K. Elliger, B. Lang und M. Limbeck, Tübingen 1974, Teil II: Dämonen und Satan im Alten Testament, S. 141-269.

29 Vgl. Jes 63,7-64,11.

30 Vgl. Gen 1,27.

31 Vgl. zu dieser sehr komplexen Problematik die differenzierte Analyse von **E. S. Gerstenberger**, Jahwe –ein patriarchaler Gott? Traditionelles Gottes-

bild und feministische Theologie, Stuttgart 1988.

32 Vgl. **K. Jaspers**, Die großen Philosophen, Bd. I, München 1957, S. 68.
33 Vgl. **H. Renckens**, Art. Adam, in: Bibellexikon.
34 Vgl. Gen 1,26-28.
35 Vgl. Gen 14,18-20.
36 Vgl. Ps 110,4.
37 Vgl. Heb 5,1-7,28.
38 Gen 9,9-11.
39 Gen 9,6.
40 Vgl. **A. Lichtenstein**, The Seven Laws of Noah, New York 1981.
41 Vgl. **J. J. Petuchowski**, Art. Noachidische Gebote, in: Lexikon der jü-disch-christlichen Begegnung. Vgl. **D. Novak**, The Image of the Non-Jew in Judaism. An Historical and Constructive Study of the Noahide Laws, New York 1983.

B. Zentrum

B I. Die zentralen Strukturelemente

1 Ex 6,6-7.
2 Vgl. Ex 1-15.
3 Zum Buche **Exodus** vgl. neben den älteren Kommentaren von H. Holzin-ger, B. Baentsch und G. Beer – K. Galling die Kommentare von **J. C. Ry-laarsdam**, 1952 (IB). **M. Noth**, 1958 (ATD). **G. te Stroete**, Roermond 1966. **U. Cassuto**, Jerusalem 1967. **J. P. Hyatt**, 1971 (NCeB). **R. E. Cle-ments**, 1972 (CNEB). **B. S. Childs**, 1974 (OTL). **W. H. Schmidt**, 1974 (BK). **F. C. Fensham**, Nijkerk ²1977. **W. G. Plaut**, in: The Torah, New York 1981.
4 Vgl. Ex 6,14-20.
5 Vgl. Gen 35,22-26.
6 Überblick über die neueste Literatur zum Jahwe-Namen und zu Ex 3,14 bei **W. H. Schmidt**, Exodus-Kommentar, 1988 (BK) S. 169-171.
7 Ex 3,14. Zur Diskussion dieser klassischen Stelle vgl. **W. H. Schmidt**, aaO S. 171-179.
8 Hos 13,4.
9 Für die hier und im folgenden entwickelten Schlüsselbegriffe wie Volk, Bund und Land vgl. die entsprechenden Abschnitte in den Standardtheo-logien zum Alten Testament: **W. Eichrodt,** Theologie des Alten Testa-ments, Bd. I-III, Stuttgart 1933-1939. **L. Köhler**, Theologie des Alten Testaments, Tübingen 1936. **O. Procksch**, Theologie des Alten Testa-ments, Gütersloh 1949. **E. Jacob**, Théologie de l'Ancien Testament, Neu-châtel 1955. **T. C. Vriezen**, Theologie des Alten Testaments in Grund-zügen, Wageningen 1956. **G. v. Rad**, Theologie des Alten Testaments,

Bd. I-II, München 1957-1960. **G. Fohrer**, Theologische Grundstrukturen des Alten Testaments, Berlin 1972. **W. Zimmerli**, Grundriß der Alttestamentlichen Theologie, Stuttgart 1972. **J. L. McKenzie**, A Theology of the Old Testament, New York 1974. **C. Westermann**, Theologie des Alten Testaments in Grundzügen, Göttingen 1978.

10 Ex 19,5-6.
11 Vgl. Ex 19,10-20,21.
12 Vgl. Ex 24.
13 Vgl. **H. Gese**, Bemerkungen zur Sinaitradition (1967), in: ders.,Vom Sinai zum Zion, München 1974, S. 31-48. Vgl. auch **H. Donner**, Geschichte des Volkes Israel und seiner Nachbarn in Grundzügen, Bd. I, Göttingen 1984, S. 97-115. Einen Überblick über die (vor allem deutschsprachige) Diskussion bietet: **W. H. Schmidt**, Exodus, Sinai und Mose. Erwägungen zu Exodus 1-19 und 24, Darmstadt 1983.
14 Vgl. dazu **L. Perlitt**, Bundestheologie im Alten Testament, Neukirchen 1969: »Die deuteronomische Bundestheologie wurde anfangs durch kein Gesetzbuch, sondern durch das ›Hauptgebot‹ stimuliert.« Israel hat »selber kaum einen anderen theologischen Begriff mit solcher Weiträumigkeit ausgebildet. Mit ›berit‹ konnte die schärfste ethische Forderung formuliert, unbedingte religiöse Entscheidung erzwungen und Einsicht in die eigene Schuld bewirkt werden; mit ›berit‹ konnte aber ebenso Hoffnung erweckt und Jahwes Treue beschworen werden« (S. 284). Solche Bundestheologie darf freilich nicht an einem sogenannten »Bundesformular« festgemacht werden. Vgl. dazu **D. J. McCarthy**, Treaty and Covenant, Rom 1963; dt.: Der Gottesbund im Alten Testament. Ein Bericht über die Forschung der letzten Jahre, Stuttgart 1966.
15 Vgl. Gen 15.
16 Vgl. Gen 17,19. 21; 24,7; 26,1-5.
17 Vgl. Gen 28,3-4.
18 Vgl. Deut 26,16-19.
19 Vgl. Ex 20-23.
20 Vgl. **A. Alt**, Die Ursprünge des israelitischen Rechts (1934), in: ders., Kleine Schriften zur Geschichte des Volkes Israel, Bd. I, München 1953, S. 278-332.
21 Vgl. **M. Noth**, Die Gesetze im Pentateuch. Ihre Voraussetzungen und ihr Sinn (1940), in: ders., Gesammelte Studien zum Alten Testament, Bd. I, München 1957, S. 9-141.
22 **G. von Rad**, Theologie des Alten Testaments, Bd. I, München 1958, S. 193.
23 **N. K. Gottwald**, The Hebrew Bible. A Socio-Literary Introduction, Philadelphia 1985, S. 209.
24 **G. Fohrer**, Geschichte der israelitischen Religion, Berlin 1969, S. 74.
25 Jos 1,1-4.
26 Vgl. **F. Stummer – H. Haag**, Art. Palästina, in: Bibellexikon.

27 Vgl. schon die an die »Erzväter«: Gen 12,1-3. 7; 13,14-17; 15,7. 18-21; 28,13-15.
28 Vgl. M. Sharon (Hrsg.), The Holy Land in History and Thought, Leiden 1988.
29 Vgl. Jos 1,4.
30 Vgl. Gen 9,9-16.
31 Vgl. Gen 17,20.
32 Vgl. Gen 25,12-18.

B II. Die zentrale Leitfigur

1 Vgl. Ex 2,15-22; Ex 18.
2 Vgl. Ex 3-4.
3 Vgl. Ex 1,11-14; 4,29.
4 Vgl. J. Wach, Sociology of Religion, Chicago [5]1950; dt.: Religionssoziologie, Tübingen 1951. Wach unterscheidet folgende Typen religiöser Autorität: Religionsstifter, Reformator, Prophet, Seher, Zauberer, Wahrsager, Heiliger, Priester, der »Religiöse«.
5 Neuerer Überblick bei H. Donner, Geschichte des Volkes Israel und seiner Nachbarn in Grundzügen, Bd. I, Göttingen 1984, S. 107-115. Ältere exegetisch-religionsgeschichtliche Arbeiten: P. Volz, Mose. Ein Beitrag zur Untersuchung über die Ursprünge der israelitischen Religion, Tübingen 1907. H. Gressmann, Mose und seine Zeit. Ein Kommentar zu den Mose-Sagen, Göttingen 1913. E. Sellin, Mose und seine Bedeutung für die israelitisch-jüdische Religionsgeschichte, Leipzig 1922.
6 Vgl. M. Noth, Überlieferungsgeschichte des Pentateuch, Stuttgart 1948, S. 172-191.
7 Zu Mose vgl. die Artikel in: Bibellexikon (H. Cazelles). Encyclopaedia Judaica (I. Abrahams, M. Greenberg, D. Winston, L. Jacobs, A. Rothkoff, D. Kadosh, H. Z. Hirschberg, B. Bayer). Enzyklopaedie des Islam (B. Heller). Jüdisches Lexikon (A. Kristianpoller, N. M. Soloweitschik). Lexikon der jüdisch-christlichen Begegnung (J. J. Petuchowski – C. Thoma). Lexikon der Religionen (F.-L. Hossfeld – C. Frevel). Lexikon für Theologie und Kirche (J. Schmid). Religion in Geschichte und Gegenwart (E. Osswald). Theologisches Wörterbuch zum Neuen Testament (J. Jeremias). Wörterbuch des Christentums (R. Liwak).
    Für den Dialog über Mose wichtige Monographien: M. Buber, Moses (1944), in: Werke, München 1964, Bd. II, S. 9-230. H. Cazelles u. a., Moïse. L'Homme de l'Alliance, Paris 1955. L. Ginzberg, The Legends of the Jews, Bd. I-II, Philadelphia 1909-1910. A. Néher, Moïse et la vocation juive, Paris 1956; dt.: Moses in Selbstzeugnissen und Bilddokumenten, Hamburg 1964. H. Schmid, Die Gestalt des Mose. Probleme alttestamentlicher Forschung unter Berücksichtigung der Pentateuch-

krise, Darmstadt 1986.
8 Vgl. Ex 4,16; 34,29-35.
9 Vgl. Ex 3-4.
10 **F. Heiler**, Das Gebet. Eine religionsgeschichtliche und religionspsychologische Untersuchung, München [5]1969, S. 255.
11 Num 12,8.
12 Deut 18,15.
13 Textausgaben: **P. Riessler**, Altjüdisches Schrifttum außerhalb der Bibel, Freiburg 1928, [5]1984, S. 138-155.
14 Textausgaben: aaO S. 485-495.
15 Vgl. schon 2 Kön 14,6.
16 Vgl. Mk 7,9-10.
17 Vgl. Lk 16, 29- 31.
18 Vgl. Mt 2.
19 Vgl. Jo 6,25-34.
20 Vgl. Lk 24,25-27.
21 Vgl. Sure 20,10-98.
22 Vgl. Sure 7,104-158; 20,10-98; 26,10-68; 28,4-43.
23 Vgl. **R. Smend**, Die Mitte des Alten Testaments, Zürich 1970. Rudolf Smends knappe, aber historisch von W. M. L. de Wette (1813) und Wilhelm Vatke (1835), den Begründern einer modernen Bibeltheologie, über Julius Wellhausen (1880) bis zu Martin Buber (1932), Walther Eichrodt (1933-39) und Gerhard von Rad (1957-60) ausgezeichnet dokumentierten beiden programmatischen Aufsätze haben mir geholfen, meinen eigenen Standpunkt von der Historie her zu präzisieren (nur die durchgängige Vernachlässigung der mit der Erwählung des Volkes nun einmal gegebenen Landverheißung habe ich zu kritisieren).
24 Schon für **J. Wellhausen**, Israelitische und jüdische Geschichte, Berlin 1894, [9]1958, ist der Satz »Jahve der Gott Israels, Israel das Volk Jahves« der kurze Inbegriff der israelitischen Religion gewesen. »Jahve der Gott Israels, Israel das Volk Jahves: das ist der Anfang und das bleibende Prinzip der folgenden politisch-religiösen Geschichte. ... Der Grund, auf dem zu allen Zeiten das Gemeinbewußtsein Israels beruhte, war der Glaube: Jahve der Gott Israels und Israel das Volk Jahves« (S. 23. 28).
25 Die doppelpolige Umschreibung findet sich der Sache nach auch bei zahlreichen anderen Autoren, etwa bei **G. Fohrer**, der von Gottesherrschaft und Gottesgemeinschaft spricht, um das lebendige Relationsverhältnis zwischen Gott und Volk auszudrücken. Zur weiteren Diskussion um die Mitte des Alten Testaments vgl. **H. Graf Reventlow**, Hauptprobleme der alttestamentlichen Theologie im 20. Jahrhundert, Darmstadt 1982, Kap. IV: Die »Mitte« des Alten Testaments.
26 **T. S. Kuhn**, The Structure of Scientific Revolutions, Chicago 1962; dt.: Die Struktur wissenschaftlicher Revolutionen, Frankfurt [2]1976, korrigiertes Zit. S. 186.

27 Vgl. **H. Küng**, ThA Kap. B II-IV. C I; ebenso PW Teil C.

C. Geschichte

C I. Das Stämme-Paradigma der vorstaatlichen Zeit

1   **T. S. Kuhn**, The Structure of Scientific Revolutions, Chicago 1962; dt.:
    Die Struktur wissenschaftlicher Revolutionen, Frankfurt ²1976, korrigier-
    tes Zit. S. 186.
2   Vgl. **H. Küng**, ThA Kap. C I,4: Bedeutet Paradigmenwechsel Fortschritt?
3   **R. de Vaux**, Histoire ancienne d'Israël, Bd. I, Paris 1971, S. 443; zur
    Landnahme vgl. S. 487-614.
4   Einen guten Überblick über die neueste Diskussion bietet **M. L. Chaney**,
    Ancient Palestinian Peasant Movements and the Formation of Premonar-
    chic Israel, in: Palestine in Transition. The Emergence of Ancient Israel,
    hrsg. v. D. N. Freedman u. D. Graf, Sheffield 1983, S. 39-90. Vgl. auch
    R. B. Coote – K. W. Whitelam, The Emergence of Early Israel in Histo-
    rical Perspective, Sheffield 1987. Wertvolle Informationen verdanke ich
    persönlich Gesprächen mit dem Alttestamentler Prof. **Don C. Benjamin**
    während meines Gastsemesters an der Rice University in Houston/Texas
    im Herbst 1987.
5   Vgl. neben Albrights und Wrights Werken (vgl. Kap. A I) auch **J. Brights**
    »Geschichte Israels« in ihrer ersten Auflage, Philadelphia 1959, und
    H. H. Rowley, From Joseph to Josua, Biblical Traditions in the Light of
    Archaeology, London 1950.
6   Vgl. **A. Alt**, Die Landnahme der Israeliten in Palästina (1925), in: ders.,
    Kleine Schriften zur Geschichte des Volkes Israel, Bd. I, München 1953,
    ⁴1968, S. 89-125; **ders.**, Erwägungen über die Landnahme der Israeliten
    in Palästina (1939), in: aaO S. 126-175. **M. Noth**, Geschichte Israels,
    Göttingen 1950, ⁶1966, sowie **M.Weippert**, Die Landnahme der israeli-
    tischen Stämme in der neueren wissenschaftlichen Diskussion. Ein kriti-
    scher Bericht, Göttingen 1967. Zur Kritik **C. H. J. de Geus**, The Tribes
    of Israel. An Investigation into Some of the Presuppositions of Martin
    Noth's Amphictyony Hypothesis, Assen 1976. Von der Archäologie her
    manche Bestätigung bei **Y. Aharoni**, The Archaeology of the Land of
    Israel. From the Prehistoric Beginnings to the End of the First Temple
    Period, Philadelphia 1982.
7   Vgl. **G. E. Mendenhall**, The Hebrew Conquest of Palestine, in: The Bib-
    lical Archaeologist 25 (1962), S. 66-87; **ders.**, The Tenth Generation.
    The Origins of the Biblical Tradition, Baltimore 1973; **ders.**, Ancient Is-
    raels Hyphenated History, in: D. N. Freedman – D. Graf (Hrsg.), aaO
    S. 91-103.
8   Vgl. **N. K. Gottwald**, The Tribes of Yahweh: a Sociology of the Religion

of Liberated Israel 1250-1050, New York 1979.

9 Vgl. dazu nach **M. L. Chaney**, der insbesondere auf die Argumente von **M. Weippert** eingeht, vor allem **N. K. Gottwald**, The Hebrew Bible, Philadelphia 1985, S. 272-276.

10 Vgl. **I. Finkelstein**, The Archaeology of the Israelite Settlement, Jerusalem 1988, S. 306-314; 352-356. Vgl. auch die Kritik am Eroberungsmodell, S. 295-302.

11 **I. Finkelstein**: »The origins of the Israelite settlers must ultimately be sought at the end of the Middle Bronze period, when the network of villages in the hill country broke apart and groups of people dropped out of this sedentary rural framework. These groups then underwent a lengthy pastoralist stage. They were particularly active in marginal areas, including the hill country, and their existence is attested in documents from the Late Bronze period. A change in political and economic circumstances led to their resedentarization starting at the end of the 13th century BCE and countinuing throughout the Iron I period« (aaO S. 353).

12 AaO S. 353. Vgl. die Einwände von **A. J. Hauser** gegen Mendenhalls Theorie und weitere Diskussionsbeiträge, in: Journal for the Study of the Old Testament Nr. 7, 1978.

13 AaO S. 273f.

14 Die neue von **J. M. Miller** und **J. H. Hayes** herausgegebene »History of Ancient Israel and Judah«, Philadelphia 1986, verzichtet ganz auf den Versuch einer Rekonstruktion der Geschichte der Frühisraeliten, und auch **J. A. Soggin** meint (allerdings ohne die neueste amerikanische Diskussion zur Kenntnis zu nehmen), eine verläßliche Geschichtsschreibung Israels lasse sich erst mit der Staatsgründung durch David beginnen: Storia d'Israele, dalle origini alla rivolta di Bar-Kochba 150 d.C., Brescia 1985; engl.: A History of Israel. From the Beginnings to the Bar Kochba Revolt, AD 135, London 1984.

15 Von der intensiven Diskussion der letzten beiden Jahrzehnte nimmt noch 1986 keine Kenntnis **M. Claus**, Geschichte Israels, anders **J. Bright** in seiner dritten Auflage 1981, und in der deutschen Exegese **H. Donner**, Geschichte des Volkes Israel und seiner Nachbarn in Grundzügen, Bd. I, Göttingen 1984.

16 **H. Donner**, aaO S. 127.

17 Vgl. **N. K. Gottwald**, The Hebrew Bible, S. 143f.

18 Vgl. Ri 5.

19 Ri 5,7.

20 Ri 5,3.

21 **J. Wellhausen**, Israelitische und jüdische Geschichte, Berlin 1894, ⁹1958, S. 23; vgl. S. 28.

22 **M. Buber**, Königtum Gottes (1932), in: Werke, Bd. II, München 1964, S. 485-723.

23 Die diesbezüglichen Einwände **G. v. Rads** im Theologischen Wörterbuch

zum Neuen Testament, Art. Basileus, scheint mir Buber nicht überzeugend widerlegt zu haben: vgl. Werke, Bd. II, S. 514-519.

24 Vgl. **L. Perlitt**, Bundestheologie im Alten Testament, Neukirchen 1969.

25 Vgl. **W. Eichrodt**, Theologie des Alten Testaments, Bd. I-III, Stuttgart 1933-1939.

26 Vgl. **H. Haag**, Das Land der Bibel. Gestalt – Geschichte – Erforschung, Stuttgart 1989, S. 63-72.

27 Vgl. Ri 5,11. 13.

28 Vgl. **N. K. Gottwald**, The Hebrew Bible, S. 285.

C II. Das Reichs-Paradigma der monarchischen Zeit

1 Ri 8,22f.

2 Dies wird freilich – unter völliger Vernachlässigung der für die alttestamentlichen Texte im Vordergrund stehenden äußeren Bedrohung durch die Philister – einseitig als kontinuierliche Entwicklung dargelegt von **R. B. Coote – K. W. Whitelam**, The Emergence of Early Israel in Historical Perspective, Sheffield 1987, S. 139-166. Ausgewogener erscheint die Studie von **F. S. Frick**, der Modelle und Daten aus Archäologie, vergleichender Ethnologie, Anthropologie mit den biblischen Texten in Verbindung zu bringen weiß: The Formation of the State in Ancient Israel. A Survey of Models and Theories, Sheffield 1985. Vgl. ferner die Beiträge von **H. Donner, A. D. H. Mayes, B. Oded, J. A. Soggin**, in: Israelite and Judaean History, hrsg. v. J. H. Hayes und J. M. Miller, Philadelphia 1977. **B. Halpern**, The Constitution of the Monarchy in Israel, Chico 1981. **A. D. H. Mayes**, The Story of Israel between Settlement and Exile. A Redactional Study of the Deuteronomistic History, London 1983.

3 Vgl. Deut 17,14-20. Vgl. dazu **M. Noth**, Überlieferungsgeschichtliche Studien (Deut. und Chr.), Bd. I, Tübingen ²1957. **M. Weinfeld**, Deuteronomy and the Deuteronomic School, Oxford 1972. **R. D. Nelson**, The Double Redaction of the Deuteronomistic History, Sheffield 1981.

4 Vgl. Ri 8,22f.; 9,8-15. Vgl. dazu **A. D. H. Mayes**, The Period of the Judges and the Rise of the Monarchy, in: Israelite and Judaean History, S. 285-331.

5 Vgl. 1 Sam 8; 10,17-27; 11,12-14.

6 Beide ineinanderkomponiert in 1 Sam 8-12.

7 Vgl. **G. Fohrer**, Geschichte Israels. Von den Anfängen bis zur Gegenwart, Heidelberg ³1982, S. 86f. **D. M. Gunn**, The Fate of King Saul. An Interpretation of a Biblical Story, Sheffield 1980.

8 Vgl. 1 Sam 31,4.

9 Zu **David** und seiner bleibenden Bedeutung vgl. die Artikel in: Bibellexikon (**A. van den Born**). Die Religion in Geschichte und Gegenwart (**R. Bach**). Encyclopaedia Judaica (**B. Oded, I. M. Ta-Shma, L. I. Rabi-**

nowitz, G. Sholem, D. Flusser, H. Z. Hirschberg, A. Goldberg, B. Narkiss, B. Bayer). Jüdisches Lexikon (H. Fuchs, A. Sandler). Lexikon für Theologie und Kirche (M. Rehm). Reallexikon für Antike und Christentum (J. Daniélou). The Encyclopedia of Religion (J. van Seters). Theologische Realenzyklopädie (L. A. Sinclair, C. Thoma). Wörterbuch des Christentums (U. Rüterswörden).

Im jüdisch-christlich-muslimischen »Trialog« hat David bisher sehr viel weniger Aufmerksamkeit gefunden als etwa Abraham und Mose. Oft fehlt hier das Stichwort »David«.

10 Vgl. G. von Rad, Der Anfang der Geschichtsschreibung im Alten Israel (1944), in: Gesammelte Studien zum Alten Testament, München 1958, S. 148-188, bes. S. 175f.

11 Die Reihe der **Davidsgeschichten** beginnt mit 1 Sam 16 und endet mit 1 Kön 2,12; schon in den beiden Chronikbüchern finden sich stark idealisierende Tendenzen. Grundlegende exegetische Artikel: **A. Alt**, Die Staatenbildung der Israeliten in Palästina (1930); Das Großreich Davids (1950), in: Kleine Schriften zur Geschichte des Volkes Israel, Bd. II, München 1953, S. 1-75, sowie die entsprechenden Kapitel in den hier benutzten Geschichten Israels (vgl. Kapitel A I), besonders **G. Fohrer**, S. 91-104. **H. Donner**, Bd. I, S. 169-215. **J. A. Soggin**, Storia d'Israele, dalle origini alla rivolta di Bar-Kochba 150 d.C., Brescia 1985; engl.: A History of Israel. From the Beginnings to the Bar Kochba Revolt, AD 135, London 1984, S. 41-68. Vgl. weiter **D. M. Gunn**, The Story of King David. Genre and Interpretation, Sheffield 1978. Dazu die Kommentare zu den Samuelbüchern, unter den neueren **H. W. Hertzberg**, 1956. ²1960 (ATD). **H. J. Stoebe**, Bd. I, 1973 (KAT). **P. K. McCarter**, 1980/ 1984 (AB). Weitere Literatur über das davidisch-salomonische Reich bei **N. K. Gottwald**, The Hebrew Bible. A Socio-Literary Introduction, Philadelphia 1985, S. 635-640.

12 Vgl. 2 Sam 1,19-27.

13 Vgl. 2 Sam 5,5.

14 Vgl. 2 Sam 5,6-9.

15 Vgl. 2 Sam 5,7.

16 Man lese die sagenumrankte Erzählung 2 Sam 6.

17 **J. A. Soggin**, aaO S. 55.

18 Vgl. **G. Fohrer**, Geschichte der israelitischen Religion, Berlin 1969, S. 116-119.

19 Vgl. 2 Sam 3,10; 17,11; 24,15.

20 Vgl. 2 Sam 24,9; 1 Chr 22,2.

21 Jos 1,4; vgl. auch 1 Kön 5,1. 4; 2 Chr 9,26.

22 Vgl. 2 Sam 7,16.

23 Vgl. 1 Chr 10-29.

24 Vgl. Neh 3,16.

25 Vgl. Apg 2,29.

26 **C. Thoma**, Theologische Realenzyklopädie, Bd. VIII, S. 384.
27 Vgl. aaO S. 384-387.
28 Vgl. Ps 1; 19; 119.
29 Vgl. Ruth 4,17. 20-22; 1 Sam 22,3-4.
30 Vgl. Mk 2,23-28.
31 Vgl. Mt 2,1-12. Vgl. dazu **F. Hahn**, Christologische Hoheitstitel. Ihre Geschichte im frühen Christentum, Göttingen 1962, ³1966, S. 242-279. **C. Burger**, Jesus als Davidssohn. Eine traditionsgeschichtliche Untersuchung, Göttingen 1970.
32 Vgl. Lk 2,4-11.
33 Vgl. Mt 1,1-17.
34 Vgl. Lk 3,23-38.
35 Vgl. Mk 10,47f.
36 Vgl. Ps 2.
37 Vgl. Apg 13,33.
38 Vgl. Sure 5,78.
39 Vgl. Sure 2,251.
40 Sure 17,55; **Rudi Paret** bemerkt in seinem Kommentar zur entsprechenden Sure 4,164: »Das Wort **zabur** ist als Verquickung von hebräisch **mizmor**, äthiopisch **mazmur**), Psalm und arabisch **zabur** Schrift (wohl aus dem Südarabischen eingedrungen) zu erklären.«
41 Vgl. 1 Kön 1-2.
42 Zu **Salomo** vgl. die grundlegenden Aufsätze von **A. Alt**, Israels Gaue unter Salomo (1913); Die Weisheit Salomos (1951), in: ders., aaO S. 76-99, sowie die entsprechenden Kapitel in den hier benützten Geschichten Israels (vgl. Kapitel A I), besonders **G. Fohrer**, S. 104-119. **H. Donner**, Bd. I, S. 215-232. **J. A. Soggin**, aaO S. 69-85. Dazu natürlich die Kommentare zum ersten Königsbuch, unter den neueren **M. Noth** (nur Kap. 1-16; über den Vorarbeiten zur Auslegung der Elijaerzählungen mußte er die Feder aus der Hand legen), 1968 (BK). **J. Gray**, 1964 (OTL). **E. Würthwein**, 1977 (ATD).
43 Vgl. 1 Kön 1.
44 Vgl. 1 Kön 5,12.
45 Vgl. 1 Kön 3,4-15.
46 Vgl. **G. Fohrer**, Geschichte der israelitischen Religion, S. 120f.
47 Vgl. 1 Kön 5,9-14.
48 Vgl. 1 Kön 5,15-9,25.
49 Vgl. 1 Kön 9,26-10. 29.
50 Vgl. 1 Kön 11.
51 Vgl. 1 Kön 3,16-28.
52 Vgl. dazu besonders den Kommentar von **E. Würthwein**.
53 Einen umfassenden Artikel über den Ersten Tempel – Geschichte, Struktur und Ritual – bieten **Y. M. Grintz** und **Y. Yadin** im Art. Tempel der Encyclopaedia Judaica. Vgl. auch **S. Krauss**, **J. P. Kohn**, **A. Kristianpol-**

ler im Art. Tempel des Jüdischen Lexikons.
54 Vgl. 1 Kön 8,12f.
55 Vgl. 1 Kön 12.
56 Vgl. **H. H. Rowley**, Prophecy and Religion in Ancient China and Israel, London 1956.
57 Vgl. **H. Küng**, CR Kap. II,2.
58 Rowley selber muß dies am Ende seines Buches S. 125f. zugeben.
59 Vgl. Ex 15,20f.
60 Vgl. Ri 4f.
61 Vgl. 2 Kön 22,14-20.
62 Vgl. Jes 8,3.
63 Zum **Prophetentum** vgl. neben den Theologien des AT (vgl. Kap. A I) die Artikel in: Bibellexikon (**P. van Imschoot / H. Haag, J. Kürzinger**). Dictionnaire de Religions (**J. Jomier, L. Monboulou, E. Cothenet**). Die Religion in Geschichte und Gegenwart (**G. Mensching, R. Meyer, J. Fichtner, A. Jepsen, P. Vielhauer, E. Fascher**). Encyclopaedia Judaica (**S. M. Paul, L. I. Rabinowitz, R. Lerner, W. S. Wurzburger**). Enzyklopaedie des Islam (**J. Horovitz**). Jüdisches Lexikon (**M. Wiener**). Lexikon der jüdisch-christlichen Begegnung (**C. Thoma**). Lexikon der Religionen (**F.-L. Hossfeld / E. Reuter, A. Schimmel**). Lexikon für Theologie und Kirche (**G. Lanczkowski, H. Gross, J. Schmid, K. Rahner**). Lexikon religiöser Grundbegriffe (**D. Vetter, R. Glei, S. Balic**). The Encyclopedia of Religion (**G. T. Sheppard / W. E. Herbrechtsmeier, R. R. Wilson**). Theologisches Handwörterbuch zum Alten Testament (**J. Jeremias**). Theologisches Wörterbuch zum Neuen Testament (**H. Krämer**). Wörterbuch des Christentums (**R. Liwak**).
Für den Dialog über die Propheten wichtige neuere Einzelveröffentlichungen: **M. Buber**, Der Glaube der Propheten, in: Werke, Bd. II, München 1964, S. 231-484. **K. Koch**, Die Propheten, Bd. I-II, Stuttgart 1978-1980. **A. Néher**, L'essence du prophétisme, Paris 1955. **C. Westermann**, Art. Propheten, in: Biblisch-historisches Wörterbuch, Göttingen 1960, Sp. 1496-1512. **G. Fohrer**, Geschichte der israelitischen Religion, S. 222-312; ders., Theologische Grundstrukturen des Alten Testaments, Berlin 1972, S. 71-86. **R. R. Wilson**, Prophecy and Society in Ancient Israel, Philadelphia 1980. **J. Blenkinsopp**, A History of Prophecy in Israel, Philadelphia 1983. **D. L. Peterson** (Hrsg.), Prophecy in Israel. Search for an Identity, Philadelphia 1987. **J. F. A. Sawyer**, Prophecy and the Prophets of the Old Testament, Oxford 1987. **H. W. Wolf**, Studien zur Prophetie. Probleme und Erträge, München 1987. **J. Barton**, Oracles of God. Perceptions of Ancient Prophecy in Israel after the Exile, London 1986.
64 Vgl. Jes 6.
65 Vgl. Jer 1,4-10.
66 Vgl. Ez 1,1-3,15.

67 Vgl. **H. v. Stietencron**, in: **H. Küng**, WR Kap. B I,1.

68 Vgl. **J. Ching**, in: **H. Küng**, CR Kap. II,1.

69 Vgl. dazu die in Kap. A II angegebene Literatur von **B. Lang** , **M. Smith** und **A. de Pury**.

70 Vgl. 1 Kön 19,10. 14.

71 Jes 2,4; vgl. Micha 4,1-3.

72 Vgl. Hos 9,7; Jer 29,26; 2 Kön 9,11.

73 Vgl. **C. Thoma**, Art. Prophet, in: Lexikon der jüdisch-christlichen Begegnung.

74 Talmudtraktat Berachot: y Ber 1,4 (3 b).

75 Vgl. **F. Rahman**, Prophecy in Islam. Philosophy and Orthodoxy, London 1958.

76 Vgl. 2 Kön 17,1-6.

77 Vgl. 2 Kön 17,24-34.

78 Reformbericht in 2 Kön 22-23.

79 Vgl. **H. Donner**, aaO Bd. II, S. 368f.; **J. A. Soggin**, aaO S. 232f.

80 Das klassische Werk zur deuteronomistischen Geschichtsschreibung stammt von **M. Noth**, Überlieferungsgeschichtliche Studien, Bd. I, Tübingen [2]1957. Umfassenden Überblick über die Forschung bietet **H. D. Preuß**, Deuteronomium, Darmstadt 1982.

81 Daß es sich beim Auffinden des Buches um einen »frommen Betrug« gehandelt habe, ist zwar immer wieder behauptet worden, ist aber doch nicht wahrscheinlich. Vgl. dazu neuerdings **H. Spieckermann**, Juda unter Assur, Göttingen 1982, S. 156ff.

82 Deut 12,5.

83 Vgl. 2 Kön 24,14.

84 Vgl. 2 Kön 25,4-7.

85 Vgl. Jer 52,11.

C III. Das Theokratie-Paradigma des nachexilischen Judentums

1 Vgl. Lev 26.

2 Vgl. Ps 137.

3 Vgl. Ez 1,1. Zum **Babylonischen Exil** vgl. neben den in Kap. A I aufgeführten Geschichten Israels (bes. wichtig **H. H. Ben-Sasson**, **H. Donner**, **G. Fohrer**, **N. K. Gottwald**) unter den neueren Veröffentlichungen **W. Eichrodt**, Krisis der Gemeinschaft in Israel, Basel 1953. **E. Janssen**, Juda in der Exilszeit. Ein Beitrag zur Frage der Entstehung des Judentums, Göttingen 1956. **C. F. Whitley**, The Exilic Age, London 1957. **P. R. Ackroyd**, Exile and Restoration. A Study of Hebrew Thought of the Sixth Century BC, London 1968; ders., Israel under Babylon and Persia, Oxford 1970. **R. W. Klein**, Israel in Exile. A Theological Interpretation, Philadelphia 1979. **J. D. Newsome, Jr.**, By the Waters of Babylon. An

Introduction to the History and Theology of the Exile, Edinburgh 1979.
J. A. Soggin, Storia d'Israele, dalle origini alla rivolta di Bar-Kochba 150
d.C., Brescia 1985; engl.: A History of Israel. From the Beginnings to the
Bar Kochba Revolt, AD 135, London 1984.

4 Vgl. Ps 137.

5 Vgl. Ez 37,1-14.

6 Vgl. **G. Fohrer**, Geschichte der israelitischen Religion, Berlin 1969,
S. 331f.

7 Über den Einfluß des oder der »Deuteronomisten« auf andere biblische
Bücher wird diskutiert: Vgl. die im vorausgegangenen Kapitel angeführte
Literatur von **M. Noth** und **H. D. Preuß**.

8 Zur **Geschichte Judas im Perserreich** vgl. neben den Geschichten Israels
unter den neueren Veröffentlichungen **K. Galling**, Die Krise der Aufklärung in Israel, Mainz 1952 ; **ders.**, Studien zur Geschichte Israels im persischen Zeitalter, Tübingen 1964. **C. C. Torrey**, The Chronicler's History of Israel. Chronicles-Ezra-Nehemiah Restored to Its Original Form,
New Haven 1954. **O. Plöger**, Theokratie und Eschatologie, Neukirchen
1959. **S. Mowinckel**, Studien zu dem Buche Ezra-Nehemia, Bd. I-III,
Oslo 1964-1965. **H. C. M. Vogt**, Studie zur nachexilischen Gemeinde in
Esra-Nehemia, Werl 1966. **J. D. Purvis**, The Samaritan Pentateuch and
the Origin of the Samaritan Sect, Cambridge 1968. **R. S. Foster**, The Restoration of Israel. A Study in Exile and Return, London 1970. **K.-
M. Beyse**, Serubbabel und die Königserwartungen der Propheten Haggai
und Sacharja. Eine historische und traditionsgeschichtliche Untersuchung, Stuttgart 1972. **R. J. Coggins**, Samaritans and Jews. The Origins
of Samaritanism Reconsidered, Atlanta 1975. **M. Avi-Yonah – Z. Baras**
(Hrsg.), Society and Religion in the Second Temple Period (The World
History of the Jewish People. First Series: Ancient Time, Bd. VIII), Jeru-
salem/London 1977. **S. Safrai**, Das jüdische Volk im Zeitalter des Zweiten Tempels, Neukirchen 1978. **W. D. Davies – L. Finkelstein** (Hrsg.),
The Cambridge History of Judaism, Bd. I: Introduction. The Persian
Period, Cambridge 1984.

9 Vgl. Jes 41,2.

10 Vgl. Jes 44,28.

11 Vgl. Jes 45,1.

12 Aramäische Originalfassung Esr 6,3-5.

13 Vgl. Esr 1,1-4.

14 Nach **H. Donner**, aaO Bd. II, S. 409-412, dürfte die Rückkehrerlaubnis
vom Verfasser des chronistischen Geschichtswerkes (aus dem 4./3. Jahrhundert) nachträglich hinzugefügt worden sein.

15 So **H. Haag**, Das Land der Bibel. Gestalt – Geschichte – Erforschung,
Stuttgart 1989, S. 93f.

16 Die Heimkehr der zum Teil begüterten Rückwanderer – 42 360 und über
7 300 Sklaven nach Esr 2 (die im Land gebliebenen eingeschlossen?) – hat

erst in den zwanziger Jahren stattgefunden. So **H. Donner**, aaO Bd. II,
S. 409-412.

17 Vgl. Hag 1,2-4.
18 Vgl. Sach 4,9.
19 Vgl. Hag 2,23.
20 Vgl. Sach 4,1-6. 10. 14.
21 Einen umfassenden Artikel über den Zweiten Tempel – Geschichte,
   Struktur und Ritual – bieten **B. Porten, Y. M. Grintz, M. Avi-Yonah,
   S. Safrai** im Art. Tempel der Encyclopaedia Judaica. Vgl. auch **S. Krauss,
   J. P. Kohn, A. Kristianpoller** im Art. Tempel des Jüdischen Lexikons.
22 Vgl. Esr 6,15-18.
23 Vgl. Mal 3,1.
24 Vgl. Neh 5,14.
25 **A. van Hoonacker**, Néhémie et Esdras. Nouvelle hypothèse sur la chronologie de l'epoque de la restauration, Louvain 1890.
26 Vgl. Esr 7,12. 21.
27 Vgl. Neh 8-10.
28 Übersicht bei **U. Kellermann**, Erwägungen zum Esra-Gesetz, in: Zeitschrift für die Alttestamentliche Wissenschaft 80 (1968), S. 373-385.
29 Vgl. Lev 17-26.
30 **G. Fohrer**, Geschichte der israelitischen Religion, S. 321.
31 AaO S. 321f.
32 AaO S. 322.
33 Vgl. Esr 7-10.
34 Vgl. Neh 1-7; 10-13.
35 **G. Fohrer**, Geschichte der israelitischen Religion, S. 369.
36 Vgl. 2 Makk 6,2.
37 **J. A. Soggin**, aaO S. 278.
38 Vgl. **H. Donner**, aaO Bd. II, S. 433-439: »Das dunkle Jahrhundert«.
39 Vgl. 1 und 2 Chronik, Esra, Nehemia.
40 Den komplexen redaktionsgeschichtlichen und literaturkritischen Prozeß
   hat auf hohem Niveau beschrieben: **N. K. Gottwald**, The Hebrew Bible.
   A Socio-Literary Introduction, Philadelphia 1985, Kap. 11 (Gesetz und
   Propheten) sowie Kap. 12 (Schriften).
41 **I. Elbogen**, Der jüdische Gottesdienst in seiner geschichtlichen Entwicklung, Frankfurt 1913, [3]1931.
42 **J. Heinemann**, Prayer in the Talmud. Forms and Patterns, Berlin 1977,
   S.15.
43 **J. Neusner**, The Way of Torah. An Introduction to Judaism, Belmont
   [3]1979, S. 53.
44 **J. H. Charlesworth**, A Prolegomenon to a New Study of the Jewish Background of the Hymns and Prayers in the New Testament, in: Journal of
   Jewish Studies XXXIII (1982), S. 272.
45 Vgl. Jes 56-66.

46 Vgl. Sach 9-14.

47 Ps 74,9.

48 Vgl. Talmudtraktat Yoma: b Yom 9 b. In seiner Dissertation »Gibt es denn keinen mehr unter den Propheten? Zum Fortgang der alttestamentlichen Prophetie in frühjüdischer Zeit«, Frankfurt 1990, beweist **R. Then** mehr das fortgesetzte Interesse an den Propheten und Rückprojektionen auf David u. a. als die Existenz eigentlicher Propheten im Frühjudentum.

49 Vgl. Jo 6,14; 7,40. 52; Apg 3,22; 7,37.

50 Vgl. 1 Kor 12,28.

51 Vgl. 1 Kor 14,1-3.

52 Vgl. 1 Kor 14.

53 Vgl. Röm 12,6.

54 Vgl. Eph 4,11f.

55 Vgl. **A. Schimmel**, Art. Prophet, in: Lexikon der Religionen.

56 Vgl. Jer 18,18.

57 Vgl. **M. Hengel**, Judentum und Hellenismus. Studien zu ihrer Begegnung unter besonderer Berücksichtigung Palästinas bis zur Mitte des 2. Jh.s v. Chr., Tübingen 1969, ²1973, S. 234.

58 Guter Überblick auf neuestem Forschungsstand bei: **K.-J. Kuschel**, Geboren vor aller Zeit? Der Streit um Christi Ursprung, München 1990.

59 Zur **Geschichte Judas in hellenistischer Zeit** vgl. neben den Geschichten Israels (Kap. A I) unter den neueren Veröffentlichungen **W. O. E. Oesterley**, The Jews and Judaism during the Greek Period: The Background of Christianity, London 1941. **V. Tcherikover**, Hellenistic Civilization and the Jews, Philadelphia 1959. **S. Zeitlin**, The Rise and Fall of the Judaean State. A Political, Social and Religious History of the Second Commonwealth, Bd. I-II, Philadelphia 1962-1967. **D. S. Russel**, The Jews from Alexander to Herod, Oxford 1967. **M. Hengel**, aaO; **ders.**, Juden, Griechen und Barbaren. Aspekte der Hellenisierung des Judentums in vorchristlicher Zeit, Stuttgart 1976. **H. Temporini – W. Haase** (Hrsg.), Aufstieg und Niedergang der römischen Welt. Geschichte und Kultur Roms im Spiegel der neueren Forschung, Teil II, Bd. 21.1-2: Religion (Hellenistisches Judentum in römischer Zeit; Philon und Josephus), Berlin 1983-1984.

60 Auf diese Möglichkeit einer nicht nur äußerlichen überall auf der Welt faktisch verbreiteten »Weltreligion« (= Diasporareligion), sondern einer von innen her genuin universalen Weltreligion weist nachdrücklich der Tübinger Neutestamentler **Martin Hengel** hin: »Das Judentum war in der hellenistischen Zeit etwa seit der 2. Hälfte des 2.Jh.s v.Chr. – die Erfolge der Makkabäerzeit hatten auch in dieser Hinsicht sein Selbstbewußtsein gehoben – durch die rasche Ausbreitung der Diaspora und eine teilweise recht aktive Mission auf dem Wege, eine **Weltreligion** zu werden. Dazu stand freilich in einem offensichtlichen Gegensatz die ängstlicheifervolle Fixierung auf den Buchstaben der Tora, wie sie uns im Pharisä-

ismus begegnet. Auch im griechisch-sprechenden Judentum bestand hier im Grunde nur bedingt eine größere Freiheit gegenüber dem Gesetz; die allegorische Deutung hob den Wortsinn nicht auf, die konkreten Gebote und Verbote blieben selbst bei Philo uneingeschränkt in Geltung« (Judentum und Hellenismus, S. 568f.).

61 **H. Donner**, aaO Bd. II, S. 439.

62 Vgl. Dan 11,31; 12,11.

63 Zur **Makkabäerzeit** vgl. neben den Geschichten Israels (Kap. A I) unter den neueren Veröffentlichungen **W. W. Buehler**, The Pre-Herodian Civil War and Social Debate. Jewish Society in the Period 76-40 B.C. and the Social Factors Contributing to the Rise of the Pharisees and the Saducees, Basel 1974. **W. R. Farmer**, Maccabees, Zealots, and Josephus. An Inquiry into Jewish Nationalism in the Greco-Roman Period, New York 1956. **O. Plöger**, Aus der Spätzeit des Alten Testaments. Studien, Göttingen 1971.

64 Vgl. **Josephus Flavius**, Antiquitates, 13,380f.; **ders.**, De bello judaico I, 97f.

65 So tendenziell bei **M. Stern**, The Period of the Second Temple, in: H. H. Ben-Sasson, aaO Kap. 14f. Realistisch dagegen **S. Zeitlin**, aaO Bd. I.

66 **N. K. Gottwald**, aaO S. 448.

67 Zur **Geschichte Judas unter den Römern** vgl. neben den Geschichten Israels (Kap. A I) unter den neueren Veröffentlichungen **E. Schürer**, Geschichte des jüdischen Volkes im Zeitalter Jesu Christi, Bd. I-III, Leipzig ⁴1901-1909; engl. Neuausgabe hrsg. v. M. Goodman, F. Millar, G. Vermes: The History of the Jewish People in the Age of Jesus Christ (175 B.C. – A.D. 135), Bd. I-III, Edinburgh 1973-1987. **J. Jeremias**, Jerusalem zur Zeit Jesu. Kulturgeschichtliche Untersuchungen zur neutestamentlichen Zeitgeschichte, Göttingen 1923, ²1958. **M. Hengel**, Die Zeloten. Untersuchungen zur jüdischen Freiheitsbewegung in der Zeit von Herodes I. bis 70 n. Chr., Leiden 1961. **P. Prigent**, La fin de Jérusalem, Neuchâtel 1969. **H. Kreissig**, Die sozialen Zusammenhänge des judäischen Krieges. Klassen und Klassenkampf im Palästina des 1. Jahrhunderts v. u. Z., Berlin 1970. **D. M. Rhoads**, Israel in Revolution: 6-74 C.E. A Political History Based on the Writings of Josephus, Philadelphia 1976.

68 **G. Fohrer**, Geschichte Israels, Heidelberg 1979, S. 296f.

69 Zu **Herodes** vgl. neben den Geschichten Israels (Kap. A I) vor allem E. Schürers Werk, der knapp und sachlich die bei Josephus sich findenden Informationen zusammenfaßt. Gegenüber den Herodesdarstellungen von Heinrich Grätz (1906-1908), der Herodes aus talmudisch-orthodoxer Sicht aburteilt, von Hugo Willrich (1929), der Herodes von der römischen Staatsräson her gegen die Juden verteidigt, und Joseph Klausner (1949-1951), der gegen den »fremden Usurpator Herodes« einseitig die Hasmonäer verteidigt, versucht der jüdische Historiker **Abraham Schalit** auf der Linie Walter Ottos (1913) Herodes kritisch-umfassend gerechtzu-

werden durch sein in hebräischer Sprache verfaßtes Werk, das er für die deutsche Ausgabe wesentlich ergänzt und erweitert hat (jetzt fast 900 Seiten): »König Herodes. Der Mann und sein Werk«, Berlin 1969. Neuere englischsprachige Biographien von **S. Sandmel**, Herodes. Profile of a Tyrant, Philadelphia 1967; dt.: Herodes. Bildnis eines Tyrannen, Stuttgart 1968. **M. Grant**, Herod the Great, London 1971.

70 Die wirtschaftlichen, sozialen und religiösen Verhältnisse Jerusalems beschreibt umfassend **J. Jeremias**, aaO.

71 Zur **Apokalyptik** vgl. **O. Plöger**, Theokratie und Eschatologie, Neukirchen 1959. **C. Rowland**, The Open Heaven. A Study of Apocalyptic in Judaism and Early Christianity, New York 1982. **D. Hellholm** (Hrsg.), Apocalypticism in the Mediterranean World and the Near East: Proceedings of the International Colloquium on Apocalypticism (Uppsala, August 12-17, 1979), Tübingen 1983. **G. W. E. Nickelsburg – M. E. Stone**, Faith and Piety in Early Judaism. Texts and Documents, Philadelphia 1983. **J. J. Collins**, The Apocalyptic Imagination. An Introduction to the Jewish Matrix of Christianity, New York 1984. **M. Goodman**, The Ruling Class of Judaea. The Origins of the Jewish Revolt Against Rome, A.D. 66-70, Cambridge 1987. **P. D. Hanson**, Old Testament Apocalyptic, Nashville 1987.

72 **E. Zenger**, Jesus von Nazareth und die messianische Hoffnung des alttestamentlichen Israel, in: W. Kasper (Hrsg.), Christologische Schwerpunkte, Düsseldorf 1980, S. 37-78, Zit. S. 70.

73 Vgl. Dan 12,3.

74 Ein aufschlußreicher Text aus vorchristlicher Zeit, der die Gestalt des »Sohnes Davids« mit der des »Messias« verbindet, findet sich im 17. Psalm der pseudoepigraphischen Psalmen Salomos (PsSal 17,21-46). Aber die hier geschilderte Gestalt ist ein irdischer Befreier, der die gottlosen Herrscher niederschmettern und Jerusalem von den Heidenvölkern reinigen soll. Mit Jesus als dem christlichen Davidsohn hat diese Vorstellung nur in wenigen Zügen etwas gemein. Zur Entwicklung der Menschensohn- und Messiasvorstellung in vorchristlicher und neutestamentlicher Zeit auf neuestem Forschungsstand vgl. **K.-J. Kuschel**, aaO S. 262-310.

75 Zur Vorgeschichte des jüdischen Aufstandes vgl. vor allem **M. Hengel**, Die Zeloten.

76 **D. M. Rhoads**, aaO, bietet eine genaue Analyse der Kriegsursachen.

77 Erst vor rund 150 Jahren (1838) gelang es den amerikanischen Forschern E. Smith und E. Robinson, die westlich des Toten Meeres gelegene und von den Arabern »es-Seddeh« genannte Ruine mit dem Fort von Masada zu identifizieren. Internationale Expeditionen, deren umfassendste 1963-65 von Yigael Yadin geleitet wurde, rekonstruierten in den folgenden Jahren u. a. anhand der Aufzeichnungen von Josephus den Aufbau und die Funktion der gewaltigen Festungsanlage. Vgl. dazu **Y. Yadin**, Masada, Herod's Fortress and the Zealots' Last Stand, London 1966; dt.: Masada.

Der letzte Kampf um die Festung des Herodes, Hamburg 1967.
78 P. **Prigent** behandelt in seinem genannten Buch beide jüdisch-römischen
    Kriege.
79 Vgl. **Y. Yadin**, Bar-Kokhba – The Rediscovery of the Legendary Hero of
    the Last Jewish Revolt against Imperial Rome, London 1971; dt.: Bar
    Kochba, Archäologen auf den Spuren des letzten Fürsten von Israel,
    Hamburg 1971.

C IV. *Das rabbinisch-synagogale Paradigma des Mittelalters*

1 Vgl. **F. Hahn**, Christologische Hoheitstitel. Ihre Geschichte im frühen
   Christentum, Göttingen 1963, ³1966, S. 75f.
2 Vgl. **F. Hüttenmeister – G. Reeg**, Die antiken Synagogen in Israel, Bd. I-
   II, Wiesbaden 1977.
3 Sprüche der Väter 1,2.
4 **J. Neusner**, Varieties of Judaism in the Formative Age, in: A. Green
   (Hrsg.), Jewish Spirituality. From the Bible through the Middle Ages,
   New York 1987, S. 171-197; Zit. S. 172. 171.
5 Vgl. **I. Elbogen**, Der jüdische Gottesdienst in seiner geschichtlichen Entwicklung, Frankfurt ³1931.
6 Vgl. dazu besonders **S. Safrai**, in: H. H. Ben-Sasson (Hrsg.), A History of
   the Jewish People. Cambridge 1976, S. 373-382.
7 **J. Neusner**, aaO S. 172.
8 Zum Judentum im **Zeitalter von Mischna und Talmud** vgl. **J. Maier**,
   Das Judentum. Von der biblischen Zeit bis zur Moderne, München
   ²1973, S. 287-379. **S. Safrai**, aaO S. 305-382. **G. Alon**, Jews, Judaism
   and the Classical World. Studies in Jewish History in the Times of the
   Second Temple and Talmud, Jerusalem 1977. **H. Temporini – W. Haase** (Hrsg.), Aufstieg und Niedergang der römischen Welt. Geschichte und
   Kultur Roms im Spiegel der neueren Forschung, Teil II, Bd. IXX/1-2:
   Religion (Judentum: Allgemeines; Palästinisches Judentum), Berlin 1979.
   G. Stemberger, Geschichte der jüdischen Literatur. Eine Einführung,
   München 1977; ders., Das klassische Judentum. Kultur und Geschichte
   der rabbinischen Zeit (70 n. Chr. bis 1040 n. Chr.), München 1979;
   ders., Epochen der jüdischen Literatur, München 1982. Noch immer
   nützlich als Nachschlagewerk ist, vom Rabbiner **J. Winter** und vom
   christlichen Judaisten **A. Wünsche** herausgegeben: Die jüdische Literatur
   seit Abschluß des Kanons. Eine prosaische und poetische Anthologie mit
   biographischen und litterargeschichtlichen Einleitungen, Bd. I-II, Trier
   1894, Nachdruck 1964. **G. Karpeles**, Geschichte der jüdischen Literatur,
   Bd. I-II, Berlin 1886, Nachdruck 1963, ist eine populäre Kompilation.
   Im Englischen gibt es nun die beiden ausgezeichneten mehrbändigen
   Werke zur jüdischen Literatur von **M. Waxman**, A History of Jewish

Literature, Neuauflage Bd. I-V, New York 1960, und **I. Zinberg**, A History of Jewish Literature, Bd. I-XII, Cleveland – New York 1972-1978. Doch die gesamte Forschung über Mischna und Talmud wurde auf eine neue Basis gestellt von **Jacob Neusner**, dem führenden Forscher der talmudisch-rabbinischen Literatur. Grundlegend sind seine beiden Werke »A History of the Jews in Babylonia« (Bd. I-V, Leiden 1965-1970) und »A History of the Mishnaic Law of Purities« (Bd. I-XXII, Leiden 1974-1977). Eine systematische Darstellung der Mischna versuchte er in »Judaism. The Evidence of the Mishnah« (Chicago 1981). Von **J. Neusner** vgl. weiter: The Formation of the Babylonien Talmud. Studies in the Achievements of Late Nineteenth and Twentieth Century Historical and Literary-Critical Research, Leiden 1970; Torah: From Scroll to Symbol in Formative Judaism, Philadelphia 1985; Ancient Judaism and Modern Category-Formation. "Judaism", "Midrash", "Messianism", and Canon in the Past Quarter-Century, Lanham 1986; The Religious Study of Judaism, Bd. I-II, Lanham 1986; The Wonder-working Lawyers of Talmudic Babylonia: The Theory and Practice of Judaism in its Formative Age, Lanham 1987; Why no Gospels in Talmudic Judaism?, Atlanta 1988; Wrong Ways and Right Ways in the Study of Formative Judaism. Critical Method and Literature, History, and the History of Religion, Atlanta 1988; Medium and Message in Judaism. First Series, Atlanta 1989. Verschiedene Aufsätze Neusners wurden ins Deutsche übersetzt und herausgegeben von H. Lichtenberger: Das pharisäische und talmudische Judentum. Neue Wege zu seinem Verständnis, Tübingen 1984.

9 Vgl. die Lexikonartikel in: Jüdisches Lexikon (Art. Talmud: **B. Kirschner**) und Encyclopaedia Judaica (**E. E. Urbach**).

10 **G. Stemberger**, Der Talmud. Einführung – Texte – Erläuterungen, München 1982, ²1987, S. 37. Eine gute Auswahl wichtiger Texte bietet auch **R. Mayer**, Der Talmud, München ⁵1980.

11 Vgl. Lexikonartikel in: Jüdisches Lexikon (**J. Krengel**) und Encyclopaedia Judaica (**E. Berkovits, B. Bayer**).

12 Die **Gemara** ist also die Auslegung der Mischna im Talmud: Mischna + Gemara = Talmud. Neben der Gemara existiert aber auch noch die mit dieser sich weithin deckende Sammlung der **Tosefta**. Weitere Traditionen finden sich in den **Midraschim** (Bibelkommentaren) und in den **Targumen** (umschreibende Bibelübertragungen in die aramäische Umgangssprache).

13 **G. Stemberger**, aaO S. 46. Man muß sich also angesichts der sehr komplexen Entwicklung folgende Phasen der rabbinischen Bewegung und Lehrtradition vor Augen halten:
1.-2. Jh.: die Tannaiten (von aram. »tanna'im« = »Wiederholer«, »Überlieferer«, »Lehrer«): Meister der mündlichen Überlieferung: Ihr Werk ist die MISCHNA = HALACHA = das verbindliche Recht oder Religionsgesetz.

3.-5. Jh.: die Amoräer (von hebr. »amar« = »sagen«): die Kommentatoren der tannaitischen Lehre: ihr Werk ist jene »Gemara« (= »Lehre«, »Ergänzung« der Mischna), die zusammen mit der Mischna den (palästinischen und babylonischen) TALMUD bildet.

6.-7. Jh.: die Saboräer: (von hebr. »sabar« = »meinen«): die (nur in Babylonien) den **babylonischen** TALMUD ordnen und umfassend redigieren, der mehr als der palästinische auch viel haggadisches Material enthält.

7.-11. Jh.: die Geonim oder **Gaonen** (von hebr. »gaon« = »erhaben«): die Leiter der talmudischen Akademien, die den Talmud lehren und auf dessen Basis ihre religionsgesetzlichen Entscheidungen treffen.

14 Die Traktate des babylonischen Talmud werden abgekürzt zitiert mit vorangestelltem »b«, die des jerusalemisch / palästinischen mit vorangestelltem »j«. Deutsche Übersetzung von **L. Goldschmidt**, Der babylonische Talmud, hebräisch und deutsch, Bd. I-IX, Leipzig 1933-1935; **ders.**, Der babylonische Talmud, Bd. I-XII, Berlin 1930-1936. Englische Übersetzung: **I. Epstein** (Hrsg.), The Babylonian Talmud, Bd. I-XXXV, London 1948-1952. Eine auf 36 Bde. geplante amerikanische Ausgabe ist im Erscheinen begriffen, herausgegeben von **J. Neusner**, The Talmud of Babylonia. An American Translation, Chico/Calif. 1984 ff.

Neben der klassischen Einführung von **H. L. Strack**, Einleitung in den Talmud (1887; ab ^{5}1921: Einleitung in Talmud und Midrasch, Nachdruck 1962, 7. völlig neub. Auflage von **H. L. Strack – G. Stemberger**, Einleitung in Talmud und Midrasch, München 1982), vgl. ferner: **B. M. Bokser**, An Annotated Bibliographical Guide to the Study of the Palestinian Talmud, in: H. Temporini – W. Haase, aaO Bd. 19.2, S. 139-256. **D. Goodblatt**, The Babylonian Talmud, in: aaO S. 257-336. **G. Stemberger**, Der Talmud; **ders.**, Midrasch. Vom Umgang der Rabbinen mit der Bibel. Einführung – Texte – Erläuterungen, München 1989. Das große systematische Werk zur Theologie des Talmud (die rabbinische Sicht von Gott, Mensch, Welt, Gesetz und Volk Israel) stammt von **E. E. Urbach**, The Sages. Their Concepts and Beliefs, hebräische Ausgabe Jerusalem 1969, englische Ausgabe Jerusalem 1975, Neuausgabe Cambridge/Mass. – London 1987. Vgl. aber **J. Neusner**, From Literature to Theology in Formative Judaism: Three Preliminary Studies, Atlanta 1989. Eine immer wieder aufgelegte populäre systematische Textzusammenstellung stammt von **A. Cohen**, Everyman's Talmud (1932), Neuausgabe New York 1975.

Vgl. auch die Artikel in: Dictionnaire des Religions (**K. Hruby**). Die Religion in Geschichte und Gegenwart (**R. L. Dietrich**). Encyclopaedia Judaica (**B. Bayer, E. Berkovits**). Jüdisches Lexikon (**B. Kirschner, J. Krengel**). Lexikon der jüdisch-christlichen Begegnung (**J. J. Petuchowski**). Lexikon für Theologie und Kirche (**K. Schubert**). The Encyclopedia of Religion (**R. Goldenberg**).

15 Nach dem Trienter Konzil »pari pietatis affectu«, »mit gleich frommer

Zuneigung«, **H. Denzinger**, Enchiridion Symbolorum, Freiburg [31]1960, Nr. 783.

16 Zur **Geschichte der Juden im Mittelalter** vgl. **H. H. Ben-Sasson**, aaO S. 383-723. **I. Elbogen**, Geschichte der Juden in Deutschland, Berlin 1935. **J. Maier**, aaO S. 381-601. **I. Husik**, A History of Medieval Jewish Philosophy, New York 1916. **I. R. Marcus**, The Jew in the Medieval World. A Source Book. 315-1791, Westport/Conn. [2]1975. **Y. H. Yerushalmi** u. a., Bibliographical Essays in Medieval Jewish Studies, New York 1976. **L. Sievers**, Juden in Deutschland. Die Geschichte einer 2000-jährigen Tragödie, Hamburg 1977 (auch Neuzeit!). **H. Greive**, Die Juden. Grundzüge ihrer Geschichte im mittelalterlichen und neuzeitlichen Europa, Darmstadt 1980. **I. Twersky**, Studies in Jewish Law and Philosophy, New York 1982. **H. Simon – M. Simon**, Geschichte der jüdischen Philosophie, München 1984. **A. Green**, aaO.

17 Einen Überblick über die **Philon**-Forschung auf neuestem Stand bietet: **W. Haase** (Hrsg.), Aufstieg und Niedergang der römischen Welt. Geschichte und Kultur Roms im Spiegel der neueren Forschung, Teil II, Bd. XXI/1 (Hellenistisches Judentum in römischer Zeit: Philon und Josephus), Berlin 1984. Hier besonders **E. Hilgert**, Bibliographie Philonienne 1935-1981, sowie der Forschungsbericht von **P. Borgen**, Philo of Alexandria Critical and Synthetical Survey of Research since World War II. Vgl. ferner neben den grundlegenden Werken von É. Bréhier, I. Heinemann, W. Völker und H. A. Wolfson vom jüdischen Standpunkt her die neueren synthetischen Darstellungen von **D. Winston**, Philo and the Contemplative Life, in: A. Green, aaO S. 198-231; und von **Y. Amir**, Art. Philo Judaeus, in: Encyclopaedia Judaica. Auf die Frage, warum Philon Episode blieb, wird hier allerdings kaum eingegangen. Erst im 9. Jahrhundert griffen **Karäer** in ihrer Polemik gegen anthropomorphe Gottesvorstellungen wieder auf Philon zurück, so daß auch ihr Gegner **Gaon Saadja** auf diese philosophisch-theologische Problematik eingehen mußte.

18 Vgl. **R. Goldenberg**, Art. Talmud, in: Encyclopedia of Religion, Bd. XIV, S. 256-260; **ders.**, Law and Spirit in Talmudic Religion, in: A. Green, aaO S. 232-252.

19 Vgl. **S. W. Baron**, A Social and Religious History of the Jews, 18-bändige Neuauflage, New York 1952-1983, Bd. I, S. 167-171.

20 Schon im 5. Jahrhundert gab es in Arabien für knapp fünf Jahrzehnte ein jüdisch-arabisches Königreich Himiar: vgl. **S. Safrai**, aaO S. 358f.

21 **R. Goldenberg**, Art. Talmud, S. 259.

22 **Concilium Florentinum**, Decretum pro Jacobitis, in: **H. Denzinger**, Enchiridion Symbolorum, Freiburg [31]1960, Nr. 714.

23 Dies hat sehr nachdrücklich herausgearbeitet **A. F. Segal**, Rebeccas Children. Judaism and Christianity in the Roman World, Cambridge/Mass. 1986, bes. S. 163-181.

24 Vgl. zum **Antisemitismus** (meist im weiten Sinn des Antijudaismus ver-

standen) die Artikel in: Dictionnaire des Religions (**P. Pierrard**). Die Religion in Geschichte und Gegenwart (**W. Holsten**). Encyclopaedia Judaica (**B. Eliav**). Jüdisches Lexikon (**F. Goldmann, S. Kaznelson, B. Kirschner, J. Kreppel, W. Levinger, J. Meisl, A. Tänzer, A. Zweig**). Lexikon der jüdisch-christlichen Begegnung (**C. Thoma**). Lexikon der Religionen (**K.-H. Minz**). Lexikon für Theologie und Kirche (**K. Thieme**). Reallexikon für Antike und Christentum (**J. Leipoldt**). The Encyclopedia of Religion (**A. Davies**). Theologische Realenzyklopädie (**G. B., T. C. de Kruijf, W. P. Eckert, N. R. M. de Lange, G. Müller, C. Thoma, E. Weinzierl**). Wörterbuch des Christentums (**P. Maser**).

Für das interreligiöse Gespräch über den Antisemitismus wichtige Einzelveröffentlichungen: **L. Goppelt**, Christentum und Judentum im ersten und zweiten Jahrhundert. Ein Aufriß der Urgeschichte der Kirche, Gütersloh 1954. **L. Poliakov**, Histoire de l'antisémitisme, Bd. I-IV, Paris 1955-1977; dt.: Geschichte des Antisemitismus, Bd. I-VIII, Worms 1977-1988. **J. Isaac**, Genèse de l'antisémitisme. Essai historique, Paris 1956. **H. Andics**, Der ewige Jude. Ursachen und Geschichte des Antisemitismus, Wien 1965. **E. H. Flannery**, The Anguish of the Jews. Twenty-Three Centuries of Antisemitism, New York 1965. **M. Stern** (Hrsg.), Greek and Latin Authors on Jews and Judaism, Bd. I-II, Jerusalem 1974-1980. **C. Klein**, Theologie und Anti-Judaismus. Eine Studie zur deutschen theologischen Literatur der Gegenwart, München 1975. **H. Jansen**, Christelijke Theologie na Auschwitz, Bd. I: Theologische en kerkelijke wortels van het antisemitisme, Den Haag 1981. **K. H. Rengstorf – S. v. Kortzfleisch** (Hrsg.), Kirche und Synagoge. Handbuch zur Geschichte von Christen und Juden. Darstellung und Quellen, Bd. I-II, Stuttgart 1968-1970, München 1988. Hier besonders in Bd. I: **B. Blumenkranz**, Die Entwicklung im Westen zwischen 200 und 1200, S. 84-135; **B. Kötting**, Die Entwicklung im Osten bis Justinian, S. 136-174; **W. Cramer**, Die Entwicklung im Bereich der orientalischen Kirchen, S. 175-209. **H. Greive**, Geschichte des modernen Antisemitismus in Deutschland, Darmstadt 1983. **D. Berger** (Hrsg.), History and Hate: The Dimensions of Anti-Semitism, Philadelphia 1986. **E. Endres**, Die gelbe Farbe. Die Entwicklung der Judenfeindschaft aus dem Christentum, München 1989.

25 Vgl. **J. N. Sevenster**, The Roots of Pagan Anti-Semitism in the Ancient World, Leiden 1975, bes. S. 89-144.

26 **Josephus Flavius** , Contra Apionem, I, 26-31 (27-287).

27 **J. N. Sevenster**, aaO S. 118.

28 Zitiert aaO S. 90.

29 Vorausgegangen waren das Verbot der Patriarchensteuer (399) und die Abschaffung der Privilegien des Patriarchen (415); möglicherweise war das Aussterben der Patriarchenfamilie unmittelbarer Anlaß. Vgl. dazu **G. Stemberger**, Juden und Christen im Heiligen Land. Palästina unter

Konstantin und Theodosius, München 1987, S. 208-213.

30 **J. Maier**, aaO S. 582.

31 AaO S. 283: »Die pharisäisch-rabbinische Komponente des Mittelweges erwies sich nicht nur in der Katastrophe von 66-70 n. Chr. als zukunftsbestimmende Leitlinie, sondern sie blieb bis zur Aufklärung im achtzehnten Jahrhundert die Basis, von der aus, je nach der jeweiligen Situation, Neuland betreten wurde und zu der man nach Enttäuschungen wieder zurückzukehren bestrebt war.«; vgl. S. 435.

32 Unter dem Titel »Cathedocracy« – des Judentums »unique formula for selfgovernment« – hat **P. Johnson** in seiner »A History of the Jews« (New York 1987) ein aufschlußreiches Kapitel (S. 169-232; vgl. S. 149-168) geschrieben über die Bedeutung der Gelehrten, ihre Akademien und großen Familien, ihre Vielseitigkeit und ihren ökonomischen Erfolg, auch von den verschiedenen Richtungen zwischen Nationalismus und Mystik (Kabbala) und ihren bedeutenden Vertretern, neben Nachmanides natürlich vor allem Maimonides.

33 Vgl. **N. R. M. de Lange**, Artikel Antisemitismus IV, in: Theologische Realenzyklopädie, Bd. 3, S. 128-137.

34 AaO S. 128.

35 **J. W. Parkes**, Jews and Christians in the Constantinian Empire, in: C. W. Dugmore – C. Duggan (Hrsg.), Studies in Church History, Bd. I, London 1964, S. 69-79, Zit. S. 71.

36 Vgl. dazu **H. Schreckenberg**, Die christlichen Adversus-Judaeos-Texte und ihr literarisches und historisches Umfeld (1.-11. Jh.), Frankfurt 1982. **A. L. Williams**, Adversus Judaeos. A Bird's-Eye View of Christian Apologiae until the Renaissance, Cambridge 1935. **S. G. Wilson** (Hrsg.), Anti-Judaism in Early Christianity, Bd. II: Separation and Polemic, Waterloo 1986.

37 **Meliton von Sardes**, zit. in: K. H. Rengstorf – S. v. Kortzfleisch, aaO Bd. I, S. 73.

38 **G. Stemberger**, Juden und Christen, S. 46.

39 Vgl. des **Chrysostomos** acht antijüdische Predigten, in: Patrologia Graeca, Bd. 48, S. 843-942 – ein Arsenal für antijüdische Hetzkampagnen.

40 **N. A. Stillman**, The Jews of Arab Lands. A History and Source Book, Philadelphia 1979. **S. D. Goitein**, Jews and Arabs. Their Contacts through the Ages, New York 1955. **B. Lewis**, The Jews of Islam, Princeton 1984. **A. Cohen**, Jewish Life under Islam. Jerusalem in the Sixteenth Century, Cambridge/Mass. 1984. **B. Ye'or**, Le Dhimmi. Profil de l'opprimé en Orient et en Afrique du Nord depuis la conquête arabe, Paris 1980; engl. Neuausgabe: The Dhimmi. Jews and Christians under Islam, London 1985.

41 Vgl. **H. H. Ben-Sasson**, aaO S. 403.

42 Vgl. zur politischen Umwelt und inneren Organisation des Judentums von der arabischen Eroberung bis zur Vertreibung aus Spanien (638-

1492) **J. Maier**, aaO S. 383-434.

43 Als Halachist, Philosoph und Arzt wird **Maimonides** – abgekürzt Rambam – beschrieben von **A. Sandler, J. Guttmann, M. W. Rapaport, L. Lewin** im Art. Maimonides des Jüdischen Lexikons, und von **L. I. Rabinowitz, J. I. Dienstag, A. Hyman, S. Muntner** im Art. Maimonides der Encyclopaedia Judaica. Vgl. ferner **S. W. Baron**, Moses Maimonides, in: S. Noveck (Hrsg.), Große Gestalten des Judentums, Bd. I, Zürich 1972, S. 103-130.

44 Zu Mischna Sanhedrin 11,1. Vgl. dazu **I. Elbogen**, Der jüdische Gottesdienst, S. 88. Eine Erklärung des Maimonidischen Glaubensbekenntnisses für unsere Zeit versucht **S. Ben-Chorin**, Jüdischer Glaube. Strukturen einer Theologie des Judentums anhand des Maimonidischen Credo. Tübinger Vorlesungen, Tübingen 1975.

45 Zur Erforschung der sozio-religiösen Geschichte des Judentums gaben die entscheidenden Anregungen: für die ältere israelitische Geschichte **M. Weber**, Gesammelte Aufsätze zur Religionssoziologie, Bd. III: Das antike Judentum, Tübingen 1920, [4]1966; für die moderne jüdische Geschichte **W. Sombart**, Die Juden und das Wirtschaftsleben, Leipzig 1911. Von Weber und Sombart ließ sich **S. W. Baron** für sein öfter zitiertes monumentales Werk »A Social and Religious History of the Jews« anregen.

46 Jetzt auch deutsch: Geschichte des jüdischen Volkes, Bd. I-III, München 1978-1980.

47 Vgl. **H. H. Ben-Sasson**, aaO S. 385f.

48 Diese Gefahr besteht im Grunde bei jeder Geschichte des Antisemitismus. Man nehme als Beispiel **Hellmut Andics**, Der ewige Jude, wo die einzelnen Kapitel, im Geist des dialektischen Materialismus geschrieben, folgende Überschriften tragen: Die Gezeichneten, Die Auserwählten, Die Verstoßenen, Die Geächteten, Die Wehrlosen, Die Befreiten, Die Gefürchteten, Die Zerrissenen, Die Getöteten, Die Verdammten, Die Unerbittlichen.

49 **S. W. Baron**, A Social and Religious History of the Jews, Bd. II, S. 31.

50 **B. Blumenkranz**, Juifs et chrétiens dans le monde occidental 430-1096, Paris 1960.

51 **P. Riesenberg**, Jews in the Structure of Western Institutions, in: Judaism 28 (1979), S. 402-415.

52 Vgl. **S. M. Blumenfield**, Raschi, in: S. Noveck, aaO S. 131-150.

53 Vgl. **P. Johnson**, aaO S. 233-310 (Part IV: Getto).

54 **P. Riesenberg** , aaO S. 415.

55 Vgl. **D. Biale**, Power and Powerlessness in Jewish History, New York 1986.

56 Vgl. **W. P. Eckert**, Hoch- und Spätmittelalter, in: K. H. Rengstorf – S. v. Kortzfleisch, aaO Bd. I, S. 210-272.

57 Vgl. **A. H. Cutler** – **H. E. Cutler**, The Jew as Ally of the Muslim. Medieval Roots of Anti-Semitism, Notre Dame 1986.

58 Die »verstockten« und deshalb »unerlösten« Juden, »Knechte der Sünde«, sollten auch rechtlich-sozial als »Knechte«, als Eigentum nämlich der christlichen Herrscher, behandelt werden, was für die Juden immerhin Gerichts- und Steuerunmittelbarkeit zur Folge hatte.

59 Vgl. **R. Chazan**, European Jewry and the First Crusade, Berkeley 1987; ders., Daggers of Faith: Thirteenth-Century Christian Missionizing and Jewish Response, Berkeley 1989. Bei den ersten Ausschreitungen von 1096 standen die Christen im allgemeinen auf Seiten der Juden, so daß diese zu ihren christlichen Nachbarn fliehen konnten. Vgl. auch den von Chazan herausgegebenen Sammelband Church, State, and Jew in the Middle Ages, West Orange / N. J. 1980.

60 **J. Cohen**, The Friars and the Jews. The Evolution of Medieval Anti-Judaism, Ithaca 1982.

61 Zum ganzen historischen Kontext vgl. **H. J. Schoeps**, Jüdisch-christliches Religionsgespräch in 19 Jahrhunderten. Geschichte einer theologischen Auseinandersetzung, Berlin 1937. **E. I. J. Rosenthal**, Jüdische Antwort, in: K. H. Rengstorf – S. v. Kortzfleisch, aaO Bd. I, S. 307-362.

62 Vgl. **H. Maccoby** (Hrsg.), Judaism on Trial. Jewish-Christian Disputations in the Middle Ages, London 1982.

63 Vgl. **P. Johnson**, aaO S. 222.

64 **J. Maier**, Jesus von Nazareth in der talmudischen Überlieferung, Darmstadt 1978, S. 273f.

65 Vgl. **J. J. Petuchowski**, Artikel »Polemik« und »Disputationen« in Lexikon der jüdisch-christlichen Begegnung.

66 Ich habe diese antisemitischen Urteile selber schon in meinem Buch »Die Kirche« (1967) im Kapitel »Die Kirche und die Juden« analysiert. Einen guten Überblick über die gängigen Vorurteile mit aufschlußreichem Bildmaterial bietet **E. Eliav** im Art. Anti-Semitism, in Encyclopaedia Judaica.

67 Eine überzeugende Widerlegung dieses Vorwurfs bietet von christlicher Seite **J. Maier** durch eine breite Darlegung des jüdischen Erwerbslebens im Mittelalter: Das Judentum, S. 577-601.

68 Vgl. Ex 22,24; Lev 25,35-37; Deut 23,20f.

69 Vgl. zu den Passionsspielen **S. Schaller** u. a., Passionsspiele heute? Notwendigkeit und Möglichkeiten, Meitingen 1973; **R. Pesch**, »Sein Blut komme über uns und unsere Kinder«. Ein Nachwort, in: Das Oberammergauer Passionsspiel 1990. Textbuch, hrsg. v. der Gemeinde Oberammergau, Oberammergau 1990, S. 111-115.

70 Neben den entsprechenden Abschnitten in den Geschichten des Judentums (bes. S. W. Baron, H. H. Ben-Sasson, P. Johnson) vgl. **Z. Ankori**, Karaites in Byzantium. The Formative Years, 970-1100, New York 1959. **P. Birnbaum** (Hrsg.), Karaite Studies, New York 1971 (hier 2 Artikel über Gaon Saadjas antikaräische Schriften). **J. Mann**, The Collected Articles, Bd. III: Karaitic and Genizah Studies, Gedera 1971. **L. Nemoy** (Hrsg.), Karaite Anthology. Excerpts from the Early Literature, New Ha-

ven 1952. **J. J. Petuchowski**, The Theology of Haham David Nieto. An 18th Century Defense of Jewish Tradition, New York ²1970; **ders.**, Artikel Karäer, in: Lexikon der jüdisch-christlichen Begegnung. Eine gut dokumentierte Zusammenfassung von Geschichte und Lehre der Karaiten bieten: **J. E. Heller – L. Nemoy**, Art. Karaites, in: Encyclopaedia Judaica Bd. 10, Sp. 761-782.

71 **J. E. Heller – L. Nemoy**, aaO Sp. 765.

72 Vgl. **Saadja Fajjumi**, Emunot we-Deot oder Glaubenslehre und Philosophie, hrsg. v. J. Fürst, Leipzig 1845. Die neueste englische Übersetzung aus dem Arabischen und Hebräischen stammt von **S. Rosenblatt**: Saadia Gaon. The Book of Beliefs and Opinions, New Haven 1989. Vgl. dazu **T. Weiss-Rosmarin**, Der Gaon Saadia, in: S. Noveck, aaO S. 63-80.

C V. Das Assimilations-Paradigma der Moderne

1 Zur **Kabbala** vgl. vor allem **G. Scholem**, Major Trends in Jewish Mysticism, London 1955; dt.: Die jüdische Mystik in ihren Hauptströmungen, Frankfurt ³1988; **ders.**, Judaica, Bd. I-III, Frankfurt 1963-1970. **I. Twersky – B. Septimus** (Hrsg.), Jewish Thought in the Seventeenth Century, Cambridge/Mass. 1987. **A. Steinsaltz**, La Rose aux Treize Pétales, Paris 1989.

2 Vgl. **M. Idel**, Art. Mysticism, in: Contemporary Jewish Religious Thought; **ders.**, Kabbalah. New Perspectives, New Haven 1988.

3 Vgl. Ez 1,15-28. Die Texte finden sich bei **P. Schäfer** (Hrsg.), Synopse zur Hekhalot-Literatur, Tübingen 1981. Zur Interpretation vgl. **G. Scholem**, Jewish Gnosticism, Merkabah Mysticism, and Talmudic Tradition, New York 1960, sowie **J. Dan**, The Religious Experience of the ›Merkavah‹, in: A. Green (Hrsg.), Jewish Spirituality. From the Bible through the Middle Ages, New York 1987, S. 289-307.

4 Bedeutende Kabbalisten dieser Zeit: Abraham ben Isaak aus Narbonne, dessen Schwiegersohn Abraham ben David, dessen Sohn Isaak der Blinde sowie die Kabbalisten von Gerona mit dem berühmten Mose ben Nachman (Nachmanides) an der Spitze.

5 Vgl. **L. Fine** (Hrsg.), Safed Spirituality. Rules of Mystical Piety, The Beginning of Wisdom, New York 1984.

6 Vgl. zum historischen **Chasidismus** vor allem **G. Scholem**, Major Trends in Jewish Mysticism, London 1955; **ders.**, The Messianic Idea in Judaism and Other Essays on Jewish Spirituality, New York 1971. **S. Dubnow**, Geschichte des Chassidismus, Bd. I-II, Berlin 1931. **H. M. Rabinowicz**, The World of Hasidism, London 1970. **K. E. Grözinger**, Artikel Chasidismus, osteuropäischer, in: Theologische Realenzyklopädie.

7 Vgl. **L. N. Newman**, Der Baalschemtow, in: S. Noveck (Hrsg.), Große Gestalten des Judentums, Bd. I, Zürich 1972, S. 177-204.

8 Vgl. **M. Buber**, Schriften zum Chassidismus, in: Werke, Bd. III, München 1963 ; **ders.**, The Origin and Meaning of Hasidism, hrsg. und übersetzt von M. Friedman, New York 1960.

9 Vgl. **G. Scholem**, Martin Bubers Deutung des Chasidismus, in seinem Sammelband: Judaica, Bd. I, S. 165-206.

10 **J. Reuchlin**, De rudimentis hebraicis libri III, Pforzheim 1506, Faksimile-Neudruck Hildesheim 1974. Vgl. zum folgenden **W. Maurer**, Reuchlin und das Judentum, in: Theologische Literaturzeitung 77 (1952), Sp. 535-544. **W. P. Eckert**, Humanismus und christliche Kabbala, in: K. H. Rengstorf – S. v. Kortzfleisch (Hrsg.), Kirche und Synagoge. Handbuch der Geschichte von Christen und Juden. Darstellung mit Quellen, Bd. I, Stuttgart 1968, München 1988, S. 272-306.

11 **J. Reuchlin**, De verbo mirifico (1494); De arte cabalistica (1517), Faksimile-Neudruck in einem Band, Stuttgart 1964.

12 Ein Nebenprodukt der ganzen Kontroverse waren die von Humanisten anonym veröffentlichten »Epistolae obscurorum virorum« (»Briefe der Dunkelmänner«), die, an den Wortführer der Kölner Dominikaner gegen Reuchlin gerichtet, mit ihrer schonungslosen Kritik an den kirchlichen Verhältnissen die Reformation vorbereiten halfen. Zur Erforschung der Kabbala von Reuchlin bis zur Gegenwart vgl. **G. Scholem**, Judaica, Bd. III, S. 247-263.

13 **W. Maurer**, aaO Sp. 542. Vgl. auch **I. Elbogen**, Geschichte der Juden in Deutschland, Berlin 1935, S. 104f.

14 Zu **Luthers Einstellung zum Judentum** vgl. **R. Lewin**, Luthers Stellung zu den Juden. Ein Beitrag zur Geschichte der Juden in Deutschland während des Reformationszeitalters, Berlin 1911. **E. Mills**, Martin Luther and the Jews. A Refutation to his Book, »The Jews and Their Lies«, Wien 1968. **J. Brosseder**, Luthers Stellung zu den Juden im Spiegel seiner Interpreten. Interpretation und Rezeption von Luthers Schriften und Äußerungen zum Judentum im 19. und 20. Jahrhundert vor allem im deutschsprachigen Raum, München 1972 (hier S. 22f. Verzeichnis der Schriften Luthers über die Juden). **G. Müller**, Art. Antisemitismus (VI. 16. und 17. Jahrhundert), in: Theologische Realenzyklopädie. **W. Maurer**, Die Zeit der Reformation, in: K. H. Rengstorf – S. v. Kortzfleisch, aaO Bd. I, S. 363-452. **C. B. Sucher**, Luthers Stellung zu den Juden. Eine Interpretation aus germanistischer Sicht, Nieuwkoop 1977. **H. A. Oberman**, Wurzeln des Antisemitismus. Christenangst und Judenplage im Zeitalter von Humanismus und Reformation, Berlin 1981. **W. Bienert**, Martin Luther und die Juden. Ein Quellenbuch mit zeitgenössischen Illustrationen, mit Einführungen und Erläuterungen, Frankfurt 1982. **H. Kremers** (Hrsg.), Die Juden und Martin Luther – Martin Luther und die Juden. Geschichte, Wirkungsgeschichte, Herausforderung, Neukirchen 1985.

15 Vgl. **M. Luther**, Daß Jesus Christus ein geborener Jude sei (1523), in: Werke. Kritische Gesamtausgabe (im folgenden abgekürzt mit WA),

Bd. 11, Weimar 1900, S. 307-336.

16 AaO S. 315.

17 AaO S. 336.

18 Der apokalyptische Horizont und der starke Teufelsglaube in Luthers Theologie wird zu Recht immer wieder betont vom reformierten Historiker **H. A. Oberman**, Die Reformation. Von Wittenberg bis Genf, Göttingen 1986, bes. S. 162-207.

19 **M. Luther**, Wider die Sabbather (1538), in: WA Bd. 50, S. 309-337.

20 **Ders.**, Von den Juden und ihren Lügen (1543), in: WA Bd. 53, S. 412-552. Dazu auch noch zwei weitere antijüdische Schriften:»Vom Schem Hamphoras und vom Geschlecht Christi« (1543), in: WA Bd. 53, S. 573-618, und »Von den letzten Worten Davids«, in: WA Bd. 54, S. 28-100.

21 **Ders.**, Von den Juden und ihren Lügen, S. 526.

22 **W. Maurer**, aaO Bd. I, S. 447.

23 **C. B. Sucher**, aaO Vorbemerkung.

24 Total verschwiegen (abgesehen von kaum 7 Zeilen über das römische Getto) werden die zahlreichen antijüdischen Aktivitäten der »großen Päpste der katholischen Reform« (Paul IV., Pius V. und Gregor XIII.) in der maßgeblichen deutschen Papstgeschichte von **F. X. Seppelt**, neu bearbeitet von **G. Schwaiger**, Geschichte der Päpste, Bd. V, München ^{2}1959, S. 70-90. 119-175. Mindestens kurz, wenngleich vage und beschönigend berichtet darüber **L. v. Pastor**, Geschichte der Päpste seit dem Ausgang des Mittelalters: z. B. über Gregor XIII. in Bd. IX, Freiburg ^{11}1958, S. 223-226.

25 Der Text der am 10. Juni 1581 erlassenen Bulle »Antiqua Judaeorum improbitas« wird mit anderen Dokumenten wiedergegeben von **W. P. Ekkert**, Katholizismus zwischen 1580 und 1848 (Stellung der Juden im Kirchenstaat), in: K. H. Rengstorf – S. v. Kortzfleisch, aaO Bd. II, S. 222-243. 275f.

26 Vgl. **W. Philipp**, Spätbarock und frühe Aufklärung. Das Zeitalter des Philosemitismus, in: K. H. Rengstorf – S. v. Kortzfleisch, aaO Bd. II, S. 23-86.

27 Vgl. **M. Schmid**, Judentum und Christentum im Pietismus des 17./18. Jahrhunderts, in: K. H. Rengstorf – S. v. Kortzfleisch, aaO Bd. II, S. 87-128.

28 Zum Judentum in der **Moderne** und besonders in **Deutschland** vgl. neben den uns schon bekannten großen Werken zur Geschichte des Judentums – vor allem **H. H. Ben-Sasson** und **J. Maier** – **W. Kampmann**, Deutsche und Juden. Studien zur Geschichte des deutschen Judentums, Heidelberg 1963. **H. Greive**, Die Juden. Grundzüge ihrer Geschichte im mittelalterlichen und neuzeitlichen Europa, Darmstadt 1980. **P. R. Mendes-Flohr** – **J. Reinharz** (Hrsg.), The Jew in the Modern World. A Documentary History, New York 1980. **J. Bab**, Leben und Tod des deutschen Judentums, Berlin 1988. **F. Stern**, Dreams and Delusions. The

Drama of German History, New York 1987; dt.: Der Traum vom Frieden und die Versuchung der Macht. Deutsche Geschichte im 20. Jahrhundert, Berlin 1988. **A. J. Edelheit** – **H. Edelheit**, The Jewish World in Modern Times. A Selected, Annotated Bibliography, Boulder/Co. 1988. **N. T. Gidal**, Die Juden in Deutschland von der Römerzeit bis zur Weimarer Republik, Gütersloh 1988. **M.-R. Hayoun**, Le judaïsme moderne, Paris 1989. **H.-M. Kirn**, Das Bild vom Juden im Deutschland des frühen 16. Jahrhunderts, dargestellt an den Schriften des Johann Pfefferkorns, Tübingen 1989. **F. Battenberg**, Das europäische Zeitalter der Juden. Zur Entwicklung einer Minderheit in der nichtjüdischen Umwelt Europas, Bd. I-II, Darmstadt 1990, bes. Bd. II: Von 1650 bis 1945.

29 Bahnbrechend die (von Max Weber inspirierte) Darstellung des bedeutendsten deutschen Nationalökonomen der ersten Jahrhunderthälfte **W. Sombart**, Die Juden und das Wirtschaftsleben, Berlin 1911, wo »die objektive Eignung der Juden zum Kapitalismus« (S. 198-224) untersucht wird, und dies vor dem Hintergrund der »Bedeutung der jüdischen Religion für das Wirtschaftsleben« (S. 225-295). Den entscheidenden Beitrag der jüdischen Hoffinanz für den modernen Staat (z. B. für den ersten bis zum letzten Habsburger, von Amschel Oppenheim bis Baron Louis de Rothschild) belegen die Untersuchungen von **H. Schnee**, Die Hoffinanz und der moderne Staat. Geschichte und System der Hoffaktoren an deutschen Fürstenhöfen im Zeitalter des Absolutismus, Bd. I-V, Berlin 1953-1965.

30 Auch nach seriösen jüdischen Historikern – **S. E. Morison, S. W. Baron, J. L. Blau** – ist eine jüdische Abstammung von Christoph Columbus nicht erwiesen; unbestreitbar aber haben Juden bzw. Marranen, darunter u. a. der Schiffsarzt, an der ersten Amerika-Expedition teilgenommen.

31 Vgl. **M. U. Schappes** (Hrsg.), A Documentary History of the Jews in the United States 1654-1875, New York ³1971. Hier Peter Stuyvesants Brief an die Holländische West-Indien-Gesellschaft, aus dem hervorgeht, daß die 23 jüdischen Flüchtlinge aus dem jetzt von den Portugiesen und der Inquisition beherrschten Brasilien, entgegen ihren Erwartungen, in New Amsterdam nicht willkommen waren (S. 1f.).

32 Zur **Geschichte der Juden in Amerika** vgl. **J. L. Blau**, Modern Varieties of Judaism, London 1966; **ders.**, Judaism in America. From curiosity to third faith, Chicago 1976. **J. L. Blau** – **S. W. Baron** (Hrsg.), The Jews of the United States 1790-1840. A Documentary History, Bd. I-III, New York 1963. **N. Glazer**, American Judaism, Chicago 1952, ²1972. **M. Rischin**, An Inventory of American Jewish History, Cambridge/Mass. 1954. **D. Rudavsky**, Modern Jewish Religious Movements. A History of Emancipation and Adjustment, New York 1967, ³1979.

33 Vgl. die faire theologische Würdigung von **J. Moltmann**, »Was wär' ein Gott, der nur von außen stieße?« Über die neue Bedeutung eines alten Ketzers: Giordano Bruno (1548-1600), in: H. Häring – K.-J. Kuschel

(Hrsg.), Gegenentwürfe. 24 Lebensläufe für eine andere Theologie, München 1988, S. 157-168.

34 Vgl. **P. de Mendelssohn,** Saß Baruch Spinoza jemals vor Rembrandts Staffelei? Mutmaßungen über die Verbindung zwischen dem bankrotten Maler und dem verdammten Ketzer von Amsterdam, in: Frankfurter Allgemeine Zeitung vom 26. Februar 1977.

35 Vgl. **Chronicon Spinozanum,** Bd. I-V, Den Haag 1921-1927. **N. Altwicker** (Hrsg.), Texte zur Geschichte des Spinozismus, Darmstadt 1971 (mit Bibliographie 1924-1968). Von **N. Altwicker** – basierend auf den grundlegenden Interpretationen von H. A. Wolfson, K. Jaspers, K. Löwith, W. Cramer und M. Gueroult – auch eine gute zusammenfassende Darstellung: Baruch Spinoza, in: Die Großen der Weltgeschichte, Bd. VI, hrsg. von K. Fassmann, Zürich 1975, S. 32-47.

36 Vgl. **Y. Yovel,** Spinoza and Other Heretics. The Marrano of Reason, Princeton 1989.

37 AaO S. 200.

38 Vgl. **B. de Spinoza,** Tractatus theologico-politicus, »Hamburg« (tatsächlich Amsterdam) 1670; dt.: Theologisch-politischer Traktat, in: Werke (lat.-deutsch), Bd. I, hrsg. von G. Gawlick und F. Niewöhner, Darmstadt 1979.

39 Vgl. **R. Simon,** Histoire critique du Vieux Testament, Paris 1678; mit neuem Vorwort, Amsterdam 1685. Es folgten eine kritische Geschichte des Neuen Testaments (1689), der Übersetzungen des Neuen Testaments (1690), der wichtigsten Kommentatoren des Neuen Testaments (1693) – alle erschienen in Amsterdam.

40 Vgl. **B. de Spinoza,** Ethica ordine geometrico demonstrata, ohne Ort 1677; dt.: Die Ethik mit geometrischer Methode begründet, in: Werke (lat.-deutsch), Bd. II, hrsg. v. K. Blumenstock, Darmstadt 1967, S. 84-562.

41 Daß Einsteins Spinozismus verantwortlich ist für seine Ablehnung der Quantenmechanik, wurde aufgewiesen in: **H. Küng,** EG Kap. G II, 2: Würfelt Gott? Albert Einstein.

42 Dies ist von Spinoza her über Fichte und Hegel bis zu Pierre Teilhard de Chardin und Alfred N. Whitehead entwickelt, in: **H. Küng,** EG Teil B: Das neue Gottesverständnis, bes. Zwischenbilanz II: Thesen zur Wirklichkeit und Geschichtlichkeit Gottes.

43 Vgl. **J. Toland,** Reasons for Naturalizing the Jews in Great Britain and Ireland, on the same foot with all other Nations. Containing also, a Defence of the Jews against all vulgar Prejudices in all Countries, London 1714; deutsche Neuausgabe: Gründe für die Einbürgerung der Juden in Großbritannien und Irland, Stuttgart 1965.

44 Vgl. **A. Hertzberg** , The French Enlightenment and the Jews, New York 1968. **K. H. Rengstorf,** Der Kampf um die Emanzipation, in: K. H. Rengstorf – S. v. Kortzfleisch, aaO Bd. II, S. 129-176.

45 **Montesquieu**, De l'esprit des lois. 1748 anonym veröffentlicht, in 2 Jahren 20 Auflagen. Neu herausgegeben von G. Truc, Bd. I-II, Paris 1949, livre XXV, chap. 13.

46 **Voltaire**, Dialogues et anecdotes philosophiques, hrsg. v. R. Naves, Paris 1939, S. 143f. Ähnlich verächtliche Äußerungen finden sich in Voltaires Dictionnaire Philosophiques (Basel 1764), Art. Juifs.

47 Vgl. **W. Jens – H. Küng**, Dichtung und Religion, München 1985, S. 81-119.

48 Vgl. **G. E. Lessing**, Nathan der Weise IV/7, in: Werke, Bd. I, München 1982.

49 Aufschlußreiche Dokumente zu Moses Mendelssohn bei **H. Knobloch**, Herr Moses in Berlin. Auf den Spuren eines Menschenfreundes, Berlin 1979, ³1981.

50 Vgl. **M. Mendelssohn**, Jerusalem oder über religiöse Macht und Judentum (1783), in: Gesammelte Schriften Jubiläumsausgabe, Bd. 8, Stuttgart 1983, S. 99-204.

51 Vgl. **J. Maier**, der in seinem großen Werk »Das Judentum. Von der biblischen Zeit bis zur Moderne« (München ²1973) einen guten Überblick auch über den Gang der Aufklärung im Judentum bringt. Ferner die Lexikonartikel in: Jüdisches Lexikon (**J. Meisl**) und Encyclopaedia Judaica (**A. Shochat – Y. Slutsky**).

52 **G. F. W. Hegel**, Theologische Jugendschriften, hrsg. v. H. Nohl, Tübingen 1907, S. 243-260. Vgl. **H. Küng**, Menschwerdung Gottes. Eine Einführung in Hegels theologisches Denken als Prolegomena zu einer künftigen Christologie, Freiburg 1970, Tb-Ausgabe München 1989, Kap. III, 2: Fremder Gott und entfremdeter Mensch; Kap. VII, 4: Christus in der Religion.

53 Vgl. **F. Schleiermacher**, Über die Religion. Reden an die Gebildeten unter ihren Verächtern, Berlin 1799, S. 286-288.

54 Vgl. die beeindruckende Liste von Taufjuden bei **F. Goldmann**, Artikel Taufjudentum, in: Jüdisches Lexikon. Vgl. **S. Hensel**, Die Familie Mendelssohn. 1729-1847. Nach Briefen und Tagebüchern, Bd. I-III, Berlin 1879. Dazu der schöne Bild-Text-Band von **E. Kleßmann**, Die Mendelssohns. Bilder aus einer deutschen Familie, Zürich 1990.

55 Vgl. **M. Wyschogrod**, Verbunden für alle Zeit: die jüdische und die deutsche Geschichte, in: Deutsches Allgemeines Sonntagsblatt vom 23. Oktober 1988.

56 Vgl. **K. H. Rengstorf**, Der Kampf um die Emanzipation; **R. Lill**, Der Heilige Stuhl und die Juden, beide in: K. H. Rengstorf – S. v. Kortzfleisch, aaO Bd. II, S. 222-279. 358-369.

57 Zur höchst wechselhaften Geschichte der Juden in Polen und Rußland – voll von jüdischen Erfolgen und antijüdischen Maßnahmen der Kirche – vgl. das Werk von **J. Meisl**, Geschichte der Juden in Polen und Rußland, Bd. I-III, Berlin 1921-1925, bes. Bd. I: Von den ältesten Zeiten bis zu

den Kosakenaufständen in der Mitte des 17. Jahrhunderts.

58 **J. Maier**, aaO S. 670f.

59 Eine ausgezeichnete Analyse dieses Vorganges bietet die israelische Historikerin **S. Volkov**, Jüdisches Leben und Antisemitismus im 19. und 20. Jahrhundert. Zehn Essays, München 1990, S. 110-145.

60 Neben **Leopold Zunz** (Liturgiegeschichte) und **Moritz Steinschneider** (Bibliographie der Quellen) vor allem **Abraham Geiger** (der Begründer der wissenschaftlichen Theologie des Judentums und der Zeitschrift für Jüdische Theologie), **Zacharias Frankel** (Mischna- und Talmudforscher) und **Heinrich Graetz** (das schon genannte Standardwerk »Geschichte des Judentums«), die uns alle noch beschäftigen werden. Wiewohl auf Deutschland konzentriert, finden sich Vertreter der Wissenschaft des Judentums auch anderswo: in Frankreich **Salomo Munk** und in Italien **Samuel David Luzzatto**. Als ein beeindruckendes, wenngleich wenig genanntes Beispiel dieser immensen Gelehrtenarbeit sei hier ein Werk auf der Schnittlinie zwischen Judentum und Islam angeführt: **M. Steinschneider**, Die arabische Literatur der Juden. Ein Beitrag zur Literaturgeschichte der Araber, großenteils aus handschriftlichen Quellen, Frankfurt 1902. Von Steinschneider erschien bereits früher: Die hebräischen Übersetzungen des Mittelalters und die Juden als Dolmetscher, Berlin 1893.

61 Englischer Text bei **N. Glazer**, aaO S. 42.

62 Vgl. **S. L. Gilman**, Jewish Self-Hatred, Anti-Semitism and the Hidden Language of the Jews, Baltimore 1986.

63 Zu **S. Schechter** mehr im dritten Hauptteil.

64 Vgl. die Zahlen bei **N. Glazer**, aaO S. 84f.

2. HAUPTTEIL:
DIE HERAUSFORDERUNGEN DER GEGENWART

A. Vom Holocaust zum Staat Israel

A. I. Eine Vergangenheit, die nicht vergehen will

1 Zur wissenschaftlichen Überprüfung der Zahl der Opfer vgl. **A. Suzmann – D. Diamond**, Der Mord an sechs Millionen Juden. Die Wahrheit ist unteilbar, in: Aus Politik und Zeitgeschichte. Beilage zur Wochenzeitung »Das Parlament« (Bonn), B 30, 1978, S. 4-21. **G. Wellers**, Die Zahl der Opfer der »Endlösung« und der Korherr-Bericht, in: aaO S. 22-39. In einer zehnjährigen Forschungsarbeit hat ein Forschungsteam des Münchner Instituts für Zeitgeschichte diese Zahlen überprüft mit dem Ergebnis, daß die gesicherte Mindestzahl 5,29 Millionen beträgt, die tatsächliche Zahl der ermordeten Juden aber wohl noch über der – schon

von Eichmann genannten – Zahl von 6 Millionen liegt. Vgl. **W. Benz** (Hrsg.), Dimension des Völkermords. Die Zahl der jüdischen Opfer des Nationalsozialismus, Oldenburg 1991. In Polen sind demnach mindestens 2,7 Millionen, in der Sowjetunion 2,1 Millionen, in Ungarn 550000, in Rumänien 211000 und im damaligen Deutschen Reich 160000 Juden ermordet worden. Bei der Vernichtung der Juden sei nicht nur eine kleine Zahl von Mördern am Werk gewesen, sondern das Genocid habe vielfältige Hilfe durch Wehrmacht und Verwaltung erfahren.

2 Vgl. **A. Mitscherlich** – **M. Mitscherlich**, Die Unfähigkeit zu trauern. Grundlagen kollektiven Verhaltens, München 1977. **J. Müller-Hohagen**, Verleugnet, verdrängt, verschwiegen. Die seelischen Auswirkungen der Nazizeit, München 1988.

3 Es ehrt die Stadt Nürnberg, damals Stadt der Reichsparteitage und der Rassengesetzgebung, daß sie 1988 mit den Städten Fürth, Erlangen und Schwabach im Gedenken an die sogenannte »Reichskristallnacht« in über vierhundert verschiedenartigen Veranstaltungen die Problematik der Schuldverdrängung aufzuarbeiten versuchte. Vgl. die Erfahrungsberichte und Analysen bei **J. Wollenberg** (Hrsg.), »Niemand war dabei und keiner hat's gewußt«. Die deutsche Öffentlichkeit und die Judenverfolgung 1933-1945, München 1989.

4 Zur **nationalsozialistischen Judenverfolgung** unter **historischem** Blickwinkel ist grundlegend die monumentale Faksimile-Dokumentation (mit englischen Übersetzungen) von **J. Mendelsohn** (Hrsg.), The Holocaust. Selected Documents, New York 1982, Bd. I-XVIII; dort zum Beispiel in Bd. XI das berüchtigte Wannsee-Protokoll über die Durchführung der »Endlösung« der Judenfrage. Anhand von 220 Schlüsseldokumenten versucht **P. Longerich** den nationalsozialistischen Judenmord in seiner Gesamtheit und die Mechanismen des europaweiten Vernichtungsprozesses darzustellen: Die Ermordung der europäischen Juden. Eine umfassende Dokumentation des Holocaust 1941-1945, München 1989.
Wichtige Monographien: **H. Arendt**, Eichmann in Jerusalem. Ein Bericht von der Banalität des Bösen, München 1964. **U. D. Adam**, Judenpolitik im Dritten Reich, Düsseldorf 1972. **S. Adler-Rudel**, Jüdische Selbsthilfe unter dem Naziregime 1933-1939. Im Spiegel der Berichte der Reichsvertretung der Juden in Deutschland, Tübingen 1974. **L. S. Dawidowicz**, The War against the Jews 1933-1945, New York 1975; dt.: Der Krieg gegen die Juden 1933-1945, München 1979. **Y. Bauer**, A History of the Holocaust, London 1978. **G. Hausner**, Die Vernichtung der Juden. Das größte Verbrechen der Geschichte, München 1979. **Y. Bauer** – **N. Rotenstreich** (Hrsg.), The Holocaust as Historical Experience. Essays and a Discussion, New York 1981. **R. Hilberg**, The Destruction of European Jews (1961); dt.: Die Vernichtung der europäischen Juden. Die Gesamtgeschichte des Holocaust, Berlin 1982. **H.-U. Thamer**, Verführung und Gewalt. Deutschland 1933-1945, Berlin 1986. Was Dokumente

allein nicht sagen, können die Erinnerungen der wenigen Überlebenden vermitteln, so z. B. der erschütternde Lebensbericht von **Ruth Elias**, die im Lager Auschwitz ein Kind geboren und durch den KZ-Arzt Dr. Mengele verloren hat: **R. Elias**, Die Hoffnung erhielt mich am Leben. Mein Weg von Theresienstadt und Auschwitz nach Israel, München 1988. Einen Überblick über die unterschiedlichen Erklärungsmodelle zum Ursprung und Wesen des Nationalsozialismus gibt **I. Kershaw**, The Nazi Dictatorship. Problems and Perspectives of Interpretation, London 1985; dt.: Der NS-Staat. Geschichtsinterpretationen und Kontroversen im Überblick, Reinbek 1988. Die unter Mitarbeit von über 100 Gelehrten entstandene umfassende Encyclopedia of the Holocaust (Tel Aviv – New York 1990) soll in einer überarbeiteten deutschen Ausgabe 1992 – hrsg. von J. H. Schoeps und E. Jäckel – erscheinen. Ein internationaler Kongreß zum Holocaust »Remembering for the Future« in Oxford vom 10. – 13. Juli und in London am 15. Juli 1988 kreiste vor allem um zwei Themen: »Juden und Christen während und nach dem Holocaust« und »Die Auswirkung des Holocaust auf die zeitgenössische Welt«. Die Akten wurden in drei Bänden von insgesamt 3 002 großformatigen Seiten von **Y. Bauer** u. a. veröffentlicht: Remembering for the Future. Working Papers and Addenda, Bd. I-III, Oxford 1989.

5   Das wissenschaftliche Standardwerk über den Kampf (und schließlich den Untergang) der **Opposition gegen Hitler** in den 30er und 40er Jahren schrieb **P. Hoffmann**, Widerstand – Staatsstreich – Attentat. Der Kampf der Opposition gegen Hitler, München 1969, [3]1979.

6   Vgl. **F. Fischer**, Griff nach der Weltmacht. Die Kriegszielpolitik des kaiserlichen Deutschland 1914/18, Düsseldorf 1961, [4]1971: »Da Deutschland den österreich-serbischen Krieg gewollt, gewünscht und gedeckt hat und, im Vertrauen auf die deutsche militärische Überlegenheit, es im Jahre 1914 bewußt auf einen Konflikt mit Rußland und Frankreich ankommen ließ, trägt die deutsche Reichsführung einen erheblichen Teil der historischen Verantwortung für den Ausbruch des allgemeinen Krieges« (S. 104). Vgl. dazu die neueren Studien von **R. J. W. Evans** und **H. Pogge von Strandmann** (Hrsg.), The Coming of the First World War, Oxford 1988: »All the available evidence suggests that it was mainly Germany which pushed for war and that without the German drive to extend her hegemony a major war would not have started in Europe in 1914« (Pogge S. 121). Den Versuch einer globalhistorischen Synthese macht **I. Geiss**, Der lange Weg in die Katastrophe. Die Vorgeschichte des Ersten Weltkriegs 1815-1914, München 1990. Zur ideologischen Unterstützung durch Kirchen und Theologien aufschlußreich: **K. Hammer**, Deutsche Kriegstheologie 1870-1918, München 1974.

7   Zum **Historiker-Streit** vgl. »›Historiker-Streit‹. Die Dokumentation der Kontroverse um die Einzigartigkeit der nationalsozialistischen Judenvernichtung« des Piper-Verlags, München 1987 (= Piper-Dokumentation).

8 **J. Habermas**, in: Piper-Dokumentation, S. 62.
9 **E. Nolte**, in: Piper-Dokumentation, S. 14.
10 AaO S. 14.
11 AaO S. 15.
12 Vgl. **S. Haffner**, Anmerkungen zu Hitler , München 1978.
13 AaO S. 124.
14 Einen ebenso aufschlußreichen wie kritischen Rückblick (besonders bezüglich der revisionistischen Geschichtspolitik der »Frankfurter Allgemeinen Zeitung«) gibt **H. Senfft**, Kein Abschied von Hitler. Ein Blick hinter
   die Fassaden des »Historikerstreits«, Hamburg 1990.
15 Vgl. die entscheidenden Dokumente zur Vorbereitung und Organisie-
   rung der »Endlösung« samt Kommentar bei **P. Longerich**, aaO S. 65-
   102, hier auch wichtige Dokumente zur Frage »Kenntnis und Apathie«,
   S. 427-452.
16 Vgl. die Zusammenfassung des grauenhaften Geschehens »Endlösung«
   bei **H.-U. Thamer**, S. 696-710. Die These des englischen Historikers
   D. Irving, Hitler und seine Feldherren, Frankfurt 1975, der Massenmord
   sei von Himmler auf eigene Faust hinter Hitlers Rücken begangen worden, gilt heute als widerlegt.
17 **E. Jäckel**, in: Piper-Dokumentation S. 118.
18 Dies geschah – gegen die Obstruktionsmaßnahmen der israelischen und
   die Drohungen der türkischen Regierung – auf einer Internationalen
   Konferenz in Tel Aviv, an der hervorragende Spezialisten der Genozid-
   Forschung wie H. Fein, L. Kuper und R. G. Hovannisian teilnahmen unter der Leitung von **Israel W. Charny**, Herausgeber auch der Kongreß-
   akten: Toward the Understanding and Prevention of Genocide. Proceedings of the International Conference on the Holocaust and Genocide,
   Tel Aviv 1982, Boulder/Colorado 1984. Einen sorgfältigen konkreten
   Vergleich mit anderen Massenmorden – dem Terror zur Zeit der Französischen Revolution, dem Genozid an den Armeniern durch die Osmanischen Türken, dem Archipel Gulag, dem Massaker an den Kurden, in
   Vietnam und Kambodscha – hat durchgeführt **Alfred Grosser**, der, wiewohl selber jüdischer Herkunft, bei einer Gedenkfeier für die Nazi-Opfer
   in Berlin 1990 von deutschen Juden wegen seiner historischen Unbe-
   stechlichkeit und humanen Toleranz beschimpft wurde: Le crime et la
   mémoire, Paris 1989; dt.: Ermordung der Menschheit. Der Genozid im
   Gedächtnis der Völker, München 1989.
19 Vgl. **A. Solschenizyn**, Der Archipel Gulag. 1918-1956. Versuch einer
   künstlerischen Bewältigung, Bd. I-III, Bern 1974-1976. Auf der genannten Genozid-Konferenz spricht **L. H. Leaters** von 15 Millionen ermordeten sowjetischen Bauern (S. 60-66).
20 Verantwortlich dafür, daß Stalins Herrschaftsbereich sich bis nach Berlin
   und Weimar ausdehnen konnte, sind – den »Verteidigern des Abendlandes« und Ewig-Gestrigen in Deutschland sei es gesagt – noch immer

Hitler und die Seinen allein. Daran sei indessen kein Zweifel gelassen: »Totalitäre« Systeme, die Menschen total erfassen und die Massen zur Selbstaufopferung verführen und versklaven, waren trotz wesentlicher ideologischer Unterschiede Nationalsozialismus und Kommunismus **beide** gleichermaßen. So schon früh **Hannah Arendt**, die Nationalsozialismus und Stalinismus als verwandte Herrschaftstypen im Zusammenhang von Antisemitismus und Imperialismus analysiert: The Origins of Totalitarianism, New York 1951; dt.: Elemente und Ursprünge totaler Herrschaft (1955), TB-Ausgabe München 1986. Deshalb hat jene von politischen Interessen diktierte »linke« Begriffspolitik, die das Wort »Totalitarismus« (als antikommunistisch) zu tabuisieren und zugleich das italienische Wort »Fascismo« (zur Einbeziehung von Nationalsozialismus und oft auch Kapitalismus) aufzublähen versuchte, die Fragestellung verbogen und vernebelt. Der Bonner Historiker **K. D. Bracher** bemerkt zu Recht: »Mit der Ächtung des Totalitarismusbegriffs wurde das Gemeinsame rechts- und linksdiktatorischer Unterdrückungssysteme ausgeblendet, und der Gebrauch des Wortes als antikommunistisch verdächtigt, mit den gängigen Faschismustheorien zugleich die zentrale Bedeutung der nationalsozialistischen Rassenideologie und -politik unterbewertet« (S. 113).

21 Es bleibt bei einem fundamentalen Unterschied zwischen Nazismus und Bolschewismus, und jedes historische Vergleichen wäre unverantwortlich, wollte es verharmlosend die Einzigartigkeit des Holocausts überspielen. Der Historiker **J. Kocka** (Bielefeld) formuliert es so: »Es bleibt ein qualitativer Unterschied zwischen der bürokratisierten, leidenschaftslosen, perfekten Systematik des Massenmords im durchindustrialisierten, vergleichsweise hochorganisierten Reiche Hitlers und der brutalen Mischung von Bürgerkriegsexzessen, Massen-›Liquidierungen‹, Sklavenarbeit und Verhungernlassen im rückständigen Reiche Stalins« (S. 134). Zweifellos täten gewisse Historiker besser daran, das Hitler-Deutschland statt mit den Regimen Pol Pots in Kambodscha und Idi Amins in Uganda mit dem zeitgenössischen Frankreich oder England zu vergleichen, ja, täten besser daran, die große kulturelle Tradition Deutschlands selbst zum Maßstab zu machen – jene sonst vielzitierte Tradition des deutschen Idealismus, der deutschen Philosophie, Literatur, Kunst, Musik und schließlich auch der Theologie, um so die Singularität jener barbarischen Verirrung zu erkennen.

22 **E. Jäckel**, **J. Kocka**, **C. Meier**, **H. und W. Mommsen**: vgl. ihre Beiträge in der Piper-Dokumentation. Ebenso entschieden ist die Kritik an Noltes Thesen durch den Tübinger Historiker **D. Langewiesche**, Der »Historikerstreit« und die »Historisierung« des Nationalsozialismus, in: K. Oesterle – S. Schiele (Hrsg.), Historikerstreit und politische Bildung, Stuttgart 1989, S. 20-41.

23 Vgl. **S. Volkov**, Jüdisches Leben und Antisemitismus im 19. und 20. Jahrhundert. Zehn Essays, München 1990. Schon im Wilhelminischen Reich

spiegelt sich diese Frontstellung in der Diskussion des für Assimilation eintretenden Centralvereins deutscher Staatsbürger (CV) mit der Zionistischen Vereinigung für Deutschland (ZVfD). Zum selben Zeitraum vgl. von deutscher Seite **D. Bering**, Der Name als Stigma. Antisemitismus im deutschen Alltag 1812-1933, Stuttgart 1987. **W. Jochmann**, Gesellschaftskrise und Judenfeindschaft in Deutschland 1870-1945, Hamburg 1988.

24 Auch in Deutschland stellen neuere Untersuchungen heraus, wie es in der deutsch-jüdischen Geschichte vor dem katastrophalen nationalsozialistischen Abbruch der Entwicklung Phasen eines fruchtbaren Miteinander zwischen jüdischen und nichtjüdischen Deutschen gegeben hat. Und das von **Julius H. Schoeps** gegründete Salomon-Ludwig-Steinheim-Institut für deutsch-jüdische Geschichte an der Universität Duisburg (vgl. den Band 1 von »Menora. Jahrbuch für deutsche Geschichte 1990«, München 1990) versucht, Verknüpfungspunkte und Verbindungslinien innerhalb der deutsch-jüdischen Weggemeinschaft auszuloten und die durch den Nationalsozialismus unterbrochenen Kontinuitätslinien aufzuzeigen.

25 **S. Volkov**, aaO S. 9. 65f.

26 **J. A. Gobineau**, L'essai sur l'inégalité des races humaines, Paris 1853-55, dt.: Versuch über die Ungleichheit der Menschenracen, hrsg. v. L. Schemann, Stuttgart 1898-1901.

27 Vgl. **M. Zimmermann**, Wilhelm Marr. The Patriarch of Anti-Semitism, New York 1986.

28 Vgl. **I. Elbogen**, Geschichte der Juden in Deutschland, Berlin 1935, S. 313.

29 Vgl. **S. Volkov**, aaO S. 35f. 54-75.

30 **T. Mann**, Deutschland und die Deutschen (1945), in: Reden und Aufsätze, Bd. III, Frankfurt 1960, S. 1143. 1136. Vgl. **P. Reichel**, Hoffen auf den starken Mann. »Ich fühle euch, und ihr fühlt mich!« – Erfolg und Verfall des Führer-Mythos, in: Die Zeit vom 12. Mai 1989. Vgl. auch **J. C. Fest**, Hitler. Eine Biographie, Frankfurt 1973. Hier wichtig: »Zwischenbetrachtung: Die große Angst« (S. 129-151): Angst vor der kommunistischen Revolution, der Haß gegen den Westen, die Aufklärung, die Rationalität, die Demokratie, das Judentum; Nazismus als »unverwechselbare Mischung von Mittelalter und Modernität ... Der hegemoniale Aufbruch Hitlers, der als das planvollste, kaltblütigste und realistischste Unternehmen unter Zuhilfenahme des ganzen Arsenals moderner technischer Mittel unternommen worden ist, war begleitet von einem Beiwerk krauser Requisiten und Symbole: ein Welteroberungsversuch im Zeichen von Strohdach und Erbhofbauerntum, von Volkstanz, Sonnenwendfeier und Mutterkreuz.« (S. 147)

31 Das über 1000 Seiten zählende Sammelwerk »Juden im deutschen Kulturbereich«, hrsg. v. **S. Kaznelson**, Berlin 1935, stark erweiterte 2. Aufl. 1959, zeigt in imponierender Weise die kulturellen Leistungen der deut-

schen Juden von Literatur und Künsten über die verschiedenen Wissenschaften bis zu Sozialwesen und Sport (hier auch ein gut informierender Artikel von I. Meisl über die Wissenschaft des Judentums). **S. Volkov** allerdings macht in ihrer Untersuchung der sozialen Ursachen des jüdischen Erfolgs in der Wissenschaft (vgl. aaO S. 146-165) deutlich, daß die allermeisten außergewöhnlichen jüdischen Wissenschaftler in wissenschaftlichen Randgebieten angesiedelt waren, die sich so oft als besonders kreativ erwiesen, und in untergeordneten akademischen Positionen, die anders als die etablierten Lehrstühle eine Spezialisierung ermöglichten: »außergewöhnliche Leistungen ... paradoxerweise und letztlich verhängnisvoll nicht nur **trotz**, sondern auch **wegen** des Vorurteils« (S. 162). Daß an allen bedeutenden Denkbewegungen im deutschen Kulturkreis Juden maßgebend beteiligt waren, zeigt als »Hommage für deutsche Juden unseres Jahrhunderts« der eindrucksvolle Band von **H. J. Schultz** (Hrsg.), Es ist ein Weinen in der Welt, Stuttgart 1990. Behandelt werden S. Freud, G. Mahler, W. Rathenau, E. Lasker-Schüler, R. Luxemburg, G. Landauer, M. Reinhardt, A. Schönberg, M. Buber, L. Meitner, A. Einstein, F. Kafka, E. Bloch, W. Benjamin, M. Horkheimer, A. Freud, E. Fromm, A. Seghers, M. Sperber, H. Arendt. Oft übersehen wird die bedeutende Rolle der jüdischen Philosophinnen, die alle scharfsinnig die militaristischen und totalitären Tendenzen ihrer Zeit analysiert haben und denen **R. Wimmer** eine zusammenfassende Monographie gewidmet hat: Vier jüdische Philosophinnen. Rosa Luxemburg, Simone Weil, Edith Stein, Hannah Arendt, Tübingen 1990.

32 Zu der in der wissenschaftlichen Forschung besonders umstrittenen Rolle der **Industrie** im Nationalsozialismus vgl. neben den früheren Untersuchungen aus der ehemaligen DDR (W. Bleyer, D. Eichholtz und das Braunbuch von 1965), aus der Bundesrepublik (W. A. Boelcke, M. Broszat, W. Fischer, L. P. Lochner, D. Petzina, R. Wagenführ) sowie den USA (B. H. Klein, A. Schweitzer) und den Kontroversen zwischen D. Stegman und H. A. Turner (um die Großunternehmer und Hitlers Aufstieg) und zwischen D. Abraham und U. Nocken (um den Untergang der Weimarer Republik) jetzt unter den neueren Monographien vor allem **E. Czichon**, Wer verhalf Hitler zur Macht? Zum Anteil der deutschen Industrie an der Zerstörung der Weimarer Republik, Köln ⁴1976. **R. Neebe**, Großindustrie, Staat und NSDAP 1930-1933. Paul Silverberg und der Reichsverband der Deutschen Industrie in der Krise der Weimarer Republik, Göttingen 1981. **H.-E. Volkmann**, Wirtschaft im Dritten Reich. Eine Bibliographie, Bd. I: 1933-39, München 1980; Bd. II: 1939-45, Koblenz 1984. – Zur Rolle einzelner wichtiger Firmen, z. B. der IG-Farben, vgl. **J. Borkin**, The Crime and Punishment of I. G. Farben, New York 1978; dt.: Die unheilige Allianz der I. G. Farben. Eine Interessengemeinschaft im Dritten Reich, Frankfurt 1979. **U.S. Group Control Council – Finance Division** (Amerikanische Gruppe des Kontrollrats –

Finanzabteilung), Ermittlungen gegen die I. G. Farbenindustrie AG, September 1945. Übersetzt und bearbeitet von der Dokumentationsstelle zur NS-Sozialpolitik Hamburg, Nördlingen 1986. **P. Hayes**, Industry and Ideology. IG Farben in the Nazi Era, Cambridge 1987. Zur Daimler-Benz AG: **H. Pohl – S. Habeth – B. Brüninghaus**, Die Daimler-Benz AG in den Jahren 1933-1945. Eine Dokumentation, Stuttgart 1986. Dazu kritisch: Das Daimler-Benz-Buch. Ein Rüstungskonzern im »Tausendjährigen Reich«. Schriften der Hamburger Stiftung für Sozialgeschichte des 20. Jahrhunderts, Bd. III, Nördlingen 1987. **K. H. Roth – M. Schmid**, Die Daimler-Benz AG 1916-1918. Schlüsseldokumente zur Konzerngeschichte. Schriften der Hamburger Stiftung für Sozialgeschichte, Bd. V, Nördlingen 1987.

33 Zur Rolle der **Justiz** liegt jetzt eine zusammenhängende Gesamtdarstellung vor: **L. Gruchman**, Justiz im Dritten Reich 1933-1940. Anpassung und Unterwerfung in der Ära Gürtner, München 1988. Einen sehr hilfreichen Überblick bietet **I. Staff** (Hrsg.), Justiz im Dritten Reich. Eine Dokumentation, Frankfurt 1964, erweiterte 2. Aufl. 1978. Wie die deutsche Nachkriegsjustiz sogar Straftaten des Mordes, Totschlags und Völkermordes vertuscht, gebilligt, ja, belohnt hat, belegt **J. Friedrich**, Freispruch für die Nazi-Justiz. Die Urteile gegen NS-Richter seit 1948. Eine Dokumentation, Reinbek 1983. Praktisch gingen alle Nazi-Richter straffrei aus. Vgl. die Streitschrift von **H. Senfft**, Richter und andere Bürger. 150 Jahre politische Justiz und neudeutsche Herrschaftspublizistik, Nördlingen 1988; Senfft rechnet u. a. vor, daß die Juristen des »Dritten Reiches« ihre 30 000 Todesurteile dann nach 1945 mit nur 27 Jahren und 2 Monaten Haft gesühnt hätten. Vgl. ferner **I. Müller**, Furchtbare Juristen. Die unbewältigte Vergangenheit unserer Justiz, München 1987. **B. Diestelkamp – M. Stolleis** (Hrsg.), Justizalltag im Dritten Reich, Frankfurt 1988. **R. Dreier – W. Sellert** (Hrsg.), Recht und Justiz im »Dritten Reich«, Frankfurt 1989.

34 Zur Rolle der **Medizin**, insbesondere zum dunkelsten Kapitel der NS-Medizin, der »Rassenhygiene« und Euthanasie, welcher Hunderttausende von Geisteskranken und körperlich Behinderten zum Opfer fielen, vgl. **E. Klee**, »Euthanasie« im NS-Staat. Die »Vernichtung lebensunwerten Lebens«, Frankfurt 1983; **ders.** (Hrsg.), Dokumente zur »Euthanasie«, Frankfurt 1983; **ders.**, Was sie taten – Was sie wurden. Ärzte, Juristen und andere Beteiligte am Kranken- oder Judenmord, Frankfurt 1986. **P. Weingart** u. a., Rasse, Blut und Gene. Geschichte der Eugenik und Rassenhygiene in Deutschland, Frankfurt 1988. **R. N. Proctor**, Racial Hygiene. Medicine under the Nazis, Cambridge/Mass. 1988. **R. J. Lifton**, The Nazi Doctors. Medical Killing and the Psychology of Genozid, New York 1986; dt.: Ärzte im Dritten Reich, Stuttgart 1989.

35 Zur Rolle der **Publizistik** – noch zu wenig erforscht – vgl. **O. Köhler**, Schreibmaschinen-Täter. Journalisten im Dritten Reich und danach: eine

vergessene Vergangenheit, eine unwillkommene Debatte, in: Die Zeit vom 15. Januar 1988.

36 Zur Rolle der **Wehrmacht** vgl. **E. Klee – W. Dreßen – V. Rieß**, »Schöne Zeiten«. Judenmord aus der Sicht der Täter und Gaffer, Frankfurt 1988. **A. J. Mayer**, Why Did the Heavens Not Darken. The »Final Solution« in History, New York 1988; dt.: Der Krieg als Kreuzzug. Das Deutsche Reich, Hitlers Wehrmacht und die »Endlösung«, Reinbek 1989. **E. Klee – W. Dreßen** (Hrsg.), »Gott mit uns«. Der deutsche Vernichtungskrieg im Osten 1939-1945, Frankfurt 1989. Aus diesen Publikationen ergibt sich, wie sehr nicht nur die SS, sondern auch die Wehrmacht am antisowjetisch-antisemitischen Kreuzzug und Vernichtungskrieg beteiligt war.

37 Zur Rolle der **Universitäten** erschienen erfreulicherweise bereits Mitte der 60er Jahre gedruckte Vorlesungsreihen dreier deutscher Universitäten, Tübingen, Berlin und München: vgl. **A. Flitner** (Hrsg.), Deutsches Geistesleben und Nationalsozialismus, Tübingen 1965. Nationalsozialismus und die deutsche Universität. Veröffentlichung der Freien Universität Berlin, Berlin 1966. **H. Kuhn** u. a., Die deutsche Universität im Dritten Reich, München 1966. Auch in jüngerer Zeit wurde diese offensichtlich noch immer heikle Problematik sowohl für den Gesamtbereich der Wissenschaften im Dritten Reich als auch für einzelne Universitäten, Fächer und Gelehrte verschiedentlich aufgegriffen, zuletzt noch für Göttingen: vgl. **H. Becker** u. a. (Hrsg.), Die Universität Göttingen unter dem Nationalsozialismus. Das verdrängte Kapitel ihrer 250jährigen Geschichte, München 1987.

38 Die neueste Diskussion hat ergeben, was zusammen mit einigen deutschen Heidegger-Verehrern die sogenannten französischen »Postmodernen« nicht wahrgenommen haben: **Martin Heideggers** Verstrickung in den Nationalsozialismus war ernsthafter und andauernder, als man lange Zeit annahm. Ausgelöst wurde die neueste Debatte durch das in Detailbehauptungen anfechtbare, aber verdienstvolle Buch des in Berlin lebenden Chilenen **V. Farías**, Heidegger et le nazisme, Lagrasse 1987. Die deutsche Ausgabe wurde vor allem sprachlich verbessert: Heidegger und der Nationalsozialismus. Mit einem Vorwort von Jürgen Habermas, Frankfurt 1989. Historisch exakt: **H. Ott**, Martin Heidegger. Unterwegs zu seiner Biographie, Frankfurt 1988. Verschiedene Stellungnahmen zum Fall Heidegger bei **B. Martin** (Hrsg.), Martin Heidegger und das »Dritte Reich«. Ein Kompendium, Darmstadt 1989. Hier die wichtigsten Dokumente aus den Jahren 1933 (besonders Rektoratsrede) und 1945 (Entnazifizierung).

39 Vgl. **C. Schmitt**, Staat, Bewegung, Volk. Die Dreigliederung der politischen Einheit, Hamburg 1933. Dazu **H. Senfft**, aaO S. 159-161 (hier auch über Schmitts Opportunismus und Antisemitismus). **K. Sontheimer**, Der Macht näher als dem Recht. Zum Tode Carl Schmitts, in: Die Zeit vom 19. April 1985. **B. Rüthers**, Carl Schmitt im Dritten Reich.

Wissenschaft als Zeitgeist-Verstärkung?, München 1989.

40 **W. Laqueur**, The Terrible Secret, London 1980; dt.: Was niemand wissen wollte. Die Unterdrückung der Nachrichten über Hitlers »Endlösung«, Frankfurt 1981, S. 249. Hier auch eine umfassende Übersicht über den damaligen Informationsstand der Neutralen, der Alliierten, der Juden im deutschbesetzten Europa und des Weltjudentums.

41 Vgl. **C.-E. Bärsch**, Erlösung und Vernichtung. Dr. phil. Joseph Goebbels. Zur Psyche und Ideologie eines jungen Nationalsozialisten 1923-27, München 1987. Für den katholisch erzogenen (allerdings nicht von Jesuiten!) und stets katholisch gebliebenen (bis zum Ende kein Kirchenaustritt!) Goebbels stand schon 1929 fest, daß Christus kein Jude gewesen sein könne: »Jude ist menschengewordene Lüge. In Christus hat er zum erstenmal vor der Geschichte die ewige Wahrheit ans Kreuz geschlagen. Das hat sich an die dutzende Male in den folgenden Jahrhunderten wiederholt und wiederholt sich heute aufs Neue. Die Idee des Opfers gewann zum ersten in Christus sichtbare Gestalt. Das Opfer gehört zum Wesen des Sozialismus. Sich selbst hingeben für den anderen. Dafür hat der Jude allerdings kein Verständnis« (Zit. S. 126). Aufgrund des dem Piper-Verlag exklusiv zugänglichen gesamten Goebbels-Nachlasses aus den Jahren 1914-1925 schrieb seine Biographie **R. G. Reuth**, Goebbels, München 1990, in der Goebbels' Vorreiterrolle in der Judenpolitik erneut deutlich wird.

42 Dies habe ich schon 1965 – in einer in mehreren Publikationsorganen erschienenen Bilanzierung des Zweiten Vatikanischen Konzils – öffentlich ausgesprochen und mir dafür den ersten offiziellen Tadel des Vorsitzenden der deutschen katholischen Bischofskonferenz, Kardinal **Julius Döpfner**, eingehandelt. Als ich dem Kardinal das bereits abgeschlossene Kapitel »Die Kirche und die Juden« für das Buch »Die Kirche« (1967) zusandte, erfolgte keine Antwort mehr.

43 Vgl. **J. C. Fest**, aaO.

44 Vgl. **E. Jäckel**, Hitlers Weltanschauung, Stuttgart 1969, ²1981.

45 **Ders.**, Hitlers Herrschaft. Vollzug einer Weltanschauung, Stuttgart 1986.

46 **H.-U. Thamer**, Verführung und Gewalt. Deutschland 1933-1945, Berlin 1986.

47 **E. Jäckel**, Hitlers Herrschaft, S. 89.

48 **H.-U. Thamer**, aaO S. 88.

49 Zit. bei **E. Jäckel**, Hitlers Weltanschauung, S. 55.

50 Vgl. **A. Hitler**, Mein Kampf, München 1939, S. 4.

51 Vgl. **F. Heer**, Der Glaube des Adolf Hitler. Anatomie einer politischen Religiosität, München 1968.

52 Vgl. **W. Daim**, Der Mann, der Hitler die Ideen gab. Die sektiererischen Grundlagen des Nationalsozialismus, Wien 1957, ²1985.

53 **F. Heer**, aaO S. 272.

54 Nur der frühere Erzbischof von Wien, Kardinal **Franz König** – Nach-

folger jenes Kardinal **Theodor Innitzer,** der die Kapitulationserklärung des österreichischen Episkopats vom 18. März 1938 noch mit einem Brief und einem handgeschriebenen »Heil Hitler« begleitet hatte – gab aufgrund der neuesten Ereignisse bei der katholischen Aktion in St. Pölten am 26. September 1987, KathPress zufolge, ein unumwundenes Schuldbekenntnis ab: »Im Rückblick müssen wir als Christen zweifellos auch ein ›nostra culpa‹ sprechen für das Versagen und vor allem die Irrtümer der kirchlichen Verantwortungsträger von damals.«

55 **H. Krätzl,** Vergiftete Brunnen. Antwort auf Proteste von Gläubigen, in: Publik-Forum vom 11. März 1988.

A II. Die Verdrängung der Schuld

1 So berichtet von dieser »Heldentat eines Landrats« in ihrer Ausgabe vom 4. November 1988 »Die Zeit«.

2 Wie man sich auch in den Schulen nicht unbedingt anpassen mußte, zeigt anhand von dreizehn Lebensgeschichten **L. van Dick** (Hrsg.), Lehreropposition im NS-Staat. Biographische Berichte über den »aufrechten Gang«, Neuausgabe Frankfurt 1990.

3 Auch die folgenden Zahlen sind in dem Bericht enthalten, der in »Die Zeit« vom 4. November 1988 unter dem Titel »Man wollte an die Vermögen heran« erschien. Zur »Reichskristallnacht« vgl. **R. Thalmann – E. Feinermann,** La Nuit de Cristal, Paris 1972; dt.: Die Kristallnacht, Frankfurt 1987. **H.-J. Döscher,** »Reichskristallnacht«. Die Novemberpogrome 1938, Frankfurt 1988; ders. (Hrsg.), »Reichskristallnacht«. Die Novemberpogrome 1938 im Spiegel auserwählter Quellen, Bonn 1988. **W. H. Pehle** (Hrsg.), Der Judenpogrom 1938. Von der »Reichskristallnacht« zum Völkermord, Frankfurt 1988.

4 Zum **Verhältnis der Kirchen zum Nationalsozialismus** vgl. besonders die Akten deutscher Bischöfe über die Lage der Kirche 1933-1945, Bd. I-VI, bearbeitet von B. Stasiewski – L. Volk, Mainz 1968-1985. Einen klaren Überblick mit den wichtigsten Dokumenten bieten **G. Denzler – V. Fabricius,** Die Kirchen im Dritten Reich. Christen und Nazis Hand in Hand?, Bd. I: Darstellung, Bd. II: Dokumente (= Denzler-Fabricius), Frankfurt 1984. Vgl. ebenso die wichtige Dokumentensammlung von **R. Rendtorff – H. H. Henrix** (Hrsg.), Die Kirchen und das Judentum. Dokumente von 1945 bis 1985, Paderborn 1988 (= Rendtorff-Henrix). In englischer Sprache **H. Croner** (Hrsg.), More Stepping Stones to Jewish-Christian Relations. An Unabridged Collection of Christian Documents 1975-1983, New York 1985. Eine auf vier Bände angelegte, reich illustrierte Gesamtdarstellung der Geschichte von Juden und Christen bieten **E. Röhm – J. Thierfelder,** Juden, Christen, Deutsche, 1933-1945, Bd. I: 1933-1935, Stuttgart 1990. Dazu ferner die Monographien von

G. C. Zahn, German Catholics and Hitler's Wars, New York; dt.: Die deutschen Katholiken und Hitlers Kriege, Graz 1965. **G. Lewy**, The Catholic Church and Nazi-Germany, New York 1964; dt.: Die katholische Kirche und das Dritte Reich, München 1965. **L. Siegele-Wenschkewitz**, Nationalsozialismus und Kirchen. Religionspolitik von Partei und Staat bis 1935, Düsseldorf 1974; **dies.**, Neutestamentliche Wissenschaft vor der Judenfrage. Gerhard Kittels theologische Arbeit im Wandel deutscher Geschichte, München 1980. **K. Scholder**, Die Kirchen und das Dritte Reich, Bd. I: Vorgeschichte und Zeit der Illusionen 1918-34, Berlin 1977; Bd. II: Das Jahr der Ernüchterung 1934. Barmen und Rom, Berlin 1985. **G. Denzler**, Widerstand oder Anpassung? Katholische Kirche und Drittes Reich, München 1984. **J. Fischel – S. Pinsker** (Hrsg.), The Churches' Response to the Holocaust (Holocaust Studies Annual, Bd. II), Greenwood 1986. **O. D. Kulka – P. R. Mendes-Flohr** (Hrsg.), Judaism and Christianity under the Impact of National Socialism, Jerusalem 1987. **R. P. Ericksen**, Theologen unter Hitler. Das Bündnis zwischen evangelischer Dogmatik und Nationalsozialismus, München 1988 (über G. Kittel, P. Althaus, E. Hirsch). **M. Greschat – J.-C. Kaiser** (Hrsg.), Der Holocaust und die Protestanten. Analysen einer Verstrickung, Frankfurt 1988. **E. Klee**, »Die SA Jesu Christi«. Die Kirchen im Banne Hitlers, Frankfurt 1989. **K. Repgen – K. Gotto** (Hrsg.), Die Katholiken und das Dritte Reich, 3. erw. Auflage Mainz 1990.

5   Vgl. die »Kundgebung« des Gesamtepiskopats vom 28. März 1933, in: Akten deutscher Bischöfe, Bd. I, S. 30-32; Denzler-Fabricius, S. 42-44.

6   **H.-U. Thamer**, Verführung und Gewalt. Deutschland 1933-1945, Berlin 1986, S.435.

7   Zit. nach Denzler-Fabricius, S. 255.

8   Vgl. Ansprache des Kirchentagspräsidenten **R. Moeller** beim 1. Deutschen Evangelischen Kirchentag in Dresden vom 1. September 1919, in: Denzler-Fabricius, S. 13f.

9   Vgl. **J. C. Kaiser – M. Greschat**, aaO (besonders den Beitrag von H.-U. Thamer).

10 Zit. nach Denzler-Fabricius, S. 37f.

11 Zit. nach Denzler-Fabricius, S. 76.

12 Art. 1; aaO S. 83.

13 Art. 4; ebd.

14 Vgl. den Text bei Denzler-Fabricius, S. 77-83.

15 Vgl. den Text bei Denzler-Fabricius, S. 84-87.

16 Vgl. **K. Barth**, Theologische Existenz heute! 24./25. Juni 1933; Text bei Denzler-Fabricius, S. 47-57.

17 So erklärt die Synode: »Wir verwerfen die falsche Lehre, als gebe es Bereiche unseres Lebens, in denen wir nicht Jesus Christus, sondern anderen Herren zu eigen wären« (aaO S.91).

18 Vgl. **H. U. Stephan** (Hrsg.), Das eine Wort für alle. Barmen 1934-1984.

Eine Dokumentation, Neukirchen 1986.

19 Vgl. **M. Greschat** (Hrsg.), Zwischen Widerspruch und Widerstand. Texte zur Denkschrift der Bekennenden Kirche an Hitler (1936), München 1987.

20 Vgl. **C.-R. Müller**, Dietrich Bonhoeffers Kampf gegen die nationalsozialistische Verfolgung und Vernichtung der Juden. Bonhoeffers Haltung zur Judenfrage im Vergleich mit Stellungnahmen aus der evangelischen Kirche und Kreisen des deutschen Widerstandes, München 1990.

21 Text bei Rendtorff-Henrix, S. 528. Vgl. **M. Greschat** (Hrsg.), Im Zeichen der Schuld. 40 Jahre Stuttgarter Schuldbekenntnis. Eine Dokumentation, Neukirchen 1985.

22 Zit. nach Denzler-Fabricius, S. 256.

23 Dies zeigt auf **F. Hermle**, Evangelische Kirche und Judentum – Stationen nach 1945, Göttingen 1990. Schlüsselfigur für die theologische Aufarbeitung der Judenfrage gegen alle Widerstände in der Kirchenleitung wurde der Generalsekretär der ökumenischen Flüchtlingskommission, **Adolf Freudenberg**. Der Text des »Wortes zur Judenfrage« der EKD vom April 1950 findet sich bei Rendtorff-Henrix, S. 548f.

24 Vgl. dazu die umfassende Dokumentensammlung des Historikers **C. Vollnhals**, Entnazifizierung und Selbstreinigung im Urteil der evangelischen Kirche. Dokumente und Reflexionen 1945-1949, München 1989; **ders.**, Evangelische Kirche und Entnazifizierung 1945-1949. Die Last der nationalsozialistischen Vergangenheit, München 1989.

25 Die Persönlichkeit, Politik und kirchengeschichtliche Position Pacellis – in allen einschlägigen zeitgeschichtlichen Werken behandelt – wird in ihrer Beziehung zu Deutschland, Nationalsozialismus und Hitler besonders hellsichtig analysiert vom katholischen Historiker **Friedrich Heer**, Der Glaube des Adolf Hitler. Anatomie einer politischen Religiosität, München 1968, Kap. 26-31.

26 Vgl. den Text bei Denzler-Fabricius, S. 61-74.

27 Vgl. Konkordate seit 1800, zusammengestellt und bearbeitet von **L. Schöppe**. Dokumente, Bd. 35, Frankfurt 1964, S. 29-35, bes. S. 33.

28 Vgl. **K. Adam**, Deutsches Volkstum und katholisches Christentum, in: Theologische Quartalschrift 114 (1933), S. 40-63. Zitate S. 41. 58-61.

29 **Ders.**, Jesus, der Christus und wir Deutsche, in: Wissenschaft und Weisheit. Vierteljahresschrift für systematische franziskanische Philosophie und Theologie in der Gegenwart 10 (1943), S. 73-103: »Es ist mir persönlich ein erhebender Gedanke, daß in dem Genbestand, in der Erbmasse, welche Maria ihrem göttlichen Sohn übertrug, dank einer geheimnisvollen, die Entwicklung ihres Geschlechts überwachenden Führung Gottes die besten, edelsten Anlagen und Kräfte lebendig waren, über die das Menschengeschlecht überhaupt zu verfügen hatte. Diese Ansicht gründet sich auf die Glaubenswahrheit, daß Maria ohne Erbsünde empfangen wurde – ›ohne Erbsünde‹, also auch ohne die Folgen der Erbsünde,

also in vollendeter Reinheit und Schöne, also mit edelsten Anlagen und Kräften. Es ist dieses Dogma von der immaculata conceptio Mariens, welche all jene böswilligen Fragen und Klagen, als ob wir in Jesus trotz all seiner Vorzüge einen ›Juden-Stämmling‹ erkennen müßten, in katholischer Sicht zu einer völlig abwegigen Frage macht. Denn es bezeugt uns, daß Jesu Mutter Maria in keinerlei physischem oder moralischem Zusammenhang mit jenen häßlichen Anlagen und Kräften stand, die wir am Vollblutjuden verurteilen. Sie ist durch Gottes Gnadenwunder jenseits dieser jüdischen Erbanlagen, eine überjüdische Gestalt« (S. 90f.).

30 Vgl. C. Falconi, Il silenzio di Pio XII., Milano 1965.

31 Vgl. den Text bei Denzler-Fabricius, S. 104-150.

32 Für die Enzyklika gibt es Entwürfe von drei Jesuiten (J. La Farge / USA, G. Gundlach / Deutschland, P. Desbuquois / Frankreich), die allesamt von erheblichen antijüdischen Vorurteilen zeugen. Es war dann der polnische Jesuitengeneral **Wladimir Ledochowski**, der die Publikation der Enzyklika verzögerte, wohl weil er in Hitler einen Bundesgenossen gegen den Bolschewismus sah; vgl. **J. H. Nota**, Edith Stein und der Entwurf für eine Enzyklika gegen Rassismus und Antisemitismus, in: Freiburger Rundbrief 26 (1974), S. 35-41. Edith Stein hatte schon 1933 in einem versiegelten Brief an Pius XI. persönlich dringend um eine Enzyklika in der Judenfrage gebeten – ohne Erfolg.

33 Vgl. **C. Falconi**, aaO Teil III. Tendenziös (Zahlenangaben umstritten) **V. Dedijer**, Jasenovac – das jugoslawische Auschwitz und der Vatikan, hrsg. von G. Niemietz, Freiburg 1988.

34 Daß zu dieser Zeit selbst in jüdischen Kreisen Hilfsmaßnahmen auf diplomatischer Ebene umstritten waren, zeigt der Fall des stellvertretenden Vorsitzenden der Ungarischen Zionistischen Bewegung, **Rezsö Rudolf Kasztner**: Trotz verläßlicher Informationen über die Vorgänge in den deutschen Vernichtungslagern seit April 1944 wurden die ungarischen Juden nicht gewarnt, sondern es wurden aufgrund geheimer Verhandlungen mit der deutschen Führung (»Blut für Ware«) – u. a. mit Eichmann persönlich – lediglich wenige tausend Juden evakuiert. 1953 wurde Kasztner deswegen in Israel der Kollaboration mit den Deutschen beschuldigt, 1955 verurteilt, jedoch 1958 rehabilitiert, nachdem er im Jahr zuvor auf offener Straße erschossen wurde. Vgl. dazu: **R. L. Braham**, What Did They Know and When?, in: The Holocaust as Historical Experience. Essays and a Discussion, hrsg. v. Y. Bauer und N. Rotenstreich, New York 1981, S. 109-131. **Y. Marton**, Art. Kasztner, Rezsö Rudolf, in: Encyclopaedia Judaica.

35 Zit. nach **P. Longerich** (Hrsg.), Die Ermordung der europäischen Juden. Eine umfassende Dokumentation des Holocaust 1941-1945, München 1989, S. 445.

36 **E. von Weizsäcker**, Telegramme an das Auswärtige Amt vom 17./28. Okt. 1943; zit. nach **P. Longerich**, aaO S. 445f.

37 Vgl. die Memoiren von de Gasperis Tochter und Sekretärin **Maria Romana Catti-de Gasperi**, De Gasperi, uomo solo, Milano 1964, S. 317-339, bes. 335. (Ablehnung einer Papstaudienz sogar anläßlich des 30jährigen Ehejubiläums des Ministerpräsidenten und der »ewigen« Ordensgelübde seiner zweiten Tochter Lucia).

38 **J. F. Morley**, Vatican Diplomacy and the Jews during the Holocaust 1939-1949, New York 1980.

39 AaO S. 209.

40 Vgl. **P. I. Murphy**, »La Popessa«, New York 1983, bes. S. 59-170. 192-215.

41 Aufschlußreich für die Einstellung Pius' XII. und der Kurie auch das Kapitel »Das vatikanische Labyrinth«, in: **N. Goldmann**, Le paradoxe juif. Conversations avec Léon Abramovicz, Paris 1976; dt.: Das jüdische Paradox. Zionismus und Judentum nach Hitler, Köln 1978, S. 243-261. (Leider sind – zumindest in der deutschen Ausgabe – die Namen von P. Robert Leiber und Jesuitengeneral J. B. Janssens falsch wiedergegeben; aus Sr. Pasqualina wird Sr. Angelina, aus der Päpstlichen Universität Gregoriana wird die Universität von Georgia.)

42 **J. Kaiser**, Die Bühne als publizistische Anstalt?, in: Süddeutsche Zeitung vom 25. April 1988.

43 Vgl. auch das Apostolische Schreiben von Papst **Johannes Paul II.** zum 50. Jahrestag des Beginns des Zweiten Weltkriegs vom 27. August 1989.

44 **A. Momigliano**, Independent People, in: The New York Review of Books vom 8. Oktober 1987.

45 Vgl. die von Papst **Paul VI.** diesbezüglich angeordnete Neuformulierung der Karfreitagsfürbitten für die Juden im Missale Romanum vom 26. März 1970, in: Rendtorff-Henrix, S. 56-60.

46 Vgl. den Text der Konzilserklärung »Nostra aetate« Nr. 4 bei Rendtorff-Henrix, S. 39-44, zum ganzen **K.-J. Kuschel**, Ökumenischer Konsens über das Judentum?, in: Christlich-jüdisches Forum. Mitteilungsblatt der christlich-jüdischen Arbeitsgemeinschaft in der Schweiz, hrsg. v. E. L. Ehrlich, Nr. 53, Basel 1981, S. 17-33.

47 Zur Tätigkeit der **deutschen Bischöfe** überhaupt vgl. vor allem die Veröffentlichungen der Kommission für Zeitgeschichte bei der Katholischen Akademie in Bayern, die mit ihren beiden Reihen – Quellen und Forschungen – bereits über 80 Bände umfassen; für unsere Thematik besonders wichtig die bereits am Anfang dieses Kapitels zitierten sechsbändigen Akten deutscher Bischöfe über die Lage der Kirche 1933-1945.

48 Das Wort stammt meines Wissens vom katholischen Bonner Historiker **K. Repgen**, der zusammen mit R. Morsey die zitierten Akten deutscher Bischöfe über die Lage der Kirche 1933-1945 herausgegeben hat. Vgl. dazu auch **K. Repgen – K. Gotto**, aaO.

49 Vgl. **K. Scholder**, aaO Bd. I, S. 300-321. Gegen K. Repgen, R. Morsey und L. Volk, die publizistischen Exponenten der katholischen Kommis-

sion für Zeitgeschichte, hat nach K. D. Bracher (in einem Gutachten zum Konkordatsprozeß in den 50er Jahren) K. Scholder überzeugend aufgewiesen, daß zwischen dem Beginn der vatikanisch-deutschen Verhandlungen über ein »Reichskonkordat« und der Zustimmung der katholischen Zentrumspartei zum Ermächtigungsgesetz für Hitler vom 3. März 1933 ein unmittelbarer Zusammenhang besteht. Vgl. neben den genannten Bänden K. Scholder, Altes und Neues zur Vorgeschichte des Reichskonkordats. Erwiderung auf Konrad Repgen, in dem von K. O. von Aretin und G. Besier posthum herausgegebenen Sammelband von Scholders gesammelten Aufsätzen: Die Kirchen zwischen Republik und Gewaltherrschaft, Berlin 1988, S. 171-203.

50 K. Scholder, Altes und Neues, S. 194.

51 Ders., Die Kirchen, Bd. I, S. 321.

52 Vgl. dazu G. Lewy, aaO S. 267-283.

53 Vgl. H. Hürten, Verfolgung, Widerstand und Zeugnis. Kirche im Nationalsozialismus. Fragen eines Historikers, Mainz 1987.

54 Zit. bei J. Köhler, Haben die deutschen Bischöfe während der nationalsozialistischen Herrschaft Widerstand geleistet? Der deutsche Katholizismus zwischen Widerspruch und nationaler Loyalität, Unveröff. Manuskript, S. 22. Prof. Joachim Köhler, Kirchenhistoriker an der Kath.-Theol. Fakultät der Universität Tübingen, verdanke ich wertvolle Ergänzungen und Korrekturen für dieses ganze Kapitel.

55 Vgl. S. Rahner u. a., »Treu deutsch sind wir – wir sind auch treu katholisch.« Kardinal von Galen und das Dritte Reich, Münster 1987.

56 Text von Preysings Denkschrift vom 17. Oktober 1937 in: Akten deutscher Bischöfe, Bd. IV, S. 356-361; Denzler-Fabricius, S. 161-166.

57 Vgl. D. R. Bauer – A. P. Kustermann (Hrsg.), Gelegen oder ungelegen – Zeugnis für die Wahrheit. Zur Vertreibung des Rottenburger Bischofs J. B. Sproll im Sommer 1938, Rottenburg 1989; hier weist J. Köhler auf, wie sehr Sproll schon in den 20er Jahren in der Friedensbewegung aktiv war (vgl. S. 17-55).

58 Keine Antwort auch in der neuesten Biographie von E. Endres, Edith Stein. Christliche Philosophin und jüdische Märtyrerin, München 1987.

59 G. Denzler, Widerstand oder Anpassung?, berichtet über den Vorsitzenden der Bischofskonferenz, Kardinal Adolf Bertram, der dem »Führer« noch zu dessen letztem Geburtstag am 20. April 1945 (!) aufs allerfreundlichste gratuliert und sogar – nach dessen feigem Selbstmord zehn Tage später – an eine »Seelenmesse« dachte (zu der es aber nicht mehr kam); über die nazistisch orientierten Bischöfe von Freiburg (Conrad Gröber war Förderndes Mitglied der SS zusammen mit seinem ganzen Domkapitel) und Osnabrück (Wilhelm Berning war preußischer Staatsrat) sowie über nazistische Benediktineräbte, über Mitläufer, braune Theologieprofessoren und Kleriker, schließlich über den servilen päpstlichen Nuntius Orsenigo in Berlin, der im innersten Herzen (wie ein Großteil der römi-

schen Kurie nach dem Konkordat mit Mussolini 1929) ein Faschist gewesen war ...

60 Vgl. den Text bei Rendtorff-Henrix, S. 260-280.

61 Gemeinsame Synode der Bistümer in der Bundesrepublik Deutschland. Beschluß »Unsere Hoffnung. Ein Bekenntnis zum Glauben in dieser Zeit« vom 22. November 1975, in: Rendtorff-Henrix, S. 245.

62 Vgl. Bericht der Herder-Korrespondenz 45 (1991), S. 7f., mit dem Titel »Stagnation«.

63 Daß dies aber ein Jude ebenso kann, zeigt das Beispiel des polnisch-jüdischen Arztes, Lehrers, Erziehers und Reformpädagogen **Janusz Korczak**, der im August 1942 vom Warschauer Getto mit 200 »seiner« Kinder aus dem jüdischen Waisenhaus nach Treblinka ging, nachdem er zuvor alle Fluchtangebote abgelehnt hatte. Vgl. **B. J. Lifton**, The King of Children. A Biography of Janusz Korczak, New York 1988; dt.: Der König der Kinder. Das Leben von Janusz Korczak, Stuttgart 1990.

64 Vgl. **A. Smolar**, Unschuld und Tabu (polnische Originalfassung, in: Aneks Nr. 41-42, London 1986), in: Babylon. Beiträge zur jüdischen Gegenwart 2 (1987) Heft 2, S. 40-71, Zit. S. 66. Dieser polnische Autor bemüht sich um eine nach allen Seiten faire Darstellung des komplexen Verhältnisses Polen – Juden. Den Hinweis auf diesen Artikel verdanke ich Frau **Helga Hirsch** (Warschau).

65 **W. Bartoszewski**, Uns eint vergossenes Blut. Juden und Polen in der Zeit der »Endlösung«, Frankfurt 1987. Vgl. **W. Bartoszewski** – **Z. Lewin** (Hrsg.), Righteous among Nations. How Poles helped the Jews 1939-1945, London 1969. Gegenüber der stark apologetisch gefärbten polnischen Literatur weisen **Y. Gutman** – **S. Krakowski**, Unequal Victims. Poles and Jews During World War Two, New York 1986, darauf hin, daß die Situation der polnischen Bevölkerung unter dem NS-Regime keinesfalls mit dem Schicksal der Juden zu vergleichen sei: Zwar hatten auch die Polen erheblich unter Vertreibung, Zwangsarbeit und nationalsozialistischer Verfolgung zu leiden, doch waren die Juden »von Anfang an Gegenstand von Verfolgung und Terror besonderen Ausmaßes«: Verfolgung, Plünderung, Gettoisierung und schließlich die systematische Totalvernichtung. Hilfe von polnischer Seite blieb – von wenigen Ausnahmen abgesehen – aus, aber nicht nur wegen der allgemein schwierigen Situation unter den Nazi-Besetzern, sondern wegen der »subjektiven polnischen Einstellung, der Haltung der verschiedenen Schichten der polnischen Bevölkerung und der Position der verschiedenen politischen Kräfte und der Kirche« (so im Vorwort), die bald nach dem Krieg wieder zu anti-jüdischen Kampagnen und Pogromen führte. Vgl. auch den Kommentar von **S. Krakowski** zu Z. Zielinski, in: O. D. Kulka – P. R. Mendes – Flohr, aaO S. 395-399. Vgl. dazu auch den von **B. Vago** – **G. L. Mosse** herausgegebenen Sammelband Jews and Non-Jews in Eastern Europe 1918-1945, New York 1974. **G. Rhode** (Hrsg.), Juden in Ostmitteleuropa.

Von der Emanzipation bis zum Ersten Weltkrieg, Marburg 1989.

66　Text zitiert bei **A. Smolar**, aaO S. 56.

67　**J. H. Schoeps**, Unbequeme Erinnerungen. Polen und Juden in der Zeit
der »Endlösung«, in: Die Zeit vom 9. Oktober 1987. Zur deutschen Problematik vgl. vom selben Verfasser: Leiden zu Deutschland. Vom antisemitischen Wahn und der Last der Erinnerung, München 1990. Vgl.
vom amerikanischen Theologen polnischer Herkunft **R. Modras**, The
Catholic Church in Poland and Antisemitism, 1933-1939: Responses to
Violence at the Universities and in the Streets, in: Y. Bauer u. a. (Hrsg.),
Remembering for the Future. Working Papers and Addenda, Bd. I, Oxford 1989, S. 183-196.

68　**M. Nierzabitowska – T. Tomaszewski**, Die letzten Juden in Polen,
Schaffhausen 1987.

69　Vgl. dazu das Buch des Princeton Orientalisten **B. Lewis**, Treibt sie ins
Meer. Die Geschichte des Antisemitismus, Berlin 1987, S. 28.

70　**M. Checinski**, The Kielce Pogrom: Some Unanswered Questions, in: So-
viet Jewish Affairs 5, Nr. 1 (1975), S. 57-72, geht den näheren Umständen nach und kommt schließlich zu folgendem Urteil: »The pogrom was
a pretext for strengthening repressive measures in Poland, and served to
gain support in liberal Western circles for the Soviets and their protéges
who posed as the defenders of the persecuted remnant of Polish Jewry
from the ›antisemitic inclinations of the Polish people‹ … The fact that
the elimination of the Jews from Poland would be welcomed by the chau-
vinistic and antisemitic Poles probably also played a role in the calcula-
tions of the Soviets who hoped to gain the support of these circles. – The
Polish anti-Communist underground, the émigré circles and the Catholic
hierarchy saw in the pogrom a sign of weakness on the part of the Warsaw
Government, and no doubt welcomed the Jewish exodus from Poland«
(S. 71).

71　Vgl. zum folgenden den ausführlichen Bericht von **T. Mechtenberg**,
Zum jüdisch-polnischen Verhältnis, in: Orientierung 52 (1988), S. 117-
119. 124-127. 140-142.

72　**J. Blonski**, Biedni Polacy … (Die armen Polen schauen auf das Getto), in:
Tygodnik Powszechny vom 11. Januar 1987, zit. in: Orientierung 52
(1988), S. 140f.

73　Tygodnik Powszechny vom 8. Februar 1987, zit. aaO S. 141.

74　In Auschwitz wird der jüdischen »Nationalität« ein ebenso großer »Aus-
stellungsraum« zugewiesen wie anderen Nationalitäten (der italienische
Pavillon entbehrt faktisch jeglichen konkreten Materials). Vgl. den Mu-
seumsführer von **K. Smolen**, Auschwitz 1940-1945. Ein Gang durch das
Museum. Katowice 1981; **ders.** (mit anderen), Ausgewählte Probleme aus
der Geschichte des KL Auschwitz, Auschwitz ³1988. Im Historischen
Museum der Stadt Warschau wird der Aufstand im Warschauer Getto als
ein polnischer, aber kaum als ein jüdischer Aufstand präsentiert; dabei

sind dort 1943 in einem einzigen Monat 56 000 Juden getötet oder deportiert worden; vgl. **D. Dambrowska**, Art. Warsaw, in: Encyclopaedia Judaica. Zum jüdischen Widerstand allgemein vgl. **F. Kroh**, David kämpft. Vom jüdischen Widerstand gegen Hitler, Reinbek 1988.

75 Zitiert nach Herder-Korrespondenz 45 (1991) S. 97.

76 Vgl. **A. A. Häsler**, Das Boot ist voll. Die Schweiz und die Flüchtlinge 1933-1945, Zürich 1967, ²1968.

77 In der Schweiz fanden 1933-1945 unter anderem folgende bekannte Persönlichkeiten vorübergehend oder für immer Zuflucht: Fritz Adler, Albert Bassermann, Maria Becker, Ernst Bloch, Bert Brecht, Alfred Döblin, Käthe Dorsch, Walter Fabian, Therese Giehse, Stefan Hermlin, Paul Hindemith, Alfred Kerr, E. L. Kirchner, Arthur Koestler, Oskar Kokoschka, Emil Ludwig, Thomas Mann, Hans Mayer, Robert Musil, Max Ophüls, Rudolf Pannwitz, Wolfgang Pauli, Hermann Rauschning, Erich Maria Remarque, Wilhelm Röpke, Hermann Scherchen, Ignazio Silone, Margarete Susman, Kurt Tucholski, Bruno Walter, Jakob Wassermann, Carl Zuckmayer. Nach Mitteilung des Eidgenössischen Polizeidepartements bei **A. A. Häsler**, aaO S. 339.

78 Vgl. aaO S. 338.

79 Vgl. **Evangelischer Pressedienst** EPD, November 1988.

80 Vgl. **F. Gsteiger**, »Tödliches Schweigen am Genfer See«. Warum das Internationale Rote Kreuz im Oktober 1942 die Welt nicht über den Holocaust aufklärte, in: »Die Zeit« vom 23. September 1988. Ferner **H. Lichtenstein**, Angepaßt und treu ergeben. Das Rote Kreuz im »Dritten Reich«, Köln 1988. **J.-C. Favez**, Das Internationale Rote Kreuz und das Dritte Reich. War der Holocaust aufzuhalten?, München 1989.

81 Vgl. **S. Klarsfeld**, Vichy – Auschwitz. Die Zusammenarbeit der deutschen und französischen Behörden bei der »Endlösung der Judenfrage« in Frankreich, Nördlingen 1989.

82 Vgl. **A. Grosser**, Le crime et la mémoire, Paris 1989; dt.: Ermordung der Menschheit. Der Genozid im Gedächtnis der Völker, München 1989, S. 149-207.

83 Vgl. **D. S. Wyman**, The Abandonment of the Jews. America and the Holocaust, 1941-1945, New York 1984; dt.: Das unerwünschte Volk. Amerika und die Vernichtung der europäischen Juden, Ismaning 1986. Noch weitere Zusammenhänge behandelt **M. Gilbert**, Auschwitz and the Allies, London 1981; dt.: Auschwitz und die Alliierten, München 1982.

84 Vgl. **R. Modras**, Father Coughlin and the Jews. A Broadcast Remembered, in: »America« vom 11. März 1989.

85 **D. S. Wyman**, Das unerwünschte Volk, S. 431.

86 Vgl. **Y. Bauer**, American Jewry and the Holocaust. The American Jewish Joint Distribution Committee, 1939-1945, Detroit 1981.

87 Vgl. **C. Genizi**, American Apathy. The Plight of Christian Refugees from Nazism, Ramat-Gan/Israel 1983.

88 M. **Wolffsohn**, Ewige Schuld? 40 Jahre deutsch-jüdisch-israelische Beziehungen, München 1988, S. 51f. Gegen reichlich unangemessene Angriffe vor allem von Seiten deutsch-jüdischer Glaubensgenossen verteidigt sich **M. Wolffsohn** in seinem neuesten Buch: Keine Angst vor Deutschland!, Erlangen 1990.

89 M. **Buber**, Das echte Gespräch und die Möglichkeiten des Friedens, in: Friedenspreis des Deutschen Buchhandels. Reden und Würdigungen 1951-1960, hrsg. v. Börsenverein des Deutschen Buchhandels e.V., Frankfurt 1961, S. 67-74, Zit. S. 67f.

90 Vgl. Time-Magazin vom 11. Februar 1991.

91 Vgl. **M. Wolffsohn**, Keine Angst vor Deutschen! Erlangen 1990, Zit. S. 184. Hier auch aufschlußreiche Kapitel, die aufweisen, inwiefern im Nachkriegsdeutschland doch Vergangenheit aufgearbeitet wurde (vgl. bes. S. 96-148). Vgl. dazu auch **M. Brumlik** u. a. (Hrsg.), Jüdisches Leben in Deutschland seit 1945, Frankfurt 1986. **J. Wetzel**, Jüdisches Leben in München 1945-1951. Durchgangsstation oder Wiederaufbau?, München 1987. **R. Ostow**, Jüdisches Leben in der DDR, Frankfurt 1988.

A III. Die Rückkehr nach Israel

1 Ps 137,1.

2 Zur Vorgeschichte und Geschichte des **Zionismus** vgl. **N. M. Gelber** – **H. H. Schachtel** – **R. Weltsch**, Art. Zionismus (II. Geschichte), in: Jüdisches Lexikon. **J. Katz** – **S. Ettinger** – **A. Hertzberg**, Art. Zionism (Forerunners, Hibbat Zion, Ideological Evolution), in: Encyclopaedia Judaica. Dann die Monographien von **J. u. D. Kimche**, The Secret Roads – The »Illegal« Migration of a People 1938-1948, London 1954; dt.: Des Zornes und des Herzens wegen. Die illegale Wanderung eines Volkes, Berlin 1956. **C. Sykes**, Crossroads to Israel, London 1965; dt.: Kreuzwege nach Israel. Die Vorgeschichte des jüdischen Staates, München 1967. **Y. Bauer**, From Diplomacy to Resistance. A History of Jewish Palestine 1939-1945, Philadelphia 1970. **W. Laqueur**, A History of Zionism, London 1972; dt.: Der Weg zum Staat Israel. Geschichte des Zionismus, Wien 1975. **N. Goldmann**, Le paradoxe juif. Conversation avec Léon Abramowicz, Paris 1976; dt.: Das jüdische Paradox. Zionismus und Judentum nach Hitler, Köln 1978. **H. M. Sachar**, A History of Israel, Bd. I: From the Rise of Zionism to Our Time, New York 1976; Bd. II: From the Aftermath of the Yom Kippur War, New York 1987. **G. Luft**, Heimkehr ins Unbekannte. Eine Darstellung der Einwanderung von Juden aus Deutschland nach Palästina vom Aufstieg Hitlers zur Macht bis zum Ausbruch des Zweiten Weltkriegs, 1933-1939, Wuppertal 1977. **M. Stöhr** (Hrsg.), Zionismus. Beiträge zur Diskussion, München 1980. **A. L. Av-**

neri, The Claim of Dispossession. Jewish Land-Settlement and the Arabs 1878-1948, New York 1982. **M. Krupp**, Zionismus und Staat Israel. Ein geschichtlicher Abriß, Gütersloh 1983. **J. H. Schoeps** (Hrsg.), Zionismus. Texte zu seiner Entwicklung, Wiesbaden ²1983. **J. Peters**, From Time Immemorial. The Origins of the Arab-Jewish Conflict Over Palestine, New York 1984. **Y. Eloni**, Zionismus in Deutschland. Von den Anfängen bis 1914, Gerlingen 1987.

3 Die verschiedenen »Alija« oder Einwanderungswellen haben besonders **W. Laqueur**, aaO, und **H. M. Sachar**, aaO Bd. I herausgearbeitet.

4 Vgl. **N. M. Gelber**, Art. Pinsker, Jehuda Löb (Leon), in: Jüdisches Lexikon. **I. Klausner**, Art. Pinsker, Leon, in: Encylopaedia Judaica.

5 Vgl. **L. Pinsker**, »Autoemanzipation!«. Ein Mahnruf an seine Stammesgenossen von einem russischen Juden, Berlin 1882.

6 AaO S. 9.

7 AaO S. 35.

8 Vgl. **A. Friedemann**, Art. Herzl, Theodor, in: Jüdisches Lexikon. **A. Bein**, Art. Herzl, Theodor, in: Encyclopaedia Judaica.

9 Vgl. **T. Herzl**, Der Judenstaat. Versuch einer modernen Lösung der Judenfrage, Leipzig-Wien 1896, zit. nach der 11. Aufl., die in Berlin 1936 erschien als Sonderausgabe aus den Gesammelten Zionistischen Werken Herzls in 5 Bänden. Das Buch erschien in 80 verschiedenen Ausgaben und 18 Sprachen.

10 AaO S. 14.

11 AaO S. 8.

12 In welch hohem Maß gerade die Ideale der deutschen Jugendbewegung in der israelischen Kibbuzbewegung verwirklicht wurden, zeigt die anschauliche Dokumentation der Gründung des Kibbuz Hasorea durch junge deutsche Juden im Jahre 1934: **W. B. Godenschweger – F. Vilmar**, Die rettende Kraft der Utopie. Deutsche Juden gründen den Kibbuz Hasorea, Frankfurt 1990.

13 Vgl. **N. M. Gelber**, Art. Weizmann, Chajim, in: Jüdisches Lexikon. **A. Eban**, Art. Weizmann, Chaim, in: Encyclopaedia Judaica. Ferner **C. Weizmann**, Trial and Error, New York 1950; dt.: Memoiren. Das Werden des Staates Israel, Hamburg 1951. Dazu die riesiges Quellenmaterial erschließende Dokumentation: The Letters and Papers of Chaim Weizmann, hrsg. von B. Litvinoff, Series A (Letters) Bd. I-XXIII; Series B (Papers) Bd. I-II, Oxford-New Brunswick-Jerusalem 1968-1983.

14 Der Originaltext der Erklärung lautet:»His Majesty's Government view with favour the establishment in Palestine of a national home for the Jewish people, and will use their best endeavours to facilitate the achievement of this object ...« (zit. nach einem Facsimile in: Encyclopaedia Judaica, Bd. IV, Sp. 131).

15 Die Erklärung fährt fort: »... it being clearly understood that nothing shall be done which may prejudice the civil and religious rights of existing

non-Jewish communities in Palestine, or the rights and political status en-
joyed by Jews in any other country« (ebd.).

16 Vgl. **S. Flapan**, The Birth of Israel, New York 1987; dt.: Die Geburt Israels. Mythos und Wirklichkeit, München 1988.

17 Vgl. **R. Weltsch**, aaO.

18 Vgl. **A. Hertzberg**, aaO.

19 Vgl. **Y. Slutsky**, Art. Ben-Gurion, David, in: Encyclopaedia Judaica. Fer-
ner **D. Ben-Gurion**, Israel. Die Geschichte eines Staates, Frankfurt 1973.
Zum **Staat Israel** vgl. besonders **A. Eban**, Dies ist mein Volk, Zürich
1970; **ders.**, My Country. The Story of Modern Israel (1972); dt.: Mein
Land. Das moderne Israel, Zürich 1973. **D. M. Zohar**, Political Parties in
Israel. The Evolution of Israeli Democracy, New York 1974. **M. Wolff-
sohn**, Politik in Israel. Entwicklung und Struktur des politischen Systems,
Opladen 1983; **ders.**, Israel. Grundwissen-Länderkunde. Politik – Gesell-
schaft – Wirtschaft, Opladen ²1987. **T. Segev**, 1949. The First Israelis,
New York 1986. – Eine 940 Spalten umfassende Darstellung des Staates
Israel – Geschichte, Verfassung, Bevölkerung, Einwanderung, Regierung,
Rechtsprechung, Militär, Ökonomie, Religion, Erziehung, Wissenschaft
und Kultur – findet sich im Art. Israel, in: Encyclopaedia Judaica. Vgl.
dazu ferner die in unserem ersten Hauptteil des öfteren zitierten großen
Werke zur Geschichte des jüdischen Volkes oder des Judentums von
H. H. Ben-Sasson (hier der Beitrag von **S. Ettinger**), **P. Johnson** und
J. Maier.

20 Zu V. Jabotinsky vgl. den entsprechenden Artikel von **J. B. Schechtman**
in der Encyclopaedia Judaica.

21 Die offizielle israelische Propaganda der Likud-Regierungen, welche die
Existenz eines Palästinenservolkes zu ignorieren trachtet, sieht die »Ter-
ror- und Einschüchterungspolitik« freilich grundsätzlich nur auf der Ge-
genseite. Vgl. z. B. die von der »Informationsabteilung des Außenministeriums« verantwortete und als Reiseführer verbreitete Broschüre »Facts
about Israel«, Jerusalem 1985; dt.: Israel von A-Z, Stuttgart 1986. Ähnlich **M. Comay**, Zionism, Israel and the Palestinian Arabs, Jerusalem
1983; dt.: Der Zionismus. Entstehung, Fakten, Hintergründe, Neuhau-
sen 1985.

22 Die leidvollen palästinensischen Erfahrungen reflektiert der palästinen-
sisch-amerikanische Professor für Englisch an der Columbia University
und Mitglied des palästinensischen Nationalrates **E. W. Said**, The Question of Palestine, New York 1980.

23 Vgl. die umfassende Darstellung von **H. Baumgarten**, Befreiung in den
Staat. Geschichte der palästinensischen Nationalbewegung, Frankfurt
1991.

24 Vgl. **M. Begin**, The Revolt. Story of the Irgun, Tel Aviv 1964.

25 Vgl. **N. Goldmann**, Memories, London 1970; dt.: Staatsmann ohne
Staat, Köln 1970; erweiterte 2-bändige Neufassung: Mein Leben als deut-

scher Jude, München 1980; Mein Leben. USA – Europa – Israel, München 1981.

26 **S. Flapan**, aaO S. 14.
27 AaO S. 15.
28 Ebd.
29 AaO S. 17.
30 Zu den ersten vier Kriegen und den entsprechenden Friedensbemühungen vgl. **S. D. Bailey**, Four Arab-Israeli Wars and the Peace Process, London 1990.
31 **S. Flapan**, aaO S. 10.

B. Der Streit zwischen Juden und Christen

B I. Jesus im jüdisch-christlichen Dialog heute

1 Vgl. **Die Deutschen Bischöfe**, Erklärung über das Verhältnis der Kirche zum Judentum vom 28. April 1980 (richtig wäre: Die deutschen katholischen Bischöfe …, der katholischen Kirche), in: Die Kirchen und das Judentum. Dokumente von 1945 bis 1985, hrsg. von R. Rendtorff – H. H. Henrix, Paderborn-München 1988, S. 260-280.
2 AaO S. 261.
3 Vgl. **H. Küng**, CS Hauptteil B: Die Unterscheidung.
4 Vgl. **A. v. Harnack**, Das Wesen des Christentums. Leipzig 1900.
5 **L. Baeck**, Harnack's Vorlesungen über das Wesen des Christentums, in: Monatsschrift für Geschichte und Wissenschaft des Judentums 45 (1901), S. 97-120, Zit. S. 118.
6 Vgl. in dem breit orientierenden Werk von **G. Lindeskog**, Die Jesusfrage im neuzeitlichen Judentum. Ein Beitrag zur Geschichte der Leben-Jesu-Forschung, Uppsala 1938, vor allem S. 94-126.
7 Vgl. **J. Salvador**, Jésus-Christ et sa doctrine. Histoire de la naissance de l'eglise, de son organisation et de ses progrès pendant le premier siècle, Bd. I-II, Paris 1838.
8 Vgl. **S. Hirsch**, Die Religionsphilosophie der Juden oder das Prinzip der jüdischen Religionsanschauung und sein Verhältnis zum Heidentum, Christentum und zur absoluten Philosophie, Leipzig 1842.
9 Vgl. **A. Geiger**, Das Judentum und seine Geschichte, Bd. I-III, Breslau 1864-1871.
10 Vgl. **H. Graetz**, Geschichte der Juden. Von den ältesten Zeiten bis zur Gegenwart, Bd. I-XI, Leipzig 1853-1875, [2]1902-1909.
11 Vgl. **J. Klausner**, Jesus of Nazareth. His Life, Times, and Teaching (ursprünglich hebräisch 1922; engl. 1925); dt.: Jesus von Nazareth. Seine Zeit, sein Leben und seine Lehre, Berlin [3]1952.
12 AaO S. 520.

13 Vgl. **C. G. Montefiore**, The Synoptic Gospels, London 1909, [2]1927.
14 Zit. nach **S. Ben-Chorin**, Bruder Jesus. Der Nazarener in jüdischer Sicht, München 1967, S. 11.
15 **P. Lapide**, Ist das nicht Josephs Sohn? Jesus im heutigen Judentum, Stuttgart-München 1976, S. 42.
16 **H. Küng – P. Lapide**, Jesus im Widerstreit. Ein jüdisch-christlicher Dialog, Stuttgart 1976, S. 19.
17 **M. Buber**, Zwei Glaubensweisen, Zürich 1950, S. 11.
18 **S. Ben-Chorin**, Bruder Jesus. Der Nazarener in jüdischer Sicht, München 1967, S. 12.
19 Ebd.
20 **Die Deutschen Bischöfe**, aaO S. 275.
21 Mk 10, 18.
22 **Die Deutschen Bischöfe**, aaO S. 275.
23 **H. Küng – P. Lapide**, Jesus im Widerstreit, aaO S. 21.
24 Ebd.
25 Ebd.
26 In CS für diesen und die folgenden Abschnitte genauere Angaben der einschlägigen Schriftstellen, die hier in dieser knappen Zusammenfassung nicht alle wiederholt werden sollen.
27 Vgl. **W. Vogler**, Jüdische Jesusinterpretationen in christlicher Sicht, Weimar 1988.
28 Vgl. **S. Sandmel**, A Jewish Understanding of the New Testament, Cincinatti 1956.
29 Vgl. **A. Schweitzer**, Von Reimarus zu Wrede. Eine Geschichte der Leben-Jesu-Forschung, Tübingen 1906.
30 Vgl. **R. Bultmann**, Jesus, Tübingen 1926.
31 **S. Sandmel**, aaO S. 33.
32 Vgl. die differenzierende Zusammenfassung von **W. Vogler**, aaO S. 84-88, dessen Ergebnisse mit den meinen von CS Kap C I -IV übereinstimmen. Ein guter Überblick über die neuere Jesus-Forschung findet sich bei **W. G. Kümmel**, Dreißig Jahre Jesus-Forschung (1950-1980), Königstein 1985.
33 Vgl. **H. Küng**, CS Kap C II,2: Wunder?
34 Vgl. CS Kap C IV, 1: Die Entscheidung.
35 **J. H. Charlesworth**, From Barren Mazes to Gentle Rappings. The Emergence of Jesus Research, in: The Princeton Seminary Bulletin 7 (1986) Nr. 3, S. 221-230; Zit. 225. Nachdem die philologische Erforschung der Bibel vor allem von der deutschen Forschung geprägt worden war, ist die biblische Archäologie vor allem von amerikanischen, englischen und französischen Forschern – die Schule W. F. Albrights, die von Lagrange gegründete Ecole Biblique und die British School of Archaeology seien stellvertretend genannt – vorangetrieben worden. Dabei sind nicht wenige Angaben der Evangelien (und zwar auch zunächst als unwahrscheinlich

angenommene Aussagen des Johannesevangeliums) in überraschender Weise bestätigt worden. Dies betrifft nicht zuletzt den Verurteilungsort Jesu (griechisch Lithostroton, aramäisch Gabbata) und seinen Kreuzigungsort (Golgota), der nach den neuesten Ausgrabungen außerhalb der westlichen Stadtmauer im Bereich der heutigen Grabeskirche gelegen haben muß. Vgl. den Überblick über die archäologische Forschung von **J. H. Charlesworth**, Jesus within Judaism. New Light from Exciting Archaeological Discoveries, New York 1988, S. 103-130.

36 Vgl. **F. F. Bruce**, The Hard Sayings of Jesus, Illinois 1983.

37 Vgl. **E. P. Sanders**, Jesus and Judaism, Philadelphia 1985.

38 Vgl. **G. Cornfeld** (Hrsg.), The Historical Jesus. A Scholarly View of the Man and his World, New York 1982.

39 Vgl. **D. Flusser**, Jesus in Selbstzeugnissen und Bilddokumenten, Reinbek 1968; **ders.**, Last Days of Jesus in Jerusalem – A Current Study of the Easter Week, Tel Aviv 1980; dt.: Die letzten Tage Jesu in Jerusalem. Das Passionsgeschehen aus jüdischer Sicht. Bericht über neueste Forschungsergebnisse, Stuttgart 1982; **ders.**, Entdeckungen im Neuen Testament, Bd. 1: Jesusworte und ihre Überlieferung, hrsg. v. M. Majer, Neukirchen 1987; **ders.**, Judaism and the Origins of Christianity, Jerusalem 1988; **ders.**, Das Christentum – eine jüdische Religion, München 1990.

40 Vgl. **G. Vermes**, The Gospel of Jesus the Jew. The Riddell Memorial Lectures, Newcastle 1981.

41 Für diese Richtung repräsentatives, aber bisher kaum gründlich diskutiertes Beispiel **E. P. Sanders**, Jesus and Judaism, Philadelphia 1985: Ein Buch, das auf viele in traditionell-protestantischen Schemata befangene angelsächsische Exegeten mit Recht befreiend gewirkt hat, aber nun offenkundig in die andere Richtung überzieht. Ich muß die Detailkritik den Exegeten überlassen, darf aber einige grundsätzliche Bedenken nicht unterdrücken.
»Was er (Jesus) für sich selbst beanspruchte, war **gleichbedeutend** (tantamount) mit dem Anspruch auf Königswürde«, meint Sanders, obwohl er sofort zugeben muß, daß dafür »das einzige direkte Zeugnis … die symbolische Geste des Einzugs in Jerusalem auf einem Esel« sei und »einige, ganz vernünftig, Bedenken bezüglich der Echtheit dieser Geschichte« hätten (S. 322). Hier zeigt sich auch die Einseitigkeit von Sanders hermeneutischem Prinzip, daß man primär von »facts«, von Jesu Aktionen und nicht von seinen Worten ausgehen sollte, womit Jesu Verkündigung (ganz anders als sonst bei Propheten) von vornherein auf den zweiten Platz verwiesen wird. Die Bergpredigt ist Sanders zufolge ohnehin vor allem »Matthäus oder einem vor-mattäischen Autor oder Editor« zuzuschreiben (S. 323). Für Selbstverständnis und Verkündigung Jesu fällt die Bergpredigt damit faktisch aus.
Und die Auseinandersetzung um die Halacha, der Jesus mit seiner Verkündigung doch gar nicht ausweichen konnte? »Opposition gegenüber

dem Sabbat, Speisen und Reinheit gehören nicht zum Grundstock der Überlieferung«, wird von diesem Interpreten festgestellt, obwohl er zugeben muß, daß diese Auseinandersetzungen »in den Evangelien herausragen« (S. 325). Angeblich gehen auch diese Auseinandersetzungen im wesentlichen auf das Konto der späteren Gemeinde. Was für Sanders an der Verkündigung Jesu das Sicherste ist, ist alles, was er »gemeinsam mit der jüdischen Restaurationseschatologie hat: die Erwartung, daß Israel wieder aufgerichtet werde« (S. 323).

Auf diese Weise gelingt Sanders, der sich als »liberaler, moderner, säkularisierter Protestant …, aufgewachsen in einer von einer niedrigen Christologie und einem Sozialevangelium beherrschten Gemeinde«, bezeichnet, zweierlei: einerseits Jesus als Apokalyptiker zu verharmlosen und andererseits alle Auseinandersetzung mit dem Judentum seiner Zeit auf die Urgemeinde (und dann natürlich Paulus) abzuschieben. Daß er auf diese Weise Jesus dann mehr in »Übereinstimmung« als im Kontrast zum Pharisäismus sieht (S. 337), kann nicht überraschen.

Ganz auf der Linie der Schule von Hillel gegen die Schule von Schammai sieht Jesus der amerikanische Rabbiner **H. Falk**, Jesus the Pharisee. A New Look at the Jewishness of Jesus, New York 1985.

42 So fehlt im neuesten deutschen Jesus-Buch von **J. Gnilka**, Jesus von Nazaret. Botschaft und Geschichte, Freiburg 1990, jeder Bezug auf Sanders, was allerdings auch an der Sprachbarriere liegen könnte.

43 Vgl. **J. Maier**, Gewundene Wege der Rezeption. Zur neueren jüdischen Jesusforschung, in: Herder-Korrespondenz 30 (1976), S. 313-319. »Neben dem Erwartungshorizont der betreffenden christlichen Kreise, die weithin davon ausgehen, daß die jüdische Abstammung schon grundsätzlich eine tiefere Einsicht verbürgt und judaistische Sachkunde ersetzt, spielen auch politisch-psychologische Motive eine Rolle. Die Schatten der Vergangenheit hemmen offenbar eine normale Einschätzung und Reaktion, drängen zu demonstriertem Beifall bei gleichzeitigem sachlichem Unbehagen und unterdrücktem Murren« (S. 318).

44 Es geht mir dabei nicht um eine prinzipielle Bestätigung der klassischen (deutschen) Interpretationslinie Albert Schweitzer – Bultmann – Käsemann – Fuchs – Bornkamm – Kümmel – Eduard Schweizer, die etwa für meine Jesus-Darstellung in »Christ sein« maßgebend war. Es geht um die Sache, die ich freilich sowohl bei den genannten deutschen wie auch bei angelsächsischen Exegeten vertreten sehe. So hält ein ausgezeichneter Kenner des Frühjudentums, **J. H. Charlesworth**, das Hauptargument von Sanders, daß Jesus im allgemeinen Rahmen einer jüdischen Restaurationseschatologie stand, für »übertrieben und mit zahlreichen Problemen belastet«. Auch die Annahme eines einzigen Typus von normativem Judentum (»Bundesnomismus«) lehnt Charlesworth entschieden ab (vgl. Rezension in Journal of the American Academy of Religion 55 (1987), S. 622-624). Charlesworth hat recht: »Jesus war offensichtlich aufge-

bracht über die Jerusalem-basierten rigiden Normen für Reinheit und Absonderung. Jesu Aktionen im Tempel mögen in dieses übergreifende Anliegen gut hineinpassen: der Tempel war verunreinigt durch die korrupten aristokratischen Opferpriester. Er bedurfte der Reinigung« (Charlesworth erinnert Sanders an neueste israelische Ausgrabungen in Jerusalem, Steingefäße, die auf die strikten Reinigungsvorschriften im Rahmen des Tempels hinweisen).

45 Vgl. **D. Flusser**, Das Christentum – eine jüdische Religion, München 1990.

46 Der katholische Ordensmann **B. J. Lee**, The Galilean Jewishness of Jesus, Retrieving the Jewish Origins of Christianity, Bd. I, New York 1988, beansprucht, auf historischer Basis den galiläischen Ursprüngen von Jesu Judentum nachzuspüren – ein legitimes und verdienstvolles Unterfangen. Doch sein erkenntnisleitendes Interesse bringt er am Ende seines ersten Bandes deutlich wie folgt zum Ausdruck: »Als ein Christ muß ich meine eigene jüdische Identität durchdenken.« Das sei zwar zunächst »ein Verlust«, aber dann für ihn als »einen guten jüdischen Christen« doch »ein Gewinn« (S. 140). Ob nicht auch manche Juden solche jüdische Identität als zu viel der Anbiederung empfinden werden? Doch der Verfasser fährt fort: »Und hier sind wir also, Amerikaner des 20. Jahrhunderts …, die wir einmal mehr die Bedeutung Jesu von Nazaret interpretieren. Obwohl wir immer an das Ereignis gebunden bleiben, das wir interpretieren, unsere freie Konstruktion ist ein wesentlicher Bestandteil« (ebd.). Kein Wunder, daß sich Lee mit seiner »freien Konstruktion« voll und ganz E. P. Sanders anschließt (vgl. S. 141-144).

47 **J. Klausner**, aaO S. 513.

48 Vgl. **K. Barth**, Die Kirchliche Dogmatik, Bd. I/1, Zollikon-Zürich 1932, § 8-12; vgl. in Bd. I/2, § 13-15: »Die Fleischwerdung des Wortes«. Dies schließt selbstverständlich nicht aus, daß in Barths entfalteter Christologie (Bd. IV/1-4: Versöhnungslehre) wertvolles Material für den jüdisch-christlichen Dialog enthalten ist.

49 Wie über das schwierige Problem der Präexistenz Christi heute auch im jüdisch-christlichen Dialog geredet werden könnte, zeigt: **K.-J. Kuschel**, Geboren vor aller Zeit? Der Streit um Christi Ursprung, München 1990; vor allem im Epilog.

50 **J. Moltmann**, Der Weg Jesu Christi. Christologie in messianischen Dimensionen, München 1989, S. 19.

51 Ebd.

52 AaO S. 45-55.

53 AaO S. 72.

54 Ebd. Vgl. ders., Trinität und Reich Gottes. Zur Gotteslehre, München 1980.

55 **Ders.**, Der Weg Jesu Christi, S. 91.

56 **F.-W. Marquardt**, Das christliche Bekenntnis zu Jesus, dem Juden. Eine

Christologie, Bd. I, München 1990. Auch der 1991 erschienene Bd. II thematisiert diese Aspekte kaum. Verdienstvoll an Marquardts Christologie ist, daß er Christologie entschieden im Kontext des Volkes Israel zu treiben versucht. Mit Recht wehrt er sich gegen den Vorwurf, ein solcher Ansatz führe »vom christlichen Bekenntnis ab«. Er antwortet darauf mit der Bekundung, »wieviel Dank einer dem Gott Israels schuldet dafür, daß er sich überhaupt noch als Christ bekennen und dafür nach Gründen suchen darf« (Bd. II, S. 445).

57 Vgl. **P. M. van Buren**, A Theology of the Jewish-Christian Reality, Bd. I-III, New York 1980-1988. Die einzelnen Bände tragen die Titel: Bd. I: Discerning the Way; Bd. II: A Christian Theology of the People Israel; Bd. III: Christ in Context. – Eine Annäherung an den »Christus von Chalcedon« vom »Jesus dem Juden« her versucht der katholische Theologe **L. Volken**, Jesus der Jude und das Jüdische im Christentum, Düsseldorf 1983.

58 Vgl. zu den folgenden Abschnitten einer Christologie vom jüdischen Kontext her **H. Küng**, CS Hauptteil C. – **E. B. Borowitz**, Contemporary Christologies. A Jewish Response, New York 1980, nimmt zur Christologie von Christ Sein (1974) nicht Stellung. Zum jüdisch-christlichen Dialog von den geschichtlichen Ursprüngen her vgl. **L. Boadt** u. a. (Hrsg.), Biblical Studies. Meeting Ground of Jews and Christians, New York 1980. **H. Flothkötter** – **B. Nacke** (Hrsg.), Das Judentum – eine Wurzel des Christlichen. Neue Perspektiven des Miteinanders, Würzburg 1990.

B II. Wer war Jesus?

1 Vgl. **D. Flusser**, Art. Christianity, in: Contemporary Jewish Religious Thought. Neuere Literatur zum **historischen Jesus** und zur neutestamentlichen **Christologie**: **G. Bornkamm**, Jesus von Nazareth, Stuttgart 1956. **O. Cullmann**, Die Christologie des NT, Tübingen 1957. **N. Perrin**, Rediscovering the Teaching of Jesus, New York 1967. **E. Schweizer**, Jesus Christus in vielfältigen Zeugnissen des NT, Gütersloh 1968, ⁵1976. **H. Braun**, Jesus. Der Mann aus Nazareth und seine Zeit, Stuttgart 1969. **C. H. Dodd**, The Founder of Christianity, New York 1970. **J. Gnilka**, Jesus nach frühen Zeugnissen des Glaubens, München 1970; ders., Zur Christologie des NT, in: W. Kasper (Hrsg.), Christologische Schwerpunkte, Düsseldorf 1980, S. 79-91. **F. Hahn**, Christologische Hoheitstitel. Ihre Geschichte im frühen Christentum, Göttingen 1974. **C. F. D. Moule**, The Origin of Christology, Cambridge 1977. **J. D. G. Dunn**, Christology in the Making. A New Testament Inquiry into the Origins of the Doctrine of the Incarnation, Philadelphia 1980. **C. Feneberg** – **W. Feneberg**, Das Leben Jesu im Evangelium, Freiburg 1980. **J. Riches**,

Jesus and the Transformation of Judaism, London 1980. **G. O'Collins**, Interpreting Jesus, London 1983. **P. Pokorny**, Die Entstehung der Christologie. Voraussetzungen einer Theologie des Neuen Testaments, Berlin 1984. **E. P. Sanders**, Jesus and Judaism, Philadelphia 1985. **L. Swidler**, Yeshua: A Model for Moderns, Kansas 1988.
Einen Überblick über die Forschung bieten **H. J. Leroy**, Jesus. Überlieferung und Deutung, Darmstadt 1978, S. 1-48, sowie **W. G. Kümmel**, Dreißig Jahre Jesusforschung (1950-1980), Königstein 1985, ebenso **F. Mußner**, Rückfrage nach Jesus. Bericht über neue Wege und Methoden, in: Theologische Berichte, Bd. XIII (Methoden der Evangelienexegese), hrsg. v. J. Pfammatter – F. Furger, Zürich 1985, S. 165-182.

2 **J. Klausner**, Jesus of Nazareth. His Life, Times, and Teaching (ursprünglich hebräisch 1922; engl. 1925); dt.: Jesus von Nazareth. Seine Zeit, sein Leben und seine Lehre, Berlin ³1952, S. 299.

3 Vgl. **R. Eisler**, Jesous basileus ou basileusas. Die messianische Unabhängigkeitsbewegung vom Auftreten Johannes des Täufers bis zum Untergang Jakobs des Gerechten nach der neuerschlossenen Eroberung von Jerusalem des Flavius Josephus und den christlichen Quellen, Bd. I-II, Heidelberg 1929-30. Zum Prozeß Jesu auf dieser Linie **P. Winter**, On the Trial of Jesus, Berlin 1961, ²1974. **W. Fricke**, Standrechtlich gekreuzigt. Person und Prozeß des Jesus aus Galiläa, Reinbek 1988; engl.: The Court-Martial of Jesus. A Christian Defends the Jews against the Charge of Deicide, New York 1990.

4 Vgl. **J. Carmichael**, The Death of Jesus, New York 1962, ²1982; dt.: Leben und Tod des Jesus von Nazareth, München ³1968.

5 **S. G. F. Brandon**, Jesus and the Zealots, Manchester 1967; **ders.**, The Trial of Jesus of Nazareth, London 1968.

6 Vgl. **P. Lapide**, Der Rabbi von Nazaret. Wandlungen des jüdischen Jesusbildes, Trier 1974: »messianischer Revolutionär« (S. 38): Angesichts des Mißerfolgs sei es bei Jesus zu einem »klaren Wendepunkt in der Richtung zur Militanz« (S. 34) gekommen, um »sich in den Besitz des Tempels zu setzen« (S. 39). Nach den Dialogvorlesungen mit mir an der Universität Tübingen im Sommersemester 1989 unter dem Thema »Christen und Juden heute. Hinführung zum Dialog« hat P. Lapide diese Aussagen abgemildert. Vgl. **ders.**, Jesus – ein gekreuzigter Pharisäer? Gütersloh 1990: Jesus ist hier »ein dreifacher Rebell der Gewaltlosigkeit« (S. 120; vgl. S. 109-121).

7 Vgl. Lk 22,35-38.

8 Vgl. Lk 22,51.

9 Mt 26,52.

10 Vgl. Mk 11,15-19 par. Vgl. **G. Theißen**, Die Tempelweissagung Jesu. Prophetie im Spannungsfeld von Stadt und Land, in: **ders.**, Studien zur Soziologie des Urchristentums, Tübingen 1979. ³1989, S. 142-159.

11 Diesen einen Komplex (Tempel) bei Jesu Verurteilung – vgl. Mk 13,1f.,

14,58f., 15,29; Mt 27,39f.; Jo 2,18-22 – hebt **E. P. Sanders** zu Recht hervor (vgl. S. 61-76). Aber sämtliche Evangelien, Paulus und die Apostelgeschichte zeigen longe lateque, daß ein zweiter Komplex zum Konflikt auf Leben und Tod (vgl. schon Mk 3,6 usw.) führt: der des Gesetzes. Vgl. auch das Zeugnis aus der Stephanusanklage (Apg 6,13f.): »Dieser Mensch hört nicht auf, gegen diesen heiligen Ort und das Gesetz zu reden. Wir haben ihn nämlich sagen hören: Dieser Jesus, der Nazoräer, wird diesen Ort zerstören und die Bräuche ändern, die uns Mose überliefert hat.«

12 Mk 12,17.

13 Vgl. **W. Vogler**, Jüdische Jesusinterpretationen in christlicher Sicht, Weimar 1988, S. 48.

14 **H.-J. Schoeps**, Jesus, in: ders., Gottheit und Menschheit. Die großen Religionsstifter und ihre Lehren. Darmstadt 1954, S. 56.

15 Vgl. **A. Schweitzer**, Von Reimarus zu Wrede. Eine Geschichte der Leben-Jesu-Forschung, Tübingen 1906.

16 Zu den **Pharisäern** vgl. neben den verschiedenen Lexikonartikeln, den Werken zur neutestamentlichen Zeitgeschichte und den Bibelkommentaren zu den synoptischen Evangelien wie den Paulusbriefen aus der reichhaltigen jüdischen Literatur vor allem **I. Abrahams**, Studies in Pharisaism and the Gospels, Cambridge 1917. **L. Finkelstein**, The Pharisees. The Sociological Background of their Faith, Bd. I-II, Philadelphia 1946. **J. Neusner**, The Rabbinic Traditions about the Pharisees before 70, Bd. I-III, Leiden 1971. Repräsentativ für den »christlichen Umlernprozeß gegenüber den Pharisäern« (F. Mußner) sind z. B. **F. Mußner**, Traktat über die Juden, München 1979; ders., Die Kraft der Wurzel. Judentum – Jesus – Kirche, Freiburg 1987. **F. Dexinger, C. Thoma, R. Mayer**, Die Pharisäer, in: Bibel und Kirche 35 (1980), S. 113-129.

17 **Die Deutschen Bischöfe**, Erklärung über das Verhältnis der Kirche zum Judentum vom 28. April 1980, in: Die Kirchen und das Judentum. Dokumente von 1945-1985, hrsg. von R. Rendtorff und H. H. Henrix, Paderborn 1988 (= Rendtorff-Henrix), S. 276.

18 Ex 19,6.

19 Vgl. **C. Thoma**, Der Pharisäismus, in: J. Maier – J. Schreiner (Hrsg.), Literatur und Religion des Frühjudentums, Würzburg 1973, S. 254-272; ders., Spiritualität der Pharisäer, in: Bibel und Kirche 35 (1980), S. 117-122. **J. Gnilka**, Das Evangelium nach Markus, Bd. I, Zürich 1978, S. 107-109.

20 Vgl. z. B. neuestens den kanadischen Soziologen **I. M. Zeitlin**, Jesus and the Judaism of His Time, Oxford 1988, bes. S. 73-84, wo Mattäus dem radikaleren Markus vorgezogen wird, der seinerseits den Standpunkt nicht Jesu, sondern späterer heidenchristlicher Gemeinden wiedergeben soll.

21 Vgl. Mt 5,17.

22 **P. Lapide**, Die Bergpredigt – Utopie oder Programm, Mainz 1982.

23 **F. Mußner**, Traktat, S. 281.

24 F. Mußner verweist auf gEx 84f.; jBer IX,7; jPeah VIII,8; jHag II,7; jSot III,4.

25 Talmudtraktat bSota 22 b (Übersetzung und Interpretation von Franz Mußner).

26 Mt 23,4.

27 Vgl. Lk 18,9-14.

28 Lk 18,13.

29 **C. Thoma**, Spiritualität der Pharisäer, S. 118.

30 Man findet eine Menge von interessanten Details zu all diesen umstrittenen Fragen in den von namhaften Exegeten in den letzten Jahren veröffentlichten gelehrten und oft vielbändigen Kommentaren zu den synoptischen Evangelien. So habe ich benützt die Kommentare zu Markus von **J. Gnilka, W. H. Kelber, R. Pesch, W. Schmithals**; zu Mattäus von **J. Gnilka, U. Luz**; zu Lukas von **F. Bovon, J. A. Fitzmyer, G. Schneider, H. Schürmann**.

Allerdings ist man als Systematiker oft perplex angesichts der Unsicherheiten im einzelnen und der Hypothesenfreudigkeit im ganzen. Die Warnungen des Berner Exegeten **U. Luz**, Markusforschung in der Sackgasse?, in: Theologische Literaturzeitung 105 (1980), S. 641-655, die er aus dem Vergleich von drei neueren Markus-Kommentaren ableitet, sind sehr ernst zu nehmen:

1. »Hypothesenfreudigkeit sollte Grenzen haben … Überlegt man sich, daß eine Kombination von drei Hypothesen, die in sich jede eine Wahrscheinlichkeit von fünfzig Prozent haben, für das Endprodukt, die Hypothese dritten Grades, eine solche von nur knapp über zehn Prozent ergibt, so sollte man vorsichtig sein und öfter und deutlicher sagen, wie wenig wir wirklich wissen.«

2. »Gewachsene Skepsis gegenüber der Tragfähigkeit traditionsgeschichtlicher Rekonstruktionen … dringend ein Versuch einer traditionsgeschichtlichen Methodologie, der uns einen Schritt über die leider unumgänglichen subjektiven Ermessensurteile darüber, was einheitlich oder spannungsvoll, widersprüchlich oder kohärent ist, hinausführte und wenigstens eine Kommunikabilität traditionsgeschichtlicher Hypothesen ermöglichte.«

3. »Im traditionsgeschichtlichen Dschungel heutiger Forschung … wichtig zwei Postulate«: »das Postulat der Einfachheit« und das der »traditionsgeschichtlichen Kontinuität«: »Daß eine geschichtliche Begebenheit weiter erzählt wird, ist m. E. a priori wahrscheinlicher, als daß eine geschichtliche Begebenheit erfunden wird. Daß es von Anfang an Jesusgeschichten gegeben hat, ist m. E. viel wahrscheinlicher, als daß ein Mensch nach 70 sie erfand« (S. 653f.).

31 Vgl. die Übersicht bei **W. Vogler**, Jüdische Jesusinterpretationen, S. 107-112.

32 **H.-J. Schoeps**, Jesus und das jüdische Gesetz, in seinen Studien zur unbekannten Religions- und Geistesgeschichte, Göttingen 1963, S. 41-61, Zit. S. 46f.

33 Mt 5,18f.

34 Mk 2,7.

35 Mt 12,41; Lk 11,32.

36 Mt 12,42; Lk 11,31.

37 **P. Lapide**, Jesus – ein gekreuzigter Pharisäer?, Gütersloh 1990, meint auf die Frage,»ob außer Jesus je ein liberaler Pharisäer gekreuzigt worden sei«, feststellen zu können: »Unter dem Regime von Pontius Pilatus allein waren es Tausende von Pharisäern, liberalen, weniger liberalen und auch zelotischen, die von den Römern gekreuzigt worden sind« (S. 25). Darauf kann ich nur antworten, was ich schon in unserer Dialogvorlesung angemerkt habe: daß es sich hier um eine Verwechslung und um eine Extrapolation handelt. Zahlen, die sich verifizieren lassen: Rund hundert Jahre vor Christus sind 800 aufrührerische Pharisäer vom **jüdischen** König und Hohenpriester Alexander Jannai gekreuzigt worden, worauf 8 000 andere flohen (**Josephus Flavius**, De bello judaico, I, 96-103 / Antiquitates, XIII, 380-383 – der früheste Beleg für eine von einem jüdischen Fürsten an seinen Landsleuten vollzogene Strafe der Kreuzigung). Später sind 6 000 Pharisäer, die sich nach einer abenteuerlichen Intrige in den ersten Regierungsjahren Herodes' I. noch vor Christi Geburt weigerten, den Treueeid auf den Kaiser und seinen König abzulegen, nicht mit der Todesstrafe, wohl aber einer Geldstrafe belegt worden; nur einige Anführer sowie Verschwörer aus der eigenen Familie ließ Herodes hinrichten (Antiquitates, XVII, 41-45). Schließlich sind unter dem Legaten Publius Quinctilius Varus sechs bis vier Jahre vor Christus 2 000 jüdische Aufrührer gekreuzigt worden (De bello judaico, II, 75), wobei von Pharisäern hier nicht die Rede ist. Von Pontius Pilatus wissen wir, daß er in Cäsarea wegen der römischen Feldzeichen in Jerusalem protestierende Juden geschont und nur in außerordentlichen Fällen – die am Altar ermordeten Galiläer von Lk 13,1 – töten ließ.

38 Vgl. Mk 14,43.

39 Vgl. Jo 18,12.

40 Vgl. **A. Strobel**, Die Stunde der Wahrheit. Untersuchungen zum Strafverfahren gegen Jesus, Tübingen 1980.

41 Vgl. **J. Blinzler**, Der Prozeß Jesu. Das jüdische und das römische Gerichtsverfahren gegen Jesus Christus auf Grund der ältesten Zeugnisse dargestellt und beurteilt, 3. stark erweiterte Auflage, Regensburg 1960.

42 **A. Strobel**, aaO S. 139.

43 Vgl. **Y. Yadin** (Hrsg.), Megillat Hamikdasch, Bd. I-III, Jerusalem 1977.

44 Vgl. **O. Betz**, Jesus, der Messias Israels. Aufsätze zur biblischen Theologie, hrsg. v. M. Hengel, Bd. I, Tübingen 1987, S. 59-74.

45 Zu den verschiedenen Verfahrensfragen vgl. **K. Kertelge** (Hrsg.), Der

Prozeß gegen Jesus. Historische Rückfrage und theologische Deutung, Freiburg 1988 (bes. die Beiträge von J. Gnilka und K. Müller).
46 A. Strobel, aaO S. 116f. Vgl. auch J. Gnilka, Jesus von Nazaret. Botschaft und Geschichte, Freiburg 1990, S. 291-318.
47 Konzilserklärung »über das Verhältnis der Kirche zu den nichtchristlichen Religionen ›Nostra aetate‹«, Nr. 4, in: Rendtorff-Henrix, S. 43.

B III. Der Glaube an Jesus als den Messias

1 Zur Problematik der **Auferweckung** vgl. neben den im vorausgegangenen Kapitel aufgeführten Jesus-Büchern und Christologien die Beiträge von **H. Merklein**, Die Auferweckung Jesu und die Anfänge der Christologie, in: Zeitschrift für neutestamentliche Wissenschaft 72 (1981), S. 1-26, und **H. W. Bartsch**, Inhalt und Funktion des urchristlichen Osterglaubens, mit einer Bibliographie zum Thema »Auferstehung Jesu Christi« 1862-1959 (in Auswahl) und 1960-1974 v. **H. Rumpelts** sowie 1975-1980 von **T. Pola**, in: Aufstieg und Niedergang der römischen Welt, hrsg. v. W. Haase, Bd. 25.1, Berlin 1982, S. 794-890. Eine knappe Analyse des biblischen Befundes auf neuestem Stand gibt **P. Hoffmann**, Art. Auferweckung Jesu, in: Neues Bibel-Lexikon, Zürich 1989, S. 202-215. Vgl. dazu ebenso den von **P. Hoffmann** herausgegebenen Sammelband: Zur neutestamentlichen Überlieferung von der Auferstehung Jesu, Darmstadt 1988.
2 Vgl. Röm 4,24; 8,11; 2 Kor 4,14; Gal 1,1; Apg 13,33.
3 Vgl. Röm 10,9; 1 Kor 6,14. 15,15; Apg 2,32. 13,34.
4 So das einfache, möglicherweise aus der Jerusalemer Urgemeinde stammende, jedenfalls in der Zeit zwischen 35-45 von Paulus »übernommene« und den Korinthern »übergebene« knappe Bekenntnis von 1 Kor 15,5-8 (vgl. Gal 1,16; 1 Thess 4,14): daß der Auferstandene (griechische Passivform: »ophte«) »gesehen wurde«, (durch Gott) »sichtbar gemacht wurde«, »sich sehen ließ«, »erschienen ist«, »sich geoffenbart« habe (viele Zeugen seien noch am Leben).
5 A. A. Cohen, Resurrection of the Dead, in: Contemporary Jewish Religious Thought, S. 807-813, Zit. S. 807.
6 Ausführliche Analyse dieser »Ostererfahrungen« und der »Osterbotschaft« bei H. Küng, CS Kap. C V: Das neue Leben.
7 Vgl. **Flavius Philostratos**, Das Leben des Apollonius von Tyana, VIII, 31.
8 Vgl. **P. Lapide**, Auferstehung. Ein jüdisches Glaubenserlebnis, Stuttgart 1977.
9 A. L. Eckhardt – A. R. Eckhardt, Long Night's Journey into Day. A Revised Retrospective on the Holocaust, Detroit 1982, S. 139.
10 Phil 2,8f.
11 H. Küng, CS Kap. C V,1: Der Anfang (hier: Legenden? Entstehung des

Glaubens).

12 Zu den Messias-Vorstellungen im Judentum vgl. **J. Neusner** u. a. (Hrsg.), Judaisms and Their Messiahs at the Turn of the Christian Era, Cambridge 1987.

13 Der oben zitierte **A. A. Cohen**, The Myth of the Judeo-Christian Tradition and Other Dissenting Essays, New York 1971, hat recht, wenn er angesichts der vielhundertjährigen Feindschaft bezüglich der »jüdisch-christlichen Tradition« von einem »Myth« redet. Hoffnungsvoll stimmt, daß er sich mit der Berufung auf die letzten positiveren Jahrzehnte für einen »judeo-christian humanism« ausspricht (S. 189-223). Doch dieser wiederum hat für mich eine Basis gerade in der ursprünglich gegebenen Gemeinsamkeit von Juden und Christen.

14 Vgl. Apg 15,1; Gal 5,2f.

15 Vgl. Mt 24,20.

16 Vgl. Kol 2,16.

17 Vgl. Gal 2,12f.; Apg 21,20-26.

18 Vgl. Mt 5,23; Apg 2,46; 3,1.

19 Vgl. **J. H. Charlesworth**, A Prolegomenon to a New Study of the Jewish Background of the Hymns and Prayers in the New Testament, in: Journal of Jewish Studies 23 (1982) Nr. 1-2, S. 265-285.

B IV. Die Geschichte einer Entfremdung

1 Vgl. **H. Köster**, Einführung in das Neue Testament im Rahmen der Religionsgeschichte und Kulturgeschichte der hellenistischen und römischen Zeit, Berlin 1980, S. 520.

2 **R. Bultmann**, Theologie des Neuen Testaments, Tübingen [3]1958, S. 45.

3 Vgl. dazu forschungsgeschichtlich **H. R. Balz**, Methodische Probleme der neutestamentlichen Christologie, Neukirchen 1967.

4 Vgl. **M. Hengel**, Judentum und Hellenismus. Studien zu ihrer Begegnung unter bes. Berücksichtigung Palästinas bis zur Mitte des 2. Jahrhunderts v. Chr., Tübingen 1969.

5 Zur **Geschichte des Urchristentums** vgl. **H. Conzelmann**, Geschichte des Urchristentums, Göttingen [2]1971. **H. Köster – J. M. Robinson**, Entwicklungslinien durch die Welt des frühen Christentums, Tübingen 1971. **P. Vielhauer**, Geschichte der urchristlichen Literatur, Berlin 1975. **H. M. Schenke – K. M. Fischer**, Einleitung in die Schriften des NT, Bd. I-II, Gütersloh 1978-1979. **G. Dautzenberg – H. Merklein – K. Müller** (Hrsg.), Zur Geschichte des Urchristentums, Freiburg 1979. **H. Goldstein**, (Hrsg.), Gottesverächter und Menschenfeinde? Juden zwischen Jesus und frühchristlicher Kirche, Düsseldorf 1979. **M. Hengel**, Zur urchristlichen Geschichtsschreibung, Stuttgart 1979. **H. Köster**, Einführung in das Neue Testament. **H. Kraft**, Die Entstehung des Christen-

tums, Darmstadt 1981. **W. Schneemelcher**, Das Urchristentum, Stuttgart 1981. **W. Grundmann**, Die frühe Christenheit und ihre Schriften, Stuttgart 1983. **N. A. Beck**, Mature Christianity. The Recognition and Repudiation of Anti-Jewish Polemic of the New Testament, London 1985. **K. M. Fischer**, Das Urchristentum, Berlin 1985. **H. Jansen**, Christelijke Theologie na Auschwitz, Teil 2: Nieuwtestamentische wortels van het antisemitisme, Bd. 1, Den Haag 1985. **A. F. Segal**, Rebecca's Children. Judaism and Christianity in the Roman World, Cambridge/Mass. 1986. **J. Becker** u. a., Die Anfänge des Christentums. Alte Welt und neue Hoffnung, Stuttgart 1987. **J. Neusner**, Judentum in frühchristlicher Zeit, Stuttgart 1988. **L. Schenke**, Die Urgemeinde. Geschichtliche und theologische Entwicklung, Stuttgart 1990. **D. Stegmann**, Jüdische Wurzeln des Christentums. Grundstrukturen des alttestamentlichen und nachtestamentlichen Glaubens bis zur Zeit Jesu, Essen 1990.

6 Vgl. Apg 6,1.
7 Vgl. **M. Hengel**, Christologie und neutestamentliche Chronologie. Zu einer Aporie in der Geschichte des Urchristentums, in: Neues Testament und Geschichte. Festschrift Oskar Cullmann zum 70. Geburtstag, hrsg. v. H. Baltensweiler und B. Reicke, Zürich 1972, S. 43-67; **ders.**, Zwischen Jesus und Paulus. Die »Hellenisten«, die »Sieben« und Stephanus (Apg 6,1-15; 7,54-8,3), in: ZThK 72 (1975), S. 151-206.
8 Vgl. Apg 6,11-14.
9 Vgl. Apg 6,12.
10 Vgl. Apg 7,54-60.
11 Vgl. Apg 8,1.
12 Apg 11,19f.
13 **M. Hengel**, Zur urchristlichen Geschichtsschreibung, S. 65.
14 **K. Löning**, in: **J. Becker** u. a., Die Anfänge des Christentums, S. 83.
15 Apg 11,19.
16 Apg 11,20.
17 Vgl. **R. E. Brown – J. P. Meier**, Antioch and Rome. New Testament Cradles of Catholic Christianity, New York 1983.
18 **M. Hengel**, Zwischen Jesus und Paulus, S. 198.
19 AaO S. 199.
20 **R. Ruether**, Faith and Fatricide. The Theological Roots of Anti-Semitism, New York 1974, S. 62; in der Folge betrachtet die christliche Theologin in ihrem höchst berechtigten Bemühen, den christlichen Antisemitismus mit Stumpf und Stil auszurotten, die Entwicklung allzu einseitig von der Position der Synagoge aus; vgl. Kap. 2 über das NT.
21 Besonders schlimm die von Mattäus zusammengestellten »Wehe euch«-Sätze in Kap. 23.
22 Vgl. Mt 12,39; 16,4.
23 Während das Wort »Hypokrites« (»Heuchler«) im ältesten Evangelium ein einziges Mal gebraucht wird (Mk 7,6), wird es im späteren Mattäus-

evangelium 13 mal und vor allem von den »Schriftgelehrten und Pharisäern« gebraucht! Vgl. zum ganzen Fragenkomplex H. J. Becker, Auf der
Kathedra des Mose. Rabbinisch-theologisches Denken und antirabbini-
sche Polemik in Mt 23,1-12, Berlin 1990.

24 Deutlich besonders im Johannesevangelium.

25 Mt 27,25. Zur Wirkungsgeschichte dieses Wortes vgl. R. Kampling, Das
Blut Christi und die Juden. Mt 27,25 bei den lateinischsprachigen christlichen Autoren bis zu Leo dem Großen, Münster 1984.

26 Vgl. Apg 7,2-53.

27 Vgl. Apg 7,59.

28 Apg 8,3.

29 Phil 3,5f.

30 Gal 1,13f.

31 Ebd.

32 Vgl. 1 Kor 1,17-31; Gal 3,1-14.

33 Vgl. H. Küng, CS Kap. C V,1: Entstehung des Glaubens.

34 Vgl. 1 Kor 9,1; 15,8-10; Gal 1,15f.; Phil 3,4-11. Dazu J. Blank, Paulus
und Jesus. Eine theologische Grundlegung, München 1968, Kap. 4: Die
Berufung des Paulus als offenbarungshafter Grund seines Christusverhält-
nisses, seines Apostolats und seiner Theologie.

35 2 Kor 11,23-26.

36 Vgl. Jo 14,6.

37 Jo 6,35; vgl. Jo 6,22-59.

38 Jo 5,18.

39 Jo 10,33.

40 Vgl. zum Ganzen jetzt die neueste Forschung zusammenfassend: K.-
J. Kuschel, Geboren vor aller Zeit? Der Streit um Christi Ursprung,
München 1990.

41 Aus der Alt-Kairoer Genisa von S. Schechter veröffentlichter Text, zit.
nach P. Schäfer, Studien zur Geschichte und Theologie des rabbinischen
Judentums, Leiden 1978, S. 48.

42 AaO S. 51.

43 I. Elbogen, Der jüdische Gottesdienst in seiner geschichtlichen Entwicklung, Frankfurt [3]1931, S. 36.

44 Vgl. zum Ganzen K. Wengst, Bedrängte Gemeinde und verherrlichter
Christus. Der historische Ort des Johannes-Evangeliums als Schlüssel zu
seiner Interpretation, Neukirchen 1981. R. Brown, The Community of
the Beloved Disciple. The Life, Loves and Hates of an Individual Church
in New Testament Times, New York 1979.

45 Jo 9,22.

46 Jo 12,42.

47 Jo 19,38.

48 »Supersessionism« und Dämonisierung der anderen Religionen findet
sich allerdings auch schon in der Hebräischen Bibel – beim Umgang mit

Kanaanitern, Edomitern und Amalekitern. Dies weist auf der jüdische Religionswissenschaftler J. D. Revenson, Is There a Counterpart in the Hebrew Bible to New Nestament Antisemitism?, in: Journal of Ecumenical Studies 22 (1985), S. 242-260.

B V. Ein erster christlicher Paradigmenwechsel: Vom Juden- zum Heidenchristentum

1   Zur **Paulusforschung** vgl. die frühen wichtigen Aufsätze von **R. Bultmann, K. Holl, H. Lietzmann, A. Oepke, R. Reitzenstein, A. Schlatter, A. Schweitzer**, gesammelt von **K. H. Rengstorf**, Das Paulusbild in der neueren deutschen Forschung, Darmstadt 1964 . Zur Orientierung über die faktisch kaum übersehbare Forschungslage vgl. die **Forschungsberichte** von **B. Rigaux**, St. Paul et ses lettres. État de la question, Paris 1962; dt.: Paulus und seine Briefe. Der Stand der Forschung, München 1964. **H. Hübner**, Paulusforschung seit 1945. Ein kritischer Literaturbericht, in: Aufstieg und Niedergang der Römischen Welt. Geschichte und Kultur Roms im Spiegel der neueren Forschung, hrsg. v. W. Haase und H. Temporini, Bd. II. 25.4, Berlin 1987, S. 2649-2840 (dort auch ausführliche Beiträge zum neuesten Interpretationsstand der einzelnen Paulusbriefe). **O. Merk**, Paulus-Forschung 1936-1985, in: Theologische Rundschau 53 (1988), S. 1-81. Zur Einführung in Person und Werk des Apostels Paulus vgl. neben den Einleitungen ins Neue Testament unter den neueren kritischen Arbeiten bes. **M. Dibelius**, Paulus, 2. Aufl. hrsg. v. G. Kümmel, Berlin 1956. **P. Seidensticker**, Paulus, der verfolgte Apostel Jesu Christi, Stuttgart 1965. **G. Bornkamm**, Paulus, Stuttgart 1969. **E. Käsemann**, Paulinische Perspektiven, Tübingen 1969. **O. Kuss**, Paulus. Die Rolle des Apostels in der theologischen Entwicklung der Urkirche, Regensburg 1971. **K. Stendahl**, Der Jude Paulus und wir Heiden. Anfragen an das abendländische Christentum, München 1976. **F. F. Bruce**, Paul, Apostle of the Free Spirit, Exeter 1977. **E. P. Sanders**, Paul and Palestinian Judaism, Philadelphia 1977; **ders.**, Paul, the Law, and the Jewish People, Philadelphia 1983; **ders.**, Paul, Oxford 1991. **J. C. Beker**, Paul the Apostle. The Triumph of God in Life and Thought, Edinburgh 1980. **K. H. Schelkle**, Paulus. Leben – Briefe – Theologie, Darmstadt 1981. **G. Lüdemann**, Paulus und das Judentum, Bd. I-II, München 1983. **W. A. Meeks**, The First Urban Christians. The Social World of the Apostle Paul, New Haven, 1983. **H. Räisänen**, Paul and the Law, Tübingen 1983. **G. Theißen**, Psychologische Aspekte paulinischer Theologie, Göttingen 1983. **F. Watson**, Paul, Judaism and the Gentiles. A Sociological Approach, Cambridge 1986. **J. Becker**, Paulus. Der Apostel der Völker, Tübingen 1989.

2   Zu **Paulus von jüdischer Seite** und im **jüdisch-christlichen Dialog** vgl. an

neuerer Literatur **S. Sandmel**, The Genius of Paul. A Study in History, New York 1958. **H.-J. Schoeps**, Paulus. Die Theologie des Apostels Paulus im Lichte der jüdischen Religionsgeschichte, Tübingen 1959. **S. Ben-Chorin**, Paulus. Der Völkerapostel in jüdischer Sicht, München 1970. **M. Barth** u. a., Paulus – Apostat oder Apostel? Jüdische und christliche Antworten, Regensburg 1977. **F. Mußner**, Traktat über die Juden, München 1979. **P. Lapide – P. Stuhlmacher**, Paulus – Rabbi und Apostel. Ein jüdisch-christlicher Dialog, Stuttgart 1981. **P. von der Osten-Sacken**, Grundzüge einer Theologie im christlich-jüdischen Gespräch, München 1982; ders., Evangelium und Tora. Aufsätze zu Paulus, München 1987. **F.-W. Marquardt**, Die Gegenwart des Auferstandenen bei seinem Volk Israel. Ein dogmatisches Experiment, München 1983. **E. Biser** u. a., Paulus – Wegbereiter des Christentums. Zur Aktualität des Völkerapostels in ökumenischer Sicht, München 1984. **L. Swidler – L. J. Eron – G. Sloyan – L. Dean**, Bursting the Bonds? A Jewish-Christian Dialogue on Jesus and Paul, New York 1990. Mit einem neuen methodischen Ansatz von jüdischer Seite **A. F. Segal**, Paul the Convert. The Apostolate and Apostasy of Saul the Pharisee, New Haven 1990.

3 **P. Lapide – P. Stuhlmacher**, aaO S. 58f.

4 Vgl. **H. Maccoby**, The Mythmaker. Paul and the Invention of Christianity, New York 1986.

5 Vgl. **A. F. Segal**, aaO.

6 AaO S. XI.

7 AaO S. XIII.

8 Vgl. dazu die Studie von **W. Thüsing**, Per Christum in Deum. Studien zum Verhältnis von Christozentrik und Theozentrik in den paulinischen Hauptbriefen, Münster 1965.

9 1 Kor 15,28.

10 Die Legitimierung der gesetzesfreien heidenchristlichen Gemeinden ist, wie in der Exegese allgemein anerkannt, der soziologische Hintergrund der paulinischen Gesetzeskritik. **F. Watson**, aaO, versucht in seiner Dissertation darüber hinaus, bei Paulus – meines Erachtens nicht überzeugend (vgl. z. B. die Kollekte für die Jerusalemer Gemeinde) – eine sektiererische Grundhaltung nachzuweisen. Wie stark freilich die Opposition gegen Paulus in den judenchristlichen Gemeinden vor und nach 70 war, zeigt auf **G. Lüdemann**, Paulus, der Heidenapostel, Bd. II: Antipaulinismus im frühen Christentum, Göttingen 1983.

11 **P. Lapide**, Missionar ohne Beispiel. Paulus – Rabbi, Ketzer und Apostel, in: Süddeutsche Zeitung vom 6./7./8. Juni 1987.

12 Mindestens 20 Stellen lassen sich aus den authentischen Paulusbriefen anführen, wo Paulus sich eindeutig auf die evangelische Jesus-Überlieferung stützt.

13 Vgl. 1 Kor 1,18.

14 Vgl. den Brief an die Galater.

15 Vgl. die beiden Korintherbriefe.
16 Vgl. 1 Kor 3,11.
17 Phil 2,21: »Denn alle suchen ihren Vorteil, nicht die Sache Jesu Christi«. Vgl. 1 Kor 7,32-34: »die Sache des Herrn«.
18 E. Käsemann, Wo sich die Wege trennen, in: Deutsches Allgemeines Sonntagsblatt vom 13. April 1990.
19 2 Sam 7,14.
20 Daß sich der Begriff Israel nicht nur im Christentum, sondern auch im Judentum verändert hat, samt entsprechenden Veränderungen dieser Religionen selbst, hat J. Neusner – mit Hinweisen auf die Entwicklung bei Paulus und der jungen Christenheit – aufgewiesen für die Perioden von 70-300 und 300-600 n. Chr.: Judaism and its social metaphors. Israel in the history of Jewish thought, Cambridge 1989.
21 Vgl. zu dieser Entwicklung L. H. Schiffman, Who was a Jew? Rabbinic and Halakhic Perspectives on the Jewish Christian Schism, Hoboken N. J. 1985.
22 A. F. Segal, Rebecca's Children. Judaism and Christianity in the Roman World, Cambridge/Mass. 1986, S. 179.

B VI. Christliche Selbstkritik im Lichte des Judentums

1 Vgl. D. Flusser, Christianity, in: Contemporary Jewish Religious Thought, S. 63.
2 Richtlinien und Hinweise für die Durchführung der Konzilserklärung »Nostra Aetate«, Artikel 4 vom 1. Dezember 1974, hrsg. von der Vatikanischen Kommission für die religiösen Beziehungen zum Judentum, in: R. Rendtorff – H. H. Henrix (Hrsg.), Die Kirchen und das Judentum. Dokumente von 1945 bis 1985, Paderborn 1988, S. 48-53, Zit. S. 49.
3 Vgl. »Erklärung zur Begegnung zwischen lutherischen Christen und Juden«, verabschiedet auf der Jahrestagung der Lutherischen Europäischen Kommission Kirche und Judentum (LEKKJ), Driebergen/Niederlande am 8. Mai 1990.
4 AaO § I,2.
5 AaO § III,2.
6 C. Thoma, Christliche Theologie des Judentums, Aschaffenburg 1978, S. 43.
7 Ebd.
8 Dazu von jüdischer Seite S. E. Rosenberg, The Christian Problem. A Jewish View, New York 1986.
9 Vgl. H. Küng, CS, bes. Hauptteil C; ders., EG Kap. G III; ders., WR Kap. A IV,3. B IV,2. C I,2; ders., CR Kap. II,2.
10 Vgl. K.-J. Kuschels umfassende Studie zur Präexistenz-Christologie: Geboren vor aller Zeit? Der Streit um Christi Ursprung, München 1990.

11 **C. Thoma**, aaO S. 43.
12 Vgl. z. B. Deut 32,6. 18; Jer 3,4; Jes 64,8; Mal 2,10.
13 Vgl. z. B. Ex 4,22f.; Hos 11,1; Jer 31,9.
14 Vgl. z. B. Deut 14,1.
15 Vgl. z. B. Hos 1,10.
16 Vgl. z. B. 2 Sam 7,14; Ps 2,7; 89,7f.
17 Ps 2,7.
18 Vgl. Mk 12,36; Mt 22,44; Lk 20,42; Apg 2,34; Heb 1,13. Im übrigen wird oft auf den zu Jesus zeitlichen Parallelfall des galiläischen Ekstatikers und Wunderwirkers **Chanina ben Dosa** hingewiesen. Er wurde von Rabbinen (sogar vom großen Rabban Jochanam ben Zakkai) als besonderer Sohn Gottes tituliert, da er ein besonderes Intimverhältis zu Gott (den er ähnlich wie Jesus mit »Abba« anrief) gehabt habe.
19 **K. Kohler**, Grundriß einer systematischen Theologie des Judentums auf geschichtlicher Grundlage, Leipzig 1910, S. 148f.
20 Vgl. aaO S. 149. Noch breiter ausgeführt wird dieser Gedanke in der 1918 erschienenen amerikanischen Neuausgabe des Buches, Kap. 32.
21 Jes 57,15.
22 Deut 4,7.
23 **C. Thoma**, Theologische Beziehungen zwischen Christentum und Judentum, Darmstadt [2]1989, S. 112. Wie sehr gerade die Inkarnationschristologie Juden und Christen zunehmend getrennt hat, stellt der amerikanische Theologe **J. T. Pawlikowski** nachdrücklich fest: Christ in the Light of Jewish-Christian Dialogue, New York 1982.
24 Vgl. Gal 4,4; Röm 8,3.
25 Vgl. Jo 1.
26 Vgl. **K.-J. Kuschel**, aaO S. 393.
27 AaO S. 390. Das von Kuschel angeführte Zitat stammt von **B. v. Iersel**, Sohn Gottes im Neuen Testament, in: Concilium 18 (1982), S. 190.
28 Vgl. **D. Flusser**, aaO S. 64.
29 Jo 17,3.
30 Jo 20,17.
31 So faßt **K.-J. Kuschel** den Befund der neueren katholischen und evangelischen Exegese überzeugend zusammen: aaO S. 502. Das von Kuschel angeführte Zitat stammt von **H. Strathmann**, Das Evangelium nach Johannes, Göttingen 1951, S. 170.
32 **K.-J. Kuschel**, aaO S. 502.
33 Zur Problematik der Jungfrauengeburt vgl. **H. Küng**, CS Kap. C VI,3.
34 Deut 6,4.
35 Vgl. eine umfassende Übersicht über die jüdischen Kommentare bei **L. Jacobs**, Principles of the Jewish Faith. An Analytical Study, London 1964, S. 95-117.
36 Jo 1,14.
37 Kol 2,9.

38 Jo 3,16.
39 **P. Lapide**, Warum kommt er nicht? Jüdische Evangelienauslegung, Gütersloh 1988, S. 59.
40 Ebd.
41 **H. Küng**, CS (1974!), S. 414.
42 Vgl. aaO Kap. C VI,2: Deutungen des Todes.
43 **W. Vogler**, Jesu Tod – Gottes Tat? Bemerkungen zur frühchristlichen Interpretation des Todes Jesu, in: Theologische Literaturzeitung 113 (1988), Sp. 481-492, Zit. Sp. 488.
44 **G. Friedrich**, Die Verkündigung des Todes Jesu im Neuen Testament, Neukirchen 1982, S. 30f.
45 **W. Vogler**, aaO Sp. 489.

B VII. Jüdische Selbstkritik im Licht der Bergpredigt?

1 Vgl. **A. Unterman**, Art. Forgiveness (In Talmud and Jewish Thought), in: Encyclopaedia Judaica.
2 Sir 28,6f.
3 Vgl. **G. Willmann**, Kriegsgräber in Europa. Ein Gedenkbuch, München 1980, S. 317. Im Ersten Weltkrieg waren noch 9 737 000 Opfer zu beklagen.
4 Mt 6,12; vgl. Lk 11,4.
5 Vgl. Mt 18,21-35.
6 Mt 18,22; vgl. Lk 17,4.
7 Vgl. Lk 23,34.
8 Mt 7,1 par.
9 Vgl. Ps 130,1. 3f.
10 Lk 7,47.
11 **A. H. Friedlander**, Ein Streifen Gold. Auf Wegen der Versöhnung, München 1989, S. 168. Eine mit einer neuen Einleitung versehene englische Übersetzung erschien unter dem Titel: A Thread of Gold. Journeys towards Reconciliation, London 1990.
12 AaO S. 14.
13 Ein anderer Beweis für eindrucksvolle Versöhnungsarbeit in den Vereinigten Staaten ist Frau **Dr. Edith Eva Eger** (La Jolla/Calif.), der ich in Kalifornien begegnete und die mit 16 Jahren in Auschwitz überlebte. Sie benützt die damaligen schrecklichen Erfahrungen in positiver Weise, um Menschen psychotherapeutisch zu helfen, in schwierigen Situationen zu überleben.
14 Vgl. »Das Parlament« (Bonn) vom 3. Sept. 1977.
15 Vgl. Mt 18,23-35.
16 Vgl. Lk 19,10.
17 Vgl. Mk 2,17 par.

18 Vgl. »Das Parlament« (Bonn) vom 3. Sept. 1977.

19 Dieser und die folgenden Texte sind wiedergegeben in: »Die Zeit« vom 6. Januar 1989.

C. Die Überwindung der Moderne

C I. Wege aus der Identitätskrise

1 Zur **neueren Geschichte der Juden in Amerika** vgl. **N. Glazer**, American Judaism, Chicago 1952, ²1972. **M. Rischin**, An Inventory of American Jewish History, Cambridge/Mass. 1954. **J. L. Blau**, Modern Varieties of Judaism, New York 1966; **ders.**, Judaism in America. From Curiosity to Third Faith, Chicago 1976. **A. W. Miller**, God of Daniel S. In Search of the American Jew, London 1969. **G. S. Rosenthal**, Four Paths to One God. Today's Jew and His Religion, New York 1973. **C. S. Liebman**, Aspects of the Religious Behaviour of American Jews, New York 1974. **W. W. Brickman**, The Jewish Community in America. An Annotated and Classified Bibliographical Guide, New York 1977. **M. L. Raphael**, Profiles in American Judaism. The Reform, Conservative, Orthodox, and Reconstructionist Traditions in Historical Perspective, San Francisco 1984.

2 Vgl. **W. Herberg**, Protestant-Catholic-Jew. An Essay in American Religious Sociology, New York 1956.

3 Vgl. **ders.**, Judaism and Modern Man. An Interpretation of Jewish Religion, New York 1951.

4 Vgl. **C. E. Silberman**, A Certain People. American Jews and Their Lives Today, New York 1985. Teil 1 behandelt »An American Success Story« und Teil 2 »A Jewish Success Story«, und im Schlußteil »Notes on the Future« sieht der Verfasser die Hauptgefahr für das Judentum in der exklusiven Konzentration vieler führender Juden (besonders jüdischer Politiker) auf exklusiv jüdische Anliegen, insbesondere die Unterstützung für den Staat Israel.

5 **A. J. Feldman**, The American Jew. A Study of Backgrounds, New York 1937, Neuauflage 1979, S. 49.

6 Vgl. Encyclopaedia Judaica. Year book 1986/87, S. 389-391.

7 Zu **A. J. Heschel** vgl. **F. A. Rothschild**, Art. Heschel, Abraham Joshua, in: Encyclopaedia Judaica; **ders.** (Hrsg.), Between God and Man. An Interpretation of Judaism from the Writings of Abraham J. Heschel, New York 1959.

8 Vgl. **A. J. Heschel**, Die Prophetie, Krakau 1936.

9 Vgl. **ders.**, Maimonides. Eine Biographie, Berlin 1935.

10 Vgl. **ders.**, Man is Not Alone: A Philosophy of Religion, New York 1951.

11 Vgl. **ders.**, God in Search of Man: A Philosophy of Judaism, New York

1955; dt.: Gott sucht den Menschen. Eine Philosophie des Judentums,
Neukirchen 1980 (Zitate nach der deutschen Ausgabe), S. 130.
12 Ebd.
13 AaO S. 26.
14 AaO S. 125.
15 AaO S. 199.
16 AaO S. 200.
17 AaO S. 318f.
18 AaO S. 319.
19 AaO S. 131.
20 Vgl. den Versuch einer kritisch-selbstkritischen Auseinandersetzung mit
der modernen Religionskritik, in: H. Küng, EG Teil C: Die Herausforderung des Atheismus.
21 A. J. Heschel, Gott sucht den Menschen, S. 212.
22 AaO. S. 262.
23 AaO. S. 267.
24 AaO. S. 270.
25 Ebd.

C II. Religiöse Grundoptionen der Zukunft?

1 Zum **Orthodoxen Judentum in Amerika** vgl. **I. Epstein**, The Faith of Ju-
daism. An Interpretation for our Time, London 1954. **I. Herzog**, Juda-
ism: Law & Ethics. Aufsätze, ausgewählt von C. Herzog, London 1974.
C. S. Liebman, Orthodoxy in American Jewish Life, in: Aspects of the
Religious Behaviour of American Jews, New York 1974, S. 111-187.
W. B. Helmreich, The World of the Yeshiva. An Intimate Portrait of
Orthodox Jewry, New York 1982. **R. P. Bulka** (Hrsg.), Dimensions of
Orthodox Judaism, New York 1983. Zur **Rabbiner-Ausbildung** im Orthodoxen Judentum vgl. **Z. Charlop**, The Making of American Rabbis:
Orthodox Rabbis, in: Encyclopaedia Judaica. Yearbook 1983-85, S. 84-
90. **M. H. Danzger**, Returning to Tradition. The Contemporary Revival
of Orthodox Judaism, New Haven 1989.
2 **Samson Raphael Hirsch**, in Hamburg geboren, hatte zusammen mit seinem Freund und späteren Gegner Abraham Geiger in Bonn studiert und
war elf Jahre Landesrabbiner des Fürstentums Oldenburg, fünf Jahre Landesrabbiner von Moravia und schließlich (ab 1851) 37 Jahre Rabbiner der
orthodoxen »Israelitischen Religionsgesellschaft« in Frankfurt; 1854-1870
war er Herausgeber der Zeitschrift »Jeschurun«, einem »Monatsblatt zur
Förderung des Jüdischen Geistes und jüdischen Lebens, in Haus, Gemeinde und Schule«. Besonders durch seine zahlreichen Veröffentlichungen (Tora-Exegese, neue Bibelübersetzung ...) wurde Hirsch in seinem
Einsatz für ein einheitliches, erneuertes Judentum zum **Haupt der deut-**

schen **Neuorthodoxie**. Vgl. die Artikel von **M. Joseph** (Jüdisches Lexikon) und **S. Katz** (Encyclopaedia Judaica).

3   Vgl. **C. S. Liebman**, aaO S. 117-120.

4   Vgl. zu diesen drei Kategorien und besonders zur modernen Orthodoxie **E. Rackman**, Modern Orthodoxy, in: Encyclopaedia Judaica, Yearbook 1986-87, S. 118-122.

5   **Joseph D. Soloveitchik** stammt aus einer berühmten litauischen Rabbinerfamilie. In Polen geboren und in Brest-Litovsk als Talmudgelehrter ausgebildet, kam er mit 22 Jahren an die Universität Berlin, war sehr vom Neukantianismus und von Hegel beeindruckt und erwarb ein philosophisches Doktorat mit einer Dissertation über die Epistemologie und Metaphysik Hermann Cohens, des bedeutendsten jüdischen Vertreters des Neukantianismus. Er heiratete 1931 Tonya Lewit, die ein Doktorat von der Universität Jena hatte und ihm bis zu ihrem Tod 1967 eine treue Assistentin war. 1932 wanderten beide in die USA aus, und Soloveitchik wurde in Boston Rabbi der orthodoxen Gemeinde und Begründer sowohl der ersten jüdischen Tagschule in Neuengland wie einer Talmudschule. 1941 aber folgte er seinem Vater als Talmud-Professor an der Yeshiva Universität. Hier wurde er zum geistigen Mentor der Mehrheit der in Amerika ausgebildeten orthodoxen Rabbiner, aber auch zum einflußreichen Chairman der Halacha-Kommission des orthodoxen Rabbinical Council of America. Aschkenasischer Oberrabbiner von Israel zu werden lehnte er 1959 ab. Soloveitchik wirkte vor allem durch seine Vorlesungen und Vorträge auf Englisch, Hebräisch und Jiddisch. Publiziert hat er verhältnismäßig wenig. Eine gute Einführung in sein Denken gibt er in »Halakhic Man«, New York 1983, und in seiner ebenfalls schon 1944 geschriebenen, aber erst 1986 ebenfalls in New York veröffentlichten Abhandlung »The Halakhic Mind. An Essay on Jewish Tradition and Modern Thought«. Vgl. den Artikel von **A. Rothkoff** in der Encyclopaedia Judaica. Zur aufgeklärten Orthodoxie vgl. auch **Z. Kurzweil**, The Modern Impulse of Traditional Judaism, Hoboken 1985; dort auch Kapitel über J. D. Soloveitchik, A. I. H. Kook und E. Berkovits.

6   **J. D. Soloveitchik**, The Halakhic Man, S. 19.

7   AaO S. 29.

8   AaO S. 36.

9   AaO S. 37f.

10 AaO S. 40.

11 **Ders.**, The Halakhic Mind, S. 85.

12 AaO S. 88.

13 AaO S. 90.

14 AaO S. 101.

15 AaO S. 102.

16 Vgl. zum folgenden **E. Rackman**, aaO. Rackmans eigene orthodoxe Auffassung erschien unter dem Titel »One Man's Judaism«, Tel Aviv o. J.

17 Nachdem 1985/86 über 30 Busstationen wegen »unsittlichen« Reklamen
    von Orthodoxen niedergebrannt und viele andere verunstaltet wurden,
    wurde im Juni 1986 in eine Yeshiva in Tel Aviv eingebrochen und wur-
    den Gebetbücher wie religiöse Kunstgegenstände entheiligt – offensicht-
    lich zur Warnung. Zur Konversion säkularer Juden zum orthodoxen Ju-
    dentum im Staat Israel vgl. die Untersuchung von **J. Aviad**, Return to Ju-
    daism. Religious Renewal in Israel, Chicago 1983.
18 **Abraham Geiger**, geboren in Frankfurt, war als Rabbiner in Wiesbaden,
    Frankfurt, Breslau und Berlin tätig. Obwohl hektischem Reformismus ab-
    geneigt, war er doch sehr angefeindet und wurde erst zwei Jahre vor sei-
    nem Tod Dozent an der Berliner Hochschule für die Wissenschaft des Ju-
    dentums (1872-1874). Durch seine vielseitige wissenschaftliche Arbeit an
    Bibel und Mischna, an exegetischer, historischer, philosophischer und
    poetischer Literatur des Mittelalters und der Neuzeit, durch sein Wirken
    auf den wichtigen Rabbinerversammlungen der 40er Jahre und durch sei-
    ne Zeitschriften »Wissenschaftliche Zeitschrift für jüdische Theologie« (6
    Bde. 1835-1847) und die »Jüdische Zeitschrift für Wissenschaft und
    Leben« (11 Bde. 1862-1875) wurde er zum geistigen **Führer des Reform-
    judentums**. Charakteristisch für seine evolutive Auffassung vom Juden-
    tum, das nach ihm im Prophetismus kulminiert, ist sein Werk: »Urschrift
    und Übersetzungen der Bibel in ihrer Abhängigkeit von der inneren Ent-
    wicklung des Judentums« (Breslau 1857. ^{2}1928). Seine »Nachgelassenen
    Schriften« wurden von seinem Sohn Ludwig in 5 Bänden 1875-1878 her-
    ausgegeben. Vgl. die Artikel von **M. Joseph** (Jüdisches Lexikon) und
    J. S. Levinger (Encyclopaedia Judaica).
19 **Hermann Cohen**, geboren in Coswig (Anhalt), von 1876-1912 Professor
    in Marburg, ging nach seiner Emeritierung an die Berliner Hochschule
    für die Wissenschaft des Judentums, wo er bis zu seinem Tod 1918 Reli-
    gionsphilosophie lehrte; seine Ehefrau starb im Konzentrationslager The-
    resienstadt kurz nach der Einlieferung. Wichtige Werke: Die Religion der
    Vernunft aus den Quellen des Judentums, Frankfurt 1919; 2. neubearbei-
    tete Auflage 1929. Jüdische Schriften, Bd. I-III, Berlin 1924.
20 Zum **Reformjudentum in Amerika** vgl. **D. Philipson**, The Reform Mo-
    vement in Judaism, 1907, Neuausgabe New York 1967. **G. W. Plaut**,
    The Rise of Reform Judaism. A Sourcebook of its European Origins, New
    York 1963; **ders.**, The Growth of Reform Judaism. American and Euro-
    pean Sources until 1948, New York 1965. **A. J. Feldman**, The American
    Reform Rabbi. A Profile of a Profession, New York 1965. **J. L. Blau**
    (Hrsg.), Reform Judaism: A Historical Perspective. Essays from the Year-
    book of the Central Conference of American Rabbis, New York 1973.
    E. B. Borowitz, Reform Judaism Today, Bd. I-III, New York 1977-78;
    ders., Liberal Judaism, New York 1984. Zur **Rabbiner-Ausbildung** im
    Reformjudentum vgl. **A. Gottschalk**, The Making of American Rabbis:
    Reform Rabbis, in Encyclopaedia Judaica. Yearbook 1983-85, S. 96-100.

M. A. Meyer, Response to Modernity. A History of the Reform Movement in Judaism, New York 1988.

21 Text im Yearbook of the Central Conference of American Rabbis XLVII (1937), S. 97-98, zit. bei **N. Glazer**, American Judaism, Chicago 1952, ²1972, S. 103f. Text sowohl der »Pittsburgh-Platform« (1885) wie der »Columbus-Platform« (1937) bei **G. W. Plaut**, The Growth of Reform Judaism, S. 33-34. S. 96-99.

22 **Louis Jacobs** empfing seine Ausbildung zunächst in den rabbinischen Schulen von Manchester und London, dann auch an der Londoner Universität. Als Rabbiner war er danach an den Synagogen von Manchester sowie in den 50er Jahren im Londoner Westend tätig. Nach seiner Arbeit als Tutor am Jews' College (1959-62) sollte er dessen Direktor werden. Ein Veto des englischen Oberrabiners Israel Brody verhindert dies 1963, wie auch im folgenden Jahr die Ernennung von Jacobs zum Minister der modernen New Westend Synagogue. Rabbi Jacobs hat mehrere Bücher veröffentlicht. Anstoß erregte zunächst »We Have Reason to Believe. Some Aspects of Jewish Theology Examined in the Light of Modern Thought «, London 1957. Dann erschien »Jewish Values«, London 1960, und schließlich »Principles of the Jewish Faith. An Analytical Study«, London 1964, eine Erklärung des Glaubensbekenntnisses des Maimonides. Vgl. den ungezeichneten Artikel in der Encyclopaedia Judaica.

23 Vgl. **I. Epstein**, The Faith of Judaism. An Interpretation for Our Times, London 1954.

24 **L. Jacobs**, Principles of the Jewish Faith, S. VIII.

25 AaO S. X.

26 **Ders.**, A Jewish Theology, London 1973.

27 Vgl. **K. Kohler**, Grundriß einer systematischen Theologie des Judentums auf geschichtlicher Grundlage, Leipzig 1910; engl.: Jewish Theology: Systematically and Historically Considered, 1918, Neuausgabe New York 1968. Das Werk umfaßt drei Hauptteile: Gott – Der Mensch – Israel und das Gottesreich.

28 **L. Jacobs**, A Jewish Theology, S. 204.

29 AaO S. 205.

30 Zum **Konservativen Judentum in Amerika** vgl. **R. Gordis**, Judaism for the Modern Age, New York 1955; **ders.**, Understanding Conservative Judaism, New York 1978. **M. Waxman** (Hrsg.), Tradition and Change. The Development of Conservative Judaism, New York 1958. **M. Davis**, The Emergence of Conservative Judaism. The Historical School in 19th Century America, Philadelphia 1963. **S. Siegel** (Hrsg.), Conservative Judaism and Jewish Law, New York 1977. **H. Rosenblum**, Conservative Judaism. A Contemporary History, New York 1983. Zur **Rabbiner-Ausbildung** im Konservativen Judentum vgl. **R. Hammer**, The Making of American Rabbis: Conservative Rabbis, in Encyclopaedia Judaica. Yearbook 1983-85, S. 91-95.

31 **Zacharias Frankel** war zuerst Oberrabbiner in Dresden, dann ab 1854 bis zu seinem Tod Direktor des neugegründeten jüdisch-theologischen Seminars und Begründer der bedeutendsten (und bis 1939 bestehenden!) judaistischen Zeitschrift, der »Monatsschrift für Geschichte und Wissenschaft des Judentums«. Frankel war in den damaligen großen innerjüdischen Auseinandersetzungen geistiger **Führer der konservativen Vermittlungspartei**, der historisch-positiven (»Breslauer«) Schule, und als solcher unter Kritik sowohl vom führenden Vertreter der »Wissenschaft des Judentums« Abraham Geiger wie vom Oberhaupt der (Frankfurter) Neuorthodoxie Samson Raphael Hirsch. In dreifacher Hinsicht war Frankel tätig: Er wirkte politisch durch Gutachten und Schriften für die Emanzipation der Juden (»Judeneid«), historisch durch die Erforschung des rabbinischen Schrifttums (Einleitung in Mischna und Jerusalemer Talmud, Vorstudien zur Septuaginta, Studien zur Hermeneutik, zum Gerichtsbeweis und zum Eherecht), schließlich akademisch-pädagogisch durch seine Schüler und den erheblichen Einfluß auf die Rabbinerausbildung. Vgl. die Artikel von **S. Gans** (Jüdisches Lexikon) und **J. E. Heller** (Encyclopaedia Judaica).

32 **Solomon Schechter** (*1847 in Rumänien) blieb von 1902 bis zu seinem Tod 1915 Präsident des Jewish Theological Seminary of America in New York. Nach gründlicher rabbinischer Ausbildung und Studien in Wien und an der Berliner Hochschule für die Wissenschaft des Judentums war Schechter als Tutor seines Mitstudenten Claude G. Montefiore nach England gegangen, wo er 1892 Dozent für rabbinische Literatur in Cambridge wurde. Berühmt wurde er, weil er zusammen mit C. Taylor über 100 000 Fragmente aus der Geniza von Al Fustat (Kairo) nach Cambridge brachte (Taylor-Schechter Collection). In Amerika wurde er durch die Auswahl einer hervorragenden Fakultät (L. Ginzberg, I. Friedlaender, I. Davidson, A. Marx und M. M. Kaplan) und durch die Organisation der Synagogue of America der **Hauptarchitekt des Konservativen Judentums in Amerika** und ein einflußreicher Promotor des Zionismus. Wichtige Werke: Some Aspects of Rabbinic Theology, London 1909; ders., Seminary Adresses and Other Papers, Cincinnati 1915, Neuauflage Westmead 1969; ders., Studies in Judaism. A Selection, New York 1958 (eine Auswahl noch immer aktueller Essays aus Schechters dreibändigen »Studies in Judaism« von 1896-1924). Vgl. die Artikel von **I. Elbogen** (Jüdisches Lexikon) und **M. Ben-Horin** (Encyclopaedia Judaica).

33 Vgl. **J. Neusner**, Conservative Judaism in a Divided Community, in: Conservative Judaism 20 (1965-66), Nr. 4, S. 1-19. Ferner **L. Ginzberg**, Students, Scholars and Saints, 1928, Neuauflage New York 1960 (hier auch Artikel zu den wichtigsten Vertretern der konservativen Schultradition: neben Zacharias Frankel und Solomon Schechter auch zu Israel Salanter, Isaac Hirsch Weiss und David Hoffman). **H. Parzen**, Architects of Conservative Judaism, New York 1964.

34 **Mordecai Menahem Kaplan**, litauischer Abstammung, aber seit seinem neunten Lebensjahr in den USA, lehrte 1909-63 am Jewish Theological Seminary, bzw. an dessen Teachers Institute, Homiletik und Religions-philosophie. Als Leiter des Teachers Institute wurde er zum **Begründer des Reconstructionist Movement.** Vgl. den Artikel von **J. J. Cohen** in der Encyclopaedia Judaica.

35 **M. M. Kaplan**, Judaism as a Civilization, Toward a Reconstruction of American-Jewish Life, New York 1934 , S. XII.

36 AaO.

37 AaO S. 178.

38 AaO S. 179.

39 AaO S. 305f.

40 Vgl. aaO S. 311-331. Vgl. **ders.**, Judaism without Supernaturalism. The only Alternative to Orthodoxy and Secularism, New York 1958; **ders.**, Judaism in Transition, New York 1936.

41 Zur **Reconstructionist-Bewegung in Amerika** vgl. neben den Werken von M. M. Kaplan **H. L. Goldberg**, Introduction to Reconstructionism, New York 1957. **C. S. Liebman**, Reconstructionism in American Jewish Life, aaO S. 189-285. Zur **Rabbiner-Ausbildung** in der Reconstructio-nist-Bewegung vgl. **R. T. Alpert**, The Making of American Rabbis: Re-constructionist Rabbis, in Encyclopaedia Judaica. Yearbook 1983-85, S. 101-105.

42 **M. M. Kaplan**, Judaism as a Civilization, S. X.

43 Vgl. **L. Jacobs**, A Jewish Theology, S. 223f.

44 AaO S. 350. 381. Vgl. **ders.**, The Greater Judaism in the Making. A Stu-dy of the Modern Evolution of Judaism, New York 1960.

45 **N. Glazer**, aaO S. 133.

46 AaO S. 133f.

47 **J. Leibowitz** (mit M. Shashar), Al olam umlo'oh, Jerusalem 1987; dt.: Gespräche über Gott und die Welt, Frankfurt 1990, S. 86.

48 Ebd.

49 AaO S. 83.

50 AaO S. 84.

3. Hauptteil:
Möglichkeiten der Zukunft

A. Judentum in der Postmoderne

A I. Die Heraufkunft der Postmoderne

1 Vgl. **H. Küng**, Projekt Weltethos, München 1990, bes. S. 20-45, 91-96, 167-171.

2 Vgl. zu Bubers Biographie **S. H. Bergman**, Art. Buber, Martin, in: Encyclopaedia Judaica, Bd. 4, Sp. 1429-1432. Bubers philosophisch-theologische Arbeiten finden sich in: **M. Buber**, Werke, Bd. I-III, München 1962-1964. Wichtig aber auch Bubers Arbeiten zu Judentum, Zionismus und zum Staat Israel, gesammelt in: ders., Der Jude und sein Judentum. Gesammelte Aufsätze und Reden, Köln 1963.

3 Die Buber-Rosenzweigsche Bibelübersetzung ist in folgenden vier Bänden erschienen: Die Fünf Bücher der Weisung. Bücher der Geschichte. Bücher der Kündung. Schriftwerke, neubearbeitete Ausgabe Köln 1954-1962.

4 Alle diese Abhandlungen finden sich bei **M. Buber**, Werke, Bd. II.

5 **Ders.**, Zur Geschichte des dialogischen Prinzips, in: Werke, Bd. I, S. 291-305, Zit. S. 299.

6 AaO S. 304.

7 Vgl. aaO S. 291-305.

8 Vgl. aaO S. 299.

9 **Ders.**, Ich und Du, in: Werke, Bd. I, S. 77-170, Zit. S. 81.

10 AaO S. 128.

11 AaO S. 124.

12 Vgl. **ders.**, Biblischer Humanismus, in: Werke, Bd. II, S. 1085-1092.

13 AaO S. 1087.

14 Ebd.

15 Ebd.

16 AaO S. 1088.

17 Ebd.

18 AaO S. 1092.

19 **Ders.**, Das Problem des Menschen, in: Werke, Bd. I, S. 307-407, Zit. S. 403f.

20 **Ders.**, Gottesfinsternis. Betrachtungen zur Beziehung zwischen Religion und Philosophie, in: Werke, Bd. I, S. 503-603, Zit. S. 509f.

21 Zit. bei **S. H. Bergman**, aaO Sp. 1430.

22 **J. Leibowitz** (mit Michael Shashar), Gespräche über Gott und die Welt, Frankfurt 1990, S. 55f.

23 Ebd.

A II. Das Judentum in der Postmoderne

1 Ich verweise auf die schon verschiedentlich zitierten Untersuchungen von **S. Volkov.**

2 **B. Halpern**, The Jewish Consensus, in: Jewish Frontier, September 1962, zit. bei J. Neusner, The Way of Torah. An Introduction to Judaism, Belmont/Calif. [3]1979, S. 129f.

3 Vgl. **J. Neusner**, aaO S. 130.

4 Ebd.

5 Vgl. aaO S. 131.
6 AaO S. 131f.
7 Vgl. zum folgenden **D. Marmour**, Beyond Survival. Reflections on the Future of Judaism, London 1982, S. 205.

B. Lebenskonflikte und die Zukunft des Gesetzes

B I. Ambivalenz des Gesetzes

1 Alle im letzten Kapitel des 2. Hauptteils zitierten Werke zu den verschiedenen Strömungen im Judentum enthalten ausführliche Kapitel über das Gesetz und seine Interpretation.
2 Einen kompakten Überblick (rund 800 Seiten!) über die wichtigsten Prinzipien des jüdischen Gesetzes, wie es sich von den Anfängen in der Bibel über den Talmud bis hin zu den Werken der späteren großen Meister entwickelt hat, gibt **G. Horowitz**, The Spirit of the Jewish Law. A Brief Account of Biblical and Rabbinical Jurisprudence. With a Special Note on Jewish Law and the State of Israel, New York 1953. Vgl. ferner die neueren Monographien von **D. W. Halivini**, Midrash, Mishnah and Gemara. The Jewish Predilection for Justified Law, Cambridge/Mass. 1986 (will A. Alt's Unterscheidung zwischen kategorischen und kasuistischen Gesetzen durch die zwischen kategorischen und vindikatorisch/justifikatorischen Gesetzen ersetzen). **E. N. Dorff – A. Rosett**, A Living Tree. The Roots and Growth of Jewish Law, Albany 1988. Eine umfassende englischsprachige Bibliographie bietet **P. H. Weisbard – D. Schonberg**, Jewish Law. Bibliography of Sources and Scholarship in English, Littleton/Co. 1989.
3 **D. Hartman**, A Living Covenant. The Innovative Spirit in Traditional Judaism, New York 1985.
4 AaO S. 5.
5 AaO S. 5f.
6 AaO S. 281.
7 AaO S. 98.
8 Vgl. **H. Zoller**, Jude sein in Israel ist kein Zuckerschlecken, in: Der Spiegel, Nr. 1, 1987.
9 Vgl. **M. Waxman** (Hrsg.), Tradition and Change, The Development of Conservative Judaism, New York 1958, S. 349-407; **S. Siegel** (Hrsg.), Conservative Judaism and Jewish Law, New York 1977.
10 Vgl. **A. H. Neulander**, The Use of Electricity on the Sabbath, in: M. Waxman, aaO S. 401-407.
11 **H. Zoller**, ebd.
12 Vgl. **H. Denzinger**, Enchiridion symbolorum, definitionum et declarationum de rebus fidei et morum (1854), Freiburg ³¹1960. Eine deutsche Auswahl **J. Neuner – H. Roos**, Der Glaube der Kirche in den Urkunden der

Lehrverkündigung (1938), Regensburg ⁵1958. Zur Kritik der Auswahl vgl. **H. Küng**, Veröffentlichungen zum Konzil. Ein Überblick, in: Theologische Quartalschrift 143 (1963), S. 56-82.

13 Vgl. **H. Küng**, Unfehlbar? Eine Anfrage, Zürich 1970; **ders.**, Fehlbar. Eine Bilanz, Zürich 1973.
14 Vgl. **ders.**, Wahrhaftigkeit. Zur Zukunft der Kirche, Freiburg 1968. Kap. B, VIII: Manipulation der Wahrheit?
15 Vgl. **H. Denzinger**, aaO Nr. 714.
16 Vgl. die Konstitution des **Zweiten Vatikanischen Konzils** »Lumen Gentium« (1965), Art. 16.
17 Vgl. Ex 16,29; Jer 17,22.
18 Vgl. **Z. Kaplan**, Art. Eruv, in: Encyclopaedia Judaica. **W. Lewy – S. Krauss**, Art. Eruw, in: Jüdisches Lexikon.
19 Vgl. **B. Z. Schereschewsky**, Art. Mamzer, in Encyclopaedia Judaica. **M. Cohn**, Art. Mamser, in: Jüdisches Lexikon.
20 Vgl. Deut 23,2; Zach 9,6.
21 Vgl. **D. Novak**, Halakhah in a Theological Dimension, Chico/Calif. 1985, S. 27f.
22 Zitiert aaO S. 28.
23 Vgl. **L. Jacobs**, A Tree of Life. Diversity, Flexibility, and Creativity in Jewish Law, Oxford 1984, Appendix B: S. 257-275. Vgl. auch **ders.**, Theology in the Responsa, London 1975; **ders.**, The Talmudic Argument. A Study in Talmudic Reasoning and Methodology, London 1984.
24 **Ders.**, A Tree of life, S. 236.

B II. Um Gottes willen?

1 Vgl. **J. Leibowitz**, The Faith of Maimonides, New York 1987.
2 **J. Leibowitz**, Art. Commandments, in: Contemporary Jewish Religious Thought, S. 70.
3 AaO S. 71.
4 Ebd.
5 Ebd.
6 Ebd.
7 AaO S. 75.
8 **Ders.** (mit Michael Shashar), Gespräche über Gott und die Welt, Frankfurt 1990, S. 105f.
9 Vgl. aaO S. 107. 110-116.
10 AaO S. 107.
11 Vgl. **G. Frankel**, Israel's 2,000-Year-Old Divorce Laws Turn Ties That Bind Into Chains, in: International Herald Tribune vom 14. März 1989.
12 Vgl. Gen 1,27.
13 Vgl. **J. Plaskow**, Standing Again at Sinai. Judaism from a Feminist Perspec-

tive, San Francisco 1990.

14 Vgl. **E. Schüssler Fiorenza**, In Memory of her. A Feminist Theological Reconstruction of Christian Origins, New York 1983; dt.: Zu ihrem Gedächtnis ... Eine feministisch-theologische Rekonstruktion der christlichen Ursprünge, München 1988.

15 **J. Plaskow**, aaO S. 3.

16 AaO S. 75.

17 Ex 19,15.

18 Vgl. **J. Plaskow**, aaO S. 25.

19 AaO S. 25. 27.

20 AaO S. 71f.

21 AaO S. 89f.

22 AaO S. 71.

23 Vgl. **E. B. Borowitz**, Choices in Modern Jewish Thought. A Partisan Guide, New York 1983; ders., Liberal Judaism, New York 1984.

24 AaO S. 243f.

25 Vgl. **ders.**, Art. Freedom, in: Contemporary Jewish Religious Thought, S. 261-267.

26 AaO S. 266.

27 **Ders.**, Choices in Modern Jewish Thought, S. 281.

28 Ebd.

29 **Ders.**, Freedom, S. 266.

30 AaO S. 268.

31 Wie auch die Halacha in der Logik des Bundes verstanden werden muß, wurde neuerdings deutlich gemacht von **S. Novak**, Halakha in a Theological Dimension, Chico/Calif. 1985, bes. S. 116-131.

32 **Franz Rosenzweig**, Sohn kultivierter Eltern mit nur geringer Beziehung zum Judentum, studierte ab 1905 an verschiedenen Universitäten u. a. Philosophie, Geschichte und klassische Philologie. Zunächst zur Konversion zum Christentum entschlossen, erklärte er 1913, daß er sich von nun an als Jude verstehe und das Judentum für sich und andere neu entdecken wolle. Nach mehreren Studien über Christentum und Judentum und seinen beiden Werken zum deutschen Idealismus erscheint 1921 sein Hauptwerk »Der Stern der Erlösung«, der Versuch eines »Neuen Denkens«, die Forderung nach einer philosophischen Theologie des Judentums und des Christentums. Nach dem Ersten Weltkrieg organisiert er mit Hilfe jüdischer Intellektueller (u. a. M. Buber, E. Strauss und E. Fromm) das »Freie Jüdische Lehrhaus« und verfaßt, ab 1922 faktisch gelähmt, ohne Sprache und an sein Haus gebunden, zahlreiche Übersetzungen vom Hebräischen ins Deutsche: liturgische Lieder, Hymnen und Gedichte, und ab 1924, zusammen mit Martin Buber, auch die Bibel. Vgl. den Art. von **S. S. Schwarzschild** in der Encyclopaedia Judaica. Zur Bibelübersetzung vgl. **F. Rosenzweig**, Sprachdenken. Arbeitspapiere zur Verdeutschung der Schrift, in: ders., Gesammelte Schriften, Bd. IV/2, Dordrecht 1984.

33 Vgl. **F. Rosenzweig**, Der Stern der Erlösung (1921), in: **ders.**, Gesammelte Schriften, Bd. II, Den Haag 1976.

34 Auf **M. Bubers**, Reden über das Judentum, Frankfurt 1923, antwortete **F. Rosenzweig** mit dem Aufsatz: Die Bauleute. Über das Gesetz. An Martin Buber (1923), in: Kleinere Schriften, Berlin 1937, S. 106-121.

35 Buber wollte auf Rosenzweigs Aufsatz »Die Bauleute« nicht öffentlich antworten, doch findet ein Gespräch über das Gesetz in der Korrespondenz statt. Vgl. **F. Rosenzweig**, Briefe und Tagebücher, in: **ders.**, Gesammelte Schriften, Bd. I, Dordrecht 1979. Im einzelnen wird dies herausgearbeitet von **G. Bonola**, Franz Rosenzweig und Martin Buber. Die Auseinandersetzung über das Gesetz, in: W. Schmied - Kowarzik (Hrsg.), Der Philosoph Franz Rosenzweig (1886-1929). Internationaler Kongreß. Kassel 1986, Bd. I, Freiburg 1988, S. 225-238.

36 Gal 4,4f.

B III. Um des Menschen willen

1 Vgl. 2. Hauptteil, Kap. B II.

2 Mt 5,19.

3 Mt 5,20.

4 Der sehr gut griechisch schreibende jüdische Christ Mattäus hatte im Vergleich zu dem (von ihm benutzten, ebenfalls griechisch geschriebenen heidenchristlichen) Markusevangelium sein Evangelium offensichtlich sehr viel dezidierter am Gesetz festgemacht, hat es aber gerade so höchst polemisch gegen das nach der Katastrophe des Jahres 70 sich neu formierende rabbinische Judentum ausgerichtet. Zwar tritt kein neuer Mose im Mattäusevangelium auf, der Gehorsam forderte, wohl aber ein Offenbarer des Vaters, der einlädt, die leichte Last seiner Lehre auf sich zu nehmen (Mt 11,25-30). Dem jüdischen Zeremonialgesetz ordnet er grundsätzlich die Liebe vor. Auch dieser Evangelist »war in seinem Gesetzesverständnis ›Jesuaner‹ und nicht ein Pharisäer«: »Obwohl auch das Ritualgesetz und das Beschneidungsgebot für ihn galt, lag hier nicht das Gewicht. Die Unterscheidung zwischen den ›barytera tou nomou‹ (›dem Wichtigsten im Gesetz‹), d. h. Liebesgebot, Dekalog, Sittengesetz (Mt 23,23) und den eher peripheren Zeremonialgesetzen, zu denen Reinheitsgebote, Sabbat und Beschneidung gehörten, macht m. E. verständlich, warum es späteren Nachfahren des Mattäus möglich sein konnte, für die Heiden darauf zu verzichten.« **U. Luz**, Das Evangelium nach Matthäus, Bd. I, Zürich 1985, S. 68.

5 Mk 12,34.

6 Vgl. zu Mt 5,21-48 neben dem Kommentar von U. Luz auch den von **J. Gnilka**, Das Matthäusevangelium, Bd. I, Freiburg 1986.

7 Unter allerlei religiösen und sittlichen Vorschriften wird schon in Lev 19,18

auch die Nächstenliebe aufgeführt.
8 Mekhilta des Rabbi Yischmael, Traktat Schabbat I, 26. 43.
9 Mk 2,27.
10 **J. Gnilka**, Das Evangelium nach Markus, Zürich 1978, S. 123.
11 Mk 3,4.
12 Mt 12,12.
13 Vgl. Lk 10,25-37.
14 Mk 12,34.
15 Vgl. Deut 10,18f.
16 Phil 3,6.
17 **S. Ben-Chorin**, Paulus. Der Völkerapostel in jüdischer Sicht, München 1980, S. 11. Dieses Leiden am (kirchlichen!) Gesetz hat, anders als Ben-Chorin meint, gerade auch Luther (und mit ihm mancher katholische Mönch, Priester oder Laie) erfahren.
18 AaO S. 57. Im Gegensatz zum Juden Ben-Chorin zeigt der Nicht-Jude **E. P. Sanders**, Paul, Oxford 1991, wenig Sensibilität für diese Problematik, die für das paulinische Gesetzesverständnis grundlegend ist: Die in Röm 7 behandelte Problematik bezeichnet er als die eines »Neurotikers« (S. 98).
19 Zum **Römerbrief**: Umfassender **Überblick über die Literatur** bei **J. D. G. Dunn**, Paul's Epistle to the Romans. An Analysis of Structure and Argument, in: Aufstieg und Niedergang der Römischen Welt, hrsg. von H. Temporini und W. Haase, Bd. II. 25.4, Berlin 1987, S. 2842-2890. **Neuere Kommentare: E. Käsemann**, 1973 (HbNT). **C. E. B. Cranfield**, 1975/79 (International Critical Commentary). **H. Schlier**, 1977 (HThK). **U. Wilckens**, Bd. I-III, 1978-1982 (EKK). **J. D. G. Dunn**, Bd. I-II, 1988 (WBC). **W. Schmithals**, Gütersloh 1988. **P. Stuhlmacher**, 1989 (NTD). **Neuere Arbeiten: G. Bornkamm**, Der Römerbrief als Testament des Paulus, in: **ders.**, Glaube und Geschichte Bd. II (Ges. Aufsätze 4), München 1971, S. 120-139. **W. G. Kümmel**, Römer 7 und das Bild des Menschen im NT. Zwei Studien, München 1974. **U. Wilckens**, Über Abfassungszweck und Aufbau des Römerbriefs, in: **ders.**, Rechtfertigung als Freiheit, Neukirchen 1974, S. 110-170. **W. Schmithals**, Der Römerbrief als historisches Problem, Gütersloh 1975. **H. Moxnes**, Theology in Conflict. Studies in Paul's Understanding of God in Romans, Leiden 1980. **F. Mußner**, Heil für Alle. Der Grundgedanke des Römerbriefs, in: Kairos 23 (1981), S. 207-214.
20 Zum **Galaterbrief**: Umfassende Übersicht über die Literatur bei **K. H. Schelkle**, Paulus. Leben – Briefe – Theologie, Darmstadt 1981, S. 80f. **Neuere Kommentare: H. Schlier**, 1949, 5. Aufl. der Neubearbeitung 1971 (KEK). **F. Mußner**, 1977 (HThK). **D. Lührmann**, Zürich 1978. **H. D. Betz**, Philadelphia 1979 (Hermeneia); dt.: München 1988. **U. Borse**, Regensburg 1984. **J. Becker**, 1985 (NTD). **W. Egger**, Würzburg 1985.
Neuere Arbeiten: J. Eckert, Die urchristliche Verkündigung im Streit zwi-

schen Paulus und seinen Gegnern nach dem Galaterbrief, Regensburg 1971. **G. Howard**, Crisis in Galatia. A Study in Early Christian Theology, Cambridge 1979. **H. Feld**, Christus Diener der Sünde. Zum Ausgang des Streits zwischen Petrus und Paulus, in: ThQ 153 (1983), S. 119-131. **A. Suhl**, Der Galaterbrief – Situation und Argumentation, in: Aufstieg und Niedergang der Römischen Welt, Bd. II. 25.4, S. 3067-3134. **J. D. G. Dunn**, Jesus, Paul and the Law. Studies in Mark and Galatians, London 1990.

21 Vgl. **H. Hübner**, Das Gesetz bei Paulus. Ein Beitrag zum Werden der paulinischen Theologie, Göttingen 1978, ³1982, S. 115f.: »Freiheit vom pervertierten Gesetz« u. ä.

22 **H. Hübner**, Rezension von E. P. Sanders, in: Studien zum Neuen Testament und seiner Umwelt 11, 1986, S. 241.

23 Kaum ein Buch über Paulus, das nicht einen Abschnitt über Paulus und das Gesetz enthält und sich dabei nicht mit dem Kontrast zwischen dem polemischen Galaterbrief und dem späteren, ausgewogeneren Römerbrief auseinandersetzt (vgl. Literatur zur Paulusforschung im 2. Hauptteil Kap. B V und **G. Klein**, Art. Gesetz: Neues Testament, in: TRE). Des Paulus Theologie ist selbstverständlich kein einheitliches Lehrgebäude. Doch angebliche oder wirkliche Unstimmigkeiten und Widersprüche in den verschiedenen Briefen des Apostels Paulus, die ja allesamt aus einer verschiedenen Situation heraus zu verschiedener Zeit an verschiedene Adressaten geschrieben worden sind, sollten die innere Einheit seiner Theologie (und möglicherweise theologischen Entwicklung) nicht übersehen lassen, wie dies leider **H. Räisänen**, Paul and the Law, Tübingen 1983, ²1987, tut. Auch noch im Vorwort zur zweiten Auflage ist Räisänen der Auffassung, daß für Paulus das unlösbare Hauptproblem darin bestanden habe, »that a **divine** institution has been **abolished** through what God has done in Christ« (S. XXIV, vgl. 1. Aufl. S. 264f.). Gerade dies ist nicht der Fall, wie wir sehen werden. Andererseits muß auch Räisänen zugeben, daß Paulus selber seine Lehre so verstanden habe, daß sie »really fulfils or ›upholds‹ the law« (S. 265). Eine faire Interpretation wird versuchen, einen Autor, welchen auch immer, von seinen zentralen Überzeugungen her zu verstehen, statt ihm Widersprüche zu unterstellen, die der Interpret zum Teil selber kreiert hat. Vgl. auch die Kritik von **H. Hübner** an H. Räisänen, in: Theologische Literaturzeitung 110, 1985, Sp. 894-896.

24 So **E. P. Sanders**, Paul and Palestinian Judaism. A Comparison of Patterns of Religion, London 1977; dt.: Paulus und das palästinische Judentum. Ein Vergleich zweier Religionsstrukturen, Göttingen 1985; **ders.**, Paul, the Law, and the Jewish People, Philadelphia 1983; **ders.**, Paul, Oxford 1991.

25 Die Christuserfahrung als den existentiellen Ausgangspunkt der Theologie des Apostels Paulus (im Gegensatz zu einer theologisch-systematischen Darstellung, die mit der Sündenverfallenheit des Menschen einsetzt) hat **E. P. Sanders** in seinen Publikationen zu Recht deutlich hervorgehoben.

Diese Christuserfahrung darf aber nicht zu einer »Meteor-from-heaven interpretation« der Konversion des Paulus werden, wie J. C. **Beker** (The New Testament View of Judaism, in: J. H. Charlesworth (Hrsg.), Jews and Christians. Exploring the Past, Present, and Future, New York 1990, S. 72) zu Recht einwendet. Vgl. **ders.**, Paul the Apostle. The Triumph of God in Life and Thought, Edinburg 1980, bes. Kap. 11. Zu bedenken ist: 1. Selbstverständlich hatte der untadelige Pharisäer und Gesetzeseiferer Saulus wie jeder fromme Mensch seine eigenen durchaus ambivalenten Erfahrungen mit dem Gesetz machen können. 2. Der Christenverfolger Saulus dürfte gewußt haben, warum er Christen verfolgt hat: Dem Gesetzeseiferer mußte die Gesetzeskritik der (wohl vor allem hellenistischen) Judenchristen, in denen sich die Gesetzeskritik des Nazareners selber spiegelte, ein Ärgernis sein. Es besteht, wenn auch nicht eine direkte Überlieferungskontinuität, so doch eine Sachkontinuität zwischen Jesus, Urgemeinde und Paulus.

26 Vgl. Gal 1,15f. Dazu von jüdischer Seite am ausführlichsten **A. F. Segal**, Paul the Convert. The Apostolate and Apostasy of Paul the Pharisee, New Haven 1990, Kap. 1-3 und Appendix.

27 Vgl. dazu **A. J. M. Wedderburn** (Hrsg.), Paul and Jesus. Collected Essays, Sheffield 1989, bes. auch die Beiträge von C. Wolff. Daß bei Paulus eine Präexistenzchristologie fehlt, zeigt **K.-J. Kuschel**, Geboren vor aller Zeit. Der Streit um Christi Ursprung, München 1990, S. 340-396.

28 Röm 7,12. Anders **E. P. Sanders**, Paul (1991), S. 92-95.

29 Röm 7,10; vgl. 10,5; Gal 3,12.

30 Röm 2,20.

31 Röm 7,14.

32 Röm 9,4.

33 Den häufigen christlichen Vorwurf gegen das Judentum, »daß **das Judentum notwendigerweise** zu kleinlichem Legalismus, selbstsüchtiger und selbstbetrügerischer Kasuistik und einer Mischung aus Hochmut und mangelndem Gottvertrauen tendiere«, hat E. P. Sanders (Paul and Palestinian Judaism, S. 427; dt. Übersetzung, S. 405) zu Recht abgewiesen. Vgl. ähnlich **F. Mußner**, Die Kraft der Wurzel. Judentum – Jesus – Kirche, Freiburg 1987, S. 13-26. Nur müßte Sanders in gleicher Weise ernst nehmen, »daß einzelne Juden ihre Religion mißverstanden, falsch praktiziert oder gar mißbraucht« haben (ebd.). Das heißt: Für die Frömmigkeitskritik Jesu und des Apostels Paulus war genügend Anhalt im gelebten Leben von damaligen Juden. Insofern dürfen weder die Evangelien noch die Paulus-Briefe in ihren frömmigkeitskritischen Passagen hermeneutisch eliminiert oder interpretativ eskamotiert werden. Wer würde etwa das spätmittelalterliche Christentum nur nach den (gegen Werkgerechtigkeit sprechenden) theologischen Texten beurteilen wollen – unter Vernachlässigung der Kritik Luthers und der Reformatoren?

34 Vgl. Röm 2,1 - 3,20; 13,8-10; Gal 5,14.

35 Vgl. Röm 2,14f.

36 Vgl. Röm 2,11.
37 Röm 2,6; 1 Kor 3,12-15.
38 Röm 2,13. Vgl. den Kommentar von **P. Stuhlmacher**, 1989, Exkurs V: Das Endgericht nach den Werken, S. 44-46.
39 Röm 3,27. Als erster hat **G. Friedrich**, Das Gesetz des Glaubens, in: Theologische Zeitschrift 10 (1954), S. 401-417, in Röm 3,27 Gesetz (»nómos«) als die mosaische Tora interpretiert. Ähnlich für Röm 8,2 **E. Lohse**, Ho nomos tou pneumatos tes zoes. Exegetische Anmerkungen zu Röm 8,2 (1973), in: ders., Die Vielfalt des Neuen Testaments, Göttingen 1982, S. 128-136. Ihnen folgten: **P. von der Osten-Sacken**, Römer 8 als Beispiel paulinischer Soteriologie, Göttingen 1975. **C. E. B. Cranfield**, The Epistle to the Romans I, Edinburgh 1975, S. 375f. **F. Hahn**, Das Gesetzesverständnis im Römer- und Galaterbrief, in: Zeitschrift für neutestamentliche Wissenschaft 67 (1976), S. 29-63, bes. S. 47-51. **H. Hübner**, Das Gesetz bei Paulus. **U. Wilckens**, Der Brief an die Römer, Bd. II, S. 122f.
40 Vgl. Röm 3,31.
41 1 Kor 7,19.
42 Während unter den neueren Autoren **H. Räisänen** und **E. P. Sanders** die negative und die positive Verständnisweise des Gesetzes einfach nebeneinander stellen, als ob darin vor allem der ungelöste Konflikt in der Person und Theologie des Apostels Paulus zum Ausdruck käme, vertritt **P. von der Osten-Sacken**, wie im folgenden kurz zusammengefaßt, zu Recht eine dialektische Auffassung des paulinischen Gesetzesverständnisses, die unter »nómos« kohärent die mosaische Tora versteht: Die Heiligkeit der Tora. Studien zum Gesetz bei Paulus, München 1989, bes. S. 9-59. Vgl. schon früher **ders.**, Grundzüge einer Theologie in christlich-jüdischem Gespräch, München 1982; **ders.**, Evangelium und Tora. Aufsätze zu Paulus, München 1987. Die Gesamtintention, Paulus mehr aus dem Zusammenhang mit dem Judentum als im Gegensatz zu ihm zu interpretieren, findet sich auch bei **L. Gaston**, Paul and the Torah, Vancouver 1987.
43 Röm 7,7; vgl. 7,8-13.
44 Vgl. Gal 3,22-24.
45 Vgl. Röm 3,20; 4,15; 5,20.
46 Vgl. Röm 4.
47 Röm 3,21; vgl. 1,17.
48 Röm 10,4.
49 Vgl. Gal 3,13
50 So gegen **H. Räisänen** u. **E. P. Sanders P. von der Osten-Sacken** mit anderen, z. B. **R. Bring**, Christus und das Gesetz. Die Bedeutung des Gesetzes des Alten Testaments nach Paulus und sein Glauben an Christus, Leiden 1969. **M. Barth**, Das Volk Gottes. Juden und Christen in der Botschaft des Paulus, in: M. Barth u. a., Paulus – Apostat oder Apostel? Jüdische und christliche Antworten, Regensburg 1977, S. 45-134. **C. E. B. Cranfield**, The Epistle to the Romans, Bd. II, S. 515-520. Neuerdings wird diese

Interpretation bestätigt durch die (die ganze Interpretationsgeschichte und das gesamte biblische wie außerbiblische Wortfeld von »télos« aufarbeitende) Monographie von **R. Bardenas**, Christ the End of the Law. Romans 10,4, in: Pauline Perspective, Sheffield 1985, bes. S. 38ff. 150: »its fullfilled telos«.

51 Röm 3,27.
52 Röm 8,2.
53 1 Kor 7,19.
54 Röm 3,20; vgl. Gal 3,10.
55 2 Kor 3,7. 9.
56 2 Kor 3,6.
57 Gal 5,1.
58 Gal 5,13.
59 Gal 2,4.
60 Röm 6,14; vgl. 7,5f.
61 Vgl. **P. von der Osten-Sacken**, Die Heiligkeit der Tora, S. 48.
62 Im Anschluß an mehrere christliche Exegeten wie M. Barth, J. G. Gager, J. D. G. Dunn hat insbesondere der jüdische Gelehrte **A. F. Segal** herausgearbeitet, daß Paulus hier nach dem Kontext von den besonderen rituellen (»zeremoniellen«) Geboten der Tora (Halacha) spricht: »Obwohl die ›Werke des Gesetzes‹ eine direkte Übersetzung des hebräischen ›Ma'asei hatora‹ sind, so bezieht sich Paulus nicht auf die Tora, sondern auf die **Observanz** jüdischer zeremonieller Praktiken … ›Werke des Gesetzes‹ meint die zeremonielle Tora, diese speziellen Anordnungen, welche Juden von Heiden trennen« (aaO S. 124). An allen diesen Stellen würde Paulus nicht theologisieren, wie viele Neutestamentler meinten, sondern »sprechen über die eigene Rolle jüdischer Observanz in der christlichen Gemeinde« (Speisegebote, Feiertage, Reinheit und Beschneidung).
63 Vgl. 2 Kor 3,6.
64 Gegen L. Gaston, J. G. Gager und K. Stendahl bemerkt **A. F. Segal** zu Recht, daß Paulus nicht nur den Heiden den Weg zum Heil durch den Glauben ohne die jüdischen Ritualgebote öffnen will, sondern daß er darüber hinaus gegenüber den Juden bestreitet, daß das Heil durch Gesetzesbeobachtung erreicht werden könne: »Die Idee von zwei getrennten Pfaden – Heil für Heiden im Christentum und für Juden durch die Tora« – ist Segal zufolge nicht paulinisch (vgl. S. 130). Aber ob Segal seinerseits genügend die dritte durchaus auch paulinische Option reflektiert: die des Judenchristen, der seinen Glauben an Jesus Christus auch Paulus zufolge mit Gesetzesobservanz verbinden kann – wenn er sie im Geiste Jesu Christi, im Geist der Freiheit und der Liebe erfüllt?
65 Vgl. 1 Kor 7,19; Gal 6,15; Röm 4.
66 Vgl. Röm 2,29; in paulinischer Tradition Kol 2,11.
67 Vgl. Gal 4,10f.; ähnlich Kol 2,16f.
68 Vgl. Röm 14,1-6; Gal 2.

69 Vgl. 1Kg 9,19-23; Gal 3,28.
70 Vgl. Gal 2; Apg 15,1-34. Die beste Analyse bietet J. Eckert, aaO. Für den weiteren Kontext: W. A. Meeks - R. L. Wilken, Jews and Christians in Antioch in the First Four Centuries of the Common Era, Missoula/Montana 1978.
71 Vgl. Gal 2,11.
72 Vgl. Gal 5,1.
73 Vgl. Mk 7,8; 7,4.
74 Vgl. Mk 7,1-23.
75 Gal 5,13.
76 Röm 12,2; vgl. Phil 1,10.
77 1 Kor 6,12.
78 Ebd.
79 Röm 14,14; vgl. Tit 1,15: »Den Reinen ist alles rein.«
80 1 Kor 6,12.
81 1 Kor 10,23f.
82 1 Kor 9,19.
83 1 Kor 8,9.
84 Vgl. 1 Kor 9,19; Gal 5,13.
85 1 Kor 7,23.
86 1 Kor 10,29.
87 Vgl. 1 Kor 8,7-12; 10,25-30.
88 Vgl. Gal 5,6.
89 Daß auch die Gesetzesauffassung des Paulus in diesem Sinne innerjüdisch rezipiert werden könnte, hat der jüdische Religionshistoriker H.-J. Schoeps deutlich gemacht in: Paulus. Die Theologie des Apostels im Lichte der jüdischen Religionsgeschichte, Tübingen 1959, besonders S. 299-314. Schoeps erkennt die Gesetzeskritik des Apostels auch als ein »innerjüdisches Problem« an: »Wenn das Gesetz hier und heute nicht als zur Gänze erfüllbar scheint, weist das nicht vielleicht darauf hin, daß sich der Wille Gottes gar nicht im Gesetz erschöpft? Kann Erfüllung des Gesetzes Mosis im Wortverstande mit der Befolgung des göttlichen Willens überhaupt bruchlos in eins gesetzt werden?« (S. 299). In diesem Sinne habe Paulus – so Schoeps – »eine entscheidende Frage« gestellt, »die ihm die Tradition schuldig geblieben ist« (S. 300). Ja, es gibt für Schoeps eine »bis heute nicht eingelöste Mission des Rabbi Saulus innerhalb des Judentums« (S. 304).
90 Gal 5,13f.
91 Röm 13,8-10.
92 Gal 6,2.

B IV. Die Zukunft des Gottesvolkes

1 Röm 3,3.

2 Vgl. Ex 4,22.

3 Vgl. Röm 9,3.

4 Vgl. Röm 9,4f. Aus heutiger Perspektive hat das »große Glaubenserbe Israels« **F. Mußner** überzeugend zusammengefaßt: Traktat über die Juden, München 1979, S. 88-175. Er hebt folgende Elemente hervor: Monotheismus, Schöpfungsidee, Mensch als »Abbild« Gottes, Grundhaltung vor Gott, Bund, messianische Idee, Entdeckung der Zukunft, Sehnsucht nach einer gerechten Welt, Sühne und Stellvertretung, Gewissen und Dekalog, Gedenken, Sabbat, Auferweckung der Toten.

5 Vgl. Röm 9,2.

6 Röm 9,6.

7 Vgl. **E. Klein**, Making the Jewish voice heard, in: The Times vom 9.4.1991.

8 1 Kor 11,25; vgl. 2 Kor 3,6 (»Diener des neuen Bundes«); Gal 4,21-31 (zwei Söhne).

9 Jer 31,31f.

10 Guten Überblick über die verschiedenen Bundes-Theologien (ein Bund oder mehrere Bünde?) gibt der Artikel von **J. T. Pawlikowski**, Judentum und Christentum, in: Theologische Realenzyklopädie, Bd. 17, S. 390-403. Man wird aufgrund der authentischen Paulus-Briefe nicht darum herumkommen, von **einem Heilsplan** Gottes zu sprechen, der Israel und die Kirche umfaßt, aber gleichzeitig, ohne in die fatalen Fehler des traditionellen Substitutionsmodells zurückzufallen, von **zwei Bünden**, einem alten Bund und einem neuen Bund.

11 Vgl. Röm 11,2-10.

12 Röm 9,6.

13 Vgl. Röm 9,8-13.

14 Vgl. Röm 9,14-29.

15 Vgl. Röm 9,22-26.

16 Röm 11,17f.

17 Röm 11,26.

18 Vgl. Röm 11,25f.

19 Vgl. **M. Löhrer**, Gottes Gnadenhandeln als Erwählung des Menschen, in: Mysterium Salutis. Grundriß heilsgeschichtlicher Dogmatik, hrsg. von J. Feiner und M. Löhrer, Bd. IV,2, Zürich 1973, S. 818-825. Ebenso die Römerbriefkommentare von **E. Käsemann**, S. 303f. **H. Schlier**, S. 340. **U. Wilckens**, Bd II, S. 263-268. **P. Stuhlmacher**, S. 154-157.

20 Röm 11,26f.

21 Vgl. auch die Kontroverse um F. Mußners These vom »Sonderweg« Israels bei der Errettung unter Berufung u. a. auf die Studie von **M. Theobald**, Überfließende Gnade, 1982, in: F. Mußner, Die Kraft der Wurzel, S. 48-54. Vgl. auch **F. Mußner**, Traktat über die Juden, S. 59-61. **M. Theobald** hat die Ergebnisse seiner Studie bezüglich Israel weitergeführt und hermeneutisch reflektiert in dem Aufsatz: Kirche und Israel nach Römer 9-11, in: Kairos 29 (1987), S. 1-22.

22 Röm 11,32.
23 Röm 11,33-35.
24 Röm 11,36.
25 Vgl. Röm 4,20.
26 Röm 11,11. 14: »parazeloun«.
27 Röm 11,11.
28 **Französische Bischofskonferenz**, »Die Haltung der Christen gegenüber dem Judentum. Pastorale Handreichungen« vom 16. April 1973, in: R. Rendtorff – H. H. Henrix (Hrsg.), Die Kirchen und das Judentum. Dokumente von 1945 bis 1985, Paderborn 1988, S. 149-156, Zit. S. 155f.
29 **S. Ben-Chorin**, Paulus. Der Völkerapostel in jüdischer Sicht, München 1980, S. 142.
30 Ex 20,9f. Zum **Sabbat** allgemein vgl. den Art. Sabbath in der Encyclopaedia Judaica: in der Bibel (**M.Greenberg**), in Apokryphen und rabbinischer Literatur, jüdischer Philosophie und Gesetzgebung (**L. Jacobs**), in der Kabbala (**E. Gottlieb**) und in der Kunst (**A. Kanof**).
31 Vgl. **L. Fleischmann**, Lob des Schabbat. Ein Tag für die Natur, in: Die Zeit vom 6. April 1990: Der Sabbat als »der Tag der Besinnung, der Tag des Herrn, der Tag der Familie«. Zum »Battle for the Sabbath« in Israel vgl. **T. Segev**, 1949. The First Israelis, New York 1986, Kap. 8.
32 Vgl. **W. Rordorf**, Der Sonntag. Geschichte des Ruhe- und Gottesdiensttages im ältesten Christentum. Zürich 1962. Rordorfs Arbeit ist zu Recht gegliedert in I. Der Ruhetag (Sabbatfrage, Sonntag als Ruhetag), II. Der Gottesdiensttag (Ursprung, älteste Formen und Namen der Sonntagsfeier). Dazu die Lexikonartikel zu Sonntag oder Sonntagsruhe in: Lexikon für Theologie und Kirche (**L. Koep, A. Stiegler**). Religion in Geschichte und Gegenwart (**E. Hertzsch, H. W. Surkau**). Interessanterweise finden sich in der Encyclopedia of Religion lange Artikel über »Sun« und »Sun Dance«, aber keiner über »Sunday«!
33 Mt 28,1. Mk 16,2.
34 Apg 1,10.
35 Vgl. 1Kor 16,2; Apg 20,7.
36 Vgl. Apostolische Konstitutionen, VIII,33, in: Didascalia et Constitutiones Apostolorum, hrsg. v. F. X. Funk, Bd. I, Paderborn 1905, S. 539.
37 Vgl. **W. Rordorf**, Sabbat und Sonntag in der Alten Kirche, Zürich 1972. Dieser Band enthält alle wichtigen Texte der griechisch-lateinischen Patristik samt deutscher Übersetzung zum Sabbat und zum Sonntag.
38 **J. Blank**, Den Sonntag verkaufen?, in: Zur Debatte, November/Dezember 1989, S. 9.
39 Bezeichnend für die mittelalterlich-weltfremde Einstellung der gegenwärtigen katholischen Kirchenleitung und die ökumenische Stagnation ist das »Gemeinsame Wort der Deutschen Bischofskonferenz und des Rates der Evangelischen Kirche in Deutschland« vom 1. Adventssonntag 1984, welches nicht nur die von vielen Christen schon längst praktizierte Euchari-

stiegemeinschaft, sondern auch ökumenische Gottesdienste am Sonntag möglichst zu verhindern trachtet. Lieber noch weniger Gottesdienstbesucher, hat man den Eindruck.

C. Juden, Muslime und die Zukunft des Staates Israel

C I. Das große Ideal

1   T. Herzl, Der Judenstaat, Leipzig-Wien 1896, Berlin [11]1936, S. 30.

2   Vgl. H. R. Greenstein, Judaism – an Eternal Covenant, Philadelphia 1983, der den Bund und seine Elemente im Reformerischen, Konservativen, Orthodoxen und »Rekonstruktiven« Judentum untersucht.

3   Vgl. Kommission für die religiösen Beziehungen zum Judentum, Hinweise für eine richtige Darstellung von Juden und Judentum in der Predigt und in der Katechese der katholischen Kirche vom 24. Juni 1985, Art. 25, in: R. Rendtorff – H. H. Henrix (Hrsg.), Die Kirchen und das Judentum. Dokumente von 1945 bis 1985, Paderborn 1988, S. 102. Aufgrund der bekannten Position des Vatikans ist es nicht verwunderlich, daß viele römisch-katholische Dokumente zum Staat Israel überhaupt nicht oder nur kurz und dann in erster Linie aus rein politischer Perspektive Stellung nehmen. Am weitesten geht wieder die **französische Bischofskonferenz** in ihrer Erklärung »Die Haltung der Christen gegenüber dem Judentum. Pastorale Handreichungen« vom 16. April 1973, Kap. V: Sie betont nicht nur das Existenzrecht des Staates Israel (»das Weltgewissen (könne) dem jüdischen Volk … nicht das Recht und die Mittel auf eine politische Existenz unter den Völkern versagen«), sondern berücksichtigt auch dessen religiöses Selbstverständnis (»Christen … müssen auf die Interpretation Rücksicht nehmen, welche die Juden selbst von ihrer Sammlung um Jerusalem geben«) (aaO S. 154).

4   Zum Beispiel: J. Peters, From Time Immemorial. The Origins of the Arab-Jewish Conflict over Palestine, New York 1984, bes. Kap. 7-8.

5   Die Zahlen stammen von **Yehoshua Porath**, israelischer Historiograph der palästinensischen Araber.

6   **Rat der EKD**, Studie »Christen und Juden« vom Mai 1975, Art. III, 3, in: Rendtorff-Henrix, aaO S. 573.

7   T. Herzl, aaO S. 83.

8   Zur **Halacha** vgl. G. Horowitz, The Spirit of Jewish Law. A Brief Account of Biblical and Rabbinical Jurisprudence with a Special Note on Jewish Law and the State of Israel, New York 1963. Zum **Recht** in Israel vgl. A. Bin-Nun, Einführung in das Recht des Staates Israel, Darmstadt 1983.

9   D. Hartman, Pluralism Within the Judaic Tradition, Jerusalem 1990, S. 9.

10 Vgl. B. Avishai, The Tragedy of Zionism. Revolution and Democracy in the Land of Israel, New York 1985.

11 Auf all die praktischen Fragen des Judeseins antwortet der amerikanische Rabbiner **M. N. Kertzer**, What is a Jew? (1953), New York ⁴1978.

C II. Der tragische Konflikt

1 Vgl. International Herald Tribune vom 30. April 1991.

2 Bis zuletzt hoffte ich, daß die Verhandlungen von Außenminister James Baker einige konkrete Ergebnisse zeitigen würden und ich einige Abschnitte in diesem Kapitel »Der tragische Konflikt« als jetzt gegenstandslos streichen könnte. Doch diese Art von geheimer Pendeldiplomatie ist wieder einmal – wie schon unter Außenminister George Schultz – gescheitert. Die arabischen Widerstände wären zu überwinden gewesen, wenn sich die israelische Regierung bereit erklärt hätte, Land gegen Frieden zu tauschen. Umso deutlicher muß auf die verhängnisvollen Auswirkungen der gegenwärtigen israelischen Politik aufmerksam gemacht werden (vgl. auch Epilog).

3 Vgl. **J. Parkes**, Whose Land? A History of Palestine, Harmondsworth/England ²1970.

4 Einen guten Überblick über die Auseinandersetzungen in Nahost seit dem Ersten Weltkrieg bieten **F. Schreiber – M. Wolffsohn**, Nahost. Geschichte und Struktur des Konflikts, Opladen 1987.

5 Vgl. die sorgfältige und differenzierte Analyse von **B. Morris**, The Birth of the Palestinian Refugee Problem, 1947-1949, Cambridge 1987. Ihr Resultat: »The Palestinian refugee problem was born of war, not by design, Jewish or Arab. It was largely a by-product of Arab and Jewish fears and of the protracted, bitter fighting that characterised the first Israeli-Arab war; in smaller part, it was the deliberate creation of Jewish and Arab military commanders and politicians« (S. 286). Doch müßten hier gleichzeitig die Ergebnisse der im 2. Hauptteil (A III) referierten Untersuchungen von **S. Flapan** über »Die Geburt Israels« (1987) berücksichtigt werden.

6 **J. Leibowitz** (mit M. Shashar), Al olam umlo'oh, Jerusalem 1987; dt.: Gespräche über Gott und die Welt, Frankfurt 1990, S. 11.

7 AaO S. 10f.

8 Dies bestätigt auch der Historiker: vgl. **H. S. Sachar**, A History of Israel, Bd. II: From the Aftermath of the Yom Kippur War, New York 1987.

9 **J. Leibowitz**, aaO S. 15.

10 Vgl. **G. Meir**, My Life, London 1975; dt.: Mein Leben, Hamburg 1975.

11 **J. Leibowitz**, aaO S. 16.

12 AaO S. 11f.

13 AaO S. 11.

14 AaO S. 13.

15 Ebd.

16 Vgl. zu verschiedenen Einstellungen der Bevölkerung und zu Cohens Ansicht den instruktiven Bericht von **P. Rosenkranz**, »Zum Teufel mit den

Arabern – oder mit den besetzten Gebieten?«, in: Vaterland (Luzern) vom 21. April 1990. Hier die folgenden Zitate.

17 Vgl. **M. H. Ellis**, Toward a Jewish Theology of Liberation. The Uprising and the Future, New York ²1989, S. 133f.

18 Vgl. **P. Lévy**, Die jüdische Mitte – politische Aspekte, Vortrag in Zürich vom 1.3.1990 (Manuskript).

19 **M. Wolffsohn**, Israel. Grundwissen – Länderkunde. Politik – Gesellschaft – Wirtschaft, Opladen 21987, S. 28.

20 AaO S. 29f.

21 AaO S. 24.

22 Vgl. **R. I. Friedman**, Autor des Buches »The False Prophet: Rabbi Meir Kahane, From FBI Informant to Knesset Member«, schreibt anläßlich der Ermordung Kahanes: »Kahaneism – the hatred of Arabs, liberal Jews and Western culture – has had anything but a limited impact in Israel. Indeed, some of Mr. Kahane's ideas have taken root and have become respectable … No cult is likely to develop around Mr. Kahane now … But the rabbi will leave behind a legacy of hatred and violence that will trouble Israelis and American Jews for some time.« **R. I. Friedman**, Kahane's Message of Hatred and Violence Will Fade, in: International Herald Tribune vom 8. Nov. 1990.

23 Zu nennen ist hier besonders das israelische Komitee für die Menschenrechte unter Professor **Israel Schahak**, Jerusalem.

24 Vgl. den Bericht über die besetzten arabischen Gebiete von Amnesty International, London 1990; ebenso den Bericht von Middle East Watch, in: International Herald Tribune vom 1. August 1990. Dagegen ist die penible inquisitorische Ausfragerei bei der Ausreise auf dem Flughafen Tel Aviv, wie man sie früher nicht einmal in den kommunistischen Staaten erlebte, harmlos – und nutzlos.

25 Vgl. **D. Grossmann**, The Yellow Wind, New York 1988; dt.: Der gelbe Wind. Die israelisch-palästinensische Tragödie, München 1988.

26 Vgl. **Y. Harkabi**, The Bar Kokhba Syndrome. Risk and Realism in International Politics, Chappaqua/New York 1983.

27 **Ders.**, Israel's Fateful Decisions, London 1988.

28 Vgl. **A. Rubinstein**, The Zionist Dream Revisited. From Herzl to Gush Emunim and Back, New York 1984.

29 Vgl. **B. Beit-Hallahmi**, The Israel Connection. Who Israel Arms and Why, New York 1987; dt.: Schmutzige Allianzen. Die geheimen Geschäfte Israels, München 1988.

30 **A. Eban**, Israel: Talking to the PLO Doesn't Mean Approval, in: International Herald Tribune vom 25. Juli 1989.

31 Angaben von Israels Central Bureau of Statistics, in: New York Times vom 19. Okt. 87.

32 Zahlen nach: Aktuell '91. Das Lexikon der Gegenwart, Dortmund 1990, S. 475.

33 Berichtet von **P. Rosenkranz**, ebd.

34 Vgl. **A. Flores**, Intifada. Aufstand der Palästinenser, Berlin 1988, ²1989.

35 Wichtige Informationen über die neueste Situation verdanke ich **Felicia Langer**, einer jüdischen Patriotin, die als Anwältin seit 1967 immer wieder Palästinenser vor israelischen Gerichten verteidigt hat, die aber, da sie sich bedroht fühlte und nichts mehr erreichen konnte, ihre Kanzlei in Jerusalem schloß und sich nach Tübingen zurückzog, um gerade so ihre Aufklärungsarbeit fortzusetzen. 1990 erhielt sie dafür den Alternativen Nobelpreis für ihre Menschenrechtsarbeit. Über ihre Erfahrungen von 1979 bis 1988 veröffentlichte sie das Buch: An Age of Stone, London 1988; dt.: Die Zeit der Steine. Eine israelische Jüdin über den palästinensischen Widerstand, Bornheim-Merten 1990. Über den Dialog von friedenswilligen Israelis mit PLO-Vertretern berichtet der in Deutschland geborene israelische Journalist **U. Avnery**, My Friend, the Enemy, London 1986; dt.: Mein Freund, der Feind, Bonn 1988.

36 Vgl. International Herald Tribune vom 24. Okt. 1990.

37 Wenn man selber wenige Tage später auf dem Tempelplatz die Blutspuren und die Einschläge einer wilden Schießerei sogar im Inneren der Tempelberg-Moschee gesehen und wenige Monate früher – unmittelbar vor der Ermordung von sieben Palästinensern durch einen angeblich geistesgestörten Israeli bei Tel Aviv – vom Kommandanten einer Panzereinheit gehört hat, alle Palästinenser seien »monkeys«, Affen, nicht Menschen (Begin sprach von der PLO als »zweibeinigen Tieren«), ist man über die zahllosen und kaum berichteten Exzesse der Gewalt gegenüber Palästinensern so erstaunt nicht. Und erstaunlich ebensowenig: Anschließend an das einseitige Massaker auf dem Jerusalemer Tempelberg kaum ein Wort der Entschuldigung von Seiten des israelischen Ministerpräsidenen Schamir, ja, eine wiederholte grobe Ablehnung einer vom UNO-Sicherheitsrat einstimmig beschlossenen Untersuchungskommission für Jerusalem und Brüskierung der Vereinigten Staaten, Israels engstem Verbündeten. Ob eine so demonstrierte Gefühllosigkeit gegenüber fremdem Leid und Schmerz und eine gegenüber allen Appellen zur Vernunft taube Politik, welche Israels Feinde nicht beeindruckt und Israels Freunde in Verlegenheit bringt, dem Staat Israel aber nicht noch mehr schaden wird?

38 **M. Scharett**, Diaries: 31. März 1955, S. 840; zitiert bei S. Flapan, The Birth of Israel, New York 1987; dt.: Die Geburt Israels, München 1988, S. 357.

39 Vgl. International Herald Tribune vom 6./7. April 1991.

40 Vgl. **I. W. Charny**, How Can We Commit the Unthinkable? Genocide: the Human Cancer, Boulder/Col. 1982; ders. (Hrsg.), Toward the Understanding and Prevention of Genocide. Proceedings of the International Conference on the Holocaust and Genocide, Tel Aviv 1982, Boulder/Col. 1984.

41 **M. H. Ellis**, aaO S. 132. 134 und Vorwort zur 2. Auflage.

42 **J. Leibowitz**, aaO S. 21f.
43 AaO S. 22.

C III. Auf dem Weg zum Frieden

1   **F. Husseini – Y. Dayan**, »The Mideast Moderates Must Make a Stand«, in: International Herald Tribune vom 23./24. Juni 1990.
2   Vgl. **E. Tivnan**, The Lobby. Jewish Political Power and American Foreign Policy, New York 1987: »The lobby is powerful enough to engender fear among dissenters in the uppermost levels of American government and the American Jewish community« (S. 12). Als Ergebnis wird in diesem höchst informativen Buch festgehalten: »In American domestic political terms, AIPAC had become a symbol of the final arrival of the Jews as Americans. They had quickly succeeded in business, banking, and the arts, and now politics. U.S. representatives and senators feared and cultivated ›Jewish muscle‹; few ambitious American politicians could even dream of higher office without the prospect of Jewish money. And thus AIPAC's policies affected the politics of America, and the policies of the U.S. government. AIPAC's role was not only impressive, it was phenomenal« (S. 242).
3   Zit. aaO S. 251f.
4   Auf diese Zahlen des Forschungszentrums für Strategische Studien in Tel Aviv und auf die Unwahrscheinlichkeit eines erneuten militärischen Eingreifens der übrigen arabischen Mächte zugunsten der PLO beruft sich Israels früherer Außenminister **Abba Eban** und sieht deshalb Israel stark genug zum Dialog: »Die Freunde Israels sollten sich davor hüten, einen falschen Mythos israelischer Schwäche aufzubauen. Israel muß sich jetzt dazu durchringen, die UN-Resolution Nr. 242 und das Prinzip ›Territorium im Austausch gegen Frieden‹ zu akzeptieren. Und um diesen Schritt zu wagen, ist Israel stark genug.« **A. Eban**, »Stark genug zum Dialog. Israel sollte das Umdenken der PLO begrüßen«, in: Die Zeit vom 20. Jan. 1989.
5   Dies schließt auch eine »größere regionale und interregionale Kooperation«, wie etwa von Jordanien im Rahmen des Arab Cooperation Council (ACC: Jordanien, Ägypten, Irak und Nord-Yemen) gewünscht, nicht aus. Vgl. **Kronprinz Hassan**, »From Jordan, a New Bid to Free the Dove«, in: International Herald Tribune vom 28./29. April 1990.
6   Gen 15,18.
7   Deut 1,7f.
8   Deut 11,24.
9   Vgl. Ps 72,8.
10 Vgl. Num 34,3-15; Ez 47,15-20.
11 **J. J. Petuchowski**, Drei Stadien im christlich-jüdischen Gespräch, in: Orientierung 49 (1985) S. 66.
12 **T. Herzl**, Der Judenstaat, Leipzig 1896, Berlin [11]1936, S. 83.

13 Vgl. die Diskussion zwischen **H. Bookbinder**, dem langjährigen Repräsentanten des American Jewish Committee in Washington, und **J.G. Abourezk**, dem Gründer des amerikanisch-arabischen Anti-Discrimination Committee: Through Different Eyes. Two Leading Americans – a Jew and an Arab – Debate U. S. Policy in the Midde East, Bethesda/Maryland 1987.

14 Sehr konstruktiv die Sicht eines christlichen Palästinensers: **N. S. Ateek**, Justice, and Only Justice. A Palestinian Theology of Liberation, New York 1989. Das Buch schließt mit folgenden Worten: »The Challenge to Palestinian Christians, and indeed to all Palestinians and to all people in this conflict in Israel-Palestine, is: do not destroy yourself with hate; maintain your inner freedom; insist on justice, work for it, and it shall be yours.« (S. 187). Erst nach Abschluß des Manuskripts erhalte ich Kenntnis von einem anderen Buch zum israelisch-palästinensischen Konflikt aus christlich-theologischer Sicht: **R. Radford Ruether – H. J. Ruether**, The Wrath of Jonah. The Crisis of Religious Nationalism in the Israeli-Palestinian Conflict, San Francisco 1989.

15 **D. Hartman**, Pluralism Within the Judaic Tradition, Jerusalem 1990, S. 17f.

C IV. *Eine realutopische Vision des Friedens*

1 Vgl. Ps 34,15.

2 Der deutsch-jüdische Literaturwissenschaftler marxistischer Provenienz **Hans Mayer** (Tübingen) fühlte sich gerade durch ein Gastsemester in Jerusalem herausgefordert, mit seiner Autobiographie zu beginnen: Ein Deutscher auf Widerruf. Erinnerungen, Bd. I-II, Frankfurt 1982/84.

3 **P. Scholl-Latour** in dem von ihm herausgegebenen Knaurs Weltspiegel '90. Die kompakte Information zum Zeitgeschehen, München 1989, S. 30.

4 **J. Madaule**, L'Universo dello Spirito. Gerusalemme. La città santa di tre religioni, Mailand 1981; dt.: Jerusalem. Die heilige Stadt dreier Religionen, Freiburg 1982, S. 105 (mit hervorragenden Fotografien des Japaners Y. Zenyoji). Vgl. **T. Kollek – M. Pearlman**, Jerusalem – Sacred City of Mankind. A History of Forty Centuries, London 1968; dt. Neuausgabe: Jerusalem. Heilige Stadt der Menschheit. Seine Geschichte in vier Jahrtausenden, Frankfurt 1969. **A. Elon**, Jerusalem. City of Mirrors, Boston 1989; dt.: Jerusalem. Innenansichten einer Spiegelstadt, Reinbek 1990.

5 **T. Kollek**, »Wir haben die Araber vernachlässigt«, in: Die Zeit vom 2. Nov. 1990.

6 Auf diesen Aspekt der Frage hat mich Professor **Clemens Thoma** (Luzern) aufmerksam gemacht.

7 Vgl. Mt 5,5.

8 Vgl. Mt 5,9.

9 Im Zusammenhang mit dem Friedensplan von US-Außenminister James
   Baker wurde diese Lösung nicht nur im arabischen Jerusalem, sondern
   auch in Europa und in den USA verschiedentlich vertreten. Ganz auf dieser Linie schrieb **M. C. Hudson**, Professor für internationales Recht und
   Mitglied des Zentrums für Zeitgenössische Arabische Studien an der
   Georgetown University (Washington D. C.) und Herausgeber eines angekündigten Buches mit dem Titel »The Palestinians: New Directions«:
   »Given the new flexibility being shown by the Palestine Liberation Organization and leading Palestinians in the occupied territories, as well as the
   creative thinking within Israeli public opinion, it should not be beyond
   the wit of the negotiators to find a formula whereby Jerusalem remains a
   unified municipality and the capital of both the Israeli and the Palestinian
   states.« In: **M. C. Hudson**, »Jerusalem: Bush Returns the Spotlight to an
   Unsettled Issue«, in: International Herald Tribune vom 3. April 1990.
10 **M. Abdul Hadi – B. Sabella** (Palestinian Academic Society), Jerusalem:
   Out of the Dark Tunnel, S. 4f. Manuskript vom 26. Okt. 1990.
11 Übersetzung nach **R. Paret**, Der Koran, Sure 17,1 (Stuttgart 1979),
   S. 196. **A. T. Khoury**, Der Koran, Gütersloh 1987, übersetzt »von der
   heiligen Moschee zur fernsten Moschee« (S. 211). **R. Paret** macht in seinem Kommentarband (Stuttgart 1971, ³1980) zu seiner Koranüberset-
   zung S. 296 klar, daß »die ferne Gebetsstätte« (al-masgid al-aqsa) Jerusalem (oder ein Ort innerhalb von Jerusalem) gemeint ist. Nach muslimischer Überlieferung hat die Erschaffung des Menschen hier stattgefunden,
   und wird hier auch das Gericht stattfinden. Kein heiligerer Berg im Islam
   als dieser Berg von Jerusalem.
12 Vgl. **M. Rosen-Ayalon**, The early Islamic monuments of Al-Haram Al-
   Sharif. An iconographic study, Jerusalem 1989. Den neuesten Deutungs-
   versuch des »Felsendoms« (in englischer Umschrift »Qubbat al-Sakhra«)
   – als »Zelt« (arabisch »qubba«) über dem Gottesthron auf dem Felsen –
   hat vorgelegt **J. van Ess**, 'Abd al-Malik and the Dome of the Rock. An
   Analysis of Some Texts, in: J. Raby (Hrsg.), 'Abd al-Malik's Jerusalem, erscheint demnächst in Oxford (am Ende des Artikels reichhaltige Literaturangaben).
13 AaO bes. S. 46-72.
14 Wichtig für die Praxis des jüdisch-christlichen Zusammenlebens besonders das Feld der Erziehung. Vgl. dazu das Sonderheft des von Professor
   Leonard Swidler (Temple University / Philadelphia) hrsg. Journal of Ecumenical Studies 21 (1984) Heft 3: »Jews and Judaism in Christian Edu-
   cation«. In dieser Zeitschrift finden sich regelmäßig Artikel, Berichte und
   Rezensionen zum jüdisch-christlich-islamischen Dialog. Neben der bereits zur Sprache gebrachten Dialogliteratur seien noch folgende hilfreiche
   Bücher genannt: **R. Pfisterer**, Von A bis Z. Quellen zu Fragen um Juden
   und Christen, Neukirchen 1971, erweiterte Neuausgabe 1985. **J. J. Petuchowski** (Hrsg.), When Jews and Christians Meet, New York 1988.

D. Novak, Jewish-Christian Dialogue. A Jewish Justification, New York 1989. **M. Saperstein**, Moments of Crisis in Jewish-Christian Relations, London 1989.

D. Der Holocaust und die Zukunft des Redens von Gott

D I. Der Holocaust in jüdischer Theologie

1   Zur **Historie** des Holocausts vgl. die Literatur im 2. Hauptteil, Kap. A I. Zur **theologischen Wertung** vgl. unter vielen anderen: **F. H. Littell**, The Crucifixion of the Jews, New York 1975. (Prof. Franklin Littell kommt das Verdienst zu, als einer der ersten christlichen Theologen die Holocaust-Problematik ernstgenommen und durch seine publizistische Tätigkeit breit zur Diskussion gebracht zu haben). **I. J. Rosenbaum**, The Holocaust and Halakha, New York 1976. **J. T. Pawlikowski**, The Challenge of the Holocaust for Christian Theology, New York 1978. **A. J. Peck** (Hrsg.), Jews and Christians After the Holocaust, Philadelphia 1982. **J. Kohn**, Haschoah. Christlich-jüdische Verständigung nach Auschwitz, München 1986. **G. B. Ginzel** (Hrsg.), Auschwitz als Herausforderung für Juden und Christen, Heidelberg 1980.

2   Vgl. **R. L. Rubenstein**, After Auschwitz. Radical Theology and Contemporary Judaism, Indianapolis 1966. In einem Beitrag aus dem Jahre 1988 gesteht Rubenstein einen Wandel seiner Auffassungen ein: »When I wrote ›After Auschwitz‹, I stressed both the punitive and exclusivist aspects of the doctrine of covenant and election. Over the years I have come to appreciate the other side of the picture: humanity's profound need for something like the covenant or its functional equivalent«: ders., Covenant and Holocaust, in: Y. Bauer u. a. (Hrsg.), Remembering for the Future. Working Papers and Addenda, Bd. I, Oxford 1989, S. 662-671, Zit. S. 666.

3   Vgl. zur Theodizee-Problematik **H. Küng**, CS Kap. VI, 2; ders., EG Kap. G III, 2.

4   Zur Bestimmung dieser Ungeheuerlichkeit und zur Abwehr aller sprachlichen Verharmlosung des Holocaust-Faktums hat der jüdische Theologe **A. A. Cohen** die Begriffe »Tremendum« und »Caesura« in einem eindrücklichen Plädoyer vorgeschlagen: The Tremendum. A Theological Interpretation of the Holocaust, New York 1981.

5   Vgl. zum Überblick über die Diskussion **M. Brocke – H. Jochum** (Hrsg.), Wolkensäule und Feuerschein. Jüdische Theologie des Holokaust, München 1982 (hier besonders die Beiträge von I. Maybaum, I. Greenberg, M. Wyschograd). **E. B. Borowitz**, Choices in Modern Jewish Thought. A Partisan Guide, New York 1983, Kap. 9, und das von E. Schüssler-Fiorenza und D. Tracy hrsg. Heft »Der Holocaust als Kontinuitätsbruch« der Internationalen Zeitschrift für Theologie Concilium 20 (1984), Heft 5.

6   J. **Neusner**, Holocaust – Mythos und Identität, in: M. Brocke – H. Jochum (Hrsg.), aaO S. 195-212, Zit. S. 211.

7   **M. Wyschogrod**, zit. bei J. Neusner, aaO S. 207f.

8   Vgl. die Gefahrenanzeige bei **M. Wolffsohn**, Ewige Schuld? 40 Jahre deutsch-jüdisch-israelische Beziehungen, München 1988, S. 65-71. 81.

9   Vgl. **E. L. Fackenheim**, To Mend the World. Foundations of Future Jewish Thought, New York 1982. Fackenheim wendet sich allerdings nicht nur gegen R. Rubenstein, sondern auch gegen **E. Berkovitz** (With God in Hell, New York 1979), für den sich der Glaube nach dem Holocaust, wiewohl tief erschüttert, deshalb doch nicht verändert hat (S. 309). Vgl. **ders.**, Art. Holocaust, in: Contemporary Jewish Religious Thought, S. 399-408.

10 **E. L. Fackenheim**, God's Presence in History. Jewish Affirmations and Philosophical Reflections, New York 1970, S. 84 (Fackenheim zitiert diese Passage aus einem früheren Aufsatz von ihm unter dem Titel: »Jewish Faith and the Holocaust«, in: Commentary, 1967).

11 Vgl. **ders.**, What is Judaism? An Interpretation for the Present Age. New York 1987.

12 Vgl. **F. Stern**, Dreams and Delusions. The Drama of German History, New York 1987; dt.: Der Traum vom Frieden und die Versuchung der Macht. Deutsche Geschichte im 20. Jahrhundert, Berlin 1988.

13 Vgl. Offb 20,1-6.

14 **T. Mann**, Meine Zeit, in: Gesammelte Werke, Bd. XI, Frankfurt 1960, S. 315.

15 Vgl. **F. Nietzsche**, Fröhliche Wissenschaft III, 125, in: Werke in drei Bänden, Bd. II, München 1955, S. 127.

16 Zur Problematik des Nihilismus bei Nietzsche vgl. **H. Küng**, EG Kap. D I, 3: Was ist Nihilismus?; D II: Überwindung des Nihilismus.

17 Schon früh hat auf Hitlers Nihilismus aufmerksam gemacht der Danziger Nationalsozialist und Präsident des Danziger Senats, **H. Rauschning**, der aber im Konflikt mit dem Gauleiter 1934 sein Amt niederlegte und 1936 in die Schweiz emigrierte, mit den Büchern: Die Revolution des Nihilismus. Kulisse und Wirklichkeit im Dritten Reich (1938), Gespräche mit Hitler (1940). Vgl. **T. Schieder**, Hermann Rauschnings »Gespräche mit Hitler« als Geschichtsquelle, Opladen 1972.

18 **M. Buber**, Werke, Bd. I, München 1962, S. 520.

19 **E. B. Borowitz**, aaO S. 215.

20 Vgl. **I. Greenberg**, Religious Values After the Holocaust: A Jewish View, in: A. J. Peck, aaO S. 63-86.

21 AaO S. 73.

22 **E. B. Borowitz**, aaO S. 216f.

D II. Das Gottesverständnis nach Auschwitz

1 Vgl. dazu, neben dem Folgenden, die Literatur im 2. Hauptteil, Kap. A I und im 3. Hauptteil, Kap. D I.

2 **H. Jonas**, Der Gottesbegriff nach Auschwitz. Eine jüdische Stimme, Tübingen 1984; Taschenbuchausgabe Frankfurt 1987, S. 7.

3 Vgl. aaO S. 37-42.

4 AaO S. 25f.

5 AaO S. 30f.

6 AaO S. 32f.

7 AaO S. 41.

8 Vgl. **G. Scholem**, Die jüdische Mystik in ihren Hauptströmungen, Zürich 1957.

9 Vgl. 1. Hauptteil, Kap. C IV, 1.

10 **G. Scholem**, aaO S. 286.

11 Ebd.

12 **H. Jonas**, aaO S. 47.

13 Vgl. **J. Moltmann**, Trinität und Reich Gottes. Zur Gotteslehre, München 1980, bes. Kap. IV, § 2.2: Gottes Selbstbeschränkung; **ders.**, Gott in der Schöpfung. Ökologische Schöpfungslehre, München 1985, bes. Kap. IV, § 3: Schöpfung aus nichts. **E. Jüngel**, Gottes ursprüngliches Anfangen als schöpferische Selbstbegrenzung. Ein Beitrag zum Gespräch mit Hans Jonas über den »Gottesbegriff nach Auschwitz«, in: Gottes Zukunft – Zukunft der Welt. Festschrift für Jürgen Moltmann zum 60. Geburtstag, hrsg. von H. Deuser u. a., München 1986, S. 265-275.

14 Vgl. **H. Küng**, Menschwerdung Gottes. Eine Einführung in Hegels theologisches Denken als Prolegomena zu einer künftigen Christologie, Freiburg 1970. TB-Ausgabe München 1989, bes. Kap. VIII: Prolegomena zu einer künftigen Christologie, und Exkurse I-V.

15 Vgl. **ders.**, CS, EG, CR Kap. III, 2.

16 **G. Scholem**, aaO S. 286.

17 Vgl. **E. Jüngel**, aaO S. 268.

18 **L. Jacobs**, A Jewish Theology, London 1973.

19 AaO S. 31.

20 AaO S. 34.

21 Vgl. aaO S. 25-27.

22 AaO S. 77. In seinem früheren Werk »Principles of the Jewish Faith. An Analytical Study« (London 1964) hat **L. Jacobs** darauf hingewiesen, daß nicht nur alle katholischen und islamischen Denker, sondern auch viele einflußreiche protestantische und jüdische (und insbesondere alle mittelalterlichen jüdischen) Theologen die Lehre von einem »endlichen Gott« ablehnen: »The basic objection to the idea is that a finite God would not be God at all, just as a slightly flat circle would not be a circle at all« (S. 148). – Was kritisch-konstruktiv zu einem werdenden Gott bei Hegel, Whitehead

oder Teilhard de Chardin zu sagen ist, habe ich dargelegt in EG, Kap. B:
Das neue Gottesverständnis.

23 **J. B. Soloveitchik**, Halakhic Man, New York 1983, S. 49.

24 AaO S. 52.

25 Vgl. aaO S. 48.

26 **Nicolaus Cusanus**, De docta ignorantia (1440); dt.: Die belehrte Unwissenheit, Hamburg 1964, Buch I, Kap. 26, S. 113.

27 **Ders.**, Directio speculantis seu de non aliud (1462); dt.: Vom Nichtande-
ren, Hamburg 1952, S. 87.

28 Bestätigt sehe ich mich in meiner eigenen Kritik an der Vorstellung vom
»leidenden Gott« durch **J. B. Metz**, Theologie der Theodizee?, in: W. Oel-
müller (Hrsg.), Theodizee – Gott vor Gericht?, München 1990, S. 103-
118:»Ich will meine Zurückhaltung erläutern. Wieso ist die Rede vom leidenden Gott am Ende nicht doch nur eine sublime Verdoppelung menschlichen Leidens und menschlicher Ohnmacht? Wieso führt die Rede vom
Leiden in Gott bzw. vom Leiden zwischen Gott und Gott nicht doch zu
einer Verewigung des Leidens? ... Ich glaube nicht, daß uns die Christologie nötigt oder auch nur legitimiert, vom leidenden Gott bzw. vom Leiden
in Gott zu sprechen« (S. 117).

29 Hierin sehe ich auch den grundlegenden Konsens mit meinen Tübiger Kollegen und Freunden **Jürgen Moltmann** und **Eberhard Jüngel**, die sich beide
um eine Vertiefung des Gottesverständnisses angesichts der ungeheuren
Negativität von Leid und Tod mit bewundernswerter Intensität bemüht
haben.

30 **D. Bonhoeffer**, Widerstand und Ergebung. Briefe und Aufzeichnungen aus
der Haft, hrsg. von E. Bethge, München 1961, S. 242.

31 **D. Tracy**, Religious Values after the Holocaust: A Catholic View, in: Jews
and Christians after the Holocaust, hrsg. v. A. J. Peck, Philadelphia 1982,
S. 87-107, Zit. S. 106.

32 Vgl. **J. Moltmann**, Der gekreuzigte Gott. Das Kreuz Christi als Grund und
Kritik christlicher Theologie, München 1972, bes. Kap. VI: Der »gekreuzigte Gott«. Vgl. dazu **H. Küng**, Die Religionen als Frage an die Theologie
des Kreuzes. Zur Kreuzestheologie J. Moltmanns, in: Evangelische Theologie 33 (1973), S. 401-423. Überzogen erscheint mir allerdings die Kritik
von **A. R. Eckardt**, J. Moltmann, the Jewish People, and the Holocaust,
in: Journal of the American Academy of Religion 44 (1976), S. 675-691.
In der Kritik am Triumphalismus der christlichen Theologie gegenüber den
Juden sind wir uns eins; das heißt aber nicht, daß man jeden Versuch einer
christlichen Eigenprofilierung schon als offenen oder versteckten Triumphalismus brandmarken darf, wie dies Eckardt gegenüber Moltmann tut.

33 Vgl. **E. Jüngel**, Gott als Geheimnis der Welt. Zur Begründung der Theologie des Gekreuzigten im Streit zwischen Theismus und Atheismus, Tübingen 1977, bes. § 13: Gottes Einheit mit der Vergänglichkeit als Grund der
Denkbarkeit Gottes; § 22: Der gekreuzigte Jesus Christus als vestigium

trinitatis; **ders.**, Tod, Stuttgart 1971, bes. Kap. B V: Der Tod Jesu Christi – Der Tod als Passion Gottes.

34 Tit 3,4.

35 Vgl. 1 Kor 1,18-31.

36 Mk 15,34.

37 Durch ein philosophisches Verstehen des Absoluten in der Einheit des Unendlichen und des Endlichen will Hegel nicht nur den »historischen« (von damals), sondern den wahrhaft »spekulativen« (geschichtlich-ewigen) »Karfreitag ... in der ganzen Wahrheit und Härte seiner Gottlosigkeit wiederherstellen« (Erste Druckschriften, herausgegeben von Lasson-Hoffmeister, Bd. I, S. 346). Zur Interpretation des Textes vgl. **H. Küng**, Menschwerdung Gottes, Kap. IV: Der Tod Gottes.

38 Vgl. **E. Wiesel**, Nacht, in: Die Nacht zu begraben, Elischa. Trilogie, München 1961, S. 9-153, bes. S. 92-94.

39 **K. Rahner** hat diesen Gedanken auch öffentlich geäußert und dabei u. a. auch J. Moltmann kritisiert, in: P. Imhoff – H. Biallowons (Hrsg.), Karl Rahner im Gespräch, Bd. I, München 1982, S. 245f. Die neueste Stellungnahme **J. Moltmanns** dazu findet sich in seinem Sammelband: In der Geschichte des dreieinigen Gottes. Beiträge zur trinitarischen Theologie, München 1991. Auf den Vorwurf Karl Rahners, Moltmanns Auffassung vom Leiden Gottes sei eine Art von Gnostizismus, Patripassianismus und Schellingscher Spekulation, antwortet Moltmann mit psychologisierenden Insinuierungen (Zölibat, jesuitische Erziehung, alter Mensch) gegenüber einem Mann, der sich dagegen nicht mehr wehren kann. Zur Sache: Gegen eine Liebesfähigkeit und Leidensfähigkeit Gottes, im Sinne des Mit-Leidens verstanden, ist selbstverständlich nichts einzuwenden (dies wird auch von Rahner bejaht). Aber die Schwierigkeiten beginnen in der Christologie, wo Moltmann direkt von einem »gekreuzigten Gott« redet, und den Unterschied zwischen Gott selbst, dem Vater, und dem Sohn praktisch aufhebt. Meinen eigenen Standpunkt würde ich wie folgt bestimmen: Weder der Deus impassibilis et immutabilis (Rahners Voraussetzung) noch der Deus crucifixus, mortuus et sepultus (Moltmanns Konsequenz), vielmehr der Deus compassibilis et compatiens, wie er offenbar wird im Christus Jesus crucifixus, mortuus, sepultus et resurrectus.

40 Vgl. **H. Blumenberg**, Matthäuspassion, Frankfurt 1988. Dazu **E. Bieser**, Theologische Trauerarbeit. Zu Hans Blumenbergs »Matthäuspassion«, in: Theologische Revue 85 (1989), Sp. 441-452.

41 2 Kor 13,4.

42 **H. S. Kushner**, When Bad Things Happen to Good People, New York 1981.

43 Lev 10,3. Eine systematische Theologie des Schweigens Gottes – als der verborgenen Seite Gottes gegenüber der »sichtbaren« im Wort – entwickelte von jüdischer Seite **A. Néher**, L'exil de la parole. Du silence biblique au silence d'Auschwitz, Paris 1970 ; vgl. **ders.**, Art. »Silence«, in: Contempo-

rary Jewish Religious Thought, S. 873-885. Vgl. dazu von christlicher Seite das von **C. Duquoq** und **C. Floristán** herausgegebene Heft »Ijob und das Schweigen Gottes« der Internationalen Zeitschrift für Theologie Concilium 19 (1983), Heft 11.

44 **E. Wiesel**, Eine Quelle für die Hoffnung finden, Gespräch mit R. Boschert, in: Süddeutsche Zeitung vom 28./29. Oktober 1989. Vgl. ebenso die grundlegende Biographie über Person und Werk von Elie Wiesel von: **R. McAfee Brown**, Elie Wiesel. Messenger to all Humanity, Notre Dame 1983; dt.: Elie Wiesel. Zeuge für die Menschheit, Freiburg 1990, besonders das Kap. 5: Das Schweigen Gottes.

45 Vgl. Jes 52,13 - 53,12.

46 Vgl. **S. Shapiro**, Vom Hören auf das Zeugnis totaler Verneinung, in: Concilium 20 (1984), S. 363.

47 Zitiert vom evangelischen Theologen Hans-Eckehard Bahr unter dem Titel »Das Grauen und die Hoffnung. Was wir von den Opfern lernen können – Gedanken zum Fest der Auferstehung«, in: Die Zeit vom 28. März 1986.

48 So hat es erst jüngst wieder eine bibeltheologische Untersuchung von **J. C. Beker** (Princeton) herausgestellt: Suffering and Hope. The Biblical Vision and the Human Predicament, Philadelphia 1987.

49 Vgl. **I. J. Rosenbaum**, The Holocaust and Halakhah, New York 1976.

50 Aao S. 111.

51 So **M. Wyschogrod** in Antwort auf I. Greenberg: Gott – ein Gott der Erlösung, in: **M. Brocke – H. Jochum** (Hrsg.), Wolkensäule und Feuerschein. Jüdische Theologie des Holocaust, München 1982, S. 178-194; zit. S. 185.

52 Röm 8,31. 38f.

53 **M. Horkheimer**, Die Sehnsucht nach dem ganz Anderen. Ein Interview mit Kommentar von H. Gumnior, Hamburg 1970, S. 61f.

54 Offb 21,3f.

Register

Die Schreibweise der biblischen Namen erfolgt nach den Loccumer Richtlinien, die der traditionellen jüdischen Namen im allgemeinen nach dem Jüdischen Lexikon. Wo Personen oder Themen schwerpunktmäßig behandelt werden, sind die entsprechenden Seitenzahlen **fett** gedruckt, Erwähnungen von Autoren in den Anmerkungen *kursiv*. Für die Erstellung der beiden Registerteile danke ich Dipl.-Theol. Stephan Schlensog und stud. theol. Michel Hofmann.

Namensregister

A

Aalders, G. *768*
Aaron 117, 263, 727
Aaron von York 208
Abdallah, Emir 357, 366
Abimelech 109
Abourezk, J. G. *870*
Abraham **25-43**, 46, 49, 58f, 61, 66, 70, 76, 80, 82, 107, 110, 118, 124f, 145, 167, 201, 230, 247, 423, 451f, 455, 466, 479, 508, 524, 558, 588, 601, 603ff, 611, 613, 639, 664, 675, 687f, 698-702, 733, *767, 769ff, 781*
Abraham ben David *798*
Abraham ben Isaak *798*
Abraham, D. *810*
Abrahams, I. *776, 833*
Abram → Abraham
Abramovicz, L. *818, 823*
Abschalom 112
Abulafia, A. 150, 224
Ackroyd, P. R. *784*
Adam **57-59**, 61, 124, 445, 558, *774*

Adam, K. 313f, *816f*
Adam, U. D. *805*
Adenauer, K. 303f, 345, 367, 477f
Adler, C. 268
Adler, F. *822*
Adler, S. 262
Adler-Rudel, S. *805*
Adonija 112
Adorno, T. W. 710
al-Afghani, J. 150
Aharoni, Y. *778*
Ahas, König 126f
Ahasver 216, 628
Ahlström, G. W. *771*
Akiba 166, 223
Albertus Magnus 204
Albo, J. 213, 413
Albright, W. F. 89, *765*, *768, 778, 827*
Alexander der Große 143, 145, **153ff**, 442, *765, 787*
Alexander II., Zar 286, 349
Alexander III., Zar 258
Alexander Jannaios, König 158, *835*
Alexander VI., Papst 213
Alkalay, J. 348

Allenby, E. H. H. 355
Alon, G. *790*
Alpert, R. T. *851*
Alt, A. 54, 73, 89f, *768, 773, 775, 778, 781f, 853*
Althaus, P. 307, *815*
Altwicker, N. *802*
Ambrosius, Bischof 198
Amenophis III., Pharao 30
Amenophis IV. Echnaton, Pharao 30
Amin, I. D. *808*
Amir, Y. *793*
Amnon 112
Amos 116, 120, 558
Anan ben David 219f
Ananias 410
Anat 54
Andics, H. *794, 796*
Ankori, Z. *797*
Anselm von Canterbury 469, 472
Antes, P. *770*
Antiochos IV. Epiphanes 156, 162, 191f
Aoun, M. 374
Apollonios von Tyana 415, *836*
Arafat, J. 360f, 641, 648,

SACHREGISTER

Bücher von Hans Küng
(nach Themenkreisen)

Christliche Existenz

Rechtfertigung. Die Lehre Karl Barths und eine katholische Besinnung, Johannes / Benziger 1957; Serie Piper 674.

Kirche und christliche Ökumene

Konzil und Wiedervereinigung. Erneuerung als Ruf in die Einheit, Herder 1960.
Strukturen der Kirche, Herder 1962; Serie Piper 762.
Kirche im Konzil, Herder 1963.
Die Kirche, Herder 1967; Serie Piper 161.
Wahrhaftigkeit. Zur Zukunft der Kirche, Herder 1968.
Was ist Kirche?, Herder 1970; Gütersloher-TB 181.
Unfehlbar?, Eine Anfrage, Benziger 1970; Serie Piper 1016.
Fehlbar? Eine Bilanz, Benziger 1973.
Katholische Kirche – wohin? Wider den Verrat am Konzil (mit N. Greinacher), Piper 1986; Serie Piper 488.
Die Hoffnung bewahren. Schriften zur Reform der Kirche, Benziger 1990.

Theologische und christologische Grundlagen

Menschwerdung Gottes. Eine Einführung in Hegels theologisches Denken als Prolegomena zu einer künftigen Christologie, Herder 1970; Serie Piper 1049.

Existiert Gott? Antwort auf die Gottesfrage der Neuzeit, Piper 1978; dtv-TB 1628.
24 Thesen zur Gottesfrage, Piper 1979; Serie Piper 171.
Christ sein, Piper 1974; dtv-TB 1220.
20 Thesen zum Christsein, Piper 1975; Serie Piper 100.
Ewiges Leben?, Piper 1982; Serie Piper 364.
Freud und die Zukunft der Religion, Piper 1978; Serie Piper 709.

Weltökumene

Jesus im Widerstreit. Ein jüdisch-christlicher Dialog (mit P. Lapide), Calwer / Kösel 1976.
Christentum und Weltreligionen. Hinführung zum Dialog mit Islam, Hinduismus und Buddhismus (mit J. van Ess, H. v. Stietencron, H. Bechert) Piper 1984; Siebenstern-TB 779-781.
Christentum und Chinesische Religion (mit J. Ching), Piper 1988.

Weltliteratur und Musik

Dichtung und Religion. Pascal, Gryphius, Lessing, Hölderlin, Novalis, Kierkegaard, Dostojewski, Kafka (mit W. Jens), Kindler 1985; Serie Piper 1880.
Anwälte der Humanität. Th. Mann – H. Hesse – H. Böll (mit W. Jens), Kindler 1989.
Kunst und Sinnfrage, Benziger 1980.
Mozart – Spuren der Transzendenz, Piper 1991; Serie Piper 1498.

Die religiöse Situation der Zeit

Theologie im Aufbruch. Eine ökumenische Grundlegung, Piper 1987.
Projekt Weltethos, Piper 1990.
Das Judentum, Piper 1991.

Hans Küng

P<small>IPER</small>

Hans Küng

Unfehlbar?
Eine unerledigte Anfrage.
Mit einem Vorwort zur Taschenbuchausgabe von Herbert Haag.
267 Seiten. Serie Piper 1016

Katholische Kirche – wohin?
Wider den Verrat am Konzil. Herausgegeben von Norbert Greinacher
und Hans Küng. 467 Seiten. Serie Piper 488

Projekt Weltethos
192 Seiten. Geb.

Hans Küng/Josef van Ess/
Heinrich von Stietencron/Heinz Bechert
Christentum und Weltreligionen
Hinführung zum Dialog mit Islam, Hinduismus und Buddhismus.
631 Seiten. Geb.

Hans Küng/Julia Ching
Christentum und Chinesische Religion
319 Seiten. Geb.

Menschwerdung Gottes
Eine Einführung in Hegels theologisches Denken als Prolegomena
zu einer künftigen Christologie. Mit einem Vorwort zur
Taschenbuchausgabe. 704 Seiten. Serie Piper 1049

Walter Jens/Hans Küng
Dichtung und Religion
Pascal, Gryphius, Lessing, Hölderlin, Novalis, Kierkegaard,
Dostojewski, Kafka. 388 Seiten. Serie Piper 901

Piper 17/3bb

PIPER

Karl-Josef Kuschel

Jesus in der deutschsprachigen Gegenwartsliteratur
Mit einem Geleitwort von Walter Jens und einem Vorwort zur Taschenbuchausgabe.
394 Seiten. Serie Piper 627

Karl-Josef Kuschel stellt am Schnittpunkt von Theologie und Literatur dar, wie die
Jesus-Gestalt in der modernen Literatur gesehen wird. Er zeigt anhand wichtiger Texte
(u. a. von Böll, Frisch, Dürrenmatt, Andersch, Handke, Seghers, Celan) welche
überragende Bedeutung die Jesusfigur auch gerade für nicht-christliche Schriftsteller hat.

»Kuschel gelingt hier ein Unternehmen, wohl einzigartig im christlichen Schrifttum ...«
Zeitschrift für katholische Theologie

»Dieses Buch hält mehr, als der Titel verspricht ... Ein Buch, in dem die Dichtung so
ernst genommen wird wie die Theologie.«
Elisabeth Endres, Frankfurter Allgemeine Zeitung

Der andere Jesus
Ein Lesebuch moderner literarischer Texte.
Hrsg. von Karl-Josef Kuschel. 413 Seiten. Serie Piper 625

Diese Sammlung von modernen literarischen Texten zeigt, daß Jesus von Nazareth
die große Bezugsgestalt auch der zeitgenössischen Literatur ist. Dieser Jesus der
Literaten ist freilich zumeist ein anderer als der traditioneller Kirchlichkeit. Über Literatur
erschließt dieses Lesebuch einen neuen Zugang zur Gestalt des Nazareners. Es enthält
Texte u. a. von: A. Andersch, I. Bachmann, H. Böll, W. Borchert. B. Brecht, P. Celan,
H. Domin, I. Drewitz, F. Dürrenmatt, G. Eich, E. Fried, M. Frisch, G. Grass, P. Handke,
S. Heym, W. Hildesheimer, R. Hochhuth, W. Jens, M. L. Kaschnitz, W. Koeppen, R. Kunze,
K. Marti, L. Rinser, N. Sachs, W. Schnurre, A. Seghers, E. Zeller.

Weil wir uns auf dieser Erde nicht ganz zu Hause fühlen
Zwölf Schriftsteller über Religion und Literatur. In Zusammenarbeit mit
Hartmut Musmann. 180 Seiten. Serie Piper 414

Karl-Josef Kuschels Fragestil ist unaufdringlich, unapologetisch.
Literatur wird bei ihm nicht religiös vereinnahmt, sondern als Herausforderung an Theologie,
Kirche und Christentum erschlossen.

Lust an der Erkenntnis
Die Theologie des 20. Jahrhunderts. Ein Lesebuch. Hrsg. und eingeleitet von
Karl-Josef Kuschel. 506 Seiten. Serie Piper 646

Dieser zweite Band der Reihe »Lust an der Erkenntnis« will die Theologie unseres
Jahrhunderts mit wichtigen Autoren und Themen vorstellen. Etwa 50 kürzere,
repräsentative Texte zeigen die Entwicklung der modernen Theologie und eröffnen
einen Zugang zum christlichen Denken unserer Zeit.

Piper

Dominante Strukturelemente

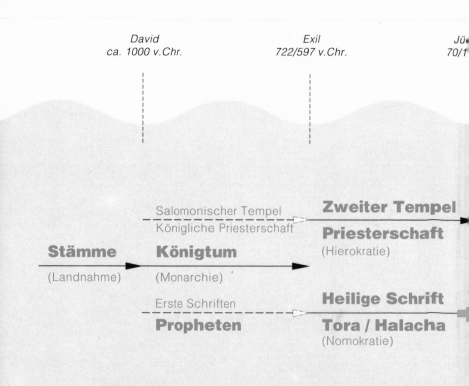

| David ca. 1000 v.Chr. | Exil 722/597 v.Chr. | Jü 70/1 |

Zweiter Tempel

Salomonischer Tempel
Königliche Priesterschaft

Priesterschaft
(Hierokratie)

Stämme → **Königtum** →
(Landnahme) (Monarchie)

Erste Schriften

Heilige Schrift

Propheten
Tora / Halacha
(Nomokratie)

יהוה   **Jahwe, der Gott Israels**
(Bund: Volk

Stämme-Paradigma → Reichs-Paradigma → Theokratie-Paradigma →
der vorstaatlichen Zeit   der monarchischen Zeit   des nachexilischen Judentums